임상역량평가 실용 가이드

개정 2판

Eric S. Holmboe, MD, MACP, FRCP

Senior Vice President, Milestones Development and Evaluation
Accreditation Council for Graduate Medical Education
Chicago, Illinois;
Professor Adjunct
Yale University
New Haven, Connecticut;
Adjunct Professor of Medicine
Feinberg School of Medicine, Northwestern University
Chicago, Illinois

Steven J. Durning, MD, PhD

Professor of Medicine and Pathology
Department of Medicine
Uniformed Services University of the Health Sciences
Bethesda, Maryland

Richard E. Hawkins, MD, FACP

Vice President, Medical Education Outcomes
American Medical Association
Chicago, Illinois

임상역량평가 실용 가이드
개정 2판

첫째판 1쇄 인쇄 | 2022년 6월 8일
첫째판 1쇄 발행 | 2022년 6월 17일

지 은 이 Eric S. Holmboe, Steven J. Durning, Richard E. Hawkins
옮 긴 이 김영민, 최창진, 허예라 외 6인
발 행 인 장주연
출 판 기 획 최준호
책 임 편 집 이다영
편집디자인 조원배
표지디자인 김재욱
발 행 처 군자출판사(주)
등록 제4-139호(1991. 6. 24)
본사 (10881) **파주출판단지** 경기도 파주시 회동길 338(서패동 474-1)
전화 (031) 943-1888 팩스 (031) 955-9545
홈페이지 | www.koonja.co.kr

ISBN 979-11-5955-676-0
정가 35,000원

ELSEVIER

1600 John F. Kennedy Blvd.
Ste 1800
Philadelphia, PA 19103-2899

PRACTICAL GUIDE TO THE EVALUATION OF CLINICAL COMPETENCE, ED. 2

Notices

이 분야의 지식과 모범 사례는 끊임없이 변화하고 있습니다. 새로운 연구와 경험이 우리의 이해를 넓히는 것과 같이 연구 방법, 전문적인 실습, 또는 의학 치료의 변화가 필요할 수 있습니다.

연구자들과 실무자는 본서에 기술된 정보, 방법, 화합물 또는 실험을 평가하고 사용하는데 있어서 자신의 경험과 지식을 언제나 의지해야합니다.

확인 된 모든 의약품 또는 의약품과 관련된 독자는 (i) 제공된 절차 또는 (ii) 제조업체가 제공한 최신 정보를 확인하고 권장 복용량 또는 공식을 확인하여 권장 복용량의 투여 방법, 지속 시간 및 금기 사항이 포함됩니다. 환자 개개인에 대한 자신의 경험과 지식에 의존하고, 진단하고, 복용량과 최선의 치료방법을 결정하며, 모든 예방 조치를 취하는 것은 실무자의 책임입니다. 출판사, 저자, 편집자 또는 기고자는 제품책임, 과실 또는 기타 이유로 인명과 재산상의 상해와 손상에 대해 책임을 지지 않습니다.

Executive Content Strategist: James Merritt
Senior Content Development Specialist: Rae Robertson
Publishing Services Manager: Patricia Tannian
Project Manager: Stephanie Turza
Design Direction: Patrick Ferguson

임상역량평가 실용 가이드

대표 역자 (가나다 순)

김영민

가톨릭대학교 의과대학 응급의학교실 교수
가톨릭대학교 의과대학 제1교육부학장
가톨릭대학교 START의학시뮬레이션센터 센터장

최창진

가톨릭대학교 의과대학 가정의학교실 교수
가톨릭대학교 의과대학 의학교육학교실 겸무교수
가톨릭대학교 START의학시뮬레이션센터 부센터장

허예라

한림대학교 의과대학 의학교육연구소 기금연구원
Journal of Education Evaluation of Health Professions (Jeehp) 부편집장
전) 건양대학교 의과대학 의학교육학교실 교수/멘토링센터 센터장
전) 가톨릭대학교 의과대학 의학교육학교실 BK21 교수

공동 역자 (가나다 순)

김성근 가톨릭대학교 의과대학 외과학교실 교수
김지훈 가톨릭대학교 의과대학 응급의학교실 조교수
박이진 가톨릭대학교 의과대학 정신과학교실 부교수
오진희 가톨릭대학교 의과대학 소아과학교실 교수
이도상 가톨릭대학교 의과대학 외과학교실 교수
정대철 가톨릭대학교 의과대학 소아과학교실 교수

저자 서문

기본 의학 교육에서부터 졸업후교육, 그리고 임상진료에 이르기까지 보건의료 전문가에 대한 평가는 환자와 대중을 위한 고품질의 안전한 의료를 발전시키는 데 필수적이다. 임상역량 평가는 전문직업성의 핵심 요소이며 전문가가 자율규제(self-regulation) 능력을 갖추기 위해서는 가장 기본이 되는 것이기도 하다. 또한 의학교육 수련프로그램의 졸업생들이 다음 단계의 교육 및/또는 실무 단계로 진입할 준비가 되어 있는지 대중에게 확신시키기 위하여 우리가 전문가로서 당연히 해야 할 의무이기도 하다. 지난 20년간 품질과 안전에 상당한 주의를 기울였음에도 불구하고, 의료 분야에서는 심각한 의료 과실이나 사고에 대한 우려가 지속되고 있다. 이러한 우려를 해결할 수 있는 해결책 중 하나는 의학교육과 보건의료 전문직 교육의 변혁(transformation)이다. 효과적인 평가는 이러한 변혁의 핵심적인 요소이다. 무엇보다도, 의학은 서비스직이다. 의학교육자로서, 우리가 봉사하는 대중과 환자에 대한 일차적인 의무를 다하기 위해 고품질의 평가 방법과 시스템을 개발하고 사용하는 것은 중요하다. 또한, 효과적인 평가는 전문가의 성장과 개발을 돕기 위한 적절한 피드백과 안내에 필요한 자료를 제공하고 학습자에게 필요한 자격을 갖추게 한다. 평가와 피드백 없이는 성과바탕교육의 궁극적인 목표인 숙달 수준에 도달하는 것은 거의 불가능하다.

이 책의 초판이 출간된 지 거의 10년이 다 되어가는데, 그동안 많은 것이 바뀌었다. 역량바탕 의학교육(competency-based medical education, CBME) 모델은 이제 더 나은 교육과 의료 성과를 유도하기 위한 노력의 일환이며, 전세계적으로 다양한 수준으로 구현되고 있다. CBME의 철학적 토대는 유익한 교육과정과 계획적 평가로의 변화, 평가인증 및 자격인증, 의료 전문가의 자격인증 등이다. CBME는 교육현장에서 상당한 긴장감을 주는데, 특히 업무현장에서는 다양한 평가방법을 새롭게 발전시켜 적용해 봄과 동시에 기존의 전통적인 평가 방법도 잘 활용해야 함을 강조한다. CBME의 틀은 평가에 대한 전인적이고 구성주의적인 접근방식을 사용한다. 따라서 폭넓은 교육 및 평가 이론과 방법을 활용해야 성공적인 평가프로그램이 될 수 있다.

필자는 2008년 이후 등장한 평가의 변화와 발전을 공유할 수 있게 되어 기쁘다. 많은 독자들은 초판의 주요 장점 중 하나가 수련프로그램에서 구현될 수 있는 각 장의 실용적인 제안이었다고 말한다. 필자는 업무 현장에서의 임상추론평가, 업무바탕 시술평가과 피드백에 관한 보충자료와 새로운 장을 추가하여 이번 판에서도 실용적인 내용이 담기도록 노력했다. 따라서 모든 장에 걸쳐 최신 지견과 실용성을 갖추기 위해 광범위한 개정 작업을 진행했다. 우리 세 명의 필자는 전문가로서의 삶의 대부분을 평가(assessment)에 관해 생각하고, 배우고, 가르치면서 보냈다. 독자 여러분들과 마찬가지로, 필자의 초기 학습의 상당 부분은 시행착오를 통해 이루어졌는데, 학생과 전공의의 역량을 결정하는 내과 책임자에 임명되었을 때의 경험을 통해서였다.

또한 필자는 국가 차원의 조직에서 의사를 평가를 담당하는 특권도 누릴 수 있었다. 평가는 의사 및 기타 보건의료 전문가에 의해 일상적으로 환영받는 활동으로 간주되지 않는다. 특히 외부기관으로부터 평가를 받는 경우는 더욱 그렇다. 하지만 평가가 없으면 피드백이 거의 불가능하고 지속적이고 전문적인 성장은 어렵다. 필자는 이 책을 통해 우리 자신의 여정의 일부를 공유함으로써 독자들이 자신의 업무 현장에서 직면하고 있는 중요한 평가 과제를 해결하고 의료 품질과 안전을 개선하기 위한 방법으로 평가와 관련된 더 넓은 대화의 장에 참여하기를 바란다.

이 책의 일차적인 목적은 시스템적인 시각을 이용하여 평가프로그램의 개발에 대한 실용적인 지침을 제공하는 것이다. 임상역량과 같이 복잡한 것을 결정하기에는 하나의 평가 방법은 충분하지 않다. 교육자들은 그들의 교육 환경에서 이용할 수 있는 최상의 근거에 기초하여 최적의 방법의 조합을 선택함으로써 평가 프로그램을 개발해야 할 필요가 있다. 이 책은 다양한 평가방법과 도구, 그리고 평가에 책임이 있는 개인이 자신의 환경에서 이를 적용할 수 있는 방법을 중심으로 구성되었다. 우리는 독자가 평가 방법을 가장 잘 사용하는 방법과 평가의 목적을 이해하는 데 도움이 되는 주요 교육 이론의 개요를 제공했다. 각 장에서는 특정 도구에 대한 정보와 함께 평가방법의 강점과 약점에 대한 정보를 담았다. 여러 장에서는 평가 방법의 교수 계발 및 효과적인 실행에 대한 제안과 함께 평가도구의 예시를 제공했다.

첫 번째 장에서는 성과를 달성하기 위한 역량바탕 접근법의 대두와 그의 영향에 초점을 맞춘 기본적인 평가 원칙의 개요를 제공한다. 2장에서는 효과적인 평가에 필수적인 학문인 심리측정학의 핵심 이론과 측면에 대한 유용한 기본 지침을 제공한다. 3장은 평가 양식과 설문의 공통 요소인 평정척도 사용에 대한 진화하는 접근 방식을 탐구하며, 적절한 틀과 연결고리의 중요성을 강조한다. 업무 현장에서의 직접 관찰, 특히 임상술기 직접 관찰은 이 필수적인 평가 기술을 교수진이 더 잘 준비할 수 있는 방법에 대한 여러 가지 실용적인 제안과 함께 4장에서 집중적으로 다루어진다. 5장은 통제된 환경에서 직접 관찰의 또 다른 형태인 표준화환자를 활용한 임상술기 평가를 탐구한다.

6장은 평가 프로그램의 필수인 의학지식과 임상추론에 대한 전통적인 서면 표준화 시험의 효과적인 사용에 대한 광범위한 개요를 제공한다. 그러나, 임상진료에서 진단 및 치료 오류가 지속적이고 치명적인 문제점으로 인식됨에 따라 업무 현장에서 임상추론에 대한 고품질 평가의 필요성이 커졌다. 이 내용은 이번 판의 새로운 장인 7장에서 중점적으로 다루어진다. 또 다른 새로운 추가 장인 8장에서는 환자 안전에 대한 우려가 강조되는 시대에 의학교육자가 관심을 갖는 또 다른 영역인 업무현장에서의 시술 역량의 평가를 다룬다.

9장은 의학 지식이 급속히 확장되고 의료현장에서 임상 의사결정 지원의 활용이 증가하는 시대에 필수역량인 근거바탕 진료 평가의 중요성이 다루어진다. 10장은 광범위하게 개정되었으며 품질과 안전 조치를 사용하는 임상진료에서의 수행을 평가하는 여러가지 방법에 초점을 맞추고 있다. 이러한 조치의 활용이 증가하고 있는 것은 이제 전세계적으로 진료에서 확립된 부분이다. 11장에서는 환자중심의료 및 전문직 간 실무에 필수적인 접근방식인 다면피드백의 효과적인 사용에 대한 지침을 제공한다.

12장은 표준화환자 외에 증가하고 있는 시뮬레이션 분야를 다루는 5장의 보충 장이다. 학문분야에 따라 다를 수 있지만 시뮬레이션은 점차적으로 평가프로그램에서는 가장 기본적인 방법이 될 것이다. 13장은 실용적인 피드백에 대한 새로운 장이다. 이 장은 확실한 피드백 없이는 어떠한 평가 시스템도 그 효과가 완전할 수 없기 때문에 추가로 기술되었다.

마지막 세 장은 독자가 "모든 것을 종합"할 수 있도록 도와주는 장이다. 14장에서 다루는 포트폴리오에서는 평가프로그램을 지원하는 포괄적인 접근방식을 제공한다. 이 장에서는 포트폴리오를 설계하고 실행하는 방법에 대한 실질적인 조언을 제공한다. 15장은 역량부족 학습자, 즉 어려움에 처한 학습자와 함께 일하는 체계적인 접근방법을 제공한다. 이러한 학습자에게는 여러 가지 평가 방법을 사용한 평가프로그램과 체계적인 접근이 필요하다. 마지막 장인 16장은 효과적인 교육프로그램의 일부로서 계획적 평가의 중요성을 다루며 계획적 평가에 대한 새로운 개념과 접근법이 제공된다.

효과적인 평가는 평가 방법들을 결합하는 다면적인 접근법이 필요하다. 바로 이것이 이 책의 구성과 설계의 바탕이 된 원리이다. 효과적인 평가는 또한 교수진과 다른 교육자 팀의 협력에 달려 있다. 따라서 평가시스템의 변화에는 다른 방법의 도입뿐만 아니라 평가 방법과 도구를 효과적으로 사용할 수 있도록 교육자를 훈련시키는 투자도 포함되어야 한다. CBME 시스템에서는 학습자가 자신의 학습 및 평가에서 "능동적인 주체"이어야 한다. 교육적 성과, 궁극적으로는 임상적 결과를 극대화하기 위해 다직종 교수진, 프로그램 리더 및 학습자가 함께 평가를 만들고 공동 제공하기 위해 협력해야한다.

진정한 평가도구는 도구 자체가 아니라 그것을 사용하는 개인이라는 것을 명심해야 한다. 평가도구는 도구를 사용하는 개인에 좌우된다. 만약 잘 수행한다면, 평가는 환자, 학습자, 그리고 교수진에 상당히 긍정적인 영향을 미칠 수 있다. 이것은 2008년 이후로 변하지 않는 진실이며 앞으로도 변하지 않을 것 같다. 모든 졸업생이 다음 진로 단계로 나아갈 준비가 되어 있는지를 정확히 아는 것보다 더 만족스러운 것은 없다. 대중이 기대하는 만큼 우리도 자신에게 그 이상을 기대해야 한다. 그러한 의미에서, 이 책이 어떻게 개선될 수 있는 지에 대한 독자 여러분의 의견을 언제든지 환영하는 바이다.

에릭 S. 홀름보(Eric S. Holmboe)
스티븐 J. 더닝(Steven J. Durning)
리처드 E. 호킨스(Richard E. Hawkins)

저자 서문

한국 독자들을 위한 저자 서문

이 책의 한국어 번역서에 대한 서문을 쓰게 되어 특권이자 영광으로 생각한다. 언어, 문화 또는 지리적 위치에 관계없이 평가는 전 세계의 의료전문직 교육에서 필수적이다. 무엇보다도 효과적인 평가는 역량바탕의학교육의 필수 구성 요소이다. 역량바탕의학교육의 주된 목표는 의료전문직 교육프로그램의 모든 졸업생이 환자, 가족 및 지역 사회의 요구를 충족할 수 있도록 하는 것이다. 평가는 대중에게 졸업생이 임상 진료를 할 준비가 되었다는 확신을 제공하지만 학습자의 전문직업성 개발을 지원하고, 촉진하며 안내하는 평가의 역할 또한 중요하다.

의료 전문가가 되는 것은 치열한 발달 과정이다. 평가도구와 방법의 올바른 조합을 선택하기 위해 발달적 사고방식을 활용해야 하는 교육과정의 경우 임상 업무현장에서 수행되는 평가를 점점 더 강조해야 한다. 학습자는 환자와 가족을 돌보는 데 기반을 둔 업무바탕평가를 통해 전문성을 향한 여정에서 의미 있는 피드백과 코칭을 받을 수 있다. 업무바탕평가는 또한 적절한 감독과 지원을 통해 환자와 가족이 고품질의 안전한 치료를 받을 수 있도록 돕는다. 이는 전 세계의 모든 의료전문직 교육자들이 수용하는 기본적이고 보편적인 원칙이다. 흔히 사람들이 말하듯이, 이 행성에는 우리를 분리하는 것보다 묶어 주는 것이 더 많으며, 오늘날 의료전문직 교육이 직면한 요구와 도전도 다르지 않다.

우리는 모두 타당성 문제, 모든 핵심 역량을 포괄하는 올바른 평가 조합의 선택, 업무바탕평가의 적절한 사용, 평가를 수행하는 사람의 효과적인 훈련 등 전 세계적으로 평가에서 동일한 문제를 공유한다. 이 책의 주된 목적은 시스템 렌즈를 사용하여 여러분의 현지 상황에 맞는 평가프로그램이 개발되도록 실용적인 가이드를 제공하는 것이다. 단일 평가방법으로는 임상 역량처럼 복잡한 내용을 평가하기에는 충분하지 않다. 한국의 교육자들은 지역적 맥락이 실행에 미치는 영향을 이해하면서 가능한 최상의 근거를 바탕으로 최적의 평가 방법의 조합이 선택된 평가프로그램을 개발해야 한다.

이 책은 다양한 평가 방법과 도구, 그리고 평가 책임자가 자신의 환경에서 이러한 방법과 도구를 적용할 수 있는 방향으로 구성되었다. 나는 이 번역서가 여러분 모두에게 도움이 되기를 바라며, 현지 요구에 맞게 지침과 제안을 적용할 것을 권장한다. 각 장에서는 특정 도구에 대한 정보와 함께 평가 방법의 장단점에 대한 정보를 제공하지만 한국적 맥락에서는 다른 이슈들이 있을 수 있다. 그러나 여기서 다루는 대부분의 이슈와 제안은 차세대 의료전문가를 양성하는 모든 국가에도 적용되지만 한국에서도 강한 반향을 불러일으키리라 생각한다. 이 책의 장에서는 평가 도구의 예와 함께 한국에서도 적용될 수 있는 교수개발 및 평가 방법의 효과적인 실행 방법을 제안하고 있다.

끝으로 깊은 감사의 마음을 담아 서문을 마무리하고자 한다. 나는 한국 독자들을 위한 새로운 서문을 2년이 넘게 계속되고 있는 펜데믹 상황에서 쓰고 있다. 전 세계의 사망자 수와 인류가 겪고 있는 고통의 수준은 우리 생애에 전례가 없는 일이다. 그 어떤 나라도 그 고통을 피해가지 못했다. 이 모든 상황 가운데서도 헌신적인 의료 전문직 교육자와 임상의사들은 이 고통을 완화하고 생명을 구하기 위해 진료를 개선하며 탄탄한 교육 프로그램을 유지하기 위해 노력하고 있다. 지금 이 서문을 읽고 계시는 분들 중 많은 분들이 다음 세대의 의료 전문가를 지속적으로 가르치고 준비시키기 위해 시간과 에너지를 쏟았고 인류의 고통을 덜어주는 데 기여했다고 생각한다. 그 모든 것에 대해 감사드린다.

에릭 S. 홀름보(Eric S. Holmboe)

공저자

John R. Boulet, PhD
Vice President, Research and Data Resources
Foundation for Advancement of International Medical Education and Research
Educational Commission for Foreign Medical Graduates
Philadelphia, Pennsylvania

Carol Carraccio, MD
Vice President
Competency Based Assessment Programs
American Board of Pediatrics
Chapel Hill, North Carolina

Brian E. Clauser, EdD
Vice President
Center for Advanced Assessment
National Board of Medical Examiners
Philadelphia, Pennsylvania

Daniel Duffy, MD
Landgarten Chair of Medical Leadership
Department of Internal Medicine
Oklahoma University School of Community Medicine
Tulsa, Oklahoma

Steven J. Durning, MD, PhD
Professor of Medicine and Pathology
Department of Medicine
Uniformed Services University of the Health Sciences
Bethesda, Maryland

Michael L. Green, MD
Professor of Medicine
Department of Internal Medicine
Associate Director for Student Assessment
Teaching and Learning Center
Yale University School of Medicine
New Haven, Connecticut

Stanley J. Hamstra, PhD
Vice President, Milestones Research and Evaluation
Accreditation Council for Graduate Medical Education
Chicago, Illinois

Richard E. Hawkins, MD, FACP
Vice President, Medical Education Outcomes
American Medical Association
Chicago, Illinois

Eric S. Holmboe, MD, MACP, FRCP
Senior Vice President, Milestones Development and Evaluation
Accreditation Council for Graduate Medical Education
Chicago, Illinois;
Professor Adjunct
Yale University
New Haven, Connecticut;
Adjunct Professor of Medicine
Feinberg School of Medicine, Northwestern University
Chicago, Illinois

William Iobst, MD
Vice Dean and Vice President for Academic Affairs
Professor of Medicine
Geisinger Commonwealth School of Medicine
Scranton, Pennsylvania

Jennifer R. Kogan, MD
Professor of Medicine
Assistant Dean, Faculty Development
Director of Undergraduate Education, Department of Medicine
Perelman School of Medicine at the University of Pennsylvania
Philadelphia, Pennsylvania

Jocelyn M. Lockyer, PhD
Professor of Community Health Sciences
Senior Associate Dean of Education
Cumming School of Medicine
University of Calgary
Calgary, Alberta, Canada

Melissa J. Margolis, PhD
Senior Measurement Scientist
National Board of Medical Examiners
Philadelphia, Pennsylvania

Neena Natt, MD
Associate Professor
Vice Chair Education
Division of Endocrinology, Diabetes, Metabolism, Nutrition
Mayo Clinic
Rochester, Minnesota

Patricia S. O'Sullivan, EdD
Director
Research and Development in Medical Education
Center for Faculty Educators, School of Medicine
Professor of Medicine
University of California San Francisco
San Francisco, California

Louis N. Pangaro, MD, MACP
Professor and Chair
Department of Medicine
Uniformed Services University of the Health Sciences
Bethesda, Maryland

Joan M. Sargeant, PhD
Professor
Faculty of Medicine
Division of Medical Education
Department of Community Health and Epidemiology
Dalhousie University
Halifax, Nova Scotia, Canada;
Adjunct Professor
School of Education
Acadia University
Wolfville, Nova Scotia, Canada

Ross J. Scalese, MD
Associate Professor of Medicine
Director of Educational Technology Development
Michael S. Gordon Center for Research in Medical Education
University of Miami Miller School of Medicine
Miami, Florida

David B. Swanson, PhD
Vice President of Academic Affairs
American Board of Medical Specialties
Chicago, Illinois;
Professor (Honorary) of Medical Education
University of Melbourne
Victoria, Australia

Olle ten Cate, PhD
Professor of Medical Education
Center for Research and Development of Education
University Medical Center Utrecht
Utrecht, the NetherlandsJohn R. Boulet, PhD
Vice President, Research and Data Resources
Foundation for Advancement of International Medical Education and Research
Educational Commission for Foreign Medical Graduates
Philadelphia, Pennsylvania

감사의 글

든든한 버팀목이 되어 주신 나의 부모님, Dr. Kenneth C.와 Mrs. Bette M. Holmboe을 기억하며.

나의 아내이자 가장 친한 친구인 Eileen Holmboe와 큰 기쁨을 주는 놀라운 나의 아이들, Ken과 Lauren에게 모든 사랑과 감사를 전한다.

Eric S. Holmboe

결혼 25주년이 된 나의 아내 Kristen과 멋진 두 아들 Andrew와 Daniel의 사랑과 지원에 감사한다. 나의 부모님과 시부모님의 지혜와 격려에 감사한다.

Steven J. Durning

지지와 격려를 보내주신 나의 어머니 Jacqueline Hawkins와 나의 동반자 Margaret Jung에게 사랑과 감사를 전한다.

Richard E. Hawkins

헌정사

우리는 또한 노력과 전문성으로 이 책을 함께 만들어낸 저자들의 재능과 헌신에 감사한다. 우리는 또한 수 년 동안 함께 일하면서 우리에게 지속적인 영감과 도전을 준 수많은 교육생과 교수진에게도 감사한다.

Eric S. Holmboe, Steven J. Durning,
Richard E. Hawkins

역자 서문

역량바탕 의학교육(competency-based medical education, CBME)은 1978년 WHO 보고서로 처음 제안되었으며 약 20년 전부터 본격으로 졸업후교육(graduate medical education, GME) 영역에 도입되기 시작해 현재 전 세계적으로 확산되고 있다. 외국과 달리 국내에서 CBME는 기본의학교육(basic medical education, BME) 프로그램에 먼저 도입되었고 최근 졸업후교육으로 확대되고 있다. 임상역량 평가는 최근 의학교육에서 중요하게 논의되고 연구되고 있는 이슈 중 하나이다. 임상역량(clinical competence)을 갖추는 교육 및 훈련과정은 기본의학교육에서부터 졸업후교육과 임상진료로 이어지는 연속적인 과정이며 역량의 성취 여부는 각 단계마다 각 역량을 반영하는 측정가능한 지표들에 대한 다양한 평가를 통해 종합적으로 판단되어야 한다.

현재 국내 많은 의과대학이 성과바탕 교육과정을 지향하며 교육과정을 개편하고 새로운 교수학습방법과 평가방법이 시도되고 있으며 의과대학 평가인증 또한 이러한 방향성을 요구하고 있다. 또한 의사국시에도 실기시험이 도입되어 지식평가 뿐만 아니라 수행평가(performance assessment)를 통해 의사로서 갖추어야할 최소 역량에 대한 총괄적인 평가를 통해 자격부여가 결정되고 있지만 임상실습 동안 업무현장바탕평가(workplace-based assessment)는 아직 활발히 적용되지 못하고 있다. 졸업후교육 상황은 보다 더 심각하다. 우리나라 전문의 제도는 50여 년의 역사를 가지고 있지만 시행 초기부터 정착된 의국 중심(department-based), 시간 바탕(time-based) 수련프로그램은 최근까지도 큰 변화 없이 지속되고 있다. 전공의 수련 동안 전문의로서 갖추어야 할 역량을 임상 현장에서 다양한 평가를 통해 종합적으로 평가하기보다는 수련기관평가인증을 위해 다분히 형식적으로 시행되는 지도전문의에 의한 포괄적인 순환근무 평가와 수련이 끝나는 시점에 시행되는 총괄평가(공통적인 지식평가와 일부 임상과에서 도입하고 있는 수행평가로 구성된 전문의 시험)로 전문의 자격을 부여하고 있다. 우리나라의 임상의학 수준은 세계적인 수준이며 일부 분야에서 세계의 모범이 되고 있다. 따라서 이제는 진료나 연구뿐만 아니라 임상교육 분야도 변혁을 통해 전공의 수련프로그램에 우리 상황에 맞는 CBME 모델을 도입하고 평가시스템을 개선하여 세계 최고 수준의 졸업후교육 체제로 도약할 시점이다.

CBME에서 학습자 사정(assessment)과 평가(evaluation)는 학생이나 전공의가 명시된 역량을 실제로 달성했는지 그리고 교육프로그램이 효과적이었는지 여부를 결정하는 데 핵심적인 역할을 한다. 의학교육이 성과바탕교육으로 패러다임이 변화되어 업무현장바탕평가의 중요성이 강조되면서 바쁜 임상교육자들에게 평가와 관련한 새로운 교수계발이 요구되고 있다. 하지만 바쁜 임상교육자들이 편리하게 이용할 수 있는 임상역량 평가에 관한 국내 전문 서적은 거의 없다. 역자들은 오랜 기간 임상현장에서 학생과 전공의를 가르치고 평가하면서 이러한 임상역량 평가에 관한 실질적인 지침서를 찾아오던 중 미국졸업후교육인증위원회(ACGME)의 Dr. Holmboe, 미국 Uniformed Service University of Health Sciences (USUHS)의 Dr. Durning, 그리고 미국전문의협회(ABMS)의 Dr. Hawkins가 여러 전문가들과 공동으로 저술한 "Practical Guide to the Evaluation of Clinical Competence"가 10년 만에 새롭게 개정되어 출간된 것을 알고 함께 뜻을 모아 국내 임상교육자와 보건의료전문직 교육자가 편리하게 이용할 수 있는 임상역량평가 번역서 출간 프로젝트를 시작하게 되었다.

이 책은 여러 학술지에 게재된 임상역량평가와 관련된 제반 이론들과 실질적인 실행 방안 논문을 한 권으로 편집한 책이다 보니 글자 크기가 작고 분량이 적지 않았고 내용의 깊이와 수준 또한 상당히 높아 번역 작업 초기에 어려움이 많았다. 이즈음에 의학교육 분야 번역 경험이 많은 허예라 박사께서 번역팀에 합류하여 대표 역자들과 함께 용어를 통일하고 초벌 번역을 전체적으로 다시 검토하면서 일부 생소한 용어들에 대해 국내 독자들의 이해와 맥락 파악을 돕기 위한 역자주를 포함하여 더욱 세심한 번역 작업을 진행하였다. 여러 차례의 토의와 상호 검토 및 교정 작업으로 세심한 노력을 기울였지만 여러 전문가에 의해 집필된 영문 전문서적을 우리글로 통일성 있게 만드는 작업은 쉽지 않았다. 특히 평가라는 용어로 흔히 혼용하고 있는 assessment, evaluation 등의 용어는 독자들에게 혼란을 주지 않으면서도 원저자의 의도를 잘 전달하기 위해 고민이 깊었다. 특히 9, 10, 12장은 다른 장 보다 유독 두 가지 용어가 함께 여러번 사용되고 있어 다른 장과 달리 원저자의 의도를 존중해 용어를 사정(assessment)과 평가(evaluation)로 구분해서 기술하였기에 해당 장을 읽는 독자들의 이해를 구한다. 수차례의 논의 과정을 통해 영문을 최대한 통일된 한글 용어를 사용하여 번역하였으며 한글 용어가 없는 경우나 다른 용어들과 혼동될 수 있는 용어는 본문 중 영어 용어도 함께 표기하였다. 대한의사협회 의학용어집 제5판 개정판 및 제6집, 교육학용어사전, 교육평가용어사전 등을 참고하여 번역된 색인은 한글과 영어 용어를 함께 제시하여 독자들이 원서에서 사용된 용어와 원저자의 의도를 함께 파악할 수 있도록 하였다. 한편 수정이 어려운 일부 그림은 원본 그림을 사용하여 영어 표기가 일부 포함되어 있기에 독자들의 양해를 구한다.

모든 저술 활동과 마찬가지로 이 번역 프로젝트 또한 여러 가지 도전과 난관이 있었지만 많은 분의 열정과 도움으로 이 번역서가 완성될 수 있었다. 바쁜 일정에도 불구하고 임상교육자로서 경험을 담아 초기 번역을 기꺼이 맡아 주신 여러 공동 역자분들께 우선 감사드리고, 좋은 전문 서적의 번역 계약을 결정하시고 여러 차례의 교정과 편집 작업을 진행해주신 군자출판사 장주연 사장님과 최준호 부장님 이하 기획팀과 편집팀 직원분들에게 감사의 말씀을 전한다. 또한 이 책이 번역을 시작하는데 결정적인 동기를 마련해주시고 추천사까지 써 주신 안덕선 교수님께 감사드리고 부족한 번역서에 대해 세심한 피드백과 좋은 추천사를 써 주신 허 선 교수님과 정연준 학장님께도 감사드린다. 끝으로 2년이 넘는 기간을 책의 완성도를 높이기 위해 함께 헌신적으로 노력한 대표 역자들의 열정과 끈기에 서로 감사와 존경의 마음을 전한다. 부족한 번역이지만, 이 책의 가장 큰 매력은 현장에서 활용하거나 응용이 가능한 다양한 평가도구가 본문에 표와 부록으로 제시되어 있는다는 점이다. 아무쪼록 많은 분의 열정과 노력으로 발간된 임상역량 평가에 관한 이 번역서가 임상 현장에서 학생들과 전공의, 그리고 의료전문직 교육생들을 가르치고 평가하는 바쁜 임상교육자들과 보건의료전문직 교육자들에게 유익하고 실용적인 가이드로 활용되기를 기대해 본다.

2022년 화창한 5월에
역자들을 대표하여
김영민, 최창진, 허예라

추천사

종래의 의학교육은 의학지식에 박학한 의사를 인재상으로 삼아 질병의 생물학적 측면에 대한 방대한 지식을 전달하는 데에 집중해왔고, 그 양상은 현시점에도 크게 달라지지 않았다. 그럼에도 불구하고 생의학적 지식만이 우수한 의사의 충분조건이 아니라는 점을 오랜 경험으로 알게 되었고, 이러한 인식 하에 최근 의학교육은 단순 의학지식 전달 외에 이를 임상에서 실행할 수 있는 능력, 태도, 인간에 대한 이해 등 다양한 측면의 교육을 제공하고 있다. 예를 들면 과거 의학교육은 교육의 구조나 절차에 중점을 두었지만, 현재는 졸업 시점이나 수련 과정 중 필요한 상황에서 실제로 보여주거나 시행할 수 있는 능력, 즉 역량에 중점을 두는 것으로 옮겨가고 있다. 역량바탕 의학교육에서 평가는 학생이나 전공의가 명시된 역량을 실제로 달성했는지 그리고 교육프로그램이 효과적이었는지 여부를 결정하는 데 핵심적인 역할을 한다. 이러한 교육의 패러다임 변화와 역량 평가의 중요성이 강조되면서 새로운 교수계발이 요구되고 있다.

2008년 초판 이후 10년 만에 새롭게 개정된 이 임상역량평가에 관한 전문 서적은 최상의 근거와 정보를 바탕으로 다양한 임상역량평가의 최신 지견과 실질적인 방법들이 총망라되어 있어 임상 최전선에서 학생과 전공의를 교육하고 평가하는 의학교육자와 임상지도교수에게 실용적인 가이드가 될 수 있을 것으로 확신한다. 그동안 가톨릭대학교 의과대학에서 임상교육 분야에 다양한 활동과 기여를 해오신 여러 임상전문과의 교수님들이 역자로 참여하시어 본인의 경험을 바탕으로 세심한 번역과 교정을 진행하시고 특히 국내 독자를 위해 추가적인 역자 주석을 적절히 포함해 주셔서 완전히 새롭게 탄생한 좋은 역서이기에 그 가치가 더욱 크다고 생각한다.

방대한 분량의 책을 오랫동안 정성을 들여 만들어 주신 역자들의 노고에 감사드리고, 아무쪼록 힘들게 탄생한 이 전문 서적이 국내 임상현장에서 다양한 예비의료인과 이들을 지도하고 평가하는 보건의료전문직 교육자들에게 널리 알려지고 읽히기를 기원한다.

가톨릭대학교 의과대학 학장
가톨릭대학교 의학전문대학원 원장
가톨릭대학교 의학교육학교실 주임교수
정 연 준

추천사

우리나라의 의학 교육은 지난 20여 년 동안 심리측정학과 교육학의 발달과 궤적을 같이하며 좋은 의사 양성을 위한 꾸준한 변화를 이끌어 내고 있다. 최근 의학교육의 성과바탕 교육인 역량을 중심으로 전개되는 역량바탕 의학교육(CBME)의 개념이 국제적으로 급속히 확산하고 있다. 이런 시대적 배경에서 성과바탕 의학교육에 필수적으로 동반되어야 하는 엄격하고 정밀한 평가에 관련된 모든 제반 사안을 한 권의 책으로 집대성하여 출간된 "Practical Guide to the Evaluation of Clinical Competence, Second Edition"이 우리글로 번역되어 출간되어 기쁘다. 이 책은 미국졸업후교육인증위원회(ACGME)의 Dr. Holmboe, 미국 Uniformed Service University of Health Sciences (USUHS)의 Dr. Durning, 그리고 미국전문의협회(ABMS)의 Dr. Hawkins가 여러 전문가와 공동 저술한 책으로 현재 의학교육계에서 없어서는 안 될 중요한 교과서적인 위치를 점하고 있다.

우리나라도 CBME의 세계적인 리더인 캐나다의 Jason R. Frank가 내한하여 대한의사협회에서 CBME 워크숍을 개최한 바 있고 우리나라도 이제 전공의 교육에서 새로운 개념의 도입되고 있다. 이 책에서는 CBME가 탄생한 역사적 배경을 비롯하여 새로운 개념으로 받아들여지고 있는 역량(competence), 마일스톤(milestone), 그리고 위임가능전문활동(entrustable professional activities, EPA) 등에 대한 개요를 잘 설명하고 있다. 그러나 무엇보다도 이 책의 중요한 가치는 현대 의학교육에서 필요한 평가 관련 모든 지식을 집대성하여 편찬하였다는 것이다. 의사 양성에 필요한 여러 단계의 각종 평가에서 교육학과 심리측정학의 발전이 의학교육과 접속되며 보여주는 평가의 현대화와 다양함, 그리고 정밀함은 놀랄 만한 수준에 도달하였다. CBME 개념의 도입과 실천은 이제 전공의 교육이 의학교육의 전 주기에서 중심적인 역할을 하면서 이상적인 역량의 도달을 위한 의과대학 교육과 함께 역량의 유지와 지속적 발전을 위한 평생전문직업성개발로 이어져 의학교육의 전 주기에서 일관성과 연계성을 확보할 수 있게 되었다.

정밀하고 계획적이고 지속적인 평가가 요구되는 CBME의 도입과 구현은 우리나라에 아직 현실적으로 쉽지만은 않은 상황이다. 그럼에도 불구하고 무려 330쪽의 방대한 책을 2년 넘게 고생하며 번역한 김영민 교수님, 최창진 교수님, 그리고 허예라 박사님과 이 작업에 동참하신 공동 역자분들에게 무한한 감사와 존경심을 보내며 진심으로 번역본의 출간을 축하드린다. 이런 값지고 소중한 작업이 우리나라의 의학교육을 더욱 발전시킬 것이며 향후 우리나라의 실정에 부합하는 한국형 역량바탕 의학교육이 등장할 것도 기대하여 본다.

전) 한국의학교육평가원 원장
전) 한국보건의료인국가시험원 원장
전) 대한의사협회 의료정책연구소 소장
고려대학교 의과대학 명예교수
안 덕 선

추천사

국제적인 전공의 교육 평가도구를 국내에 도입하는 계기가 되기를 바라며

우리나라에서 이론을 정립하여 국제적으로 널리 쓰이는 의학교육 평가도구가 있을까? 개별 프로그램의 평가도구는 있으나 국제적으로 널리 사용하는 도구나 이론은 찾기 쉽지 않다. 전공의 교육에 들어가게 되면 그 빈도가 더 줄어든다. 또한 국내 의학교육 연구에서도 전공의가 대상인 경우는 흔치 않다.

이번에 가톨릭의대 김영민 교수, 최창진 교수 외 6인의 임상교수진과 허예라 박사께서 번역한 *Practical Guide to the Evaluation of Clinical Competence*, 2nd edition은 의대생, 전공의, 전임의 교육프로그램에서 진료 역량(clinical competency)을 평가하는 다양한 방법을 제공하고 있다. 이 가이드의 번역은 우리나라 의학 분야 교육자들이 이런 다양한 평가 방법이나 체계(system)를 한눈에 알 수 있도록 한 훌륭한 작업이다. 물론 대부분의 의학교육자가 영문 해독에 큰 어려움이 없을 것이나, 모국어인 국문으로 읽을 수 있다면 더 효율적인 것임은 틀림없다. 이 책의 핵심은 진료 역량에 대한 평가이므로 주로 전공의 대상 교육을 많이 소개하였으나, 내용 중 일부는 학부 교육에서도 충분히 활용할 수 있다. 이 교재는 지금까지 소개된 평가 방안을 총망라하여 16개의 장으로 구성하였다.

1) 성과바탕 교육시대에 평가의 문제 / 2) 의학교육 평가의 타당도와 신뢰도 문제 / 3) 평가 틀, 평가양식과 총괄평정척도 / 4) 직접관찰 / 5) 직접관찰: 표준화환자 / 6) 의학지식의 평가와 임상적용을 위한 필기시험 / 7) 업무현장에서의 임상추론 평가 / 8) 시술 기술의 업무현장바탕 평가 / 9) 근거중심진료 평가 / 10) 임상진료검토 / 11) 다면피드백 / 12) 시뮬레이션바탕 사정 / 13) 임상교육에서 피드백과 코칭 / 14) 포트폴리오 / 15) 문제가 있는 학습자 또는 문제 학습자? 역량 부족 학습자와 일하기 / 16) 프로그램 평가 등을 주제로 각 장을 구성하고, 현장에서 활용할 수 있는 다양한 도구를 표로 제공하였다. 이 교재에서 제공하는 다양한 측정 평가도구를 바탕으로 각 전문 분야에 적절한 평가도구를 제작할 수 있을 것이다. 또한 전공의 공통 역량 역시 우리 실정에 맞추어 제작이 가능할 것이다. 이 교재는 자세한 이론 설명과 함께 본문과 부록에 다양한 도구나 체계를 정리하였으므로, 전공의 교육자를 위한 일종이 실습 교재라고도 할 수 있다.

이론에서는 전체 내용을 통틀어 타당도, 특히 구인타당도(construct validity)를 강조하였다. 모든 측정 도구는 타당도가 중요한데 신뢰도 역시 타당도 안에 포함된 내용이라고 할 수 있다. 또한 현장에서 사용하는 다양한 측정도구의 분석 방법을 제시하고 설명하였고, 일반화 가능도 이론(generalizability theory)을 소개하였다. 조금 더 구체적인 방안은 참고문헌을 보고 실제 분석해 보면 이해하기 쉬울 것이다. 한 가지 아쉬운 점은 문항반응이론(item response theory)을 바탕으로 분석하는 내용은 전혀 소개하지 않은 점이다. 이는 측정도구 평가에서 빠지지 않는 문항반응이론이 아직 의학교육 평가, 특히 전공의 교육에서 활용하는 다양한 도구의 평가에는 활발하게 적용되지 못하고 있다는 것을 의미한다. 또한 이 이론을 진료 의사나 의대 교원이 이해하고 쉽게 자료에 적용하는 것도 쉽지 않음을 알 수 있다. 특히 Rasch 모형은 이해하기도 쉽고 적용할 수 있는 프로그램도 많이 소개되어 있어, 앞으로 국내 연구자가 서구의 의학교육자가 흔히 다루지 못하는 이 이론을 도입한다면 차별화가 가능할 것이다. 우리나라의 의학교육 연구자가 기존에 나온 측정도구를 가지고 조사한 후 문항반응이론을 도입하여 이를 분석할 수 있다면 국제적으로 앞서갈 수 있을 것이다.

제3장에서 RIME(reporter-interpreter-manager-educator) 모델, 즉 보고자, 해석자, 관리자, 교육자 시각으로 표현한 측정 모델과 EPA(entrustable professional activity, 위임가능전문활동)를 전공의가 수행할 수 있는 지식과 술기 수준 기준으로 기술한 측정표는 전공의 훈련과정에 매우 쉽게 적용할 수 있는 내용이다. 즉, EPA를 "1단계, 전공의는 일정 수준의 지식과 술기를 갖고 있지만 EPA를 독립적으로 수행할 수는 없음. 2단계, 전공의는 감독자의 적극적, 지속적, 완전한 감독 아래에 EPA를 수행할 수 있음. 3단계, 전공의는 감독자의 간접적인 감독 아래에 EPA를 수행할 수 있음. 4단계, 전공의는 독립적으로 EPA를 수행할 수 있음(즉, 자신의 행동에 책임을 지는 수준). 5단계, 전공의는 감독

이나 교수자의 역할을 수행할 수 있음"의 다섯 단계로 나누어 각각의 술기 습득 수준을 측정한다면 조금 더 구체적으로 역량을 측정할 수 있을 것이다.

제5장인 '직접관찰: 표준화환자'에서는 점수 동등화 전략을 기술하였는데, 평가자에 의한 수행의 평균을 계산하여 엄격성/관대함에 대한 추정치를 산출하고 채점을 조정하는 데 사용할 수 있다는 기술이 있다. 그런데 준거 설정(standard setting, 합격선 설정)을 언급하면서 다양한 구체적인 기법에 관한 기술은 없다. 합격선 설정은 전문의 시험에도 필요하고, 표준화환자에 이용하거나 진료 수행을 관찰하는 평가에 사용할 수도 있으므로, 이 전공의 교육평가 분야에서도 추가 연구가 국제적으로 다양하게 나올 것을 기대한다.

자동 문항 생성(automatic item generation)을 다룬 6장에는 이에 대한 여러 프로그램이 소개되어 현장에 적용한 내용이 있다. 이런 프로그램을 우리나라에서 도입하여 사용하였다는 소식은 아직 듣지 못하였다. 이 기법은 문항 출제 시간을 줄여줄 수 있다. 프로그램의 소스 코드는 Github(https://github.com/qmarcou/IGoR)에 공개되어 있으므로, 국문으로도 가능한지 점검이 필요하다.

제10장에서 제공한 "질 향상 및 환자 안전과 관련된 유용한 자료목록"은 이 책에 포함된 여러 부록 가운데도 백미이다. 이렇게 간단하지만 잘 정리된 내용은 전공의뿐 아니라 학생 교육 현장에서도 바로 적용이 가능할 것이다.

제15장에서 다루고 있는 "문제가 있는 학습자 또는 문제 학습자? 역량 부족 학습자와 일하기"는 흔히 찾기 어려운 주제이다. 현실에서 이런 경우 교원은 당황하게 되고 어떻게 도와줄 수 있을지 막막하여 단지 알아서 학습하고 지식과 술기를 조직화하여 습득해 주기만 바라게 되는데, 이 책에서는 다양한 방안을 제시하였다. 우선 부족한 역량이 무엇인지 파악하고, 전공의와 지도 전문의가 문제를 같이 인식하고 원인을 찾으며, 각자 어떤 역할을 하였는지와 어떤 중재(intervention)가 필요한지를 확인하여 해결해야 한다고 하였다. 행동이나 습관 교정은 쉽지 않은 일이다. 전공의가 문제를 인식하고(insight) 개선할 동기를 부여하면서, 환자 안전 측면에서 반드시 적절한 역량을 갖추도록 지원하여야 한다.

프로그램 평가를 다루고 있는 제16장에서, 미국은 졸업후교육인증위원회(Accreditation Council for Graduate Medical Education, ACGME)를 두어 다양한 프로그램을 표준화하고 평가기준을 제시하고 있음을 소개하고 있다. 우리나라는 아직 이와 유사한 기구가 존재하지 않고 병원협회 수련환경평가본부에서 이러한 종류의 업무를 수행하고 있으나, 이 본부에서 다루는 업무의 수준은 ACGME에 미치지 못한다. 앞으로 졸업후교육인증을 위하여 이 본부를 더 발전시킬 것인지, 또는 한국의학교육평가원에 업무를 의뢰할지, 아니면 별도의 인증평가기구를 둘 것인지는 전체 의료계 차원에서 다루어야 할 화두이다. 이런 교재를 읽을 때마다 "우리는 어떻게 하고 있고 어디로 가야 할까?"라고 돌이켜 보게 된다. 이미 언급한 지 오래된 주제이므로 우리도 조금 더 깊이 있게 검토할 필요가 있다. 전 세계적으로 삶의 질 영역에서 우리나라가 가장 경쟁력 있는 것이 의료 서비스와 인터넷 속도이다. 이런 최고 수준의 의료 서비스 제공은 의대 학부 교육뿐 아니라 전공의 훈련과정이 워낙 뛰어나서 가능하였다. 지금도 최고인데 더 잘할 필요가 있냐고 반박할 수 있으나, 좀 더 체계적인 훈련을 도입한다면 더 높은 수준의 의료 서비스를 제공하고 국민의 생명과 안전을 책임질 더 뛰어난 의료인을 길러낼 수 있다.

사족일 수도 있겠으나, 이 교재에 인용된 문헌에서 국내 기관 소속 연구자의 논문을 찾아보니 한 편이 나온다(Myung SJ, et al. The use of standardized patients to teach medical students clinical skills in ambulatory care settings. Med Teach. 2010;32:e467-e470). 한국의학교육학회에서 발간하는 *Korean Journal of Medical Education*의 논문은 한 편도 인용 받지 못하였다. 한국의학교육학회지는 2015년도 국문지 일 때 MEDLINE에 등재되고 2016년 영문지로 PMC에 등재되었다. 이 교재의 2판 발간이 2017년이므로 원고는 2016년에 완성하였을 것인데, 한국의학교육학회지가 국제 사회에 널리 알려지기 전이어서 그럴 수도 있다. 앞으로는 이런 교재에 국내 학술지가 더 많은 인용을 받을 수 있도록 활발한 연구가 필요하다.

이 교재는 지도 전문의로서 자신이 맡은 전공의를 "어떻게 하면 조금 더 나은 역량을 갖추고 성과를 낼 수 있으며, 평생 근거에 바탕을 두고 진료하는 습관을 갖추도록 도와줄지" 염두에 두면서 훈련 현장에 적용하기에 적절한 지침서이다. 아직은 우리나라에서 이런 수준의 교재를 출판하기 어려우므로 우선 지금처럼 번역한 교재로 학습할 필요가 있다. 이후 최고 수준의 의료 서비스를 가능하게 한 훌륭한 전공의 훈련 과정 평가에 이 교재에서 소개한 여러 측정 평가도구를 활용할 수 있기를 바란다. 여러 동료 교원이 교재 내용을 현장에서 유용하게 사용하는 것이, 열심히 번역한 김영민 교수, 최창진 교수, 허예라 박사와 동참한 학자들의 바람일 것이다.

한국과학학술지편집인협의회 회장
대한의학학술지편집인협의회 회장
Journal of Education Evaluation of Health Professions (Jeehp) 편집장
한림대학교 의과대학 의학교육연구소 소장
한림대학교 의과대학 기생충학교실 교수
허 선

목차

1

성과바탕 교육시대에 평가의 문제

ERIC S. HOLMBOE, MD, MACP, FRCP, OLLE TEN CATE, PHD,
STEVEN J. DURNING, MD, PHD, AND RICHARD E. HAWKINS, MD, FACP

개요

역량바탕 의학교육의 태동

의료는 생의학과 기술의 획기적인 진보에도 불구하고 전 세계적으로 해마다 많은 환자에게 가해지는 심각한 위해와 비효율적인 돌봄을 초래하는 의료의 품질과 안전의 문제로부터 고통 받고 있다.[1,2] 미국의학연구소(Institute of Medicine, IOM)는 2001년에 여섯 개의 의료 품질 목표-효과적, 효율적, 안전, 환자중심적, 시기적절, 공정-를 발표했다.[3] 최근에는 여섯 가지 목표로 정의되는 환자 경험, 집단의 건강, 그리고 비용 관리의 품질이라는 세 가지 목표가 미국과 몇몇 보건의료시스템에서 매우 중요한 동력이 되고 있다.[4] 경제협력개발기구(Organization for Economic Cooperation and Development, OECD), 세계보건기구(World Health Organization, WHO) 및 연방기금(Commonwealth Fund, CMWF)의 다양한 자료들을 보면 더 좋고 안전한 의료전달체계로 해결할 수 있는 사망률과 이환율에 지속적인 문제를 제시하고 있다.[5] 여러 가지 요인이 이러한 문제를 야기하겠지만 많은 의학교육자와 정치인들은 의학교육 사업이 21세기의 의료를 이끌어갈 수 있는 준비된 의사들을 양성하지 못하고 있다는 사실에 일부 책임을 져야 함을 인정하고 있다.[6] 의료 품질과 안전에 대한 우려와 함께 교육의 *성과(outcome)*에 관한 관심도 증가하고 있다. 구체적인 예로, 교육자의 가장 큰 관심은 교육생이 단순히 해당 의학교육과정을 잘 이수했는지의 여부보다 졸업했을 때 갖추고 있는 역량에 있다.[7] 이와 같은 이유로 교육프로그램의 기본 성과 틀(framework)로서 역량을 이용하는 성과바탕 의학교육이 전 세계적으로 널리 보급되고 있다.[7-11]

1978년 맥가기(McGaghie)와 동료들은 정해진 역량 습득에 기반한 의학교육적 접근에 대한 근거를 다음과 같이 설명했다. "역량바탕 교육과정의 의도된 결과물은 지역사회에서 요구하는 의료수준에 부응할 수 있는 숙련된 보건의료인을 배출하는 것"이다.[8] 전세계의 교육 지도자와 정치인들은 의학교육 시스템이 복잡한 현대 의학의 문제들을 해결할 수 있는 의사를 양성하지 못한다는 보고서를 발표해왔는데, 이는 학부 의학교육, 졸업후의학교육 및 평생의학교육의 개혁이 시급하다는 사실을 부각하고 있다. 최근 발표되는 미국의 몇몇 논문은 진화하는 의료시스템에서 효과적으로 일할 수 있는 졸업생들이 부족하다는 사실에 관심을 가져야 함을 강조하고 있다.[12-14]

다른 여러 가지 요인이 있겠지만, 이러한 맥락에서 궁극적으로는 더 좋은 교육과 임상진료 성과를 내기 위해 여러 국가에서 역량바탕 의학교육(competency-based medical education, CBME)의 개념을 도입하고 그 틀을 개발하게 되었다. 캐나다 전문의 양성을 위한 의학교육 방향(Canadian Medical Education Directions for Specialists, CanMEDS)[1)]은 캐나다 전문의학회(Royal College of Physicians and Surgeons of Canada)에서 공표되었는데, 그 첫 번째 판은 1996년에 제작되었다.[15,16] 비슷한 필요와 문제를 인식한 미국졸업후교육인증위원회(Accreditation Council of Graduate Medical Education, ACGME)[2)], 미국전문의협회(American Board of Medical Specialties, ABMS)[3)], 미국의학연구소[4)], 영국의학협회(General Medical Council of the United Kingdom, GMC)[5)], 호주-아태평양 외과전문의학회(Royal Australasian College of Surgeons, RACS)[6)], 네덜란드전문의학회(Dutch College of Medical Specialties)[7)] 및 기타 국가 전문 기관들도 각자의 역량 틀을 만들었다.[17-21] 이러한 역량 프로젝트에는 두 가지 특징이 두드러지는데, 하나는 지난 수십 년 동안 임상훈련에 집중해 왔던 의학지식과 기술을 뛰어 넘어, 의료현장과 연계된 더 많은 능력을 함양한 의사에 대한 재정의이다. 또 다른 특징은 수련 중 의사들을 더 잘 모니터링하고, 졸업할 시기에는 감독 없이 진료할 수 있는 역량 수준을 갖추도록 확인하는 점이다.[7,22]

2008년 이 책의 초판이 출간된 이래 CBME를 폭넓게 실행하기 위하여 많은 보고서와 발의가 있었다. 캐나다전문의학회가 결성한 의학교육자 및 지도자 단체인 국제역량바탕 의학교육협의회(International CBME Collaborators)는 평생의학교육 차원에서, 역량바탕 의학교육의 역사, 개념, 평가에 대한 변화 요구 그리고 실행 단계에서 발생할 수 있는 문제를 다루는 일련의 논문들을 출간했다.[15,16,23-25] 같은 해, 프랭크(Frenck)와 국제 지도자들은 란셋(The Lancet) 학술지에 왜 CBME에 기반한 의학교육의 변화를 가속화해야 하는지에 대한 성명서를 발표했고, 그 영향력은 컸다. 마침내, 카네기 재단(Carnegie Foundation)은 플렉스너(Flexner) 보고서(1910) 발간 100 주년을 맞이하여 CBME의 주요 원칙과 목표를 포괄하는 의학교육 권고 내용을 발표했다.[9] 이상의 보고서에서 공통적으로 강조하는 부분은 지금보다 더 나은 평가가 반드시 이루어져야 한다는 것이다.

이 두 번째 판의 주된 목적은 최상의 근거와 정보를 활용하여 더 나은 교육프로그램 평가시스템을 구축하고 구현하는 "최전선"에 있는 의학교육자들과 지도교수들에게 실질적인 지침을 제공하는 것이다. 평가는 효과적인 학습과 기대하는 교육적 및 임상적 성과 달성을 위한 기본이자 필수적인 것이다. CBME는 환자와 국민이 받게 되는 의료의 품질과 안전을 확대하기 위해 의학교육을 개선할 때 무엇에 지속적인 노력을 기울여야 하는 지 확인해주는 첫 단계에 속한다. 이 입문 장에서는 임상교육 중에 사용된 평가의 변화 요인들, 평가를 위한 틀, 평가방법의 선택 기준, 효과적인 교수개발을 위한 요소, 의학교육의 변화와 개선을 촉진하기 위해 사용되고 있는 새로운 개념의 역량, 마일스톤(milestone), 그리고 위임가능전문활동(entrustable professional activities, EPA) 등에 대한 개요를 제시한다. CBME 세계

---

1) 역자 주. 1990년대 초반, 캐나다전문의학회(Royal College of Physicians and Surgeons of Canada)에서는 변화하는 의료환경에 대처하고, 이러한 환경에서 의사가 효과적으로 환자의 요구에 부응할 수 있는 최선의 방법을 찾고자 의학교육의 획기적인 개선이 필요함을 느꼈다. 이에 캐나다 전문의에게 필요한 7가지 역할을 발표하여, 전세계적으로 의학교육이 전통적인 구조(structure), 과정(process)중심 교육과정에서 성과(outcome)중심, 역량(competency)중심의 의학교육으로의 전환을 가져오는 데 큰 영향을 미쳤다. 참조: http://www.royalcollege.ca/rcsite/canmeds/canmeds-framework-e

2) 역자 주. 미국에는 졸업후 전공의 교육을 전담하는 기관이 있다. 전공의 교육과정 개발을 주도하는 기관이 두 곳 있는데, ACGME와 ABMS이다. ACGME는 공통적 기본과정을 개발하며, ABMS는 해당 전문과목의 교육을 주관한다. ACGME는 미국의 졸업 후 의학교육의 책임을 지는 비영리법인 기관으로, 전공의 교육을 하는 의료기관들은 전공의 선발교육자격을 공인 받기 위해 ACGME로부터 정기적인 인증평가를 받는다. 우리나라에서는 한국의학교육평가원이 이와 유사한 기관이다. 참고: https://www.acgme.org/

3) 역자 주. 1933년 설립된 ABMS는 전문의 자격 인정과 갱신의 기준을 제정하고 감독하는 비영리법인 기관이다. 최초 4개의 전문의 인증기구(피부과, 산부인과, 안과, 이비인후과)가 모인 것으로 시작하여 현재 24개 영역에서 150여개가 넘는 세부 전문의 자격을 감독하고 인증한다. 우리나라에서는 대한의학회 (Korean Academy of Medical Sciences)가 전문의 자격시험을 담당한다. 참고: https://www.abms.org/about-abms/member-boards/

4) 역자 주. 미국의 비영리 정부기관으로, 정부기관이나 대중들에게 객관적이고 과학적인 의학정보를 전달해 주기 위해 설립되었다.

5) 역자 주. 선진국들은 민간공공기구인 전문직단체에서 자율적인 면허관리를 하고 있는데, 영국의 경우, 이 역할을 하는 기관이 GMC이다. 영국에서는 의사면허가 평생자격증이 아니라 5년마다 갱신해야 하는데, 이를 위해 1894년 영국에서 설립된 면허관리기구가 바로 GMC이다.

6) 역자 주. RACS는 호주와 뉴질랜드 외과 교육의 기준과 전문직업성을 책임지는 비영리법인 기관으로, 9개의 외과계열 교육 기준을 설정하고, 가르치고, 평가한다. 또한 아태평양지역에서 호주나 뉴질랜드에서 외과 교육이나 연구를 하고 싶은 국제의대졸업생(International Medical Graduates, IMGs)을 지원하고 있다. 참고: https://www.surgeons.org/

7) 역자 주. 저자는 아마도 Dutch College of Medical Specialties를 Dutch Royal Medical Association(Koninklijke Nederlandsche Maatschappij tot bevordering der Geneeskunst, KNMG) 기관의 Medical Specialties Council (College medische specialismen, CGS)을 지칭하려고 한 것 같다. KNMG는 네덜란드전문의학회를 말하며, 산하에 의학 전문의 수련을 책임지는 네덜란드전문의협의회(CGS)를 두고 있다. 참고: https://www.knmg.nl/

에서 평가에 관한 근본적인 이슈들을 다루기 전에 CBME의 주요 개념들과 요소를 검토하고자 한다.

성과와 역량바탕 의학교육

이전 의학교육은 교육의 절차(process)에 중점을 두었다면, 이제는 졸업하는 단계에서 그리고 훈련 과정 중 필요한 상황에서 실제로 보여줄 수 있는 능력에 중점을 두는 것으로 옮겨가고 있다. 역량은 교육성과를 정의하는 기본 메커니즘이 되었다. 성과바탕 교육은 의사에게 요구되는 역량의 구체화 작업부터 시작한다. 그 다음 교육과정의 내용과 구조, 교수학습 방법의 선택과 배치, 훈련 장소 및 교수자의 성향을 고려한다. 평가는 학생과 전공의가 명시된 역량을 실제로 달성했는지 그리고 교육프로그램이 효과적이었는지를 결정하는 데 핵심적인 역할을 한다. CBME는 교육과정과 평가의 통합을 강조한다. 교육과정과 평가는 독립적인 활동이 되어서는 안되며 전반적인 교육시스템 및 평가 프로그램의 일부로서 상호간 정보를 제공해야 한다. 이러한 사고의 변화와 의사의 다양한 역량 평가의 필요성은 새로운 평가방법, 특히 이 책 전반에 걸쳐 상세하게 다루어지는 업무바탕평가 개발에 중요한 요소이다.

CBME는 의료소비자의 요구를 충족시킬 수 있는 수준의 의료전문가를 양성하는 교육철학과 교육과정 설계에 중점을 두는 성과바탕 접근방식이다. CBME의 가장 큰 특징(글상자 1.1)은 학습자들이 교육환경에 단순히 노출되는 데에 중점을 둔 시간표 중심의 교육과정에서 벗어나 요구분석을 바탕으로 개발된 졸업*성과(outcome)*, 현장성, 그리고 학습자 중심으로 운영되는 임상실습과 같은 교육으로의 전환이다.[11] 프랑크(Frank)와 동료들에 의한 정의에 따르면, CBME는 "역량의 체계화된 틀을 사용하여 의학교육의 설계, 실행, 측정, 그리고 과정평가를 성과바탕 접근"으로 수행한다.[11,26] 성과가 주요 동인이지만, 교육 구조와 절차가 중요하지 않다는 것은 아니다. 유명한 도나베디안(Donabedian) 방정식, 구조(Structure) × 절차(Process) = 성과(Outcomes)는 효과적인 성과가 좋은 구조와 절차에 달려 있다는 것을 보여준다.[27] 한편, 우리는 구조와 절차 간의 관계가 교육현장에서는 매우 복잡할 수 있고, 단순한 공식의 수준이 아니라는 점도 알고 있다.[28] 16장은 교육과정 설계와 평가과정의 복잡성에 대해 이해할 수 있도록 돕는 지침서와 같은 장이다. 평가(assessment)는 교육프로그램의 구조와 절차간의 복잡한 상호작용에서 중요한 부분을 차지한다.

평가는 필요한 성과의 달성여부를 증명하는 데 사용할 수 있는 필수 활동(즉, 절차)이다. 이러한 해석은 새로운 견해가 아니다. 평가는 교육적인 측면에서 언제나 결정적인 요소로 여겨져 왔다. 그러나 의학교육에서 그리고 일반적인 보건전문가교육에서도 평가와 관련된 문제는 장기간 지속되어 왔다. 예를 들어, 학습자 수행에 대한 직접적인 관찰과 의미 있는 피드백의 부족, 의학 지식의 평가에 대한 지나친 의존, 직종 간 팀워크나 품질 향상 등 의료시스템에서 효과적으로 활용되어야 하는 졸업생의 역량에 대한 무관심, 교수자에 의한 평가방법 및 도구의 비효율적인 사용 등이 그것이다. 이 소개 장에서 우리는 먼저 평가의 기본적인 이슈들을 탐구하고 마일스톤과 EPA를 통해 역량을 보다 효과적으로 운영하려는 최근의 다양한 시도를 검토한 다음, 평가 프로그램 개발의 중요성을 강조하는 것으로 마무리할 것이다. 우리는 독자들이 스스로 평가 프로그램을 개발하고 개선하는 데 도움을 줄 수 있는 이 책의 다른 장으로도 안내할 것이다.

• 글상자 1.1 역량바탕 의학교육의 기본 특성

역량바탕 의학교육(CBME)의 가장 큰 목적은 각 교육기관이 사전에 정의한 역량을 달성하도록 하는 졸업성과를 만드는 것이다. 이는 결국 졸업후의학교육에서 졸업생들이 수행해야 할 역할과 연계된다.

사전에 정의된 역량이라 함은 환자, 학습자 그리고 대학의 요구분석을 바탕으로 만들어야 하며, 조직적이고 체계적인 방식으로 안내되어야 한다.

교육시간은 역량의 개발의 기본요소라기 보다 학습의 자원으로 본다(즉, 임상실습 기간에 병동에서 시간을 보냈다고 하여 학습성과를 달성했다고 보지 않는다).

교수학습 경험은 학습단계별로 명시된 역량을 수월하게 습득하기 위해 단계적으로 개발된다.

학습은 교육생의 개인차를 고려하여 맞춤형 교육으로 구성된다.

수많은 직접적인 관찰과 철저한 피드백은 교육생의 전문성 개발에 기여한다.

평가는 계획적이고, 체계적이고, 제도화되며, 통합적이다.

평가의 역사 개요

1950년대 초 의사들에 대한 평가는 다소 제한된 방법으로 이루어졌다.[29] 교육생의 의학지식은 에세이 평가와 개방형 질문에 답하는 식이었으며 교수자에 의해 평가되었다. 임상술기 능력과 판단력은 학생이 임상 상황에서 환자 정보를 얻고 질문을 하는 한 명 이상의 시험관에게 진단 목록과 치료 계획을 발표하는 식의 구두시험으로 평가되었다. 당시 이러한 방법이 유일한 평가방법이었기 때문에 적절하지 않은 평가방법이라 할지라도 대부분의 교육현장에 적용되었다. 이는 감독자(supervisor)가 진료 과정에 많은 통제 권한이 있고, 모든 교육생의 보고를 체크할 수 있었을 당시에는 수용 가능한 평가방법이었을 수도 있다. 그러나 지난 수십 년 동안 의료환경은 매우 달라졌고 복잡해졌기 때문에 이러한 유형의 "즉석" 임시 평가방법의 효과를 보장하기에는 역부족이다. 예를 들어, 입원기간이 급격히 단축되었으며 교수자는 다양한 책무를 동시에 수행해야 하는 환경으로 변하였다.

지금까지 평가가 수행되는 방식에는 많은 변화가 있었다. 적절한 사용법에 대한 조건과 평가방법이 다양해졌다. 신뢰할 수 있고 타당한 결과를 제공하는 다양한 서면평가와 컴퓨터 기반 기술을 사용한 의학지식 평가에 많은 발전이 있었다(6장 참조). 지난 수십 년간 객관구조화진료시험(objective structured clinical examinations, OSCEs)의 심리측정학적 특성을 정의하고 향상시키는 데 상당한 진전이 있었는데, 특히 고부담 시험에서의 OSCE 사용이 그러하다(5장 참조). 그러나 임상 부서(예: 일반 병동, 수술실, 외래 진료소)에서 환자를 돌보는 학습자에 대한 평가는 큰 발전이 없었다. 특히 임상술기, 직종 간 팀워크, 진료의 안전과 품질 면에서 그러하다.[30]

마찬가지로 보다 나은 임상교육을 위해 개발된 평가방법은, 평가방법들에 대한 사용 경험이 없거나 공통표준이나 중요한 역량에 대한 공통적인 사고를 공유하지 않고, 이를 일관성 있게 적용할 수 있도록 훈련을 받지 못한 교수자에 의존하는 현실을 극복하고자 함이다. 또한 교수자는 상당한 시간 압박감, 보다 많은 학습자와 환자 인수인계, 입원 환자들 사이의 높은 수준의 동반 질환 및 개인이 책임져야 하는 임상상황의 증가를 경험하고 있다. 교수진 평가의 주요 동인 중 하나가 자신의 임상술기와 관련 있다는 최근 연구결과와 더불어 의학면담, 신체진찰, 의사소통 기술과 같은 의사의 임상술기에 중요한 결함에 있음을 강조하는 많은 연구가 더 큰 우려를 낳고 있다.[31,32] 뿐만 아니라, 많은 교수자는 제대로 훈련도 받지 못한 분야인 진료 조정, 환자안전과 정보기술 사용과 같은 능력을 평가하고 판단하도록 요구 받고 있다. 의학교육 상황을 복잡하게 만드는 것은 이러한 새로운 임상적 및 교육적 방법을 잘 다루기 위한 효과적인 교수개발 접근법과 모형이 부족한 데 있다.[33]

평가 변화의 원동력

의학교육 사업에 대한 공공의 관심이 증가하는 것이 매우 중요하다. 의학교육은 항상 개별 환자와 대중을 위한 *서비스(service)*여야 한다. 교육자가 대중, 환자 및 교육생의 요구를 충족시키는 평가 프로그램을 개발하는 데 서비스 논리를 사용하는 것이 도움이 될 수 있다.[34] 전세계적으로 많은 의과대학은 역량과 성과바탕을 채택하는 교육으로 개선하고 있다. 그리고 여기에는 교육기술과 심리측정학의 개선이 뒷받침되고 있으며, 보다 질적인 교육평가기술과 체계적인 판단을 접목시키는 업무바탕 평가방법의 도입도 한 몫을 하고 있다.

책무와 질 보장

역량바탕 의학교육으로의 변화는 의사의 책무성을 향상시키기 위한 중요한 노력이다.[3] 의료의 질과 안전을 향상시키기 위해 대중은 1990년대에 미국의 마이클 스왕고(Michael Swango)와 영국의 하워드 쉽먼(Howard Shipman)과 같이 주목 받는 사례를 동원하여 의학에 대한 감시 수준을 높이고 "썩은 사과(bad apple)"를 제거하도록 지속적인 압력을 행사해왔다.[35,36] 의학교육자들은 너무 많은 졸업생이 기초적인 지식과 임상술기가 상당히 부족한 채로 졸업한다는 사실을 누구보다 잘 인식하고 있다. 또한 최근에는 우리의 의료시스템에서는 성공적인 의료행위를 하는 데 중요한 역량 부족의 심각성을 더욱 인지하게 되었다.[12-14,37] 효과적인 질 보장은 확실한 평가프로그램에 달려 있으며 의학교육 과정을 졸업한 학생들이 다음 단계로 승급하여 궁극적으로는 감독 없이 의료행위를 수행 할 수 있는지를 확인하는 것이 중요하다. 역량이 결여된 교육생을 의료현장에 투입시키는 것은 의료인과 대중 간의 신뢰를 약화시킨다.

질 향상 운동

의료의 질을 지속해서 개선하는 데 초점을 둔 다양한 노력도 있었다.[4,27,38-41] 질적 개선 노력은 품질관리 과학 분야의 근로자들이 고안한 방법에 의존하고 있었는데, 경우에 따라서는 60 년 넘게 산업분야에서 성공적으로 사용되어 보건의료의 지속적인 개선을 이끌었고, 이제는 의학교육에서 그 활용도가 증가하고 있다. 질 향상의 핵심은 평가이다. *의미 있는(meaningful)* 측정과 자료 없이는 교육을 개선하기가 매우 어렵다. 의미 있는 평가는 전반적인 수행이 표준보다 훨씬 낮은 학습자들을 파악하고, 일반적으로 적절하게 수행하는 학습자들에게는 지속적인 개선이 필요한 분야를 알 수 있도록 도움을 준다. 이러한 노력은 여러 가지 새로운 평가방법을 창안하도록 하고 이미 활용 가능한 평가방법들의 사용을 증가시키는 데 도움이 되었다. 예를 들어, 미국에서 서술적, 발달적 용어로 역량을 보다 잘 설명하려는 마일스톤 운동은 졸업후의학교육을 개선하기 위해 지속적인 질 향상 원칙을 사용한다. 마일스톤 운동은 시간이 지남에 따라 학습자들이 근거를 바탕으로 의료행위를 수행할 수 있는 "행동 또는 실무바탕 연구"라 할 수 있다.[42] 평가에서 단 하나의 "성배"는 없다. 모든 평가방법에는 강점과 약점이 있으며, 의학교육은 학습자들의 교육활동을 지속적으로 평가할 수 있도록 개발되어야 한다.

과학 기술

지난 50년 동안 점점 더 정교해지는 과학기술은 의학지식과 판단에 대한 평가를 근본적으로 변화시켰다.[43,44] 컴퓨터의 도입은 다지선다형 문항(multiple-choice questions, MCQ)의 사용을 장려함으로써 대규모 시험 시대를 예고했다. 기계로 스캔 할 수 있는 MCQ는 점수로 바뀐 다음 효율적이고 객관적인 방식으로 보고된다.

최근에는 컴퓨터의 지능이 다음과 같은 두 가지 방식으로 평가를 개선했다.

1. 의학지식을 평가함에 있어 상당한 심리측정학 진보를 가져

왔다. 특히 컴퓨터의 지능은 특정 수험생의 능력을 측정하는 질문을 선택하는 기술로 평가의 효율성을 향상 시켰다. 순차적 시험과 적응시험은 효율성과 정확성을 향상시킨다.

2. 의사가 진료 시에 내려야 하는 판단과 매우 흡사한 모의상황을 만들어주고 상호작용 형태의 문항을 통해 임상추론을 포함한 더 높은 인지 능력의 평가가 가능해졌다(6장 참조).

개발 속도가 느리긴 하지만 기술발달이 시뮬레이션과 컴퓨터기술을 활용한 평가에도 영향을 미쳤는데, 상당한 충실도로 임상 현장을 재현한 평가 접근법과 도구가 개발되었다. 이 방법들은 특히 시술 술기 분야 평가에 많은 영향을 미치고 있는데 여기에는 완전학습 모델의 적용에 관심이 집중되고 있다.[45-48] 마지막으로, 스마트폰과 태블릿 응용 프로그램을 활용한 기술이 평가자료를 수집하고 처리하는 방식을 변경하기 시작했다. 예를 들어, 직접관찰을 통해 평가하도록 설계된 도구는 점차 스마트폰을 응용한 프로그램으로 변환되고 있다.[46,47] 최근 교육과정에서 점점 더 많이 사용되는 학습관리 시스템도 모바일 응용 프로그램을 플랫폼에 통합하기 시작했다. 이러한 이동형 응용프로그램은 교수자의 평가 활동을 핵심 역량에 집중하도록 함과 동시에 데이터 수집 부담 또한 덜어주고 있다.

심리측정학

과학 기술이 향상됨과 동시에 평가의 기초과학이라 할 수 있는 심리측정학이 크게 발전했다. 20세기 초부터 대두한 고전검사이론은 시험문항과 응시자들에 대한 가정을 기반으로 개발된 측정 모델들로 점차 옮겨가고 있다. 문항반응이론 모델들은 응시자가 서로 다른 문항으로 시험을 치러도 동등한 점수를 준다.[50] 또한 문항반응이론 모델들은 개별 응시자들의 능력수준에 맞춘 컴퓨터기반 시험을 관리해주기도 한다. 이렇게 얻어진 정보로, 시험 시간을 40 %까지 단축할 수 있다.[51] 시험시간의 단축은 비용과 타당도에 영향을 미친다. 시험문항 노출이 적을수록 미래의 응시자가 시험내용에 익숙해질 가능성이 줄어든다.[52] 일반화 이론은 측정의 여러 요인들(예: 평가자, 환자)이 얼마나 많은 오류를 발생시키는 지 확인시켜 준다. 이상의 정보를 바탕으로 평가결과의 신뢰성을 유지함과 동시에 교수자는 시간을 절약하는 등, 주어진 자원을 최대한 활용하는 전향적 평가설계가 가능한 것이다.

측정 모델의 주요한 발전 외에도 많은 다른 발전이 있었다. 예를 들어, 시험에 대한 준거를 설정하고 특정 응시자 집단에 대해 시험 문제가 편향되는 시기를 식별하는 데 사용할 수 있는 다양하고 체계적인 방법들이 개발되었다.[2,54,55] 시험개발 방법들은 날로 향상되고 있는데, 이는 특정 문항이 학습자들을 제대로 평가하고 있는지 판단할 수 있는 방법을 알고 있기 때문이다. 전반적으로, 이상의 발전은 평가의 질과 효율성을 모두 향상시켰다.

정성평가와 집단평가

심리측정학의 발전은 의학교육의 평가를 향상하는 데 분명히 도움되었고 평가영역의 핵심 과학분야로 남아있겠지만, 오늘날의 복잡한 임상과 교육환경에서 전통적인 심리측정학적 접근법의 한계를 지적하는 사람들이 많다.[56] 정성평가는 종종 "질적" 혹은 "서술적" 평가로 표현되기도 하는데, 평가에서 서술된 단어의 사용이 날로 중요해지고 있다. 예를 들어, 많은 경우 새로운 스마트폰 앱에는 자연적 언어처리 기능이 포함되어 있어 받아쓰기를 통한 서술평가와 피드백이 가능하다. 나중에 자세히 설명하겠지만, 마일스톤은 교육생의 각 발달 단계에서 매우 확실한 서술적 평가가 가능하며, 측정의 양적 측면과 질적 측면을 더 밀접하게 결합시킨다.[48]

일반적으로 임상역량위원회라고 명명한 기구를 통한 집단

표 1.1 네 개의 의학교육 학술단체에 의해 제시된 의사 역량

CanMEDS	GMC	ACGME/ABMS	IOM
의학 전문가	양질의 임상진료	의학 지식	근거중심진료 활용
소통가	좋은 진료 유지	대인관계와 의사소통 기술	다직종팀과 협업
협력가	교육과 훈련 비평과 평가	환자 진료	환자중심진료 제공
지도자	환자와의 유대관계	전문직업성 시스템바탕 진료	—
의료 조언자	동료와의 협력	진료바탕학습과 개선	질 향상 적용
학자	정직성	시스템바탕 진료	정보 활용
전문가	건강	—	—

미국전문의협회(American Board of Medical Specialists, ABMS), 미국졸업후교육인증위원회(Accreditation Council for Graduate Medical Education, ACGME), 캐나다 전문의 양성을 위한 의학교육 방향(Canadian Medical Education Directions for Specialists, CanMEDS), 영국의학협회(General Medical Council (UK), GMC), 미국의학연구소(Institute of Medicine, IOM).

평가 절차도 평가과정과 교육과정의 중요한 부분을 차지한다. 효과적인 집단평가 절차는 교육생의 역량에 대한 더 나은 판단을 내리게 해준다.[57-59] 마지막으로, 질적 연구기법은 포트폴리오에 포함된 것과 같은 종합적인 평가 정보를 판단하는 데 가치가 있다(14장 참조). 질적 연구기법과 원칙을 엄격하게 적용하는 것은 학습자 평가를 위한 판단의 신뢰도와 타당도를 높이는 데 도움이 된다.

평가를 위한 틀(framework)

평가방법이 확산됨에 따라 평가방법의 효율적 활용과 함께 평가시스템과의 결합이 필요하게 되었다. 의과대학에서의 의학교육, 전공의 수련프로그램, 그리고 임상강사 수련프로그램에서 임상역량을 평가하기 위한 효과적인 시스템을 개발하고, 실행하고, 유지하려면 어떤 역량을 평가해야 하는 지, 어떻게 평가해야 하는 지, 그리고 평가 대상자의 수준 등을 고려해야 한다. 결과적으로, 평가 시스템을 구성하기 위한 세 가지 차원의 개념틀은 의학교육자들이 학습자 발달을 위한 의사결정에 도움을 줄 수 있다. 첫 번째 차원은 평가해야 할 역량이고, 두 번째는 요구되는 평가 수준이며, 세 번째는 교육생의 발달 단계이다.

차원 1: 역량

표 1.1에서 볼 수 있듯이 의사의 지식, 기술 및 태도를 설명하기 위한 몇 가지 체계가 있다.[16-19] 캐나다왕립의학회(Royal College of Physicians and Surgeons in Canada)가 개발하고 최근에 업데이트 한 CanMEDS 모델은 의사의 역할 측면에서 역량을 설명한다. 영국의학협회(General Medical Council)가 만든 바람직한 의료행위(Good Medical Practice)는 모범 진료의 요소들을 설명하고 있다. 미국에서는 영향력 있는 두 집단이 일련의 핵심 역량들을 개발했다. 미국졸업후교육인증위원회(Accreditation Council for Graduate Medical Education, ACGME)와 미국전문의협회(American Board of Medical Specialties, ABMS)는 2001년에 여섯 가지 공통 역량을 채택했다. 이 역량들은 미국에서 의사의 경력 인증 프로그램의 유지뿐만 아니라 전공의와 임상강사 수련을 위한 교육성과 개념으로 구성되어 있다. 미국의학연구소(IOM)는 수행을 평가하고 교육개혁을 촉진하기 위한 틀을 만드는 다섯 가지 핵심 기술 또는 역량을 제안했다. 이는 환자의 안전과 의료의 질적 향상을 목적으로 전문직 교육과 진료역량을 향상시키기 위한 의도이다. 비록 내용에 약간의 차이가 있지만, 의사가 갖추어야 할 역량에는 상당히 중복적인 내용도 있다.

이러한 역량은 졸업후의학교육 프로그램의 학습목표, 평가 및 교육과정에 정보를 제공하는 핵심 교육성과를 확인하는 첫 번째 단계이며, 특정 전문 분야/세부전공 분야의 내용, 교육, 그리고 실무적인 내용에 맞추어져 있다. 추후에 살펴보겠지만 마일스톤과 위임가능전문활동(entrustable professional activities, EPAs)는 역량바탕 교육의 구현을 촉진할 수 있는 전문분야에 적용될 수 있는 개념이다. 이러한 역량을 평가하여 생성된 자료는 교육생의 질적 수준과 교육내용의 적합성을 판단하고 지속적 개선에 필요한 근거자료로 사용된다.

차원 2: 평가의 수준

역량은 다각적인 특성을 갖고 있으므로 단 한 가지 방법으로는 학생이나 전공의에 대한 정확한 평가를 내릴 수 있는 충분한 근거가 없다. 이 문제에 대한 체계적인 해결방법으로 밀러(Miller)는 교육생이 성취해야 할 학습수준을 바탕으로 평가방법을 계층화하는 분류 체계를 제안했다. 이는 종종 밀러의 피라미드(Miller's pyramid)라고도 하며, 다음의 네 가지 단계로 구성되어 있다. 알고 있다, 방법을 알고 있다, 방법을 보여준다, 그리고 시행한다.

밀러의 피라미드(Miller's Pyramid)

알고 있다(Knows). 이 단계는 피라미드의 가장 낮은 수준이며, 교육생이 "알고 있는" 것을 평가하는 방법들이 포함된다. 피라미드의 기초를 구성하는 지식은 임상적 역량을 구축할 수 있는 기초를 말한다. 윤리와 환자 기밀유지 원칙에 중점을 둔 MCQ 시험은 교육생이 전문직업성에 대해 "알고 있는" 것을 평가한다.

방법을 알고 있다(Knows how). 의사로서 역할을 하기 위해서는 탄탄한 지식 기반이 필요하지만 그것만으로는 불충분하다. 자료수집, 결과분석과 해석, 관리계획 개발에 지식을 적용하는 방법을 아는 것이 중요하다. 예를 들어, 도덕적 딜레마를 제시하여 학습자들에게 이를 통해 추론하도록 하고, 그들의 도덕적 사고의 정교함을 평가하는 방법은 교육생들이 전문직업성에 대해 "어떻게 알고" 있는지에 대한 평가이다.

방법을 보여준다(Shows how). 교육생이 배운 지식을 잘 알고 있고(know), 어떻게 해야 하는지 그 방법도 알고 있을 수 있지만(know how), 그 지식과 기술을 통합하여 환자에게 직접 적용하는 것은 어려워할 수 있다. 따라서, 교육생이 환자에게 어떻게 적용 하는지를 보여주는 평가도 필요하다. 예를 들어, 표준화환자를 활용하여 윤리적 문제를 다루는 평가는 교육생이 전문직업성과 관련된 문제에 어떻게 대응하는지를 "보여줄 수 있다"

시행한다(Does). 기존의 평가방법이 아무리 우수하더라도 통제된 시험 환경에서 시행하는 평가는 의료현장에서 발생하는 일을 일반화하거나 예측하지 못한다는 우려가 있다. 따라서 Miller의 피라미드의 최고 수준은 의료현장에서의 일상적인 수행능력을 평가하는 방법에 중점을 둔다. 예를 들어, 현재 일부 의과대학에서 사용되는 것과 같은 중대사건 보고시스템의 개발과 사용은 학생들이 전문직업성 측면에서 실제로 무엇을 할 수 있는지 대한 평가를 제공한다.

Miller의 피라미드는 평가방법 간의 차이점과 유사성을 고려하는 데 유용한 틀이다. 그러나 피라미드라는 더 높은 수준을 다루는 방법이 더 낫다는 것을 의미할 수도 있고, 반대로 피라미드의 기초를 차지하는 더 큰 영역인 지식 평가가 가장 중요하다는 것을 암시할 수도 있다. 우수한 평가방법이라 함은 평가 목적에 가장 잘 맞는 방법이다. 예를 들어, 기초의학 지식에 대한 평가가 필요한 경우, 지식을 평가하는 데 가장 잘 맞는 평가방법(예: MCQ)이 다른 영역을 평가하는 방법(예: 표준화환자) 보다 낫다. 최근 크루즈(Cruess)와 동료들은 전문직 양성의 중요성을 인식하기 위해 피라미드의 상단에 "~이다(Is)"를 추가할 것을 주장했지만, 이것이 평가 프로그램에 적합한 지는 아직 확실하지 않다.[64]

케임브리지모델(Cambridge Model)

수련이 끝나고 병원 현장 업무를 시작하는 의사들에게는 외적인 요소들이 수행에 매우 큰 영향을 준다. Miller의 피라미드의 변형인 케임브리지모델(Cambridge Model)은 의료현장에서의 수행(피라미드의 최고 수준)은 역량을 넘어서는 두 가지 요소로부터 큰 영향을 받는다고 주장한다.[65] 정부에서 주관하는 프로그램, 임상 마이크로 시스템(예: 교육생이 환자들을 돌보는 임상단위)과 같은 시스템 관련 요인, 의료기관의 치료 관행, 환자의 기대치와 임상진료지침 등은 의사의 행동에 큰 영향을 미친다. 마찬가지로, 마음가짐, 신체 및 정신건강, 동료나 가족과의 관계와 같은 의사의 개인적 측면과 관련된 요인도 큰 영향을 미친다. 결과적으로, 개별 의사의 역량과 진료현장(예를 들어, 상황 특이성; 7장 참조)의 영향을 구분하는 것은 어렵기 때문에 평가가 어려운 것이다. 이 때, 의사의 진료과정과 진료결과에서 의사가 "하는" 일에 중점을 둔다면, 복잡한 진료환경에서도 다양한 역량을 통합할 수 있는지에 대한 의사의 능력을 더 명확하게 평가할 수 있다. 한편, 진료과정과 결과는 환자의 선호도에 영향을 주는 시스템적인 요인도 여전히 존재하기 때문에 진료과정의 만족도 평가에 영향을 미칠 수밖에 없다. 마지막으로 특정 서비스의 가용성 또한 결과에 영향을 줄 수 있다.

차원 3: 발달 평가

역량 습득은 하룻밤 사이에 일어나는 과정이 아니다. 학습자는 기본의학교육부터 시작하여 그들의 경력 전반에 걸쳐 지속적으로 그리고 단계적으로 발전한다. 교육자는 교육생이 다음 단계로 올라갈 충분한 지식, 기술 및 태도를 얻었을 때 이를 인식 할 수 있어야 하는데, 이를 위해서는 이행을 위한 적절한 표

표 1.2 드레퓌스(Dreyfus)가 제안한 학습단계

학습단계	학습방법(교수자 유형)	학습단계	학습자 특성
1.초보자	지도(강사) 맥락의 고려 없이 필요한 기술을 개별 임무, 개념, 규칙에 따라 나누어 지도	맥락 고려 없이 특징을 인식 이러한 특징에 맞는 행동을 결정하기 위한 규칙을 인지함	학습은 분리된 분석적인 마음의 틀에서 일어남
2. 상급 초보자	연습(코치) 실제 상황에 대처하는 경험 새로운 학습자료 제시 행동 규칙과 추론기법 학습	학습자료를 이해하는 경험을 바탕으로 관련 내용을 인식함 새로운 자료에 대응하는 법과 공식을 배움	학습은 분리된 분석적인 마음의 틀에서 일어남
3. 능숙자	견습(촉진자) "중요한"요소들을 "무시할" 요소들과 분리하는 계획을 세우거나 관점을 선택함 선택을 위한 규칙과 추론 기법을 사용하기 어렵다는 것을 보여줌 역할모델 역시 의사결정을 내리는 데 감정적으로 관여함	고려할 측면의 양이 압도적임 지칠 정도의 학습량 무엇이 중요한가에 대한 감각 부족함 정확/부정확의 선택을 독립적으로 수행함 적응하는 것이 두렵고, 낙담하게 되고, 고무적임	학습자는 임무와 그 결과에 감정적으로 참여함 규칙에 대해 매우 미묘한 차이가 많음– 교육생이 각각의 경우에 결정 해야함 실수한 후 후회를 느낌 성공하면 고무됨 정서적 학습이 역량을 강화함
4. 숙련자	견습(감독자) 의사결정의 결과에 대해 더 구체적인 경험을 획득함 수행할 업무를 결정하기 위해 규칙과 공식을 적용함	규칙과 원칙은 상황별로 차별적으로 대체됨 성공 또는 실패에 대한 정서적 반응은 합리적인 생각을 대체하는 직관적인 반응을 형성함	학습자는 목표와 두드러진 특징을 즉각적으로 파악함 규칙과 원칙을 적용하여 목표를 달성하는 방법을 추론함
5. 전문가	독립(멘토) 여러 개의 작은 무작위 변형을 경험함 다른 전문가를 관찰하거나 비무작위 시뮬레이션을 경험함 사례를 통한 작업은 정서적으로 중요해짐	상황에 따라 증가하는 미묘한 변화에 대한 경험을 획득함 한가지 반응이 필요한 상황과 여러 가지 반응이 필요한 상황을 자동적으로 구분함	목표에 대한 인식과 이를 달성하기 위해 수행해야 할 사항을 즉시 파악함 이전 학습경험을 바탕으로 새로운 학습을 구축함

출처: Dreyfus HL: On the Internet. *Thinking in Action Series*. New York, Routledge, 2001

준과 기준이 필요하다. 휴버트(Hubert)와 스튜어트 드레퓌스(Stuart Dreyfus)는 보건 전문직에 적용 가능한 다섯 단계의 교육발달 모델을 만들었다(표 1.2).

교육생의 특성과 역량은 다섯 단계의 발달 과정을 통해 변화된다. 또한, 각 발달 수준에서 적용되는 평가방법도 달라진다. 예를 들어, 초보자 수준에서는 MCQ를 활용한 지적 평가가 가장 적합할 수 있지만 표준화환자를 활용한 시험은 숙련된 단계의 학습자에게 더 적합할 수 있다. 학습자는 평가되는 과제의 내용과 맥락에 따라 자신의 역량 수준이 다름을 인식하는 것이 중요하다. 예를 들어, 전공의는 가슴통증이 있는 환자를 치료하는 데 능숙하지만 말기 환자 진료 상담에 대해서는 상급 초보자수준일 수 있다. 마찬가지로, 많은 학습자들은 진료 조정이나 비용에 민감한 치료와 같은 더 복잡한 시스템바탕 실무 분야에 필요한 역량을 획득하기 이전에, 기본적인 의학지식과 의사소통 기술 등의 역량을 달성한다. 궁극적으로, 특히 교육훈련과 진료현장의 모든 상황에서 지속적인 전문성 개발이 필요한데, 이를 위해서는 업무 바탕 평가가 우선시 되어야 한다. 교육자는 평가체계를 설계할 때 이러한 학습발달 순서를 인식해야 하며 선택한 방법이 적합한 지 확인하는 것이 중요하다.

평가방법의 선택 기준

특정 상황에서 사용할 평가방법에 대한 결정은 전통적으로 타당도와 신뢰도에 좌우되었다. 타당도는 평가결과에 따른 추론이 얼마나 정확한가를 의미한다. 특정 시험점수나 평가결과에 대한 타당성 추론은 이러한 결과의 신뢰도에 달려 있으며, 신뢰도는 2장에서 케인(Kane)과 메시크(Messick)가 논의한 것과 같이 더 "현대적인" 개념의 타당도에 속하는 한 요소이다 (2 장에서는 타당도와 심리측정학 이론을 보다 자세하게 다룬다).

의학교육에서의 평가를 위해 반 데르 블루텐(van der Vleuten)은 평가방법을 선택할 때 교육적 효과, 실행 가능성 및 수용 가능성을 고려해야 할 요소로 추가했다. 이러한 요소들의 조합은 종종 유용성 지수라고하며 다음과 같은 방정식으로 표시된다. 타당도(Validity) × 신뢰도(Reliability) × 교육적 효과(Educational Effect) × 비용 효과(Cost Effectiveness) × 수용가능성(Acceptability) = 유용성(Utility).[67] 유용성은 교육내용에 따라 평가방법을 선택하고 실행하기 때문에 도움이 되는 개념이다. 또한 유용성은 곱셈의 구조로 되어 있다는 사실을 주목할 필요가 있다. 용어나 변수 중 하나라도 0이면 공식에 따라 유용성은 0이 된다.

교육적 효과 측면에서, van der Vleten과 슈비르트(Schuwirth)는 교육생이 평가준비를 위해 열심히 노력할 것이라고 주장한다.[61] 따라서 평가방법은 교육생이 가장 관련성이 높은 방식으로 학습하도록 유도해야 한다. 예를 들어, 교육목표가 특정 주요 증상에 대한 감별진단을 익히는 것이라면 확장결합형 문항을 사용한 평가가 표준화환자를 활용한 평가보다 더 나은 학습을 유도할 수 있다.

실행 가능성은 평가방법이 비용효과적인 것을 말한다. 비록 고충실도 시뮬레이션은 술기 능력을 평가하는 좋은 방법일 수 있지만 교수자의 관찰을 기반으로하는 술기의 직접관찰(direct observation of procedural skills, DOPS) 방법을 사용하는 것이 대부분의 졸업후 수련교육 환경에서 더 현실적이다.[68]

수용가능성이란 교육생과 교수자가 해당 평가방법이 유효한 결과를 낳는다고 믿는 정도를 말한다. 이 요소는 교수자가 해당 방법을 사용하고 결과에 대한 교육생의 신뢰를 높이는 데 영향을 미친다. 교육리더들은 교육생의 지식과, 교육생이 갖고 있는 평가에 대한 이해와 평가와 관련된 의사결정에 참여할 수있는 능력을 과소평가하지 않는 것이 중요하다.

보다 최근에는 노르치니(Norcini)가 이끄는 국제평가전문가 집단이 유용성의 개념을 업데이트했다.[69] 타당도, 수용가능성 및 교육적 효과는 별도의 범주로 유지되었고, 타당도에 대한 일관성(특정 목적에 대한 결과를 지지하기 위해 제공되는 일련의 근거)이 강조되었다. 신뢰도는 본질적으로 재현성과 일관성(즉, 반복성)과 동등성(평가가 공간이나 시간과 관계없이 동등한 결과를 보임)의 두 가지 새로운 범주로 나누었다. 추후, 평가날짜와 피드백을 통해 학습을 진척시키는 데 있어 평가의 중요한 역할을 강조하기 위해 촉매효과가 추가되었다. 끝으로, 마지막 새 범주는 실행 가능성이다. 즉, 평가는 실용적이고 현실적이며 합리적이어야 한다.[69]

우수한 평가를 위해 두 가지 버전의 기준에서 강조된 요소들 외에도 특정 방법이 전체 평가 체계에 어떻게 맞추어 지는지 고려해야 한다. 동일한 방법을 사용하여 두 가지 이상의 역량을 평가할 수도 있다. 예를 들어, 동료평가는 전문직업성과 대인관계 기술을 측정할 수 있다. 마찬가지로, 두 가지 다른 방법을 사용하여 동일한 역량에 대한 정보를 획득한 후, 결과에 대한 신뢰를 높일 수 있다. 예를 들어, 환자진료는 미니임상평가연습(mini-CEX)과 주치의에 의한 월별 평가기록을 모두 사용하여 평가할 수 있다. 교육적 효과, 촉매 효과, 실행 가능성 및 수용가능성은 쉽게 정량화 할 수 없으며 교육체계 내에서의 평가방법들 간의 관련성도 마찬가지다. 그러나 특정 평가방법을 고려할 때 이러한 요소들과 더불어 신뢰도 및 타당도를 상호 저울질하여 선택해야 한다.

효과적인 교수개발의 요소

교수자는 종종 관찰에 바탕을 둔 평가를 하기 때문에 특히, 임상현장평가에서 중요한 역할을 한다. 그리고 여기서 교수자란 최소한 평가시스템에 참여하는 모든 의료전문직을 의미한다. Miller는 피라미드의 가장 상위 단계로 "수행한다"(실제 환자진료를 의미)를 배치했음을 기억하자. 피라미드를 창으로 상상하고 뾰족한 창 끝에 환자가 있다고 생각해보라. 이 은유를 사용하면, 교육생이(최소한의) 역량을 제대로 갖추도록 하고, 교육생을 위한 교육기간 동안에도 환자가 고품질의 안전한 치료를 받을 수 있도록 보장하기 위해서는 학습자 관찰이 얼마나 중요한 지 *교수자(faculty)*로 하여금 깨닫게 할 수 있다.[32] 가장 중요한 것은 실제 측정기구는 평가도구가 아닌 *교수자*라는 점이다. 우리는 업무현장평가가 필수적이며, 이는 고지된 전문가의 판단에 의존한다는 것을 책 전반에 걸쳐 강조하지 않을 수 없다.

평가방법과 도구는 이를 사용하는 개인에 좌우된다. 다양하고 새로운 평가방법과 도구를 만드는 데에는 상당한 진전이 있었지만, 그것을 가장 효과적으로 사용할 수 있는 교수개발 방법은 큰 주목을 받지 못했다. 교수자의 평가능력에 대한 문제가 있음을 보여주는 반복적인 연구에도 불구하고 이러한 무관심은 지속되고 있다.[31, 70-72] 4장에서는 관찰과 평가자 인식에 관한 보다 자세한 내용이 다루어질 것이다. 교수자 훈련이 시급히 필요한 세 가지 중요한 이유가 있다.

첫째, 질평가를 수행하려면 교수자는 평가 대상인 역량에 대한 충분한 지식, 기술 및 태도를 가져야 한다. 예를 들어, 현장에서의 임상술기 교육의 감소는 1976년 조지 엥겔(George Engel)에[73] 의해 지적되었으며, 그 결과 오늘날 많은 교육자들은 효과적인 진료와 교육에 필요한 높은 수준의 임상술기를 습득하지 못하고 있다. 이로 인해 임상수행능력에 대한 타당한 평가는 제한적일 수 있으며, 최근의 연구에 따르면 교수자 자신의 기본 임상술기 역량이 중요함을 강조하고 있다.[31]

둘째, 역량은 시간이 지남에 따라 진화하고 변화한다. 진료바탕학습과 개선 및 시스템바탕 진료의 역량들이 탄생하였고 최근에는 CanMEDS의 관리자 역할이 리더로 변경되었다.[74] 오늘날의 교수자 중 대다수는 현재 의료현장에 필요한 역량과 하위역량에 대한 정규 교육을 받지 못했다. 따라서 많은 교수자가 교육생과 함께 새로운 지식과 기술을 습득한다.[33]

마지막으로, 평가는 의학교육자들에게 전문직업성의 핵심 교리와 같다. 교수자는 종종 부정적인 성과평가가 관련될 때 자신의 업무가 아닌 것처럼 생각한다(15장 참조). 교수개발은 평가의 중요성을 강화하고 의학교육자가 수행도에 대한 공통표준을 개발할 수 있는 기회를 준다.

평가방법을 효과적으로 사용하려면 교육기관에서는 교수개발에 필요한 자원을 투입해야 한다. 그러나 흔히 교수개발은 하나의 프로젝트 또는 짧은 워크숍으로 해석되고 있다. 교수개발이 제대로 성공하기 위해서는 의학교육자들이 교수개발을 실시간 교육과 임상 활동에 포함시키는 새로운 전략들을 수용해야 한다. 예를 들어, 헤머(Hemmer)와 동료들은 교수 참조틀 훈련을 학생들의 정규 평가과정에 포함하였다.[75] 질 향상과 역량의 유지와 같은 교수개발은 지속적인 과정이어야하고 적절히 보상받아야 한다. 앞서 언급했듯이 환자진료의 품질과 안전성은 교수개발에 달려 있다.

또한 의학교육자들은 모든 요구를 해결할 수있는 완벽한 평가방법에 대한 미련을 버려야 한다. 평가는 어려운 작업이며 다면적인 접근방식이 필요하다. 랜디(Landy)와 파르(Farr)는 35년 전의 수행평가분야의 획기적인 논문에서 밝혔다시피, 연구자들에게 완벽한 평가양식을 찾는 대신 평가자에 대한 훈련에 집중하도록 요청했다.[76] 이 분야의 연구자들은 그 후 더 나은 평가가 이루어질 수 있도록 다양한 평가자 훈련법을 개발했다. 4장에서는 여러가지 실용적인 교수자 훈련 방법에 대한 지침이 제공된다.

나중에 설명할 마일스톤과 EPA는 특별한 고려 대상이다. 교육과정개발과 평가에 EPA와 마일스톤을 사용하려면 새로운 평가업무를 지원한 인프라와 교수들의 사고방식의 전환이 필요하다. 개별 교수와 위원회 모두 EPA 교육환경에 필요한 위임의 사결정을 숙지하고 경험을 쌓아야 한다.[77] 평가현장과 흡사한 교육현장이 필요한데, 현재 의사결정 기준에 대한 교육과 비디오 녹화와 같은 EPA바탕 평가도구가 개발 중이다. 충분하고 적절한 감독과 피드백은 장기적 멘토링이 반드시 필요한 이유이다.[78,79] 멘토링에 반드시 많은 시간을 투자 할 필요는 없지만 학습의 효과를 위해 멘토와 멘티가 가진 만남을 효율적으로 사용해야 한다. 집단평가 또한 평가 시스템의 일환으로 마일스톤과 EPA의 효율성을 향상시킬 수 있으며, 교수자는 효과적인 집단평가에 대한 훈련이 필요하다.[57]

평가방법의 개요

전통적인 평가방법

전통적인 평가방법(5장과 6장 참조)은 임상능력의 평가에 있어 계속적으로 중요한 역할을 할 것이다. 특히, 다지선다형시험(MCQ)과 표준화환자를 활용한 평가는 가까운 미래에, 특히 기본의학교육에서 평가 프로그램의 기본구성 요소가 될 것이다. 전통적인 평가방법들을 각 방법에 대한 개발 연구가 지속적으로 이루어져야 한다.

관찰에 근거한 평가방법

기초의학교육과정에서는 오랫동안 평가가 이루어져왔지만, 역사적으로 볼 때 임상교육과의 통합은 제대로 이루어지지 않았다(3, 4, 7, 11장 참조).

그럼에도 불구하고, 임상 환경에서 일상적인 환자면담을 관찰하는 평가방법은 풍부한 평가 데이터를 제공하며, 현실적으로 실행 가능한 평가이다. 따라서, 관찰에 근거한 평가방법은 지속적인 개선이 이루어짐과 동시에 이를 성공적으로 활용하기 위해서는 교수개발이 핵심적이다. 또한, 관찰법을 이용한 평가가 가지고 있는 잠재력 중 하나인 교육적 피드백 과정의 활용이 매우 중요하다.

시뮬레이션

기술의 향상으로 인하여, 높은 충실도로 현실을 재현하는 일련의 시뮬레이터들의 개발이 촉진되었다(5장과 12장 참조). 평가에 시뮬레이션 사용이 증가하고 있지만 여전히 대부분의 장비는 고가이며, 광범위한 채택과 활용에 앞서 몇 가지 개발되어야 할 사항들이 있다. 연구자들은 적절한 채점방법을 식별하고 점수의 일반화를 최적화하여, 평가결과가 현장에서의 수행능력과 높은 관련성을 보일 수 있도록 지속적으로 노력해야 한다.[80] 한편, 술기 분야에서는 시뮬레이션을 활용한 평가가 환자에게 해를 끼칠 염려가 없는 안전한 조건에서 평가를 수행할 수 있도록 한다. 또한 시뮬레이션바탕 실습과 완전학습방식을 병행하는 경우, 더 개선된 환자진료와 학습결과를 가져올 수 있다는 보고가 있다.[45,81,82] 교육자들은 교육비용, 시뮬레이션 방법의 다양한 충실도, 그리고 술기 능력을 평가하는 최선의 방법을 결정하는데 있어 환자(그리고 학습자)에게 미칠 수 있는 잠재적 위험 등을 고려해야 하는 등, 쉽지 않은 결정을 내려야 한다.[83]

업무

업무현장에서의 의사의 수행능력 평가(주로 Miller 피라미드의 "시행한다" 수준)는 가장 많은 변화와 개발이 진행되는 평가 영역이다(3, 4, 7, 8, 9, 10, 11, 14 장 참조). 직접관찰 평가방법을 적용하여 교육생의 "수행"("방법을 보여준다")을 평가할 수 있지만, 대부분의 학습자들은 시험문항과 평가상황에 신속하게 적응하여 익숙해진다. 따라서, 교수자가 관찰한 것이 교육생의 "최상의 행동"이라 하더라도, 환자가 안전하고 효과적이며 환자중심적인 치료를 받는지 확인하고 평가하는 데 있어서는 여전히 많은 도움을 준다.[31] 의사의 일상적인 수행은 지속적인 질 향상과 의사의 책무가 요구되는 상황에서 더 많이 사용되고 있다. 이러한 맥락에서 평가는 판단의 근거(예: 결과, 진료 과정)를 식별하고, 자료수집 방법을 결정하고, 타당도와 신뢰도를 떨어뜨리는 요소(예: 환자 혼합, 환자 복잡성, 귀속, 환자수)를 피하는 것이다.[84] 또한 환자는 주로 환자경험 설문조사를 통해 업무바탕평가에서 큰 역할을 한다.[85] 뿐만 아니라, 환자 자가보고 성과측정(patient-reported outcome measures, PROMs)은 기능적 결과에 점점 더 많이 사용하고 있다(10장 참조). 현재 질적 및 안전적 조치, 환자경험 설문조사 그리고 PROMs등에 대한 실질적인 연구가 진행되고 있지만 아직 할 일이 많이 남아 있다. 한편, 이것이 궁극적으로 환자와 대중이 가장 관심을 갖는 것이라면, 의학교육과정에서 전반적인 평가프로그램의 일환으로 업무바탕 평가를 적용할 필요가 있다.

평가의 새로운 방향

의학교육 전반에 걸쳐, 역량바탕 의학교육 모델의 실행은 상당히 어려운 과제이다.[11,29] 그 이유 중 하나는 역량의 용어와 개념을 교육 실무와 평가에 적용하는 것이 쉽지 않기 때문이다. 결과적으로, 마일스톤과 EPA라는 두 가지 새로운 접근방식이 등장했으며 역량 틀을 사용하여 성과바탕교육을 보다 효과적으로 구현할 수 있는 메커니즘으로 계속 발전하고 있다. 이 두 가지 새로운 접근방식은 모두 확실한 교육이론에 기반을 두고 있지만 독자들은 우리가 마일스톤과 EPA의 타당도를 포함한 교육적 효과와 유용성을 판단하는 데에는 아직 초기 단계임을 이해할 필요가 있다. 비록 초기 연구결과가 고무적이지만 아직도 많은 과제가 남아 있다. 한편, 마일스톤과 EPA가 모두 국가평가시스템의 일부가 되고 있으므로, 이 장에서는 독자들이 자신들이 속한 교육기관에서 진행하고 있는 평가 프로그램에 이 책에서 다루는 다양한 평가방법의 개념을 이해하고 탐색하는 데 도움이 되도록 기본 배경 지식을 제공하고자 한다.

표 1.3 소아과 수련과정의 21개 역량 중 하나에 대한 ACGME 마일스톤의 예

역량: 공감적 진료의사의 특성인 인본주의, 동정심, 성실함과 타인에 대한 존중을 보여준다.

수준 1	수준 2	수준 3	수준 4	수준 5
"우리 대 그들"의 시각으로 환자를 자신과 분리하여 대하며, 환자와 환자가족의 인간적인 요구에 민감하지 않음	특정 상황 (예: 예기치 않은 사망 과 같은 비극적인 상황)에서 환자에 대한 동정심을 나타내지만 타인의 다양한 요구에 대해 민감성이 결여된 행동 패턴을 가지고 있음	환자 및 환자가족이 표현하는 요구에 대한 일관된 이해와 그러한 요구를 정기적으로 충족 하려는 열정을 보여줌. 친절과 동정심을 보여줌	이타적이며 환자와 환자가족이 표현한 요구에 부응하는 것 이상으로 필요한 요구를 예상함. 환자와 환자 가족이 표현하는 인간적인 요구를 충족시키기 위해 노력하며, 이러한 행동은 일상적인 업무의 하나로 간주함	도움이 필요한 개별 환자, 환자 가족, 그리고 아동집단에 대해 적극적인 지지자의 행동을 보여줌

미국졸업후교육인증위원회(Accreditation Council for Graduate Medical Education, ACGME)

출처: Carraccio C, Benson B, Burke A, et al: Pediatrics milestones. *J Grad Med Educ*. 2013;5(1 Suppl 1):59-73.

마일스톤(Milestones)

ACGME 역량 틀은 초보자, 상급 초보자, 능숙자, 숙련자, 전문가를 포함하는 "Dreyfus의 기술 개발 다섯 단계"에서 영감을 받았으며, 1986년에 처음 발표되었지만 실제로 이 단계를 마일스톤으로 역량 틀에 덧붙이는 것이 제안된 것은 몇 년 후이다.[17,26] 마일스톤은 업무현장에서 교육생의 평가와 교육과정의 변화를 촉진하기 위해 채택되었다.[86] 마일스톤은 의사에게 요구되는 전문적인 역량과 하위 역량을 갖추기 위해 훈련하는 교육생을 평가하는 교수자에게 도움이 되도록 개발한 것으로, Dreyfus의 다섯 가지 발달 단계와 일치하는 구체적인 행동에 대한 기술이다. 효과적인 평가를 위한 기준으로 개발된 ACGME 마일스톤은 미국의 모든 졸업후의학교육 분야에 적용 가능한 내용이며, 2013 년 3월과 2014년 3월 Journal of Graduate Medical Education에 발표되었다.[87] 전문과별 마일스톤은 전공의의 발달 상황에 대한 반기 보고서에 사용되고 있다. 예를 들어, 표 1.3은 소아과 역량의 21개 마일스톤 세트 중 하나를 보여준다.[88] 2014년에 모든 전문 분과는 각자의 프로그램에 대한 마일스톤을 개발했으며,[87] 이제 미국의 모든 전공의는 각 전문 분과의 역량에 대해 마일스톤으로 정기적 평가를 받아야 한다. 미국의 모든 응급의학과 내과 수련교육에 관한 국가 데이터를 사용한 초기 연구는 타당도 측면에서 고무적인 발견을 하였다.[89,90] 마일스톤은 또한 학습에 어려움이 있는 전공의를 조기에 식별하는데 도움이 되었다. 뿐만 아니라, 전공의와 전임강사들에게 더 나은 피드백을 제공해주고 더 나은 평가방법의 개발과 교수개발을 위한 유용한 틀로도 도움된다고 보고되고 있다.

CanMEDS의 2015년 판에도 마일스톤이 도입되었는데, 마일스톤이란 일곱 개의 CanMEDS 역량 역할에 따른 "전문직업성 개발에 있어 학습자 또는 의사에게 기대되는 능력에 대한 설명"이라고 정의하였다. 그리고 이 마일스톤은 각 "역량"에 대해 교육생이 "제대로" 습득한 상태인지 판단하는데 있어 학습자와 교육자에게 좋은 지침이 되고 있다.[15]

표 1.4 EPA-역량 매트릭스 요약

	EPA 1	EPA 2	EPA 3	EPA 4	EPA 5	EPA 6
역량 1	•		•	•	•	
역량 2		•	•	•		
역량 3		•	•	•		•
역량 4	•	•				
역량 5	•	•	•		•	•
역량 6			•			
역량 7		•	•			•

위임가능전문활동(*Entrustable professional activity, EPA*)

위임가능전문활동

위임가능전문활동(Entrustable professional activities, EPA)의 개념은 2005년에 소개되었다.[92] 2007년 *Academic Medicin*에 출간된 후 미국, 캐나다와 기타 다른 나라의 졸업후의학교육 프로그램에서 상당한 관심을 끌었다. 그 이후로 EPA는 수많은 프로그램에 제안되어 왔으며, 미국과 캐나다에서는 전공의 교육 입문을 위한 교육생의 수준을 판단하기 위한 기준으로 활용되고 있다.[94] 가장 최신의 EPA개념에 대한 설명과 업무현장에서 수련과 평가에 활용 방법 등에 대해서는 에이미 가이드(AMEE Guide)[8)] 99번 자료에서 확인할 수 있다.[49]

EPA란 교육생이 의료현장에서 요구되는 의료행위를 감독없이 적절하게 수행하는 것을 말한다. 역량과 달리, EPA는 교육생의 질적 수준을 말하는 것이 아니라 그들이 수행해야 할 업무의 일부를 의미한다. 표 1.3은 특정 업무와 관련이 없는 일반적인 역량을 보여 주지만, EPA는 의료현장에서 요구되는 구체적인 업무를 의미하며 종종 다른 역량과 함께 수반된다. 보다 구체적으로 말하면, EPA는 주어진 맥락에서 필수적으로 요구되는 전문적 업무의 일부를 의미하며, 일반적으로 교육과 훈련을 통해 습득된 적절한 지식, 기술과 태도가 요구된다. EPA는 전문적인 노동 결과로 인정되며, 일반적으로 자격을 갖춘 사람에게만 국한되는 개념이다. EPA는 교육생이 독립적으로 수행 가능한 행동이며 제한된 시간 내에 실행 가능해야한다. 교육생의 과정과 결과는 관찰 가능하고 측정 가능해야하며, "잘함" 또는 "잘못 함" 등의 평가 결과로 표현될 수 있어야 한다. 또한 획득 대상 역량 중 하나 이상이 반영되어야 한다(부록 1.1 참조).[92]

의료현장에서 수행되는 대다수의 업무는 의사 개인에게 맡겨지는 일들이 많다. EPA는 의사가 내용에 대한 전문지식, 협업 기술, 의사소통, 관리 등과 같은 여러 영역에서 다양한 역량을 동시에 갖추고 통합하도록 요구한다. 반대로, 각 역량 영역은 의사의 다양한 업무 활동과 관련이 있다. 역량(또는 역량 영역)과 EPA를 하나의 매트릭스에 결합하면 교육생이 EPA를 수행하기 전에 어떤 역량들을 획득해야 하는지를 알 수 있다.[94] 표 1.4의 이차원적 매트릭스는 평가와 피드백, 개인 역량 개발, 그리고 위임결정에 유용한 정보를 제공한다. 따라

8) 역자 주. 에이미(AMEE) 가이드는 유럽의 최대 의학교육학회인 유럽의학교육협의회(An Interntional Association for Medical Educatoin, AMEE)에서 비정기적으로 발간하는 얇은 시리즈 책자 중 하나로, 보건의료교육에 종사하는 교수자들을 위한 내용의 핵심을 다룬 것이다. 주요 영역으로는 교수와 학습, 교육과정, 평가, 교육행정, 의학교육연구, 의학교육 이론 등이다. 새로운 의학교육의 핵심 이슈가 있을 때마다 그 내용을 정리한 요약자료로 발간되기 때문에 전세계 의학교육자들의 활용도가 높은 책자이다. 참고: https://amee.org/publications/amee-guides

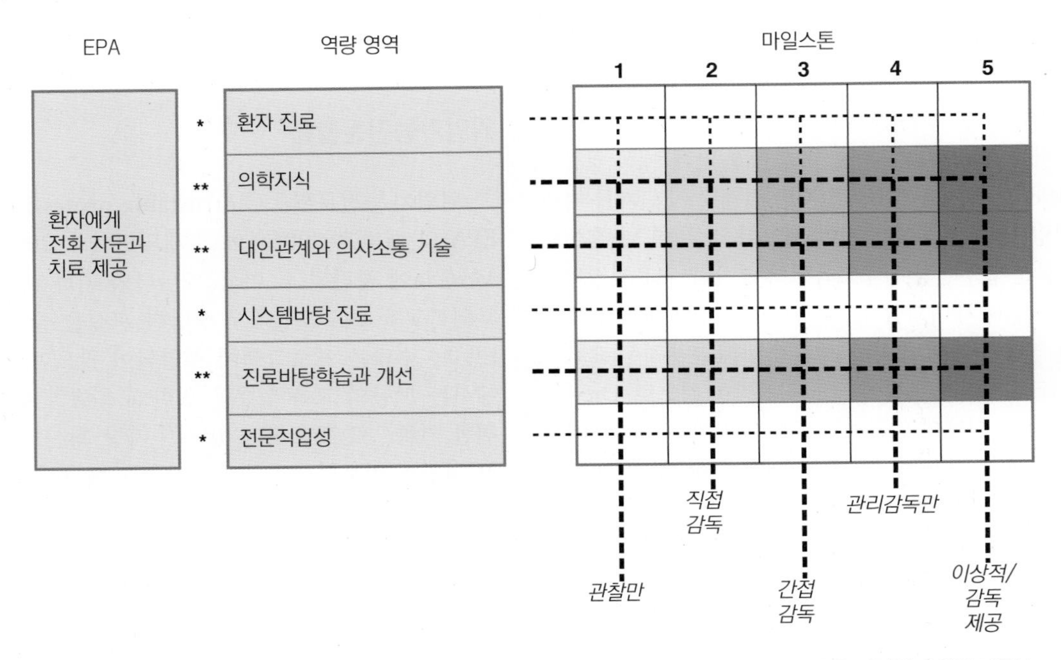

그림. 1.1 위임가능전문활동(entrustable professional activity, EPA)의 적절한 감독 수준을 결정하기 위해 마일스톤 활용하기

서, EPA를 기반으로 한 평가는 교육생의 세밀한 역량을 독립적으로 평가하는 것이 아니라 전인적(holistic)이고 종합적인 평가접근 방식이다. EPA는 역량의 대안이 아니라 임상진료에 필요한 역량의 기초를 다지는 목적으로 개발된 또다른 차원의 내용을 담고 있다.

EPA는 현재 산부인과, 소아과, 내과, 가정의학과, 정신과, 혈액학 및 종양학, 그리고 중환자의학을 포함한 많은 졸업후 의학교육 프로그램에서 도입되고 있다.[96-102] 한 예로 *복잡하지 않은 분만 수행(conducting a uncomplicated delivery)*을 들 수 있다. 가정의와 산부인과 전문의에 의해 수행되는 이 교육은 훈련의 어느 시점에서는 교육생에게 온전히 맡겨 져야하고, 교육생은 결국 감독 없이 해당 과제를 수행해야 한다. 이를 위해 특정 지식, 술기와 태도가 필요하며, 숙련도는 교육훈련을 통해 습득될 수 있다. 직접관찰할 수 있어야 하며 역량을 반영한다. 이 활동은 특히 의료 전문가, 소통가 및 협력자로서의 CanMEDS 역할을 반영하므로 EPA가 역량을 어떻게 통합하는 지 알 수 있다. EPA의 또다른 예는 수술 전 평가 제공, 여러 치료 환경에서 급성질환이 있는 환자의 치료관리, 완화의료 제공, 비 면역억제 및 면역저하 환자들에 대한 일반적인 감염 관리, 정신분열증에 대한 환자가족 교육 제공, 위험평가 수행, 일반적인 급성 문제로 고통받는 어린이들에 대하여 입원 절차를 안내하는 소아과 의사로 활동하고, 불안 장애를 약물로 조절하고, 말기환자들을 위한 돌봄, 행동발달 소아과 사무실에서 상담을 제공하는 것 등이다. 종합적인 EPA 세트는 전문적 의료활동의 핵심을 다루어야 한다. 각 EPA는 잘 설명되어야하며 제목 옆에 세부적인 내용과 제한 사항 등이 포함되어야 한다. 또한 필요한 역량의 목록, 요구되는 지식과 술기 및 학습경험에 대한 구체적인 내용, 평가를 위한 제언, 그리고 일정 기간 동안 의료활동을 하지 않을 경우 해당 EPA에 대해서는 더 이상 역량을 갖추지 않은 것으로 간주하는 만료기간이 표기되어야 한다(부록 1.2 참조).[94]

EPA 구성과 연계된 것은 *위임결정(entrustment decision making)*의 목적이다. 이 과정은 능력을 인정하고 제한된 감독 상황에서 의료를 행동할 수있는 권한을 부여하며 의료 현장에서 업무를 수행하게 한다. 진정한 역량바탕 의학교육은 수련기간과는 관계없이 적절한 역량을 보여주면 자격을 부여하기 때문에 이를 위해서는 교육과정이 개별화되고 유연해야 한다. EPA는 각각의 개별 전문활동에 대하여 위임 결정을 내릴 수 있으므로, 수련 마지막 날 모든 것을 몰아서 평가하는 면허시험의 성격과는 다르게[94] 점진적이면서 합법적으로 의료환경에 적응하며 참여할 수 있다.[103] EPA 수료과정은 이분법적

• 글상자 1.2 감독 및 허용수준의 다섯 단계

1. 의료 현장에 참여하고 관찰할 수 있지만 EPA를 수행하는 것은 허용되지 않는다.
2. 의료 현장에서 직접적이고 주도적인(pro-active) 감독하에 EPA를 수행할 수 있도록 허용한다
3. 간접적이고 반응적인(re-active) 감독하에 EPA를 수행할 수 있도록 허용하며, 의료 현장에 투입될 준비가 되어 있다.
4. 의료 현장 인근에 감독자 없이도 EPA를 수행할 수 있어야 한다. 원거리 감독이나 임상적 관리감독(clinical oversight)이 이루어지거나 기본적으로는 감독 없이 EPA를 수행한다.
5. EPA와 관련하여 아랫년차 교육생을 감독할 수 있다.

표 1.5 다양한 발달 모델의 정렬

마일스톤 수준	Dreyfus 모델 단계	학습자 행동 유형	RIME 단계	임상의사로의 전환	적절한 감독과 위임 수준
1	초보자	주어진 규칙에 따라 시키는 대로만 행동	보고자	임상진료 현장에 입문	개입하지 않고 관찰만 함
2	상급 초보자	이해한 대로 행동함	보고자/해석자	감독자의 안내하에 진료수행	직접적이고 적극적인 감독하에 수행
3	능숙자	익숙한 진료상황에 적용	해석자/관리자	독립적 진료 초기 단계	간접적이고 반응적 감독하에 수행
4	숙련자	익숙하지 않은 진료상황에 적용	관리자/교육자	감독 없이 진료 수행	임상적 관리감독
5	전문가	경험 있는 임상의	교육자	졸업 후 고무적 성장	다른 사람을 감독

인 것이 아니다. 교육생에 대한 신뢰가 높아지면 감독 수준은 떨어진다. 글상자 1.2는[93,104] 졸업후의학교육을 위한 다섯 단계의 감독, 위임, 그리고 허가 모형을 기술해 놓은 것이다.

마일스톤과 위임가능전문활동의 결합

역량과 더불어 마일스톤과 EPA의 등장은 의학교육자들과 교수들에게 또 다른 부담이라는 비판적 시각이 있을 수 있지만,[105] 일부 저자들은 이 두 가지를 결합할 것을 제안했다. 신시내티 대학교(University of Cincinnati) 내과 전공의 수련 프로그램의 교육책임자인 에릭 웜(Eric Warm)은 다섯 단계의 EPA 감독 수준(글상자 1.2)과 다섯 단계의 역량의 마일스톤 수준(표 1.3 참조)을 단순하게 동일한 수준으로 보았다. 모든 전공의의 마일스톤을 정기적으로 평가해야 하기 때문에, 그는 교육생 교육을 책임지고 있는 임상의들에게 직접 감독, 간접 감독, 또는 감독하지 않는 업무에 대하여 준비 상태를 추정하도록 요청한다고 한다. 이는 마일스톤을 활용한 교육의 효율성과 간결함을 보여준다. 이러한 접근법에서 한 발짝 더 나아가 Dreyfus 모델,[66] 널리 사용되고 있는 RIME 모델(보고자(reporter)-해석자(interpreter)-관리자(manager)-교육자(educator)[106] [3장 참조]), 마일스톤 접근 방식[107]과 감독 수준은 그림 1.1과 같이 정렬될 수 있다. 보다 구체적인 행동기술과 감독에 대한 내용으로 모델을 확장할 수 있지만[66,108] 여기서의 핵심은 개념의 정렬에 있다. 마일스톤 또는 감독 수준 3단계에서 4단계로 이동했다면, 이는 임상적 감독 수준이 허용하는 임계값을 통과한 것으로 볼 수 있다. 그렇다고 하여 교육생이 지속적인 개발을 더 이상 하지 않아도 된다는 의미는 아니며, EPA를 보여줄 수 있는 능력, 허가, 책무가 공식적으로 인정되는 것이다. 이것을 때로는 인정된 책임 선언(Statement of Awarded Responsibility, STAR)[93] 또는 총괄위임결정이라고 표현하기도 한다(표 1.5).

이러한 정렬 모델에 대하여 한 예를 들 수 있다. 소아 전공의 수련교육이 "전화상담을 통해 적절한 조언을 제시하고 환자를 관리한다"라는 EPA를 달성해야 한다고 가정하자(존스[Jones]와 동료들의 논문 참조)[109] EPA-역량 매트릭스에 의하면, 가장 중요한 역량 영역은 의학지식, 대인관계와 의사소통기술, 진료바탕학습 및 개선이라는 것을 확인할 수 있다. 이러한 각 영역에 대해 마일스톤이 설명되었다고 가정하자. 교육생은 간접 감독(즉, 방에 감독자가 없는 경우)이 적절한지 여부를 판단하기 위해 우선 평가를 받아야 한다. 만약 교육생이 가장 관련성이 높은 세 가지 영역에서 마일스톤 수준 3에서 예상되는 모든 내용을 충족하면 간접 감독이 가능하다. 그러나 교육생이 역량 중 하나라도 수준 3에서 기대되는 행동이나 기술을 보이지 않는 경우에는 보다 세심한 감독이 필요하다. RIME 모델이 사용하는 용어표현에 의하면, 이 단계의 학습자는 해석자와 초급 관리자로 평가될 수 있다. 표 1.3에 이 관계가 설명되어 있다.[49]

이 모델은 역순으로도 사용할 수 있다. 임상교육자는 교육생의 다양한 훈련배경을 참고하여 간접적인 감독이 가능할 것이라고 직감할 수 있다. 그 다음 중요한 역량 영역의 빠른 평가를 통해 이를 확인할 수 있으며, 결론적으로 교육생이 관련 역량의 마일스톤 수준 3을 충족한다고 보는 것이다. Warm과 동료들은 신시내티 대학의 대규모 교육 프로그램에서 모든 내과 전공의에 대한 정기적인 평가가 마일스톤 척도와 일치한다고 가정하고 위임-감독 척도로 평가점수를 매기는 데 성공했다고 보고했다.[110]

위임가능전문활동-역량-기술

EPA는 업무 단위이고 역량은 개인의 자질과 능력을 나타내는 기술어 임에도 불구하고 흔히 교육자들은 "신체진찰"을 역량이라고한다. 엄밀히 말하면 신체진찰 자체가 아니라 *신체진*

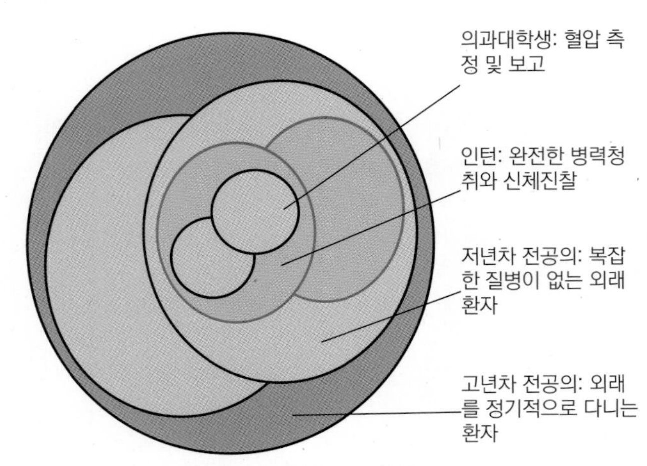

그림. 1.2 다른 EPA에 내제된 다양한 EPA 영역
출처: Ten Cate O, Chen HC, Hoff RG, et al: Curriculum development for the workplace using Entrustable Professional Activities (EPAs): AMEE Guide No. 99. *Med Teach.* 2015;37(11):983-1002.

*찰을 수행하는 능력(ability to perform a physical examination)*이 기술이며 학습자 또는 전문가의 특징 중 하나이다. 그리고 더 구체적인 수준의 기술로는 손기술, 시각 기술, 청각 기술과 심지어 시간 관리 및 의사소통 기술이 필요하다고 해야 할 것이다. 교육생이 이러한 기술이나 능력을 갖춘 경우 감독 없이 신체진찰을 수행할 수 있는 사람으로 신뢰할 수 있을 것이다. 간단히 말해, 의료 전문가는 임상 활동(즉, EPA)을 효과적으로 수행하기 위해 통합된 능력(즉, 역량)이 필요하다.

연속적이고 군집된 위임가능전문활동

의료현장에서의 임상 활동은 작거나 클 수 있다. EPA 내용에 대한 "올바른" 폭과 개수를 묻는 질문에는 쉽게 대답할 수 없다. 만약 질문이 "간접 감독 상황에서 EPA를 학습자에게 위임할 때 다루는 책임의 범위는 무엇인가?"라면, 해당 교육생의 수련 단계에 따라 분명히 큰 차이가 있을 수 있다. 예를 들어, 의과대학생 저학년에게 위임할 수 있는 첫 번째 EPA는 "혈압 측정" 정도의 수준일 수 있다. 만약 우리가 이 과제를 감독자의 확인 없이 수행할 수 있는 전문적인 진료나 활동으로 간주하다면 이 또한 진정한 EPA이다(그림 1.2).

그러나 의학교육과정의 고학년 수준에서 본다면, 이 EPA는 온전한 신체진찰 과정의 한 부분에 불과하다. 따라서, 상급 의과대학생의 수준에서는 기본적인 신체진찰이란 병력청취를 포함하는 외래 환자 면담이라는 더 넓은 EPA개념에 포함될 수 있다. 기술적인 용어로 해석하면 작은 EPA는 더 넓은 EPA 에 포함된다.[49]

위트레흐트(Utrecht)의과대학 EPA 중 하나는 "임상자문(clinical consultation)"으로, 간접 감독 수준에서 모든 의과대학생이 졸업하기 전까지 습득해야 하는 과제이다. 신경계, 이비인후과, 부인과, 정신과 및 기타 병력청취와 신체진찰 기술이 필요하기 때문에 비교적 광범위한 EPA라 할 수 있다. Utrecht 교육과정에서 학생들은 비교적 이른 단계에서 "이비인후과 임상자문"을 위임 받게 되면, 임상실습 기간 동안 다른 전문 분야도 비슷한 수준의 내용을 습득하게 된다. 그리고 졸업학년이 되어야 이 모든 소단위 EPA는 "임상자문"이라는 광범위한 EPA로 연결되는데, 이는 학생인턴쉽 과정에서 간접 감독하에 별도로 평가된다.

따라서 EPA바탕 평가의 경우, 연계적인 교육과정의 시각으로 EPA를 설계하는 것이 바람직하다. 예를 들어, 전공의 과정을 시작하기 전에 완전히 습득되어야 하는 의과대학 학부교육 수준의 EPA,[111] 노인병학 교육과정의 마지막 단계의 EPA,[112] 또는 임상강사 수련을 마치는 시점에서의 EPA가[113] 있다. 그렇다고 모든 EPA가 교육훈련 마지막 단계에서만 완전히 학습되어야 한다는 의미는 아니다. 실제로 역량바탕교육의 핵심은 그 시기가 언제가 되었든지 EPA를 숙달하고 교육생이 필요한 역량을 입증하는 즉시 감독을 줄이고 자율성을 늘여 의료활동을 위임하는 것이다.

평가로서의 위임결정

EPA에 중점을 둔 교육생 평가의 장점은 일상적인 진료에 필요한 임상적 사고와 연계적이라는 것이다. 그 중 많은 부분이 교육생 자신과 다른 교육생들의 임상 활동이 잘 수행되는지에 초점을 맞추고 있다. 진단적 추론과 치료 과정에서 환자의 만족과 올바른 진료를 했다는 성공의 기쁨은 교육생의 역량과 진료·품질을 모니터하는 중요한 원동력이다.[114] 이로부터 다음과 같은 일련의 권고가 도출될 수 있다.

EPA 실행에 중점을 둔 후, 역량 살펴보기. EPA바탕 평가의 핵심은 업무가 잘 수행되고 있는지의 여부이다. 대부분의 경우, 모든 역량에 대한 세세한 평가는 거의 필요하지 않다. 교육생이 EPA를 제대로 수행하지 않을 때, 그 이유와 원인을 분석하는 것이 가장 좋다. 학습자들에게 EPA 역량 매트릭스와 마일스톤을 설명해 주는 것이 자신들의 약점을 식별하고 개선 방향을 안내해 준다.

평가를 위한 세 가지 기준 또는 참조틀의 구별. 교육자들은 명확한 표준, 기준 또는 적절한 참조틀이 없기 때문에 평가에 어려움을 겪는다(3장 및 4장 참조). 교육자들은 종종 준거참조 판단(예: 여러 만성질환을 앓고 있는 환자를 적절하고 효과적으로 돌보는 것) 대 규준참조 판단을 사용하는 데 어려움을 느낀다. 예를 들어, 로버트(Robert)는 이 훈련단계에서 제인(Jane)만큼 우수한가? 교육생이 이전 학습수행 관찰 후 큰 진전을 보였기 때문에 더 높은 점수를 받는가? 혹은 교육생이 특별한 노력을 했기 때문에 그런가? 또는 교육생이 교수자인 당신의 수준으로

표 1.6 총괄적 위임결정을 뒷받침하는 자료원

자료원	예시
지식 시험	지필 혹은 온라인 시험, 증례바탕토론, 관찰 지도
단기 진료 관찰	미니임상평가연습(Mini-CEX), 임상술기직접관찰(DOPS), 인수인계, 비디오와 기타*
장기 진료 관찰	다면피드백, 인계 검토
시뮬레이션 시험	객관구조화진료시험(OSCE), 관찰구조화술기평가(OSATS),† 표준화환자 시험
업무성과 평가	전자의무기록 등록 자료, 발표, 논문, 보고서, 사건 분석

직접관찰(Direct observation of procedural skills, DOPS); 전자건강기록(electronic health record, EHR); 미니임상평가연습(clinical evaluation exercise, mini-CEX); 관찰구조화술기평가(objective structured assessment of technical skill, OSATS); 객관구조화진료시험(objective structured clinical examination, OSCE)
* 출처:Gigerenzer G: *Gut Feelings. The Intelligence of the Unconscious.* New York, Penguin Group, 2007, pp 1-280.
† 직접관찰 도구로도 사용 가능

수행(참조틀로 규준이나 자기 자신을 사용)했기 때문인가? 기본적으로 평가와 피드백 제공을 위해서는 세 가지 기준이 있다. (1) 전문적 진료 표준과의 비교(예상되는 수행은 무엇인가?), (2) 다른 교육생과의 비교(유사한 훈련 단계에 있는 다른 교육생에 비해 얼마나 잘 수행하는가?), (3) 과거와 비교했을 때의 발전 정도(교육생은 지난 시간 이후 어떻게 발전되었는가?). 당연히 역량바탕교육에서 첫 번째는 자격 인증의 기준이 무엇인지부터 파악해야 하지만 학습자들은 일반적으로 여러 기준들로 평가된다. 평가자는 평가의 맥락과 목적에 따라 기준이 어떻게 정의되는지 명확하게 표현해야하며 평가 대상은 수행에 대한 기대치를 알고 있어야 한다.

발달적 위임결정으로 평가 구성하기. 가끔이라도 감독 없이 교육생이 업무를 수행하도록 신뢰하려면 단순히 시험을 통해 술기를 측정하는 것보다 더 넓은 시야가 필요하다. 필자의 머릿속에 맴도는 질문은 다음과 같다. 이 중환자를(또는 환자가 독자의 친척이라고 가정했을 때) 내일 아침 필요한 EPA를 수행하는 데 있어 자격을 갖춘 전문가 없이 전적으로 교육생에게만 맡길 수 있는가? 신뢰에 대한 이 질문은 자신의 한계에 대한 인식, 필요 시 도움을 요청하려는 의지, 임상업무 수행에 대한 성실성, 직원들과의 솔직한 의사소통과 같은 지식과 술기 이외의 역량이 필요하다.[115] 관대한 바이어스(leniency bias)은 업무현장바탕 평가에서 잘 알려진 일반적인 문제이지만[116,117] 신중한 위임결정은 엄격한 바이어스(stringency bias)으로 이어질 수 있는데 이 문제는 잘 거론되지 않고 있다.

신뢰라는 개념의 핵심은 "타인의 의도와 행동에 대한 긍정적인 기대를 기반으로 한 위험과 취약성을 수용하는 것"이다.[118] 임상실습생에 대한 신뢰는 위임결정을 내리는 데 있어 직관, 직감 및 경험의 영향을 고려하여 앞으로 보다 많은 관심을 갖고 연구되어야할 영역이다.[119,120] 교육생을 신뢰하기 위해서는 맥락을 고려해야 한다. 우리가 염두에 두어야할 위험 요소는 환자의 기밀사항을 누설하거나 환자에게 상처를 주고 혼란을 주는 것에서부터 중요한 정보를 무시하고 능력을 과대평가하고 진단 검사를 부적절하게 수행하고 잘못된 치료법과 권장 사항을 적용하는 것 등 매우 다양할 수 있다.

감독 내용에 따른 척도 조정. 임상진료 내용과 교육생 평가에 대한 적절한 평가척도 조정은 신뢰도를 향상시킬 수 있다. 웰러(Weller)와 동료들은 마취과 전공의 평가를 위해 "모의 수술방에서 감독자가 필요한-병원에 있는 감독자가 필요한-감독자가 필요 없는"의 척도를 사용했다.[121] George와 동료들은 외과 전공의 평가를 위해 "시범 보여주기와 가르쳐주기-적극적인 도움-수동적인 도움-감독"라는 즈비쉬(Zwisch) 평가척도를 사용했다.[46,121,122] 두 저자들 모두, 이상의 척도를 사용하는 것이 전통적인 평가에 비해 신뢰도가 증가했다고 보고했다. 그림 1.1과 글상자 1.1의 척도는 이상의 아이디어 보다 일반적인 표현이지만, 교육훈련 단계나 교육환경, 또는 전문 분야에 따라 더 자세한 내용이 추가될 수 있다.

임시적 위임결정과 총괄적 위임결정의 구별. 위임결정은 임시적 위임결정과 총괄적 위임결정으로 구분 될 수 있다. 임시적 위임결정은 일반적으로 매일 개별 감독자가 내리며, 교육생이 의료행위를 수 있도록 하는 즉각적인 허가와 관련이 있다. 보다 체계적인 관찰에 근거한 총괄적 위임결정은, 운행 안전에 대해서는 추후 더 검토하겠으나 해당 시점에서는 감독 없이 운전할 수 있도록 허가를 공식화하는 운전면허증과 유사하다.[78] 임시적 위임은 장기적인 평가결과는 없지만 총괄적 의사결정에 도움을 줄 수 있는 교육생의 준비도에 대한 정보를 제공해줄 수 있다. 반대로, 총괄적 위임결정은 반드시 문서화해야 하며, 향후 교육생의 의료활동에 대해 더 무거운 책임을 부여하고, 제 3자에 의해 인식될 수 있어야 하는 것이 일반적인 조건이다. 둘 다 EPA 바탕 교육과정에서 중요하다. 감독자의 임시적 위임결정 경험은 교육생의 포트폴리오에 문서화될 수 있다(이는 정당한 결정이었나? 그렇지 않은 경우, 그 이유는 무엇인가? 평가자는 총괄적 위임결정을 제안할 것인가?). 총괄적 위임결정은 여러 경로들(다면피드백, 지식 평가, 술기 평가)을 통해 수집된 임시적 결정의 보충 정보를 토대로 결정될 수 있다. 총괄적 위임결정은 다양한 정보들의 합에 기초한 총괄적 결정이어야 한다. 감독 수준 4에 대한 총괄적 위임결정은 마치 자격증처럼 느껴지거나, STARs(인정된 책임 선언[92]) 또는 전자 배지처럼 보일 수 있다.[123] 총괄적 위임결정은 교육생의 현재 역량을 나타내야 하므로, 수준 4의 총괄적 위임결정은 수련 기간 동안 또는 수련 후에도 해당 EPA를 유지하지 못하면 이를 철회해야 한다.[93]

위임결정을 내리기 위해 다양한 정보 자료의 사용. 교육생을 신뢰하기 위한 임시적 위임결정은 일반적으로 평가자 개인에 의해 이루어지고 시간과 장소에 따라 결과가 좌우될 수 있지만, 총괄적 위임결정은 식별 가능한 여러 정보자료를 기반으로 해야 한다. 위임결정에 정보를 제공하는 정보 출처는 다른 업무현장바탕 평가와 다르지 않으며 표 1.6.에 요약된 다섯 가지 범주로 분류 될 수 있다.[78,93]

평가 시스템(16장 참조)

마일스톤과 EPA에 대한 부분에서 강조한 것처럼, 여러분의 교육프로그램이 이러한 개념의 활용 여부와 관계없이 모든 의학교육 프로그램에는 효과적인 교육시스템에 녹아있는 다양하고 확실한 평가 *프로그램(program)*이 필요하다. 성과바탕교육과 평가로의 교육개선은 의학교육자들에게 많은 어려움을 느끼게 한다. 기관의 교육 리더들은 교육생이 핵심 교육목표와 전문성을 충족하고 교육의 지속적인 질적 개선을 유지하기 위해 전통적인 평가방법과 새로운 평가방법을 교육프로그램에 통합해야 한다. 평가방법은 교육목표와 명확하게 연계되어야 하며 교수학습 방법과도 일치해야 한다. 자원의 효율적인 사용을 최적화하고 학습을 통합하기 위해 평가는 교육활동과 밀접하게 연계되어야 한다. 평가시스템에는 각각의 역량을 잘 평가할 수 있어야 하는데, 이를 위해서는 이상적으로 각 역량의 상이한 측면을 적절히 평가할 수 있는 다양한 방법들이 포함되어야 한다. 성공적인 평가시스템을 운영하려면, 책임지도전문의와 임상실습 책임자는 확실한 교수개발 프로그램의 실행을 통해 평가자를 준비하고 교육생에게 필요한 정보를 충분히 알리고 참여시켜야 한다.

평가시스템에는 개별 교육생의 수행 이외에도 교육과정의 품질을 유지하기 위한 관련 피드백 자료 또한 지속적으로 수집하고 분석 과정도 있어야 한다. 다면피드백, 컴퓨터 시뮬레이션바탕시행, 업무바탕평가 같은 새로운 방법에 의한 종합점수 뿐 아니라 다지선다형 시험을 통한 프로그램 수준의 하위점수나 임상수행능력평가에서 얻은 증례수준 데이터 같은 보다 전통적인 평가방법으로부터 얻은 정보를 포함한다. 또한 교육과정 변화나 교육적 개입의 대한 피드백을 제공할 수 있는 근거중심 진료과정이나 환자건강결과 같은 임상자료의 수집과 분석도 포함된다. 최소한, 교육기관 수준에서 이러한 교육과정 제공과 평가활동의 연결을 설정해 놓으면 교육활동과 진료과정과 결과의 연관성을 규명하기 위한 연구가 용이해진다. 바로 이러한 통합과 연결을 용이하게 하기 위해 마일스톤과 EPA가 만들어졌다.

프로그램 내에서 종합 데이터를 취합하여 질적 개선 시책을 알리는 것 외에, 평가시스템은 교육과정을 수료한 교육생들의 성과에 관한 정보 수집도 할 필요가 있을 것이다. 이러한 동시적인 평가도 필요하지만, 교육리더는 과정 수료생들의 미래 역량과 성과에 대한 평가자료를 함께 수집하여 통합적인 품질개선에 노력을 기울여야 한다. 면허 교부, 전공의 수련 중 평가점수나 전문의시험 점수 또는 교육책임지도전문의 등급과 같은 일부 정보는 취합하기 어렵지 않을 수 있다. 또한 교육과정 품질에 대한 추가 피드백을 제공하기 위해, 특정 수행을 측정하거나 임상자료와 같은 다른 정보 출처를 확보하는 것은 더 어려울 수 있다. 그러나 교육과 실무 전반에 걸쳐 전문적이고 임상적 결과를 연결하는 협력 프로젝트와 네트워크를 형성하면 교육과정의 지속적인 질적 개선에 대한 이해와 정보의 통합을 촉진할 수 있다.

결론

진료의 책무성과 품질 개선에 대한 대중과 전문가 집단의 압력으로 인해 의학교육과 평가분야에 중요한 변화가 있어왔다. 필수적인 의사 역량의 규명과 성과바탕 의학교육의 광범위한 실행은 역량과 수행평가에 사용되는 질과 방법에 대한 비판적인 검토로 이어졌다. 과학기술과 심리측정학의 발전은 전통적인 평가방법들의 지속적인 개선과 새로운 접근법의 개발을 뒷받침하기도 하였다. 교육 리더들은 이제 효과적인 시스템과 전체 교육과정 내에 내재된 평가 프로그램을 개발하고 통합해야 하는 어려운 도전에 직면해 있다. 다양한 평가도구들의 심리측정학적 특성을 이해해야 하고 교수방법과 교육목표뿐만 아니라 교육생 수준과의 관련성도 고려해야 한다. 그리고 평가 시스템에서 사용할 방법을 결정함에 있어 프로그램 문화와 자원 가용성과의 균형을 이루도록 해야 한다. 교육자들은 또한 질과 안전조치, 환자경험 설문조사, PROMs와 같이 진화하는 업무바탕평가의 과학을 이해해야 한다. 마지막으로, 집단평가와 결합된 정성평가와 판단 기법들의 사용도 평가 프로그램에서 그 중요성이 커지고 있다. 이어지는 장에서는 교육 리더들이 개별 교육생들의 평가와 교육과정의 지속적인 질적 개선을 지원하기 위한 평가 프로그램과 시스템을 설계하는 데 도움을 주는 내용들이 제시되어 있다. 이는 궁극적으로 교육생, 교육프로그램, 그리고 가장 중요한 환자와 대중의 이익을 위함이다.

감사의 글

필자들은 초판의 첫 장의 내용을 제공해준 존 노르치니(John Norcini) 박사에게 진심으로 감사를 표하고 싶다. 우리는 그가 이 장의 내용과 더불어 의학교육에 기여한 노고에 깊이 감사드린다.

참고문헌

1. Institute of Medicine. *To Err Is Human: Building a Safer Health System*. Washington, DC: National Academy of Health Sciences; 1999.
2. National Patient Safety Foundation: *Free From Harm: Accelerating Patient Safety Improvement Fifteen Years After To Err Is Human*. Available at: http://www.npsf.org/?page=freefromharm.

3. Institute of Medicine. *Crossing the Quality Chasm*. Washington, DC: National Academy Press; 2001.
4. Berwick DM, Nolan TW, Whittington L. The triple aim: care, health cost. *Health Aff (Millwood)*. 2008;27(3):759-769.
5. Mossialos E, Wenzl M, Osborn R, et al. *International Profiles of Health Care Systems, 2014*. Australia, Canada, Denmark, England, France, Germany, Italy, Japan, The Netherlands, New Zealand, Norway, Singapore, Sweden, Switzerland, and the United States: The Commonwealth Fund; 2015. Available at: http://www.commonwealthfund.org/publications/fund-reports/2015/jan/international-profiles-2014.
6. Frenk J, Chen L, Bhutta ZA, et al. Health professionals for a new century: transforming education to strengthen health systems in an interdependent world. *Lancet*. 2010;376(9756):1923-1958.
7. Harden RM, Crosby JR, Davis M. An introduction to outcome-based education. *Med Teach*. 1999;21(1):7-14.
8. McGaghie WC, Miller GE, Sajid AW, et al. *Competency-based curriculum development in medical education: an introduction*. Geneva: World Health Organization; 1978.
9. Cooke M, Irby DM, O'Brien BC. *Educating Physicians. A Call for Reform of Medical School and Residency*. San Francisco: Jossey-Bass; 2010.
10. Frank JR, Mungroo R, Ahmad Y, et al. Toward a definition of competency-based education in medicine: a systematic review of published definitions. *Med Teach*. 2010a;32(8):631-637.
11. Frank JR, Snell LS, ten Cate O, et al. Competency-based medical education: theory to practice. *Med Teach*. 2010b;32(8):638-645.
12. Crosson FJ, Leu J, Roemer BM, et al. Gaps in residency training should be addressed to better prepare doctors for a twenty-first-century delivery system. *Health Aff (Millwood)*. 2011;30(11):2412-2418.
13. Skochelak SE. A decade of reports calling for change in medical education: what do they say? *Acad Med*. 2010;85(suppl 9):S26-S33.
14. MedPAC. *Graduate medical education financing: focusing on educational priorities. In Report to the Congress: Aligning Incentives in Medicare*. Washington, DC: MedPAC; 2010:103-128.
15. Frank JR, Jabbour M, Tugwell P, et al. Skills for the new millennium: report of the societal needs working group, CanMEDS 2000 Project. *Ann R Coll Phys Surg Can*. 1996;29:206-216.
16. Frank JR, ed. *The CanMEDS 2005 Physician Competency Framework. Better Standards. Better Physicians. Better Care*. Ottawa: The Royal College of Physicians and Surgeons of Canada; 2005.
17. Batalden P, Leach D, Swing S, et al. General competencies and accreditation in graduate medical education. *Health Aff (Millwood)*. 2002;21(5):103-111.
18. General Medical Council: *Good Medical Practice*. 2013. Available at: http://www.gmc-uk.org/static/documents/content/Good_medical_practice_-_English_1015.pdf.
19. Institute of Medicine. *Health Professions Education: A Bridge to Quality*. Washington, DC: The National Academies Press; 2003.
20. Royal Australasian College of Surgeons: *Nine RAC Competencies*. 2015. Available at: http://www.surgeons.org/becoming-a-surgeon/surgical-education-training/competencies/.
21. Ten Cate O. Medical education in the Netherlands. *Med Teach*. 2007;29(8):752-757.
22. Association of Medical Education in Europe. *Education Guide No 14: Outcome-based Education*. Dundee: AMEE; 1999.
23. Iobst WF, Sherbino J, ten Cate O, et al. Competency-based medical education in postgraduate medical education. *Med Teach*. 2010;32(8):651-656.
24. Holmboe ES, Sherbino J, Long DM, et al. The role of assessment in competency-based medical education. *Med Teach*. 2010;32(8):676-682.
25. Campbell C, Silver I, Sherbino J, et al. Competency-based continuing professional development. *Med Teach*. 2010;32(8):657-662.
26. Carraccio C, Englander R, Van Melle E, et al. Advancing competency-based medical education: a charter for clinician-educators. *Acad Med*. 2016;91(5):645-649.
27. Donabedian A. *An Introduction to Quality Assurance in Health Care*. New York: Oxford University Press; 2003.
28. Durning SJ, Lubarsky S, Torre D, et al. Considering "nonlinearity" across the continuum in medical education assessment: supporting theory, practice, and future research directions. *J Contin Educ Health Prof*. 2015;35(3):232-243.
29. Norman GR. Research in medical education: three decades of progress. *BMJ*. 2002;324:1560-1562.
30. Kogan JR, Holmboe ES. Realizing the promise and importance of performance-based assessment. *Teach Learn Med*. 2013;25(suppl 1):S68-S74.
31. Kogan JR, Hess BJ, Conforti LN, et al. What drives faculty ratings of residents' clinical skills? The impact of faculty's own clinical skills. *Acad Med*. 2010;85(suppl 10):S25-S28.
32. Kogan JR, Conforti LN, Iobst WF, et al. Reconceptualizing variable rater assessments as both an educational and clinical care problem. *Acad Med*. 2014;89:721-727.
33. Wong BM, Holmboe ES. Transforming academic faculty to better align educational and clinical outcomes. *Acad Med*. 2016;91(4):473-479.
34. Holmboe ES, Batalden P. Achieving the desired transformation: thoughts on next steps for outcomes-based medical education. *Acad Med*. 2015;90(9):1215-1223.
35. Stewart JB. *Blind Eye: How the Medical Establishment Let a Doctor Get Away With Murder*. New York: Simon and Shuster; 1999.
36. The Final Report of the Shipman Inquiry. 2005. http://webarchive.nationalarchives.gov.uk/20090808154959/http://www.the-shipman-inquiry.org.uk/6r_page.asp.
37. Reilly BM. Physical examination in the care of medical inpatients: an observational study. *Lancet*. 2003;362(9390):1100-1105.
38. Nelson EC, Batalden PB, Godfrey MM. *Quality by Design: A Clinical Microsystems Approach*. San Francisco: Jossey-Bass; 2007.
39. Ogrinc GS, Headrick LA. *Fundamentals of Health Care Improvement. A Guide to Improving Your Patients' Care*. Oakbrook Terrace, IL: Joint Commission Resources; 2008.
40. Von Korff M, Gruman J, Schaefer J, et al. Collaborative management of chronic illness. *Ann Intern Med*. 1997;127:1097-1102.
41. Batalden M, Batalden P, Margolis P, et al. Coproduction of healthcare service. *BMJ Qual Saf*. 2016;25(7):509-517.
42. Holmboe ES, Yamazaki K, Edgar L, et al. Reflections on the first 2 years of milestone implementation. *J Grad Med Educ*. 2015;7(3):506-511.
43. Bunderson CV, Inouye DK, Olsen JB. The four generations of computerized educational measurement. In: Linn RL, ed. *Educational Measurement*. Washington, DC: American Council on Education; 1989.

44. Norcini JJ. Computers in physician licensure and certification: new methods of assessment. *J Educ Computing Res.* 1994;10:161-171.
45. Griswold-Theodorson S, Ponnuru S, Dong C, et al. Beyond the simulation laboratory: a realist synthesis review of clinical outcomes of simulation-based mastery learning. *Acad Med.* 2015;90(11):1553-1560.
46. George BC, Teitelbaum EN, Meyerson SL, et al. Reliability, validity, and feasibility of the Zwisch scale for the assessment of intraoperative performance. *J Surg Educ.* 2014;71(6):e90-e96.
47. Foundation for Excellence in Women's Healthcare: MyTIPreport. 2016. Available at: https://mytipreport.org/.
48. Spickard 3rd A, Ridinger H, Wrenn J, et al. Automatic scoring of medical students' clinical notes to monitor learning in the workplace. *Med Teach.* 2014;36(1):68-72.
49. Ten Cate O, Chen HC, Hoff RG, et al. Curriculum development for the workplace using Entrustable Professional Activities (EPAs): AMEE Guide No. 99. *Med Teach.* 2015;37(11):983-1002.
50. Hambleton RK, Swaminathan H. *Item Response Theory: Principles and Applications. Dordrecht.* Kluwer; 1985.
51. Green BF. Adaptive testing by computer. In: Ekstrom RB, ed. *Principles of Modern Psychological Measurement.* San Francisco: Jossey-Bass; 1983:5-12.
52. American Board of Internal Medicine: *A Vision for Certification in Internal Medicine in 2020.* Available at: http://transforming.abim.org/assessment-2020-report/.
53. Brennan RL. *Generalizability Theory.* New York: Springer-Verlag; 2001.
54. Norcini JJ. Standard setting. In: Dent JA, Harden RM, eds. *A Practical Guide for Medical Teachers.* Edinburgh: Churchill Livingston; 2005:293-301.
55. Berk RA, ed. *Handbook of Methods for Detecting Test Bias.* Baltimore: Johns Hopkins Press; 1982.
56. Hodges BD, Lingard L. *A Question of Competence. Reconsidering Medical Education in the Twenty-First Century.* New York: Cornell University Press; 2012.
57. Hauer KE, Ten Cate O, Boscardin CK, et al. Ensuring resident competence: a narrative review of the literature on group decision making to inform the work of clinical competency committees. *J Grad Med Educ.* 2016;8(2):156-164.
58. Holmboe ES, Edgar L, Padmore J, et al. *Clinical competency committees & use of milestones in residency. Guide to Medical Education in the Teaching Hospital.* 5th ed. Philadelphia: Association for Hospital Medical Education; 2015.
59. Gaglione MM, Moores L, Pangaro L, et al. Does group discussion of student clerkship performance at an education committee affect an individual committee member's decisions? *Acad Med.* 2005;80(suppl 10):S55-S58.
60. Battistone MJ, Milne C, Sande MA, et al. The feasibility and acceptability of implementing formal evaluation sessions and using descriptive vocabulary to assess student performance on a clinical clerkship. *Teach Learn Med.* 2002;14(1):5-10.
61. Van der Vleuten CPM, Schuwirth LWT. Assessing professional competence: from methods to programmes. *Med Educ.* 2005;39(3):309-317.
62. van der Vleuten CP, Schuwirth LW, Driessen EW, et al. A model for programmatic assessment fit for purpose. *Med Teach.* 2012;34(3):205-214.
63. Miller G. The assessment of clinical skills/competence/performance. *Acad Med.* 1990;65(suppl):S63-S67.
64. Cruess RL, Cruess SR, Steinert Y. Amending Miller's pyramid to include professional identity formation. *Acad Med.* 2016;91(2):180-185.
65. Rethans JJ, Norcini JJ, Barón-Maldonado M, et al. The relationship between competence and performance: implications for assessing practice performance. *Med Educ.* 2002;36:901-909.
66. Dreyfus HL. *On the Internet: Thinking in Action.* New York: Routledge; 2001.
67. Van Der Vleuten CP. The assessment of professional competence: developments, research and practical implications. *Adv Health Sci Educ Theory Pract.* 1996;1(1):41-67.
68. Higgins R, Cavendish S. Modernising Medical Careers foundation programme curriculum competencies: will all rotations allow the necessary skills to be acquired? The consultants' predictions. *Postgrad Med J.* 2006;82(972):684-687.
69. Norcini J, Anderson B, Bollela V, et al. Criteria for good assessment: consensus statement and recommendations from the Ottawa 2010 Conference. *Med Teach.* 2011;33(3):206-214.
70. Herbers Jr JE, Noel GL, Cooper GS, et al. How accurate are faculty evaluations of clinical competence? *J Gen Intern Med.* 1989;4:202-208.
71. Noel GL, Herbers Jr JE, Caplow MP, et al. How well do internal faculty members evaluate the clinical skills of residents? *Ann Intern Med.* 1992;117:757-765.
72. Kroboth FJ, Hanusa BH, Parker S, et al. The inter-rater reliability and internal consistency of a clinical evaluation exercise. *J Gen Intern Med.* 1992;7:174-179.
73. Engel GL. Editorial: are medical schools neglecting clinical skills? *JAMA.* 1976;236(7):861-863.
74. Frank JR, Snell L, Sherbino J (Eds): *The Draft CanMEDS 2015 Framework Physician Competency Framework.* 2015. Available at: http://www.royalcollege.ca/portal/page/portal/rc/common/documents/canmeds/framework/canmeds2015_framework_series_IV_e.pdf.
75. Hemmer PA, Dadekian GA, Terndrup C, et al. Regular formal evaluation sessions are effective as frame-of-reference training for faculty evaluators of clerkship medical students. *J Gen Intern Med.* 2015;30(9):1313-1318.
76. Landy FJ, Farr JL. Performance rating. *Psychol Bull.* 1980;87:72-107.
77. ten Cate O. Nuts and bolts of entrustable professional activities. *J Grad Med Educ.* 2013;5(1):157-158.
78. ten Cate O. Trust, competence, and the supervisor's role in postgraduate training. *BMJ.* 2006;333(7571):748-751.
79. ten Cate O, Hart D, Ankel F, et al. Entrustment decision-making in clinical training. *Acad Med.* 2016;91(2):191-198.
80. Boulet JR, Swanson DB. Psychometric challenges of using simulations for high-stakes assessment. In: Dunn D, ed. *Simulators in Critical Care Education and Beyond.* Philadelphia: Lippincott Williams and Wilkins; 2004:119-130.
81. McGaghie WC, Barsuk JH, Cohen ER, et al. Dissemination of an innovative mastery learning curriculum grounded in implementation science principles: a case study. *Acad Med.* 2015;90(11):1487-1494.
82. Barsuk JH, Cohen ER, Potts S, et al. Dissemination of a simulation-based mastery learning intervention reduces central line-associated bloodstream infections. *BMJ Qual Saf.* 2014;23(9):749-756.
83. Ziv A, Wolpe RP, Small SD, et al. Simulation-based medical education: an ethical imperative. *Acad Med.* 2003;78:783-788.
84. Norcini JJ. Current perspectives in assessment: the assessment of performance at work. *Med Educ.* 2005;39:880-889.

85. Agency for Healthcare Quality and Research: *CAHPS Toolkit.* Available at: http://www.ahrq.gov/cahps/index.html.
86. Holmboe ES, Edgar L, Hamstra S: *The Milestones Guidebook.* Available at: www.acgme.org.
87. Swing SR, Beeson MS, Carraccio C, et al. Educational milestone development in the first 7 specialties to enter the next accreditation system. *J Grad Med Educ.* 2013;5(1):98-106.
88. Carraccio C, Benson B, Burke A, et al. Pediatrics milestones. *J Grad Med Educ.* 2013;5(1 suppl 1):59-73.
89. Hauer KE, Clauser J, Lipner RS, et al. The internal medicine reporting milestones: cross-sectional description of initial implementation in U.S. residency programs. *Ann Intern Med.* 2016;165(5):356-362.
90. Beeson M, Holmboe E, Korte R, et al. Initial validity analysis of the emergency medicine milestones. *Acad Emerg Med.* 2015;22(7):838-844.
91. Holmboe ES, Yamazaki K, Edgar L, et al. Reflections on the first 2 years of milestone implementation. *J Grad Med Educ.* 2015;7(3):506-511.
92. ten Cate O. Entrustability of professional activities and competency-based training. *Med Educ.* 2005;39(12):1176-1177.
93. ten Cate O, Scheele F. Competency-based postgraduate training: can we bridge the gap between theory and clinical practice. *Acad Med.* 2007;82(6):542-547.
94. Englander R, Flynn T, Call S, et al. Toward defining the foundation of the MD degree: core entrustable professional activities for entering residency. *Acad Med.* 2016;91(10):1352-1358.
95. Pangaro L, ten Cate O. Frameworks for learner assessment in medicine: AMEE Guide No. 78. *Med Teach.* 2013;35(6):e1197-e1210.
96. Scheele F, Caccia N, Van Luijk S, et al. *BOEG-Better Education for Obstetrics and Gynaecology. A National Competency-Based Curriculum for Obstetrics & Gynaecology.* Utrecht: Netherlands Association for Gynaecology and Obstetrics; 2013:1-61.
97. Gilhooly J, Schumacher DJ, West DC, et al. The promise and challenge of entrustable professional activities. *Pediatrics.* 2014;133(suppl):S78-S79.
98. Caverzagie KJ, Cooney TG, Hemmer PA, et al. The development of entrustable professional activities for internal medicine residency training: a report from the Education Redesign Committee of the Alliance for Academic Internal Medicine. *Acad Med.* 2015;90(4):479-484.
99. Shaughnessy AF, Sparks J, Cohen-osher M, et al. Entrustable professional activities in family medicine. *J Grad Med Educ.* 2013;5(1):112-118.
100. Schultz K, Griffiths J, Lacasse M. The application of entrustable professional activities to inform competency decisions in a family medicine residency program. *Acad Med.* 2015;90(7):888-897.
101. Boyce P, Spratt C, Davies M, et al. Using entrustable professional activities to guide curriculum development in psychiatry training. *BMC Med Educ.* 2011;11:96.
102. Fessler HE, Addrizzo-Harris D, Beck JM, et al. Entrustable professional activities and curricular milestones for fellowship training in pulmonary and critical care medicine: report of a multisociety working group. *Chest.* 2014;146(3):813-834.
103. Lave J, Wenger E. *Situated Learning. Legitimate Peripheral Participation.* Edinburgh: Cambridge University Press; 1991.
104. ten Cate O, Snell L, Carraccio C. Medical competence: the interplay between individual ability and the health care environment. *Med Teach.* 2010;32(8):669-675.
105. Norman G, Norcini J, Bordage G. Competency-based education: milestones or millstones?. *J Grad Med Educ.* 2014;6:1-6 (March).
106. Pangaro L. A new vocabulary and other innovations for improving descriptive in-training evaluations. *Acad Med.* 1999;74(11):1203-1207.
107. Hicks PJ, Schumacher DJ, Benson BJ, et al. The pediatrics milestones: conceptual framework, guiding principles, and approach to development. *J Grad Med Educ.* 2010;2(3):410-418.
108. Chen HC, van den Broek WES, ten Cate O. The case for use of entrustable professional activities in undergraduate medical education. *Acad Med.* 2015;90(4):431-436.
109. Jones MD, Rosenberg A, Gilhooly JT, et al. Perspective: competencies, outcomes, and controversy-linking professional activities to competencies to improve resident education and practice. *Acad Med.* 2011;86(2):161-165.
110. Warm EJ, Mathis BR, Held JD, et al. Entrustment and mapping of observable practice activities for resident assessment. *J Gen Intern Med.* 2014;29(8):1177-1182.
111. Englander R, Flynn T, Call S, et al: *Core Entrustable Professional Activities for Entering Residency - Curriculum Developers Guide* [Internet]. Washington, DC, 2014. Available at http://www.aamc.org.
112. Leipzig RM, Sauvigné K, Granville LJ, et al. What is a geriatrician? American Geriatrics Society and Association of Directors of Geriatric Academic Programs End-of-Training Entrustable Professional Activities for Geriatric Medicine. *J Am Geriatr Soc.* 2014;62(5):924-929.
113. Rose S, Fix OK, Shah BJ, et al. Entrustable professional activities for gastroenterology fellowship training. *Gastrointest Endosc.* 2014;80(1):16-27.
114. Crossley J, Johnson G, Booth J, et al. Good questions, good answers: construct alignment improves the performance of workplace-based assessment scales. *Med Educ.* 2011;45(6):560-569.
115. Kennedy TJT, Regehr G, Baker GR, et al. Point-of-care assessment of medical trainee competence for independent clinical work. *Acad Med.* 2008;83(suppl 10):S89-S92.
116. Albanese M. Challenges in using rater judgements in medical education. *J Eval Clin Pract.* 2000;6(3):305-319.
117. Govaerts MJB, van der Vleuten CPM, Schuwirth LWT, et al. Broadening perspectives on clinical performance assessment: rethinking the nature of in-training assessment. *Adv Health Sci Educ Theory Pract.* 2007;12(2):239-260.
118. Earle TC. Trust in risk management: a model-based review of empirical research. *Risk Anal.* 2010;30(4):541-574.
119. Gigerenzer G. *Gut Feelings. The Intelligence of the Unconscious.* New York: Penguin Group; 2007:1-280.
120. Gigerenzer G, Gaissmaier W. Heuristic decision making. *Annu Rev Psychol.* 2011;62:451-482.
121. Weller JM, Misur M, Nicolson S, Morris J, Ure S, Crossley J, et al. Can I leave the theatre? A key to more reliable workplace-based assessment. *Br J Anaesth.* 2014;112(March):1083-1091.
122. DaRosa DA, Zwischenberger JB, Meyerson SL, et al. A theory-based model for teaching and assessing residents in the operating room. *J Surg Educ.* 2012;70(1):24-30.
123. Mehta NB, Hull AL, Young JB, et al. Just imagine: new paradigms for medical education. *Acad Med.* 2013;88(10):1418-1423.

위임가능전문활동(EPA) 개발하기

1. 제목:
2. 내용설명과 제한점
3. 관련 역량 영역(교육프로그램의 역량 틀 사용; 역량 틀을 사용하지 않는 경우에는 가장 익숙한 자료를 활용할 것)
4. 위임가능 수준에 필요한 경험, 지식/기술/태도(KSA), 행동
5. 발달 및 총괄적인 판단을 위한 평가정보
6. 어떤 단계에 도달하기 위해, 어느 수준의 감독에서 위임할 수 있는가?
7. 만료일

그림. 1.3 위임가능전문활동(entrustable professional activity, EPA) 내용 설명에 대한 견본

KSA, Knowledge, skills, and abilities.

부록 1.2

위임가능전문활동(EPA), 역량(competencies), 마일스톤(milestones): 종합해보기

위임가능전문활동(EPA)	역량 영역		마일스톤(milestones) 1	2	3	4	5
1. 제목:	환자진료						
2. 내용설명과 제한점	의학지식						
3. 관련 역량 영역(적절한 관련 영역과 연결)	전문직업성						
4. 위임가능 수준에 필요한 경험, 지식/기술/태도(KSA), 행동	대인관계기술과 의사소통						
5. 발달 및 총괄적인 판단을 위한 평가정보	진료바탕학습과 개선						
6. 만료일	시스템바탕 진료						

1: 관찰만
2: 직접 감독
3: 간접 감독
4: 관리감독만
5: 이상적/감독 제공

2

의학교육 평가의 타당도와 신뢰도 문제

BRIAN E. CLAUSER, EDD, MELISSA J. MARGOLIS, PHD, AND
DAVID B. SWANSON, PHD

개요

명제는 이를 변조하려는 시도에서 살아남은 경우에만 어느 정도 신뢰받을 수 있다

— 리 크론바흐(LEE CRONBACH)

이 장의 목적은 의학교육의 평가에 적용되는 타당도 및 신뢰도 개념에 대한 개요를 제공하는 데 있다. 이곳에서의 논의는 타당도 이론의 역사와 타당도 개념이 어떻게 변화했는지에 대한 설명으로 시작하고자 한다. 마이클 케인(Michael Kane)은 타당도 검증 과정을 시험점수를 통해 의도된 해석이 이루어지는 구조화된 논의로 보았다. 이러한 Kane의 접근 방식은 이 장의 주요 논점이 될 것이다. Kane의 접근 방식이 중요한 이유는 타당도 검증 과정이 의도된 해석을 지지하는 일관된 논의를 구성하기 위한 근거를 수집하는 관점 중 하나라는 견해가 의미 있는 다음과 같은 결론을 이끌어내기 때문이다: *타당한 검사(valid test)*란 존재하지 않는다! 주어진 시험에서 얻은 점수는 다른 상황과 다른 수험생 집단에서 다양한 결정을 내리는 데 사용될 수 있다. 한 집단과 한 맥락에서 시행한 해석의 타당도를 뒷받침하는 근거는 다른 집단과 다른 맥락에서 다른 해석의 타당도에 적용될 수도, 또는 그렇지 않을 수도 있다. 이 점에 대해서는 나중에 자세히 설명하도록 하겠다. Kane의 타당도 접근 방식은 이 장에서 다루어지는 주장을 이해하는 데 중심이 되므로 여기에서 소개하고자 한다.

Kane의 타당도 틀의 시각에서 보면, 다양한 의학교육 평가 내용 중 신뢰도에 문제가 있는 듯한 사례를 접할 수도 있다. 신뢰도에 대한 논의는 일반화가능도 이론의 맥락에서 다루어질 것이며, 점수의 일반화가능도는 전반적인 타당도 문제의 맥락에서 고려 될 것이다. 이러한 개념이 의학교육 평가와 관련되어 있으므로 이 장에서 독자들이 타당도와 신뢰도의 중심이 되는 주제들에 대한 이해를 높이기 바란다.

역사적 맥락

실제 우리가 알고 있는 것처럼 검사이론의 역사는 20세기 초 찰스 스피어먼(Charles Spearman)으로부터 시작한다. Spearman의 관심은 평가가 아니라 지능에 대한 심리적 연구에 있었다. 고전검사이론에서 나온 대부분의 기본 방정식은 정신적인 숙련도에 관한 모든 검사에 적용되는 것은 아니지만 대부분의 검사에서 사용하는 공통 인자(g)를 연구하기 위해 Spearman에 의해 개발되었다.[1-4] 이러한 방정식은 모두 칼 피어슨(Karl Pearson)의 상관계수 수학 공식을 따른다.[5]

이 준비 작업은 제 1차 세계 대전 중에 폭발적으로 진행된 여러 검사의 과학적 토대를 마련했다. 당시 미육군은 엄청난 인력 문제를 겪었다. 수만 명의 신병이 일자리에 배치되어야 했고, 검사는 적절한 일자리를 결정하기 위한 효과적이고 효율적인 도구로 활용되었다.[6] 이러한 노력은 미국의 심리검사가 발전하는 토대가 되었으며, 전쟁 후에는 자연스럽게 산업발전을 위해 활용되었다. 군사와 산업 환경에서 관심을 갖는 문제는 "이러한 검사들이 업무수행을 얼마나 잘 예측하는가?"였다. 검사의 활용을 정당화하는 근거는 자연스럽게 Spearman이 확립한 접근 방식을 따랐고, 검사점수와 개인의 업무수행 평가 사이의 상관관계를 살펴 보게 되었다.

1920년에서 1950년 사이의 기간 동안 배치 시험의 확대는 타당도에 대한 관점을 규명하는 데 큰 도움이 되었다. 이 시기에는 준거 타당도라고 하는 상관 근거가 표준이었다. 에드워즈 큐어튼(Edwards Cureton)은 1951년도에 출간된 그의 저서 *교육측정(Educational Measurement)* 초판에서 "실제 검사점수와 '진(true)' 준거 점수 간의 상관관계 관점"으로 타당도를 정의했다.[7]

실질적으로 준거 타당도의 유용성은 명백하다. 배치 시험에서는 점수 해석과 명확한 관련이 있으며, 사용 가능한 여러 평가를 비교하는 데 객관적인 토대를 제공한다. 그러나 이 접근법은 배치 시험 이외의 응용 프로그램에서는 그 유용성이 명확하지 않다. 한 가지 문제는, 명확하고 실용적인 준거이라는 것이 존재하지 않을 수도 있다는 사실이다. 성취도 시험을 위한 명확하고 객관적인 외부 준거는 찾기 어렵다. 만약, 그러한 준거가 있다고 해도 시험 개발자는 그 준거의 사용을 뒷받침하는 타당도 근거를 제공해야 한다.[8]

학업성취도 평가의 가장 기본적인 평가(evaluation)로 준거 타당도가 적절한가에 대한 의문은 내용타당도 평가 절차에 대한 개발로 이어졌다. 이 근거의 목적은 시험 내용이 평가하고자 하는 영역을 합리적으로 대표하는지 입증하는 것이었다. 이러한 유형의 근거는 필요하기는 하지만 성취도시험 결과에 대한 해석의 타당도를 확립하기에는 충분하지 않다. 메시크(Messick)가 지적했듯이, 해당 시험이 평가하고자 하는 영역과 관련이 있다는 근거는 시험 점수에 기반한 추론과 직접적인 관련이 없다.[9]

제 2차 세계대전 후에 성격검사에 대한 관심으로 인해 연구자들은 이러한 새로운 도구들을 믿고 사용할 수 있도록 지속적인 연구를 해야만 했다. 하지만 준거나 내용타당도 모형은 이러한 검사에 적합하지 않았다. 이와 같은 맥락에서 크론바흐(Cronbach)와 미힐(Meehl)이 구인타당도에 대한 아이디어를 제시한 것이다.[10] 구인타당도의 공식을 설명하기 위해 Cronbach는 저서인 *교육측정(Educational Measurement)* 제 2판에서 다음과 같이 언급했다.[11]

> *구인타당도의 이론적 근거(Cronbach and Meehl, 1955)는 성격검사로 인해 개발되었다. 예를 들어, 자아(ego) 강도 측정에 있어 예측할 수 있는 유일무이한 기준은 없으며, 표본이 될 수 있는 내용의 영역도 없다. 단, 성격특성으로 예상되는 유형을 설명하는 이론이 있을 뿐이다. 만약 검사점수가 자아 강도의 타당성을 대변해준다고 가정한다면 이론적 예상과 맞는 다른 변수와의 관계 또한 성립될 수 있다.*

이러한 검증 접근은 사정(assessment)을 평가하는(evaluating)데 고려될 수 있는 근거의 유형들을 상당히 확장하였다. 예를 들어 성취도시험의 맥락에서 구인타당도는 특정영역에서 잘 훈련받은 수험생이 덜 훈련받은 수험생보다 뛰어난 수행을 보여주는 근거를 입증할 수 있다.

1950년대에는 타당도 개념에서 두 가지 중요한 변화가 있었다. 첫째, 캠벨(Campbell)과 피스크(Fiske)는 중다특성-중다방법 행렬표(Multitrait-multimethod matrix)를 도입했다.[12] 이 행렬표는 단일 측정법을 활용하여 서로 다른 성격특성을 측정한 결과와 상이한 측정법을 활용하여 동일한 성격특성을 측정한 결과 간의 상관관계를 보여주었다. 성격검사에서는 외향적 성향과 공격적 성격을 예를 들 수 있고, 평가방법으로는 개별 심사자가 진행하는 평가와 집단으로 진행하는 지필평가가 있을 수 있다. Campbell과 Fiske의 행렬표는 평가방법이나 형식과 관련 없는 특성에 의해 점수가 어떠한 영향을 받는 지 알려준다(서로 다른 성격특성을 동일한 방법으로 측정된 결과와 동일한 성격특성을 서로 다른 방법으로 측정된 결과 간의 비교적 높은 상관 관계에 의해 표시된다). 이 *방법 효과(method effect)*는 추후 이 장의 뒷부분에서 보다 자세하게 다룰 개념인 구인무관 변량(construct-irrelevant variance)과 관련이 있다. 뢰빈저(Loevinger)가[1)] 검사점수의 제안된 해석에 주의를 기울일 때 타당도 개념과 관련된 두 번째 중요한 변화가 있었다.[13] 그 변화는 개발된 검사의 구인과 검사점수 사이의 관계를 더이상 고려하지 않고, 검사에서 측정된 점수와 해당 점수에 대한 해석 사이의 관련성을 고려하는 관점으로의 변화를 말한다. Messick은 교육측정(*Educational Measurement*) 제 3판에서 단일화된 타당도 이론을

---

1) 역자 주. 가트만(Guttman)의 척도분석 방법과 유사한 것으로 1947년에 뢰빈저(Loevinger)에 의해서 제안된 동질성검사 이론(同質性檢査理論). 출처: 교육학용어사전.

제시하였다.[9] 타당도를 "실제 검사 점수와 '진점수'인 준거 점수의 상관성"으로[7] 정의하기보다 "… 경험적 근거와 이론적 근거가 검사 점수에 기초한 해석의 적절성과 타당성을 지지하는 정도"로 정의하였다.[9] Messick의 모형은 과거 개발된 모델에 기반을 두고 있다. Cronbach와 Meehl[10] 그리고 Loevinger에[13] 이어 Messick은 타당도를 이야기 하기 전에 검사 점수의 의미와 활용도에 대한 구체적인 필요성을 더 강조했다. Cronbach와 Meehl, Campbell과 Fiske와 유사하게 Messick은 구인무관 변량의 영향과 같은 대체 가설을 고려해야 한다는 점을 강조했다. 앞서 언급한 이론가들과 마찬가지로 Messick은 검증 절차에는 확장된 연구 프로그램이 필요하다고 주장했다. 주안점에 변화를 주장했지만 Messick의 공식은 이전의 타당도 틀과 다르지 않다. 특히, 그는 검사 프로그램의 결과 평가에 중점을 두었다. Messick은 검사의 실제적이고 잠재적인 사회적 결과가 모두 평가되어야 한다고 믿었다. 의사면허시험을 예로 들면, 최소한 교수자가 가르친 것과 학습자가 배운 것이 시험에 어떠한 영향을 주는 지와 같은 연구결과를 검토하는 것이 필요하다. 더 광범위하게 본다면, 결과 타당도(consequential validity)는 크게는 지역사회 전체에 그리고 작게는 소외된 지역사회를 위한 의사 공급에 있어 면허시험결과의 영향이 어떠한 지 설명해줄 수 있어야 한다. 사실, 결과 타당도에 대한 Messick의 견해는 이러한 고려 사항을 뛰어넘는 수준이었다. 그는 소수인종의 의사면허시험 응시자의 시험 결과가 의료직에 미치는 영향까지 고려하였다. 결과 타당도에 대한 이러한 광범위한 정의는 시험 개발자와 시행자의 행동의 결과에 얼마나 엄중한 책임이 부여되는 지 보여준다. 또한 측정에 정의를 내리는 행위는 과학적 평가를 넘어 사회적, 정치적 가치의 영역까지 고려한 검증절차이어야 하는 것이다.

1999년에 들어서면서 타당도는 교육심리검사 표준(Standards for Educational and Psychological Testing)의 다섯 가지 근거 요인 중 하나로 간주되면서 제대로 정립되었다.[14] 표 2.1은 다

표 2.1 시험의 표준으로 강조되는 타당도 근거 출처

내용	응답 과정	내부 구조	다른 변수와의 관계	결과
시험 내용이 시험점수로 표시되도록 의도된 영역과 관련된 근거가 포함된다. 여기에는 검사설계 설명서(specifications) 개발에 대한 근거(예: 진료 분석)를 포함할 수 있다 – 설명서와 실제 내용과의 일치, 검사에 포함된 영역과 포함되지 못한 영역, 과제/시험 문제의 특성. *비고:* Kane이 지적한 바와 같이, Messick은 시험내용이 시험점수에 근거한 추론에 대해 직접적인 근거를 제공하지 않기 때문에 점수 타당도에 있어 제한된 역할을 한다고 보았다.	응시자의 응답이 어떻게 형성되는지에 대한 근거가 포함된다. 면담이나 발성사고법(think-aloud) 연구, 수행에 대한 직접적인 관찰, 또는 최종 논술을 완료하는 과정에서 작성된 초안과 같이 기록된 자료의 조사를 통해 근거를 얻을 수 있다. 심사위원으로 사람이 채점에 활용될 때 응답 절차 근거는 심사위원이 사용한 절차가 의도한 점수 해석과 일치하는 정도에 초점을 둔다.	이 근거 출처에는 응답 자료의 구조가 의도한 시험설계와 일치한다는 결론을 뒷받침하는 분석 결과가 포함된다. 이는 시험이 일차원적이라는 근거나 확인된 시험의 구인요소가 별개의 (그러나 관련이 있을 수 있는) 특성을 측정했다는 근거가 필요하다. 내부 구조와 관련된 또 다른 일반적인 유형의 근거는 하위 응시자 집단(예 : 남성과 여성)이 각자의 역량에 따라 문항을 제시한 후에 차별적 수행를 나타내는 과제/문항을 식별하는 데 중점을 둔다. 이러한 응시자-문항의 연결은 일반적으로 종합점수를 바탕으로 수행된다.	이 근거의 출처는 동일하거나 관련된 구성을 측정하는 다른 평가, 진료 또는 교육 프로그램, 수행의 직접적인 측정과 같은 평가하고자 하는 기준에 대한 보다 직접적인 측정 시험과 외부의 관련 기준과의 상관관계를 포함한다. 이 근거의 출처는 수렴/발산적 측정을 포함할 수도 있다. 예시로는 상이한 방법으로 평가된 동일한 특성의 측정치가 동일한 방법으로 평가된 서로 다른 특성의 측정치보다 더 높은 상관관계가 있다는 근거이다. 이와 유사하게, 특정 성격특성이나 역량이 수렴 또는 발산 패턴을 보여주는 이론적 근거를 기대해볼 수 있다. 이론과 일치하는 결과는 점수의 신뢰도를 뒷받침해 준다	재교육을 통해 개선될 수 있는 학생들을 골라내거나 진료할 수 있는 자격이 입증되지 않은 의사로부터 대중들을 보호하는 것과 같은 의도된 이점들이 포함된다 – 소수민족 응시자에 대한 영향과 같은 공정성과 기타 사회적 가치와 관련된 문제, 점수의 오용과 같은 예상치 못한 결과. *비고:* 결과와 관련된 광범위한 근거에는 점수의 오용과 같은 고려 사항이 포함될 수 있다. 이것은 시험점수의 의도된 해석과 관련된 근거와 주장을 명백히 뛰어넘는 것이다.

섯 가지 근거 출처를 간략하게 설명하고 있다. 이 표는 Messick의 타당도 이론 개념을 설명하는 과거의 보조 자료와의 연속성을 보여주기 위해 제시한 것이다. 그러나 Messick의 단일화된 타당도 이론과 교육심리검사 표준은 서로 다른 유형의 타당도가 아니라는 점을 명심해야 한다. 오히려 서로 다른 근거 자료로 간주해야 하며, 특정 검사 점수를 해석하는 데 각각 중요한 역할을 할 수 있다.

타당도 이론의 역사는 타당도의 정의가 시간이 지남에 따라 확장되었음을 분명히 보여준다. 검사의 초점이 바뀌면서 주안점도 바뀌었다. 그러나 준거타당도(다른 변수와의 관계에 기반한 근거)는 대체되지 않았다. 준거타당도는 입학시험과 입사시험을 평가하는 데 있어 여전히 필수적인 요소이다. 마찬가지로, 내용타당도는 성취도 검사를 설명하는 중요한 근거이다. 타당도의 역사는 의미의 확장과 주안점 변화의 역사라 볼 수 있다. 최근에 Kane은 검사점수의 해석을 뒷받침하는 주장으로 타당도를 강조하는 관점에서 있어 추가적인 변화를 소개했다.[8,15] 타당도 이론의 진화에서 이전 단계와 마찬가지로 Kane은 지난 반세기 동안 논의된 근거와 관점의 중요성을 부정하지 않았다. Messick의 타당도에 대한 주장을 잘 아는 독자들은 Kane이 Messick의 논의을 거부하는 것이 아니라 관점의 전환을 보여준다는 것을 알 수 있다. 이러한 관점의 전환은 한 가지 중요한 특성을 가지고 있다. 검사점수를 해석하는 근거자료들은 검사 시행에서 해석으로 이어지는 구조적이고 일관된 논의여야 한다는 사실을 강조한다. 구조화된 주장은 가장 약한 해석력을 가진 구성 요소만큼이나 강력하기 때문이다.

케인(Kane)의 타당도

검사점수의 해석에 내재된 것은 그 해석을 뒷받침하는 일련의 주장과 가정이다. 예를 들어, 의사면허시험에서 합격 점수를 해석하려면 시험이 표준화된 조건에서 시행되었고 응시자가 사전에 시험 자료에 접근할 수 없었다는 가정이 필요하다. 응시자가 부정행위를 한 경우, 시험 점수에 대한 해석을 할 수 없다. 시험 점수의 해석에는 점수의 정밀도에 대한 가정이 필요하다. 즉, 시험 점수를 재현할 수 없으면 해석할 근거가 없다. 점수의 해석은 시험이 의료 행위에 필요한 전반적인 지식, 술기 능력과 관련성이 있다고 가정한다. 또한 이러한 해석을 지지하는 방향으로 준거 점수가 설정되었다고 가정한다. 만약 이상의 가정 중 단 하나라도 없다면 다른 해석력은 의미가 없다.

Kane은 이 같은 타당도 논의에 대해 검사 시행에서 최종 결정 또는 해석까지의 과정을 설명하는 네 가지 요소를 제시하였다. 그는 이 네 가지 구성요소를 *채점, 일반화, 추론과 결정*으로 명명하였다. 타당도 논의에서 *채점* 요소의 내용은 시험이 제대로 시행되고, 응시자가 올바르게 시험에 임했으며, 채점 방식이 적절하고 정확하고 일관되게 적용되었다는 가정을 말한다. 타당도 논의에서 *일반화*란 시험 문항과 임상사례 등에서 적절한 표본조사가 이루어졌다는 뜻이다. 또한 일반화가 성립되려면 표본이 허용 가능한 수준의 정밀도의 점수를 산출할 만큼 충분해야 한다. 광범위하게 말하면 이 시점에서 다음과 같은 질문을 할 수 있다 - 이 시험은 신뢰할 만 한가? 타당도 논의의 *추론* 요소는 시험 점수로 표현된 관측치가 시험에서 측정된 구성내용 혹은 목표한 숙련도와 관련이 있어야 한다. 타당도에서 추론이 성립되려면 관측치가 점수결과 해석과 관련이 있으며, 관련 없는 변인들에 의해 점수가 과도하게 영향을 받지 않아야 한다. 타당도의 *결정* 요소는 점수 해석에 필요한 이론적 틀을 뒷받침하는 근거 또는 결정 규칙이 필요하다. 준거점수를 사용한 시험의 경우 준거점수를 설정하는데 이용한 절차에 대한 근거가 포함될 수 있다. 다시 말하지만, 타당도의 각 구성 요소에 대한 근거가 있는 경우에만 점수에 대한 해석에 신뢰성을 부여할 있다. 필요한 근거 유형은 평가의 목적과 특성에 따라 달라질 수 있을 것

표 2.2 타당도에 대한 케인(Kane)의 논의바탕 접근법의 4가지 구성요소와 관련된 질문

구성요소	질문
채점	1. 표준화된 조건에서 관찰이나 지문자료가 주어졌는가? 2. 점수가 정확하게 기록되었는가? 3. 채점 알고리즘이 올바르게 적용되었는가? 4. 적절한 보안절차가 시행되었는가?
일반화	1. 평가에서 관찰된 점수에 기여하는 측정 오차의 원인은 무엇인가? 2. 측정 절차의 복제에서 점수가 얼마나 비슷한가? 3. 측정 절차의 복제에서 분류 결정이 얼마나 유사한가? 4. 체계적인 과정을 이용하여 시험 유형을 어느 정도까지 구성할 수 있는가?
추론	1. 점수는 실제 목표하는 숙련도와 어느 정도 일치하는가? 2. 목표하는 숙련도평가를 방해하는 요소가 있는가? 3. 점수는 실제 목표하는 성과를 예측하는가? 4. 점수에 영향을 미치는 시험 조건에 인공적인 측면이 있는가?
결정	1. 기준은 방어 가능하고 올바른 절차를 통해 확립되었는가? 2. 재교육을 받은 응시자는 필요한 기준을 충족시키거나 재교육을 받지 않은 사람들에 비해 이득이 있었는가?

이다.

표 2.2는 타당도 논의의 각 단계에서 발생하는 몇 가지 질문 유형의 예를 제공한다. 질문은 예제로 제시된 것으로 완전한 목록은 아니다. 타당도 논의의 네 가지 측면에 대한 보다 자세한 설명은 다음 부분에서 하도록 하겠다. 각 부분에 대한 설명에서는 현재 의학교육에서 흔히 사용되는 세 가지 형태의 평가인 다지선다형 시험, 수행평가 그리고 업무현장바탕 평가의 세부 정보가 제공된다. 다지선다형 시험은 의과대학 선발에서 학교 내 평가, 면허와 자격인증에 이르기까지 의과대학에서 보편적으로 사용된다(이 장에서 언급된 Swanson & Hawkins의 문헌들을 참조). 수행평가는 의과대학에서 그리고 면허시험의 일부로 흔히 사용되는 객관구조화진료시험과 표준화환자바탕시험과 함께 의학교육 분야에서 오랜 역사를 가지고 있다.[16] 업무현장바탕 평가는 의과대학과 교육과정 중 특히 전공의 수련의 부분으로서 점점 더 중요해지고 있다.[17]

채점

타당도 논의에서 *채점(scoring)*과 요소는 적절한 평가자료가 수집되고 정확하게 채점되었다는 증거를 제공하는 것이다. 여기에는 명시된 표준화 조건이 구현된 정도, 채점 절차의 정확성, 채점 조정 절차의 선택과 실행과 같은 다양한 유형의 근거가 포함된다. 타당도 논의의 네 가지 각 요소가 채점과 연계되는 구체적인 내용은 시행하고자 하는 시험의 특성에 따라 달라질 것이다.

사례 I : 다지선다형 시험

타당도 논의에서 *채점(scoring)과 일반화(generalization)* 요소에 대한 가장 확실한 근거를 제공하기 위해 표준화시험이 개발되었다. 표준화 조건을 잘 준수하면 모든 시험 응시자에 대해 동일한 방식으로 데이터가 수집될 수 있다. 이는 시험 진행 시간, 좌석, 조명이나 지문자료 등과 같은 요소가 통제되기 때문이다. 시험을 시행하기 위해서는 이러한 조건에 대한 위반이나 채점 보고서에 대한 문서가 필요하기 때문에 응시자는 시험 점수가 수집되는 상황에 대해 더 확신을 가질 수 있다. 마찬가지로, 전문적으로 시행되고 채점된 시험에는 채점 과정에 정기적인 품질 관리 조치가 포함된다. "핵심 검증(key validation)"(답변이 정확한지 확인하기 위해 설계된 응시자 응답의 통계 분석)은 채점 규칙이 정확하게 적용되었다는 근거이다. 이 단계에서는 각 시험문항에 대하여 점수를 부여 받은 응시자의 비율을 조사하고, 서로 다른 수준을 가진 응시자들의 정답률을 비교해야 한다.

고부담 시험 채점에서 중요한 고려 사항 중 하나는 보안이다. 숙련도가 낮은 응시생은 부정행위를 저지를 수 있으며, 이를 여러 가지 방법으로 시도 할 수 있다. 한 번 사용한 시험문항을 다른 시험에서 재사용 할 때, 응시자가 항목을 도용(즉, 기억, 복사, 사진 촬영)하여 나중에 다른 사람에게도 노출할 수 있다. 전산화된 시험을 지속적으로 시행하면, 이 타당도에 대한 위협이 증가할 수 있다. 시험문제은행의 크기와 시험 문항의 재사용 빈도에 대한 근거를 잘 제시할 수 있다면, 사전 노출된 문항에 대한 응시자의 신뢰가 유지될 수 있다. 또한 컴퓨터바탕 시험의 경우 화면에 표시되는 경우를 제외하고 시험 문항을 항상 암호화하면 시험 자료의 보안도 유지될 수 있다.

사례 II : 수행평가

앞서 언급 한 바와 같이 학습자의 관심을 끌 수 있는 자료 사용과 채점 절차의 재현성은 다지선다형 문항을 포함하는 표준화 시험의 강점이다. 동일한 시험 양식에 배정된 두 명의 응시자가 각각 다른 컴퓨터에 앉아 동일한 문항으로 시험 보고 해당 문항이 동일한 방식으로 채점되는 것은 상대적으로 적은 노력으로도 가능하다. 표준화환자를 활용한 시험이나 사람이 시험 문제를 제시하거나 채점하도록 되어 있는 수행평가의 경우에는 상황이 다르다. 시험에 사람 요소를 추가하면 동일한 시나리오를 묘사하도록 훈련된 표준화환자라 하더라도 두 환자의 연기가 완벽하게 같았다고 할 수는 없다. 또한 표준화환자는 응시생이 달라지는 등의 서로 다른 상황이나 환경에서 모든 시나리오를 완전히 동일하게 묘사하지 않을 수도 있는 것이다. 따라서 타당도 논의에서 채점을 논의할 때에는 표준화환자 훈련의 표준기준이라는 근거가 마련되어야 하며, 환자 간 그리고 환자 내 일관성을 보장하기 위해 정기적인 모니터링이 필요하다. 이러한 시험에서 채점을 논할 때 유사한 문제가 발생한다. 채점을 표준화환자가 했든지 내용전문가가 했든지 상관없이 절차의 정확성이 평가되어야 한다. 다시 말하지만, 이러한 측면은 시험이 시작되기 전에 확인해야 할 사항이며 지속적으로 모니터링 되어야 한다. 소규모 파일럿 시험 중에 수집되는 평가 자료들은 본 시험이 진행될 때 수집되는 동일한 자료를 대체할 수 없다는 것을 기억하는 것이 중요하다.

표준화환자 수행과 채점과정에서 전체 오차율이 낮다는 것을 보여줌과 동시에 응시자의 특성과 표준화환자의 수행이나 채점 간에는 상관관계가 없다는 근거를 제공하는 것이 중요하다. 예를 들어, 응시자의 성별이나 인종이 시험 내용이나 채점 방식에 영향을 미치지 않아야 한다. 만약, *동등한 수준의 숙련도(equal proficiency)*를 가진 응시자가 있을 때, 여성보다 남성이 더 높은 점수를 받을 가능성을 시사하는 근거가 발견된다면 이는 점수 해석의 타당성에 심각한 위협이 될 수 있다. 이와 같은 영향은 표준화환자를 활용한 수행평가나 채점의 무작위오차보다 더 심각하다. 왜냐하면, 무작위오차는 회차가 거듭되면 평균으로 회귀하기 때문이다. 그러나 계통오차는 그렇지 않다.

보안 문제는 수행평가에서도 중요하다. 시험이 중요한 결정을 내리는 데 사용되는 경우, 응시자는 시험 정보에 미리 접근하여 점수를 향상시키려고 시도할 수 있다. 대부분의 경우 수행평가(특히 표준화환자바탕시험)는 여러 차례 실시된다. 이러한 시간 간격은 시험을 완료한 응시자가 추후 시험을 치를 다른 응시자와 정보를 공유 할 수 있는 기회를 제공할 수 있다. 대부분의 경우, 시험 문제에서 요구하는 특정 과제는 응시자의 사전 지식에 의해 영향을 받는다.[18] 타당도에 대한 이같은 위협은 다지선다형 문항을 포함하는 시험에서 문항의 재활용 문제와 유사하지만, 수행평가의 경우 시험 "문항"으로 대형 문제은행을 만드는 것이 훨씬 더 어렵다. 시험 시간이 비교적 짧을 경우, 시험이 치루어지는 동안 서로 정보를 공유하지 못하도록 응시자들을 격리하는 것이 시험 결과의 타당도를 유지했다는 근거가 될 수 있다. 표준화환자바탕시험에서는 시험을 보기 전에 표준화환자가 응시자와 정보를 공유할 수도 있는 보안 위협이 추가로 존재한다.

사례 III : 업무현장바탕 평가

직접관찰을 통한 임상의사나 교육생의 평가는 다지선다형 시험과 같이 표준화된 시험문항이나 부분적으로 표준화된 수행평가와 같은 상황이 아닌, 통제되지 않은 병동이나 외래에서 관찰해야 하는 전혀 다른 조건의 평가이다. 이와 같은 환경에서 평가된 점수의 해석이 타당성을 확보려면, 다른 환경에서 일하는 다른 평가자들이 동일한 내용을 동일한 방식으로 평가한다는 것을 증명해야 한다. 이러한 근거를 제공하는 한 가지 방법은 평가할 수행내용의 특징을 신중하게 정의하는 것이다. 평가될 내용에 대한 주의 깊은 설명과 평가자에 대한 철저한 사전 교육은 응시자가 동일한 조건에서 평가되고 있다는 주장에 힘을 실어줄 수 있다.

평가 항목에 대한 구체적인 설명과 평가자 교육을 신중하게 계획함과 동시에 평가자들이 실제로 동일한 내용을 평가하고 있음을 보여주는 근거를 수집하는 것이 중요하다. 발성사고법이나[2)] 인터뷰를 하는 등 평가자가 고려할 수 있는 내용에 대한 근거를 제공할 수 있다.

일반화

일반화(generalization) 단계에서는 관찰점수(observed scores)와 관련된 전집점수(universe scores) 또는 진점수(true scores) 간의 관계에 중점을 둔다. 전집점수와 진점수는 모두 개념적인 해석이다. 전집점수는 응시자가 모든 항목에 응답한 경우 응시자가 받을 점수를 말한다. 진점수는 응시자가가 무작위로 동일한(병렬) 형태의 시험을 무제한으로 완료한 경우 받을 수 있는 평균 점수를 말한다. (관찰점수는 응시자가 특정 시험을 완료했을 때 실제로 기록되는 점수이다.) 이 장에서 이러한 정의나 관련 이론의 세부 사항을 논의하기에는 부적절하다. 따라서, 더 구체적인 정보가 필요한 독자라면 고전검사이론에 대해 자세하게 논의한 굴릭슨(Gulliksen)과[1] 로드(Lord)와 노빅(Novick)의 저서를[19] 추천하며, 일반화가능도 이론에 대해 논의한 크론바흐(Cronbach)와 동료[20] 및 브레넌(Brennan)의[21] 저서를 참조하기 바란다.

이 논의 단계에는 두 가지 종류의 근거가 필요하다. 먼저, 제시된 문항이나 응시자에 대한 관찰 표본 점수가 일반화 관련 영역을 대표해야 한다. 둘째로, 관찰점수가 표본추출 오차에 의해 과도한 영향을 받지 않도록 표본추출 범위가 충분했다는 것을 입증할 필요가 있다. 표본이 대표성을 띄는 정도는 시험출제에 사용되는 절차(업무현장바탕 평가를 위한 자료수집)에 의존한다. 표본추출의 적절성은 튼튼한 이론을 바탕으로 잘 개발된 통계절차에 의해 분석될 수 있다.

표본은 자료수집 과정에서 정해진 규칙을 잘 따랐음을 의미한다. 어떤 경우에는 특정 영역에서 무작위로 선택하는 것이 적절할 수 있고, 또 다른 경우에는 층화 추출법(stratified sampling)이[3)] 더 적절할 수 있다. 일부 상황에서는 관찰이 이루어져야 하는 조건 범위에 대한 규칙이 표본추출을 대체할 수도 있다.

단연코, 검사이론의 가장 발전된 측면은 신뢰도 평가와 관련이 있다. 개념적으로 이 방법론은 관찰점수와 진점수 또는 전집점수 간의 관계를 평가하도록 설계되었다. 이 관계의 가장 일반적인 지수는 신뢰도 계수이다. 신뢰도 계수는 동일한 형태의 두 가지 시험에서 관찰된 점수 간의 상관관계를 나타낸다. 이 값의 제곱근은 해당 시험의 관찰점수와 진점수 간의 상관관계를 나타낸다. 고전검사이론에서 신뢰도 계수는 측정된 표준오차와도 직접적인 관련이 있는데, 이는 주어진 진점수에 대한 관찰점수의 분포를 나타낸다.

관찰점수와 진점수 간의 관계를 추정하기 위해 다양한 접근법이 개발되었다. 이러한 절차의 유용성은 "측정 절차의 복제"

2) 역자 주. 발성사고법이란 시험에 응하는 응시자가 시험을 진행하면서 경험하는 내용을 말로 자세히 표현하는 기법을 말하며 주로 녹음, 녹화되어 분석된다.

3) 역자 주. 집단을 여러 가지 조건에 따라 몇 개의 층으로 나누고, 각 층에서 무작위로 표본을 뽑아내는 방법. 출처: 표준국어대사전

의 의미를 어떻게 개념화하느냐에 따라 달라진다.[22] 특정 문항 세트와 시험이 시행된 특정 시간 및 날짜는 결과 해석에 큰 영향을 주지 않기 때문에, 복제와 신뢰도는 종종 두 가지 형태의 시험에서 얻은 점수 간의 관련성으로 해석한다. 이러한 해석은 시험을 통해 측정되는 특성이 시험이 여러 번 시행되는 사이에 변하지 않는다는 가정에 근거한다.

경우에 따라 *적절한(relevant)* 시험 조건이 일정하게 유지되지 않을 경우에는 시험을 복제하여 일정하게 유지되도록 하는 것이 바람직하다. 하지만, 시험이 하루에 두 번 시행된다면 현실적으로는 응시자에게 피로감을 줄뿐만 아니라 시험 문항과 형식에 익숙하게 된다. 문자 그대로, 동일한 상황에서 시험을 복제(두 가지 유형의 시험이 동시에 시행됨)하면 이러한 영향은 없겠지만 현실적으로 완벽한 시험 복제는 불가능하다. 개념적인 또는 이론적인 복제만이 존재할 뿐이다.

다지선다형 문항을 기반으로 하는 시험에서는 복제에 대한 정의에 상황과 문항 선택을 고려해야 한다. 복잡한 형태의 시험일 경우 복제에 대한 정의도 더 복잡해진다. 논술 시험을 예로 생각해보자. 이 경우, 지문은 표준화될 수 있지만 문항 복제는 응시자가 다른 상황에서 반응할 수 있는 다른 형태의 논술 지문이 포함할 수 있다. 또한, 응시자의 응답은 여러 명의 심사위원에 의해 채점될 수 있으며 심사위원은 여러 상황에서 응시자를 평가할 수 있다. 따라서 복제의 정의는 고정으로 간주되는 요인과 무작위로 간주되는 요인에 따라 달라질 수 있다. 이러한 맥락에서, 고정 및 확률변수의 정의는 점수 해석을 어떻게 하느냐에 따라 달라질 수 있는 것이다. 점수 해석이 특정 전문가 집단에 의해 판단되고 모든 응시자가 동일한 전문가에 의해 판단되었다고 가정하는 경우 심사위원은 고정변수가 된다. 서로 유사한 특성을 가진 대규모 집단에서 표본추출한 심사위원의 경우 이 심사위원들은 확률변수로 간주해야 한다. 같은 맥락에서, 점수 해석이 특정 세트의 시험 문항이나 다른 지문자료를 가정하면 이 변수는 고정변수가 된다. 그렇지 않고 더 큰 영역에서 지문이 표본추출된 경우라면, 시험 문항은 확률변수로 간주된다. 확률변수는 복제 상황에 따라 달라질 수 있지만 고정변수는 변하지 않는다.

관찰점수와 진점수 간의 관계를 조사하거나 측정의 표준오차를 추정하기 위한 적절한 방법은 자료 수집 설계가 얼마나 복잡하냐에 달려 있다. 현실적으로 가능하다면, 측정 절차를 반복하는 것이 이해관계를 평가하기 위한 견고한 기반이 될 수 있다. 복제를 통해 생성된 점수 간의 상관관계는 시험의 신뢰도에 대한 적절한 추정치를 제공한다. 다시 말하지만, 이 값의 제곱근은 관찰점수와 진점수 간의 상관관계를 나타내는데, 잘 알려진 다음 공식은 측정 표준오차의 추정값을 나타낸다.

$$\sigma_e = \sigma_X \sqrt{1 - r_{XX'}}$$

(이 공식에서 σx는 관찰점수의 표준편차를 말하며, σe는 표준오차, $r_{XX'}$ 는 검정의 신뢰도를 의미한다.)

대부분의 상황에서 복제는 실용적이지 않을 수 있다. 예를 들어, 면허시험 응시자는 시험을 완료하고 합격 한 후 동일한 고부담 조건의 재시험을 치르기 어렵다. 단 한 번의 시험을 보더라도 시험 점수를 평가하기 위한 다양한 방법이 있다. 100년 전 스피어먼(Spearman)과 브라운(Brown)은 시험의 반분신뢰도(예: 짝수와 홀수번호 문항) 간의 상관관계를 통한 방법을 처음 선보였다.[4,23] KR20과[24] 알파계수는[25] 모든 가능한 반분의 평균과 동일한 값을 추정한다. 이 방법은 단일 시험 양식에서 문항 간의 관계 강도를 기반으로 한 신뢰도 추정치를 제공한다. 또한 단일 시험 양식에서 문항 n과 문항 m (n ≠ m) 사이의 관계 강도(공분산)가 시험 유형 1의 문항 "n"과 시험 유형 2의 "m"문항 간의 관계 강도에 대한 근사치를 제공한다고 가정한다.

알파계수와 쿠더-리처드슨(Kuder-Richardson) 공식은 시험 점수의 일반화에 대한 근거를 수집하는 데 유용한 도구이다. 불행히도 사람들은 이 공식들을 점수 신뢰도 문제에 대한 일종의 반사적 반응처럼 생각한다. 너무 많은 연구자들은 신뢰도 추정치를 자신들의 연구평가 분석에 도움이 되는 기회로 생각하기보다 어느 저널에 논문을 투고하면 해당 저널의 편집장이 당연히 요구하는 통계 값으로 생각한다. 이러한 절차를 적용 할 때 두 가지 중요한 고려 사항이 발생한다. 무엇보다 평가자는 측정 절차의 복제가 무엇을 의미하는지 다시 질문해보아야 한다. 이 절차는 다른 모든 측정 조건을 일정하게 유지하면서 문항(또는 시험 유형)에 대한 복제 측면에서 일반화를 논할 때 적합하다. 두 번째로 중요한 고려 사항은 해당 도출에 사용된 가정과 관련 있다. 알파계수(또는 KR20)를 해석할 때의 핵심 가정은 평균적으로 단일 시험 유형에서 두 문항 간의 관계 강도는 서로 다른 유형의 시험에서 두 문항 간의 관계 강도와 같다는 것이다. 이 가정을 위반하면 결과적으로 평가의 실제 신뢰도가 잘못될 수 있다. 그리고 이러한 실수는 일반적으로 신뢰도를 과대평가하게 된다. 예를 들어, 임상 시나리오를 설명하는 구절에 몇 가지 질문이 있는 경우를 고려해보자. 동일한 지문에서의 문항간 관계는 다른 지문의 문항들 사이의 관계보다 높은 것이 일반적이다. 시나리오는 일반적으로 시험 양식마다 달라지므로 시험 양식에 따른 문항들 간의 상관관계는 단일 시험에서 서로 다른 시나리오의 문항들 간의 관계분석에 의해 가장 잘 나타난다.

이러한 절차가 잘못 적용될 수 있는 상황의 또 다른 예는 여러 심사 위원이 한 명의 응시자에 대한 수행평가를 실시할 때 발생한다. 예를 들어, 실제 환자와의 응시생의 상호작용을 두 명의 심사위원이 평가하는 상황을 고려해보자. 제대로 된 평가라면 한 명의 응시자는 다섯 명의 환자와 만나야 하며, 각 상호 작용은 상이한 심사위원들에 의해 평가되어야 한다. 각 심사위원별로 채점이 이루어진다면 응시생은 10개의 점수를 받게 되어 있다. 모든 응시생이 동일한 다섯 명의 환자와 상호 작용하고 해당 환자에게 배정된 동일한 심사위원들이 점수를 매겼다면, 평가자는 이 10개의 점수 세트를 기반으로 알파계수를 분석하고 싶을 것이다. 하지만, 동일한 환자에 대한 수행을 평가한 심사위원의 점수 사이의 상관관계는 서로 다른 환자에 대한 수행을 평가한 점수의 상관관계보다 크기 때문에 이 접근법은 서로 다른 시험 점수 간의 상관관계를 제대로 분석하지 못할 것이다. 이 경우, 추정 오차가 지나치게 클 수 있고(예를 들어, 추정된 표준오차가 실제 값의 50%일 수 있다), 점수의 재현성을 지나치게 과장할 수도 있다.

일반화가능도 이론

고전검사이론은 관찰점수를 진점수와 오차라는 두 가지 구성 요소로 나눈다. 응시자의 진점수는 오차와 관련이 없기 때문에 관찰점수 분산은 진점수 분산과 오류 분산으로 구성된다. 일반화가능도 이론은 이 체계를 확장하여 전체 분산을 여러 구성 요소로 나눈다. 예를 들어, 응시자가 논술지문에 응답하고 평가자가 채점하는 간단한 시험 상황을 고려해보자. 결과의 일반화가능도를 분석하기 위해 한 연구자가 어느 응시생 집단의 데이터를 수집했다. 모든 응시자는 동일한 지문에 응답했고, 동일한 평가자에 의해 평가되었다. 일반화가능도에서 논술지문과 평가자는 오류 분산의 원인이 된다. 고전검사이론에서와 같이 단일 시험에서 데이터를 가져와 신뢰도(또는 일반화가능도)를 추정하고 다양한 문항수로 이루어진 시험의 기대하는 신뢰도를 분석할 수 있다. 한편, 일반화가능도 이론은 논술지문과 평가자의 가변성으로 인한 뚜렷한 오차를 제공하기 때문에 각 지문에서 응시자의 수행을 평가하는 평가자의 수가 변한다면 시험의 신뢰도가 어떻게 변할 것인지 예상할 수 있다.

이전 단락에서 시험 점수의 일반화가능도를 평가하기 위한 접근법을 간략히 소개했다. 이 문제에 대한 더 구체적인 설명은 이 장에서 다룰 수 없지만, 다음 단락에서 앞서 언급했던 세 가지 평가맥락에서 일반화가능도에 대한 고려사항을 다루었다.

사례 I : 다지선다형 시험

타당도 논의의 *일반화(generalization)* 단계의 핵심은 측정과정을 복제하면서 얼마나 비슷한 결과점수를 보여주느냐에 있다. 표준화된 다지선다형바탕평가의 맥락에서 채점 결과를 해석하려면 일반적으로 여러 시험 유형에서 유사한 결과를 보여야 한다. 예를 들어, 응시자에게 배정된 시험 유형에 따라 점수의 편차가 심하다면 면허나 자격인증시험으로서의 신뢰를 잃게 된다.

일반화가능도 이론에서 이 부분은 여러 유형의 근거가 필요하다. 먼저, 시험에 사용된 표본추출로 비슷한 시험 유형을 만들 수 있어야 한다. 여러 시험유형을 만드는 가장 간단한 방법은 문제은행에서 문항을 임의로 선택하는 것이다. 이 방법은 개념적으로 간단하지만 표준화 시험에서는 드문 경우이다. 보다 일반적인 접근 방식은 시험의 "출제계획표"이나 제약 조건을 충족하는 문항을 고르는 것이다. 이 경우, 다양한 범주에서 무작위로 문항을 선택할 수 있다(표 2.3, 200개의 가상 다지선다형 시험문항을 활용하는 내과 시험의 예시 참조). 여러 종류의 형식이 포함된 시험일 경우 구체적인 출제계획표는 유형과 범주의 각 조합으로부터 문항 수를 지정할 수 있다. 이러한 시험의 일반적인 변형은 이전 유형의 사양을 충족하는 문항을 작성하여 새로운 시험을 구성하는 것이다. 시험출제 과정에서 유형 간 차이가 있을 경우, 단일 양식의 일반화가능도 분석을 기반으로 여러 유형의 점수 간 상관관계를 추정하는 것은 부적절하다. 체계적인 시험출제 절차가 사용될 때에는 다지선다형 문항바탕 시험은 일반적으로 상당히 단순한 데이터 수집 설계를 거치며, 응시자가 일반적으로 측정 절차의 핵심이 되고(일반화가능도 이론 용어로 측정 대상으로 간주됨), 문항 추출은 측정 오차의 잠재적인 자원에 해당될 것이다. 이 단순한 설계에서 세 가지 분산 자원(분산 성분라고 함)을 추정할 수 있다. 고전검사이론의 진점수 분산과 개념적으로 동일한 피험자의 분산성분; 문항 난이도의 가변성을 나타내는 문항 분산성분; 앞의 두 효과에 의해 설명되지 않은 잔차 분산을 나타내는 피험자 문항 분산성분; 피험자 문항 분산성분을 문항 수로 나눈 값은 동일한 시험 유형을 완료한 응시자들을 서로 비교할 때 오차 분산을 말한다. 서로 다른 시험을 완료한 응시자를 서로 비교할 때 오차 분산의 정의는 더 복잡하다. 시험 유형을 동일한 문제은행에서 무작위 표본 추출로 추산하는 절차를 통해 구성하고 난이도 차이에 대한 점수를 조정하는 절차가 없는 경우, 오차 분산은 문항 분산성분과 피험자 문항 분산성분의 합을 문항 수로 나눈 값이다. 통계 동등화 절차를 사용하면 문항 분산성분의 영향을 줄일 수 있다.

고정된 내용 범주에서 문항이 추출되면 분석은 더 복잡해진다. 이 경우, 피험자에 대한 분산성분(p); 내용 범주(c); 내용 범주에 종속된 문항($i{:}c$); 내용 범주별 피험자($p \times c$); 내용 범주에 종속된 문항별 피험자($p \times i{:}c$) 등의 분산성분이 존재한다. 이 경우, c 요소는 이 구조가 시험 유형에 따라 고정되어 있으므로 측정 오차로 보지 않는다. 마찬가지로, 범주가 고정되어 있으므로 $p \times c$ 분산성분은 전집점수 또는 진점수 분산에 영향을 준다. $p \times i{:}c$ 요소는 오차에 영향을 미치며, 여러 시험 유형에서 비교될 때 i:c는 측정 오차에 영향을 준다. 이 후자 요소 영향은 시험 유형이 통계적으로 동등하게 구성되거나 동등할 정도로 완화된다. 이 과정은 일반적으로 계층화 없는 분석보다 표준오차가 작고 일반화가능도 계수가 더 크다. 이것이 알파 계수가 신뢰도의 하한(lower-bound) 추정치라고 하는 이유 중 하나이다. 그러나 실제 계수의 차이는 일반적으로 크지 않다.

표 2.3 **내과에서 사용되는 200개-다지선다형 문항시험 출제계획표의 예**

질병 분류/기관 체계*	임상 과제당 문항수				
	진단	치료 결정	질병 예방	진단 방법 사용	합계
심장혈관계 질환	10	9	5	6	**30**
피부 질환	4	2	2	2	**10**
내분비 및 대사 질환	7	6	3	4	**20**
부인과 질환	3	3	2	2	**10**
혈액 질환	3	3	1	3	**10**
면역 질환	3	3	2	2	**10**
정신 질환	4	3	1	2	**10**
근골격계 질환	8	6	2	4	**20**
신경계 질환	6	4	2	3	**15**
영양 및 소화기 질환	8	9	4	4	**25**
신장, 비뇨기 및 남성 생식기 질환	6	3	2	4	**15**
호흡기 질환	8	9	4	4	**25**
합계	**70**	**60**	**30**	**40**	**200**

* 감염과 종양 질환과 관련된 문항은 해당 장기 계통에 포함된다.

일반화가능도 이론을 사용하여 생성된 오차 분산 추정치는 시험 측정의 표준오차를 추정하기 위한 기초 즉, 점수에 대한 신뢰 구간을 제공하는 데 유용하다. 일반화가능도 계수는 또한 전집점수 분산을 전집점수 분산과 오차분산의 합으로 나눈 비율로 제시될 수 있다. 일반적으로 이러한 지표를 쉽게 접할 수 있지만, 이 비율은 분석에 사용되는 특정 응시자 표본에 민감하므로 주의가 필요하다. 예를 들어, 미국의사면허시험 단계 중 하나에 대한 지표 추정을 생각해보자. 해당 계수가 면허시험을 처음 치르는 비교적 균등한 미국 졸업생 집단을 기준으로 분석되는 경우, 시험을 완료한 모든 응시생을 기준으로 분석했을 때보다 계수가 낮을 수 있다. 반면, 측정의 표준오차는 집단에 걸쳐 안정적인 경향이 있으므로 해석이 더 용이하고, 유용한 정밀도 지표가 될 수 있다.

사례 II : 수행평가

앞의 예제에서 설명한 주장의 논리는 수행평가와 관련이 있다. 단일 시험평가를 바탕으로 한 분석에서 결론을 도출하려면 시험 출제에 사용된 규칙이 시험 유형에 따른 차이가 없어야 한다. 문항이 사람일 경우 시험 시행의 논리적인 현실이 이를 어렵게 만들 수 있지만, 한 시험유형의 작업(예: 표준화환자)이 다른 유형의 작업과 체계적으로 다르면 시험 유형의 일반화에 영향을 미칠 것이다. 중요한 차이점에는 환자의 경험과 훈련 수준의 변화뿐만 아니라 묘사된 문제의 유형 변화가 포함될 수 있다.

다지선다형 문항으로 구성된 표준화시험의 일반화가능도는 비교적 쉽게 분석될 수 있으며 더 단순한 고전시험이론 이론 모델조차도 대부분의 상황에 적합할 수 있다. 그러나 수행평가의 복잡성은 점수의 일반화가능도 평가를 더욱 어렵게 할 수 있다. 응시자가 일련의 스테이션을 회전하면서 각 스테이션에서 환자와 상호작용하고 환자기록지를 작성하는 시험을 고려해보자. 이후 그 환자기록지는 평가자 집단에 의해 채점된다. 응시자가 동일한 스테이션 세트를 완료하고 환자기록지가 동일한 세트의 채점자에 의해 평가될 때, 분산성분은 피험자, 스테이션, 채점자, 스테이션별 피험자, 채점자별 피험자, 채점자별 스테이션, 채점자별 스테이션별 피험자에 의해 추정될 수 있다. (이는 대규모 객관구조화진료시험에서 비교적 드물게 발생한다. 모든 응시자가 동일한 스테이션 세트를 회전하더라도, 사례 역할을 묘사하는 다양한 표준화환자와 수행을 평가하는 여러 채점자로 구성된 다양한 "회로"가 일반적으로 사용되며, 이는 반대로 정밀도에 영향을 미칠 수 있다).[16] 평가자는 이러한 요소 중 어느 것이 특정 상황에서 측정 오차에 영향을 미치는 지 판단해야 한다. *일반화(generalization)* 논의은 유사하게 출제된 시험유형의 점수가 다른 시험점수와 얼마나 비슷한가를 보는 것이므로, 피험자와 스테이션 효과를 포함하는 상호작용은 의도된 점수 해석에 관계없이 항상 측정오차에 영향을 미친다. 반대로, 채점자에 대한 일반화는 중요하거나 중요하지 않을 수 있다. 동일한 집단의 채점자가 모든 응시자를 평가하는 상황에서 시험을 시행하고, 응시자가 다른 채점자에 의해 평가 받았을 경우에 대한 추론을 도출할 의도가 없는 경우, 채점자는 고정요인으로 간주된다. 이 경우, 채점자와 채점자별 스테이션 분산성분은 측정오차에 기여하지 않으며, 채점자별 피험자 요소는 전집점수 분산에 영향을 준다. 그러나 대부분의 경우, 시험점수를 활용해야 하는 사용자는 채점자 집단이 단순히 응시자의 수행을 채점하는 것 이상의 추론을 도출하려고 할 것이며, 이러한 분산성분은 주로 측정오차에 기여한다(특히, 특정 응시자가 소수의 채점자에 의해 채점되는 경우).

이 시점까지는 시험 설계에서 요인이 고정변수가 되면 점수의 오차분산이 작고 일반화가능도 수준이 높아진다는 것을 알 수 있다. 이 때 평가자는 고정요인을 활용하여 점수의 일반화가능도를 높이려고 시도할 수 있다. 그러나 이 전략은 우문현답을 하는 꼴이기 때문에 시도할만한 가치가 없다.

사례 III : 업무현장바탕 평가

실습환경에서 응시자를 관찰할 때, 타당도 논의의 *일반화(generalization)*가 문제될 수 있다. 관찰표본 추출을 통제하는 명확한 규칙이 있을 수 있지만, 업무현장바탕 평가에서는 환경요인과 환자특성이 응시자간 관찰보다 각각의 관찰평가에서 더 유사할 가능성이 있다. 이것이 점수의 일반화가능도에 대해 지나치게 낙관적인 결과로 이어질 수도 있다. 이 설정에서 시험 점수는 관찰 평가를 위해 상황을 제공하는 특정 환자나 과제의 효과뿐만 아니라 채점자 효과의 영향도 받는다. 또한 채점자를 어떻게 배정하느냐에 따라 채점자 효과를 정확하게 추정하기가 어려울 수 있다. 뿐만 아니라 환자 증상의 난이도나 과제의 여러 가지 특성과 연관된 분산과 잔차분산 사이의 차이를 완전히 구별하는 것은 매우 어렵거나 불가능할 수도 있다.

일반적으로 평가 유형이 다지선다형 시험과 같은 고도로 구조화된 형태에서는 수행평가나 업무현장바탕 평가로 바뀌면 점수의 일반화가능도가 낮아지는 경우가 있다. 여기에는 두 가지 이유가 있다. 첫째, 상대적으로 응답하는 데 시간이 적게 걸리고 채점 비용이 저렴하기 때문에 다지선다형 문항을 사용하여 출제 영역에서 더 광범위하고 효율적으로 표본을 추출할 수 있다. 둘째, 내용 추출과 채점은 다지선다형 평가에서 더 잘 표준화되기 때문에 측정오차의 영향을 크게 줄일 수 있다.

표본추출 가능성은 문항별 응시자간 상호작용의 영향뿐만 아니라 고차원의 상호작용 항(잔차분산 포함)의 영향을 더 크게 줄여준다. 전형적인 문항별 피험자 설계에서 문항별 응시자간 상호작용 항은 "내용 특이성"이나 의사의 지식이 문제특정적인 경향을 나타내는 것으로 널리 알려져 있다. 이 효과의 광범위한 특성은 잘 알려져 있다. 문항별(또는 사례별) 피험자 상호작용 항은 일반적으로 오차분산의 가장 큰 단일 요인이다. 그러나 이것이 내용의 특이성이나 설계에서 제어되지 않은 가변성의 다른 원인을 나타내는지는 명확하지 않다. 서로 다른 상황에서 응시자가 동일한 문항이나 사례에 얼마나 일관되게 반응하는지 조사한 연구는 거의 없다. 관심의 효과가 실제로 내용 특이성일 정도로 응시자가 동일한 다지선다형 문항을 완료하거나 여러 번 동일한 과제 수행을 완료하면 매우 일관된 점수를 받게 된다. 평가 영역 밖에서 보면, 점수는 상황에 따라 재현성이 높지 않는다는 근거를 찾을 수 있다. 마찬가지로, 고정된 내용 범주에서 일관되게 문항을 추출하여 시험 유형을 개발하면 시험 점수의 일반화가능도가 향상될 수 있다는 근거가 있다. 그러나 이 개선 폭의 절대적인 크기는 일반적으로 작다.

앞에서 언급했듯이 과제 수행이나 업무현장 관찰을 사용한 평가로 인한 점수의 일반화가능도가 낮아지는 두 번째 이유는 관찰과 채점 조건을 표준화하기가 어렵기 때문이다. 평가의 구조화를 강화시키면 되지 않겠냐고 주장할 수 있지만 이 과정은 신중한 사고가 필요하다. 고도로 구조화된 평가 대신 덜 구조화된 평가(예: 다지선다 시험이 아닌 임상업무현장평가)를 시행하기로 하다면 관심구인을 더 직접적으로 평가해야 한다. 문제는 채점 과정에 변화를 주면 평가되는 내용이 변경되어 평가의 표준화를 높일 수 있다. 따라서 평가의 초점은 더 쉽게 정량화되고 본래의 의도에서 벗어날 수 있다는 점이다. 이것은 평가를 구조화하기 위한 모든 노력을 반대한다는 것은 아니다. 핵심은 점수의 의도된 해석을 주의 깊게 관찰하여 평가를 구조화하는 것이다. 점수를 일반화하는 것과 그 점수에서 실제 숙련도를 추정할 수 있는 정도 사이의 균형을 갖추는 노력은 불가피한 것이다. 다음으로는 이 논의의 *추론(extrapolation)* 단계를 살펴보도록 하자.

추론

타당도 논의의 추론 단계는 실제 현장에서의 수행능력과 평가에서 수집된 점수 간의 연관성을 입증하는 데 중점을 둔다. 평가자는 응시자의 다지선다형 질문에 응답하는 능력이나 표준화 환자와 상호작용 능력에는 거의 관심이 없다. 그보다 지식바탕 숙련도, 문제해결 기술, 임상적인 판단 및 효과적으로 의사소통하는 능력에 관심이 있다. 평가 점수는 응시자가 해당 영역에서 어떻게 수행할 것인지에 대한 간접적인 근거를 제공한다. 타당도 논의의 *추론(extrapolation)* 단계는 그 근거가 얼마나 정확한지에 관한 것이다.

근거는 본질적으로 추론에 의한 분석 체계는 일반화가능도 논의 보다 덜 발달되어 있으므로 이 단계는 타당도 논의의 가장 어려운 단계이다. 논의의 *추론(extrapolation)* 단계는 *일반화(generalization)* 단계만큼 중요하다. 측정을 제대로 할 수 없다면 신뢰도 점수가 높아도 소용이 없다. 그러나 목표하는 역량을 측정하는 시험이 실제 근거를 대신할 수는 없다는 *현상(appearance)*을 기억하는 것도 중요하다. 이러한 "안면타당도"는 정치적 수용성과 평가의 법적 실행성을 지지할 수 있지만,[26] 타당도 논의에는 도움이 되지 않는다.

이 장의 서두에서 언급했듯이 완벽한 타당도 기준은 없기 때문에 시험점수 추론의 타당도를 준거 측정과의 연관성으로 축소할 수는 없다. 그럼에도 불구하고 시험점수와 다른 관련 척도 간의 상관관계에 대한 분석은 논의에 도움이 될 것이다. 마찬가지로 시험 내용에 대한 근거도 염두에 두어야 한다. 이 두 가지 근거 외에, *추론(extrapolation)* 논의는 이 장 서두에 언급된 크론바흐의 인용문에 따라 제시되어야 한다. "명제는 이를 변조하려는 시도에서 살아남은 경우에만 어느 정도 신뢰받을 수 있다."[27] 평가자는 측정하려는 역량과 관련 없는 변인에 의해 점수가 영향을 받는 정도와 측정 영역의 중요한 측면을 반영하지 못하는 정도를 분석해야 한다. 타당도에 대한 이 두 가지 위협을 구성무관변량(construct-irrelevant variance)과 구인과소대표성(construct underrepresentation)이라고 한다.

평가형식 자체가 구성무관변량의 잠재적 원인 중 하나일 수 있다. 예를 들어, 컴퓨터를 통해 시험이 이루어질 때 컴퓨터를 다루는 능력에 의해 점수가 영향 받을 정도를 고려하는 것이 합리적이다. 응시자가 환자를 면담하고 진찰한 후 해당 사례의 중요한 특징을 기술해야 하는 시험을 생각해보자. 컴퓨터 키보드를 사용하여 시험에 응시해야 한다면 시험점수는 키보드 타이핑 기술에 영향을 받을 수 있다. 더군다나 응답 시간이 제한되어 있다면 타이핑 숙련도의 영향을 사소한 것으로 간주할 수 없다. 타이핑이 관심구인의 일부가 아니라고 가정하면 타이핑 기술이 시험 점수에 미치는 영향은 구성무관변량으로 간주된다.

구성무관 유형 효과가 점수에 영향을 미치는 정도를 평가하는 한 가지 방법은 중다특성-중다방법(multitrait-multimethod) 행렬표를 사용하는 것이다. 예를 들어, 환자를 면담하고 진찰한 후 환자 사례의 중요한 특징을 기술하는 능력은 응시자가 타이핑한 응답과 구두발표를 바탕으로 평가될 수 있다. 이 동일한 두 가지 응답형식을 사용하여 질병 기전에 대한 응시자의 지식과 같은 확실히 서로 다른 숙련도를 평가할 수도 있다. 응답 유형 내에서 수련도 사이의 점수들이 숙련도 내에서 응답 유형 사이의 점수들보다 더 높은 상관이 있다면 이는 문제가 될 수 있다.

사례 I : 다지선다형 시험

일반적으로 이러한 종류의 시험은 이미 규명된 평가 목표 영역을 평가한다. 실제 수행(또는 보다높은 수준의 수련에 대한 준비도)에 대한 시험 점수의 추론은 시험내용이 실제 의료현장에서의 요구사항과 적절하게 일치되기를 기대한다. 시험의 내용타당도에 대한 근거는 시험 유형을 결정하기 위해 출제영역과 표본을 정의하는데 사용된 절차를 따른다. 진료 요구사항에 대한 정보를 수집하기 위해 직무(또는 진료)분석이 사용될 수 있으며, 추가 연구로는 실제 시험 양식에 사용된 문항이 얼마나 현실적이었는지에 대한 전문가 의견을 다룰 수 있을 것이다.

준거관련 근거는 개념적으로 타당도 논의의 추론*(extrapolation)* 단계에서 핵심이라 할 수 있다. 면허시험에서 얻은 점수는 추후 실제 의료현장에서 응시자가 안전하고 효과적인 치료의 전달과 직접적으로 관련되어 있다는 사실을 명백히 입증해야 한다.[29,30] 일부 연구자들이 이에 대한 근거자료를 분석하는 데 성공하긴 했지만, 일반적으로 그 근거가 아직 충분하진 않다. 이에 대한 한 가지 이유는 관심 준거에 대한 척도가 없기 때문이다. 물론, 면허시험의 경우 또다른 제한 요소는 면허시험을 통과하지 못한 응시자의 경우 의료를 행할 수 없기 때문에 준거척도를 수집할 수 없다는 사실이다. 그렇다고 준거척도를 바탕으로 한 연구를 하지 말아야 한다는 것이 아니라, 더 설득력 있는 논의은 결국 시험내용이 관심구인을 합리적으로 나타내고 점수가 구성무관변량의 원인에 의해 지나치게 영향을 받지 않는다는 사실을 보여주는 보다 간접적인 근거에 의존한다.

논리적인 제약은 구조화된 시간 내에서 고부담 다지선다형 시험을 선호하도록 하기 때문에, 이러한 시험에서 구성무관변량의 중요한 요소 중 하나는 결과에 대한 시간제한이 미치는 영향인데, 이를 종종 속도화(speededness)라고 한다. 신속하게 응답할 수 있는 능력이 관심구인의 일부가 아니면 의도한 점수해석과 일치하지 않는 경우가 종종 있다. 속도화의 영향은 구성무관변량의 잠재적인 요인의 또다른 예이다.

차별기능문항(differential item functioning)은 교육측정 분야에서 상당한 관심을 기울인 주제이며, 여러 집단의 응시자에게 차별적으로 제시되는 시험문항을 식별하기 위해 (시험에서 측정하고자 의도된 숙련도에 응시자를 일치시킨 후) 다양한 통계적 절차가 개발되었다.[31,32] 이 절차는 구성무관변량에 민감한 문항을 식별하는 유용한 수단을 제공하며, 타당도 논의을 강화할 수 있다. 차별기능문항의 전형적인 경우는 시험문항이 관심구인과 관련 없는 내용에 대한 지식을 요구할 때 발생한다. 예를 들어, 독해 시험에 미국 남북전쟁에 관한 구절이 포함되어 있다면 미국에서 자란 응시자가 차별적으로 선호될 수 있다. 이 절차는 시험 시작에 문항을 푼 응시자와 마지막에 푼 응시자를 비교하기 위해 동일하게 사용될 수 있다(잠정적으로 시간제약이나 응시자 피로도의 영향이 있는지 평가함). 유사하게, 처음 시험이 시행되었을 때 문항에 반응한 응시자와 대조적으로 이전 시험 양식에서 같은 문항에 노출된 응시자와도 비교할 수 있다. 이러한 각각의 비교는 구성무관변량의 존재에 대한 근거를 제공할 수 있으며 그 영향은 채점결과의 해석을 위협 할 수 있다.

사례 II : 수행평가

수행바탕평가 형식의 가장 큰 매력은 관심구인을 더 직접적으로 측정할 수 있다는 것이다. *추론(extrapolation)* 논의가 강화되기 때문에 *일반화(generalization)* 논의의 약화는 수용 가능한 것으로 간주된다. 한편, 시뮬레이션의 충실도가 높더라도 인공적인 측면이 항상 존재한다. 표준화환자와의 상호작용이 실제 환자와의 상호작용과 다른 정도에 대한 연구는 상대적으로 거의 이루어지지 않았지만, 차이가 존재한다는 사실은 불가피하다. 표준화환자를 실제 환자와 구별할 수 없는 것처럼 보일지라도, 채점 방식의 선택과 같은 요인이 진료현장에서 필요한 의료행위로 추론할 수 있는 점수에 영향을 줄 수 있다. 예를 들어, 체크리스트는 많은 정보 수집이 이루어지는 섬세한 면담 기술을 포착하지 못할 수 있다. 마찬가지로, 체크리스트를 바탕으로 상호작용을 채점한다는 사실을 응시자가 알게 되면 응시자는 점수를 잘 받을 수 있는 방식으로 환자 면담방식을 바꿀 수 있다.

앞서 언급한 내용은 평가현장 설정과 진료현장 설정 사이의 유사성 자체가 타당도에 대한 근거가 될 수 없음을 강조하기 위한 설명이었다. 진료현장 환경에 매우 근접한 과제평가를 실시하면 구성무관변량와 구인과소대표성의 영향을 제한할 수 있는 가능성이 있지만, 이러한 유사성으로 인해 시험점수가 평가 분야의 역량을 대변해 주는 것은 아니다.

사례 III : 업무현장바탕 평가

표준화환자를 활용하는 등의 수행바탕평가 형식과 유사하게, 직접관찰은 타당도 논의의 추론 단계를 강화할 수 있으므로 매력적이다. 진료현장에서 관찰 평가가 이루어지므로 측정과 진료의 특성의 차이가 아주 적거나 없을 수도 있다. 이 특성은 실제 수행 능력과 직접적으로 관련된 평가를 구성하는 데 도움을 줄 수 있지만, 그 자체로 추론의 근거가 되지는 못한다. 관찰행위는 환경을 변화시킬 수 있다. 더 중요한 것은 채점 알고리즘이 관찰한 것과 관찰된 것이 점수로 변화되는 과정을 결정한다는 사실이다. 우리가 관심 있는 것은 설정이 아닌 점수이기 때문에 진료현장 환경에서 관찰하는 것이 구성무관변량나 구인과소대표성의 영향을 막을 수는 없다.

고도로 구조화된 채점 알고리즘과 섬세한 훈련 없이 직접관찰을 바탕으로 한 평가는 후광 효과나[33] 다른 구성무관변량의 요인에 민감할 수 있다. 불행하게도, 이런 영향을 피하고 평가될 행동을 보다 명확하게 정의하기 위해 평가의 내용을 관심구인 보다 더 쉽게 정의될 수 있는 일련의 행동으로 개발하기 마련이다. 시험점수가 구성무관변량의 영향을 피하려면 구인과소대표성의 영향을 받을 수 있다. 예를 들어, 의사-환자 의사소통이라는 복잡한 개념은 "개방형 질문하기"와 "시선 맞추기"와 같은 일련의 설명으로 해결될 수 있다. 이러한 논의가 업무현장바탕 평가에 반하는 것은 아니지만 직접관찰은 평가하고자 하는 역량을 직접 측정하는 것과 동일한 것은 아니라는 점을 기억하는 것이 중요하다. 평가하고자 하는 실제 행동이 직접 관찰되더라도 점수의 결과는 기록과 채점 도구의 설계에 영향을 받는다.

의사결정/해석

타당성 논의의 *결정(decision)* 단계는 시험점수에 적용되는 이론바탕 해석과 결정 규칙을 지지한다. 가장 일반적인 의사결정 법칙은 단일 분할 또는 기준점수(cut-score)를 기준으로 단순한 통과/미통과을 결정하는 것이지만, 공접(conjuctive) 법칙이나[4)] 부분적보상(compensatory)법칙도 흔히 볼 수 있다. 점수해석과 결과적 분류 결정이 신뢰할만한 것으로 간주 되려면 이러한 법칙의 합리성을 지지하는 주장이 필요하다.

마찬가지로 인지, 판단 또는 의사결정에 관한 심리적 이론에 근거한 점수해석은 이론 그 자체만큼이나 신뢰할만하다. 예를 들어, 환자 진단에 있어 자료수집 유형을 바탕으로 의사를 전문가나 초보자로 분류하는 데 평가 점수를 사용한다면 채점 결과를 지지할 수 있는 전문가 판단이론이 가장 적합할 것이다. 해당 이론에 결함이 있는 것으로 보이면 점수 해석의 일반화는 신뢰받지 못할 것이다.

사례 I : 다지선다형 시험

다지선다형 시험에서 응시자의 응답이 면허나 자격인증을 결정한다면, 시험에 실패한 응시자는 안전하고 효과적인 진료에 필요한 필수역량이 부족하다는 해석을 뒷받침하는 타당도 논의에 분할점수의 적절성이 중요하다. 그럼에도 불구하고, 준거설정 결정은 정책적인 판단이라는 것을 기억해야 한다. 과학적으로 검증할 수 없기 때문이다. 이러한 현실을 감안하여 Kane은 분할점수 사용을 뒷받침하는 적절한 근거는 준거수립에 사용된 절차가 합리적임을 입증하는 것이라고 주장했다.[34] 따라서 절차 선택, 심사위원 선정 및 절차이행에 대한 정보가 중요하다.

의사결정 규칙의 신뢰도는 고부담 표준화 시험에서 점수해석에 결정적이지만 이론기반 가정의 잠재적 중요성을 감소시키지는 않는다. 예를 들어, 다지선다형 문항의 사용은 해당 문항

4) 역자 주. 자극의 속성 간 관계를 진술할 때 논리적 관계 '그리고(and)' 를 이용하는 법칙. 출처: 실험심리학용어사전.

을 응답하는 데 필요한 지식과 판단이 실제로 의사결정에 필요한 전제 조건을 형성한다는 이론적 가정에 바탕을 둔다. 비록 높은 평가점수가 임상에서 우수한 수행을 보장하지는 않을지라도 (다른 많은 요인들이 영향을 미칠 수 있으므로) 잘 설계된 시험에서 평가받은 낮은 점수는 임상에서 우수한 진료행위를 할 가능성은 거의 없다는 사실을 암시한다.

사례 II : 수행평가

표준화환자바탕 시험을 포함한 수행평가는 때때로 학부 수준의 의학교육이나 졸업후의학교육에서 합격이나 불합격 결정을 내리는 데 사용되며, 이러한 상황에서 불합격한 응시자는 재교육을 이수하도록 요구된다. 그리고 나서 배치시험 특성의 평가가 이루어진다. 이 설정에 사용된 의사결정 법칙을 뒷받침하는 근거에는 재교육이 필요한 것으로 분류된 응시자가 재교육을 실시한 후 가시적인 개선을 보여주는 결과가 포함될 수 있다. 대안으로는 재교육 대상 응시자가 교육을 이수하면 향후 수련에서 성공할 가능성이 상당히 높다는 것을 제시하여 근거로 수집될 수 있다.

수행평가를 위한 채점 과정은 응시자의 숙련도에 대한 결론을 도출할 때 정보가 취합되는 방법에 대한 이론적 가정에 암시적 또는 명시적 바탕을 둔다. 의사결정은 완전성과 효율성의 상대적인 가치를 정할 때 필요하다. 마찬가지로 신체진찰 소견의 중요성을 정하는 데 의사결정이 필요하다. 만약 진료의사가 진단검사로 부정적 결과와 긍정적 결과를 모두 확인한다면, 비차별적 신체진찰 소견 사용에 근거하여 응시자의 진단 능력에 대한 결론을 도출하는 이론적 근거에는 의심의 여지가 있다. 이러한 의견은 시험을 채점하는 특정 접근법을 지지하거나 반대하기 위한 것이 아니다. 이는 채점 절차의 구조가 궁극적으로 진단과정의 이론적 견해에 의존한다는 사실을 강조하기 위한 것이며, 이 모형의 강점은 응시자의 진단능력을 해석하는 점수를 제한할 수 있다는 것이다.

사례 III : 업무현장바탕 평가

앞서 설명한 형식들과 마찬가지로, 직접관찰을 바탕으로한 평가는 이론적 가정에 의존한다. 평가되는 구인의 특성에 대한 가정은 결과물 또는 산출지표와는 반대로 *과정(process)*의 선택을 좌우할 것이다. 마찬가지로, 의학적 진단과정 - 더 광범위하게는 의학적 의사결정 - 의 특성에 관한 인지이론이나 전문가-초보 사이의 차이와 관련된 이론은 수집된 데이터, 데이터가 집계되는 방식, 그리고 결과 점수에 영향을 줄 수 있다.

업무현장바탕 평가는 종종 학습자에게 피드백의 기초가 된다. 이 경우 점수를 기준으로 하는 명백한 분류 결정이 이루어지지 않을 수 있다. 그러나 다른 경우에, 적어도 이러한 평가결과의 일부에 바탕을 둔 진급이나 다른 고부담 의사결정이 내려질 수 있다. 이 상황에서는 (명시적이지 않은 경우) 내재적인 분할점수가 존재한다. 이런 점수의 사용에 대한 논의은 분할점수나 더 광범위하게는 의사결정 절차의 합리성을 뒷받침하는 근거가 필요하다. 내재적인 분할점수가 별도의 준거설정 절차에 의한 결과가 아니라 채점척도의 정의를 바탕으로 한다는 사실은 타당도 논의에서 여전히 중요한 사실이다. 이런 상황은 관찰자가 응시자의 수행을 "적절함" 또는 "부적절함" 으로 평가해야 할 때 발생할 수 있다. 채점의 정의가 분할점수 설정을 불필요하게 만들 수 있지만 "적절함"으로 결정을 내린다면 평가한 응시자의 수행 수준이 적절한 술기수준에 해당한다는 근거가 제시되어야 한다.

결론

이 장에서 많은 관심을 받지 않은 타당도 이론의 한 관점은 결과타당도이다. 시험의 영향이 정책적 관점에서 평가된다면 결과적 논의이 유일한 주장일 수 있다.[9] 이 장에서 타당도 논의는 의도된 점수 해석을 지지하는 과학적 근거의 축적으로 간주되었다. 가치와 사회정책에 대한 판단은 평가자가 시험을 실시하도록 동기를 부여한다. 시험은 교육과정의 변화를 유발하거나 과소평가 되었던 교육과정에 대한 교육생의 관심을 끌기 위해 사용될 수 있다. 이러한 동기는 적절할 수 있지만 점수 해석에는 반영되지 않는다. 광범위하게 말하면 평가결과의 문제는 타당도 부류에 해당될 수 있지만, 결과에 대한 고려는 타당도 논의의 일부가 아닐 수도 있다. 그러나 한 대학의 교실이나 국가나 국제적 수준에서 시행되는 시험 프로그램에는 책임이 따르며, 긍정적이고 부정적 결과에 대한 계획적인 검토는 프로그램 관리자의 중요한 책임이라는 점을 기억해야 한다.

이 장에서는 타당도와 신뢰도에 대한 개요를 제시했다. 타당도는 Kane의 이론 틀에서 점수 해석을 뒷받침하는 체계적인 논의로 개념화되었다. 신뢰도는 전반적인 타당도 논의의 구성 요소로 간주되었다. 특정 예시의 세부 사항은 중요하지 않은 것으로 간주되어야 하며, 특정 근거 일부가 논의의 *일반화(generalization)* 단계나 *추론(extrapolation)* 단계의 일부로 간주되는 것은 부수적인 것이다. 가장 중요한 문제는 전반적인 논의가 완전하고 일관되어야 한다는 것이다. 타당한 시험이란 존재하지 않는다. 타당도 논의는 시험 점수의 의도된 해석에 중점을 두어야 한다. 이러한 논의를 구성하기 위해 연구자들은 체계적이고 자기비판적으로 결과 해석의 신뢰도에 대한 명확한 통찰력을 제공하는 광범위한 근거를 수집해야 한다.

이 책의 첫 번째 판이 출판된 이후, Kane의 틀은 보건의료전문직의 문헌에 점점 더 많이 인용되었다.[35-37] 특히 쿡(Cook)과 동료들은 보건의료전문직분야에서 통상적으로 사용되는 평가방법에 대한 체계적인 고찰에서 이 틀을 유용하게 사용했다.[38-

[42] 우리는 이것이 고무적인 것이라 생각하며, 앞으로 이와 같은 연구결과를 더 많이 접할 수 있기 바란다.

참고문헌

1. Gulliksen H. *Theory of Mental Tests*. New York: John Wiley & Sons; 1950.
2. Spearman C. Proof of the measurement of association between two things. *Am J Psychol*. 1904;15:72-101.
3. Spearman C. "General intelligence" objectively determined and measured. *Am J Psychol*. 1904;15:201-292.
4. Spearman C. Correlation calculated with faulty data. *Br J Psychol*. 1910;3:271-295.
5. Pearson K. Mathematical contributions to the theory of evolution: III. Regression, heredity, panmixia. *Phil Trans R Soc Lond [Series A]*. 1896;187:253-318.
6. Yoakum CS, Yerkes RM. *Mental Tests in the American Army*. London: Sidgwick & Jackson; 1920.
7. Cureton EE. Validity. In: Lindquist EF, ed. *Educational Measurement*. Washington, DC: American Council on Education; 1951:621-694.
8. Kane MT. Validating the interpretations and uses of test scores. *J Educ Meas*. 2013;50:1-73.
9. Messick S, Validity. Educational Measurement. In: Linn RL, ed. 3rd ed. New York: American Council on Education/Macmillan; 1989:13-103.
10. Cronbach LJ, Meehl PE. Construct validity in psychological tests. *Psych Bull*. 1955;52:281-302.
11. Cronbach LJ. Test validation. In: Thorndike RL, ed. *Educational Measurement*. 2nd ed. Washington, DC: American Council on Education; 1971:443-507.
12. Campbell DT, Fiske DW. Convergent and divergent validation by the multitrait-multimethod matrix. *Psych Bull*. 1959;56: 81-105.
13. Loevinger J. Objective tests as instruments of psychological theory. *Psych Rep*. 1957;3:635-694.
14. American Educational Research Association (ERA). *American Psychological Association (APA), National Council on Measurement in Education (NCME): The Standards for Educational and Psychological Testing*. Washington, DC: Author; 1999.
15. Kane M. An argument-based approach to validation. *Psych Bull*. 1992;112:527-535.
16. Swanson DB, van der Vleuten CP. Assessment of clinical skills with standardized patients: state of the art revisited. *Teach Learn Med*. 2013;25(suppl 1):S17-S25.
17. Norcini J, Burch V. Workplace-based assessment as an educational tool: AMEE Guide No. 31. *Med Teach*. 2007;29(9-10): 855-871.
18. Swanson DB, Clauser BE, Case SM. Clinical skills assessment with standardized patients in high-stakes tests: a framework for thinking about score precision, equating, and security. *Adv Health Sci Educ*. 1999;4:67-106.
19. Lord FM, Novick MR. *Statistical Theories of Mental Test Scores*. Reading, MA: Addison-Wesley; 1968.
20. Cronbach LJ, Gleser GC, Nanda H, Rajaratnam N. *The Dependability of Behavioral Measurements: theory of Generalizability for Scores and Profiles*. New York: John Wiley & Sons; 1972.
21. Brennan RL. *Generalizability Theory*. New York: Springer-Verlag; 2001.
22. Brennan RL. An essay on the history and future of reliability from the perspective of replications. *J Educ Meas*. 2001;38: 295-317.
23. Brown W. Some experimental results in the correlation of mental abilities. *Br J Psych*. 1910;3:296-322.
24. Kuder GF, Richardson MW. The theory of estimation of test reliability. *Psychometrika*. 1937;2:151-160.
25. Cronbach LJ. Coefficient Alpha and the internal structure of tests. *Psychometrika*. 1951;16:297-334.
26. Clauser BE, Margolis MJ, Case SM. Testing for licensure and certification in the professions. In: Brennan RL, ed. *Educational Measurement*. 4th ed. Westport, CT: American Council on Education/Praeger; 2006:701-731.
27. Cronbach LJ. *Validity on parole: how can we go straight? New directions for testing and measurement: measuring achievement over a decade. Proceedings of the 1979 ETS Invitational Conference*. San Francisco: Jossey-Bass; 1980:99-108.
28. Cuddy MM, Dillon GF, Clauser BE, et al. Assessing the validity of the USMLE Step 2 Clinical Knowledge Examination through an evaluation of its clinical relevance. *Acad Med*. 2004;79(10):S43-S45.
29. Tamblyn R, Abrahamowicz M, Dauphinee WD, et al. Association between licensure examination scores and practice in primary care. *JAMA*. 2002;288(23):3019-3026.
30. Swanson DB, Roberts TE. Trends in national licensing examinations in medicine. *Med Educ*. 2016;50(1):101-114.
31. Holland PW, Wainer H. *Differential Item Functioning*. Hillsdale, NJ: Lawrence Erlbaum Associates; 1993.
32. Clauser BE, Mazor KM. Using statistical procedures to identify differentially functioning test items (ITEMS Module). *Educ Meas Issues Pract*. 1998;17(1):31-44.
33. Margolis MJ, Clauser BE, Cuddy MM, et al. Use of the Mini-CEX to rate examinee performance on a multiple-station clinical skills examination: a validity study. *Acad Med*. 2006;81(10):S56-S60.
34. Kane M. Validating the performance standards associated with passing scores. *Rev Educ Res*. 1994;64:425-461.
35. Clauser BE, Margolis MJ, Holtman MC, et al. Validity considerations in the assessment of professionalism. *Adv Health Sci Educ*. 2012;17(2):165-181.
36. Hawkins RE, Margolis MJ, Durning SJ, Norcini JJ. Constructing a validity argument for the mini-clinical evaluation exercise: a review of the research. *Acad Med*. 2010;85(9):1453-1461.
37. Schuwirth LW, van der Vleuten CP. Programmatic assessment and Kane's validity perspective. *Med Educ*. 2012;46(1):38-48.
38. Cook DA, Brydges R, Ginsburg S, Hatala R. A contemporary approach to validity arguments: a practical guide to Kane's framework. *Med Educ*. 2015;49(6):560-575.
39. Cook DA, Brydges R, Zendejas B, et al. Technology-enhanced simulation to assess health professionals: a systematic review of validity evidence, research methods, and reporting quality. *Acad Med*. 2013;88(6):872-883.

40. Cook DA, Zendejas B, Hamstra SJ, et al. What counts as validity evidence? Examples and prevalence in a systematic review of simulation-based assessment. *Adv Health Sci Educ*. 2014;19(2): 233-250.
41. Hatala R, Cook DA, Brydges R, Hawkins R. Constructing a validity argument for the Objective Structured Assessment of Technical Skills (OSATS): a systematic review of validity evidence. *Adv Health Sci Educ*. 2015;20(5):1149-1175.
42. Ilgen JS, Ma IW, Hatala R, Cook DA. A systematic review of validity evidence for checklists versus global rating scales in simulation-based assessment. *Med Educ*. 2015;49(2). 161-117.

3

평가 틀, 평가양식과 총괄평정척도

LOUIS N. PANGARO, MD, MACP, STEVEN J. DURNING, MD, PHD, AND
ERIC S. HOLMBOE, MD, MACP, FRCP

개요

서론

앞서 언급했듯이 진료환경에서 실제 환자를 돌보는 데 있어 교육생의 수행을 평가하는 것은 효과적인 평가에 매우 중요하다(이 장에서 우리는 *사정[assessment]*과 *평가[evaluation]*를 상호교환적으로 사용할 것이다). 교육자들은 종종 이 활동을 수련 중 평가(in-training examinations) 또는 최근에는 업무바탕 평가(work-based assessment, WBA)라고 부른다. 전반적인 임상수행을 효과적으로 평가하려면 환자치료 능력을 설명하는 도구를 사용하여 다차원적인 접근이 필요하며, 이러한 평가에는 교수진과 의사가 아닌 관찰자 모두의 의견이 포함될 수 있다.[2] 이러한 평가(즉, 사정)는 평정척도와 기록을 이용한 학습자 수행에 대한 판단을 포함하기도 한다. 이 장에서는 평가의 틀, 일반적인 평가제도, 평정척도의 활용과 주의할 점에 대해 논의하고자 한다.

전반적인 수행을 평가하기 위해 교수자가 사용하는 가장 일반적인 방법은 평가양식의 하나인 총괄평정척도(global rating scale)로, "총괄(global)"이라는 용어는 일정 기간 동안 취합되는 수행성과 차원들의 종합을 의미한다. "척도(scale)"는 수행 수준이나 단계를 구별하기 위한 선형 아날로그(흔히 숫자가 있는 선형)를 의미한다. "평정(rating)"은 학습자의 수행을 지속적인 혹은 특정수준에 위치시키는 행위를 의미한다.[3,4] 평정척도는 평가양식의 한 종류로, 일반적으로 교수자의 평가 의견이 자유롭게 기술될 수 있는 공간이 포함되어 있다.[5] 이 양식에 기록된 평가는 특정 역량에 대한 평정척도(들)의 집합이어야 하고, 서술적이고 기술적인(written) 의견이 있어야 한다. 우리가 기대하는 바는 개별 척도에 대한 평가와 학습자의 전반적인 평가가 기관의 평가 틀을 반영하고, 졸업후의학교육(graduate medical education, GME)에 대한 기대는 미국졸업후교육인증위원회(Accreditation Council for Graduate Medical Education, ACGME)/미국전문의협회(American Board of Medical Specialties, ABMS)와 같은 국가전문기관의 마일스톤(milestone)[1)] 등의 기대를 반영할 것이다. 다시 말해, 성공적인 수행이 어떻게 보이는지에 대한 전제 즉, 평가의 기초가 되는 "구인(construct)"은 평정척도, 평가양식 그리고 마지막으로 평정자의 관찰에 의해 공유되어야 하는데, 모두 *연관성(aligned)*이 있는 것들이다. 이 장에서 강조하겠지만, 평정자가 평정척도

1) 역자 주. 1장 11쪽 마일스톤에 대한 설명 참조

의 전제-바람직한 연계과정이라 할 수 있는 구인정렬(construct alignment)을 더 많이 받아들이면 받아들일수록 채점 과정이 더 성공적일 수 있다.[6]

평가양식 = 평정척도 + 서술평가

의학교육 평가제도에서 평가양식은 어디에 적합한 것인가? 교육생의 종합평가는 다차원적인 종합물(그림 3.1)이라 할 수 있는데, 교육 프로그램의 책임자("책임교수")가 기술하는 것이다. 여기서 교육 프로그램의 책임자는 지도전문의, 책임지도전문의 또는 학생실습 책임교수 등으로 불리기도 하며, 한 명 이상의 교육자가 학습자를 요약 평가하는 것과 일련의 정량화된 측정을 포함하는 경우가 많다. 개별 교수자의 평가는 결국 개별 과제의 역량에 대한 직접적인 관찰 여부와 관계없이 며칠 또는 몇 주간 동안 이루어진 여러가지 관찰의 종합이라 볼 수 있다.

사회와 미래의 환자를 위해 교육생의 일관되고 신뢰로운 평가(총괄평가 또는 얼마나 학습했는지에 대한 성취 평가)를 달성하고 피드백(형성평가 또는 어떻게 학습했는지에 대한 중간 평가)을 통해 교육생의 개선을 향상시키는 것은 전공의 교육이나 임상실습 또는 교육담당 책임교수와 같은 관리자에게 맡겨진 역할이다. 평정척도가 있거나 없던지, 평가양식을 개발하는 것은 교육책임자가 결과를 믿을 수 있는 평가를 하기 위해 사용할 수 있는 전략 중 하나이기 때문에 타당하다. 임의적이지 않으며(즉, 교수자 개인에게 맞춰진 것이 아닌 대학의 교육목표에 기초한다), 신뢰할 수 있고 재현 가능해야 한다(즉, 평가 틀은 변덕스러운 것이 아니라 교수자 관찰에 따라 일관되게 적용된다). 학습자는 종합점수를 예상할 때 학습과정 중 시행되는 형성평가들을 신뢰할 수 있어야 한다.[7]

교수개발은 일반적으로 질적향상 과정이며 평가양식과 척도를 사용하는 방법을 교수자에게 교육시키는 것은, 특히 평가가 교육생의 특성보다 교수자의 특성(또는 교수자 선호도)에 더 의존하는 관찰자 간의 변수를 최소화하기 위한 것이다. 평정척도를 완성하는 교수자가 실제 평가 "도구"임을 이해하는 것이 중요하며, 이 평가양식은 공유된 학습목표의 성취 정도를 전달하고 육성하며, 수행 성과를 문서화할 수 있는 방법을 제공한다.

평가양식은 그 자체로 암묵적 또는 명시적으로 교수자의 관찰과 학습자의 수행을 문서화 하는 데 안내해주는 틀이다. 따라서 평가양식들은 대개 학습자를 위한 목표에 대한 명시적인 기술이나 적어도 학습자의 성취도를 평가될 수 있는 기준을 포함한다. 평가양식은 프로그램이나 교육기관의 공식적이고 법적인 문서로서 교육과정 목표를 공개적으로 표현하며, 교수자 간에는 일관성 없는 목표와 기준을 갖고 있을 수 있으므로 "임의적" 차이를 피하기 위한 것이다. 그러나 평가양식이 교수자들이 개별 학습자에게 적용하는 데 "변덕스러운(일관되지 않거나 특이한)" 행동을 하지 않도록 보장하는 것은 아니다.[9] 평정자에게는 평정척도가 합리적이여야 하고 평정자와 기관의 교육목표 사이의 구인정렬을 갖추어야 한다.

이 장에서는 평가양식의 효과적인 활용을 위한 평가 틀의 중요성에 대해 논의로 시작하고자 한다. 그 다음으로 평가양식의 효율성을 제한하는 중요한 심리측정 채점오류 문제를 포함하여 평정척도와 평가양식의 장점과 단점에 대한 개요를 살펴볼 것이다. 마지막으로 평가양식을 보다 효과적으로 활용할 수 있는 교수자를 어떻게 준비할 것인가에 대한 실무적 제언을 하고자 한다.

평가양식과 평가 틀

교육생을 평가할 때 교수자가 사용할 평가양식에는 교육생에게 기대하는 것(교육목표는 무엇인가?)과 목표가 달성되었다는 것을 증명하기 위해 교육생이 성공적으로 완료해야 하는 과제(교육과정 목표)에 대한 기본 가정들이 있다. 이러한 가정들은 관찰자가 교육생의 진행 여부를 결정하기 위해 교육생들을 비교해야 하는 내용("뼈대")을 포함하는 기본 "틀"로 간주될 수 있다. 교수자가 학습자로부터 실제 관찰 *하는(does)* 것과 별개로 교수자가 *기대(expects)* 하는 것 간에 "측면과 측면" 비교는 무엇을 식별하거나 분류하는 것으로 이어지는 대부분의 판단의 기초가 되는 "존재와 당위" 또는 "실제와 이상" 비교와 같은 것이다. 이는 임상 증후군을 진단하는 것과 마찬가지로 관찰자가 비교해야 할 정확한 심성 모형(mental model)[2)]을 가지고 있는

2) 역자 주. 심성 모형은 실험심리학 용어로, 세상에서 일어날 수 있는 사건이나 상황을 묘사하는 마음의 표상을 뜻한다. 출처 : 실험심리학용어사전

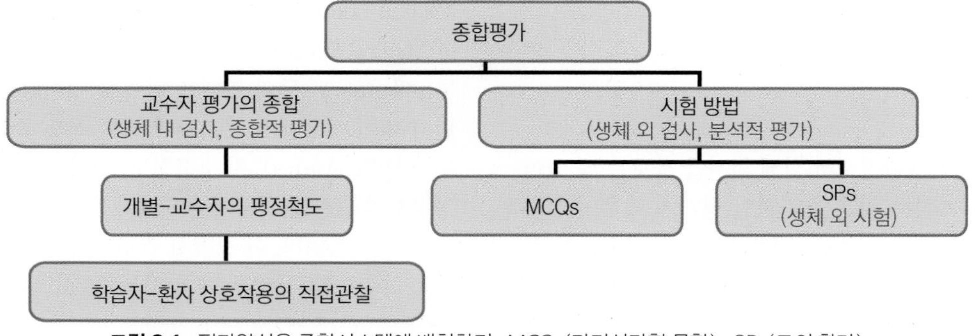

그림 3.1 평가양식을 종합시스템에 배치하기. *MCQs*(다지선다형 문항), *SPs*(모의 환자)

것이 중요하다.

교육적 틀은 교육생의 평가의 기초가 되는 다양한 기대를 개념화하는 방법이다. 교수자는 일반적으로 교육목표를 세 가지 친숙한 범주(지식, 기술, 태도)로 나누지만, 이것은 다음 절에서 설명하는 여러 대안들과 함께 유용한 틀 중 하나일 뿐이다.

분석 틀

초등 및 중등학교를 포함하여 교육에서 사용되는 전통적인 틀에는 일반적으로 지식, 기술 및 태도(knowledge, skills, and attitudes, KSA)의 세 가지 영역이 있다. 학습자, 특히 임상 전 실습에서 학습자의 학습목표를 세 가지 영역으로 배치하는 것은 간단하다. 예를 들어, 흉곽 내 구조에 대한 *지식(knowledge)*, 심장과 폐의 신체진찰 *기술(skill)*, 그리고 환자의 신체적 안락과 사생활을 존중하는 적절한 *태도(attitude)*가 그것이다.

교육목표를 작성하기 위한 분석적 접근방식은 모든 교육분야의 모든 학습과제에 적용할 수 있는 일반적인 용어를 사용한다. 분석적 접근은 서로 다른 별개의 측면을 측정하려고 할 때 특히 유용하다. 물론, 교육과정이나 전공의수련 책임자들은 지식을 평가하기 위해서는 객관식 시험을 사용하는 데에 익숙하고, 환자의 무릎 검사나 환자동의를 구하는 술기를 평정해야 하는 상황에서는 체크리스트를 사용하는 데에 상당히 익숙할 것이다. 예를 들어, 알코올 중독 이력에 대해 환자와 면담할 수 있는 능력이나 중심정맥카테터(central venous catheter)를 사용할 수 있는 하나의 수행과제를 별도로 구분하여 분석적 방법을 적용하면 매우 구체적인 수행과제를 채점할 수 있는 하나의 간단한 체크리스트로 만들 수 있다. 그리고 이 체크리스트는 총괄평정을 하기 전에 교수자가 특정 과제의 각 측면을 개별적으로 수행할 수 있는지 평가할 수 있도록 상세한 기준 설명이 덧붙여진 체크리스트로도 만들 수도 있다. 결국, 체크리스트와 총괄평정은 해당 과제에 대한 학습자의 궁극적인 숙련도(또는 역량)가 어떤지에 대한 기준을 설명하는 것이다. 분석적 접근은 성공 기준을 구별하기 위해 각 단계 상단에 분류표식이 있는 그림 3.2A에서와 같이 적어도 세 개의 척도가 있는 평가양식이 필요하다. 그러나 주어진 예시에서 표식은 매우 기본적인 것이며 용어의 의미는 사용자가 직접 추론해야 한다. "수용 가능(acceptable)"이라는 중앙의 임계 표식에 대해서는 그 양식이 의미하는 바에 대해 더 구체적인 정의를 제공하거나 예를 제공할 수 있다(그림 3.2 참조).

평가도구에 대한 평가평정척도는 설문조사의 문항이나 질문지와 유사한 점이 있다. 한편 책임지도전문의들이 평가 항목을 만들 때 피할 수 있는 함정이 있는데, 이는 추후 다루도록 하겠다.[10]

발달 틀

인간의 성장과정은 교육과정에서 학습자의 성장을 비유로 자주 사용되었다. 이 접근법의 뿌리는 고대로부터 시작되는데, 플라톤(Plato)은 개인이 성장하는 것을 표면적, 구체적인 세부사항에 대한 선입견으로부터 진정한 의미에 대한 인식과 그 밑바탕에 있는 형태로 묘사하고 있다. 우리에게 잘 알려진 *인지적 영역의 교육목표분류(Taxonomy of Educational Objectives in the Cognitive Domain)*에서 블룸(Bloom)은[11,12] 초등교육에서 학생들이 점진적으로 습득한 고등정신기술을 설명하기 위

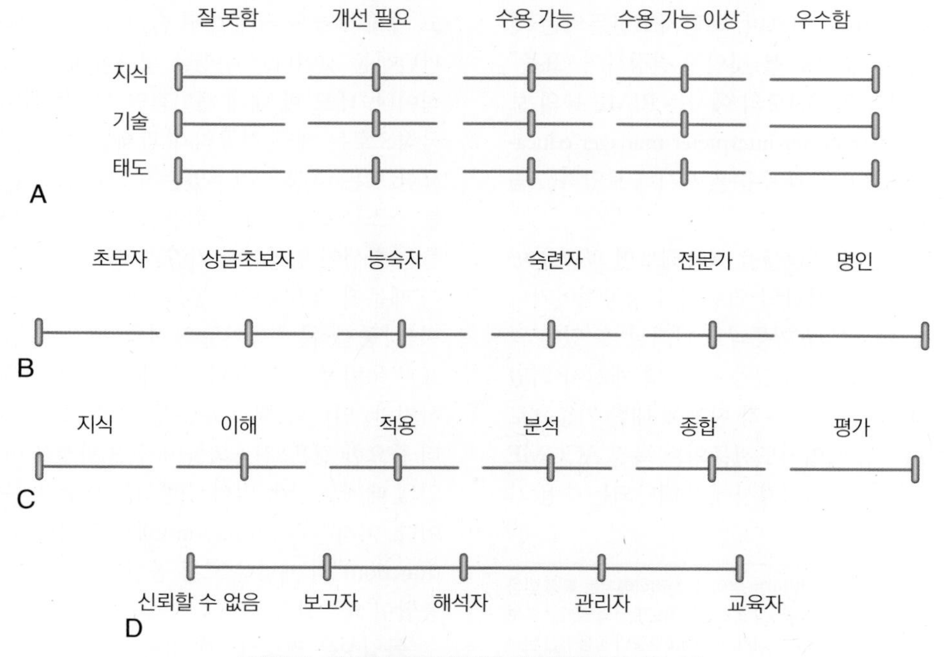

그림 3.2 다양한 종류의 앵커를 이용한 평정척도(A-D)

한 용어를 제공하고 있는데 바로 지식, 이해, 적용, 분석, 종합 및 평가이다. 드레퓌스(Dreyfus)와 Dreyfus의 발달 모형은[13] 최근 GME 용으로[14] 개정되어 초보자(novice)부터 상급 초보자(advanced beginner) 능숙자(competent), 숙련자(proficient), 전문가(intuitive expert), 그리고 명인(master)의 수준까지 성인학습자의 교육적 성장을 묘사하는 용어를 제시하고 있다. 의과대학 교수진에게 발달상의 고려는 매우 중요한데 그 이유는 학생은 성장하며, 모든 교육생이 동일한 수준의 수행을 보이지 않으며, 임상적 환경에 노출된 교육생이 수련수준도 다양하기 때문이다. Bloom과 Dreyfus의 모형은 일반적으로 발달의 인지적 측면에 초점을 맞추고 있으므로, 학습자 개인의 성격이나 태도에 대한 명백한 설명을 제공해주지는 못한다. Bloom과 어느 정도에서는 Dreyfus도 태도("정서적") 영역을 인지적 모형과는 별도로 다루었다. 그러나 분석적 모형에 비해 발달 모형의 장점은 학습자의 성장과 향상에 대한 인식이 명백하며 교수자나 학습자의 추론이 불필요하다는 점이다. 이처럼 의과대학과 같이 상이한 수준의 학습자를 다루는 교육과정은 학습자의 발전적인 측면을 확실히 보여주는 평정척도가 필요하다.

Dreyfus 모형의 경우, "초보자(novice)"라는 단어를 왼쪽에 두고 "명인(master)"을 우측 끝에 두어 리커르트 척도와 유사한 선형 평정척도를 만들 수 있다(그림 3.2B 참조).

그림 3.2B 선형 척도에서 "앵커(anchors)[3)]"로 사용되는 Dreyfus 용어는 종합적인 것이며, 이러한 발달 척도는 분석 틀 내의 특정 영역에 대해 개발될 수 있다.

이는 인지적 성장을 위해 Bloom의 분류체계를 사용하여, 여전히 추상적이지겠지만 덜 모호하게 만들 수 있다. 예를 들어 그림 3.2C는 전공의의 환자사례 발표시 평정척도로 활용할 수 있다. 이 예에서, 전공의가 평가받을 "기준"은 임상추론 능력, 아이디어 또는 구성 능력이 될 수 있으며, 책임지도전문의는 어떤 수준의 수행을 적절한 기준으로 볼 것인지 결정하여 "표준"으로 결정해야 한다. 마지막 평정척도의 예시는 RIME 틀의 보고자-해석자-관리자-교육자(reporter-interpreter-manager-educator) 용어를 사용하여 신뢰로운 성과 수준을 제시해 보았다(그림 3.2D 참조).

ACGME/ABMS의 여섯 개 역량틀을 적용해보면 *과정을 마치는(finishing)* 전공의의 경우 각각의 역량에서 성공적이거나 그렇지 않을 수도 있겠지만, *통과/미통과*로 나타날 수 있는 역량은 수련의 초기 단계와 비교해 보았을 때 분명 개선이 되었어야 한다. 교수나 책임지도전문의는 각 단계에 대한 기준으로 "표준"을 결정해야 한다. 즉, 책임지도전문의는 특정 ACGME 역량을 학생, 인턴, 전공의 또는 임상강사에게 해당되는 수용 가능한/통과 "수행기준의 표준"을 설명할 수 있는 모형으로 재구성해야 한다. 역량발달 진행 과정을 기술하고 기록하는 보다 체계적인 방법-마일스톤(milestone)과 위임가능전문활동(entrustable professional activities, EPAs)-이 최근에 도입되었다.[15] 1장에서 설명한 것처럼, 마일스톤은[16] 지식, 기술, 태도를 *결합하거나 종합하는(combine or synthesize)* 관찰 가능한 행동이나 과제이며 따라서 서술적 용어로 해당 능력을 더 잘 정의하기 위한 "종합적"인 표현으로 볼 수 있다. 마일스톤과 EPA는 다음 절에서 설명하도록 하겠다. 서로 다른 영역을 하나의 종합적인 관찰로 평가한다는 것은 마일스톤이 통합된 접근법이라는 것을 의미한다.[13]

GME 프로그램에서는 서술적 마일스톤으로 기술된 다양한 하위 역량(일반적으로 전문분야별 20-25개 하위 역량)으로 전공의의 발달 상황을 보고해야 하며, 이는 ACGME 역량 영역 내에서 숙달된 수행을 보여주는 점진적 단계를 말하기도 한다.[17] 마일스톤은 관찰자인 교수자가 틀이 아닌 숙달해야 하는 과제 자체에 집중할 수 있게 해준다.

종합모형

학생과 전공의들이 자신들의 실력을 향상시키면서 독립성을 키우면 우리는 그들이 환자를 돕기 위해 필요한 모든 술기, 지식, 태도도 당연히 함께 키울 것으로 기대한다. 학습자는 (의식적 또는 무의식적으로) 해당 환자가 필요로 하는 것을 (환자와 함께) 결정할 책임이 있다. 여기에서 "종합적" 능력은 "환자가 필요로 하는 모든 것을 실천에 옮기는 능력, 그 이상도 이하도 아니다"라는 의미로 정의된다.[18] 다시 말해, 독립적인 의료행위라는 것은 전공의가 수행해야 하는 과제가 무엇인지 파악하고 과제 수행을 위해 어떤 술기, 지식, 태도가 필요한지 스스로 판단하는 것이다.[17] 수행을 평가함에 있어 우리는 전공의의 지식이나 "태도"에 대해 개별적인 평가를 할 수도 있다. 그러나 궁극적으로는 해당 전공의가 과제를 성공적으로 수행하는 데 필요한 모든 특성을 갖추었는지 그리고 필요한 지식, 기술, 태도를 스스로 통합적으로 활용했는지를 평가해야 한다. 종합적인 틀은 학생이 임상실습 기간과 전공의 수련 기간을 통해 발달하기 때문에 점진적으로 높은 기대치를 요구하게 되며 필요한 능력을 "통합하는" 용어로 표현된다.[7] 기본 전제는 의학교육의 목표가 독립성 개발이라는 점이다. 인턴은 감독 하에 의료행위를 하지만, 인턴의 책임 수준은 분명 학생들의 수준보다는 높다. 더 중요한 것은, 전공의들이 수련 과정을 마치고 의료현장에 투입될 때에는 감독 없이 수행하는 내용을 문서화해야 한다는 것이다. 이러한 "책임(responsibility)", "신뢰(entrustability)", "기능(function)"의 개념은 모두 종합적인 것으로 지식, 기술, 태도의 통합이 요구된다.

독립성은 의료시스템 밖에서 기능할 수 있는 자유가 없다거

3) 역자주. 앵커(anchor)의 사전적 의미는 정박하는 닻이다. 심리학에서는 특정 반응을 불러내는 모든 자극을 의미하기도 하는데, 그림 3.2의 B 선형 척도에서의 앵커는 초보자, 상급 초보자, 능숙자, 숙련자, 전문가, 명인을 가리키므로 학습자들의 능동적인 발달을 촉진할 수 있는 평가기준으로 해석할 수 있다.

• 글상자 3.1 RIME 틀 용어

Reporter(보고자): 학습자는 환자와 함께 일할 때 신뢰가 가야 하고, 자신의 환자에 대한 임상적 소견을 정확하게 수집하고 전달해야 하며, "무엇"이라는 질문에 답할 수있는 주도권을 가져야 한다(환자의 혈압은 얼마인가? 환자는 어떤 약물을 복용하고 있는가?). 보고자로서의 숙련도는 정확한 병력과 신체진찰을 수행하는 기술과 무엇을 찾아야하는지에 대한 기본지식이 필요하다. 학습자는 신문기자처럼 독립적으로 정보를 수집하고 다양한 분량과 다양한 형식으로 정보를 전달해야 한다.

Interpreter(해석자): 성공적인 해석자는 주도적이고 독립적으로 사고하며, 진료환경에서 흔히 발생하는 문제에 대해 명확한 근거를 가지고 정확한 감별 진단을 제공한다. 해석자는 "왜?"라는 질문(환자는 왜 복통이 있는가? 이 간은 왜 비대해졌는가?)에 답할 수 있어야 한다. 전반적으로, 해석은 진단을 뒷받침하는 임상 소견을 진술하고 특정 환자에게 검사 결과를 적용해야 하므로 더 높은 수준의 지식과 술기가 필요하다. 학생은 "방관자"적인 자세로부터 환자진료에 감정적이고 적극적으로 참여하는 능동적인 해석자로 완전히 전환되어야 한다.

Manager(관리자): 환자를 잘 관리하려면 조치를 취해야할 시기를 결정하고 다양한 선택에서 현명한 결정을 해야하기 때문에 더 많은 지식, 자신감 및 판단력이 필요하다. 학습자는 주어진 과제를 끝내기 위해 "어떻게 해야하는가?"에 대한 답변에 주도권을 갖는다. 관리자로서의 필수요소는 대인관계 기술과 환자교육 능력을 갖추는 것이며, 각 환자의 상황과 선호사항, 즉 환자중심 진료를 하는 것이다.

Educator(교육자): 교육은 환자관리 전략의 한 부분이라 할 수 있는데, 임상의를 위한 학습계획에 중점을 두고 환자(및 가족)가 의사결정에 참여할 수있는 지점으로 환자를 이끄는 데 중점을 둔다. 더 깊이 배울 수 있는 핵심 질문을 하기 위해서는 통찰력이 필요하다. 어떠한 임상실습이 필요한지 그 근거가 될 수 있는 증거를 찾기 위한 추진력과 시간관리 기술을 갖고 있어야 하며, 현재의 근거가 철저한 검토를 토대로 발견된 것인지 잘 아는 것은 상습 교육생들의 자질이다. 팀(그리고 심지어 교수자들도)을 교육하는 데 있어서 리더십을 공유하는 것은 성숙함과 자신감을 필요로 한다. 진료바탕학습과 개선을 위한 역량에서 전공의와 임상강사는 자신의 진료경험에서 체계적으로 배우면서 "교육자"가 된다. 독립적인 술기를 보여줄 준비가 된 사람들은 환자관리의 핵심내용을 인턴과 환자에게 설명할 수 있어야 한다.

표 3.1 과학적, 임상적 그리고 RIME 절차의 유사한 분류체계

전통적, 과학적 방법	임상 과정	RIME 틀
관찰	병력청취와 신체진찰	보고자
성찰	진단	해석자
실행	치료	관리자
성찰/추후 관찰	추적관찰	교육자

RIME, Reporter-interpreter-manager-educator(보고자-해석자-관리자-교육자).

나 책무의 부족을 의미하지 않는다. 사실, 이와 반대로 수련프로그램에서는 ACGME의 "시스템바탕 진료(system-based practice)" 역량에 따른 교육내용이 가르쳐지고 있다. 한편, 독립성의 개발은 종합모형의 기본 전제이며, 다른 발달 모형에서도 공통적으로 찾아볼 수 있는 부분이다(차이점은 추후 논의될 것이다).

학생과 전공의를 평가하기 위한 유용한 RIME 틀(글상자 3.1)에서는 보고자(reporter), 해석자(interpreter), 관리자(manager), 교육자(educator)와 같은 기술적이고 발전적인 용어를 사용하였다.[6] RIME 틀은 관찰을 구조화하기 위한 도구나 교수자가 마일스톤, 역량 또는 EPA와 같은 보다 세부적인 체계를 만드는 데 필요한 큰 틀로 활용할 수 있다. RIME의 기본 단계는 관찰-성찰-실행(observation-reflection-action)이기 때문에, 모든 임상의들이 수년간 수련하는 동안 사용해 왔던 환자의 병력청취-신체진찰-평가-계획 순서와 상응한다(표 3.1). 따라서 이는 함께 공유할 수 있는 모형으로 간주할 수 있으며, 교수자가 원하는 구인 정렬과[6] 학습자의 활동을 달성하는 데 도움이 된다. 또한, 보다 세분화된 ACGME 하위 역량은 각각 RIME 틀(그림 3-3과 부록 3.1)에 연결될 수 있다.[19,20]

RIME 틀은 이러한 분류(보고자, 해석자, 관리자/교육자)를 사용하여 교육생이 한 명의 환자를 접하거나 여러 명을 상대로 할 때 필요한 숙련도 수준을 설명하는 데 활용하였다. 각 RIME 단계는 술기, 지식 및 태도의 통합이 필요한 마지막 "공통 경로"라고 볼 수 있다. 이는 매년 학습자에 대한 최소 기대치를 설정하거나 학습자가 일관성이 있다고 판단되거나 위임할 수 있는 수행 수준을 설명하는 데 사용할 수 있다. RIME 틀은 학생이나 전공의가 할 수 있는 업무의 상한선을 설정하는 것이 아니라 학습자가 하고 있는 수련단계에서 허용 가능한 최소한의 수행 기준을 설정한다. 이러한 점에서 RIME은 학습자가 아직 높은 수준의 책임을 질 수 있는 준비가 되지 않았다고 평가할 수 있도록 명확한 "구분선"을 긋는 "칼날"의 역할을 한다.

개별 학습자의 환자 대면을 평가할 때 RIME 방법으로 관찰된 수행수준에 직접 적용할 수 있다. 반면, 임상실습 종료 평가양식의 경우, 학습자가 다음 단계의 수련이나 실습에서 경험할 수 있는 흔하고 핵심적인 의료문제에 대해 일관성있는 성취수준에 도달했는지 전반적인 평가에서 확인하는 것은 교수자에게 달려 있다.

학습자는 입원 환자의 흉통을 이해하는 데 상당히 능숙할 수 있지만 외래에서 결절성갑상선종을 다루는 데에는 완전한 초보자일 수 있다. 이러한 내용과 맥락에 기반한 전문지식은 학생과 전공의 교육 양쪽에서 발견되는 현상이다. RIME 틀은 학습자가 특정 환자와 어떻게 상호작용하는지 설명해주는데 각 교육 경험 내에서 볼 수 있는 흔하고 핵심적인 과제에 대해 학습자의 전반적인 수행 수준을 판단하는 것은 교수자에게 달려 있다.

RIME 체계의 용어는 학생이 체계적으로 보여주는 발달 단계를 설명하는 것으로 보이지만, 엄밀히 말하면 이것은 사실이 아니다. RIME 틀은 학습자가 사전에 습득한 기능을 순차적으로 버리지 않는다는 점에서 발달모형이 아니다. 예를 들어, 전공의와 교수자는 시간이 흘러도 "보고자"로서의 역할을 계속 수행한다. 상급 학습자는 일반적으로 보고하고 해석하거나, 보고

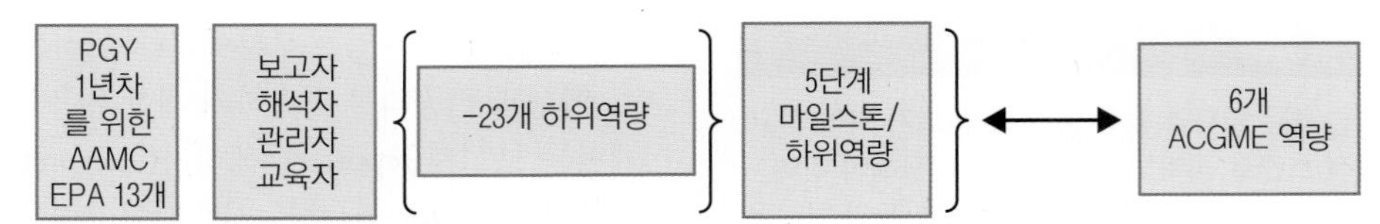

그림 3.3 미국의 졸업후의학교육에서 활용하는 평가 틀 간의 연계성과 단위요소의 크기. ACGME(졸업후교육인증위원회), AAMC(미국의과대학협회), EPA(위임가능전문활동), PGY(졸업후 연차)

하고 관리하는 작업을 분리하지 않는다. 전문가에게 있어서 진단의 기본은 환자들을 면담하고 진찰하는 방법에 기초하고 있다. 다시 말해서 해석의 과제는 정보 수집에 포함되며, 좋은 구두 사례 발표는 일반적으로 암묵적인 해석을 포함한다. 기능을 설명하는 다른 접근법들처럼 수행의 "수준"은 맥락과 환자의 문제에 따라 달라진다. 심지어 전공의들조차 쿠싱 증후군처럼 흔하지 않은 질병에 대해서는 "보고자" 수준에서 기능할 수 있지만, 지역사회 폐렴을 다룰 때는 "관리자" 수준이 될 수 있다. 그러나 독립적인 진료를 할 수 있는 전공의는 단순히 관리자 수준뿐만 아니라 성공적인 보고자이자 해석자의 역할을 수행하기도 한다. 즉, RIME의 종합 틀은 분명 발달적인 측면을 가지고 있지만 엄밀히 말하자면 발달적이지 않다. RIME은 각 단계의 학습자에게 해당 수준에서 성공적인 수행이 어떤 모습인지를 시각화 하는데 초점을 맞추고 있으며, 이러한 의미에서 RIME은 행동적인 요소가 내포되어 있다. 마찬가지로, 환자와의 "관리자/교육자" 관계는 환자면담을 하는 과정에서 확립되며, 단순한 보고자 기능에서도 그렇다.

RIME 체계는 교수자가 교육생의 보고 행위 속에서 해석자나 관리자의 모습을 찾을 수 있도록 도와준다. 아마도 더 중요한 것은 RIME 체계의 명백한 "단계"를 사용하여 각 수준에서 학습자가 최소한으로 성취해야할 수준의 수행을 보여주는 것이다. 임상 실습생은 해석이 능숙하지 않더라도 항상 보고자 수준은 되어야 한다. 반면 전공의는 언제나 보고자, 해석자, 관리자의 수준이 되어야 한다.

총괄평정척도(그림 3.2D 참조)에서는 해석자가 보고자보다 더 높은 수준에 있고, 관리자가 해석자보다 높은 수준으로 표시되어 있다. 이 세 역할의 거리는 동일할까? 이 질문에 대한 답을 뒷받침할 수 있는 근거는 없다. 교육자가 되는 것은 발달과정의 일부이기 때문에 척도 사이의 가시적 거리를 측정하는 것은 어렵다.

졸업후의학교육과 기본의학교육에서도 *위임가능전문활동(entrustable professional activitiy, EPA)*은 유용한 개념으로 부상하고 있다. EPA는 개별 교육생의 역량(즉, 능력)과 특성과는 반대로 수행되는 업무나 활동에 초점을 맞춘다. EPA의 중심 개념은 *신뢰(trust)*이다. 교육자들은 교육생들이 임상적 책임을 맡을 수 있다고 신뢰하는 업무와 시기를 결정하기 때문에 EPA는 신뢰의 단위다. EPA는 의사의 중요한 활동을 대표하며, 학습자는 졸업하기 전 독립적인 진료를 할 수 있어야 한다. EPA는 다양한 지식, 기술 및 태도를 필요로 하며 여러가지 마일스톤을 포함

표 3.2 위임가능전문활동(EPA)의 수준

단계	내용
I	전공의는 일정 수준의 지식과 술기를 갖고 있지만 EPA를 독립적으로 수행할 수는 없음
II	전공의는 감독자의 적극적, 지속적, 완전한 감독 아래에 EPA를 수행할 수 있음
III	전공의는 감독자의 간접적인 감독 아래에 EPA를 수행할 수 있음
IV	전공의는 독립적으로 EPA를 수행할 수 있음(즉, 자신의 행동에 책임을 지는 수준)
V	전공의는 감독이나 교수자의 역할을 수행할 수 있음

EPA, Entrustable professional activity(위임가능전문활동).

한다. RIME과 마찬가지로 EPA는 평가과제와 평가대상 활동을 보다 잘 구성할 수 있으므로 결과적으로 평가를 개선할 수 있다.

예를 들어, 상부 위장관 출혈을 다루는 것은 하나의 EPA이다. 상부 위장관 출혈을 다루려면 지식(예: 해부학 및 출혈 원인), 술기(예: 내시경 검사 수행), 태도/행동(예: 불안정한 환자에게 시술할 수 있는 자신감)이 필요하다. 또한 ACGME 틀에서는 여러 하위 역량(예: 마일스톤)을 포함하므로 종합적 활동을 의미한다. RIME과 마찬가지로 학습자가 EPA에서 최적이하의 수행를 보일 때에는 분석적 접근법을 사용하는 것이 도움될 수 있다.

EPA는 수행 향상과 감독의 필요성에 따라 1-5 등급의 척도를 사용할 수 있다. 1단계는 교수자의 직접적인 도움 없이는 EPA를 수행할 수 없는 수준이다. 2단계는 직접적인 감독하에 EPA를 수행하는 것이고, 3단계는 학습자가 공간 밖에 있는 교수자(간접적 감독)와 함께 절차를 수행할 수 있는 수준이다. 4단계에서 학습자는 교수자 없이 독립적으로 과제를 수행할 수 있어야 한다(학습자는 직접 또는 간접적 도움 없이 활동을 수행하도록 업무가 위임된다). 5단계는 다른 사람들을 가르치고 관리 감독할 수 있는 수준이다(표 3.2).

단순성을 통한 구인정렬 달성

새롭고 더 세분화된 평가방법의 구인정렬을 향상시키는 한 가지 방법은 관찰-성찰-실행 또는 "SOAP"(주관적(Subjective)-객관적(Objective)-사정(Assessment)-계획(Plan), 또는 필자의 기

표 3.3 **RIME 틀에서의 EPA**

졸업 전 핵심 EPA	EPA 개수
보고자	
병력청취와 신체진찰을 실시한다	1
환자기록으로 임상진료 내용을 기술한다	5
임상진료에 대한 구두발표를 한다	6
상이한 직종간 이루어진 팀의 일원으로 협력한다	9
해석자	
임상진료 후 감별진단의 우선순위를 정한다	2
시급하거나 응급치료가 필요한 환자를 인지한다	10
일반적인 진단검사와 선별검사를 제안하고 해석한다.	3
관리자	
처방과 처방전에 대해 논의하고 결정한다	4
환자를 인계하거나 받을 경우 전환관리 책임을 진다	8
검사나 시술을 위한 환자동의서를 받는다	11
임상의가 수행해야할 일반적인 시술을 수행한다	12
교육자	
임상적 질문을 구성하고 환자의 진료에 대한 근거를 수집한다	7
시스템 장애를 발견하고 안전과 개선을 도모하는 문화에 일조한다	13

EPA, entrustable professional activity(위임가능전문활동); RIME, reporter-interpreter-manager-educator (보고자-해석자-관리자-교육자).

관에서는 이야기(Story)-관찰(Observations)-사정(Assessment)-계획(Plans))의 단계에서 답을 찾는 것이다. 이런 식으로 RIME 틀은 이미 익숙한 것을 보다 정교화시키거나 구조화시키는 데 도움을 줄 수 있다. 한 예로 최근 미국의과대학협회(Association of American Medical Colleges, AAMC)가 모든 학생들이 졸업후의 학교육을 시작하기 전에 최소한 숙달해야 하는 과제로 제시한 13개의 EPA가 있다.[19] 표 3.2에서 보듯이 이 과제들은 RIME 틀과 잘 일치하며, 교수자가 RIME의 사전 지식을 사용하여 더 어려운 과제를 기억하고 활용할 수 있게 한다. ACGME의 여섯 개 역량과도 유사한 관계를 볼 수 있는데 예를 들어 내과의 22개의 하위 역량과[20] 유사한 연관성이 있으며 교수자들이 보다 세분화된 역량 체계를 다룰 수 있도록 한다(표 3.3).

평가에 대한 서술적 표현

임상 환경에서 교수자들에게 서술적 평가가 왜 필요한가? 서술적 평가는 종종 "주관적"으로 느껴지고 개별 교수자의 편견에 취약하다.[21] 일반적으로 "객관적" 평가도구, 예를 들어, 다지선다형 시험이나 표준화된 환자를 이용한 객관구조화진료시험(objective structured clinical examination, OSCE)을 더 신뢰로운 평가로 간주한다(5장 참조). 그러나 이렇게 고도로 구조화된 시험은 자원 집약적이며, 일반적인 교수자보다는 책임지도전문의나 임상실습책임자들이 주도적으로 관리하며, 지속적인 피드백을 제공하기에는 자주 활용하기가 어렵다. 뿐만아니라, 한 번에 한 분야나 역량만 평가하는 경우가 많다. 구체적인 임상 상황을 "다 종합하여" 당일에 평가를 내릴 수 있는 능력이 되려면 전문가 수준은 되어야 한다. 즉, 그렇게 하도록 수련받거나 훈련된 교수진이다. 어쨌든 임상교수들은 학생들과 너무 많은 시간을 보내기 때문에 관찰한 내용을 형성평가(피드백)나 종합평가(등급 매기기)에 사용하려면 일부 서술적 표현과 틀이 반드시 필요하다. 우리는 교수자들이 학생들의 행동에 대한 서술적 평가가 전산화된 시험과 마네킹을 이용한 고충실도 시뮬레이션에 뒤지지 않다는 사실을 알아주길 바란다. 사실, 우리는 서술평가의 실행 가능성과 쉬운 적용 때문에 "낮은 기술이 좋은 기술이다"라고 주장하고 싶다.

RIME 체계는 교수자들이 각각의 교육생들에게 각 단계에서 보여주어야 하는 성공적인 진료수행에 대한 유용한 설명을 제공함으로써 교수자들의 관찰을 보다 구조화하고 일관성 있게 만들도록 돕는 시도다. 실제로 RIME 체계를 통해 통과/미통과 결정에 대한 충분한 신뢰도를 얻을 수 있으며,[22] 인턴 기간 동안의 부족한 수행을 파악하는 데 예측 타당도를 제공하고,[23,24] 여러 교육과정에서 높은 수준의 일관성을 유지하는 데 도움이 된다.[25] 다시 말해, 단어를 사용한 서술적 평가는 교수자에게 수련교육에서의 고정적인 *참조틀(frame of reference)*이 될 수 있다면 신뢰롭고 타당한 평가가 될 수 있다.[26,27] 교수자들이 제시한 평가를 "서술적"이라고 부르고, 과학에 종사하는 사람들에게는 경멸적인 의미를 지닌 "주관적"이라는 용어를 피하는 것이 더 적절할 것이다.[14] 교수자들은 자신이나 교육생들이 측정하기 어렵다("주관적")고 생각할 수 있는 행동에 대한 의견를 주는 것을 더 꺼려하지만, 우리가 전문적인 성장에 대한 피드백을 주려면 이러한 서술적 평가야말로 반드시 필요한 평가이다.[28,29] RIME의 서술적 용어는 여러 대학의 학생과 교수진이 실행 가능하고 공정하다고 보고하고 있다.[30,31,32] 더 중요한 것은, 헤머(Hemmer)와 동료의 몇몇 연구는 직관적으로 교수자들이 느끼는 점, 즉, 교수자들이 평가양식에 기록하지 않을 것이라고는 말하지만, 실제에서는 이 정보가 학기말 다지선다시험에서 떨어질 학생이나 전문직업성에 문제가 있는 학생들을 골라내는 데 매우 민감한 정보를 제공한다는 사실을 보여주고 있다.[33,34] 다시말하면, 교수자들에게 학생에 대해 어떻게 생각하는지 묻는 "낮은 기술 방법(low-tech method)"은 학생들에게 현재 자신들이 어떻게 하고 있는지 중간점검 정보를 제공하여 총괄평가를 예상하는 데 도움을 줄 수 있다. 또한 Hemmer의 연구는 수행에 대한 좀 더 완전한 그림을 얻기위해 평가양식과 결합된 집단과정(즉, 교수자에게 RIME와 같은 틀을 사용하여 평가를 요청하는 것)의 중요성을 강조한다.[27,29]

종합적인 RIME 틀은 교수자와 교육생들이 각 단계를 성공적으로 수행했을 때의 모습을 시각화해준다. RIME은 분석모형의 일반적인 표현(지식, 기술, 태도) 또는 Dreyfus의 개발모형(초보자, 상급초보자, 전문가 등)보다 더 구체적이고 행동적이다. RIME은 임상의들이 관찰을 통해 진단을 내리고 학습자를 보고자, 해석자 등으로 분류한다. RIME의 "변화 단계"(관찰-성찰-실행)는 임상의와 과학자들의 일상적인 활동과 유사하기 때문에 교수자에게는 직관적인 가치를 제공하며 수용적으로 평가되고 있다(글상자 3.1 참조).

미국에서는 관찰-성찰-실행의 고전적인 순서가 반영되는 "SOAP" 기록을 작성하지 않는 인턴이 없을 것이다. 이때 관찰은 "주관적(Subjective), 객관적(Objective)"으로 기록되고 성찰-실행은 "평가(Assessment)와 계획(Plan)"으로 기록된다. 다시 말해, RIME 체계의 순서는 의사와 과학자들이 매일 하는 행동과 같다. 이 행동은 단순하지는 않지만 간단하다.

상호보완적인 틀 – ACGME 일반 역량과 RIME

이 절에서는 평가 틀이 상호배타적이지 않고 상호보완적으로 될 수 있는 방법을 설명하고자 한다. ACGME/ABMS의 세 가지 일반 역량 틀은 분석적 접근법의 전통적인 지식, 기술 및 태도에 해당되며, RIME 틀에서는 명시적이기 보다 암묵적이라 할 수 있다. 즉, 하룻밤 당직을 선 전공의가 자신이 돌본 환자에 대하여 환자의 선호도를 통합한 근거바탕 환자관리 계획을 성공적으로 제시할 수 있다면, 환자진료에 필요한 의사소통기술뿐만 아니라 의학지식과 임상추론 기술 등의 전문성을 갖추었다고 볼 수 있다. ACGME 역량인 "환자진료"는 일차적 역량이며 기본적으로 종합적 용어이다. 환자진료는 RIME 체계의 네 가지 용어에 포함된다. 시스템바탕 진료는 "관리자"라는 용어에 포함되어 있으며, 진료바탕학습과 개선은 교육자가 되는 보다 진보된 형태이다.

평가 틀 : 맺음말

무엇에 대한 틀을 만든다는 것은 본질적으로 옳거나 그르다고 할 수 없다. 틀은 목표를 반영하고 지침과 평가를 구조화하는 데 도움이 되는 구조이다. 평가 틀은 교수자들이 교육생들의 독립성 발달을 평가하는 데 다양한 도움을 준다. 종합모형은 (실제 환자 진료에서) 복수의 속성이 요구되는 복잡한 과제를 수행해야 하는 실제 환자진료에서(생체 내) 학습자들에 대한 구조화된 관찰을 할 때 가장 강력한 도구이다. 분석모형은 환자진료(생체 내)에서나 시험 조건(생체 외)에서나 각각의 과제를 평가하는 데 가장 적합하다.

우리는 임상적 환경에서 두 가지 평가원칙을 강조하고자 한다. 하나는 평가 틀이 학습자를 평가하는 교수자에 의해 받아들여져야 한다는 것이다. 이 평가 틀은 앞서 구인정렬로 논의되었다. 만약 제시되는 평가 틀이 교수자들에게 체계적이고 신뢰롭지 않게 보인다면, 자신들의 직관적이고 덜 효과적인 틀을 자유롭게 사용하려고 할 것이다. 두 번째는 평가 틀이 교수자와 전체 학습자들에게 지속적으로 적용되어야 한다는 것이다. 그렇지 않으면 그 학습과정에 안정성이 없을 것이다. 그렇다고 어떤 평가 양식이나 틀이 대단히 직관적으로 타당하고 사용하기 쉽다고 가정할 수는 없다. 따라서 평가 틀과 평정척도 사용에 대한 지속적인 교육과 피드백이 있어야 한다(교수개발에 관한 이 장의 후반부 내용 참조).

교육생의 평가과정의 진가는 그것을 사용하는 교수자 그리고 얼마나 일관성 있게 사용하느냐에 달려 있다고 볼 수 있다. 이는 결과적으로 사용의 용이성, 한 명의 교육생이나 교육장소에서 다른 교육생이나 교육장소로의 이동성, 그리고 평가과정이 얼마나 잘 기억될 수 있느냐에 성패가 달려있을 수 있다. 평가 틀의 일차적 효과는 학습과 평가를 구조화하는 것이며, 이차적 효과는 많은 교수자들이 사용할 수 있도록 교수개발을 할 수 있다는 점이다.[35] 우리의 전략은 단순함이 수용으로 이어지고 수용이 활용으로, 활용은 일관성으로 이어지는 것인데 이 일관성은 공정성의 중요한 요소이다.

평정척도

평정척도는 본래 다지선다형 시험과 같은 일반적인 지식바탕 평가도구에 의해서는 평가되지 않는 수행 영역을 평가해야 하는 필요성에서 비롯되었다. 평정척도 개발을 위한 추진은 1800년대 후반과 1900년대 초반에 두 가지 중요한 인적 자원에서 시작되었다. 즉, 인간의 태도와 속성을 측정하려는 심리학자와 새로운 기술을 사용하는 기술자들을 더 잘 평가하고자 하는 군인들이었다.[3,4] 써스톤(Thurstone)과 리커트(Likert)는 평정척도 개발에 영향을 미친 두 사람이다. 1920년대 후반, Thurstone의 척도 개발은 상당히 복잡했는데 "동등간격"이라는 개념을 제시한 것에 큰 의의가 있다. 1932년 Likert는 동등간격을 사용할 뿐만 아니라 각 지점에 설명(매우 그렇다, 그렇다, 잘 모르겠다, 그렇지 않다, 전혀 그렇지 않다)을 추가하여 사람들이 잘 이해할 수 있는 척도를 개발했다. 지난 60년 동안 의학교육에서는 특정 평정척도나 평가양식을 포함하여 심리측정학적 속성을 담은 다양한 척도가 개발되었다. 이러한 양식는 핵심 역량인 임상술기, 임상적 판단과 의사결정 능력, 대인관계과 의사소통 기술, 그리고 전문직업성을 평가하는 목표로 개발되었다.

평정척도: 기본 설계

Likert척도 접근법은 아직도 설문지와 조사연구에서 흔히 사용되지만, 대부분의 의학교육 평가양식은 *행위기준평정척도(behaviorally anchored rating scale, BARS)*를 사용한다. BARS 양식은 척도를 따라 다양한 지점에서 수행되는 학습자의 행동을

내과 전공의 평가 양식

전공의 이름:　　　　　　　　　　순환 이름:

주치의 이름:　　　　　　　　　　순환 시기:　　　　　　　　　　평가 일자:

전공의의 수행을 평가할 때 이 훈련 단계에서 분명히 만족스러운 전공의에게 기대되는 지식, 술기 그리고 태도의 수준에 대한 당신의 표준을 사용하라. 주의가 필요하거나 4점 미만인 어떤 요소에 대해서는 이 양식의 후면에 구체적인 의견과 권고사항을 제공하라. 중대 사건 및/또는 뛰어난 수행에 대한 보고서를 포함하여 가능한 구체적으로 기술하라. "좋은 전공의"와 같은 포괄적인 형용사나 표기는 해당 전공의에 대한 의미 있는 피드백으로 제공하지 말라.

	불만족	만족	우수	
1. 환자진료 불완전하고 부정확한 진료 면담, 신체 진찰, 그리고 다른 자료 검토; 필수 술기에 대한 무능한 수행; 임상 자료를 해석하지 못하고 의료결정 시 환자의 선호를 고려하지 않음 ▫ 판단자와 불충분한 접촉	1 2 3	4 5 6 ▫ 주의가 필요한 수행	7 8 9	뛰어나고 정확하며 종합적인 진료 면담, 신체 진찰, 다른 자료 검토, 그리고 술기 기술; 항상 이용가능한 근거, 합리적인 판단, 그리고 환자의 선호를 바탕으로 진단 및 치료 의사결정을 수행함
2. 의학 지식 제한적인 기초 및 임상의학 지식; 학습에 관심이 적음; 복잡한 관계, 질환 기전을 이해하지 않음 ▫ 판단자와 불충분한 접촉	1 2 3	4 5 6 ▫ 주의가 필요한 수행	7 8 9	특출한 기초 및 임상의학 지식; 지식의 매우 풍부한 개발, 복잡한 관계 및 질환의 기전에 대한 종합적인 이해
3. 진료바탕 학습과 개선 자가 평가 수행 실패, 통찰력, 시도 부족; 피드백에 대한 저항 혹은 무시; 환자진료 혹은 자기 개선 노력에 기술 활용 실패 ▫ 판단자와 불충분한 접촉	1 2 3	4 5 6 ▫ 주의가 필요한 수행	7 8 9	자신의 수행을 지속적으로 평가, 피드백에 개선 활동을 포함; 환자진료 혹은 자기 개선을 위한 정보를 관리하는데 기술을 효과적으로 활용
4. 대인관계와 의사소통 기술 환자와 가족들과 최소한의 효과적인 치료 관계를 수립하지 않음; 경청, 서사 혹은 비언어적 시술들을 이용한 관계형성 능력을 증명하지 않음; 환자, 보호자 혹은 동료에게 교육이나 자문을 제공하지 않음 ▫ 판단자와 불충분한 접촉	1 2 3	4 5 6 ▫ 주의가 필요한 수행	7 8 9	환자와 가족들과 매우 효과적인 치료 관계를 수립함; 경청, 서사 혹은 비언어적 시술들을 이용한 뛰어난 관계형성 능력을 증명함; 환자, 보호자 혹은 동료에게 뛰어난 교육이나 자문 제공

	불만족	만족	우수	
5. 전문직업성 존중, 연민, 고결, 정직함이 부족; 자기 평가를 위한 요구를 무시; 오류를 인정하지 않음; 환자, 보호자, 동료의 요구를 고려하지 않음; 책임감 있는 행동을 보여주지 않음 ▫ 판단자와 불충분한 접촉	1 2 3	4 5 6 ▫ 주의가 필요한 수행	7 8 9	항상 존중, 연민, 고결, 정직함을 보여줌; 책임감 있는 행동을 가르치거나 몸소 보여줌; 자기 평가에 완전히 전념; 기꺼이 오류를 인정함; 항상 환자, 보호자, 동료의 요구를 고려함
6. 시스템 바탕 진료 바깥 자원을 접근하거나 활용할 수 없음; 시스템 바탕 진료 개선에 적극적으로 저항; 오류를 줄이고 진료를 개선하기 위한 체계적인 접근을 하지 않음 ▫ 판단자와 불충분한 접촉	1 2 3	4 5 6 ▫ 주의가 필요한 수행	7 8 9	바깥 자원을 효과적으로 접근하고 활용함; 오류를 줄이고 환자 진료를 개선하기 위한 체계적인 접근을 효과적으로 사용; 시스템을 개선하는데 열정적으로 지원함
내과 순환 근무에서 전공의의 전반적인 임상 역량	1 2 3	4 5 6 ▫ 주의가 필요한 수행	7 8 9	

주치의 의견

____

____

____

____

____

서명: 전공의 ____________________ **주치의** ____________________

그림 3.4 내과 전공의 평가 양식.

• 글상자 3.2 평정척도: 앵커의 종류

- 성과의 "질(quality)"
  - 예) 불만족스러운-만족스러운-우수한
- 빈도
  - 거의 그렇지 않다-항상 그렇다
- 규범
  - 비교성과달성 수준 (예: 동료, 훈련단계 등)
- 발달
- 위임/감독
- 설명

이상의 내용은 평가기준의 목적과 구성에 따라 중복 사용될 수 있다. 예를 들어, 내과 교육의 하위 역량에서는 각 수준을 설명하는 서술식 표현(마일스톤을 행동용어로 표현한 평정척도)을 사용하고 있으며, 단계 4를 "감독 없이 진료 가능"(위임가능/감독)으로 규정하는 발달 척도(등급)가 포함되어 있다.

설명해 준다. 더 오래된 BARS의 예를 들자면 전공의와 임상강사를 위한 미국내과전문의인증기구(American Board of Internal Medicine, ABIM) 평가양식이 있다(그림 3.4). 이 평가양식은 환자진료 역량에 일반적으로 사용되는 척도를 포함한다. 척도 설명은 다르지만 의학지식, 전문직업성, 대인관계 기술과 의사소통, 진료바탕학습과 개선, 시스템바탕 진료 평가에도 동일한 척도가 사용된다. 척도는 9점 척도로 기술되는데, 1-3점은 불만족, 4-6점은 만족, 7-9점은 매우 만족을 나타내는 우수한 수행능력을 나타낸다. 그러나 이러한 척도 설명은 발달 혹은 종합 구인과 잘 정렬되지 않음이 분명하다. "우수한"이란 정확히 무엇을 뜻하는가? Dreyfus 모형의 전문가인가? 동료와 비교했을 때, 혹은 수련 기간에 비해 우수한 것인가? 앞서 설명한 바와 같이, 이것은 교수자에 의한 "번역" 단계를 필요로 하는 척도 설명(예: 우수함에 못미치는)에 관한 구인 오정렬의 한 형태를 나타내며, 다른 참조틀(예: 자신, 다른 학습자 등)을 사용할 수 있하도록 하였다. 나중에 살펴 보겠지만, 이런 종류의 앵커는 교수자가 사용하기 어렵다.

결국, 척도 앵커의 선택이 중요하다는 것이 점점 더 명백해지고 있다. 글상자 3.2는 척도에 대한 다양한 형태의 앵커를 설명한다. 이 앵커들은 상호 배타적이지 않지만 척도를 선택할 때 몇 가지 중요한 고려사항이 있다.

1. 이 장의 앞부분으로 돌아가서, 척도 앵커는 평가의 목적과 선택된 평가 틀에 맞춰야 한다. 우수, 최우수, 불만족 등과 같은 "질적평가" 앵커는 발달이나 종합적인 틀과 잘 일치하지 않는다. 분석적 틀을 사용할 때에도(그림 3.2A 참조), 이러한 유형의 앵커는 추가 설명이 필요하다. 본질적으로 이러한 유형의 척도는 평가자 또는 학습자가 쉽게 이해할 수 없는 "암호화" 형태로 나타난다. 앞서 언급했듯이 평가양식과 척도는 무엇이 중요한 지 알려주고, 어떠한 결정을 내리는 데 도움을 주는 도구이다. 모호한 해석이 추가되면 척도를 비효율적인 도구가 된다. 4장에서는 등급을 제시할 때 교수자가 사용하는 참조틀에 관하여 보다 구체적으로 다룰 것이다.
2. 평가 과제와 목적에 따라 척도를 조정해야 한다.
3. 교수개발은 절대적으로 중요하다. 평가양식은 측정도구가 아니다. 평가자가 진정한 도구이며, 평가 틀, 평가 과제와 평가 목적에 대하여 서로 공유된 목표를 갖기 위해 교수개발이 필요하다.
4. 가능한 경우 준거참조, 종합척도와 양식(RIME, 마일스톤, EPA 등)을 사용하는 것이 바람직하다.

그림 3.5는 5점 척도의 각 수행 수준에서 상세한 설명(RIME 용어 활용)을 포함하는 미국군의관 의과대학(Uniformed Services University of the Health Sciences)생들을 위한 BARS 양식의 예시이다. 이 양식은 구인정렬 양식의 좋은 예다.

숫자를 사용하는 척도의 최적 간격에 대해서는 논의가 계속되고 있지만, 대부분의 전문가들은 목적에 따라 4에서 9점 척도로 사용할 것을 권장한다. 9점 척도는 많은 인원의 교육생들을 비교할 때 도움이 되며, 이러한 이유로 인증위원회와 같은 기관에서는 전공의와 세부 분과 임상강사의 평가양식에 9점 척도를 사용했다. 이상적으로 9점 척도는 2단계 과정을 수반해야 한다. 앞의 9점 척도를 예로 들자면, 첫 번째 단계는 교육생의 수행결과가 불만족, 만족, 또는 우수한 범주에 속하는지 결정하는 것이다. 두 번째 단계는 1단계에서 결정한 범주에 대하여 숫자로 등급을 매기는 것이다. 많은 프로그램에서 개별 교육생을 평가할 때 4-5점 척도를 사용하는데, 그 이유는 개별 교육생을 평가할 때 4-5점 이상의 수행으로 구별해서 평가하기는 어렵다고 판단하기 때문이다. 예를 들어, 일부 전공의 교육과정은 네 가지 범주의 수행 성과만 평가한다. 이 접근법의 논리는 성과의 범주 내에서 다양한 "수준(degrees)"을 구별하는 것이 교육적, 형성적 평가 관점에서 큰 의미가 없기 때문이다.

앞서 언급했듯이, 대부분의 임상분야에서는 교육생에게 1=초보자나 상급 초보자 그리고 5="이상적인"(진료 가능한 사람) 수준의 5점 척도를 사용한다. 내과 및 외과 같은 일부 전문분야는 첫 번째 수준을 결함이 있어 개입이 필요한 수준으로 본다. 두 번째 수준에서 네 번째 수준까지는 해당 전문분야에 따라 숙련도가 높아지는 발달 수준을 나타내기도 하고 완벽한 수준보다는 조금 못한 정도를 나타낸다. 그림 3.6에 설명된 바와 같이 보고자의 역량(병력청취와 진료면담)의 다섯 가지 수준은 EPA의 위임과 유사한 발달 단계를 보여준다.

또한 마일스톤을 활용하면 평가자들이 전공의를 평가할 때 "이행기"에 속하는 등급으로 평가할 수 있는 9점 척도를 사용할 수 있다. 미국에서 사용하는 마일스톤에 대해서는 간과해서는 안될 주의점이 하나 있다. 마일스톤은 4-6개월간의 전공의의 역량과 평가자료(추후 내용 참조)를 검토하는 임상역량위원회의 판단 기준을 마련하기 위해 고안된 것이지, 단기 수련과정을 위한 평가도구로 사용되어서는 안된다. 그러나 일부 GME 프

내과 임상실습 평가양식

학생명: ______________________________ 기간: ___월___일부터 ___월___일까지

○표 하시오: 중간평가 / 기말평가 실습기관명: ____________ 평가자: ______________

각 평가항목에 대한 학습자의 역량에 맞는 수준에 체크하십시오. 측정 수준이 높아질수록 수행 내용은 이전 단계의 수행이 누적되어 있다고 보아야 합니다. 즉, 병력청취 기술이 우수한 수준일 경우, 주요 소견을 체계적이고 초점을 맞추어 파악하며, 또한 미묘한 소견도 함께 발견한다. 학습자가 일관되게 보여주는 수행 수준에 표기하십시오.

우수함	*평균 이상*	*수용 가능*	*개선 필요*	*수용 불가능*
		정보수집		
초기 병력청취/면담 기술			관찰되지 않은 경우 여기에 체크표기하시오○	
○ 지식이 풍부하며, 능률적이고, 섬세하며, 환자관리를 준비함.	○정확하고, 세심하며, (병동이나 진료실) 환경에 적합하고, 환자 정보에 대해 집중과 선택을 함.	○기본 병력을 청취함. 새로운 문제를 발견함. 정보수집을 정확하게 함.	○ 일관성이 없는 보고자. 불완전하고 산만함. 일관성 없는 정보수집을 함.	○ 신뢰할 수 없는 보고자. 부정확하고, 핵심 내용 누락, 부적절함.
신체진찰 기술			관찰되지 않은 경우 여기에 체크표기하시오○	
감지하기 힘든 미묘한 소견을 발견함.	○체계적이고, 집중적이며, 적절함.	○주요 소견을 발견함.	○환자의 불안에 무감각하거나 미숙함.	○신뢰할 수 없는 진찰, 주요 소견을 놓침.
		정보기록		
병력/신체검사 기록			관찰되지 않은 경우 여기에 체크표기하시오○	
○간결하고, 질병과정과 환자상태에 대한 철저한 이해를 반영함.	○핵심 정보를 기록하고, 초점에 맞춰져 있으며, 종합적이고, 보고내용이 해석을 함축함.	○정확하고, 완성도가 있으며, 즉각적으로 보고하고, 보고자의 역할에 책임감을 가짐.	○자주 지각함 HPI 정보 획득에 서툴고, 세부정보나 검사결과 부족하며, 불완전한 문제목록. 보고 내용에 공백이 있음.	○환자나 질병에 대한 정확하지 않은 정보.핵심 내용 누락됨. 신뢰할 수 없는 보고내용과 기록.
경과 기록/진료 기록			관찰되지 않은 경우 여기에 체크표기	
○평가와 계획에서 분석적임.	○구체적이고, 간결하며, 체계적임.	○지속적인 문제를 찾아내고, 치료계획을 기록함.	○체계성이 필요하며, 관련 정보가 누락됨.	○부정확하거나 불명확한 정보를 보고함.
구두 보고			관찰되지 않은 경우 여기에 체크표기하시오○	
○(회진 형태에 따라) 상황 맞춤형; 환자 정보에 대한 강조와 선택은 다른 사람들에게 핵심 내용을 잘 전달하게 됨.	○유창한 보고; 초점에 맞춰져 있음; 시선 맞춤이 자연스러움; 정보에 대한 선택이 해석을 내포하고 있음, 기록은 최소화함.	○형식을 갖추고 있고, 기본적인 정보는 모두 포함되어 있음.	○중요한 내용을 누락함, 관계없은 사실을 종종 포함시킴, 횡설수설함.	○일관성이 없으며 준비가 되어 있지 않음, 환자에 대한 정보를 모름, 불명확한 정보를 보고함.
		지식		
전반적			관찰되지 않은 경우 여기에 체크표기하시오○	
○포괄적인 내용을 토대로 치료적 개입을 이해함.	○진단적 접근에 대한 철저한 이해를 보여줌; 정보에 대한 해석 능력을 일관되게 보여줌.	○병태생리학에 대한 기본적인 이해도를 보여줌.	○ 정보 해석에 어려움을 느낌; 기초에 대한 한계 이해도를 보임.	○기본적인 지식에 대하여 매우 부족한 수준임.
해당 환자 관련			관찰되지 않은 경우 여기에 체크표기하시오○	
(아래의 내용이 일관되게 확인됨) ○교과서를 폭넓게 숙달함 ○즉각적인 EBM 검색 ○타인을 가르칠 수 있는 교육자	○환자에 따라 확장된 감별진단을 제공함, 사소한 문제에 대해서도 논의할 수 있음; 환자관리를 제안할 수 있을 정도록 충분한 역량임.	○환자의 주요 문제에 대한 기본 감별진단을 앎; 적극적으로 지식을 습득하려고 함.	○일관되지 않고/않거나 부족한 이해도, 관리 대상 환자에 대해서는 일관된 해석이 가능함.	○관리 대상 환자의 문제에 대한 이해도가 떨어짐; 정보해석을 제대로 하는 경우는 거의 없음.
		정보해석		
분석			관찰되지 않은 경우 여기에 체크표기하시오○	
○복잡한 문제상황을 잘 이해하고, 이를 환자의 문제와도 연계시킬 수 있음.	○정보에 대한 적절한 해석을 일관되게 제공함.	○문제 목록을 작성하고, 기본적이고 합당한 감별진단을 적용함.	○종종 정보를 분석하지 않고 보고함; 문제 목록은 개선이 필요해 보임.	○기본적인 정보를 해석하지 못함; 문제 목록이 정확하지 않음/업데이트 되지 않음
판단/관리				
○관리계획에 대한 통찰적 접근을 함.	○진단 결정은 일관되게 합리적임.	○적절한 환자진료, 자신의 한계를 인지하고 있음.	○임상적 문제에 대한 우선 순위 지정이 일관되지 않음.	○부족한 판단력, 행동이 환자에게 악영향을 미침.
		관리기술		
환자진료 활동			관찰되지 않은 경우 여기에 체크표기하시오○	
○환자와 논의하고, 의료진과 조율함.	○효율적이고 효과적이며, (병동 또는 진료실에서) 종종 후속처리를 주도적으로 함.	○환자문제를 모니터링하고, 환자기록을 유지하며, 환자에 대한 의무를 이해함.	○과제를 즉각적으로 완수하지 못함; 후속처리가 일관되지 못함.	○예상되는 환자진료 활동을 하지 않으려 함; 신뢰할 수 없음.
시술			관찰되지 않은 경우 여기에 체크표기하시오○	
○능숙하고 유능함; 사전동의 과정에 환자를 개입시킴.	○조심스럽고, 자신감 넘치며, 열정적이고, 사전동의 과정에 환자를 참여시킴.	○시술을 준비하고 시행하기 위한 적절한 술기능력; 적응증을 보고함.	○어색해하고, 기본적인 시술 수행에도 주저함. 적응증과 환자 문제를 연계시키지 못함.	○코칭을 해주어도 개선을 보이지 않음, 환자에 대해 둔감함.

2018년 4월

그림 3.5 내과 임상실습 평가양식. EBM, Evidence-based medicine(근거중심의학); HPI, history of present illness(환자질병의 현재 병력).

(다음 장에서 계속)

전문적 태도

신뢰/책임감 관찰되지 않은 경우 여기에 체크표기하시오○

○교육과 환자진료에 대한 전적인 책임감을 가짐.	○관리자로서의 책임감을 가짐; 환자진료 과정에 적극적인 참여자로 자신을 인식함.	○책임을 다하며, 환자진료 과정에서 중요한 역할을 해야 한다는 주인의식을 인정함.	○종종 준비가 되어 있지 않음, 종종 있어야 할 자리에 없음, 정확하게 보고하지 않음.	○무단 결석, 신뢰할 수 없음. 자신의 의무를 다하지 않음.

교수학습/피드백에 대한 반응 관찰되지 않은 경우 여기에 체크표기하시오○

○지속적인 자기평가로 더 큰 성장의 기회를 가짐; 통찰력 있는 성찰.	○피드백을 요구하고 이를 통해 지속적으로 개선됨; 자기성찰적	○개선에 대한 책임감을 가짐; 피드백 제공하면 대체적으로 개선됨.	○일관성 없음, 개선이 지속되지 않음.	○개선이 부족함; 방어적/논쟁적; 책임을 회피함.

자기주도 학습(지식과 술기)

○탁월한 주도력, 타인을 지속적으로 가르침.	○자신만의 목표를 설정함; 가능한 사전에 미리 숙지하고 준비함.	○적절하게 공부하고, 자기학습에 대한 책임을 인정함.	○자극이 필요하며, 지속적인 전문성 개선이 일어나지 않음.	○마지못해 하는 면이 있고, 자기성찰이 결여되어 있음. 전문성 개선에 대한 노력이 전혀 없음.

전문적 행동

환자와의 상호작용 관찰되지 않은 경우 여기에 체크표기하시오○

○제공자의 역할을 선호함; 환자/교수로부터 치료관리자로 인식됨.	○자신감과 신뢰를 얻음, 환자/보건의료팀에 대한 명백한 의무감을 가짐.	○ 공감, 존중, 라포형성, 신뢰 얻음.	○때때로 무신경하고, 부주의함; 지지자, 보고자로서 신뢰받지 못함.	○개인적 접촉을 피함, 요령이 없고, 예의없고, 무례함.

스트레스에 대한 대처

○뛰어난 침착성, 건설적인 해결책 제시.	○유연성, 지지적	○ 적절하게 적응함.	○융통성이 없거나 쉽게 평정심을 잃음.	○부적절한 대처

업무 관계

○상호존중과 존엄성을 지키는 환경을 만듦	○병원의 다른 직원들과 좋은 라포를 형성함.	○협력적, 자기 팀에서 생산적인 구성원임.	○타인에 대한 배려가 부족함.	○적대적이거나 짜증을 냄.

서술적 평가 의견: (서술적 의견도 필요함. **이 학습자에게 필요한 "다음 단계"는 무엇인가?**)
학습자가 지속적으로 보여준 각 단계 수준에 체크표기 하세요: ○보고자 ○해석자 ○관리자 ○교육자

제안 등급: ________ 중간/기말 평가 중 해당하는 곳에 ○표 이 평가결과를 학습자와 공유하였는가? ________

성명 ________ 서명 ________ 날짜 ________ 인턴 ____ 전공의 ____ 전문의 ____ 지도교수 ____

이 평가체계는 백분율보다 수행 영역에 바탕을 두고 있습니다. 아래의 평정척도를 활용하여 학습자의 현재 수준을 설명해주십시오.

통과: (보고자) 만족스러운 수행. 기본적이고 충분한 양의 정보를 정확하게, 신뢰롭게 습득하고 보고함; 정보를 해석하기 시작하는 단계. 환자, 직원, 동료와 전문적으로 대하고 함께 일할 수 있다. 평가자는 학습자의 독특한 개인적 자질을 서술적 평가로 기술하도록 한다.

우수한 수준으로 통과: (해석자) 확실히 대부분의 평가영역에서 평균 이상의 역량을 보여준다. 제촉하지 않아도 일관되게 정보에 대한 적절한 해석을 제공한다; 활용할 수 있는 지식의 양이 충분하다; 환자진료 과정에 적극적으로 참여한다. 치료과정에 일관된 준비자세를 보여준다. 의무/전문성 유지에 명백한 신뢰가 간다.

최우수 수준: (관리자/교육자) 대부분의 평가영역에서 탁월한 수준을 보여준다. 환자진료에서 4학년 수준,, 환자관리에 있어서 합리적인 선택과정을 적극적으로 제시한다; 일반적인 의학적 지식이 풍부하다, 관리하는 환자에 대한 지식은 탁월하다(깊고/넓다). 리더십 자질이 강하며 대인관계 능력이 우수하다. 문제가 발생했을 때 환자/환자가족/의료진을 주도적으로 이끌 수 있다. 자신의 의무를 다하며, 지속적으로 전문성이 계발될 것임이 명백하고 이례적으로 우수한 수준이다.

낮은 수준으로 통과: 전반적인 수행 수준이 평균이다 – 일부 영역에서는 평균 수준이지만 다른 평가 영역에서는 반드시 개선이 필요하다. 예전에 비해 수행 수준이 발전되었음을 보여주었고, 3학년 임상실습을 반복하지 않고 4학년 실습과정에서 보충한다면 인턴 수준의 의료행위가 가능해 보인다.

미통과: 전반적으로 수행 수준이 평균에 미치지 못하거나 주요 평가 영역에서 인정할 수 없는 수행 수준이다. 지도를 해주었지만 개선 정도가 미비하다. "미통과"을 제안한다는 의미는 (대체적으로 3학년 수준의) 추가적인 내과 임상실습을 실시해야하며, 학습자의 부족한 부분을 반드시 해결해야 한다.

2018년 4월

그림 3.5 내과 임상실습 평가양식. EBM, Evidence-based medicine(근거중심의학); HPI, history of present illness(환자질병의 현재 병력).

로그램은 특정 교육과정에 대해 보다 집중적이고 의미 있는 평가양식을 구성하기 위해 전문 분야의 마일스톤을 "문제은행"으로 활용하였다. 이 영역에 대해서는 훨씬 더 많은 연구가 필요하겠지만, 일부 초기 연구에서는 마일스톤을 문제은행으로 활용하는 것이 교육과정에 유용한 접근법일 수 있음을 시사하고 있다.[36,37]

평가양식의 목적과 장점

다른 평가도구와 비교하여 평가양식은 책임지도전문의 또는 임상실습 책임자에게 상대적으로 시간 효율적일 것일 수 있다. 마일스톤을 사용하여 평가양식을 보완하면 해당 교육과정에 필요한 특정 목적에 맞게 평가양식을 수정하거나 개발할 수 있다. 그러나 평정척도가 있는 새로운 평가양식을 개발하기로 선택하면 몇 가지 추가적으로 주의해야 할 점이 있다. 첫째, 교

육프로그램 평가에서는 양식의 타당도는 아니더라도 최소한 신뢰도는 측정해야 한다. 둘째, 교수자에게 새로운 양식을 효과적으로 사용하는 방법을 가르치려는 노력과는 상관 없이, "새로운" 평가양식을 개발하는 것이 반드시 전공의에 대한 더 신뢰롭고 타당한 평가로 이어지는 것은 아니다.[38] 실제로, 대부분의 역량평가 전문가들은 평가자를 교육시키는 방법에 집중하는 것이 더 효과적이라고 믿기 때문에 "더 나은" 평가양식을 개발하는 추세에서 멀어졌다.[39,40] 이것이 바로 평가 틀에 대한 인식이 매우 중요한 이유이며,[33] 이 장의 후반부에 교수개발을 위한 제안을 할 것이다. 종합평가에서 신뢰도를 높이는 방법으로는 관찰자 수 또는 관찰 횟수를 늘리는 방법이 있음을 강조하고 싶다(4장 참조). 평가양식을 설계하거나 수정할 때 평가양식의 구인정렬도 중요하다.

평가양식을 교수자가 지속적으로 활용하면 종단적 "종합" 평가가 가능하다. 표준화환자와 같은 다른 도구도 매우 가치 있지만 대개 단일 시점에서의 횡단적 평가만 가능하다. 평가양식은 시간이 지남에 따라 수행되는 다양한 관찰을 바탕으로 개별 교수자의 판단을 신속하게 문서화할 수 있는 잠재력이 있다. 평가양식이 가지고 있는 첫 번째 과제는 교수자의 관찰을 구조화하는 것이며, 따라서 관찰자의 평가 "결과"(환자의 증상이나 활력징후와 유사함)는 교육목표에 초점을 맞추기 때문에 관찰자에게 익숙한 것이다(앞 내용 참조). 그 다음은 관찰결과를 해석하고, 교육과정 틀에 맞추어 가늠해 본 후, 이 학습자가 교육과정의 기대치 또는 목표를 충족하는지 여부에 대해 결론을 내야 한다. 관찰에 대한 이러한 해석을 평가(evaluation)라고 한다. 마지막으로 평가를 등급화 할 수 있다. 이런 점에서 등급을 매기는 것은 단순히 교육적인 행동이 아니라 행정업무이다.[10]

평가양식은 측정과정 자체가 측정대상에 영향을 미칠 때 발생하는 "호손 효과(Hawthorne effect)"의 잠재적 편향을 최소화하기 위한 것이다. 평가양식은 피드백에 좋은 견본 역할을 해야 한다. 평가양식에는 대개 교육목표와 연관된 역량이 포함되어 있으므로 교육생과 함께 양식을 검토하면 임상역량의 내용과 특성에 대한 지식을 얻을 수 있고 평가에 사용되는 평가 틀을 이해하는 데 도움이 된다. 미국에서는 여섯 개의 ACGME 역량을 전문 분야와 관계없이 모든 전공의와 임상강사 교육프로그램에 적용할 뿐만 아니라 인증위원회가 전문의의 자격인증유지관리(maintenance of certification, MOC) 프로그램을 평가하는 데에도 동일하게 사용한다. 교육생과 함께 마일스톤이나 EPA를 사용한 평가양식을 검토하면 관련 업무나 활동의 세부 사항과 성공적인 진료에 필요한 역량에 대한 논의가 가능하다.

교육생은 종합평가프로그램의 일환으로 평가 완료된 평가양식을 검토할 수 있어야 하며, 조금 더 이상적이라면 포트폴리오 평가방법의 일부로 이 검토 과정을 활용하면 좋다(14장 참조). 평가양식의 주요 목적 중 하나는 교육생의 전문성 발달과정을 기록하는 것임을 기억해야 한다.

이상적으로는 평가기록 방법이 종이든 전산이든 교육생이 평가결과에 대해 반응하고 대응할 수 있는 기회를 주어야 한다. 그리고 평가에 근거하여 자기개발을 위한 대응책과 후속 계획을 서면으로 작성할 것을 강력히 권고해야 한다. 이러한 점에서, 포트폴리오는 문서화나 평가도구 그 이상일 수 있으며, 성찰을 자극하는 교육장치로 볼 수 있다(14장 참조). 한편, 가장 효과적인 방법은 적시에 평가양식을 완료하고 제출하여 해당 교육생이 교육을 마치기 전에 평가결과를 검토할 수 있도록 해주어야 한다.

서술평가

최근까지 채점 양식에 적힌 평가자의 서술평가(written assessmet)에는 거의 관심을 기울이지 않았다. 그러나 앞서 언급한 바와 같이 교육생 평가의 중요한 측면은 서술적 평가이다.[41] 서술식 평가(narratives)는 마일스톤을 달성하기 위한 여섯 개의 ACGME 역량에 대한 전공의의 발달과정을 글로 설명해 놓은 것인데, 최근 각 전공의의 전문성 발달 상황을 기록하는 전공의 수련프로그램 보고서의 일부를 차지하고 있다.[42] 그런데 교육자들은 종종 이 서술식 평가의 질이 낮고, "열심히 한다"거나 "공부를 더 해야 한다"는 식으로 평가내용이 너무 짧고, 모호하게 표현이 되는 경향이 있음을 발견하였다. 이러한 논평은 특정 방향으로 개선을 유도해야 하는 상황에서는 분명 교육생에게 큰 도움이 되지 못한다.

두 개의 내과 전공의 수련프로그램을 대상으로 한 연구에서는 교수자들의 서술평가를 개선하기 위해, 전공의들의 입원환자 병동실습에서 교수자들의 단순하고 간략하지만 다각적인 개입의 효과를 연구하였다.[43] 교수자들의 개입 내용은 간단했다. 임상실습을 시작하기 전에 15분 가량의 짧은 평가 피드백을 시행하고, 평가 주의사항 안내와 관찰한 것을 기록할 수 있는 공간이 있는 5인치 x 7인치 크기의 접힌 카드(예: "기록 보조" 카드)를 활용하였다. 이 연구의 주요목표는 첫째, 평가되는 역량(예: 의학지식 대 임상판단능력) 영역에 대한 의견의 특이성을 개선하고 둘째, 교수진이 1-3점(낮은 수행 점수) 또는 7-9점 척도(우수한 수행 점수) 사이의 점수에 대한 행동적 예시를 제공하도록 장려하는 것이었다.

네 개의 수련병원 중 91명의 교수자를 무작위로 선정하여 총 273개의 전공의 평가양식을 분석한 결과에서는 대조군에 비해 중재군에서 임상술기(예: 병력청취, 신체검사) 영역과 관련된 분야별 서술식 평가와 의견 수가 약간 증가했음을 발견했다. 그러나 중재군의 전공의들도 한 두 가지 중요한 효과를 보여주었다. 즉, 평가자의 피드백에 따라 환자관리 내용을 개선할 가능성이 더 높았으며, 평가자의 피드백을 대조군의 전공의들보다 의미있게 높게 평가했다. 이 연구는 상당히 짧고 간단한 교수자 개입이 교수자의 서술평가에 변화를 줄 수 있음을 시사한다. 날로 분주해지는 임상실습의 특성을 감안할 때, 수련교육에서는 짧고 효

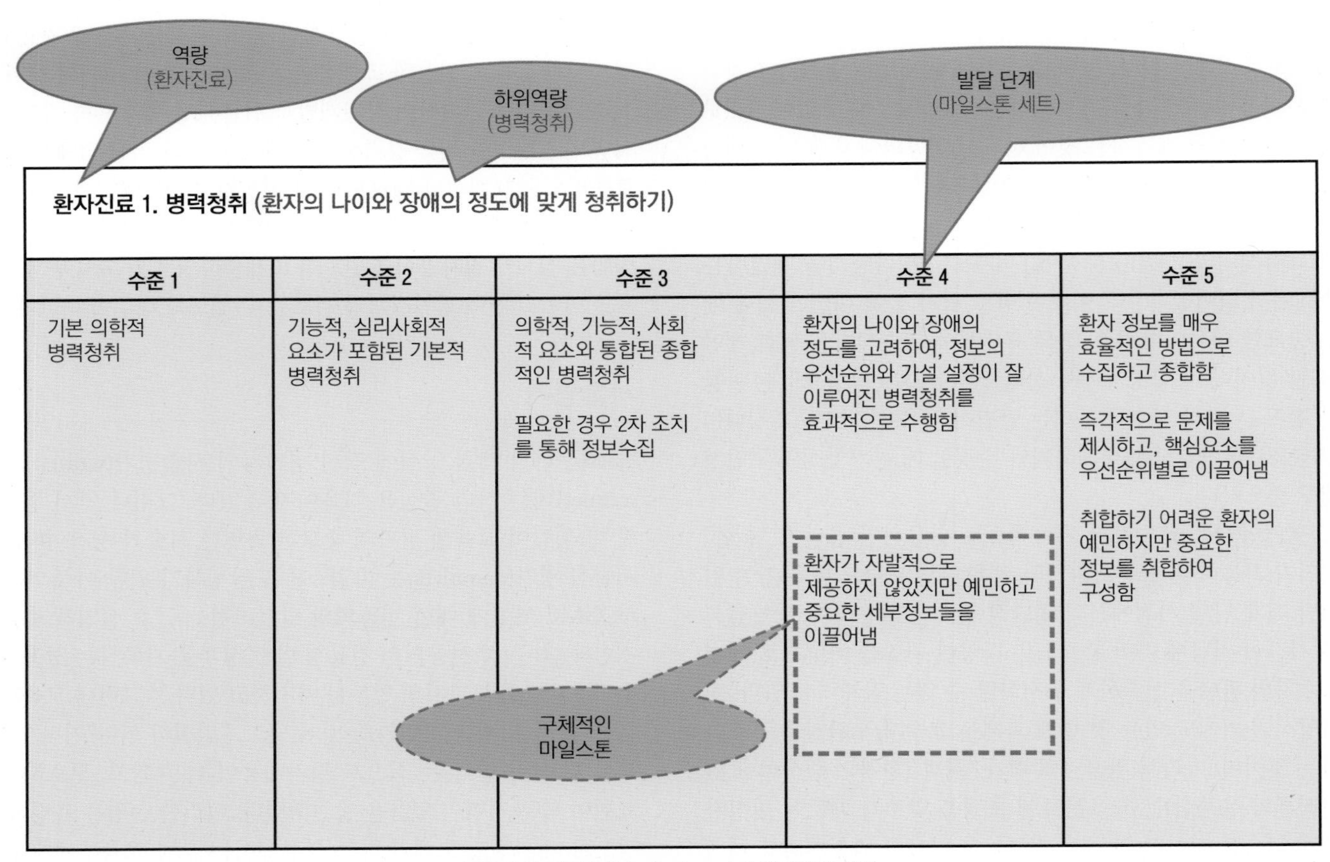

그림 3.6 마일스톤(milestone)의 해부학적 구조

과적인 교육 개입이 꼭 필요하다. 임상교육 분야의 첨단기술은 날로 좋아질 것이다. 예를 들어, 외과 교육에서는 마일스톤에 해당되는 수술과정 직후에 스마트폰 애플리케이션을 사용하여 즈비쉬(Zwisch) 평정척도를 완성할 수 있다.[44] 이 스마트폰 앱은 자동언어 처리 기술을 사용하여 교수자의 구두피드백을 텍스트로 변환하여 전공의들이 피드백을 즉시 받아 볼 수 있도록 한다. 반복적인 교수자 개입과 수업장면에서의 첨단기술의 적용에서 지속적이고 보다 개선된 서술평가가 제공되려면 더 많은 노력이 필요하지만 앞서 언급한 연구는 고무적이라 할 수 있다.

불행하게도, 대부분의 평가양식은 서술식 평가를 위한 충분한 공간을 제공하지 않으며, 평가양식의 형식을 보면 형성평가보다는 총괄평가에 맞추어져 있다. 아마도 더 중요한 것은 교수자들이 쓴 서술식 평가가 종종 경멸적인 표현으로 인해 "주관적"인 것으로 특징지어진다는 점이다(앞글 참조). 왜냐하면 서술적 평가는 양적인 정보를 제시하거나, 모든 교수자들이 관찰할 수 있는 특정 행동에 기반한 것도 아니기 때문이다. 서술식 평가에 대한 연구는 "주관적-객관적"이라는 단어를 잘못 사용하는 바람에 부적절하게 평가절하되었을 수 있다. 우리는 양적평가 방법(예를 들어 다지선다형 시험)을 "객관적"이라고 표현하기 보다 "정량화된" 또는 "객관화된"이라는 용어로 표현해야 더 적절할 것이다.[10,11,45] 평가양식에서 서술식 평가의 한계를 고려한다면, 장기적인 교육효과 차원에서 교수자들이 서술식 평가를 잘 활용할 수 있도록 의학교육자들이 도울 수 있는 방법은 무엇일까?

평가회의

책임지도전문의, 임상실습 책임자 또는 과정책임자가 임상교육자와 함께 둘러 앉아 전공의나 학생들의 수행에 대해 논의하는 평가회의는 평가양식에 큰 도움을 줄 수 있다. 몇몇 연구에서는 정규 평가회의- 임상교육자와 임상실습 책임자가 함께 하는 정기적 회의[24]-를 도입한 후, 임상교육자들이 자신들의 평가양식에는 기술하지 않았지만 교육생들에 대하여 기대했던 것들을 구두로 보고하는 내용들을 기록했다.[25,27,32] 이 평가회의들은 오랜 시간 진행될 필요는 없다. 10분에서 15분 정도면 임상실습 중 드러난 교육생들의 전문성 문제와 기타 세부 사항에 대해 논의하기 충분하다. 모든 수련프로그램은 교수자와 대면 평가회의를 참여하는 방식을 고려해야 한다. 모든 미국 전공의 수련과 임상강사 수련교육에서는 평가과정의 일환으로 임상역량위원회(clinical competency committee, CCC)가 있어야 한다. CCC는 일 년에 두 번 전공의와 임상강사들을 평가하고 피드백을 제공하기 위해 마일스톤을 활용하고, 개별 학습계획을 안내하여 학습에 어려움을 겪는 학습자들을 미리 파악하고 도움을 주고 있다.[46]

심리측정학 문제

총괄평정척도는 임상역량에 대한 유용한 정보를 제공하기 위해 충분한 신뢰도와 타당도가 확보되어야 한다. 뿐만 아니라, 채점에 사용되는 정보의 질과 정보수집 과정은 매우 중요하다. 이 절에서는 평가양식을 사용할 때 다루어야 할 몇 가지 심리측정학적 문제를 검토할 것이다. 오래되기는 했지만, 그레이(Gray)와 그의 동료들의 연구에서는 평정척도에서의 심리측정학 문제를 잘 다루었다.[5] 다음으로 주요 심리측정학 문제에 대해 간략히 살펴보도록 하자.

신뢰도

*신뢰도(reliability)*는 평가를 반복했을 때 측정의 일관성을 의미한다.[47] 일관성 있고 확증할 수 있는 채점 점수를 우리는 "진점수(true score)"또는 "신호(signal)"라고 한다. 나머지는 "오차점수"(error score)또는 "잡음(noise)"이라고 하는데, 물론 전자가 높을수록 더 좋거나 더 신뢰할 수 있는 평가방법이다. 신뢰도 추정치가 0.8보다 클 경우 신뢰도가 높다고 판단되기 때문에 고부담 의사결정에 도움이 된다. 채점자 간 점수의 일치도는 평정척도의 중요한 속성인데, 특히 두 명 이상의 평가자가 비슷한 시기에 사용할 경우 중요하다. 예전 연구결과들은 서로 상충된 결과를 보여주고 있다. 1990년대에 하버(Haber)와 애빈스(Avins)는[48] 채점자간 일치도 평균을 0.87로 보고했고, 톰프슨(Thompson)과 동료들은 별도의 내과 수련프로그램에 참석한 사람들의 평균 신뢰도 점수를 0.64로 보고했다.[49] 데이비스(Davis)와 동료들은 소아과 전공의들 간의 평가 일치도가 상당히 낮다는 것을 발견했다.[50] 일반 의학지식의 평가는 0.36으로 실망스러운 수치였지만 그나마 가장 높은 점수였고, 고참 의료진들 간의 평가점수의 일치도는 0.06로 보잘 것 없는 수치였다. 맥심(Maxim)과 디엘먼(Dielman)은 3학년과 4학년 의과대학생의 채점 연구에서 7점 척도의 13개 항목 중 평가자간 일치도의 신뢰도 계수가 0.14에서 0.31까지 다양하다는 것을 발견했다.[51] 그러나 이상의 연구에서는 교수자들에게 효과적인 평가전략이나 평가양식 사용에 대한 교육이 없었다. 뿐만 아니라, 이러한 평가양식들 대부분은 더 이상 도움이 안되고 시대착오적인 것으로 여겨지는 척도 앵커를 사용하여 구인정렬에도 거의 신경을 쓰지 않았다.

앞서 언급했듯이, 영국의 크로스리(Crossley)와 동료들은 미니임상평가연습(mini-CEX)에서 규범적 위임가능성 접근법(채점 범주의 예: *기초 의학교육과정 동안 기대 수준보다 평균 이하의 수준을 보여줌*)을 사용하여 척도의 각 수준에 대한 서술적 설명(예: *기본적인 상담기술만 시연하여 완벽한 병력청취나 신체진찰이 이루어지지 못함, 환자와의 대면에서 임상 판단력에 한계를 보여줌*)을 덧붙이자 전통적 mini-CEX보다 신뢰도가 훨씬 더 높아진 다는 것을 발견했다. 레크먼(Rekman)과 동료들은 종설연구와 논평에서 실제 학습자를 감독하는 평가자의 입장에서 척도 설명(예: 평가 척도 수준이 "나는 그것을 해야만 했다"에서부터 "내가 거기에 굳이 있을 필요가 없었다")을 해 놓을 경우 실질적인 예측과 더불어 더 나은 신뢰도를 보여준다는 것을 발견했다.[52] 위임가능성 척도가 발달/종합구인과 더 잘 일치하는 점도 있지만, 학습자와 함께 하는 교수자의 입장을 고려한 접근방식도 구인정렬에 도움이 된다. 바로 이런 연구결과가 전형적인 평정척도 재설계에 도움을 줄 수 있다. 신뢰도를 높이기 위한 가장 간단한 방법은 평가 횟수를 늘리는 것이다. 신뢰도는 재현 가능성을 측정하는 것이기 때문에 더 많이 하면 할수록 점수는 더 '안정'적이다(예: 평균의 '오차'가 줄어든다).

타당도

*타당도(validity)*는 우리가 측정하고자 하는 것을 측정했다는 확신이며,[10,53,54] 현대의 타당도 틀은 모든 타당도를 구인타당도로 간주하는데(2장 참조), 타당도를 평가도구가 지녀야 하는 속성으로 간주하는 것이 아니라 가용한 데이터에 대한 논의나 추론으로 본다. 일반적으로 타당도를 잘 사정하려면 최적표준이 필요한데(예: Kane이나 Messick 타당도 틀에서 다른 변수와의 상관관계), 불행히도, 전문직업성, 태도, 임상적 판단과 같이 우리가 중요하게 생각하는 분야에 대한 완벽한 최적표준이란 존재하지 않는다. 따라서 다양한 타당도를 구해야 한다. 하버(Haber)와 애빈스(Avins)은[48] 1994년 연구에서 ABIM 평가양식이 전공의와 교육프로그램 간에 나타나는 전 세계적 차이를 합리적으로 감지할 수 있음을 발견했다. 램지(Ramsey)와 동료들은[55] 진료의사들 간의 임상술기 평가도 ABIM 인증 여부와 높은 상관관계가 있음을 발견했다. 따라서 의료 환경에서 사용되는 여러 변수를 기반으로 한 평가양식에 대해서는 일부 타당도가 확보되어 있다.

다지선다형 시험의 수행은 평가양식의 상관연구를 위한 비교 변수로 오랫동안 사용되어 왔다. 예를 들어, 오래된 한 연구에 따르면 소아과 전공의의 의학지식 수준에 대한 교수자 평가는 수련 중 시험(in-training examination, ITE)에서 거둔 점수와 상관관계가 있는 것으로 나타났다.[56] 더 최근의 연구에서는 가정의학과 전공의의 응급상황 의학지식에 대한 교수자의 평균 채점 점수가 전공의의 ITE 수행과 약간의 상관관계를 보였다.[57] 반대로, 외과 전공의에 대한 연구는 미국외과전문의협회 전공의 수련중시험(American Board of Surgery ITE, ABSITE)과 12개 항목, 7점 척도로 이루어진 병동평가 평정양식 사이에 상관관계가 없음을 발견했다.[58] 또한 군의관 내과 전공의 수련프로그램에서는 교수자들이 전공의들과 긴밀히 협력 했음에도 불구하고 전공의는 ITE에서 자신의 수행 수준을 삼분위 기준으로도 예측할 수 없었다.[59]

따라서 일부 선행연구가 이루어졌음에도 불구하고 지식기반 시험의 활용은 지식 평가의 합리적인 참조 표준으로 작용할 수도 있고 그렇지 않을 수도 있다(7장 참조). 한편, 지식 이외에 전문직업성, 인문학적 소양, 신체진찰 기술과 같은 중요한 분야에 대한 관계 연구는 거의 이루어지지 않았다. 한 연구에서 전공의 책임지도전문의가 인턴을 대상으로 25개 문항 평정척도를 사용하였더니 인턴의 수행도가 적절한 상관관계가 있음을 발견하였다. 이 연구의 저자들은 평정척도의 다수의 변인을 차지하는 다섯 개의 요소를 찾아냈는데 이는 대인관계에서의 소통기술, 임상술기, 인구기반 의료, 기록유지 기술, 그리고 비판적 평가기술이었다.[60] 따라서 의과대학의 평정(rating)은 책임지 도전문의의 평정(rating)과 비교할 때 어느정도 타당도가 있을 수 있다. 내과 전공의에 관한 또 다른 연구에 따르면 졸업 시 전문직업성과 기타 역량에서의 낮은 점수는 실무에서 유해행동(adverse action)의 높은 교차비(odds ratio)와 상관이 있었지만, 유해행동의 절대 발생율은 여전히 낮았다.[61,62]

교수자의 채점 기준을 구성하기 위해 평가양식의 일부로 마일스톤 루브릭(rubric)을[4)] 사용하는 것이 점점 일반화되고 있지만, 개선되어야 할 여지는 아직 많이 남아 있다(1장 참조). 최근 소아과 전공의에 관한 연구에서는 마일스톤을 사용하면 전공의의 계층화가 개선됨을 확인하였다.[63] 비록 이 연구에서는 최적 표준 결과는 없었지만 수련이 거급될수록 전공의들의 성과가 나아진다는 사실이 입증되었다. 내과 수련프로그램에 대한 유사한 연구에서도 마찬가지로 황금표준의 타당성이 검증되지 않았지만 교수자가 마일스톤을 사용하여 전공의의 수준을 분리하는 것이 보다 용이해졌음을 밝혔다.[64] 국가 차원에서, 응급의학과 내과 전공의를 위한 마일스톤 사용에 관한 두 가지 선행 연구에서는 졸업후의학교육 과정에서 같은 연차의 전공의들과 선후배 간에 더 명확한 차이가 나타나 전국적으로 서술식 마일스톤 틀을 활용하는 것이 전공의들의 역량 차이를 더 잘 구별할 수 있음을 시사하였다.[65,66]

채점오류

학습자 수행에 대한 채점오류는 평정자들의 문제(평정자의 참조틀, 관찰한 내용의 기억, 그리고 평정자들의 기대나 기준)이거나, 측정 척도의 문제(구인정렬의 오류[앞글 참조] 또는 척도 문항에 대한 이해 부족)이거나, 또는 평가 맥락에서의 문제(교육생이나 환자의 관찰, 방해요소, 또는 행동과 같은 실제적인 측면)에서 발생할 수 있다. 평정척도의 대부분의 문제는 주로 교수자가 이를 어떻게 사용하는지에 기인하며, 반드시 척도 자체에 주요 결함이 있는 것은 아니다.

의학교육자들은 모든 유형의 수행성과 비평에 있어 앞서 언급된 것과 동일한 유형의 채점오류(rating error)를 범한다.

평정자 오류에는 두 가지 주요 범주가 있는데 이는 (1)분포오류와 (2)상관오류이다.[39] 두 가지 일반적인 분포오류는 범위제한과 관대성/엄격성 오류이다.

1. *범위제한(range restriction)*은 전체 범위의 척도를 사용하지 못하는 것이다. "중심경향"오차는 평정자가 척도의 중간 부분만을 사용하는 범위제한 오류의 하위 유형이다. 그러나 의학교육 환경에서 평정자는 대개 척도의 상단영역으로 표시를 제한한다(추후 내용 참조). 바티스톤(Battistone)과 동료들은 RIME 평가체계(관찰자-보고자-해석자-관리자-교육자)에 기초한 행동용어가 수치 등급으로 대체되었을 때 등급 곡선이 왼쪽으로(팽창에서 벗어나) 이동한다고 보고했다.[31]
2. *관대성/엄격성 오류(leniency/severity error)*는 교수자가 ("비둘기"처럼) 너무 관대하거나 ("매"처럼) 너무 엄격할 때에 나타나는 분포오류의 한 유형이다. 많은 사람들이 의학교육 현장에는 "매"가 거의 없다고 주장할 것이다.

상관오류:

진료수행의 각 차원에 대해 별도의 평정척도를 사용하는 분석 평가 틀에서 한 가지 목표는 임상역량의 특정영역에 대한 평가를 각각 독립적으로 산출하는 것이다. 예를 들어, 한 전공의는 어느 평가(예: 수련 중 시험[in-training examination, ITE])에서 표준 이하의 의학적 지식을 가진 것으로 평가될 수 있지만, 또다른 측면에서는 탁월한 인문학적 소양을 갖추고 있다고 볼 수 있는 것이다. 만약 이 전공의에 대한 수행평가가 제대로 이루어졌다면 인문학적 자질에 대해서는 높은 점수를 받아야 하고, 의학지식에 관한 평가에서는 낮은 점수를 받아야 한다. 그러나 불행하게도 대부분의 평정자는 학습자 역량의 서로 다른 차원을 잘 구별하지 못하며 평정척도의 제한된 범위 내에서 머무는 경향이 있다.

상관오류는 평가영역이 명확하게 구분된 것임에도 불구하고 평가분야와 상관 없이 평정자가 교육생의 수행에 대해 비슷한 평가를 하는 것이다.[66] 머피(Murphy)와 클리블랜드(Cleveland)는 상관오류에 대해 다음과 같이 말했다. "상관오류의 결과는 평가영역 간 상관관계의 인플레이션(팽창)이다."[39] 평가 인플레이션이 발생하면 그 결과는 흔히 *후광 오류(halo error)*라고 알려져 있다. 이는 모든 사람이 평균 이상의 결과를 보이 것으로 의학교육에서는 흔히 일어나는 현상이다. 평가현장에서 사용하는 평가양식에 응시자가 보여주어야 하는 모든 수행내용을 개요식으로 목록화하는 이유는 평가자가 서로 다른 평가영역을 혼동할 가능성을 최소화하기 위한 것인데, 여기에 주의가 필요하다. 평가양식이 길고 복잡해질수록, 평가양식 개발자의 의도와는 다르게 평가자는 양식을 사용하기 어렵게 되고 활용의지도 떨어질 수 있다. 따라서 평가양식의 영역, 채점 분야, 채점 문항 수를 늘리면 인지부하가 걸리기 때문에 후광 효과를 악화시킬 수 있다. 역량의 다양한 측면을 차별화하려는 우리의 의도에도 불구하고, 요인분석을 해보면 평가양식은 종종 두 가지 기본 항목인 인지와 비인지 문항으로 축소된다.

4) 역자 주. 학습자의 학습 결과물이나 성취 정도를 평가하기 위하여 사용하는 사전에 공유된 기준. 출처: 고려대 한국어대사전

지난 20년 동안의 연구들은 각 수행차원에 대해 많은 문항이 있는 평가양식에 구형의 평정척도(예: 질적척도)를 사용하는 평정자들이 학습자 수행의 특성을 잘 구별할 수 없었다는 사실을 반복적으로 보여주고 있다. Haber와 Avins과[48] Thompson 및 동료들이[49] 수행한 내과에서 이루어진 두 가지 연구는 역량이라는 개념이 나오기 이전에 진행된 것으로, 임상역량의 아홉 가지 평가영역을 평가양식으로는 명확히 구별하지 못한다는 사실을 요인분석을 통해 보고하였다. 채점과 관련한 오래된 연구에서는 두 가지 요소가 주요 변인으로 볼 수 있는데, 시술과 인지능력 그리고 대인관계 기술과 개인 특성이다. ACGME 역량 틀이 도입된 후에도 실버(Silber)와 동료들은 교수자들이 채점을 통해서는 여섯 가지 일반 역량을 구별할 수 없다는 사실을 발견했다.[67] 비록 전공의들 간 대부분의 차이는 두 가지 구인인 임상술기과 시술 능력에 의해 설명되었지만, 평가양식은 전반적인 신뢰도와 타당도를 보여주었다.[68] 임상실습 수행도 결과인 인턴쉽 평가에서도 대부분의 설명분산(exlplained variance)은 두 가지 요소-평가자가 목격한 전문지식/기술과 전문직업성-으로 축소되었다.

그러나 요인분석 연구를 해석하는 데는 몇 가지 주의사항이 필요하다. 첫째, 요인분석은 큰 상관 행렬을 사용하여 모아진 데이터를 가장 적은 수의 "요인"으로 줄이려는 통계적 기법이다. 둘째, 요인분석은 각 범주가 다른 범주와는 독립적이며 둘 이상의 요인 간의 관계가 선형적이라고 가정한다. 예를 들어, 하나 이상의 요인에 적재되는 항목은 일반적으로 최종 요인 모델에서 제거된다. 의학에서는 이를 비논리적으로 본다. 예를 들어, 탄탄한 의학지식 없이는 높은 수준의 병력청취와 신체진찰을 수행할 수 없으며(즉, 두 능력은 *상호의존적[interdependent]*이다), 대인관계와 의사소통 기술이 뛰어나지 않으면 전문성을 갖추기 어렵다. 역량은 앞서 설명한 바와 같이 평가와 판단을 안내하는 틀 역할을 하는 것이 중요하다. 또한, 교수자가 역량 범주를 구별할 수 있는지를 결정하기 위해 사용하는 요인분석은 채점 평가 간의 작은 차이를 발견하지 못할 수 있다.[69] 비록 앞서 열거한 이유로 교수자들이 평가에서 역량 간의 차이를 보지 못할지라도, 여전히 환자 치료에 무엇이 중요한지를 알리는 데 도움을 준다. 게다가, 일부 새로운 역량은 교수자들이 이해하고 수업에 적용하려면 쉽지 않은 내용일 수 있다. 특히 미국에서는 진료바탕학습과 개선, 그리고 시스템바탕 진료 역량에 적용된다. 만약 자신이 판단하는 것을 이해하지 못한다면, 자신에게 편안한 다른 유사한 구성요소를 사용하여 해당 역량을 평가할 가능성이 더 높으며, 이는 평가자 오류를 범하기 쉽다. 마지막으로, 연구에서 사용된 요인분석에 대한 일부 방법은 수련프로그램 내에서 설명되거나 융화되지 못한다는 점도 있다(즉, 전공의는 수련프로그램의 내포 요인이다).

후광 효과와 같은 상관 오류의 다른 이유는 무엇일까? 첫째, 평가자는 특정 역량에 대해 평가를 내릴 때 전반적인 인상(즉, "형태[gestalt][5)]")에 더 의존할 수 있다. 두번째, 우리 모두가 인정하는 한 가지 사실은 많은 교수자가 어떤 역량에 대해서도 낮은 평가를 내리려하지 않는다는 것이다. 이는 종종 "우수 교수 증후군"으로 불리기도 한다. 후광 오류의 또다른 원인으로는 확증 바이어스(bias)("내가 그렇게 할 것이기 때문에 옳아야 한다")와, 교육생에 대한 불일치하거나 일관성이 없는 정보나 관찰을 무시하는 것, 그리고 매우 흔히 볼 수 있는 충분한 관찰이나 성과에 대한 정보가 부족한 상황 등이 있다.[66,70] 글상자 3.3는 후광 오류의 원인들을 제시한 것이다.

• 글상자 3.3 후광 오류의 가능한 원인

1. 전반적인 인상이 역량의 모든 측면을 평가하는 데 영향을 미치는 경우
2. 서로 다른 영역의 역량은 상이하게 평가할 수 없거나 하려고 하지 않는 경우
3. 부정적인 평가는 하지 않으려는 경향
4. 교육생 수행에 대한 불충분한 관찰이나 정보
5. 확증바이어스
6. 상충되거나 불일치하는 정보와 관찰
7. 교육생과의 친밀 정도("친근성 바이어스")
8. 역량에 대한 개인적 익숙함과 수행도 수준
9. 역량의 각 영역이 상호의존적일 경우

평정자 정확도

또 다른 문제는 *평정자 정확도(rater accuracy)*이다. 평가는 실제 성과와 얼마나 잘 일치할까? 정확도 측정에는 두 가지 유형이 있다. 첫째는 행동에 기초한 방법이다. 이러한 유형의 조치들은 해당 행동이 발생했는지 여부에 특별히 초점을 맞춘다. 체크리스트는 행동바탕 측정을 위한 평가양식에 사용되는 일반적인 유형의 "평정척도"이다. 이 체크리스트들은 특히 표준화환자와 같은 구조화되고 통제된 평가에 유용하다. 정의상, 체크리스트는 더 구체적인 행동을 목표로 하기 때문에 때로는 매우 세분화된 수준에서 덜 "총괄적"이고 더 개별적인 경향이 있다. 행동바탕 평정척도는 종적 평가에 사용되는 데 제한적이다. 이는 주로 매우 구체적이고 세분화된 행동이나 사건만이 양식에 명시될 수 있기 때문이다. 체크리스트는 다른 평가양식과 마찬가지로 너무 많은 교수자가 필요하고 너무 많은 인지 부하를 창출할 수 있다. 교수자에게 짧은 시간 동안 채점(판단) 등급을 매기라고 요구하는 항목이 많을수록 인지 부하가 커지기 때문에 효과적인 평가가 점점 힘들어진다. 한 예로, 번(Byrne)과 동료들은 OSCE 스테이션에 대한 21개 항목 체크리스트를 작성하는 것

5) 역자 주. Gestalt(게슈탈트)는 부분이 모여서 된 전체가 아니라, 완전한 구조와 전체성을 지닌 통합된 전체로서의 형상과 상태를 말한다. 자신의 욕구나 감정을 하나의 의미 있는 전체로 조직화하여 지각한 것이다. 출처: 표준국어대사전.

과 일상적인 수술상황에서 마취를 유도하는 것 사이의 인지 부하를 비교했다.[71] 평가양식에도 같은 원리가 적용된다. 보다 간단한 통합 RIME 틀을 활용하면 보고하기, 해석하기, 관리하기 및 교육하기와 표준화환자에 대한 개별 교육생들의 처치에서 관찰된 행동의 관찰을 분류하고 문서화할 수 있다.

다른 유형의 정확성은 판단적 측정을 포함한다. 이름에서 알 수 있듯이 평정자는 평가를 내릴 때 판단을 적용해야 한다. 판단의 정확성은 종단 교육경험에 사용되는 평정척도와 평가양식에 특히 중요하다. 판단정확도 측정에는 교육생이 일정 수행수준을 보여주는 것(준거 정확도), 교육생들 간의 구별 정확도(차이 또는 규범 정확도), 특정 성과 또는 역량차원을 구별하는 정확도(정형 정확도) 등 여러 가지 유형이 있다. 의학교육 평가에서는 다양한 수준의 역량에서 핵심 행동을 정의하는 것이 더 나은 판단을 용이하게 하기 때문에 정확성 측정이 중요하다.

또 다른 주의사항은 신뢰(또는 위임가능성)의 개념이 너무 복잡해서 등급을 낮추지 못할 수도 있다는 점이다.[72] 진저리치(Gingerich)와 동료들은 전공의의 수행성과에 대한 평가를 연구하면서 유사한 사회적 판단을 하는 의사들의 하위 집단끼리 더 비슷한 평가를 내리는 경향을 보고하였다.[73] 또한 수치 척도는 명목적 기술범주(예: RIME 체계)에서 피할 수 있는 다양한 요인(교수자 자신의 능력, 특이점 등)에 기초한 해석이 필요하기 때문에 오류를 일으킬 수 있다.[74] 교육생 평가에서 평가자 간 일관성을 극대화하기 위해, 교육생 평가에 사용되는 채점양식이 평가자에게서 기존 지식구조, 즉 평가자의 기대를 형성하는 "스키마(schema)"를[6)] 일관성 있게 개발하려고 노력하고 명목적, 서술적, 발달적, 종합적 용어를 고려하는 것이 좋다.

교수개발은 교수자간 공통주제를 공유하고 설명하는 데 중요한 과정이며, 특히 교수자들이 채점한 평가내용에 대한 피드백을 주는 데 필요한 과정이다. 특히 특이점을 더 많이 가진 평정자에게는 참조틀 훈련이 평정자의 정확성을 향상시킬 수 있다는 연구결과들이 있다.[76,77] 따라서 공식적인 평가회의를 하거나 임상실습 책임자와 임상교육자들과 함께 정기적인 회의를 갖는다면 의도한 스키마가 잘 활용되고 있는지 확인할 수 있고 평정자의 편차를 완화시키면서 교수자의 채점 평가를 개선할 수 있다.

교수개발과 평가양식

평가양식에 대한 정보의 질은 대부분 양식 자체가 아니라 양식을 완성하는 개인에 달려 있다. 보다시피, 이 주제는 이 책 전반에 걸친 일관된 주제이다. 의학교육자들은 너무 오랫동안 평가양식의 성배를 찾고 있었다. 랜디(Landy)와 파르(Farr)는 35년 전 이 "탐구"에 대해 유예를 요구하면서 평정자 훈련에 중점을 두어야 한다고 주장했다.[38] 앞서 언급했듯이 관찰 카드와 같은 교수개발에 대한 간단한 접근 방식도 평가양식에 대한 정보의 질을 조금 향상시킬 수 있다. 학습자의 집단 검토(예: 임상역량위원회)에서 짧은 교수개발 시간을 포함시키는 것은 또 다른 효과적이고 효율적인 접근법이다. 토마스(Thomas)와 동료들은 회진이 끝날 때 학습자들이 교수자과 짧은 집단 토의를 하면 신뢰도가 향상될 수 있다는 사실을 발견했다.[78] 그러나 평가양식의 잠재력을 충분히 실현하려면 조금 더 구조화된 교수자 훈련이 필요하다. 교수개발을 위한 추가 제안과 지침은 4장에 제시되어 있다.

이 장 전반에 걸쳐 평가과정에 도움을 주는 평가 틀의 중요성을 강조하였다. 이는 교수자를 모두 '같은 페이지'에 올려놓기 위한 중요한 첫 번째 단계다. 선행연구에서는 3단계 과정의 특성 훈련을 통해 채점자간 일치도를 향상시킬 수 있음을 밝혔다.

1. 관심이 있는 행동의 관찰을 표준화한다.
2. 대화와 문답을 통해 원하는 수행목표를 어떻게 명명할 것인지 공동 합의에 도달한다.
3. 평가되고 있는 행동의 여러가지 요소들에 대한 상대적 중요성에 동의한다.

이 과정에서 1단계와 2단계를 수행 차원 훈련(Performance Dimension Training, PDT)이라고 한다. PDT는 평가자에게 각 수준의 수행에 대하여 기대하는 수행기준을 제공한다. 많은 사람들은 수행차원 기준에 대한 합의가 졸업후 의학교육에서 부족하다고 주장해 왔다. 3단계는 참조틀 훈련(Frame-of-Reference Training, FORT)으로 알려져 있다. 이러한 기법들은 RIME 틀 사용을 위한 교수개발에 적용되었다.

수행 차원 훈련과 RIME

미국군의관의과대학(Uniformed Services University of the Health Sciences, USUHS)은 내과실습 의과대학생 평가의 일환으로 PDT와 FORT를 통합했다. 평정자는 서술식 평가를 수집하는 임상실습 책임자와 함께 평가 회의에 참여한다. 임상실습 책임자는 이러한 평가 회의를 통해 각 등급별 예상 성과 수준과 학생 성적을 평정척도 양식에 기록하는 방법에 대해 개인지도교수(preceptor)를 교육할 수 있다. 평가시스템은 학생들의 여러가지 역량을 전체 수행도 수준에 통합함으로써 한 단계 더 나아간다. 각 수행수준에 대한 목표는 기대하는 수행 내용에 대한 설명과 함께 세부 수행성과 영역으로 구분된다. "보고자" 역량은 의과대학 교육과정의 첫 해(부록 3.2 참조)에 도입되기 때문에 보고자의 역량에 능숙해진 다음, 관찰된 내용을 점수화하여 보다 책임있는 다음 단계의 등급으로 진급시키는 것은 합리적이고 당연한 과정이다.

6) 역자 주. Schema(스키마)는 외부의 환경에 적응하도록 환경을 조작하는 감각적 · 행동적 · 인지적 지식과 기술을 통틀어 이르는 말로 '도식'이라고도 한다. 출처: 국립국어원 표준국어대사전.

보고자(통과)
해석자(우수 수준)
관리자/교육자(최우수 수준)

부록에는 모형에 대한 보다 포괄적인 설명과 USUHS에서 사용되는 수행 행렬표 사본이 제시되어 있다. 설명과 기준은 "받아들일만한"(학생 수준)과 "정확한"(전공의 수준) 수준을 구분할 필요가 없기 때문에 학생보다 전공의에게 더 적합하다.

또한 머피(Murphy)와 클리블랜드(Cleveland)는 평정척도 사용에 관한 수행 비평 훈련에 대해 다음과 같은 몇 가지 중요한 점을 지적하였다.[39]

1. 행동 측면에서 수행차원을 정의하고 이 용어를 전공의와 교수자에게 전달해야 한다. 실제 평가과정이 시작되기 전, 임상실습 초기에 빈 평가양식을 활용하여 교육목표와 기대하는 점들을 논의하면 도움이 될 수 있다.
2. 수련프로그램이 *수행도(performance)*에 근거하여 전공의들 간의 수준을 구별하고, 평정자는 그들이 채점하는 것과 특정 학습성과 간의 강한 연관성을 인식하며 학습성과가 *현재(present)* 보여지는 수행에 기초한다고 믿는다면, 평정은 실제 평정자의 판단과 일치할 가능성이 더 높다.
3. 평정자가 평가양식을 통해 소통을 잘 하려면 평정자의 목표와 맥락적 요소 즉, 교수자와 개별 전공의 간의 관계와 현재 평가 목표를 어떻게 인식하느냐에 크게 달라진다. 따라서 평정자는 전공의에게 직접 목표를 전달해야 하며 평정자는 평가 맥락에 영향을 미치는 내적 및 외적 환경 요인을 모두 인식해야 한다. 4장에서는 PDT와 FORT 교수개발 실습을 위한 세부사항과 제안점을 기술하였다.

결론

교육프로그램 책임자들은 행동 용어로 잘 표현되고 구인정렬이 잘 된 평가양식이라 하더라도 교수개발 없이 교수자들이 같은 평가목표와 이해를 가질 것이라고 가정해서는 안 된다. 평가양식은 "사용자에게 친숙"하고, 지나치지 않으며, 유연하고, 유용한 평가 틀에 기초하고, 가급적 발달적이거나 종합적인 특성 등의 바람직한 특성을 지녀야 한다. 관찰한 내용과 단어를 수치로 바꾸는 데 마법의 공식 같은 것은 없다. 수량 척도는 정량화를 통한 "코딩"의 한 형태일 뿐이며, 분석하는 데에 더 효율적일 수 있지만 학습자의 수행과 개발에 대한 중요한 정보를 난독화하거나 가릴 수 있다. 또한 효율성과 정량화가 반드시 더 좋거나 더 타당한 평가라 할 수 없다.

잘 이해되지 않거나 정교하지 않은 양식은 인지부하가 걸릴 수 있으므로 추가 교수개발이나 훈련을 통해야만 조금 해결될 수 있다. 교수자가 평정척도와 교육적 틀을 수용해야만 지속적인 활용이 가능하다. 그러나 교수자들에게는 어느정도 정서적 장벽이 존재한다. 심각한 질병을 다룰 때는 절대 그렇게 하지 않겠지만, 교수자들은 종종 자신의 관찰을 반영하여 진단을 내리기보다는 학생이나 전공의에게 성적을 "주는" 사람으로 평가 결과를 표현하고 보는 경우가 많다. 따라서 교수자는 "주관적-객관적" 구분으로 자신의 판단이 오염되었다고 생각하고, 학습자의 역량을 부적절하게 평가할 수도 있다는 직관적, 임상적 두려움 때문에 등급을 "주는" 것에 정서적 어려움을 겪는다. 교수자는 환자를 다루는 교육생의 각 관찰을 단순한 평가가 아니라 명확하지 않고 불완전한 데이터를 토대로 채점하는 것으로 여길 수 있다.

신뢰도, 타당도 그리고 서로 다른 임상역량의 측면이나, 특히 인문학적 소양, 태도, 전문성 및 판단력과 같은 "부드러운 영역"을 구별할 수 있는 교수자의 능력에 관한 의문은 여전히 남아 있다. 만병통치약은 아니지만, 선행연구에서 평정자 훈련(채점자 훈련)을 실시할 경우, 평정척도 사용을 개선하는 데 도움이 될 수 있다는 것을 보여주었다. 졸업후의학교육에서 평정자 교육에 대한 최적의 접근방식은 더 논의 되어야 하지만, 이 장에서 논의된 일반적인 원칙은 어느 교육기관에서든지 시작점으로 활용하기에 훌륭하다.

참고문헌

1. Turnbull J, van Barnveld C. Assessment of clinical performance: in-training evaluation. In: Norman GR, van der Vleuten CPM, Newble DI, eds. *International Handbook of Research in Medical Education. Dordrecht*. Netherlands: Kluwer Academic; 2002.
2. Lockyer J. Multisource feedback in the assessment of physician competencies. *J Contin Educ Health Prof.* 2003;23(1):4-12.
3. Striener DL. Global Rating Scales. In: Neufeld VR, Norman GR, eds. *Assessing Clinical Competence*. New York: Springer; 1985.
4. Devellis RF. *Scale Development: Theory and Applications*. Newbury Park: Sage Publications; 1991.
5. Gray JD. Global rating scales in residency education. *Acad Med.* 1996;71(suppl 1):S55-S63.
6. Crossley J, Johnson G, Booth J, Wade W. Good questions, good answers: construct alignment improves the performance of workplace-based assessment scales. *Med Educ.* 2011;45(6):560-569.
7. Pangaro L. A new vocabulary and other innovations for improving the descriptive evaluation of students. *Acad Med.* 1999;74:1203-1207.
8. Wennberg JE. Unwarranted variations in healthcare delivery: implications for academic medical centers. *BMJ.* 2002;325(7370):961-964.
9. Jamieson T, Hemmer P, Pangaro L. Legal aspects of failing grades. In: Fincher RME, ed. *Guidebook For Clerkship Directors.* 3rd ed. Alliance for Clinical Education; 2005.
10. Artino Jr AR, Gehlbach H. AM last page. Avoiding four visual-design pitfalls in survey development. *Acad Med.* 2012;87(10):1452.
11. Bloom BS. *Taxonomy of Educational Objectives, Handbook I, Cognitive Domain.* New York: Longman; 1956.
12. Krathwohl DR. A revision of Bloom's taxonomy: an overview. *Theory Pract.* 2002;41(4):212-218.
13. Dreyfus SE, Dreyfus HL. *Mind Over Machine.* New York: Free Press, Macmillan; 1986:16-51.

14. Carraccio CL, Benson BJ, Nixon LJ, Derstine PL. From the educational bench to the clinical bedside: translating the Dreyfus developmental model to the learning of clinical skills. *Acad Med.* 2008;83(8):761-767.
15. Pangaro L. A primer of evaluation terminology: definitions and important distinctions in evaluation. In: Pangaro LN, McGaghie WC, eds. *Handbook on Medical Student Evaluation and Assessment.* North Syracuse, NY: Gegensatz Press; 2015:13-26.
16. Holmboe ES, Edgar L, Hamstra S. *The Milestones Guidebook.* Chicago: Accreditation Council for Graduate Medical Education (ACGME); 2016. Available at http://www.acgme.org/What-We-Do/Accreditation/Milestones/Overview.
17. Nasca TJ, Philibert I, Brigham T, Flynn TC. The next GME accreditation system—rationale and benefits. *N Engl J Med.* 2012;366(11):1051-1056.
18. Pangaro L. Investing in descriptive evaluation: a vision for the future of assessment. *Med Teach.* 2000;22(5):478-481.
19. Association of American Medical Colleges (AAMC). *Core Entrustable Professional Activities for Entering Residency, Curriculum Development Guide.* Association of American Medical Colleges; 2014.
20. Rodriguez RG, Pangaro LN. AM last page: Mapping the ACGME competencies to the RIME framework. *Acad Med.* 2012;87(12):1781.
21. Williams RG, Klamen DA, McGaghie WC. Cognitive, social and environmental sources of bias in clinical performance ratings. *Teach Learn Med.* 2003;15(4):270-292.
22. Roop S, Pangaro L. Effect of clinical teaching on student performance during a medicine clerkship. *Am J Med.* 2001;110(3): 205-209.
23. Lavin B, Pangaro L. Internship ratings as a validity outcome measure for an evaluation system to identify inadequate clerkship performance. *Acad Med.* 1998;73:998-1002.
24. Hemann BA, Durning SJ, Kelly WF, et al. The association of students requiring remediation in the internal medicine clerkship with poor performance during internship. *Mil Med.* 2015;180(suppl 4):47-53.
25. Durning S, Pangaro L, Denton GD, et al. Inter-site consistency as a standard of programmatic evaluation in a clerkship with multiple, geographically separated sites. *Acad Med.* 2003;78:S36-S38.
26. Noel G. A system for evaluating and counseling marginal students during clinical clerkships. *J Med Educ.* 1987;62:353-355.
27. Hemmer PA, Pangaro L. Using formal evaluation sessions for case-based faculty development during clinical clerkships. *Acad Med.* 2000;75:1216-1221.
28. Epstein RM, Hundert EM. Defining and assessing professional competence. *JAMA.* 2002;287(2):226-235.
29. Hemmer P, Hawkins R, Jackson J, Pangaro L. Assessing how well three evaluation methods detect deficiencies in medical students' professionalism in two settings of an internal medicine clerkship. *Acad Med.* 2000;75:167-173.
30. Battistone MJ, Pendleton B, Milne C, et al. Global descriptive evaluations are more responsive than global numeric ratings in detecting students' progress during the inpatient portion of an internal medicine clerkship. *Acad Med.* 2001;76(suppl 10): S105-S107.
31. Battistone MJ, Milne C, Sande MA, et al. The feasibility and acceptability of implementing formal evaluation sessions and using descriptive vocabulary to assess student performance on a clinical clerkship. *Teach Learn Med.* 2002;14(1):5-10.
32. Ogburn T, Espey E. The R-I-M-E method for evaluation of medical students on an obstetrics and gynecology clerkship. *Am J Obstet Gynecol.* 2003;189(3):666-669.
33. Hemmer P, Hawkins R, Jackson J, Pangaro L. Assessing how well three evaluation methods detect deficiencies in medical students' professionalism in two settings of an internal medicine clerkship. *Acad Med.* 2000;75:167-173.
34. Hemmer P, Pangaro LN. The effectiveness of formal evaluation sessions during clinical clerkships in better identifying students with marginal funds of knowledge. *Acad Med.* 1997;72: 641-643.
35. Pangaro L, ten Cate O. Frameworks for learner assessment in medicine: AMEE Guide No. 78. *Med Teach.* 2013; 35(6):e1197-e1210.
36. Warm EJ, Mathis BR, Held JD, et al. Entrustment and mapping of observable practice activities for resident assessment. *J Gen Intern Med.* 2014;29(8):1177-1182.
37. Nabors C, Peterson SJ, Forman L, et al. Operationalizing the internal medicine milestones-an early status report. *J Grad Med Educ.* 2013;5(1):130-137.
38. Landy FJ, Farr JL. Performance rating. *Psychol Bull.* 1980;87: 72-107.
39. Murphy KR, Cleveland JN. *Understanding Performance Appraisal.* London: Sage Publications; 1995.
40. Hauenstein NMA. Training raters to increase the accuracy of appraisals and the usefulness of feedback. In: Smither JW, ed. *Performance Appraisal.* San Francisco: Jossey Bass; 1998.
41. Rodriguez RG, Hemmer PA. Descriptive evaluations and clinical performance evaluations in the workplace. In: Pangaro LN, McGaghie WC, eds. *Handbook on Medical Student Evaluation and Assessment.* New Syracuse, NY: Gegensatz Press; 2015: 77-96.
42. Nasca TJ, Philibert I, Brigham T, Flynn TC. The next GME accreditation system-rationale and benefits. *N Engl J Med.* 2012;366(11):1051-1056.
43. Holmboe ES, Fiebach NH, Galaty LA, Huot S. Effectiveness of a focused educational intervention on resident evaluations from faculty a randomized controlled trial. *J Gen Intern Med.* 2001;16(7):427-434.
44. George BC, Teitelbaum EN, Meyerson SL, et al. Reliability, validity, and feasibility of the Zwisch scale for the assessment of intraoperative performance. *J Surg Educ.* 2014;71(6):e90-e96.
45. Norman GR, Van der Vleuten CP, De Graaff E. Pitfalls in the pursuit of objectivity: issues of validity, efficiency and acceptability. *Med Educ.* 1991;25(2):119-126.
46. Andolsek K, Padmore J, Hauer KE, Holmboe ES. *Clinical Competency Committees: A Guidebook for Programs.* Chicago: ACGME; 2015. Available at www.acgme.org.
47. Downing SM. Reliability: on the reproducibility of assessment data. *Med Educ.* 2004;38(9):1006-1012.
48. Haber RJ, Avins AL. Do ratings on the American Board of Internal Medicine Resident Evaluation Form detect differences in clinical competence? *J Gen Intern Med.* 1994;9(3):140-145.
49. Thompson WG, Lipkin Jr M, Gilbert DA, et al. Evaluating evaluation: assessment of the American Board of Internal Medicine Resident Evaluation Form. *J Gen Intern Med.* 1990;5(3):214-217.
50. Davis JK, Inamdar S, Stone RK. Interrater agreement and predictive validity of faculty ratings of pediatric residents. *J Med Educ.* 1986;61:901-905.
51. Maxim BR, Dielman TE. Dimensionality, internal consistency and interrater reliability of clinical performance ratings. *Med Educ.* 1987;21(2):130-137.
52. Rekman J, Gofton W, Dudek N, et al. Entrustability scales: outlining their usefulness for competency-based clinical assessment. *Acad Med.* 2016;91(2):186-190.

53. Downing SM. Validity: on meaningful interpretation of assessment data. *Med Educ*. 2003;37(9):830-837.
54. Downing SM, Haladyna TM. Validity threats: overcoming interference with proposed interpretations of assessment data. *Med Educ*. 2004;38(3):327-333.
55. Ramsey PG, Carline JD, Inui TS, et al. Predictive validity of certification by the American Board of Internal Medicine. *Ann Intern Med*. 1989;110:719-726.
56. Davis JK, Inamdar S, Stone RK. Interrater agreement and predictive validity of faculty ratings of pediatric residents. *J Med Educ*. 1986;61:901-905.
57. Post RE, Jamena GP, Gamble JD. Using Precept-Assist® to predict performance on the American Board of Family Medicine In-Training Examination. *Fam Med*. 2014;46(8):603-607.
58. Schwartz RW, Donnelly MB, Sloan DA, et al. The relationship between faculty ward evaluations, OSCE and ABSITE as measures of surgical intern performance. *Am J Surg*. 1995;169:414-417.
59. Hawkins RE, Sumption KF, Gaglione M, Holmboe ES. The In-training Examination (ITE) in internal medicine: resident perceptions and correlation between resident ITE scores and faculty predictions of resident performance. *Am J Med*. 1999;106:206-210.
60. Paolo AM, Bonaminio GA. Measuring outcomes of undergraduate medical education: residency directors' ratings of first year residents. *Acad Med*. 2003;78:90-95.
61. Papadakis MA, Teherani A, Banach MA, et al. Disciplinary action by medical boards and prior behavior in medical school. *N Engl J Med*. 2005;353(25):2673-2682.
62. Papadakis MA, Arnold GK, Blank LL, et al. Performance during internal medicine residency training and subsequent disciplinary action by state licensing boards. *Ann Intern Med*. 2008;148(11):869-876.
63. Bartlett KW, Whicker SA, Bookman J, et al. Milestone-based assessments are superior to likert-type assessments in illustrating trainee progression. *J Grad Med Educ*. 2015;7(1):75-80.
64. Friedman KA, Balwan S, Cacace F, et al. Impact on house staff evaluation scores when changing from a Dreyfus- to a Milestone-based evaluation model: one internal medicine residency program's findings. *Med Educ Online*. 2014;19:25185.
65. Hauer KE, Clauser J, Lipner RS, et al. The internal medicine reporting milestones: cross-sectional description of initial implementation in U.S. residency programs. *Ann Intern Med*. 2016;165(5):356-362.
66. Beeson M, Holmboe E, Korte R, et al. Initial validity analysis of the emergency medicine milestones. *Acad Emerg Med*. 2015;22(7):838-844.
67. Silber CG, Nasca TJ, Paskin DL, et al. Do global rating forms enable program directors to assess the ACGME competencies? *Acad Med*. 2004;79(6):549-556.
68. Durning SJ, Pangaro LN, Lawrence LL, et al. The feasibility, reliability, and validity of a program director's (supervisor's) evaluation form for medical school graduates. *Acad Med*. 2005;80(10):964-968.
69. Feinstein A. *Principles of Medical Statistics*. Boca Raton, FL: Chapman and Hall/CRC; 2002.
70. Holmboe ES. The importance of faculty observation of trainees' clinical skills. *Acad Med*. 2004;79:16-22.
71. Byrne A, Tweed N, Halligan C. A pilot study of the mental workload of OSCE examiners. *Med Educ*. 2014;48:262-267.
72. Gingerich A. What if the "trust" in entrustable were a social judgement? *Med Educ*. 2015;49(8):750-752.
73. Gingerich A, Regehr G, Eva KW. Rater-based assessments as social judgments: rethinking the etiology of rater errors. *Acad Med*. 2011;86(suppl 10):S1-S7.
74. Gingerich A, Kogan J, Yeates P, et al. Seeing the "black box" differently: assessor cognition from three research perspectives. *Med Educ*. 2014;48(11):1055-1068.
75. Govaerts MJB, Van de Wiel MWJ, Schuwirth LWT, et al. Workplace-based assessment: raters' performance theories and constructs. *Adv Health Sci Educ*. 2013;18:375-396.
76. Uggerslev KL, Sulsky LM. Using frame-of-reference training to understand the implications of rater idiosyncrasy for rating accuracy. *J Appl Psychol*. 2008;93(3):711-719.
77. Kogan JR, Conforti LN, Bernabeo E, et al. How faculty experience workplace based assessment rater training: a qualitative study. *Med Educ*. 2015;49(7):692-708.
78. Thomas MR, Beckman TJ, Mauck KF, et al. Group assessments of resident physicians improve reliability and decrease halo error. *J Gen Intern Med*. 2011;26(7):759-764.
79. Pangaro LN. A new vocabulary and other innovations for improving the descriptive evaluation of students. *Acad Med*. 1999;74(11):1203-1207.

부록 3.1

RIME 평가 틀: 전문성 발달과정 용어

우리는 보고자, 해석자, 관리자, 교육자(RIME)의 발달 진행 과정을 이용하여 전공의들의 수행 목표를 기술하였다. 이 틀은 학습자의 발전적 접근을 강조하기 때문에 기본적 기대치와 발전된 기대치를 구분한다. 각 단계는 술기, 지식 및 태도의 통합을 나타내며 - 전문가 역량의 최종 "공통 경로" - 학습자에 대한 *최소한(minimal)*의 기대목표를 설정하는 데 유용하다. 학습자의 단계별 발달과정 기술에서 기초 단계의 서술은 비교적 명백하다. 교육생은 복잡한 문제에 대해서는 "보고자" 수준에서, 더 일반적인 문제에 대해서는 보고자 수준보다 더 높은 수준의 역할을 수행할 수도 있을 것이다. RIME은 단일 환자 면담이나 전반적인 일관성 수준까지 적용할 수 있는 틀이다.

보고자(Reporter)

학습자는 환자의 임상적 정보를 정확하게 수집하고 명확하게 전달할 수 있으며, "무엇"에 대한 질문에 대답할 수 있다. 이 단계의 숙련도는 병력청취 및 신체진찰을 할 수 있는 기본적인 술기와 무엇을 찾아야 하는지 알고 있는 기본적인 지식을 필요로 한다. 이 단계는 예를 들어, 항상 시간을 지키고 환자의 검사결과를 추적하는 일상적인 성실함을 강조한다. 또한 이 단계에서 요구하는 것은 정상과 비정상을 구별하고, 새로운 문제를 식별할 수 있는 자신감이다. 보고자 수준은 책임감을 갖고 환자를 직접 대할 때 일관적인 "임상" 술기 능력을 보여주어야 한다. 이러한 수준의 술기는 임상실습 학년 전에 미리 학생들에게 교육되지만, 3학년이 되면 반드시 "통과" 수준으로 숙달되어야 한다. 이 수준은 인턴이라면 반드시 갖추어야 할 협상 불가능한 기대치이다.

해석자(Interpreter)

"보고자"에서 "해석자"로의 전환은 3학년으로 성장하는 필수적인 단계로, 종종 가장 어려운 단계로 보기도 한다. 기본적인 수준에서는 파악한 문제들 중에서 우선순위를 정해야 한다. 문제와 관련한 긍정적인 면과 부정적인 면을 파악하고 진단 추론의 요점을 파악하는 것은 "보고" 과정을 명백히 보여준다. 문제를 목록화 하는 것은 단순한 증상 발견의 반복이 아니라 증후군을 발견하는 것이다. 그 다음 단계는 확실한 감별 진단을 제공하는 것이다. 공개 포럼은 초보자에게 두려운 시간이고 3학년 학생 수준에서는 항상 "정답"을 기대할 수 없기 때문에, 이 단계에서 성공적인 수준이라 함은 새로운 문제에 대하여 적어도 세 가지 합리적인 진단 가능성을 제공하고 자신의 임상추론 과정에 대한 공식적 책임을 지는 것이다. 후속으로 진행되는 시험은 정보를 (특히 임상 환경에서) "해석"할 수 있는 또 다른 기회를 제공한다. 이 단계에서는 진단을 지원하는 임상 결과를 명시하고 특정 환자에게 검사결과를 적용하는 데 있어 더 높은 수준의 지식과 술기가 필요하다. 보고자에서 해석자로의 이행 하려면 학습자는 "방관자"로부터 환자진료에 적극적으로 참여하는 능동성을 보여주어야 하며, 해머(Hemmer)가 말하는 "왜?"라는 질문에 대답할 수 있어야 한다. 인턴들은 "해석"까지 할 수 있어야 하지만, 특이한 문제에 대해서는 지식의 한계를 느낄 수 있다.

관리자(Manager)

환자진료를 위해 필요한 조치를 취할 수 있는 관리자가 되려면 더 많은 지식과 자신감과 판단력이 필요하다. 또한 "어떻게?"란 물음에 대한 답변을 하기 위해서는 여러가지 선택 가운데 적절한 선택을 할 줄도 알아야 한다. 그러나 초보자에게 모든 상황에서 "올바른" 선택을 내리기를 요구할 수 없으므로, 이 단계에서는 학생들에게 진단 및 치료 계획에 있어 적어도 세 가지 합리적인 선택을 제시하도록 하고, 자신의 임상적 판단에 대하여 책임을 갖도록 한다. 마무리 수련과정에 있는 인턴은 자신들이 대면하는 일상적인 문제를 관리할 수 있어야 한다. 상급년차 전공의는 이례적이고 복잡한 사례를 다룰 수 있어야 하고, 특정 진료 환경에 놓였을 때 모든 자원을 활용하는 데 능숙해야 한다. 이 단계에서 핵심요소는 특정 환자의 각 상황과 선호도를 아는 것 즉, 환자중심 진료를 하는 것인데 이는 대인관계 기술과 환자교

출처: Pangaro LN: A new vocabulary and other innovations for improving the descriptive evaluation of students. *Acad Med* 1999;74(11):1203-7의 내용 수정.

육 능력에 달려 있다.

교육자(Educator)

교육자는 관리자가 되는 것의 일부분이며 의사와 환자를 위한 학습 계획에 초점을 맞춘다. 앞선 단계의 성공여부는 자기주도적 학습과 기본적인 것을 얼마나 잘 숙달하느냐에 달려 있지만, RIME 체계에서 "교육자"가 된다는 것은 그 기본을 뛰어넘어 탐독하고, 타인과 새로운 학습을 공유하하는 것, 다시 말해서 자기평가와 개선 과정에 대한 책임감을 갖는 것이다. 어떤 임상진료가 기본적으로 제공되어야 하는지 그 확실한 근거를 찾기 위해 추진력과 시간관리 기술을 갖고 있고, 현재의 근거가 철저한 검토를 토대로 발견된 것인지 잘 아는 것은 상급년차 교육생들의 자질이다. 팀(그리고 심지어 임상교육자들도)을 교육하는 데 있어서 리더십을 공유하는 것은 성숙함과 자신감이 필요하다. 자신의 진료경험에서 체계적으로 배우고 "교육자"가 되는 것은 일반적으로 전공의들에게 기대되는 수준이다.

부록 3.2

RIME 틀과 일치하는 ACGME 하위 역량 – 교육 시 배치와 위임시기

기본의학교육(UME)에서 졸업후의학교육(GME)까지의 교육과정

전문성발달측면 RIME + ACGME 하위역량	임상실습 전	임상실습기간	임상실습 후	졸업후의학교육 1년차(PGY 1)	PGY 2–4
보고자	*I/R*	*P*			
IPCS1 환자와 환자가족과의 의사소통	I	R	P		
PC1 환자와 환자가족으로부터 정보수집이 가능함	I/R	P			
PBLI7 정보기술 활용		I/R	P		P*
IPCS1 효과적인 의사-환자관계	I	R	P		
IPCS2 효과적인 의사소통기술 활용	I	R	P	P*	
Pr1 존중, 열정, 이타심	I	R	P		
Pr5 문화, 연령, 성별, 장애여부에 민감함	I	R	P		

계속

기본의학교육(UME)에서 졸업후의학교육(GME)까지의 교육과정

전문성발달측면 RIME + ACGME 하위역량	임상실습 전	임상실습기간	임상실습 후	졸업후의학교육 1년차(PGY 1)	PGY 2-4
해석자		*I*	*R*	*P*	
MK1 분석적, 탐구적 접근	I		R	P	
MK2 적절한 과학을 알고 적용함	I	R	P		
MK2 정보 활용	I	R	P		
SBP1 의료시스템과 제공 간 상호작용을 인식함		I	R	P	
관리자			*I*	*R*	*P*
PC3 적절한 진단/치료계획		I	R		P
PC4 효율적 환자 관리			I	R	P
PC7 전문적 기술		I	R	P	P*
PC2 예방과 건강관리		I	R	P	
IPCS4 다른 HCPS와 협력		I	R	P	
IPCS3 효율적인 팀리더나 팀원으로 일함		I	R	R	P
Pr2 윤리적이고 적절한 의료		I	R	P	P*
SBP3 비용효과적인 의료		I	R	P	
SBP4 환자의 옹호자		I	R	P	
교육자	*I*		*R*		*P*
PBLI8 환자상담과 교육		I	R	R	P
PBLI1 진료바탕 개선체제 적용		I	R	R	P*
PBLI6 과학적 연구결과를 찾아내고 적용함		I	R	R	P
PBLI4 국내의 환자집단에 대한 정보 수집과 활용			I	R	P
PBLI6 임상연구 비평			I	R	P
PBLI8 교수자 역할에 참여함			I	R	P
SBP1 상이한 보건의료모델에 대한 인식		I	R	P	
SBP6 시스템의 질적 개선을 위한 능동적 참여			I	R	P

ACGME, Accreditation Council for Graduate Medical Education(미국졸업후교육인증위원회); GME, graduate medical education(졸업후의학교육); I, introduction in the curriculum(해당 교육과정의 개론 수준); P, proficiency sufficient for the next level of independence(다음 상위단계를 학습하기에 능숙함); P*, proficient in sophisticated, complex situations or procedures(복잡하고 정교한 상황이나 방법에 대해 능숙함); PGY, postgraduate year(졸업후 수련년차); R, repetition, practice(반복과 연습); RIME, reporter-interpreter-manager-educator(보고자-해석자-관리자-교육자); UME, undergraduate medical education(기본의학교육).
ACGME Competencies(역량): IPCS, interpersonal and communication skills(대인관계와 의사소통 기술); MK, medical knowledge(의학지식); PC, patient care(환자진료); PBLI, practice-based learning and improvement(진료바탕학습과 개선); Pr, professionalism(전문직업성); SBP, systems-based practice(시스템바탕 진료).

4

직접관찰

JENNIFER R. KOGAN, MD AND ERIC S. HOLMBOE, MD, MACP, FRCP

개요

서론

의학교육자들은 학습자의 임상술기(clinical skills)를 평가하고 시기적절하게 유용한 피드백을 제공하여 교육과정을 지속적으로 운영하고 부족한 부분을 개선할 책임이 있다. 기술의 엄청난 발전에도 불구하고 인터뷰, 신체검사 및 환자면담의 기본 임상술기는 환자의 성공적인 치료에 필수이다. 미국의과대학협회(Association of American Medical Colleges, AAMC), 미국의학교육인증위원회(Liaison Committee of Medical Education, LCME), 미국의 졸업후교육인증위원회(Accreditation Council for Graduate Medical Education, ACGME) 그리고 미국전문의협회(American Board of Medical Specialties, ABMS)는 이와 같은 임상기술에 대한 학생, 전공의, 임상강사 평가를 매우 중요하게 여긴다.[1-4] 또한, 미국의학연구소(Institute of Medicine, IOM)는 의사를 포함한 모든 보건의료인에게 필요한 다섯가지 핵심역량의 가장 중심에 환자중심적진료를 두고 있다.[5] 이러한 역량에 대하여 신뢰할 수 있고 유효한 평가를 하려면 진료면담, 신체진찰 및 상담을 수행하는 학습자를 직접관찰(direct observation)해야 한다. 이 장에서는 역량바탕의학교육의 기초가 되는 평가전략인 임상술기(병력청취, 신체진찰 및 상담)를 직접관찰하는데 중점을 두었다.[6] 시술 기술(procedural skills)의 직접적인 관찰은 7 장에서 논의된다.

먼저 어떻게 임상술기를 직접관찰하는 것이 업무현장바탕 평가의 한 유형인가를 설명하고자 한다. 환자치료에서 의도적인 연습, 코칭 및 피드백의 촉진, 역량바탕교육에서 고지된 평가, 높은 수준의 감독을 포함한 중요한 핵심 임상술기들을 평가하기 위해 직접관찰이 어떻게 적용되어야 할지 살펴볼 것이다(글상자 4.1). 이 장의 대부분의 내용은 직접관찰 평가를 개선하는 방법에 중점을 두었다. 먼저 우리는 자주 접할 수 있는 직접관찰의 장애물(예: 교수진이 직접 관찰할 시간이 없다고 인식하는 것)과 직접관찰 빈도를 높일 수 있는 전략에 대해 설명하고, 직접관찰 평가도구를 선택할 때 고려해야할 중요한 사항에 대해 설명하도록 하겠다. 그 다음, 평가의 질에 부정적인 영향을 줄 수 있는 직접관찰 평가의 낮은 신뢰도와 타당도를 설명하는 요소들에 대해 논하고, 평가 품질을 향상시킬 수 있는 교수개발 방법을 설명할 것이다. 마지막으로 교육과정 수준에서의 직접관찰을 설명하고 교육 기관 문화와 직접관찰이 이루어지는 환자진료 및 교육시스템의 중요성을 설명할 것이다. 독자가 소속된 기관에서 활용할 수 있는 다양한 교수개발 프로그램에 대한 자료는 부록과 이 장 전반에 걸쳐 소개될 것이다.

업무현장바탕 평가로서의 직접관찰

임상술기의 직접적인 관찰에 관해 이야기할 때 우리는 환자와 상호작용하는 학습자(즉, 의과대학생, 전공의, 임상강사)의 병력청취, 신체진찰 수행, 또는 상담하는 모습을 평가(형성평가 또는 총괄평가 형식)할 목적으로 관찰하는 것을 말한다. 직접관찰에는 의사-의사 상호작용 (예를 들어, 학습자가 다른 학습자에게 환자를 넘겨주는 과정, 공동 진료하기 위해 의뢰하는 모습), 의사-타직종팀 간의 상호작용(예: 간호사 또는 사회사업팀과의 상호작용), 지도력 활동(예: 팀을 이끄는 전공의 관찰) 또는 교육(예: 의과대학생을 가르치는 전공의 관찰)을 포함한다. 이 장에서는 환자와 함께 학습자를 직접관찰하는 데 중점을 두지만 여기서 논의하는 많은 원칙은 직접관찰의 다른 영역들과 관련이 있다.

직접관찰은 업무현장바탕평가(수련 중 수행평가라고도 함)로 간주된다. 업무현장바탕평가는 실제 임상 환경에서 일상적인 진료의 평가로 정의된다.[7,8] 업무현장바탕평가는 의사가 실제로 하는 일을 평가한다. 따라서, 임상술기의 직접관찰은 조지 밀러(George Miller) 평가 피라미드에서 상단에 위치하는데 이는 (관찰 행위가 수행의 수준을 변경할 수 있음에도 불구하고) 학습자가 환자에게 "시행(does)"을 하기 때문이다(그림 4.1).[9] 5장에서 강조한 바와 같이, 임상술기를 가르치고 평가하기 위해 표준화환자(standardized patients, SP)를 활용하는 것은 의학교육에서 의미 있는 교수방법이다. 그러나 교육과 실습의 연속성을 따라 가르치고 평가하기 위한 SP 바탕 방법의 적용에는 한계가 있다. SP 활용 교육은 실제 임상 환경과 유사한 환경을 만들어주기 때문에 임상술기를 가르치고 평가하는 데 있어 최적의 교수법이다. 그러나 SP들은 실제 환자와 의사의 관찰을 대체할 수는 없다.[10-13] SP는 수준이 높은 학습자에게는 타당도가 낮을 수 있는데, SP 활동에 의한 평가도구나 개발된 질환 또는 표준화된 설정이 실제 진료현장에서 만날 수 있는 정교한 질병을 다루는 것보다 완벽하게 수행할 수 있기 때문이다.[13-15] 따라서 직접관찰은 특히 수준이 높은 상급 학습자에게 더 정확하고 진위가 있는 중요한 평가방법이다.

• 글상자 4.1 임상술기의 직접관찰에 대한 이론적 근거 (병력청취, 신체진찰, 상담)

- 이러한 기술은 의사에게 종종 부족한 부분이지만 양질의 치료에 필수적이다.
- 의도적인 연습(deliberate practice), 피드백 및 코칭을 위해서는 관찰이 필요하다.
- 역량바탕교육에서 평가에 정보를 제공하려면 관찰이 필요하다.
- 의학교육 인증기관에서 관찰을 요구한다.
- 높은 질적 수준의 감독을 위해 관찰이 필요하다.

직접관찰을 하는 이유

임상술기를 직접관찰하는 것의 중요성과 관련성에는 여러 가지 이유가 있다(글상자 4.1 참조). 첫째, 병력청취, 신체진찰 및 상담과 같은 핵심 임상술기들은 여전히 양질의 치료에 중요하며 이러한 기술은 종종 의사들이 충분히 갖추지 못한 것들이기 때문에 해당 술기를 평가해야 하는 것이다. 둘째, 직접관찰은 학습자를 코칭하고 의도적인 연습(deliberate practice)에 필요한 중요한 교육도구이다. 셋째, 직접관찰은 역량바탕교육에서 중요한 평가도구이다. 넷째, 직접관찰은 양질의 감독이 이루어졌는지 확인해준다. 마지막으로 LCME, ACGME 및 영국재단 프로그램(UK Foundation Program)과 같은 의학교육 인증기관에서 인증을 위해 직접관찰을 요구한다.[2,3,16] 다음으로, 직접관찰에 대한 각각의 이유를 더 자세히 설명하도록 하겠다.

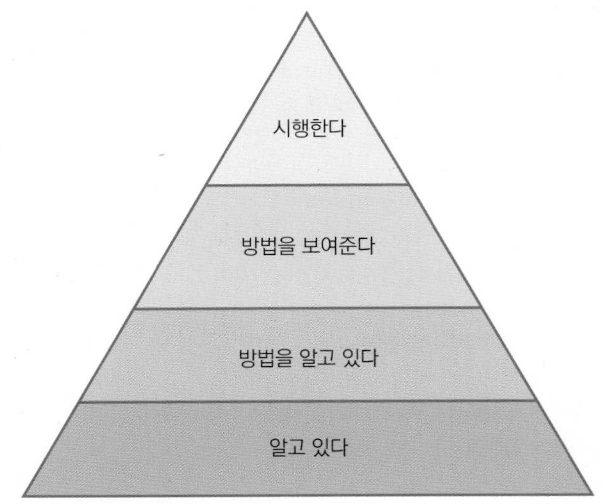

그림 4.1 밀러(Miller)의 피라미드 (출처. ten Cate O: Trust, competence, and the supervisor's role in postgraduate training. *BMJ* 2006;333(7571):748-751.)

핵심 임상술기의 중요성과 현황

학생과 전공의의 의학면담, 신체진찰과 상담의 기본 임상술기 실력은 상당히 부족하다는 것은 오랫동안 인식되어 왔다.[17,18] 세월이 흘렀음에도 불구하고 많은 연구에서 학생들의 의학면담 실력에 심각한 결함이 있으며, 일부 연구에서는 병력청취 기술이 예전에 비해 실제로 떨어졌을 수 있다고 보고하고 있다.[19,20] 문제점은 신체진찰 술기에서도 흔히 발견할 수 있다.[21-25] 예를 들어, 학습자들의 청진 술기의 부족은 50년 전에도 관찰되었고,[26,27] 심장과 폐 신체진찰 술기의 부족은 오늘날에 와서도 미국 의과대학생들과 전공의들의 골칫거리다.[21,22,26-28]

뿐만 아니라, 교육훈련 완료 후에도 임상술기가 향상되지 않는 것으로 보인다. 미리 공개하지 않은 SP를 대상으로 한 연구에서 램지(Ramsey)와 동료들은 일차진료의사 집단이 필수 병력청취 항목의 59%만 물어본다는 것을 알아내었다.[20] 브래독(Braddock)과 동료들은 일차진료의사와 외과의사의 1,057의 상담진료 중 9%만이 효과적인 고지된 의사결정의 기본 준거를 준수함을 발견했다.[29] 의사들은 종종 환자의 불만 중 절반 이상을 놓치며, 의사들의 소통문제와 관련된 대중의 불만을 인식하지 못한다.[30-37]

기술의 진보에도 불구하고, 의학면담과 신체진찰 동안 수집되는 정보는 의사가 활용할 수 있는 가장 중요한 진단 도구이기 때문에 부적절한 병력청취와 신체진찰 술기는 상당히 우려되는 문제이다.[38-40] 의학면담만으로도 사전 진단결과 없이 외래를 방문하는 환자의 약 80%에 대해 올바른 진단을 내릴 수 있다.[38,39] 2015년 미국국가과학학술원(National Academy of Medicine)에서 발표한 보고서인 "의학진단 개선(Improing Diagnosis in Medicine)"은 진단 오류의 지속적이고 악의적인 문제를 강조하면서 의사가 진단 내린 오류의 주요 요인 중 하나로 정보수집의 오류를 지적했다.[41] 사실, 진단 오류는 실제로 미국의 사망원인 중 세 번째로 꼽힌다.[42]

탁월한 병력청취와 신체진찰 기술은 불필요한 고가의 진단검사를 피하기 위하여 필요하므로 고품질, 비용에 민감한 진료 시 우선순위가 된다. 효과적인 의사-환자와의 의사소통은 환자치료에 있어 환자의 직접적인 참여(환자 자신의 병에 대한 지식과 자기효능감 향상), 치료의지와 건강을 향상시키는 것으로 나타났다.[37,43,44] 효과적인 의사-환자 소통은, 환자 결과를 개선하고 비용을 절감했다[45, 46] 또한, 대부분의 환자는 의사결정 과정에서 적극적인 역할을 원한다.[47,48] 앞선 보고들은 임상술기의 훈련과 평가의 중요성을 다시 한번 강조하였다.[49-52] 일반적으로 "평가는 학습을 촉진한다" 라는 문구를 우리는 잘 알고 있다. 직접관찰을 통한 병력청취 기술, 신체진찰과 의학면담의 임상술기 평가는 이러한 기술의 중요성을 합리화하며 수준 높은 진료에 중요하다.

의도적인 연습과 코칭을 위한 교육도구로서의 직접관찰

직접적인 관찰로 달성해야 하는 임상술기에 대한 정확한 평가가 없다면 학습자의 임상술기가 향상될 가능성은 거의 없다. 의학교육자로서 우리의 목표는 초보자로 시작됐지만 마지막에는 감독없이 스스로 진료할 수 있는 역량을 갖춘 (전공의와 임상강사처럼) 학습자를 양성하는 것이다. 사실, 우리는 그보다 더 높은 목표를 기대하기도 한다. 궁극적으로는 숙련자, 전문가, 명인이 되기를 바라는 것이다. 전문성 개발에는 의도적인 연습이 필요하다.[53] 의도적인 연습에서 중요한 점은 다른 사람들로부터 받는 피드백이다. 의사는 일반적으로 외부의 지도와 정보가 없는 경우 자체평가가 열악하기 때문에 피드백은 의도적인 연습에서 필수적이다.[54-56] 외부 정보를 통해 학습자는 자신의 평가결과를 교정할 수 있다.[57,58] 학습자는 수행 능력의 현재 수준보다 조금 높은 학습목표를 설정하고 자기평가를 할 수 있다. 술기는 적극적으로 연마하면 지속적으로 성장한다.[53] 반대로 어떤 과제에 대한 수행이 일상적인 일로 혹은 자동화되어 진행될 때 학습자는 "술기를 개선하기 위한 노력"을 더 이상 하지 않게 된다. 그다음 "발달 포기"로 이어지며 수행능력의 정체기로 들어선다.[53] 따라서 수준 높은 건설적인 피드백은 자신을 평가하거나 새로운 학습목표를 세울 수 있도록 도와주기 때문에 인지적 배움을 지속시키는 학습자가될 수 있다. 그러나 학습자가 자신의 임상술기에 대해 의미 있는 피드백을 받으려면 직접관찰이 되어야 한다. 직접관찰과 피드백을 코칭의 한 형태로 생각해보면, 교사는 학습자의 술기를 관찰하고 피드백을 제공하여 학습자가 해당 술기에 대해 수행하고 개선할 수 있도록 하는 것이다. 코치가 경기 도중 경기장에서 선수를 관찰하지 않으면 효과적인 지도를 할 수 없는 것처럼 의학교육현장에서도 교수자가 학습자의 술기가 진행되는 동안 이를 관찰하지 않으면 효과적인 코치가 되기 어렵다.

역량바탕 의학교육에서 평가방법으로서의 직접관찰

역량바탕 의학교육의 기본 근거는 공공 책임이 큰 시대에서 의학교육과정과 의학교육자들이 모든 졸업생이 필수 영역에서 경쟁력을 갖출 수 있도록 해야 한다는 점, 의학교육 과정에서 더 이상 시간바탕 훈련을 강조하지 말아야 한다는 점, 현대 임상진료에 필요한 능력이 더 강조된다는 점, 그리고 수련프로그램에 학습자의 적극적인 참여가 더 많이 필요하다는 점을 들 수 있다.[59,60] 이에 교육 전문가들은 학습자에게 필요한 역량과 역량의 구성 요소, 수행수준을 규명하고 마일스톤을 개발했다. 1 장에서 논의한 바와 같이 마일스톤은 관찰 및 평가될 수 있는 능력을 의미한다. 평가도구는 마일스톤에 따라 진행 상황을 측정할 수 있어야 한다. 따라서 결과적으로 평가방법으로서의 직접관찰에 대한 강조가 증가했다.[61,62] 효과적으로 마일스톤을 평가하기 위해 학습자의 의미 있는 실제 환자진료/임상활동이 관찰돼야 한다.[6,62] 역사적으로, 많은 평가방법들(지식 검사, 환자 프레젠테이션, 서술시험)은 병력청취, 신체진찰 및 상담기술에 대한 보조적 수단으로 사용되었다. 역량바탕 의학교육에서 평가의 설정은 게슈탈트식 형태가 아닌 "전면에 나서야 한다."[6] 직접평가는 총괄평가 뿐만 아니라 마일스톤을 따라 학습자의 전문성 증진을 위하여 형성평가(피드백)에 사용되어야 한다.[61,62] 수련과정을 마친 전공의와 임상강사들이 임상적으로 역량을 갖추었는지 확인하는 유일한 방법은 그들이 다양한 환자에게 적당한 술기를 시행하는지 유능하고 숙련된 임상교육자가 반복적으로 관찰하는 것이다.[63,64] 미국의 졸업후의학교육 및 기본의학교육 기관인 ACGME와 LCME는 주요 평가전략으로서 직접관찰의 중요성을 강조했다.[2,3]

감독 지도를 위한 방법으로서의 직접관찰

지난 10년간 강화된 감독은 환자의 안전과 의료의 질을 향상시키는 중요한 수단이 되었다.[65-67] 잠시 하던 일을 멈추고 의료환경에 적용된 Miller의 피라미드를 상상해 보자. 누가 Miller의 피라미드 상단에 있는가? 환자이다. 즉, 학습자의 행동과 행위는 환자의 건강에 직접적인 영향을 미치는 것이다. 불행히도, 많은 학습자가 실제로 더 나은 감독을 원한다는 사실에도 불구하고 이 명백한 사실이 임상 환경에서 학습자의 효과적인 관찰과 감독으로 이어지지 않고 있다![66,68]

환자는 항상 수준 높은 진료(즉, 안전하고 효과적이며 환자중심적인 진료)를 받아야 하기 때문에, 학습자가 포함된 팀이 환자를 돌본다는 이유로 진료의 수준이 낮아져서는 안된다.[5] 학습자들은 서로 다른 수준의 능력을 가지고 있으며, 그들의 능력은 내용과 맥락에 영향을 받는다. 예를 들어, 학습자의 수행 능력은 환자사례의 특이성(예: 학습자가 폐렴 환자를 진료할 수 있는 역량은 있지만 급성심근경색 환자는 진료할 수 없는 경우)과 환경적 요인(예: 학습자가 전자의무기록에 익숙하지 않은 새 병원에서 근무하는 경우 역량이 적게 발휘될 수 있다)에 영향을 받는다.

임상 감독자의 역할은 학습자가 할 수 있는 것과 환자가 안전하고 효과적인 환자중심진료를 받기 위해 필요한 것의 격차를 메우는 것이다. 학습자가 수행할 수 있는 작업을 실제로 알기 위해서는 감독자가 학습자를 관찰해야 한다. 학습자의 병력청취, 신체진찰, 면담기술을 유추(학습자가 얼마나 잘 발표하며, 학습자의 기록 노트가 얼마나 충실한지)하여 추론하는 것은 학습자의 역량, 필요한 감독의 형태와 강도에 대해 잘못된 결론을 초래할 수 있다. 이상적으로, 직접관찰 평가도구는 임상교수가 학습자가 수행하는 일과 환자가 양질의 진료를 받는 것 사이의 격차를 더 잘 평가할 수 있도록 근거바탕 지침서로 제공되어야 한다. 이렇게 되면 임상교육자들이 환자진료에 어떤 기여를 해야 하는지 알 수 있다. 학습자 평가뿐만 아니라 환자가 안전하고 효과적인 환자중심진료를 받을 수 있는 업무현장바탕 평가의 사용이 AACQS (Assessment for Care and Quality Supervision) 식(그림 4.2)에 설명되어 있다.[69]

이 식은 학습자의 역량(맥락에서 자신의 역량 기능으로)의 산물과 교수자의 역량(맥락에서 그들의 역량 기능으로)은 안전하고 효율적인 환자중심진료와 같다고 설명하고 있다. 다시 한 번 강조하지만, 교수자가 최선의 감독 방법을 알기 위해서는 실제로 학습자가 환자에게 어떻게 하고 있는지 알아야 하며, 이를 위해서는 직접관찰이 필요하다.

직접관찰의 빈도 개선

개요

교수자는 임상술기를 자주 그리고 수준 높은 직접관찰을 해야하는 여러가지 과제에 직면하고 있다(글상자 4.2). 이 장에서는 직접관찰의 중요성에 대한 교수자의 인식 부족, 직접관찰을 위한 인식 또는 실제 시간의 부족, 직접관찰을 어떻게 해야 하는지 잘 모르는 것, 학습자-환자 관계에 방해되는 것 등 다양한 장해물을 검토하고자 한다. 직접관찰을 수행하는 이러한 각 과제들에 대하여 교수자가 관찰을 개선하고 높이는 데 도움이 되는 실용적인 방법을 제시하고자 한다.

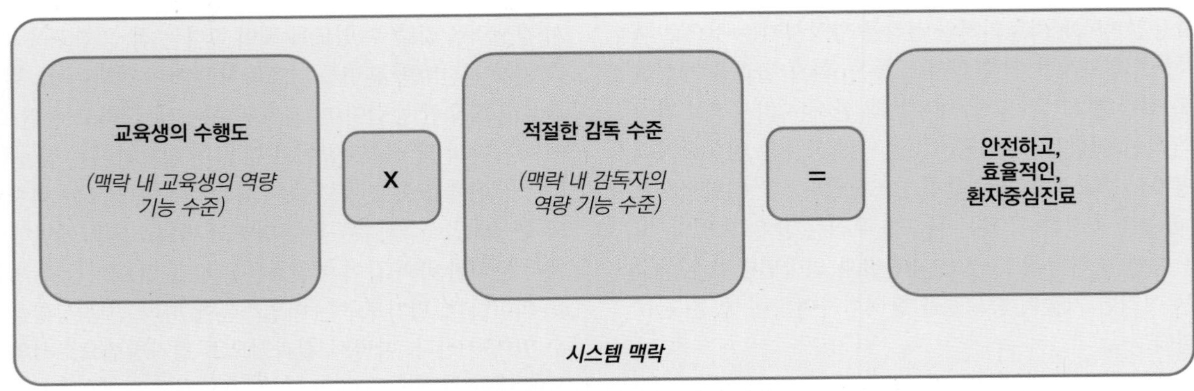

그림 4.2 책임 있는 환자진료와 질 평가

직접관찰에 대한 교수자의 인식 개선

임상술기 평가(evaluation)에서 가장 큰 문제는 교수자가 학습자를 단순하게 관찰하도록 하는 것이다. 수십 년 동안 교수자는 학습자가 실제로 이러한 기술을 수행하는 것을 보지 않고 입원환자와 외래환자 회진 시 학습자의 발표를 통한 환자병력과 신체진찰의 소견만으로 평가하였다. 20세기의 가장 유명한 의과학자이자 교육자인 앨번 파인스타인(Alvan Feinstein)과 조지 엥겔(George Engel)은 40년 전에 학습자의 병력청취와 신체진찰 기술에 대한 직접적인 관찰을 강력하게 옹호했다.[70,71] George Engel 박사는 1976년 사설에서 다음과 같이 논평하였다.

학생들(그리고 전공의들)이 임상실습에 들어가면 학습자들의 임상수행을 분석할 필요가 없다고 생각하는 듯하다. 또한 임상강사들은 임상 데이터의 신뢰도를 분석하거나 데이터를 제대로 확인하지 않는 듯한다. 그렇기 때문에 학생들과 전공의들이 보고하는 데이터는 신뢰도가 확보되지 못하고, 적절한 평가 없이 자신의 과학적 기준에 의해 결과가 종종 변하기도 하고, 교수자는 이런 데이터를 그대로 받아들이거나 토론의 기초자료로 활용하기도 한다.

좋은 소식은 의과대학생들에 대한 직접관찰이 핵심 임상실습 중에 점점 더 많이 이루어지고 있다는 것이다. 그러나 8%에서 31% 사이의 학생들은 핵심 임상실습 동안 여전히 환자 병력청취 관련 술기가 적절하지 않은 것으로 보고되었으며, 7%에서 23%는 신체적 또는 정신상태 검사를 핵심 임상실습 과정 중 제대로 수행하지 않은 것으로 보고되었다.[73] 또한, 직접관찰이 오직 임상실습 중에 한 두 번 시행되고 있거나, 정기적으로 임상실습과목 중에 시행되지 않은 경우도 있었다. 교수자에 의한 전공

• 글상자 4.2 빈번하고 수준 높은 직접관찰에 대한 장애물과 도전과제

직접관찰에 대한 장애물

- 직접관찰의 중요성에 대한 교수자의 인식 부족
- 직접관찰을 위해 필요하다고 지각된 소요 시간 또는 실제 시간의 부족
- 직접관찰을 수행하는 것에 대한 불편함
- 학습자-환자 관계를 방해할 것이라는 우려

수준 낮은 평가를 유발하는 요인

- 인지적으로 정렬되지 않은 평가양식
- 정확도 부족
- 교수자 자신의 임상술기 역량 수준의 다양성
- 평가 기준에 대한 지식 부족
- 학습자를 평가하는 데 사용되는 다양한 기준
- 추론
- 인지적 바이어스
- 훈련이 부족한 교수자

의와 임상강사에 대한 관찰은 훨씬 적었다.

그렇다면 교수자에게 직접관찰이 중요하고 가치 있다고 어떻게 확신시킬 수 있는가? 직접관찰의 중요성을 강조하려면 근거가 필요하다. 우리는 직접관찰의 중요성에 대한 인식 변화에 도움을 줄 수 있는 다음과 같은 방법을 찾았다. 먼저, 교수자와 함께 병력청취, 신체진찰 및 상담의 핵심 임상술기가 여전히 진단을 내리고 수준 높은 진료를 수행하는 데 얼마나 중요한지를 검토한다. 환자중심진료가 어떻게 수준 높은 진료에 기초가 되고 개선된 환자 결과와 관련되는지를 검토한다. 둘째, 교육생들과 수련의들의 임상술기 수준의 다양성을 보여주는 데이터를 검토한다. 이러한 핵심 임상술기의 중요성을 강조하고, 학습자들의 임상술기 수행이 어떻게 다양한 수준으로 보이는지 살펴본다. 셋째, 직접관찰에 기반한 피드백이 의도적인 연습에 필수 요소임을 논의한다. 이러한 사항을 현재의 상황에 적용해서, 우리는 교수자/코치가 학습자들이 악기 연주나 스포츠를 했을 때 수행과정을 제대로 관찰하는 것과 학습자들이 어떻게 했는지 단순하게 말해주었을 때의 차이점을 인식하게 하여 어떻게 하면 더 좋은 코칭이 될 수 있는지 질문한다. 넷째, 역량바탕교육에서 직접관찰의 역할을 검토한다. 마지막으로 감독과정과 관련하여 올바른 결정을 내리는 데 직접적인 관찰이 얼마나 중요한지를 설명한다.

직접관찰에 대한 인식 개선을 위한 활동

직접관찰의 중요성을 강조할 있는 세 가지 상호작용 활동이 있다. 먼저, 교수자에게 그들이 환자와 함께 있을 때 직접관찰을 당한 경험에 대해 생각해보라고 요청한다. 그들에게 그 경험이 어떤 것인지 그리고 그 경험이 도움이 되었는지, 그렇지 않았는지 생각해 보라고 한다. 그런 다음 교수자들을 한 쌍씩 묶어주어 성찰 내용을 함께 나누고, 그 다음에는 더 큰 집단으로 묶어주어 함께 나누었던 성찰 내용을 다시 한번 토의하게 한다. 이 때 한 번도 관찰된 적이 없다고 말하는 교수자들이 있을 것이다. 그렇게 관찰평가 경험이 없었을 경우, 자신의 임상술기 역량에 대한 불확실성에 대해 설명해줄 수 있을 것이다. 관찰 평가 경험이 없는 또다른 교수자는 오히려 관찰평가 경험의 부재가 자신의 술기 향상에 큰 장애가 되지 않았다고 생각할 수도 있다. 이러한 시각도 함께 논의하는 것이 중요한데, 경험이 없는 교수자들에게는 임상수련에서 직접적인 관찰이 필요하다는 것을 확신시키기가 더 어려울 수 있기 때문이다. 일반적으로 전공의나 임상강사가 아닌 학생이었을 때 한 번 혹은 두 번 직접관찰을 받았을 교수자가 많을 것이다. 그리고 대다수의 사람들은 관찰 평가를 받았을 때의 경험이 불안감을 유발하지만 도움이 되는 과정이었다는 점을 공유할 수 있을 것이다. 또 어떤 이들은 관찰 평가는 박스에 체크만 하는 행위이지, 전혀 도움이 되지 않는 것이라고 말할 수도 있을 것이다. 이러한 대화를 통해 교수진이 어떤 교육환경에

놓여 있는지 파악할 수 있다. 이와 같은 과거 경험들은 종종 교수자가 직접관찰에 참여할 수 있는 의지를 만들어 준다.

두 번째로 관련된 활동은 참가자들에게 관찰자였던 시간(피드백을 목적으로 환자와 함께 있는 학습자를 관찰했을 때)을 떠올려보도록 하는 것이다. 교수자들에게 당시 어떤 느낌이 들었고, 유용한 점이 있었다면 무엇이었는지 생각해 보라고 한다. 그런 다음 옆에 짝지어준 사람과 자신의 성찰을 공유하게 한다. 그리고 더 큰 집단이나 전체에게 서로 나눈 것을 공유할 수 있다. 이러한 대화는 종종 교수자가 직접관찰을 하지 않은 경우 다른 방법으로는 알지 못했을 수 있는 학습자에 대한 중요한 정보를 어떻게 알게 되었는지를 인식하게 한다(예: 환자에 대해서는 아주 훌륭하게 발표했지만, 임상 현장에서 환자의 병력청취를 할 때에는 대인관계 기술이 매우 부족한 경우). 일반적으로 교수자가 자신의 역할이나 무엇을 집중적으로 관찰해야 하는지 알지 못하면 직접관찰에 대한 불편함을 호소한다. 자신이 관찰된 경험과 유사하게, 일부 교수자는 학습자를 관찰하는 것이 강요적인 것이며 학습자에게 무슨 교육적 효과가 있는지 모르겠다고 불평할 수 있다. 다시 강조하지만, 이러한 대화는 교수자가 직접관찰의 맥락을 이해하기 위해 매우 중요한 과정이며, 직접관찰의 중요성 인식에 필수적이다.

직접적인 관찰의 동기를 증가시킬 수 있는 세 번째 활동은 "당신은 오늘 내가 관찰한 것을 결코 믿을 수 없을 것이다." 라는 관점을 함께 나누는 것이다. 교수자에게 학습자가 환자와 함께 병력을 청취하거나, 신체진찰을 실시하거나 상담을 진행했을 때 직접관찰을 하지 않았다면 결코 보지 못했을 학습자의 술기 역량을 알게 되었을 때를 물어본다. 예를 들어, 심내막염이 의심되는 환자를 진찰하는 학습자의 관찰 경험을 공유해 보자. 학습자는 환자에게 검안경 검사를 하면서 검안경을 거꾸로 들어 빛이 환자의 눈이 아닌 자신의 눈을 비치게 했다. 만약 직접관찰을 하지 않았다면 우리는 학습자의 환자보고에서 "안저가 잘 보이지 않았습니다"라는 내용만 들었을 수 있다. 그리고 이러한 결과의 실제 원인이 학습자의 부적절한 술기로 인한 것임을 알 수 없었을 것이다. 우리는 직접관찰에서 놀라웠던 순간을 공유할 수도 있다. 예를 들어, 번아웃 현상으로 지쳐 있는 한 학습자의 경우, 회의실이나 교실에서 보여준 환자와의 대인관계 기술과 환자를 향한 태도 또한 매우 부정적이었지만, 실제 임상 현장에서 보여준 환자중심 면담은 매우 우수함을 발견했던 사례를 공유할 수도 있는 것이다. 따라서 교수자에게 이러한 경험들을 공유하도록 요청하면 직접관찰의 중요성에 대한 인식을 높이는 데 도움이 될 수 있다.

직접관찰 시간 찾기

임상술기의 직접관찰에 가장 큰 장벽 중 하나는 교수자가 직접관찰을 위한 실제 시간의 부족 또는 인식의 부족이다. 이 장벽을 해결하기 위한 첫 번째 접근법은 직접관찰이 학습와 환자의 전체 만남(즉, 전체 병력청취, 신체진찰 및 상담과정)을 보아야 하는 것은 아니라는 점이다. 전체 과정을 관찰하는 것도 가치가 있을 수 있지만 실제로는 교수자가 전체 환자 만남을 관찰할 시간이 없을 것이다. 대신, 만남의 일부를 보는 것도 전혀 문제가 없다. 우리는 이것을 "스냅촬영(snapshots) 관찰"이라 한다. 여러 스냅촬영 관찰은 다양한 내용과 맥락(예를 들어, 젊고 건강한 환자, 영어가 제2외국어인 환자, 노인 환자, 하나의 심각한 문제를 가진 환자, 다수의 복잡한 문제가 있는 환자, 외래 환자, 중환자실 환자 등)의 관찰을 통하여 정확한 학습자의 임상술기의 역량을 평가할 수 있다. 이 장의 뒷부분에서는 여러 상황에서 상이한 내용을 관찰하는 여러 교수자나 다른 보건의료전문가의 다양한 관찰이 실제로 평가의 유효성과 추론을 어떻게 개선하는지 논의할 것이다.[74,75]

스냅촬영 관찰은 직접관찰을 보다 실현 가능하게 해준다. 그러나 학습자에게 직접관찰이 의미 있을 수 있도록 하는 것도 중요한다. 즉, 직접관찰은 학습자가 개발해야 하는 역량을 관찰하는 데 중점을 두어야 한다. 학습자와 처음 실습할 때 직접관찰은 학습자가 수행할 수 있는 작업에 대한 정보를 제공한다. 교수자는 학습자를 알게 됨에 따라 학습자가 필요로 하고 습득하고자 하는 역량에 중점을 두면서 학습자 중심의 직접적인 관찰에 점점 더 집중하게 된다. 예를 들어, 학습자가 환자면담에 이미 능숙하다는 것을 알고 있다면 학습자와 환자의 만남을 시작부터 관찰하는 것은 큰 의미가 없다. 대신, 이 시간을 사용하여 학습자가 숙련되지 않은 영역에 집중하도록 한다. 예를 들어, 직접적인 영어 통역 또는 전화 통역자가 필요한 환자의 병력을 청취하는 것을 관찰해보는 것이다.

관찰자를 학습자 중심으로 만드는 것 외에도 우선순위를 매기는 것이 필요한데, 교수자가 가지고 있는 역량이 환자가 받는 진료에 긍정적으로 기여할 수 있는 관찰을 우선시하도록 장려하는 것이 좋다. 환자가 받는 진료를 잠재적으로 개선하면서 학습자가 자신의 기술을 키우는 데 도움이 될 수 있는 관찰의 한 예를 들어보면, 외래 환경에서 처음으로 인슐린을 투여해야 하는 환자를 면담하는 전공의를 관찰해볼 수 있다. 이 시나리오에서 교수자는 전공의의 면담 기술에 대해 관찰하고 피드백을 제공할 수 있다. 또한 필요한 경우 보다 적절한 대화가 될 수 있도록 현장에서 도와줄 수 있을 것이다.

이상적으로는 교수자가 하루 중 시간을 추가로 할애하지 않아도 되는 스냅촬영 관찰을 할 수 있는 환경을 만들어주면 좋다. 실제로 시간을 절약할 수 있는 직접적인 관찰 방법이 있다. 예를 들어, 학습자가 환자의 어깨를 진찰한 내용을 교수자에게 발표한 다음 환자를 다시 만나 진찰을 다시 하는 것보다, 학습자가 환자의 어깨를 진찰하는 것을 직접관찰함으로써 시간을 절약할 수 있다. 외래 환경에서 시간을 절약하는 전략은 전공의 중 한 명이 진료일 중 어느 하루에 "첫 번째 환자"를 보는 것을 교수자가 관찰하도록 장려하는 것이다. 이 전략은 특별히 기다리는 사람이 있거나 환자 진찰결과를 보고하기 위해 학습자가 기다려야 하는 상황도 없기 때문에 효과적이다.

교수자가 관찰할 사항을 결정하는 데 도움이 되는 또 다른 전략은 현재 교육 시스템에서 사용 중인 내용에 따라 마일스톤, 위임가능전문활동(entrustable professional activities, EPA) 또는 역량에 따라 관찰을 조정하는 것이다. 과정 책임자는 마일스톤에 적합한 관찰 유형을 선별할 수 있을 것이다. 예를 들어, 미국의 내과 마일스톤 중 하나는 "의사결정 공유를 위해 환자의 선호도를 인식하고 적용하는 능력"이다.[76] 전공의가 논란이 있을 수 있는 결정(예를 들면, 40대에서 50대 사이 환자의 유방 X선 촬영), 콜레스테롤을 낮추는 약물 치료 시작, 또는 진료목표 토론에 참여하는 것을 관찰하면서 해당 마일스톤을 확인할 수 있을 것이다.

스냅촬영 관찰을 식별하기 위한 상호작용 활동

대부분의 교수자는 직접관찰을 생각할 때 일반적으로 환자와의 만남 전과정에 대해 생각한다. 따라서 여러분은 교수자가 스냅촬영 관찰의 기회를 갖도록 도와야 한다. 교수자에게 스냅촬영 관찰 기회에 대해 고민하고 생각하도록 요청한다. 학습자와 환자 모두에게 의미 있는 스냅촬영 관찰에 대해 생각해 보도록하고, 마일스톤을 알려주고, 할 수 있다면 시간을 절약하도록 요청한다. 스냅촬영 관찰은 이러한 목표를 모두 충족하지 못할 수도 있지만 목표 내용 중 많은 부분을 동시에 달성할 수 있다. 스냅촬영 관찰을 위한 팁(tip) 정보를 배포할 수도 있다. 팁 내용 예제는 부록 4.1에 기술되어 있다.

관찰준비 및 실행

시간 부족이 직접관찰을 수행하는 데 가장 큰 장애물 중 하나이지만 다른 장애물들도 있다. 교수자들은 직접관찰에 대해 종종 불편함을 느끼고 자기효능이 부족하다고 말한다.[77] 교수자들은 직접관찰을 하면 마치 "쓸모 없는 사람"처럼 느껴지고, 자신들의 존재가 학습자와 환자 사이의 치료 관계를 방해하거나 방해할 것이라고 걱정한다. 그리고 환자들이 자신들의 존재에 대해 어떻게 생각할지 우려한다. 따라서, 교수자가 관찰을 하기 위해 어떻게 자신과 더불어 학습자와 환자를 준비시킬 수 있는지 검토함으로써 직접적인 관찰을 보다 편안하게 느끼도록 도울 수 있다 (글상자 4.3). 관찰 준비는 매우 중요하지만 종종 간과되거나 교수자 교육에 포함되지 않는다.

먼저, 교수자는 관찰을 위해 학습자를 준비해야 한다. 교수자는 관찰하는 동안 일어날 일에 대해 학습자와 기대치를 설정해야 한다. 교수자가 특별히 신경을 써서 관찰해야 하는 부분이 있을지 학습자에게 물어보는 것도 도움이 된다. 학습자를 준비시키는 것에는 진료실에서 일어날 일에 대한 기대치를 설정하

• 글상자 4.3 직접관찰의 준비 및 실행

- 학습자의 직접관찰을 위한 준비 :
  - 학습자와 함께 기대치를 설정한다.
  - 집중 관찰 내용이 무엇인지 학습자에게 물어본다.
- 교수자의 직접관찰을 위한 준비 :
  - 관찰 목표를 설정한다.
  - 관찰 도구 사용을 고려한다.
  - 진료실 배치(삼각배치)를 고려한다.
  - 결과가 어떻게 확인될 수 있는지 고려한다.
- 환자의 직접관찰을 위한 준비

는 것도 포함한다. 예를 들어, 문제에 집중하거나 전자의무기록을 사용하는 것도 괜찮다는 것을 학습자에게 알려주어야 한다(그렇지 않으면 학습자는 병력청취와 신체진찰을 완벽하게 수행하고도 그 내용을 전혀 기록하지 않을 수도 있다). 학습자에게 "평상시 하던 대로 할 수 있는" 권한을 부여해주도록 한다. 또한 전체 환자면담 과정에 함께하지 않을 것이라는 사실을 알려줌으로써 학습자를 편안하게 준비시킬 수 있다. 만약 관찰하는 동안 메모를 할 것이라면 학습자에게 개선사항과 강점을 기록할 것이라고 얘기해준다. 이런 사항을 미리 언급하지 않으면, 학습자는 교수자가 메모를 할 때마다 자신이 무언가 잘못했다고 생각할 수 있다.

또한 교수자에게 관찰 준비 방법을 가르칠 수도 있다. 관찰 준비에는 학습자와 함께 환자의 방에 들어가기 전에 관찰의 목적이나 목표를 결정하는 것을 포함한다. 예를 들어, 만약 교수자가 학습자의 신체진찰 술기를 관찰하는 것을 계획했다면 무엇이 환자의 주호소와 의학적 상태에 대한 신체진찰의 적절한 구성 요소인지를 고려해야 한다. 여기에는 분명 필요한 신체진찰이 무엇인지 결정하기 위한 환자의 병력청취가 필수이다. 비록 잊혀져가는 예술처럼 최근에는 잘 하지 않는 교육이지만, 환자의 병상 옆에서 학습자가 병력청취 내용을 발표하는 훈련은 학습자의 실제적 진가를 알아보는 긍정적인 면도 있고, 환자 또한 그 내용을 들으면서 유익한 면이 있으므로 서로에게 도움이 되는 효율적인 방법이다. 교수자가 관찰하는 동안 무엇에 집중해야 하는지 도움을 줄 수 있는 관찰 보조 도구들은 교수자에게 직접관찰에 대한 불편함을 더욱 해소시켜줄 수 있다. 이에 대해서는 이 장의 후반부에서 자세히 다루도록 하겠다.

직접관찰하는 동안 진료실에 교수자의 공간적 위치를 교육하는 것도 중요하다. 정확한 배치는 교수자로 하여금 학습자가 적절한 기술을 행하는지를 볼 수 있게 하며 학습자-환자관계의 간섭을 최소화한다. 교수자의 관찰이 학습자나 환자에게 방해가 되어서는 안 된다. 따라서 목표는 학습자-환자 관계를 최대한 보호하는 것이다. 그림 4.3은 삼각 배치(triangulation)의 원리를 보여준다. 삼각 배치는 교수자의 간섭을 최소화하면서 관찰

그림 4.3 삼각 배치 원리. 환자의 시야 밖에 앉아 있는 관찰자(*왼쪽*)를 주목하라.

표 4.1 교육생을 관찰하기 위한 간단한 규칙

규칙	내용
올바른 위치	평가자는 환자와 교육생이 대화하고 있을 때 그들의 시야에 들어오지 않도록 해야 한다. 삼각배치 원리를 이용하라. 그러나 신체진찰 중에는 교육생의 술기를 정확하게 관찰할 수 있도록한다.
외부 방해 최소화	관찰 교수자는 자신의 진료과 간호사들에게 5-10분간 전공의 관찰을 위해 자리에 없을 것이라고 일러두고, 일상적인 업무로부터 방해가 없도록 한다.
간섭하지 않기	가능한 끼어들거나 방해하지 않는다. "벽에 붙은 파리"가 되어라. 만약 관찰자가 전공의의 상호작용에 끼어들면, 그 순간부터 모든 것이 변질된다. 그러나 잘못된 정보를 수정하거나, 어처구니 없는 일이 발생할 상황이라면 개입이 필요하다.
준비하기	진료실에 들어가기 전에 직접관찰 시간을 갖는 목표가 무엇인지 알아야 한다. 예를 들어, 신체진찰이 이루어질 경우, 전공의에게 병력청취 내용을 먼저 얘기하게 한다. 그러면 신체진찰의 핵심 요소가 무엇인지 알 수 있다.

하는 능력을 최대화한다. 마지막으로, 교수자의 관찰 준비는 교수자가 얻은 학습자에 대한 정보와 결과를 (필요한 경우) 어떻게 그리고 언제 확인할 것인지 생각해보아야 한다. 이 준비는 관찰의 효과를 극대화하는 데 도움이 된다.

마지막으로, 관찰을 위해 환자를 준비시키는 것의 중요성을 교수자와 함께 검토해야 한다. 환자는 교수자가 학습자와 함께 진료실에 있는 이유를 알아야 한다. 교수자가 진료과정 전체를 다 관찰하지 않을 계획이라면 이 사실 또한 환자에게 미리 알려야 한다. 표 4.1에는 학습자 관찰을 실행하기 위한 간단하지만 핵심적인 몇 가지 규칙을 추가적으로 기술해 놓았다.

더 나은 준비를 위한 상호작용 활동

교수자가 관찰을 위한 준비를 더 잘하려면, 교수자가 어떻게 학습자와 환자에게 직접관찰을 준비시킬 것인지 말해보도록 교육할 수 있다. 교수자는 어떤 말을 할까? 교수자는 학습자를 관찰하는 다른 교수자의 모습을 비디오로 시청해볼 수 있다. 비디오를 보고 다음과 같은 질문으로 집단토의를 진행볼 수도 있다. 교수자가 관찰하는 동안 잘한 것은 무엇인가? 잘하지 못한 것은 무엇인가? 어떻게 하면 더 효과적으로 관찰할 수 있었는가? 학습자와 환자를 더 잘 준비시키기 위해 무엇을 더 할 수 있는가? 교수자의 위치는 어떻게 개선할 수 있는가? 방해와 간섭을 최소화하기 위해 무엇을 할 수 있는가?

직접관찰을 위한 평가도구

여러 평가도구는 병력을 청취하고 신체진찰을 하며 환자를 상담하는 학습자를 평가하도록 설계되었다.[79,80] 이 평가도구는 다양한 목적을 제공한다. 첫째, 학습자를 관찰할 때 교수자를 안내하고 관찰을 위한 평가 틀(교수자가 학습자의 어떤 행동/기술을 관찰해야 하는지)을 제공할 수 있다. 둘째, 관찰을 문서화하는 방법으로 사용될 수 있다. 셋째, 학습자에게 피드백을 제공하는 방법으로 사용될 수 있다.

수준 높은 직접관찰의 한 부분은 평가과정에 타당한 도구를 사용하는 것이다. 그러나 아무리 업무현장바탕 평가라 하여도 실제 평가도구는 도구가 아닌 교수자라는 점을 이해하는 것이 중요하다(2장 참조). 교수자 기술의 중요성에 대해서는 이 장의 후반부에서 자세히 설명하도록 하겠다.

두 개의 체계적인 종설연구가 직접관찰 평가도구의 타당성 근거를 요약했다.[79,80] 미니임상평가연습(Mini-clinical evaluation exercise, mini-CEX)은 가장 일반적으로 사용되는 진료현장바탕 평가도구 중 하나이며 확실한 타당도 근거를 가지고 있다.[79-81] Mini-CEX는 입원 환자 병동, 중환자실, 외래환자와 응급실에서 일상적인 진료를 하는 동안 *초점을 맞춘(focused)* 병력청취, 신체검사 또는 면담하는 전공의를 평가하도록 설계되었다.[82] 또한 의과대학생[83] 및 임상강사에게도[84,85] 활용되고 있다. Mini-CEX에서는 9점 등급척도로 교수자가 학습자의 특정 술기와 전반적인 역량을 평가하고 즉각적인 피드백을 제공한다(그림 4.4). Mini-CEX 는 여러 명의 교수자가 여러 번 관찰할 수 있다. 이는 평가의 신뢰도와 타당도를 모두 높이게 된다. 단 네 개의 mini-CEX만으로도 전공의 통과와 미통과 여부를 판단할 수 있다.[82] 또다른 진료현장바탕 평가도구로 미니카드(mini-card)가 있다(그림 4.5).[86,87] 이 소형 카드에는 네 가지 영역이 있다. 병력청취, 신체진찰, 환자사례 구두발표와 환자 상담이 그것

미니임상평가연습

평가자: ______________________ 날짜: ______________
전공의: ______________________ ○1년차 ○ 2년차 ○ 3년차
환자 주호소 문제/진단: ______________________
질병의 종류: ○응급 ○외래 ○ED(광범위한 질병) ○기타 __________
환자 나이: ______ 성별: __________ ○신규 ○재방문
질병의 복합도: ○ 낮다 ○보통 ○높다
평가핵심: ○ 정보 수집 ○진단 ○치료 ○상담

1. 의학면담 기술 (○ 관찰 안됨)
1 2 3 4 5 6 7 8 9
불만족 만족 우수

2. 신체검사 (○ 관찰 안됨)
1 2 3 4 5 6 7 8 9
불만족 만족 우수

3. 인문학적 소양/전문직업성
1 2 3 4 5 6 7 8 9
불만족 만족 우수

4. 임상적 판단 (○ 관찰 안됨)
1 2 3 4 5 6 7 8 9
불만족 만족 우수

5. 상담기술 (○ 관찰 안됨)
1 2 3 4 5 6 7 8 9
불만족 만족 우수

6. 조직화/효율성 (○ 관찰 안됨)
1 2 3 4 5 6 7 8 9
불만족 만족 우수

7. 전반적 임상 역량 (○ 관찰 안됨)
1 2 3 4 5 6 7 8 9
불만족 만족 우수

Mini-CEX 소요시간: 관찰 ______ 분 피드백 제공 ______ 분

평가자의 Mini-CEX 만족도
낮음 1 2 3 4 5 6 7 8 9 높음
전공의의 Mini-CEX 만족도
낮음 1 2 3 4 5 6 7 8 9 높음
의견: ______________________

전공의 서명 ____________ 평가자 서명 ____________

그림 4.4 미니임상평가연습(mini-clinical evaluation exercise, mini-CEX)

이다. 각 부문마다 세 가지 역량 영역이 있는데, 대인관계 능력, 의학지식, 그리고 전문직업성이다. 그리고 각 영역에 대한 모범 예시가 있어 학습자의 어떤 수행을 평가해야 하는지 안내되어 있다. 점수 수준마다 행동 앵커들도 기술되어 있다. 한 연구에 의하면 미니카드가 학습자의 불만족스러운 역량을 정확하게 감지하여 mini-CEX보다 더 구체적인 행동을 식별할 수 있는 것으로 나타났다.[86] 따라서 미니카드는 학습에 어려움을 겪고 있는 전공의를 식별하고 행동 지향적 피드백을 주는 데 유용하다.[87]

평가도구 양식

직접관찰 평가도구에는 여러 가지 양식 있고, 시간이 지남에 따라 양식이 발전해 왔다. 일부 직접관찰 평가도구에는 총괄평정척도가 있고 다른 평가양식은 체크리스트로 구성되어 있기도 하다. 총괄평정척도를 사용하는 평가도구일 경우, 다양한 앵커(예: 서열, 규범, 위임)가 사용될 수 있다. 다음으로 몇 가지 다양한 앵커의 차이점을 설명해보도록 하겠다.

총괄평정 대 체크리스트

일부 직접관찰 평가도구는 총괄평정척도(즉, 병력청취, 신체검사 기술 또는 전체적인 임상 술기에 대한 등급 부여)를 사용한다. Mini-CEX는 총괄평정의 한 예이다. 다른 직접관찰 도구의 예는 체크리스트이다(즉, 항목은 병력청취 및 신체진찰과 관련된 행동/술기). 체크리스트의 예로는 새그웨이(SEGUE)[1)]와 캘거리-캠브릿지(Calgary-Cambridge) 체크리스트가 있다. 이 체크리스트는 진료면담의 전반적인 과정과 내용을 평가한다.[88,89] 평가도구의 선택은 주로 학습의 목적이나 평가의 목표에 달려 있다.

체크리스트는 특정 오류를 잘 발견함으로써 교수자 관찰의 질적 수준을 향상시킬 수 있다.[90] 체크리스트는 학습자의 중요한 정보수집 과제가 완료되었는지, 학습자에게 피드백 제공을 쉽게 할 수 있는지를 신뢰롭게 평가할 수 있도록 한다. 그러나 교수자의 직접관찰 목적은 실제 임상실습의 성과를 평가하는 것이기 때문에 모든 환자 대면 상황에 대한 매우 상세한 체크리스트를 개발하는 것은 불가능하다. 실제 임상 환경에서는 학습자의 행동과 술기에 대한 어느 정도의 교수자의 해석이 필요하다. 또한 여러 SP 관련 문헌에서, 고도로 구조화된 체크리스트를 사용하는 것의 유효성에 대한 우려가 제기되기도 하였다.[14,91,92] 이 연구들에서는 총괄평정척도와 체크리스트 점수의 차이는 비교적 작았는데 그 이유는 아마도 두 유형의 평가도구가 서로 다른 접근법으로 서로 다른 구성 요소들을 측정했을 수 있기 때문이다.[93] 체크리스트에 관련된 다른 문제는 평가항목의 수를 늘리는 것은 관련 있는 행동의 수를 줄이거나 수행수준을 분별하는 능력을 떨어드리기 때문에 채점자 간의 신뢰도를 악화시킨다는 점이다.[94] 긴 체크리스트도 평가 작업과 관련된 인지부하를 증가시킬 수 있다.[95]

척도 앵커

전통적인 mini-CEX 평가는 불만족, 만족 그리고 우수한 기준으로 채점한다. 이것을 서열 평정척도라고 한다. 일부 직접관찰 평가에는 평정척도의 각 숫자에 해당되는 행동 기준에 대하여 설명되어 있기도 하다 행동 기준이 있는 직접관찰 도구의 예로 미니카드를 들 수 있다.[86] 다른 평가도구에는 규범적(기대보다 낮은 수준, 기대치 수준, 기대치보다 높은 수준) 앵커가 있다.[79] 직접관찰 평가도구의 평정척도 앵커는 학습자가 감독 없이 EPA를 수행할 수 있는지 여부를 설명해준다.[96-98] 예를 들어, 평정척도 앵커가 다음과 같을 수 있다. 1 - 3 = 안전한 진료를 위

1) 역자 주. SEGUE는 Set the stage(면담 준비하기), Elicit information(정보 이끌어내기), Give information(정보 주기), Understand the patient's perspective(환자의 시각 이해하기), End the encounter(면담 종료하기)의 약자이다.

리딩병원(Reading Hospital) **Mini-CEX 평가도구** **날짜: ___/___/___**

학습자: ______________ **관찰자:** ______________

사례 내용:

평가방법: 아래 내용 중 학습자가 올바르게 수행한 것에 동그라미, 잘못한 것에는 "X" 표기를 하시오.

병력청취

1

대인관계/의사소통 기술

인사 안건 정하기 *"다른 궁금한 사항은 없으신가요?"* 개방형, 유도하지 않는 질문
환자의 비언어적 신호에 반응하기 요약하기/명료화하기/반영적 진술 사용하기
공감해주기 *"마음이 많이 상하셨겠어요"* 의학용어 사용하지 않기 주의기울이기

매우 우수함	**좋음**	**경계선**	**부실함**
위에 기술한 내용을 모두 수행하였고, 환자와의 상호작용도 뛰어남	1-2가지 문항을 빠뜨렸으나 큰 실수는 없었음	2가지 이상 빠뜨렸거나 겨우 통과 할 수 있는 수준의 실수를 함	환자에게 불쾌감을 주고, 명백한 부정적 상호작용이 일어남

기타 의견:

2

정보수집: 의학적 지식

환자의 주요 호소증상을 이끌어낸다 일반적인 질문부터 시작하여 구체적인 질문으로 들어간다
질병과 연관된 PMH/SH를 청취한다 감별에 도움이 될 수 있는 판별 질문을 한다

매우 우수함	**좋음**	**통과수준**	**부실함**
질병과 관련된 내용의 뉘앙스를 이해하고, 의미없는 정보수집을 하지 않음	감별진단의 순위를 매길 수 있을 정도의 충분한 정보수집, 관계없는 정보는 거의 수집하지 않음	1가지 또는 그 이상 핵심 정보를 빠뜨림; 감별진단의 판별에 실패하거나 호소증상의 우선순위를 매기지 못함	관계없는 정보수집, 중요한 내용들을 빠뜨림; 정보의 바다에서 "길을 잃음"
상급 전공의/교수진	**전공의/인턴**	**인턴/의과대학생**	

기타 의견:

3

전문직업성 행동

판단하지 않는다 환자에게 자신의 질병을 "증명"하게 하지 않는다
사람/사생활/종교적인 것에 대한 존중

매우 우수함/좋음	**경계선/부실함**
환자는 의사와의 상호작용 과정에 만족함	위 사항을 수행하지 못함

기타 의견:

신체검사

4

의학지식: 신체진단 기술

진찰과정에 기술적으로 능숙하다 연관성 없는 부분은 피한다
신체진찰에 필요한 사항을 빠뜨리지 않는다 검사도구/자세 등을 적절히 활용한다

매우 우수함	**좋음**	**경계선**	**부실함**
빠뜨린 것이 없음	1-2가지 과정을 빠뜨리거나 관련 없는 검사를 1가지 수행함	중요한 검사를 빠뜨리거나 실패함, 또는 검사에 집중하지 못함	관련된 검사가 무엇인지 이해하지 못함

기타 의견:

그림 4.5 미니카드. *PMH*, past medical history(과거 병력); *SH*, social history(사회력). (출처 Donato AA, Pangaro L, Smith C, et al: Evaluation of a novel assessment form for observing medical residents: a randomized, controlled trial. *Med Educ* 2008;42(12):1234-1242.)

의학적 추론/검사결과 해석

5 검사의 유용성을 제한하는 정상 참작이 가능한 상황을 이해한다(예: 스테로이드/복막염)
검사결과의 민감도와 특이도를 이해한다

매우 우수함	**좋음**	**경계선**	**부실함**
검사결과를 활용하여 감별 진단의 우선순위를 효율적으로 매김; 검사결과의 한계를 인식함	시행한 검사와 예측하는 질병과의 관계를 이해함	기관계통의 일반적인 진찰을 함; 판별기준에 대한 이해를 하지 못하거나 빠뜨림	검사를 통해 병력 문제를 찾지 못함함
상급 전공의/교수진	**전공의/인턴**	**의과대학생**	

기타 의견:

전문직업성 행동

6 환자에게 검사에 대해 설명해주고 허락을 받았다 손씻기

매우 우수함/좋음	**경계선/부실함**
빠트린 것이 없거나 거의 없음	중요한 수칙 불이행

<u>검사결과 평가</u>

구두사례발표

7 모든 관련 정보를 논리적으로 조직화할 수 있었다 관련 없는 정보는 생략하였다
긍정적/부정적 정보를 적절하게 포함하였다
제시한 정보는 감별진단을 모으거나 서열화하는 데 도움이 되었다

매우 우수함	**좋음**	**경계선**	**부실함**
관련 있는 내용의 유창한 발표 실력; 주어진 정보를 통해 감별진단 문항을 명백히 서열화할 수 있음	몇가지 감별진단 문항이나 검사결과를 놓침; 수집한 주요 감별진단은 관련없을 가능성 있음	두서없는 발표, 모든 정보 확보; 주요 감별진단 문항이 빠졌지만 기관계통은 맞음	발표 내용을 잘 모르거나 길을 잃음; 핵심 내용을 모두 놓침
상급 전공의/교수진	**전공의/인턴**	**의과대학생**	

기타 의견:

정보 종합/추론 (의학적 지식 요소)

8 논리적이며, 감별의 우선순위를 매기는 과정이 일정하고 정확하다
측정점을 적절하게 다룬다
질병의 유병률 분석, 검사 민감도/특이도에 대해 명백하게 논의한다
하나의 측정점에만 의지하지 않는다
진단결과를 뒤집을 만한 중요한 정보를 놓치지 않는다
지식의 격차와 공백을 인식하고, 적절한 임상 질문을 한다
성급한 결론을 피한다

매우 우수함	**좋음**	**경계선**	**부실함**
누락이 없고, 명확하며, 논리적이고 정확한 감별진단, 적절한 임상질문을 함	올바른 감별진단, 정보를 놓치거나 누락할 수 있음, 검사의 민감도/특이도와 질병의 유병률을 이해하거나 활용하지 않음	주요 감별진단 내용과 기관계통을 맞췄지만 1가지 또는 그 이상의 큰 오류나 실수를 행함, 또는 자신의 실수를 인지하지 못함함	수집한 정보를 종합시키지 못함거나 부실한 정보에 의지하는 불안전함을 보여줌
상급 전공의/교수진	**전공의/인턴**	**인턴/의과대학생**	

기타 의견:

그림 4.5 계속

9

계획: 시스템바탕 진료
검사/치료 선택에 동반이환 상태를 포함할 수 있다
검사비용에 대해 조심스럽고 윤리적인 접근을 할 수 있다
평가의 긴급성 수준을 정확하게 파악할 수 있다
긍정적, 부정적 검사결과를 가지고 무엇을 해야 하는지 안다
보조인력/지원을 적절히 활용 할 수 있다
선택한 검사들에 대한 한계를 이해한다 (민감도/특이도/위양성)

매우 우수함	**좋음**	**경계선**	**부실함**
성숙하고 진보적인 사고방식과 의사결정 환자의 특수한 상황을 고려함	동반질환, 가격을 고려하지 않고 질병과 관련된 올바른 검사를 지시함	병력을 인지하지 못하고 성급히 검사를 시행함, 보조 인력활용에 실패, 환자의 문제를 고려하는 데 실패함	2가지 이상의 주요 실수를 함
고참 전공의/교수진	**전공의/인턴**	**인턴/의과대학생**	

기타 의견:

환자/상담/행동변화 계획 발표

10

대인관계/의사소통 기술
문제 규명 공유된 의사결정 *"함께 해봅시다"* 적절한 속도
공통된 의견/환자 교육/평가에 대한 이해 *"-에 대해 얼마나 이해되시나요?"*
의학용어 피하기 환자의 선택에 영향을 줄 수 있는 변수 탐색
질문을 할 수 있도록 쉬어가거나 질문하기 환자의 견해와 선호를 존중하기
요약하기 환자의 비언어적 단서에 반응해주기

매우 우수함	**좋음**	**경계선**	**부실함**
공통된 의견을 찾고, 의사결정이나 불확실한 점을 편안하게 공유함	몇가지 작은 문제(분명하고 확실한 대화)를 놓쳤지만 전반적으로 긍정적임	한 가지 중요한 문제를 놓침("환자가 어떤 생각을 하고 있는지" 분명하게 하기, 학습자는 환자가 이해했는지 알지못함	독단적임: 환자는 부정적인 경험을 함

기타 의견:

11

의학적 지식 요소
불확실한 점에 대해 여러가지 선택을 할 수 있도록 한다(검사/치료/다양한 환자의 반응의 한계)
선택 내용에 대한 장단점을 논의한다(검사하지 않는 선택 포함)
검사/치료의 위험요소를 전달한다
검사/치료의 한계를 이해했음을 보여준다

매우 우수함	**좋음**	**경계선**	**부실함**
모든 진단과 선택할 수 있는 치료과정에 대해 완전히 이해를 함; 불확실성에 대해서도 편안함	몇가지 중대한 선택이 작지만 의미 있는 검사나 조금은 덜 중요한 요소들을 놓칠 수 있음을 앎	1-2가지 정도의 선택과 기본적인 질병 과정을 나열할 수 있음; 중요한 대안들을 인식하지 못함	2가지 이상의 큰 실수를 함
상급 전공의/교수진	**전공의/인턴**	**의과대학생**	

기타 의견:

12

전문직업성
편견에 대해 설명함 잘난체 함 환자의 선호 무시 무시함

매우 우수함/좋음	**경계선/부실함**
빠뜨린 것이 없거나 거의 없음	중요한 수칙 불이행

기타 의견:

총 관찰시간: __________ **피드백 여부: 예( ) / 아니오( )**

행동계획: ____

그림 4.5 계속

해 감독이 필요함, 4 - 6 = 전반적으로 혼자서 할 수 있지만 일부 지도가 필요함, 7 - 9 = 독립적 진료가 가능함, 또는 1 = 관찰자인 내가 대신 해주어야 했음, 2 = 학습자에게 이해시켜야 했음, 3 = 종종 간섭해야 했음, 4 = 만일을 대비하여 진료실에 있어야 했음, 5 = 진료실에 있을 필요가 없었음.[96,99] 사전연구에 따르면 위임척도를 사용할 경우, 인지적으로 더 일치하고 평가자의 경험을 바탕으로 평가할 수 있으므로 식별력을 증가시키며, 평가자 간의 의견 불일치를 줄이고, 좋은 신뢰도를 확보하기 위한 평가 횟수를 줄일 수 있다.[97] 기존의 채점 시스템과 비교해보면, 위임척도의 사용은 신뢰도가 향상되고 평가자 신뢰도 또한 극복할 수 있으며, 기대치 이하로 수행하는 학습자 선별에 용이하다.[96]

우리의 현실은 최적의 평정척도 선택이 아직 결정되지 않았다는 것이다. 여러분이 사용하기로 결정한 척도와 상관없이, 채점결과의 가장 큰 변수는 평가를 하는 당사자들이라는 점을 기억해야 한다. 따라서, 다음 절에서 다룰 것이지만 교수자에 대한 교육이 필수이다.

직접관찰 평가의 질적 개선

개요

역량바탕교육에서 평가 전략의 하나로 직접관찰의 중요성에도 불구하고, 업무현장바탕평가는 신뢰도와 타당도가 떨어지는 문제로 가득 차 있다. 이 절에서는 업무현장바탕평가의 신뢰성과 타당도 문제를 검토한다. 그런 다음 업무현장바탕평가의 질(quality)을 향상시키는 데 도움이 되는 전략을 검토하도록 하겠다. 많은 교수자들이 임상술기에 대해 정확하게 관찰하고, 효과적이고 교정된 피드백을 제공할 준비가 되어 있지 않을 수 있지만, 한 가지 좋은 소식은 직접관찰은 교수자가 훈련을 통해 획득할 수 있는 기술이라는 점이다.[68] 그러나 교수자는 직접관찰이 중요하고, 가르치는 교육자에게는 전문적 의무이며, 다른 기술과 마찬가지로 훈련이 필요하다는 것을 알아야 한다. 한편, 반드시 학습자의 임상술기를 효과적으로 관찰해야만 좋은 임상의와 교육자가 되는 것은 아니다.

신뢰도와 타당도 문제

업무현장바탕평가의 중요한 문제는 교수자 평가의 정확성에 상당한 결함이 있다는 것이다. 예를 들어, 교수자는 교육용 비디오 테이프에서 부실한 수행 수준의 전공의가 보여준 오류 중 최대 68%를 감지하지 못하는 것으로 나타났다.[90,100] 교수자들로 하여금 특정한 술기를 찾기 위한 체크리스트의 사용은 오류 검출에 약 두 배에 가까운 정확성을 가져왔지만, 체크리스트는 역량에 대한 정확한 총괄평가에는 도움이 되지 않았다.[90] 교수진의 약 70%가 경계성 수행능력을 보인 전공의를 전반적으로 만족스럽거나 우수한 전공의로 평가했다.[90] 칼레트(Kalet)와 동료들은 인터뷰 능력을 평가하기 위한 객관구조화진료시험(objective structured clinical examination, OSCE)에 학생 수행을 담은 비디오 테이프를 사용하여 교수의 관찰 기술의 신뢰도와 타당도를 조사했다.[101] 교수자는 개방형 질문과 공감을 사용을 확인하는 데 일관성이 없었으며, "적절한" 면담 기술에 대한 교수진의 양성예측도는 단지 12%에 불과했다. 또 다른 연구에 따르면 교수진은 신체진찰 기술의 32%를 정확하게 평가할 수 없고 머리, 목 그리고 복부 진찰에 대한 평가를 가장 어려워 하는 것으로 나타났다.[102]

진료의사들은 임상술기에 상당한 결함이 있는 것으로 나타났다.[20,28-34,103,104] 자신의 임상술기에 결함이 있는 의학교육자가 학습자들의 결함을 발견할 가능성은 낮다는 것은 쉽게 상상할 수 있다. 우리 모두 솔직해지자. 교수자는 술기가 부족하거나 자신의 능력에 문제를 느낄 경우, 학습자의 수행에 비판적일 가능성은 거의 없어보인다. 이러한 견해는 교수자에 대한 SP의 평가를 활용한 한 소규모의 연구에서도 그 근거를 찾을 수 있다. 병력청취 기술을 완벽하게 수행하고 더 우수한 대인관계 기술을 갖고 있는 교수자일수록 전공의를 평가할 때 더 엄격하게 평가할 가능성이 높았다.[105] 이 연구의 중요한 제한점은 교수자의 술기를 평가하는데 SP를 사용했다는 것인데, 그 이유는 SP의 평가는 종종 효율성보다 완전성에 점수를 많이 주고 정교한 질병 대본과 수행 내용이 비슷할수록 후한 점수를 주기 때문이다.[13] 또 다른 연구에서는 평가자가 종종 그들에게 평가하도록 요청되고 있는 술기 내용에 대한 전문 지식이 부족함을 느낀다는 것이다.[77]

업무현장바탕평가의 신뢰도가 낮은 또 다른 이유는 교수자가 학습자를 비교할 때 다양한 표준을 사용하기 때문이다. 많은 업무현장바탕평가도구는 불만족, 만족, 우수와 같은 기준을 사용하며[79] 이러한 기준은 다양하게 해석될 수 있다.[79,106] 평가자들이 학습자들을 평가하는 기준은 실험적으로 개발되고 있다. 각각의 평가자는 수행의 서로 다른 측면에 중점을 둘 수 있고, 이는 학습자 수행의 질적 수준에 대한 정의를 각자 다르게 생각할 수 있다는 사실이다.[106-108] 어떤 교수자들은 학습자를 평가할 때, 주어진 수련 단계에서 어떤 기술이 보여져야 하는지에 대해 확실하지 않더라도 유사한 수준의 훈련(규범적인 표준)을 고려하여 학습자를 비교한다.[77,106,107] 일반적으로 교수자는 학습자를 평가할 때 자기 자신을 표준으로 사용한다(자기 표준).[106] 이 경우, 교수자의 역량 수준이 다양하고, 심지어 역량이 부족한 교수자일 경우 문제가 된다. 대부분의 교수자는 자신이 왜 그런 평가를 내렸는지 설명하지 못한다. 이를 게슈탈트라고 한다. 게슈탈트 평가는 종합적인 평가에서는 가치가 있지만, 교수자가 학습자에게 구체적이고 건설적인 피드백을 위해 자신의 평가 내용을 세부적으로 구분할 수 없을 때에는 문제가 된다. 교수자가 특정한 술기(예: 공유된 의사결정을 관찰하는 경우, 대화에 포함된 공유된 의사결정 요소들을 수치로 계산한 전공의 평가)에 대해 근거를 중심으로 한 최고 술기와 비교하여 준거참조 접근을 사용하는 것은 드문 일이다.[106] 따라서 평가자가 학습자의 수행을 비교하기 위해 다른 표준을 사용하는 경우 학습자 수행평가 결과가 다르게 나타날 것이라는 점은 놀라운 일이 아니다.

또 다른 오류의 원인은 교수자가 관찰 가능한 행동을 평가하기보다 관찰 중 추론(그것이 사실이라고 추정하는 것을 전제하여 논리적 결론을 도출 함)을 할 때 발생한다.[106,109] 한 예로, 우리는 환자에게 나쁜 소식을 전하는 전공의의 비디오를 교수자에게 보여주었다. 전공의는 소식을 전할 때 팔짱을 끼고 서 있었다. 일부 교수자들은 이러한 행동을 지식 부족으로 해석했다(나쁜 소식을 들을 때 앉아야 한다는 것을 모르는 경우). 다른 평가자들은 그 전공의가 공감과 인성이 부족하다고 보았다. 또다른 평가자들은 그 전공의가 나쁜 소식을 한 번도 전한 적이 없기 때문에 불안함을 표출한 것이라고 추론했다. 평가자는 학습자의 지식, 술기(역량) 및 태도(직무 윤리, 감정, 의도, 성격)를 서로 다르게 추론한다.[106,109] 평가자는 이러한 추론을 할 때 이를 인식하지 못하기 때문에 정확성이 떨어지는 것이다.[106] 확인되지 않은 추론은 학습자의 평가를 "왜곡"시키는데 그 이유는 평가자의 추론은 관찰되거나 측정될 수 없기 때문이다. 이로 인해 커다란 평가자간 변수가 생기고 궁극적으로 잘못된 평가가 이루어진다.

평가의 또 다른 변수의 원인은 평가자가 추후 발생할 수 있는 불편한 영향을 피하기 위해 평가내용을 수정한다는 것이다. 일부 교수자는 경계선 수행에 대해 학습자에게 설명해주어야 하는 불편한 상황을 피하고자 인위적으로 평가를 높게 주는가 하면, 어떤 교수자는 코치로서의 역할과 책임에 더 초점을 맞추고 학습자에게 낮은 점수를 부여하는 데 주저하지 않는다.[106] 어떤 교수자는 평가를 부풀려 학생들에게 인기를 얻고 유명해지길 원하기도 한다.[106] 또 어떤 교수자는 자신의 평가결과를 설명해야 하는 기관장과의 대화를 피하기 위해 엄격한 평가를 내리기도 한다.[106,110,111]

업무현장바탕평가의 변수는 인간의 인식의 한계로도 발생할 수 있다.[95] 한 예로, 대조 효과를 들 수 있는데 mini-CEX 평가에서 경계선 수행에 부여하는 점수는 최근 관찰되었던 선행 수행에 의해 크게 영향을 받았다는 점이다. 예를 들어, 경계선 수행은 우수한 수행 후 관찰될 경우 평가를 낮게 받는다. 반대로, 경계선 수행이 좋지 않은 수행 후에 관찰되는 경우 평가를 높게 받는다.[112,113] 이러한 바이어스(bias)는 수치 평가뿐만 아니라 서술적 피드백에도 영향을 미친다.[114]

우리는 교수자의 직접관찰 후 평가에 영향을 미치는 몇 가지 요소를 요약한 개념적 모형(그림 4.6)을 개발했다.[106] 비록 모형은 복잡하지만 이 장에서는 직접관찰 및 업무현장바탕평가가 매우 복잡한 기술이라는 사실을 강조하기 때문에 여기에 포함시켰다. 모형 안의 문자 표기는 해당되는 그림을 나타낸다. 교수자가 학습자를 관찰을 할 때 다음(A)과 같은 사항을 동반된다. 관찰 및 피드백에 대한 태도와 감정, 임상 역량(즉, 학습자를 평가하는 영역에서의 자신의 임상술기 역량), 교육 역량(즉, 자신

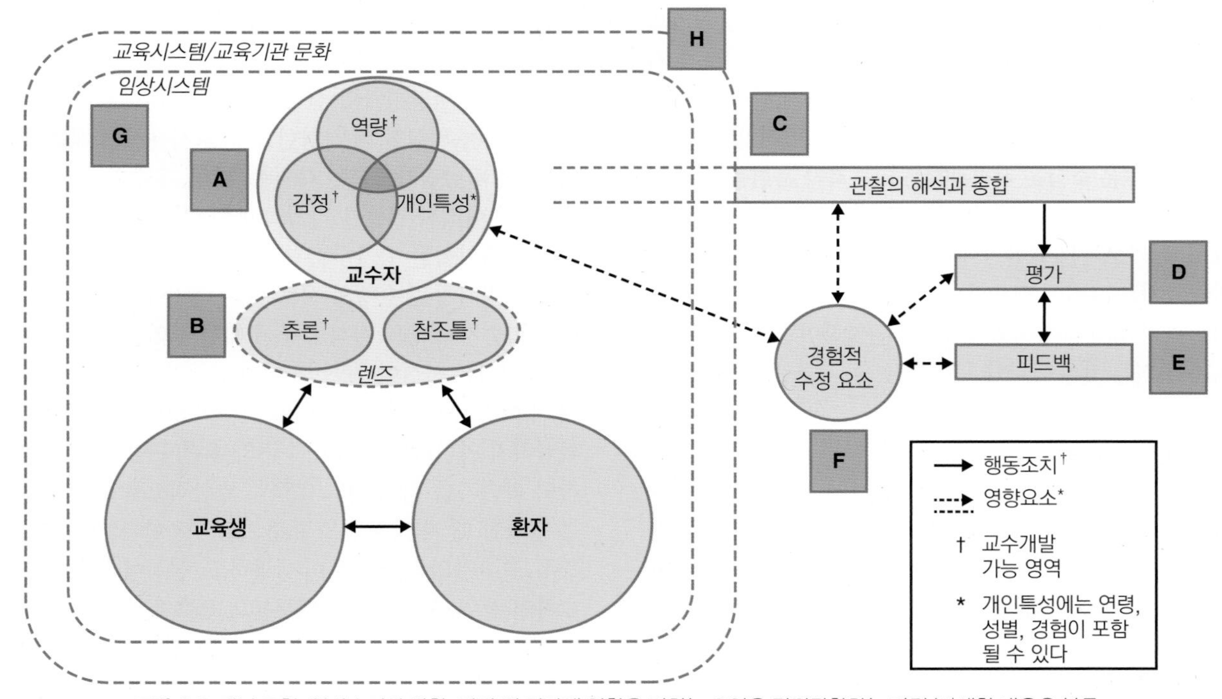

그림 4.6 개념 모형: 임상술기와 관찰, 판단 및 평가에 영향을 미치는 요인을 직접관찰하는 과정(자세한 내용은 본문 참조). (Kogan JR, Conforti L, Bernabeo E, et al: Opening the black box of clinical skills assessment via observation: a conceptual model. *Med Educ* 2011;45(10):1048-1060의 내용 수정)

의 관찰, 사정, 피드백 기술), 개인적 특성(예: 연령, 성별, 임상 및 교육 경험). 교수자는 학습자-환자의 상호작용을 두 가지 관점에서 관찰한다(B). 교수자는 관찰하면서 다양한 참조틀(규범, 자기표준, 준거참조, 게슈탈트)을 사용하여 추론을 한다. 학습자-환자의 만남을 관찰한 후 교수자는 모든 관찰을 해석하고 종합하여(C), 숫자평정 또는 서술적 평가를 내려야 한다(D). 한편, 이 과정은 그렇게 간단하지 않다. 교수자는 때때로 예상되는 피드백에 따라 평가나 등급을 수정한다(E). 예를 들어, 교수자는 종종 학습자와의 대화를 피하기 위해 실제 점수보다 더 높은 점수를 준다. 경험적 수정요소(F)는 교수자의 관찰, 해석, 종합적 관찰과 피드백에 더 많은 영향을 미칠 수 있다. 예를 들어, 이전에 학습자와 함께한 경험(예: 학습자의 이전 수행 수준, 피드백 수용 정도 등)이 교수자의 관찰과 피드백에 영향을 준다. 모형의 복잡성에 더하여, 관찰은 임상시스템(G)(예: 환자에 대한 친숙성, 환자 복잡성, 다수의 환자를 기다리는 대기 시스템과 같은 요소), 그리고 교육시스템/교육기관의 문화(예: 평가 문화, 감독 문화) (H)에 영향을 받는다.

교수자가 평가 결정을 내리는 방법(때때로 평가자 인식이라고도 함)은 새로운 의학교육 연구 분야이다.[115] 이 장의 후반에, 우리는 평가의 변수에 영향을 미치는 몇 가지 요인을 해결하기 위한 교수개발의 필요성을 설명하도록 하겠다. 일부 평가자 인식 연구자들은 이 변수를 문제로 보지 않으며 여러 평가자의 다양한 관점을 수용한다는 점이 중요하다.[7,115,116] 이러한 시각에서, 평가는 여러 평가자가 함께 평가할 때 학습자에 대한 의미 있는 정보를 제공할 수 있으므로 다양한 평가자의 관점으로 인해 더욱 강화될 수 있다. 우리는 여러 관점이 가치가 있다는 데 동의하지만 수용 가능한 의료서비스로 간주되는 것은 제한적이며, 모든 평가가 동일한 질적 수준의 평가라고 보지는 않는다. 즉, *학습자*를 위한 것이 아니라, *환자중심* 시각에서 수용가능한 평가결과에는 한계가 있다.

평가의 질적 향상을 위한 교수개발 접근 방식 개요

업무현장바탕평가의 질을 향상시키려면 평가를 수행하는 개인의 교수개발이 필요하다. 역사적으로 업무현장바탕평가의 질을 개선하려는 노력은 새로운 평가도구를 개발하거나 기존 도구를 개선하는 데 중점을 두었다. 그러나 평가도구가 스스로 만들어지는 것은 아니다. 교수자가 평가양식을 채워야만 한다. 그러므로 평가의 질은 주로 높은 질적 수준의 학습자 관찰을 하고 문서화하는 교수자의 능력에 달려 있다. 다시말하면, 실제로 평가도구는 교수자 자신이라 할 수 있으며, 수준 높은 직접관찰 및 업무현장바탕평가를 수행하기 위해서는 교수자 자신을 개발해야 하는 시간이 필요하다. 여기서 중요한 메시지는 교수자 훈련이 효과적인 임상술기 관찰에 매우 중요하다는 사실이다.[68,75]

그러나 업무현장바탕평가를 개선하기 위해 평가자 훈련의 효과를 탐색한 연구는 거의 없다.[86,117-120] 따라서 평가자 교수개발 방법을 안내할 수 있는 "근거"가 부족하다. 더욱이, 선행된 평가자 훈련 연구는 혼합된 효과를 보여 주었다. 예를 들어, 8시간 교수개발을 시행한 무작위 대조시험에서는 표준화된 전공의와 환자를 대상으로 평가 훈련을 하였는데 그 결과 교수자 평가에 의미 있는 변화를[117] 가져왔다; 그러나 실습의 기회 없이 두 시간의 짧은 교수개발훈련이 이루어졌던 사례 연구는 효과가 없었다.[118]

이 절에서는 평가자 교육에 대한 접근 방식을 설명하고자 한다. 평가자 훈련의 목표는 (앞서 설명한) 평가빈도를 향상시키고 업무현장바탕평가에서 직접관찰의 질을 개선하는 것이다. 비록 교수개발 평가자 훈련에 대한 정량적 연구는 거의 없지만, 추후 설명하는 평가자 훈련 접근 방식은 우리가 수행한 질적연구와 직접관찰에서 교수개발 프로그램 경험을 바탕으로 한 연구결과를 근거로 한다. 특정 평가자 교육에 대한 연구결과 근거가 있을 때에는 언급하도록 하겠다. 우리는 평가자 훈련의 네 가지 부분을 설명할 것이다. (1) 교수자가 평가자 훈련에 참여하도록 동기부여하기, (2) 수행성과 차원 교육, (3) 참조틀 훈련, (4) 직접관찰 및 피드백 기술 연습. 1시간 30분, 3시간 및 종일 과정으로 개발된 평가자들의 훈련 워크숍의 예가 부록 4.2에 나와 있다. 여기서 한 가지 중요한 경고가 있다. 일회성 교수개발의 시도는 지속적인 교육보다 효과적이지 않다.[121] 교수개발은 참가자들이 단순한 정보습득에 "만족" 하는 일회성 행사로 자주 발생한다. 그러나 시간이 지남에 따라 강화되지 않으면 습득한 기술의 실력은 떨어지기 시작한다. 그래서 평가자 훈련 교수개발에서는 평가자를 "재교육" 해야 한다.[122] 따라서, 가능하면 평가자가 지속적으로 교수개발훈련에 참가하여 자신의 성공 사례를 공유하고, 도전과제들을 논의하고, 새로운 기술을 습득하며, 이전에 배웠던 평가기술을 재조명하고 재조정하는 것이 좋다. 지속적인 교수개발의 또 다른 이점은 학습공동체 또는 "실무공동체"를 만들 수 있다는 점이다.[123]

평가자 훈련에 참여하는 교수자의 동기 부여

사전에 기술한 바와 같이, 교수자가 평가자 훈련에 참여하도록 동기를 부여하는 것은 종종 임상술기의 중요성과 임상술기의 평가를 검토하는 것을 포함한다. 이러한 동기는 직접관찰을 장려할 수 있지만, 교수자가 평가의 질을 향상시키도록 동기를 부여하지는 않을 것이다. 많은 교수자가 자신은 학습자에 대한 효과적인 평가를 제공하고 있다고 잘못 생각하고 있으며, 평가에 문제가 있다는 것을 인식하지 못할 수도 있다. 이러한 경우, 그들은 평가자 훈련을 위한 교수개발에 참여하는 동기가 애초부터 없을 것이다. 교수자가 평가자 훈련에 참여하도록 동기를 부여하기 위해 업무현장바탕평가의 정확도, 신뢰도, 타당도 문제를 설명해줄 필요가 있다. 그리고 일반적으로 "보여주기"

식의 설명이 "말하기" 보다 효과적이다. 우리는 참가자들에게 흔한 질병을 가진 SP의 병력청취 혹은 신체진찰 또는 상담을 수행하는 전공의 비디오를 보여준다. 우리는 일반적으로 전공의가 "중간/만족" 수준의 임상술기를 보여주는 비디오를 시청하게 한다. 여기서 중요한 것은 교수자들에게 비디오에 보이는 전공의가 훈련되었는지 알려주지 않아야 한다. 교수자는 비디오를 보고, 전공의의 강점과 약점 그리고 mini- CEX 양식을 채우고, 전반적인 전공의 평가를 한다. 또한 교수자에게 왜 그러한 종합평가를 하게 되었는지 표기(규범적 표준, 자기표준, 게슈탈트 등)하게 한다. 모든 사람들이 mini-CEX를 마치면, 전공의의 최종 종합평가를 어떻게 주었는지 9점, 8점, 7점 등 해당 점수에 손을 들게 해본다. 그리고 9점 척도로 각 등급을 부여한 참가자 수를 집계한다. 필연적으로 평가자들의 점수는 그 범위가 넓게 나타난다. 어떤 평가자는 2점을 주고, 또 어떤 평가자는 8점으로 평가한 것을 쉽게 찾아볼 수 있다. 이는 낮은 신뢰도를 시각적으로 보여주는 것이다. 참가자들은 이같이 폭넓은 범위(특히 숙련된 교수자 집단인 경우)에 놀라게 되며, 다른 교수자가 결정한 평가 점수에 관심을 갖게 된다. 이는 다음 단계인 수행 차원 훈련으로 자연스럽게 이어질 수 있다.

수행 차원 훈련

수행 차원 훈련(performance dimension training: PDT)은 교수자가 자체평가시스템에 사용되는 적절한 수행을 가르치고 익히도록 설계되었다. PDT만으로는 평가자 정확도가 향상되지는 않지만 모든 평가자 훈련 프로그램에 중요한 구조적 요소이다.[124-126] PDT의 가장 중요한 목표는 교수자가 평가해야 하는 역량에 대한 정의와 기준을 이해하여 높은 수준의 합의에 도달하도록 하는 것이다. PDT는 각 수행 또는 역량에 대한 정의와 기준을 검토하는 것부터 시작한다(예: 효과적인 병력청취를 하거나 의사결정을 공유할 수 있는 행동은 무엇인가?). 목표는 환자중심진료 관점에서 우수한 수행을 구성하는 모든 기준과 학습자 행동을 정의해 보는 것이다. 이 과정은 교수자가 술기에 해당되는 행위를 식별하는 작업이므로 집단활동으로 진행는 것이 가장 적합하다. 최종 결과는 교수자가 직접관찰에 도움이 될 수 있는 행동 틀을 만드는 것이다. 집단의 상호 의사소통은 PDT 과정에서 매우 중요한데, 그 이유는 "공유된 정신모형(mental model)"의 개발을 촉진하기 때문이다.[119] 집단 작업과정은 시간이 걸리지만 단순히 술기를 구성하는 행동 목록을 전달하는 것보다 효과적이다.[119] 교수자들은 이미 만들어진 평가 틀을 단순히 전달할 때 회의적인 태도를 취한다.[119]

PDT의 다음 단계는 교수자에게 평가해야 하는 수행 내용의 정의와 기준에 대한 이해를 향상시킬 수 있는 "상호작용"의 기회를 제공하는 것이다. 이 과정은 교수자가 이해한 동작을 새로운 교육 비디오 시나리오에 적용하여 진행할 수 있다. 교수자는

• 글상자 4.4 수행차원 훈련의 이점

평가 루브릭/과정에 대한 인식

- 중요한 평가 기준에 대하여 공유된 정신모형을 만든다.
- 교수자가 역량에 필요하다고 생각하는 술기를 검증한다.
- 과거에는 고려되지 않던 술기에 대해 인식한다.

직접관찰(Direct Observation, DO)

- 보다 표준화되고 체계적인 방식으로 DO에 접근한다.
- DO 중 광범위한 술기, 특히 의사소통 기술에 대한 관심을 장려한다.
- 고품질 환자진료를 뒷받침하는 술기 평가를 용이하게 한다.

피드백

- 피드백 중에 논의되는 술기의 폭을 증가시킨다.
- 피드백을 위한 더 구체적인 어휘를 제공한다.
- 구체적이고 건설적인 피드백을 제공하여 자기효능을 향상시킨다.
- 피드백을 위해 전인적 평가 내용을 세분화 할 수 있다.

교수자의 임상술기 향상

- 교수자는 새로운 기술을 배우거나 과거에 배운 기술을 복습해본다.
- 환자진료 중 교수자의 마음챙김이 증가된다.
- 환자에게 실제 제공되는 교수자 자신의 진료에의 간극을 식별할 수 있도록 한다.

주어진 틀을 활용하여 관찰하고 관찰한 내용을 서로 공유한다. 이렇게 연습을 지속하면 공유된 정신모형의 개발을 더욱 촉진시킨다. 이 합의는 교수자가 평가 준거를 보다 표준화된 방식으로 활용하는 데 도움이 되며, 관찰의 공정성, 신뢰도와 타당도를 향상시킨다. PDT는 교수자가 직접관찰뿐만 아니라 다른 평가도구를 위해 평가 틀과 특정 기준을 효과적으로 이해하고 *활용*하도록 돕는 검증된 방법이다.

PDT에는 몇 가지 장점이 있다(글상자 4.4).[119] 집단과정을 통해 동의된 평가준거는 교수자가 중요하다고 생각하는 술기에 타당성을 확보해준다. 때때로 교수자는 특정 술기가 해당 역량에 기본이라고 생각하는 것은 자신들만의 착각은 아닌지 의문을 갖는다. PDT의 집단활동은 교수자에게 동료들도 이러한 기술이 필수적이라고 믿고 있음을 보여준다. PDT 과정은 사전에 고려하지 않았거나 필요하지 않다고 생각했던 술기에 대해 인식하게 해준다. 체크리스트를 평가 틀이나 지침서로 활용하여 전인적 평가를 가능하게 하고, 피드백을 위한 틀을 제공하는 것은 대부분의 교수자들이 잘 받아들일 수 있다. 교수자는 PDT가 보다 표준화되고 체계적인 방식으로 직접관찰에 어떻게 도움을 줄 수 있는지, 특히 대인관계 및 의사소통 기술과 같은 광범위한 기술에 주의를 기울이도록 도와준다.[119] PDT는 높은 수준의 환자진료에 필요하지만, 교수자가 훈련에 참여하기 전에는 인식하지 못했던 술기 평가를 시작할 수 있도록 한다.[119] PDT 참여

는 직접관찰 후 피드백에도 도움을 준다. 교수자는 PDT가 피드백 중에 논의된 기술의 폭을 넓히는 데 어떻게 도움이 되는지 설명하기도 한다.[119] PDT는 피드백을 제공할 때 교수자에게 보다 세분화된 어휘를 제공하며, 구체적이고 건설적인 피드백을 제공할 때 자기 효능을 높일 수 있다.[119] 또한 PDT는 일부 교수자가 그들의 종합적인 평가를 세분화하여 보다 구체적인 피드백을 제공할 수 있도록 도와준다.[119] PDT는 환원주의자 같은, 아무 생각이 없는 도구로 사용될 수 있는 체크리스트의 최종 결과물이 아니다. PDT의 가치는 환자중심진료에 대한 위임성과에 대해 종합적이고 공유된 정신모형을 사용할 때 필요한 술기를 이해하기 위해 그 체계를 만들어가는 과정이다.

앞서 직접관찰의 질은 교수자의 임상술기의 역량에 따라 달라질 수 있음을 설명하였다. 또한 PDT는 교수자가 새로운 술기를 배우거나, 이전에 배운 술기를 새로 고치거나, 혹은 단순히 자신의 임상진료에 더 신경을 쓰는 것을 통해 자신의 임상술기 역량을 향상시킬 수 있도록 도와준다.[119] PDT는 교수자가 자신의 역량 격차를 식별하는 데 도움을 줄 수 있다. 예를 들어, 동기 부여를 위한 환자면담에 대해 PDT를 진행하면 한 번도 제대로 교육받은 적이 없는 중요한 역량을 학습할 수 있다. 이와 같이 PDT는 교수자 자신의 임상술기 증진을 도와줌과 동시에 평가에도 도움이 될 수 있다. PDT는 평가항목에는 있지만 자신의 전공의 시절에는 전혀 배우지 않았던 내용을 배울 수 있는 기회를 제공한다.[119] 교수자를 위한 이러한 유형의 전문성 개발은 매우 부족하다는 사실을 우리가 인식하는 것이 중요하다. PDT는 교수자가 평가자로서 뿐만 아니라 임상의로서 새로운 술기를 배울 수 있는 것은 규모의 경제(economy of scale)라 할 수 있다. 이는 의학교육 비용을 정당화해야 하는 압박이 있는 경우, 매력적인 활동일 수밖에 없다.[127-129]

부록 4.3은 매우 간단하고 유용한 PDT 활동이다. 예를 들어, 간단한 임상 시나리오 중 하나는 새로운 의학적 진단을 내린 환자를 위해 약물을 처방하는 학습자 시나리오일 수 있다. 임상술기 역량은 상담과 환자교육이다. PDT 활동을 위한 질문은 "새로운 약물 치료를 시작하는 환자에게 효과적인 면담은 어떻게 진행해야 하는가?"라고 간단하게 설정할 수 있다. 교수자의 주요 과제는 효과적인 상담에서의 학습자를 정의하는 것이다. 학습자 행동이 교수자의 관찰대상이므로 *행동(behavior)*에 중점을 두도록 한다. 따라서 공감이 중요하다면, 교수자는 어떤 행동이 공감을 나타낼 수 있는지 식별해야 한다. 필자들은 이 상황에서 일반적으로 PDT를 할 때 교수자가 반응할 수 있는 내용을 담은 비디오를 보여준다.

5-8명의 소규모 집단에서 PDT 활동을 수행한 후 소규모 집단들이 결과를 공유하도록 권장한다. 필연적으로 집단간에 차이가 발생할 수 있다. 그러나 이러한 차이는 상담 또는 기타 임상술기의 핵심요소와 역량 기준을 구성하는 것에 대한 생산적인 토론으로 이어진다. 그리고 교수자들의 원활한 활동 진행을 도울 수 있도록 참고할 수 있는 평가 틀이나 근거바탕 자료를 나눠준다(예: 의학면담에 대한 SEGUE 모델, Braddock의 요소나 보건의료 연구와 품질관리유지기관(Agency for Healthcare Research and Quality)의 SHARE[2)] 평가 틀, 나쁜 소식을 알리기에 도움되는 SPIKES[3)] 모형).[29,88,130,131] 그러면 교수자들은 자신들이 기술한 행동 목록을 문헌에 기술된 것과 비교할 수 있게 된다. 이러한 활동은 나아가 교수자가 관찰에 사용할 기준을 더욱 표준화하고 보정할 수 있게 도와준다. 교수가 자신의 평가 틀을 도출할 수 있을때, 그들이 생각하지 못했던 술기를 고려할 수 있는 여유가 생긴다.[119] 교수자들은 또한 동일한 술기를 문헌으로 재확인될 때 명확히 검증된 느낌을 받는다.[119] 이 논의가 완료될 즈음, 참가자들은 학습자 수행평가를 위해 개발한 준거를 사용하면서 동일한 비디오 테이프를 다시 시청한다. 물론 시간 절약을 위해 처음부터 근거바탕평가 자료를 배포해줄 수도 있다. 그러나 우리의 연구에 따르면 이는 효과적이지 않은 것으로 밝혀졌다. 교수자가 스스로 평가 틀을 개발해보는 기회를 갖지 않고 이미 만들어진 평가 틀을 전달받을 경우, 평가 틀에 기술된 술기 행위들을 지지할 확률이 적다.[119]

앞에서 설명한 PDT 활동은 두 가지 임상술기를 약 1시간만에 다룰 수 있다.

참조틀 훈련

참조틀 훈련(Frame-of-reference training: FORT)은 구체적으로 채점 정확도를 목표로 한다.[124,125] PDT에서 합의 과정 결과를 사용하는 참조틀 훈련의 주요 목표는 수행 수준을 구별하기 위해 다른 수행 기준을 적용하는 교수자 간 일관성을 유지하는 것이다. 참조틀 훈련은 참가자들이 수행의 *수준(levels)*을 구분하고, 학습자가 "발달 스펙트럼" 중 어디에 있는지를 식별할 수 있으므로 역량바탕 의학교육의 발달 모형을 지지한다.

부록 4.4는 참조틀 훈련과정의 개요이다. 보시다시피 참조틀 훈련은 실제로 PDT의 확장판이다(1 단계). 앞절에서 설명한 PDT 활동은 최적의 환자진료 결과의 관점에서 우수한 수행해에 대한 기준과 정의를 규정했다(2 단계). 부록 4.4에 표시된 것처럼 참조틀 훈련의 세 번째 단계는 *만족스러운(satisfactory)* 수행에 대한 최소 기준(환자가 안전하고 효과적인 환자중심진료를 받기 위해 필요한 것)을 정의하는 것이다. *만족스러운* 수행에 대한 이러한 기준은 경계선과 불만족스러운 수행을 정의하는 데 중요한 앵커 역할을 한다. 교수자 집단이 한번 이 통과 기준을 정하면, 자동적으로 이 기준 이하의 행동은 비효과적이며,

2) 역자 주. SHARE는 환자진료 시 최선의 의사결정을 내리도록 도와주는 1일 교육프로그램으로, Seek(살펴보기), Help(도와주기), Assess(사정하기), Reach(도달하기), Evaluate(평가하기)의 첫 글자를 딴 약자이다.

3) 역자 주. SPIKES는 Settings(준비), Perception(지각), Invitation(초대), Knowledge(지식), Empathy(공감), Strategy&Summary(전략과 요약)의 첫 글자를 딴 약자이다.

환자 중심적이지 않으며, 그리고/혹은 안전하지 않은 진료가 된다(예: "불만족"). 이와 같은 기술은 교수자들이 수행 수준을 구분하고 학습자에게 보다 구체적인 피드백을 제공하는 데 도움이 된다. 배포된 근거중심 참조틀 자료는 교수자가 기본 임상술기의 수행 표준에 대하여 합의에 도달하는 데 도움될 수 있다. 이러한 유형의 자료는 가능하면 PDT와 FORT 실습을 위한 지침서로 사용되면 좋다. 이 활동은 여러 수준의 술기를 담은 교육 테이프를 반복하여 보여줌으로써 참가자들이 여러가지 수행을 차별화하는 훈련을 할 수 있다(4 단계).

앞에서 설명했듯이 FORT는 교수자가 여러 수준의 수행 술기를 구별할 수 있도록 도와준다. 만약 교수가 서술평가 외에 수치 평가를 제공해야 하는 경우 FORT의 두 번째 영역은 교수자가 채점에 척도 또는 단계를 만들게 하는 것이다(5 단계). 측정 절차를 시작하기 위해 먼저 참가자에게 교육 시작 시 시청한 비디오에서 전공의에게 준 점수를 공유하고, 무엇을 관찰하여 해당 점수를 주었는지 설명하도록 요청한다. 예를 들어, 면담 기술에서는 전공의에게 5점을 주었는데, 전공의가 잘한 점과 개선이 필요한 부분 등을 설명하면서 왜 5점을 선택하게 되었는지 설명한다. 교수자는 이러한 서술적인 이야기를 공유하면서, 교육 진행자들은 채점 점수를 선택하는 데 사용할 수 있는 다양한 기준들이 있다는 점을 강조해야 한다. 그리고 교수자들이 자기 자신을 표준으로 사용할 때, 규범적인 표준을 사용할 때 혹은 게슈탈트 평가를 사용할 때 이 점을 언급해주면 좋다. 또한 표준이 위임능력인 준거참조 접근법을 사용할 때에는 특히 강조해 주어야 한다. 참가자들은 서로 다른 표준을 사용하기 때문에 평가자간의 신뢰성이 떨어진다는 점을 상기시켜준다.

그런 다음 교수자가 만족스럽다는 기준(예: mini-CEX 척도에서 5점)을 규명할 때 비교표준을 감독 없이 안전하고 효과적인 환자중심진료로 전환하도록 권장한다.[69] 이같은 만족수준에 대한 정의는 미국의학연구소(Institute of Medicine)에서 말하는 고품질의 진료와 개선된 환자결과에 대한 정의와 일치한다.[5,43-45] 우리는 만족에 대한 정의를 위임 결정을 내릴 수 있는 수준(학습자가 감독 없이 술기를 수행할 수 있음)으로 재정의하였다.[132]

앞에서 설명한 바와 같이, 최근 연구에 따르면 위임 여부를 평정척도의 앵커로 사용하면 평가자의 경험에 더 잘 공감되고, 인지적으로 더 정렬된 척도가 만들어진다.[96-98] 그것은 분별력을 높이고, 평가자 사이의 불일치를 줄이며, 더 중요한 사실은 일반화에 필요한 평가 횟수를 줄일 수 있다.[96,97]실제로 (0.7의 신뢰 계수를 얻기 위하여) mini-CEX 수를 여섯 개에서 세 개로 그리고 외과 평가를 위한 점수를 50개에서 일곱 개로 감소시킬 수 있다. 현실적으로 평가자의 작업량이 크게 줄어드는 것이다.[97] 한편, 몇가지 주의사항도 있다. 첫째, 2장에서 논의된 것처럼 신뢰도가 높다고 해서 타당도도 높다고 볼 수는 없다. 둘째, 만약 학습자가 "위임가능"한 수준으로 간주된 경우에도 지속적인 관찰이 필요한데, 이는 학습자가 전문성을 갖추려면 피드백과 코칭이 필요하기 때문이다.

FORT와 마찬가지로 필자들은 교수자에게 mini-CEX의 대체 버전("수정된 mini-CEX")을 소개하여 위임을 기준으로 한 평정척도를 접하게 한다(부록 4.5). "수정된 mini- CEX"에서는 5점(또는 만족)이 감독 없이 술기를 수행할 수 있는 수준을 말한다. 교수개발의 초점은 양식을 재설계하는 대신 평가자 교육에 초점을 두어야 한다고 언급했지만 현실은 평가자 인식에 대해 더 많이 배울수록 평정척도가 진화하고 있다는 사실이다. 이 장을 처음 집필했을 때 우리는 수정된 mini-CEX에 대한 타당도 근거를 가지고 있지 않았다. 그런데 앞서 설명한 바와 같이 일부 연구가 경험적 근거를 제공해주었다.

FORT의 다음 단계는 참가자 집단에게 추가 비디오를 시청하게 하여 학습자 수행에 대한 술기 수준을 설명하고 등급을 선택(해당되는 경우)하도록 하는 것이다. FORT의 6단계에서는 진행자가 "참(true)" 등급이란 무엇인지 피드백을 주고, 각 등급에 대한 설명을 덧붙여준다. 그런 후 참가자의 관찰과 평가결과와 그리고 진행자의 평가결과의 차이점에 대해 토의한다(7 단계).

직접관찰 및 피드백 기술 연습

PDT 와 FORT를 수행 한 후 교수자는 더 많은 관찰 실습과 평가를 하고, 관찰된 것을 활용하여 교육생에게 피드백을 줄 수 있으므로 여러 가지 이점이 있다. 필자들은 종종 표준화된 전공의와 환자와 함께 실제 연습을 해보는 두 번째 워크샵을 진행한다. 교수개발 참가자들은 4-6명의 집단으로 나누고 4-5개의 상이한 "스테이션(station)"을 돌아가면서 실습한다. 각 스테이션에서는 각각 다른 술기(예: 병력청취, 신체검사, 나쁜소식 전하기, 동기부여 상담)를 직접관찰한다. 교육은 각 스테이션에서 PDT 활동으로 시작한다. 나쁜소식을 전하는 스테이션을 상상해보자. 촉진자(facilitator)는 나쁜소식을 전하는 주요 행동에 대한 간단한 토론으로 참가자들을 이끈다. 그러면 촉진자는 나쁜 소식을 전하는 근거바탕 기준을 제공한다.[130] 그리고 한 명의 참가자를 개인지도교수(preceptor)로 지정한다. 전체 참가자는 표준화전공의(여러가지 역량 수준의 술기를 수행하도록 사전에 훈련된 전공의)가 SP에게 나쁜 소식을 전하는 것을 지켜본다. SP와 전공의의 만남 후 진료실에서 나오면 개인지도교수는 자신이 관찰한 것들, 전공의에게 평가내린 "등급", 그리고 전공의가 앞으로 감독 없이 진료를 수행할 수 있는지에 대해 논의 한다. 다른 참가자들은 추가로 관찰한 내용과 채점 결과를 공유하고 최종 합의에 도달하도록 한다.

표준화전공의(여러가지 방법으로 피드백에 반응하도록 훈련 받은 사람)는 진료실로 돌아오고 개인지도교수는 전공의에게 피드백을 한다. 물론, 이 활동 전에 효과적인 피드백을 제공하는 방법에 대한 교육을 제공한다. 피드백 워크숍에서 다루는 대부분의 정보는 13장에 설명되어 있다. 다른 참가자들은 피드백을 관찰한다. 표준화 전공의에게 피드백을 제공하는 개인지도교수는 자신의 피드백을 스스로 평가해 본다. 그런 다음 집단은 개인지도교수에게 추가 피드백을 제공한다. 필요한 경우, 표준화전공의와 환자 또한 관찰하는 교수자에게 피드백을 제공할 수 있다. 표준화전공의들은 종종 학습자로서 경험한 귀중한 피드백을 얻는다. 이 시간의 담당 트레이너(교수자)는 피드백을 촉진하고, 오류를 지적해주고, 관찰 및 피드백을 개선하기 위한 제안을 한다. 활동은 각기 다른 스테이션에 걸쳐 반복되므로 각 교수자 집단은 관찰과 피드백을 연습할 기회가 있다. 우리는 일반적으로 각 스테이션을 각기 다른 술기로 준비하지만 각 스테이션은 서로 다른 방식으로 수행되는 동일한 술기가 초점일 수도 있다. 피드백에 대한 전공의의 반응은 스테이션마다 다를 수 있다. 우리는 일반적으로 비교적 쉬운 출발(전반적으로 역량을 잘 수행하는 전공의, 자신의 부족한 부분에 대한 통찰력이 있고 피드백을 수용하는 전공의)을 한 다음 스테이션을 점진적으로 어렵게 만든다(만족스러운 수행은 아니지만 통찰력이 있으며 피드백을 수용하는 전공의, 수행이 부실하고 통찰력이 부족하며 피드백을 수용하지 않는 전공의). 나중에 교수자가 비디오를 검토할 수 있도록 스테이션 실습 과정을 녹화할 수 있다.

교수자들은 이 활동을 평가자 훈련의 가장 유용한 구성 중 하나로 꼽는다. 전공의들을 관찰하고, 다른 교수자와 관찰을 비교하며, 관찰 결과를 종합적으로 판단하고, 다양한 "유형"의 학습자들에게 피드백 하는 실습은 일상적인 진료 활동과 관련이 깊다. 많은 경우, 교수자들은 자신들이 피드백을 주는 과정을 처음으로 관찰하게 될 것이며, 대다수의 교수자들에게는 자신들의 피드백 과정에 대해 피드백을 받아보는 것이 처음일 것이다. 우리는 교수자가 이러한 연습을 통하여 새로운 행동을 시도하도록 권장한다. 예를 들어, 일반적으로 관찰을 하는 동안 메모하지 않는 교수자에게는 메모를 시도하도록 격려한다. 항상 메모하는 교수자에게는 메모하지 않으면서 관찰해 보라고 제안한다.

이러한 유형의 활동을 진행하려면 시뮬레이션 센터와 SP 트레이너/코디네이터를 이용하는 것이 도움이 된다. 상급 전공의나 조교수는 표준화전공의로 활용될 수 있는 훌륭한 자원이며, 다양한 수준의 수행 술기를 보이는 대본을 사용하면 이들은 쉽게 훈련될 수 있다. 실제 SP/전공의 교육은 PDT와 FORT과정의 오후에 수행되거나 별도의 일정으로 진행될 수 있다.

만약 시뮬레이션센터, 표준화전공의 그리고/또는 SP가 없는 경우에는 이 활동의 수정된 버전을 진행할 수 있다. 예를 들어 어떤 술기를 보여주는 전공의의 비디오를 보여줄 수 있다. 앞에서 언급한대로 교수자는 전공의를 평가하고 채점과 관찰 내용을 논의한다. 그런 다음 교수자는 역할극을 통해 피드백을 서로 주고 받는다. 참가자는 전공의 역할을 하는 다른 참가자에게 피드백을 제공한다. 역할극을 하는 전공의에게 피드백에 대한 통찰력과 수용성을 표현하는 간단한 자료를 줄 수 있다(즉, 통찰할 수 있는/통찰하지 못하는, 수용할 수 있는/수용할 수 없는). 역할극 후 교육 집단은 앞서 언급한 대로 피드백에 대해 설명을 들을 수 있다.

보충실습을 위한 기회

앞서 언급했듯이 대부분의 교수개발은 일회성 워크숍으로 진행된다. 그러나 다른 술기와 마찬가지로 관찰 및 피드백을 개선하려면 연습이 필요하다. 따라서 첫 워크숍 후 지속적인 실습을 위한 교육의 기회를 갖는 것이 도움이 된다. 교수자는 PDT 활동을 검토하여 새로운 교육 비디오에 적용할 수 있다. 또는 교수자가 새로운 술기에 대해 PDT와 FORT를 수행할 수 있다. 이상적으로는 교수자가 집단 내에서 비디오를 보고 평가하고 토론하여 술기를 연습하는 것이 좋다. 이 과정은 기존의 회의나 별도 회의 중에 진행할 수도 있다. 만약 교수자가 다른 장소에 있는 경우 화상 회의를 통해 "가상으로" 연습할 수 있다. 예를 들어, 교수자는 논의할 교육 비디오를 사전에 시청한 후 회의에 참여할 수 있다. 또다른 방법은 교수자가 통화 상태를 음소거 하고 비디오를 시청 한 다음 음소거를 해제하여 관찰 및 평가에 대해 논의할 수 있는데, 우리는 이러한 교수개발 회의를 통해 좋은 결과를 얻기도 하였다.

프로그램 수준의 직접관찰을 위한 시스템 만들기

임상실습, 전공의 수련프로그램 및 임상강사 수련프로그램 책임자는 종종 직접관찰을 위한 시스템을 만들거나 개선해야 할 책임이 있다. 이 장의 마지막 절에서는 구체적인 교육과정을 개발하는 수준에서 직접관찰을 평가방법으로 구현하는 기술과 직접관찰이 이루어지는 제도적 문화와 교육시스템에 대해 생각하는 방법을 검토한다.

직접관찰의 시기와 목적

직접관찰 초반에는 통과수준에 도달하지 못하는 학습자를 감지해야 하는데, 단지 네 번의 관찰만으로도 수준 미달 학습자들을 탐지할 수 있다.[82] 학습자가 새로운 역할과 책임을 맡게 될 때(예를 들어, 7월이[4] 완벽한 시기이다) 많은 관찰을 해보면 학습자가 앞으로 어떻게 수행할 것인지에 대한 정보를 조기에 얻을 수 있다. 여기서 코칭 또는 재교육 등 추가 지원이 필요한 학습자를 선별할 수 있다. 그리고 시간이 지남에 따라 직접관찰의 초점이 지속적인 술기 발달을 위한 평가와 피드백을 제공하는 것으로 바뀔 것이다.

4) 역자 주. 미국의 경우 일반적으로 9월에 새학기가 시작하기 때문에 7월은 학습자들의 직접관찰을 충분히 시행할 수 있는 시기이다.

직접관찰에 대한 책임할당

교육과정 개발수준에서는 스냅촬영 직접관찰이 어떻게 책임을 공유할 수 있는지에 대해 생각해볼 필요가 있다. "나누고 정복"하는 접근 방식을 선택하라. 어떤 실습과정에서 어떤 술기가 관찰되고 평가될 것인지 분석해 본다. 예를 들어, 노인의학 실습에서는 노인의학 관련 기능 평가를 해야할 것이다. 중환자실의 교수자는 나쁜소식 전하기와 진료 목표 논의를 관찰할 수 있다. 일반 외래환자 진료 관찰에서는 치료계획 세우기와 근골격 검사가 관찰될 수 있을 것이다. 과정 책임자에게 직접관찰에서 우선적으로 평가되어야 하는 술기 목록을 요청하는 것이 좋다. 이 핵심 술기목록을 확보하면, 교수자는 그들이 중요하다고 생각하는 술기를 관찰하기 때문에 평가에 대한 책임과 관심을 더욱 높일 수 있다. 그리고 특정 임상실습(예: 환자 인수인계)과 관련된 특정 마일스톤이나 EPA를 어떻게 정렬할 수 있는지 고려한다.

또한 누가 스냅촬영 관찰을 맡고 학습자와 평가자를 확보할 것인지 결정해야 한다. 각 접근 방식에는 장단점이 있다. 교수자에게 직접관찰의 책임을 부여하는 것은 직접관찰이 교육과정에 중요한 사안임을 강조하는 것이다. 그러나 학습자는 직접관찰이 "그들을 위해"서가 아니라 "그들에게" 일어나는 것이라고 느낄 수 있다. 따라서 학습자에게도 책임감을 주면 술기 향상에 대한 권한과 소유권을 부여할 수 있다. 또한 학습자의 직접관찰 요청이 있었음에도 불구하고 교수자가 관찰해주지 않으면 학습자는 좌절감을 느낄 수 있다. 가장 이상적인 상황은 교수자와 학습자 모두가 과정에 대한 상호책임과 소유의식을 갖는 것이다. 즉, 교수자는 직접관찰을 계획하고 실행하며, 학습자는 자신의 전문성 개발에 도움될 수 있도록 술기 관찰과 피드백을 요청해야 한다. 교육과정의 형태와 관계없이 학습자가 여러 번, 여러 상황에서, 여러 평가자에 의해 평가되도록 하는 것이 중요하다. 평가의 질은 평가자 훈련으로 향상시킬 수 있지만, 술기의 광범위한 표집이 가능할 때 최고의 타당도가 확보된다.

관찰 추적

과정개발 수준에서는 관찰이 발생하면 어떻게 추적할 것이지 결정하는 것이 중요하다. 만약 온라인 평가시스템을 통해 관찰 내용을 기록하면 비교적 관찰 여부와 관찰자, 관찰 대상에 대한 추적을 쉽게할 수 있다. 온라인 시스템은 학습자와 평가자에 의해 정보가 집계될 수 있다. 만약 관찰을 종이에 기록한 경우는 관찰에 대한 집계 과정이 필요한다. 전략으로는 회진 혹은 진료실에서 모든 학습자의 명단과 학습자에게 필요한 최소한의 스냅촬영 횟수 그리고 관찰을 시작한 장소와 관찰 일자를 한 장의 종이로 간단하게 기록할 수 있다. 최근에는 스마트 폰 앱이 개발되어 관찰 추적에 도움이 되지만 아직 널리 사용되지는 않고 있다. 한 가지 예는 위임 유형(entrustment-type) 척도를 사용한 외과수술 학습개선 및 측정 시스템(System for Improvement and Measuring Procedural Learning, SIMPL)앱이다.[133,134] 이 도구는 상당량의 연구가 뒷받침된 프로그램이며, 현재 미국에서 널리 시범적용되고 있다. 우리는 독자가 앞으로도 교수자의 정보수집 부담을 덜어 줄 수 있는 실시간 정보등록이 가능한 관찰 앱을 주시해보길 바란다.

고품질의 직접관찰을 지원하는 문화와 시스템 만들기

마지막으로, 직접관찰과 피드백을 중요하게 생각하고 지원하는 문화와 시스템을 만드는 것이 얼마나 중요한지는 재차 강조해도 지나침이 없다.[135] 교육시스템이 관찰과 피드백을 지원하지 않으면 평가자 교육은 효과가 없다. 스냅촬영 관찰은 직접관찰의 가능성을 증가시킬 수 있지만, 교수자는 여전히 직접관찰할 시간이 충분하지 않다고 여길 것이다. 역량바탕교육에서 직접관찰이 필수 평가방법인 경우, 교육기관은 업무현장바탕 평가를 보다 효과적으로 수행할 수 있는 교육 및 의료시스템을 갖추어야 한다. 예를 들어, 만약 외래진료시 현재 전공의 대 교수진 인력배치 모델이 전공의를 관찰하고 피드백을 제공하는 능력을 저해한다면, 교수자가 전공의에게 수행하는 임상지도 횟수를 줄여야 하는지 고려하는 것이 중요하다.

평가자 훈련은 사실 시간이 많이 걸리며, 장기적으로도 진료 술기 개발을 위해서 많은 시간이 걸린다. 교수자와 평가자로서 그 역할을 증진시키며 지속적인 전문성 개발을 위해 교수진의 시간을 보호해 주는 것은 중요하다.

가까운 미래에, 위임에 근거한 평가는 기관의 문제 변화를 요구할 것이다. 그동안 교수자들은 규범적인 표준이 아닌 위임 기준을 사용하는 소수의 평가자가 될 경우 지나치게 가혹한 평가자로 인식될 위험이 있다고 우려하였다.[119] 교수자는 평가의 엄격함이 전공의들과의 관계에 부정적인 영향을 줄 수 있으며(낮은 수준으로 채점될 것이므로), 학습자의 교수자 평가에도 부정적인 영향을 줄 수 있다고 걱정한다.[119] 교수자들은 평생 초가달성자로 인식되던 전공의들이 낮은 평가등급으로 고정되거나, 새로운 평가 기준에 익숙하지 않아서 서술형 피드백의 가치를 이해하지 못하는 것에 대해 우려를 표명했다.[119] 따라서 평가에 다르게 접근하는 것은 평가자와 대화를 하는 것뿐만 아니라 학습자를 포함해야 한다. 예를 들어, 참조틀을 위임 수준으로 전환하려면 평가자와 학습자가 평정척도와 채점방법을 이해하는 문화로 제도적 전환이 필요하다.

평가등급에서 만족함의 의미를 "감독없이 안전하고, 효과적이며, 환자중심진료" 라고 정의내리는 데에는 교수자들이 미국의학연구소가 말하는 역량의 정의와 자신들이 속한 기관의 가치와 진료시스템과 일치한다는 믿음에 따라 영향을 받는다.[119] 예를 들어, 의료제공 시스템이 기관이나 국가차원에서 환자중심보다 수익창출을 더 선호한다면 환자중심의료 교육과 평가방법을 운영하는 것은 불합리할 것이다.

마지막으로, 고품질의 직접관찰과 피드백을 지원하는 문화와 시스템을 만들려면 학습자의 참여가 필요하다. 일부 학습자들은 직접관찰을 쉽게 받아들이고 업무현장바탕평가를 가치롭게 여기지만, 다수의 학습자들은 직접관찰이 그들의 전문적인 성장을 위한 의미 있는 평가 활동이라고 생각하지 않는다.[136-138] 많은 학습자들은 직접관찰이 불안감을 유발한다고 생각하여 가급적 회피할 것이다.[139]

프로그램 또는 과정책임교수의 중요한 역할 중 하나는 학습자에게 직접관찰과 피드백의 목적을 잘 전달하는 것이다. 의도적인 연습, 피드백과 코칭의 개념을 학습자에게 소개하도록 한다. 학습자들이 더 개발하기 원하거나 배우기 원하는 술기가 있을 경우, 적극적으로 자신의 필요를 요청해야 함을 강조해준다. 그리고 피드백은 학습자가 스스로 질문하고자 하는 목록을 가지고 있을 때 훨씬 효과적임을 설명해준다. 학습자에게 집단으로 질문하여 피드백이 필요한 술기의 유형을 나열하도록 한다. 이 때 학습자는 교육시기별(인턴 시기에 필요한 술기 대 전공의 3년차에게 필요한 술기) 목록, 또는 실습과별(외래에 필요한 술기, 중환자실에서 필요한 술기 등) 목록으로 내용을 브레인스토밍할 수 있다. 자기성찰과 외부평가가 개인의 학습목표 설정에 어떻게 도움을 줄 수 있는지 이야기해본다. 또한 구체적이고 실천계획을 포함하는 효과적인 피드백을 이끌어내는 방법을 학습자에게 가르치는 것도 중요한다. 이는 효과적인 피드백을 주지 못하는 교수자에게 학습자들이 "멘토링" 받고 유용한 피드백을 얻을 수 있는 방법이다. 그리고 구체적이지 못한 질문과 피드백을 받기 위한 유도 질문(예: "제가 잘하고 있나요?"), 보다 구체적인 질문(예: "저의 면담기술은 어떻습니까?"), 보다 더 구체적인 질문(예: "공유의사결정 부분에서 제가 더 보충해야 할 점은 없나요?")의 차이를 보여준다. 또한, 교수자가 앞으로의 행동계획을 제안하지 않을 경우, 학습자가 교수자로부터 이를 도출할 수 있는 방법을 제안해준다(예: "환자와 면담할 때 더 환자중심적인 진료를 할 수 있는 방법은 무엇인지요?"). 이러한 논의는 학습자에게 매우 중요한데, 단 15분 정도 밖에 소요되지 않는 활동이다.

교수개발과 실행에 관한 주요 메시지

직접관찰의 빈도와 질적 향상을 위해서 다음에 제시하는 핵심 메시지를 꼭 기억하기 바란다. 첫째, 의학교육에서 항상 필수적인 것이었던 직접관찰/업무현장바탕평가는 역량바탕교육과정 평가에 있어서는 더 핵심적인 평가방법이라 할 수 있다. 임상술기와 피드백을 직접관찰하는 것은 학습자의 의도적인 연습에 기본적인 사항이다. 고품질 감독을 하려면 직접관찰이 필요하다. 둘째, 빈번한 고품질 타당한 평가에는 여러가지 위협이 존재한다. 따라서 직접관찰의 효과를 극대화하려면 교수개발에 투자해야 한다. 교수개발에서는 교수자가 직접관찰과 피드백을 구성하고 등급 판단을 내리기 위해 합의된 공통기준을 설정하는 정신모형을 개발해야 하는데, 이를 위해 평정자 훈련기술을 활용하면 도움이 된다. 셋째, 직접관찰은 자주 실행하기 어렵다. 따라서 교수개발은 교수자가 학습자에게 의미 있고 환자진료의 질을 향상시킬 수 있는 스냅촬영 관찰이 가능하도록 도움을 주어야 한다. 마지막으로, 학습자와 직접관찰 및 피드백의 중요성을 논의함으로써 학습자의 노력도 증대될 것이다. 일회성 교수개발로 끝내고 싶은 유혹이 있을 수 있지만, 직접관찰, 평가 및 피드백은 지속적인 연습이 필요한 복잡한 기술이다. 따라서 가능한 경우, 언제나 지속적인 교수개발 프로그램을 고려해야 한다.

참고문헌

1. American Association of Medical Colleges: Core Entrustable Professional Activities for Entering Residency. Available at https://members.aamc.org/eweb/upload/Core%20EPA%20Curriculum%20Dev%20Guide.pdf.
2. Liaison Committee of Medical Education: Functions and Structure of a Medical School. Available at http://lcme.org.
3. Accreditation Council for Graduate Medical Education: Common Program Requirements. Available at http://www.acgme.org.
4. American Board of Medical Specialties: Available at http://www.abms.org.
5. Institute of Medicine. *Crossing the Quality Chasm: A New Health System for the 21st Century*. Washington, DC: National Academy Press; 1999.
6. Carraccio C, Wolfsthal SD, Englander R, et al. Shifting paradigms: from Flexner to competencies. *Acad Med*. 2002;77(5):361-367.
7. Govaerts MJB, van der Vleuten CPM, Schuwirth LWT, Muijtjens AMM. Broadening perspectives on clinical performance assessment: rethinking the nature of in-training assessment. *Adv Health Sci Educ Theory Pract*. 2007;12(2):239-260.
8. Swanwick T, Chana N. Workplace-based assessment. *Br J Hosp Med*. 2009;70(5):290-293.
9. Miller GE. The assessment of clinical skills/competence/performance. *Acad Med*. 1990;65(suppl 9):S63-S67.
10. Ram P, van der Vleuten C, Rethans JJ, et al. Assessment of practicing family physicians: comparison of observation in a multiple-station examination using standardized patients with observation of consultations in daily practice. *Acad Med*. 1999;74(1):62-69.
11. Kopelow ML, Schnabl GK, Hassard TH, et al. Assessing practicing physicians in two settings using standardized patients. *Acad Med*. 1992;67(suppl 10):S19-S21.
12. Rethans JJ, Sturmans F, Drop R, et al. Does competence of general practitioners predict their performance? Comparison between examination setting and actual practice. *BMJ*. 1991;303(6814):1377-1380.
13. Hodges B, Regehr G, McNaughton N, et al. OSCE checklists do not capture increasing levels of expertise. *Acad Med*. 1999;74(10):1129-1134.
14. Regehr G, MacRae H, Reznick RK, Szalay D. Comparing the psychometric properties of checklists and global rating scales for assessing performance on an OSCE-format examination. *Acad Med*. 1998;73(9):993-997.
15. Hawkins R, MacKrell Gaglione M, LaDuca T, et al. Assessment of patient management skills and clinical skills of practising

doctors using computer-based case simulations and standardised patients. *Med Educ.* 2004;38(9):958-968.
16. Royal College of Physicians: The Foundation Programme Curriculum 2016, Section on Assessment. Available at https://www.rcplondon.ac.uk/.
17. Lypson ML, Frohna JG, Gruppen LD, Wolliscroft JO. Assessing residents' competencies at baseline: identifying the gaps. *Acad Med.* 2004;79(6):564-570.
18. Sachdeva AK, Loiacono LA, Amiel GE, et al. Variability in the clinical skills of residents entering training programs in surgery. *Surgery.* 1995;118(2):300-308.
19. Pfeiffer C, Madray H, Ardolino A, Willms J. The rise and fall of students' skill in obtaining a medical history. *Med Educ.* 1998;32(3):283-288.
20. Ramsey PG, Curtis JR, Paauw DS, et al. History-taking and preventive medicine skills among primary care physicians: an assessment using standardized patients. *Am J Med.* 1998;104(2):152-158.
21. Mangione S, Nieman LZ. Cardiac auscultatory skills of internal medicine and family practice trainees. A comparison of diagnostic proficiency. *JAMA.* 1997;278(9):717-722.
22. Mangione S, Burdick WP, Peitzman S. Physical diagnosis skills of physicians in training: a focused assessment. *Acad Emerg Med.* 1995;2(7):622-629.
23. Li JT. Assessment of basic physical examination skills of internal medicine residents. *Acad Med.* 1994;69(4):296-299.
24. Wilson BE. Performance-based assessment of internal medicine interns: evaluation of baseline clinical and communication skills. *Acad Med.* 2002;77(11):1158.
25. Fox RA, Ingham Clark CL, Scotland AD, Dacre JE. A study of pre-registration house officers' clinical skills. *Med Educ.* 2000;34(12):1007-1012.
26. Butterworth JS, Reppert EH. Auscultatory acumen in the general medical population. *JAMA.* 1960;174(10):32-34.
27. Raferty EB, Holland WW. Examination of the heart: an investigation into variation. *Am J Epidemiol.* 1967;85(3):438-444.
28. Vukanovic-Criley JM, Criley S, Warde CM, et al. Competency in cardiac examination skills in medical students, trainees, physicians, and faculty: a multicenter study. *Arch Intern Med.* 2006;166(6):610-616.
29. Braddock 3rd CH, Edwards KA, Hasenberg NM, et al. Informed decision making in outpatient practice: time to get back to basics. *JAMA.* 1999;282(24):2313-2320.
30. Marvel MK, Epstein RM, Flowers K, Beckman HB. Soliciting the patient's agenda: have we improved. *JAMA.* 1999;281(3):283-287.
31. Rao JK, Weinberger M, Kroenke K. Visit-specific expectations and patient-centered outcomes: a literature review. *Arch Fam Med.* 2009;9(10):1148-1155.
32. Richards T. Chasms in communication. *BMJ.* 1990;301(6766):1407-1408.
33. Simpson M, Buckman R, Stewart M, et al. Doctor-patient communication: the Toronto consensus statement. *BMJ.* 1991;303(6814):1385-1387.
34. Virshup BB, Oppenberg AA, Coleman MM. Risk management: reducing malpractice claims through more effective patient-doctor communication. *Am J Med Qual.* 1999;14(4):153-159.
35. Bernabeo E, Holmboe ES. Patients, providers, and systems need to acquire a specific set of competencies to achieve truly patient-centered care. *Health Aff.* 2013;32(2):250-258.
36. Levinson W, Roter DL, Mullooly JP, et al. Physician-patient communication: the relationship with malpractice claims among primary care physicians and surgeons. *JAMA.* 1997;277(7):553-559.
37. Levinson W, Lesser CS, Epstein RM. Developing physician communication skills for patient-centered care. *Health Aff.* 2010;29(7):1310-1318.
38. Hampton JR, Harrison MJ, Mitchell JR, et al. Relative contributions of history-taking, physical examination, and laboratory investigation to diagnosis and management of medical outpatients. *Br Med J.* 1975;2(5969):486-489.
39. Peterson MC, Holbrook JH, Von Hales D, et al. Contributions of the history, physical examination, and laboratory investigation in making medical diagnoses. *West J Med.* 1992;156(2):163-165.
40. Kirch W, Schafii C. Misdiagnosis at a university hospital in 4 medical eras. *Medicine.* 1996;75(1):29-40.
41. National Academy of Medicine. *Improving Diagnosis in Medicine.* Washington, DC: National Academy Press; 2015.
42. Makary MA, Daniel M. Medical error—the third leading cause of death in the US. *BMJ.* 2016;353:i2139.
43. Williams S, Weinman J, Dale J. Doctor-patient communication and patient satisfaction: a review. *Fam Pract.* 1998;15(5):480-492.
44. Dimatteo MR. The role of effective communication with children and their families in fostering adherence to pediatric regimens. *Patient Educ Couns.* 2004;55(3):339-344.
45. Stewart MA. Effective physician-patient communication and health outcomes: a review. *CMAJ.* 1995;152(9):1423-1433.
46. Vermeir P, Vandijck D, Degroote S, et al. Communication in healthcare: a narrative review of the literature and practical recommendations. *Int J Clin Pract.* 2015;69(11):1257-1267.
47. Benbassat J, Pilpel D, Tidhar M. Patients' preferences for participation in clinical decision making: a review of published surveys. *Behav Med.* 1998;24(2):81-88.
48. Guadagnoli E, Ward P. Patient participation in decision-making. *Soc Sci Med.* 1998;47(3):329-339.
49. Turnbull J, Gray J, MacFadyen J. Improving in-training evaluation programs. *J Gen Intern Med.* 1998;13(5):317-323.
50. Duffy DF. Dialogue: the core clinical skill. *Ann Intern Med.* 1998;128(2):139-141.
51. Long DM. Competency-based residency training: the next advance in graduate medical education. *Acad Med.* 2000;75(12):1178-1183.
52. Carraccio CL, Englander R. From Flexner to competencies: reflections on a decade and the journey ahead. *Acad Med.* 2013;88(8):1067-1073.
53. Ericsson KA. Deliberate practice and the acquisition and maintenance of expert performance in medicine and related domains. *Acad Med.* 2004;79(Suppl 10):S70-S81.
54. Davis DA, Mazmanian PE, Fordis M, et al. Accuracy of physician self-assessment compared to observed measures of competence: a systematic review. *JAMA.* 2006;296(9):1094-1102.
55. Duffy FD, Holmboe ES. Self-assessment in lifelong learning and improving performance in practice: physician know thyself. *JAMA.* 2006;296(9):1137-1139.
56. Eva KW, Regehr G. Exploring the divergence between self-assessment and self-monitoring. *Adv Health Sci Educ Theory Pract.* 2011;16(3):311-329.
57. Sargeant J, Eva KW, Armson H, et al. Features of assessment learners use to make informed self-assessments of clinical performance. *Med Educ.* 2011;45(6):636-647.
58. Sargeant J, Armson H, Chesluk B, et al. The processes and dimensions of informed self-assessment: a conceptual model. *Acad Med.* 2010;85(7):1212-1220.
59. Frank JR, Snell LS, Cate OT, et al. Competency-based medical education: theory to practice. *Med Teach.* 2010;32(8):638-645.

60. Frank JR, Mungroo R, Ahmad Y, et al. Toward a definition of competency-based education in medicine: a systematic review of published definitions. *Med Teach*. 2010;32(8):631-637.
61. Iobst WF, Sherbino J, Cate OT, et al. Competency-based medical education in postgraduate medical education. *Med Teach*. 2010;32(8):651-656.
62. Holmboe ES, Sherbino J, Long DM, et al. The role of assessment in competency-based medical education. *Med Teach*. 2010;32(8):676-682.
63. Whitcomb ME. Redirecting the assessment of clinical competence. *Acad Med*. 2007;82(6):527-528.
64. Whitcomb ME. Internal medicine residency redesign: time to take stock. *Ann Intern Med*. 2010;153(11):759-760.
65. Institute of Medicine: Resident duty hours: enhancing sleep, supervision and safety. 2008. Available at http://iom.nationalacademies.org/Reports/2008/Resident-Duty-Hours-Enhancing-Sleep-Supervision-and-Safety.aspx.
66. Kilminster SM, Jolly BC. Effective supervision in clinical practice settings: a literature review. *Med Educ*. 2000;34(10):827-840.
67. Kilminster S, Cottrell D, Grant J, Jolly B. AMEE guide No.27: effective educational and clinical supervision. *Med Teach*. 2007;29(1):2-19.
68. Holmboe ES. Faculty and the observation of trainees' clinical skills: problems and opportunities. *Acad Med*. 2004;79(1):16-22.
69. Kogan JR, Conforti LN, Iobst WF, Holmboe ES. Reconceptualizing variable rater assessments as both an educational and clinical care problem. *Acad Med*. 2014;89(5):721-727.
70. Feinstein AR. *Clinical Judgment*. Baltimore: Williams & Wilkins; 1967.
71. Engel GL. The deficiencies of the case presentation as a method of teaching. Another approach. *N Engl J Med*. 1971;284(1):20-24.
72. Engel GL. Editorial: are medical schools neglecting clinical skills? *JAMA*. 1976;236(7):861-863.
73. Association of American Medical Colleges: Medical school graduation questionnaire: 2015 all schools summary report. Available at https://www.aamc.org/download/440552/data/2015gqallschoolssummaryreport.pdf.
74. van der Vleuten C, Verhoeven B. In-training assessment developments in postgraduate education in Europe. *ANZ J Surg*. 2013;83(6):454-459.
75. van der Vleuten CP, Schuwirth LW, Scheele F, et al. The assessment of professional competence: building blocks for theory development. *Best Pract Res Clin Obstet Gynaecol*. 2010;24(6):703-719.
76. The Internal Medicine Milestone Project. A joint initiative of the Accreditation Council for Graduate Medical Education and the American Board of Internal Medicine. July 2015. Available at http://www.acgme.org/acgmeweb/Portals/0/PDFs/Milestones/InternalMedicineMilestones.pdf.
77. Berendonk C, Stalmeijer RE, Schuwirth LW. Expertise in performance assessment: assessors' perspectives. *Adv Health Sci Educ Theory Pract*. 2013;18(4):559-571.
78. Rogers HD, Carline JD, Paauw DS. Examination room presentations in general internal medicine clinic: patients' and students' perceptions. *Acad Med*. 2003;78(9):945-949.
79. Kogan JR, Holmboe ES, Hauer KE. Tools for direct observation and assessment of clinical skills of medical trainees: a systematic review. *JAMA*. 2009;302(12):1316-1326.
80. Pelgrim EA, Kramer AW, Mokkink HG, et al. In-training assessment using direct observation of single-patient encounters: a literature review. *Adv Health Sci Educ Theory Pract*. 2011;16(1):131-142.
81. Al Ansari A, Ali SK, Donnon T: The construct and criterion validity of the mini-CEX: a meta-analysis of the published research. *Acad Med*. 2013;88(3):413-420.
82. Norcini JJ, Blank LL, Arnold GK, Kimball HR. The mini-CEX (clinical evaluation exercise): a preliminary investigation. *Ann Intern Med*. 1995;123(10):795-799.
83. Kogan JR, Hauer KE. Brief report: use of the mini-clinical evaluation in internal medicine core clerkships. *J Gen Intern Med*. 2006;21(5):501-502.
84. Alves de Lima A, Barrero C, Baratta S, et al. Validity, reliability, feasibility and satisfaction of the Mini-Clinical Evaluation Exercise (Mini CEX) for cardiology residency training. *Med Teach*. 2007;29(8):785-790.
85. Reddy SG, Kogan JR, Iobst WF, Holmboe ES. The ABIM's clinical supervision practice improvement module and its effect on faculty's supervisory skills. *Acad Med*. 2012;87(11):1632-1638.
86. Donato AA, Pangaro L, Smith C, et al. Evaluation of a novel assessment form for observing medical residents: a randomised, controlled trial. *Med Educ*. 2008;42(12):1234-1242.
87. Donato AA, Park YS, George DL, et al. Validity and feasibility of the minicard direct observation tool in 1 training program. *J Grad Med Educ*. 2015;7(2):225-229.
88. Makoul G. The SEGUE framework for teaching and assessing communication skills. *Patient Educ Couns*. 2001;45(1):23-34.
89. Kurtz SM, Silverman JD. The Calgary-Cambridge referenced observation guides: an aid to defining the curriculum and organizing the teaching in communication training programmes. *Med Educ*. 1996;30(2):83-89.
90. Noel GL, Herbers JE, Caplow MP, et al. How well do internal medicine faculty members evaluate the clinical skills of residents? *Ann Intern Med*. 1992;117(9):757-765.
91. Cohen R, Rothman AI, Poldre P, Ross J. Validity and generalizability of global ratings in an objective structure clinical examination. *Acad Med*. 1991;66(9):545-548.
92. Regehr G, Freeman R, Robb A, et al. OSCE performance evaluations made by standardized patients: comparing checklist and global rating scores. *Acad Med*. 1999;74(Suppl 10):S135-S137.
93. Norcini J, Boulet J. Methodological issues in the use of standardized patients for assessment. *Teach Learn Med*. 2003;15(4):293-297.
94. Tavares W, Eva KW. Impact of rating demands on rater-based assessments of clinical competence. *Educ Prim Care*. 2014;25(6):308-318.
95. Tavares W, Eva KW. Exploring the impact of mental workload on rater-based assessments. *Adv Health Sci Educ Theory Pract*. 2013;18(2):291-303.
96. Weller JM, Misur M, Nicolson S, et al. Can I leave the theatre? A key to more reliable workplace-based assessment. *Br J Anaesth*. 2014;112(6):1083-1091.
97. Crossley J, Johnson G, Booth J, Wade W. Good questions, good answers: construct alignment improves the performance of workplace-based assessment scales. *Med Educ*. 2011;45(6):560-569.
98. Rekman J, Gofton W, Dudek N, et al. Entrustability scales: outlining their usefulness for competency-based clinical assessment. *Acad Med*. 2015;91(2):186-190.
99. Gofton WT, Dudek NL, Wood TJ, et al. The Ottawa surgical competency operating room evaluation (O-SCORE): a tool to assess surgical competence. *Acad Med*. 2012;87(10):1401-1407.
100. Herbers JE, Noel GL, Cooper GS, et al. How accurate are faculty evaluations of clinical competence? *J Gen Intern Med*. 1989;4(3):202-208.

101. Kalet A, Earp JA, Kowlowitz V. How well do faculty evaluate the interviewing skills of medical students? *J Gen Intern Med*. 1992;7(5):499-505.
102. Elliot DL, Hickam DH. Evaluation of physical examination skills. Reliability of faculty observers and patient instructors. *JAMA*. 1987;258(23):3405-3408.
103. Paauw DS, Wenrich MD, Curtis JR, et al. Ability of primary care physicians to recognize physical findings associated with HIV infection. *JAMA*. 1995;274(17):1380-1382.
104. Levinson W. Patient-centred communication: a sophisticated procedure. *BMJ Qual Saf*. 2011;20(10):823-825.
105. Kogan JR, Hess BJ, Conforti LN, Holmboe ES. What drives faculty ratings of residents' clinical skills? The impact of faculty's own clinical skills. *Acad Med*. 2010;85(S10):S25-S28.
106. Kogan JR, Conforti L, Bernabeo E, et al. Opening the black box of clinical skills assessment via observation: a conceptual model. *Med Educ*. 2011;45(10):1048-1060.
107. Yeates P, O'Neill P, Mann K, Eva K. Seeing the same thing differently: mechanisms that contribute to assessor differences in directly-observed performance assessment. *Adv Health Sci Educ Theory Pract*. 2013;18(3):325-341.
108. Govaerts MJ, Van de Wiel MW, Schuwirth LW, et al. Workplace-based assessment: raters' performance theories and constructs. *Adv Health Sci Educ Theory Pract*. 2013;18(3):375-396.
109. Govaerts MJ, Schuwirth LW, van der Vleuten CP, Muijtjens AM. Workplace-based assessment: effects of rater expertise. *Adv Health Sci Educ Theory Pract*. 2011;16(2):151-165.
110. Dudek NL, Marks MB, Regehr G. Failure to fail: the perspectives of clinical supervisors. *Acad Med*. 2005;80(Suppl 10):S84-S87.
111. Cleland JA, Knight LV, Rees CE, et al. Is it me or is it them? Factors that influence the passing of underperforming students. *Med Educ*. 2008;42(8):800-809.
112. Yeates P, O'Neill P, Mann K, Eva KW. Effect of exposure to good vs poor medical trainee performance on attending physician ratings of subsequent performances. *JAMA*. 2012;308(21):2226-2232.
113. Yeates P, O'Neill P, Mann K, Eva K. "You're certainly relatively competent": assessor bias due to recent experiences. *Med Educ*. 2013;47(9):910-922.
114. Yeates P, Cardell J, Byrne G, Eva KW. Relatively speaking: contrast effects influence assessors' scores and narrative feedback. *Med Educ*. 2015;49(9):909-919.
115. Gingerich A, Kogan J, Yeates P, et al. Seeing the "black box" differently: assessor cognition from three research perspectives. *Med Educ*. 2014;48(11):1055-1068.
116. Gingerich A, van der Vleuten CP, Eva KW, Regehr G. More consensus than idiosyncrasy: categorizing social judgments to examine variability in Mini-CEX ratings. *Acad Med*. 2014;89(11):1510-1519.
117. Holmboe ES, Hawkins RE, Huot SJ. Effects of training in direct observation of medical residents' clinical competence: a randomized trial. *Ann Intern Med*. 2004;140(11):874-881.
118. Cook DA, Dupras DM, Beckman TJ, et al. Effect of rater training on reliability and accuracy of mini-CEX scores: a randomized, controlled trial. *J Gen Intern Med*. 2009;24(1):74-79.
119. Kogan JR, Conforti LN, Bernabeo E, et al. How faculty members experience workplace-based assessment rater training: a qualitative study. *Med Educ*. 2015;49(7):692-708.
120. George BC, Teitelbaum EN, DaRosa DA, et al. Duration of faculty training needed to ensure reliable OR performance ratings. *J Surg Educ*. 2013;70(6):703-708.
121. Steinert Y, Mann K, Centeno A, et al. A systematic review of faculty development initiatives designed to improve teaching effectiveness in medical education: BEME Guide No. 8. *Med Teach*. 2006;28(6):497-526.
122. Hemmer PA, Dadekian GA, Terndrup C, et al. Regular formal evaluation sessions are effective as frame-of-reference training for faculty evaluators of clerkship medical students. *J Gen Intern Med*. 2015;30(9):1313-1318.
123. Steinert Y. Perspective on faculty development: aiming for 6/6 by 2020. *Perspect Med Educ*. 2012;1(1):31-42.
124. Woehr DJ, Huffcutt AI. Rater training for performance appraisal: a quantitative review. *J Occup Org Psychol*. 1994;67:189-205.
125. Hauenstein NMA. Training raters to increase the accuracy of appraisals and the usefulness of feedback. In: Smither JW, ed. *Performance Appraisal*. San Francisco: Jossey-Bass; 1998:404-442.
126. Stamoulis DT, Hauenstein NMA. Rater training and rating accuracy: training for dimensional accuracy versus training for rater differentiation. *J Appl Psychol*. 1993;78:994-1003.
127. Iglehart JK. The uncertain future of Medicare and graduate medical education. *N Engl J Med*. 2011;365(14):1340-1345.
128. Chandra A, Khullar D, Wilensky GR. The economics of graduate medical education. *N Engl J Med*. 2014;370(25): 2357-2360.
129. Institute of Medicine of the National Academies: Graduate medical education that meets the nation's health needs. 2014. Available at http://www.iom.edu/Reports/2014/Graduate-Medical- Education-That-Meets-the-Nations-Health-Needs.aspx.
130. Kaplan M. SPIKES: a framework for breaking bad news to patients with cancer. *Clin J Oncol Nurs*. 2010;14(4):514-516.
131. Agency for Healthcare Research and Quality. The SHARE approach. Available at http://www.ahrq.gov/professionals/education/curriculum-tools/shareddecisionmaking/index.html.
132. ten Cate O. AM last page: What entrustable professional activities add to a competency-based curriculum. *Acad Med*. 2014;89(4):691.
133. PLS Collaborative: SIMPL. Available at http://www.procedurallearning.org/.
134. George BC, Teitelbaum EN, Meyerson SL, et al. Reliability, validity, and feasibility of the Zwisch scale for the assessment of intraoperative performance. *J Surg Educ*. 2014;71(6):e90-e96.
135. Fokkema JP, Teunissen PW, Westerman M, et al. Exploration of perceived effects of innovations in postgraduate medical education. *Med Educ*. 2013;47(3):271-281.
136. Lima Alves de, Henquin R, Thiere HR, et al. A qualitative study of the impact on learning of the mini clinical evaluation exercise in postgraduate training. *Med Teach*. 2005;27(1):46-52.
137. Ali JM. Getting lost in translation? Workplace based assessments in surgical training. *Surgeon*. 2013;11(15):286-289.
138. Fokkema JP, Scheele F, Westerman M, et al. Perceived effects of innovations in postgraduate medical education: a Q study focusing on workplace-based assessment. *Acad Med*. 2014;89(9):1259-1266.
139. Malhotra S, Hatala R, Courneya C. Internal medicine residents' perceptions of the mini-clinical evaluation exercise. *Med Teach*. 2008;30(4):414-419.

부록 4.1

직접관찰을 늘리기 위한 팁

표본 추출

- 학습자와 *환자 만남의 일부(part of an encounter)*(즉, 병력청취 또는 신체검사 또는 상담과정)를 관찰해도 괜찮다.
  - 만약 당신이 관찰의 목적을 아는 *한 부분의 일부(part of a part)*(병력청취의 일부(예: 논의사항 설정), 신체검사의 일부(예: 심혈관 또는 어깨 검사)을 관찰해도 괜찮다.

외래에서의 스냅촬영

병력청취

- 논의사항을 설정하기 위해 처음 5분을 관찰한다.
- 각 진료실에서는 첫 번째 전공의/환자 *만남(the first resident/patient encounter)*(일반적으로 진료실에서서 첫 10분 동안은 어떤 전공의도 진료할 준비가 잘 되어 있지 않다)을 관찰한다.
- 전공의에게 오늘 진료스케줄 중 가장 까다로운 환자가 누구인지 물어본다. 그리고 그 면담을 관찰한다. 전공의들은 "까다로운 환자"에 대한 피드백이 매우 도움 된다고 생각한다. 이 환자들은 이탈자들처럼 산만하고(전공의가 대화의 방향수정을 어떻게 하는지 지켜보라), 진통제를 요구하는 환자, 병력이 빈약한 환자, 말을 잘 듣지 않는 환자 등등이다.
- *특정 영역에 대한 관찰(focusing observation on specific topic areas)*을 중점적으로 한다: 노인 환자의 평가, 약물 조정 또는 건강정보 이해능력 평가.

신체검사

- 전공의에게 병력을 청취하되 *신체검사를 하기 전에 평가자를 먼저 찾으라고(find you before doing the physical examination)* 일러둔다. 이는 특히 골반검사와 관절검사(즉, 등, 엉덩이, 무릎, 어깨)에 효과적이다. 환자들은 고통스러운 관절이 단 한 번의 검사로 끝날 수 있다는 사실에 감사할 것이다!

상담

- 전공의에게 환자와 함께 진료계획을 검토하지 말라고 일러둔다. 상담(즉, 시행해야 할 검사들에 대한 논의 등)을 관찰한다.
- 전공의에게 환자에게 약을 복용하는 모습을 보고 싶다고 말하라고 한다. 그리고 대화를 관찰한다.
- 전공의에게 환자의 행동 변화(체중감량 상담, 금연 상담)에 관한 상담 장면을 보고 싶다고 한다.

입원환자 스냅촬영

병력청취

- 입원 기록 일부 보기(입원환자의 경우 어느 시점에서는 담당 의사로서 환자를 만나야하므로 이 과정을 "일석이조" 활동으로 간주해본다).
- 전공의의 사전회진(prerounding) 관찰한다(이 과정은 실제 병력청취, 신체검사, 상담까지 포함하며, 추후 회진을 돌며 환자를 다시 볼 필요가 없기 때문에 시간이 절약된다). 사전회진 시 미리 오거나 교육생에게 사전회진 시 관찰을 위해 한 명의 환자를 남겨두라고 일러둔다.
- 교육생에게 야간 당직 시 또는 인수인계시 환자에게 병력청취를 다시 하도록 요청한다.

신체검사

- 사전회진 시 신체검사를 관찰한다(앞 내용 참조).
- 팀을 환자 옆으로 데리고 가서 해당 환자를 처음보는 팀원에게 신체검사를 하도록 요청한다(즉, 심부전으로 입원한 환자의 심혈관검사 및 혈량상태 측정, 뇌졸중 또는 정신건강에 변화가 있는 환자의 신경학적 검사 시행을 관찰한다).
- 팀원들에게 야간당직 시 또는 인수인계 환자의 경우 신체검사를 주도적으로 수행하도록 한다.

상담

- 사전회진 시 상담을 관찰한다.
- 회진 후 환자의 진료계획에 변동사항이 있을 경우(즉, 회진 시 변경된 계획), 전공의가 해당 내용을 환자와 함께 상의하는 것을 관찰한다.
- 시술에 대한 고지된 환자동의서를 받는 과정을 관찰한다.
- 나쁜 소식 전하는 과정을 관찰한다.
- 가족 면담 과정을 관찰한다.
- 환자와 함께 검사결과 검토하는 과정을 관찰한다.
- 환자와 함께 퇴원 계획을 검토하는 과정을 관찰한다.
- 코드[1] 상태(code status) 논의하는 과정을 관찰한다.

일석이조(또는 삼조)

- 관찰 결과가 학습자와 환자에게 도움 될 수 있는 상황을 찾는다.
  - 병력청취의 관찰은 수행속도가 항상 느린 교육생에 효과적이다. 무엇이 시간을 지체하는지 알아낼 수 있다.
  - 교육생에게 이전에는 하지 않았던 일이나 현재 하고 있는 업무를 물어본다(예: 노인환자 평가, 근골격 검사, 제대로 관리되지 않은 당뇨병 환자게게 인슐린 처치하기, 사전의료의향서, 가족 면담 등).

---

1) 역자 주. 병원에서 응급상황에 빨리 대처하기 위한 코드(code)를 색깔별로 지정해서 암호처럼 사용한다. 각 병원 또는 국가별로 코드색이 조금씩 다를 수 있다. 일반인들도 익히 들어보았을 코드블루(code blue)는 심장정지가 온 환자가 발생했을 때 사용된다.

간단한 추적 시스템 만들기

- 세 개의 열이 있는 문서표를 만든다(아래 예시 참조). 첫 번째 열에는 진료 중이거나 해당 과에 소속된 모든 전공의 이름을 적는다. 두 번째 열은 목표로 삼은 관찰 횟수를 적는 칸이다. 세 번째에는 완료된 관찰을 집계하는 칸이다. 이 자료를 mini-CEX(또는 다른 직접관찰 도구)가 들어있는 파일 문서에 넣고, 이 파일 문서는 병동의 임상지도 진료실이나 회의실에 각각 비치해둔다. 관찰을 해가면서 집계를 하도록 한다. 하루의 시작을 각 병동의 진료실에 비치된 이 관찰지를 참고하면서, 오늘 관찰해야 하는 대상을 파악한다.

전공의 이름	대상 관찰 수	관찰 완료 여부

직접관찰을 위한 기타 팁

- 전공의 수련프로그램의 역량과 목표를 토대로 관찰한다.
- 이미 하고 있는 업무의 일부로 관찰 업무를 포함시킨다.
- 평가의 일반화 가능도를 높이기 위해 교육생을 여러 번 관찰한다.
- 직접관찰 과정에 의미 있는 피드백을 제공하고, 특정 피드백에서 행동계획을 포함시키도록 한다. 학습자가 특정 영역에서 개선될 수 있는 방법은 무엇인가?
- 전공의가 직접관찰에 대한 필요성을 인지하도록 한다.
- 나누고 정복한다. 다른 술기를 관찰하기 위해 다른 과 실습 관찰을 이용한다.

부록 4.2

평가자 훈련 워크숍의 예

평가자 교육 내용	설명	소요시간
1시간 반 워크숍		
입문 강의	직접적인 관찰의 필요성 평가의 신뢰도가 떨어지는 원인	30분
평가자간 신뢰도 저하 확인	참가자 교육 비디오 시청 및 채점 (5분) 관찰과 평가에 대한 토론 (10분)	15분
직접관찰 장애물	참가자는 빈번하고, 높은 질적 수준의 직접관찰에 대한 장애 요소를 설명한다	5분
간단한 수행차원교육활동	참가자는 술기를 위한 틀을 개발하고, 근거바탕 평가 틀을 검토한다.(10 분) 비디오 내용에 평가틀 적용 (5분)	15분

평가자 교육 내용	설명	소요시간
	1시간 반 워크숍 (계속)	
참조틀 훈련	참가자에게 등급 선택에 사용한 표준을 설명하도록 요청한다. 위임 기준으로 전환한다.	10분
스냅촬영 관찰 방법 브레인스토밍하기	참가자는 학습자와 환자에게 유용한 간략한 관찰 결과를 확인하되, 반드시 교수자를 위한 시간을 별도로 할애할 필요는 없다.	10분
마무리	질문	5분

	3시간 워크숍	
아이스브레이킹 활동	관찰된 경험과 관찰한 내용을 논의한다.	10분
입문 강의	직접관찰의 근거 평가의 신뢰도가 떨어지는 원인	45분
직접관찰 장애 요소	집단이 직접관찰의 장애물을 식별한다.	10분
평가자간 신뢰도 저하	참가자의 비디오 시청 및 평가 (5분) 관찰 및 평가에 대한 논의 (10분)	15분
휴식		10분
간단한 수행차원교육활동	참가자는 술기를 위한 평가틀을 개발하고, 근거바탕 평가틀을 검토한다.(15분) 비디오 내용에 평가틀 적용 (5분)	20분
참조틀 훈련	참가자에게 등급 선택에 사용한 표준을 설명하도록 요청한다. 위임 기준으로 전환한다. 참가자에게 만족 수준의 등급은 어떤 수행이 포함되어야 하는지 물어본다.	15분
직접관찰 준비	학습자, 환자 준비 삼각형 배치	10분
스냅촬영 관찰 방법 브레인스토밍하기	참가자는 학습자와 환자에게 유용한 간략한 관찰 결과를 확인하되, 반드시 교수자를 위한 시간을 별도로 할애할 필요는 없다.	20분
수행 차원 두 번째 술기 훈련 또는 직접관찰을 위한 시스템 논의	이전의 수행차원교육활동을 반복하거나 시스템 관점에서 관찰에 접근하는 방법을 논의한다.	20분
마무리	질문	5분

	종일 워크숍	
아이스브레이킹 활동	관찰된 경험과 관찰한 내용을 논의한다.	10분
입문 강의	직접관찰의 근거 평가의 신뢰도가 떨어지는 원인	45분
직접관찰 장애 요소	그룹이 직접관찰의 장애물을 식별한다.	10분
평가자간 신뢰도 저하	참가자의 비디오 시청 및 평가 (5분) 관찰 및 평가에 대한 논의 (10분)	15분
휴식		10분
간단한 수행차원교육활동	참가자는 술기를 위한 평가틀을 개발하고, 근거바탕 평가틀을 검토한다. (15분) 비디오 내용에 평가틀 적용 (5분)	20분
참조틀 훈련	참가자에게 등급 선택에 사용한 표준을 설명하도록 요청한다. 위임 기준으로 전환한다. 참가자에게 만족 수준의 등급은 어떤 수행이 포함되어야 하는지 물어본다.	20분
직접관찰 준비	학습자, 환자 준비 삼각 배치	10분
스냅촬영 관찰 방법 브레인스토밍하기	참가자는 학습자와 환자에게 유용한 간략한 관찰 결과를 확인하되, 반드시 교수자를 위한 시간을 별도로 할애할 필요는 없다.	20분
피드백	피드백을 제공하는 방법 검토	25분

종일 워크숍 (계속)		
마무리	질문	5분
점심		60분
직접관찰 시뮬레이션 워크숍 (자세한 내용은 부록 4.7 참조)		
개요	시뮬레이션 목표 검토	10분
스테이션 1	임상술기 1 관찰 및 피드백	40분
스테이션 2	임상술기 2 관찰 및 피드백	40분
휴식		10분
스테이션 3	임상술기 3 관찰 및 피드백	40분
스테이션 4	임상술기 4 관찰 및 피드백	40분
나누기	오늘 하루 배운 점에 대해 논의	15분

부록 4.3

수행차원교육활동의 예

이 활동의 목적은 교수자 집단이 **상담**에 필요한 특성 역량에 대한 평가틀을 개발하기 위함이다.

1. 논의해야 하는 정보(즉, 내용)를 확인한다. 즉, 질문해야 할 내용, 수행해야 할 내용 그리고 전달해야 할 내용은 무엇인가?
2. 정보를 어떻게 전달할 것(즉, 과정)인지 확인한다. 즉, 보여주어야 할 전공의의 태도와 대인관계 기술은 무엇인가? 예를 들어, 전공의가 열정적인고 전문가의 태도를 보여주고 있다고 감지할 수 있는 행동 신호들은 무엇인가?
3. 목록의 내용은 "행동적"으로 기술해야 함을 잊지 않도록 한다. 여러분은 이러한 내용을 교수자의 관찰 맥락에서 개발하는 것이다.

내용/과정	역량에 필요한 것이라면 별표

부록 4.4

참조틀 훈련 단계

단계	활동 설명
1	수행차원교육(performance dimension training, PDT). 교수 관찰자들은 역량의 각 차원에 대한 설명을 개발하거나, 제공된 역량에 대해 각 차원에 필요한 자격요건을 논의한다.
2	교수 관찰자들은 최적의 환자 예후를 위한 차원에서 우수한(가장 효과적인 행동과 영역) 수행에는 어떤 내용들이 들어가야 하는지 규명한다.
3	교수진들은 만족스러운 수행 수준에 필요한 최소한의 기준은 무엇인지 합의에 도달하도록 한다. 만족스러운 수행 기준이 정해지면, 경계선 기준을 규명한다. 나머지는 자동적으로 불만족스러운 수행이 된다.

부록 4.5-계속

단계	활동 설명
4	참가자들은 위기상황에 대한 교육 비디오를 시청한다. 이 비디오에는 해당 상황의 수행 수준이 부실한 수준부터 보통, 그리고 매우 우수한 수준까지 모두 담고 있으며, 참가자들은 각 수행 수준을 구별하는 활동을 한다.
5	참가자들은 행동언어로 구사된 채점 등급을 제시하기 위해 임상사례나 비네트(vignettes)를 활용한다.
6	과정 트레이너/촉진자는 "참" 등급은 무엇이었어야 하는지 각 등급에 대한 설명과 함께 피드백을 제공한다.
7	참가자들 간의 평가결과 차이와 "참" 등급에 대한 중요한 의견을 나누고 교육훈련 과정을 마무리한다.

2) 역자 주. 비네트(vignette)는 특정한 사람·상황 등을 보여주는 짤막한 글, 행동, 사진 등을 말하는데, 의학교육 맥락에서는 임상교육 상황에서 짧은 시나리오를 글이나 영상으로 학습자에게 제공되는 경우가 많다.

부록 4.5

수정된 미니임상평가연습 (Modified Mini-Clinical Evaluation Exercise)

방금 관찰한 임상 상황을 고려하여 다음 질문에 답하시오.

1. 전공의가 잘 한 내용은 무엇인가?

2. 전공의가 보여준 수행에 부족한 점/실수가 있었다면 무엇인가?

3. 한 번 관찰한 수행을 토대로, 이 술기에 대해 다음에 다시 감독을 한다면 어떻게 접근하겠는가?

1	2	3	4	5
학습자는 현장에 참여할 수 있지만 관찰만 한다(즉, 학습자는 관찰만하고 환자에게 술기를 수행할 수는 없다)	학습자는 직접적인 감독 아래 술기를 연습할 수 있다(진료실 안에서의 감독) (즉, 내가 학습자의 술기를 실시간 볼 수 있어야 한다)	학습자는 간접적인 감독 아래 술기를 연습할 수 있다 (몇분 안에 감독이 가능함) (즉, 진료실 안에서 학습자를 직접관찰할 필요는 없지만, 내가 환자를 다시 진찰하고 결과를 확인할 것이다)	감독 없이 실습 가능(원거리 감독) (즉, 학습자를 관찰할 필요는 없지만, 학습자에게 내가 필요한 경우 응해줄 수 있으며 피드백을 제공할 수 있다)	학습자는 해당 술기에 대해 후배들을 감독할 수 있다(즉, 학습자는 다른 사람을 감독할 수 있다)

5

직접관찰: 표준화환자

JOHN R. BOULET, PHD, NEENA NATT, MD, AND RICHARD E. HAWKINS, MD, FACP

개요

서론

환자(또는 모의환자)와 학습자 사이의 상호작용을 직접관찰하는 것은 학습자가 알고 있는 것이 아니라 학습자가 할 수 있는 것을 판단할 수 있는 기회를 제공하므로 임상술기 평가에 필수적인 것으로 간주된다. 관찰은 실제 임상면담 맥락 내에서, 또는 일반적으로 표준화환자(standardized patients) 또는 모의환자(simulated patients, SP)로 지칭되는 일반인에 의한 환자 시뮬레이션을 통해 이루어진다. SP는 의학교육 또는 평가 목적으로 환자(또는 환자 가족 또는 보건의료전문가)를 묘사하도록 훈련된 개인이다. 특정 증례를 일관되고 정확하게 재현하고 또는 객관적으로 응시자의 수행을 채점하기 위해 보다 광범위한 훈련을 받는 시뮬레이션 된 환자를 SP라고 한다. 한편, 모의환자와 표준화환자라는 용어는 흔히 동의어로 사용된다. SP는 환자의 역할을 묘사하는 것 외에도 응시자의 행위/행동을 보고하고, 역할극을 통해 가르치고, 의사소통과 대인관계 기술을 평가하고, 피드백을 제공하도록 교육받을 수 있다.

이 장에서는 SP 면담의 일반적인 구성 요소에 대한 설명으로 시작하여 평가를 목적으로 SP를 사용하는 데 초점을 맞추었다. 또한, SP바탕 평가의 심리측정학적 특성 요약과 SP를 사용하는 멀티스테이션(multiple-station)시험 개발 및 시행에 대한 지침을 제공하였다. 실제 임상 환경에서 비공개 SP의 활용을 포함하여, 교육성과를 평가하기 위한 SP바탕 방법의 사용을 설명하였다. 마지막으로, 이 장은 SP바탕 방법의 강점과 한계를 설명하고, 보건의료전문직 교육과 평가에 SP를 사용하는 데 있어 새로운 발전 및 향후 방향에 대한 간단한 논의로 끝맺고자 한다.

지난 10년간 직접관찰 평가에 대한 SP의 활용도가 상당히 확대되어 현재는 임상교육 훈련에 지속적으로 활용되고 있으며, 여러 임상역량 영역에서 학습자를 가르치고 평가하는 데 사용되고 있다.[1,2] SP바탕 프로그램의 확대는 실제 환자에 대한 접근이 어려워지고, 임상 환경에서 적절한 임상증례의 활용이 감소되었으며, SP를 활용하면 학생들에게 복잡한 환자진료 상황을 이해시키기 위해 현실적인 상황을 제공함으로써 다른 평가 방법을 보완할 수 있다는 인식의 결과로 일어났다. 보다 최근에는 의료 전달체계의 진화와 사회적 변화에 대한 의학교육과 규제단체의 대응으로 SP는 21세기 보건의료전문가에게 필수적인 새로운 기술 및 역량 평가에 더 많이 사용되고 있다. 의학과 기타 보건의료전문직 교육과정에서 SP 활동 범위가 넓어지고 있는 또다른 이유는 교수진들이 교육에서 평가의 역할을 보는 인식이 변했기 때문이다. 즉, 교육훈련이 끝나면 기준에 맞추어 성취를 측정하는 것(총괄평가 혹은 학습에 대한 평가)에서 교육과 학습에 대한 정보를 줄 수 있는 피드백을 통해 학생의 발달과정을 모니터링하고 지원하기 위해 설계된 평가(형성평가 혹은 학습을 위한 평가)를 강조하는 쪽으로 변화했다.[3]

직접관찰 평가에 적합한 임상술기로는 일반적인 의사소통 및 대인관계 기술뿐만 아니라 환자 면담과 신체진찰을 통해 자료를 수집하는 전통적인 기술이 포함된다. 또한 임상술기 영역에는 효과적인 면담, 고지된 의사결정과 나쁜 소식 전하기, 화난 환자 다루기, 의료오류[1)] 공개, 문화적으로 능숙한 환자관리 등의 보다 복잡한 정보공유와 상호작용기술이 포함된다. 앞서 언급했듯이, SP 시나리오는 환자의 안전, 전문가간 협업 및 팀의 수행에 관련된 역량을 포함하여 새로운 의료시스템 관련 역량 평가에 더 많이 사용되고 있다.

SP 채용평가를 포함한 수행바탕 평가는 종종 객관구조화진료시험(objective structured clinical examination, OSCE) 환경에서 여러 국가의 의학교육 훈련프로그램으로 잘 확립되어 있으며, 다른 보건의료전문직에서도 증가하고 있다.[4-10] OSCE는 의학교육 형성평가 도구로서의 도입 초기부터, 여러 국가에서 인증 및 면허교부과정의 일부로 확대되었다.[11,12] 이러한 확장은 표준화된 훈련기법의 개발, 루브릭(rubrics) 채점 시범운영과 개선,[13,14] 평가방법의 기술적 진보, 다수의 심리측정학적 타당도 연구들,[15,16] 그리고 비교 가능한 조건에서 의과대학생/졸업 후 교육생을 평가할 수 있기를 바라는 욕구에서 기인하였다.

전형적인 표준화환자 면담의 구성요소

SP를 단일 면담상황에서 사용하거나 멀티스테이션 평가에서 사용하든지 임상에서의 상호작용은 일반적으로 다음과 같은 요소로 구성된다(그림 5.1).

1) 역자 주. 의료오류(medical error)는 환자의 질병을 치료하는 과정에서 발생하는 단순한 "실수"를 의미하기 때문에, 의료 전문가가 환자의 상태에 맞는 적절한 치료 기준을 충족하지 못하고 오류를 범하는 의료과실(medical malpratice)과는 차이가 있다. 의료오류가 단순한 실수라면, 의료과실은 의사로서 지켜야하는 의무의 문제이므로 모든 의료오류가 의료과실이나 의료사고(medical accident)로 이어지지는 않는다.

면담의 도입

시나리오의 시작 또는 문 앞에 붙어 있는 "입구 정보"는 만남이 일어날 환경, 환자의 병원 방문 이유, 학습자가 수행해야 하는 과제가 포함되어 있어 환자를 학습자에게 소개하게 된다. 예를 들어, *존스(Jones) 부인이 호흡 곤란이 오는 상황에 대해 상담 받기 위해 여러분의 진료실을 방문하였다고 가정하자. 관련 병력을 문진하고 필요한 신체진찰을 수행한 후 Jones 부인과 함께 여러분의 추정진단과 계획을 해보라.* 이 부분에 포함된 세부사항은 시뮬레이션 활동의 목표에 따라 좌우될 수 있다.

표준화환자 면담

교육생은 실제 환자를 면담하거나 진찰하듯 SP와 상호작용해야 한다. 훈련의 교육적 가치를 풍부하게 하거나 훈련을 학습자의 수준에 맞추기 위해 추가적인 임상정보나 자료를 시뮬레이션 면담에 통합할 수 있다. SP는 모든 학습자에게 어려운 의사소통 기술을 요구하는 특정 질문을 하도록 지시받을 수 있다. 예를 들어, "기침에 항생제가 필요하다고 생각하십니까?"라는 질문을 할 수 있다. 필수과제의 난이도는 학습자의 수준에 맞춰 조정할 수 있다. 교육훈련을 시작한 초보 학습자는 병력청취와 신체진찰을 하도록 요구받을 수 있는 반면, 훈련을 지속해온 학습자에게는 걱정스러운 검사결과 알리기, 의료오류 밝히기, 또는 SP와 행동수정에 대해 상담하기가 요구될 수 있다.

표준화환자 면담의 녹화 또는 채점

면담 동안 몇 가지 방법이 교육생의 수행을 기록하는 데 사용되었다. 녹화 또는 채점은 면담 중 또는 후에, 실시간 관찰 또는 비디오 테이프 녹화를 통해, 그리고 평가수행 중인 SP, 관찰하는 SP, 교육생, 교수 관찰자 또는 동료 학습자 등을 포함한 다양한 개인에 의해 시행될 수 있다. 학습자 수행을 기록, 점수화 또는 평가하는 데에는 서로 다른 방법이나 도구를 사용할 수 있다. 이러한 채점 옵션은 이 장의 뒷부분에 자세히 설명되어 있다.

면담 후 활동(스테이션사이[2)] 활동)

SP와의 면담 이후에는 흔히 면담 후 활동이 뒤따르는데, 이 활동은 수집된 자료를 해석하는 학습자의 능력, 임상추론 숙련도 또는 자신의 서면 의사소통 능력 등을 추가적으로 평가하기 위해 고안된 것이다. 예를 들어, 학습자는 검사결과나 영상 검사를 해석하거나, 진단 계획의 초안을 작성하거나, 임상기록을 작성하거나, 의학적, 직업적 또는 물리 치료를 위한 처방전을 제공

2) 역자 주. 스테이션사이 활동은 학습자들이 스테이션 시험 사이 사이에 수행될 수 있는 다양한 교육활동이나 훈련을 뜻한다.

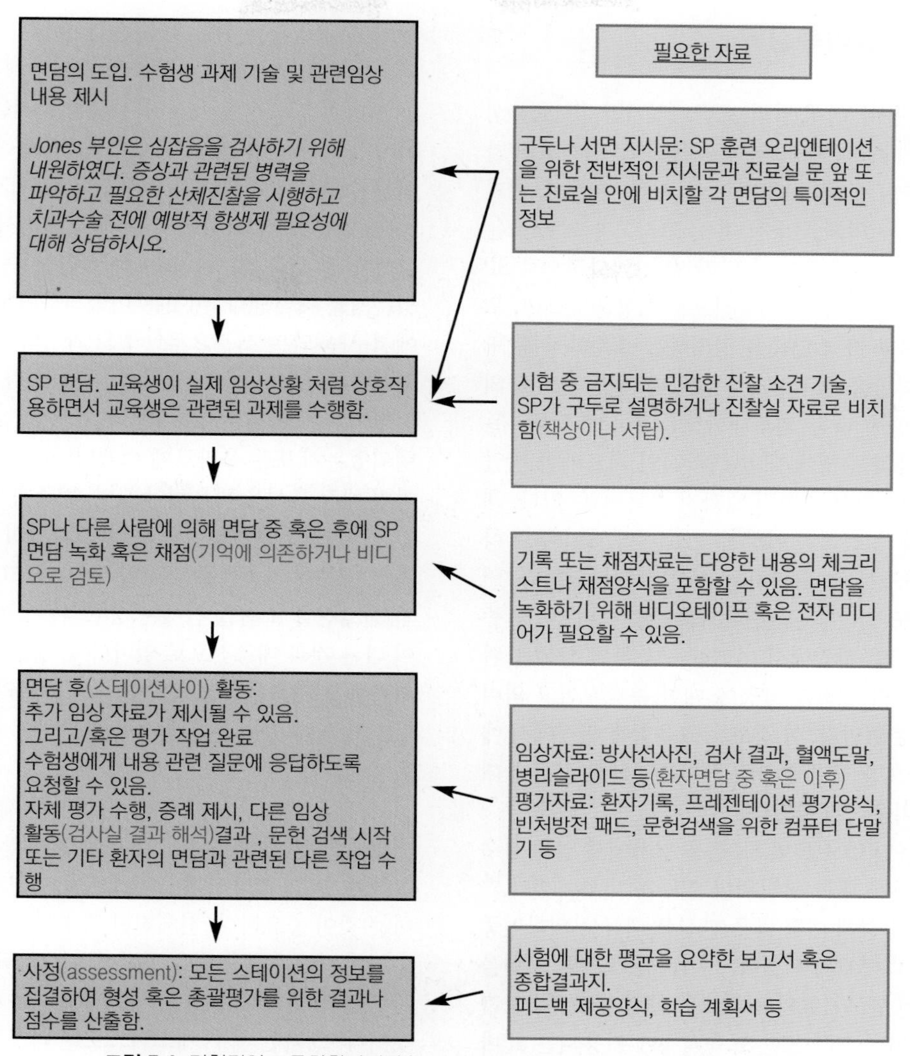

그림 5.1 전형적인 표준화환자면담(standardized patient, SP)면담의 구성요소

하도록 요청받을 수 있다. 다른 활동에는 증례와 관련된 질문에 답하는 과정이 포함될 수 있다. SP바탕 방법으로 평가된 역량 범위를 확대하기 위해 학습자에게 문헌 검토를 위한 질문을 작성하고 제시된 임상적 문제(환자진료 또는 진료수행바탕학습과 개선 요소 포함)를 해결하기 위한 근거를 찾도록 요청할 수 있다. 또는 복잡한 환자 보고 상황에서, 학습자는 환자 지원과 시스템 자원(시스템바탕 진료 또는 전문직업성)의 신중한 활용 사이의 긴장을 균형 있게 조정하고 관리할 수 있어야 한다.

사정

SP 면담 동안 또는 이후에 수집된 모든 정보는 사정(assessment) 목적으로 사용될 수 있다. 최근 교수자들은 개별 시험 점수(학습에 대한 사정)만을 가지고 최종 의사결정을 내리는 것에서 다양한 평가(학습을 위한 사정)를 통해 학생의 역량 개발을 지원하는 피드백으로 주안점을 전환하는 등 평가에 대한 계획적인 접근을 옹호해 왔다.[17] 계획적 평가 개념의 핵심은 피드백을 제공하는 정보를 수집하는 것이다. SP 방법론에서 피드백은 교수자 및/또는 SP로부터의 직접 대면 서술 피드백 또는 집단 디브리핑(debriefing) 시간의 일부를 포함하여 다양한 형태를 취할 수 있다. 증례별 내용 체크리스트를 사용하여 교육생이 자료 수집 시 기대되는 수행 표준을 충족했는지 확인할 수도 있다. 동일한 체크리스트는 교육이나 임상목표 달성 차원에서 교육생에게 피드백을 제공하기 위한 예시 자료가 될 수 있다. 평정척도는 학생의 대인관계와 의사소통 기술, 인문학적 혹은 전문직업성 행동에 대한 피드백을 제공하는 데 사용될 수 있다. 임상면담, 환자 노트 또는 개별 환자의 면담과 관련된 여러가지 활동에서 얻은 점수를 종합하면, 교육평가나 교육수련 목적에 가장 적합한 최종 점수가 제공될 수 있다.

표준화환자 평가의 심리측정학

SP바탕 평가의 사용이 현재 널리 보급되었지만, 그 효용성은 일반적인 목적(예: 피드백 제공, 역량 평가), 지역사회보건 차원의 요구, 자원 가용성(예: SP로 훈련 받는 사람, 진찰실, 평가자), 사용 가능한 기술, 지역의 문화적 이슈, 그리고 어느 정도는 심리측정학 전문지식의 정도에 따라 달라진다. 역사적으로 SP바탕 평가는 주로 학습을 위한 평가목적으로 사용되었으며, 오늘날의 수행바탕 면허나 자격 인증을 정의하는 표준화 수준 또는 심리측정학적 엄격함을 요구하지는 않았다. 일반적으로 의과대학생들은 SP나 종종 다른 의과대학생들과 상호작용하는 것이 관찰되었고 그들의 수행에 대한 즉각적인 피드백을 받았다. 어떤 업무는 숙달 수준이 증명될 때까지 반복될 수 있다. 채점은 일반적으로 종합적, 전체적 인상이나 또는 몇 가지 주요 항목을 문서(예: 체크리스트)로 확인하는 것으로 제한되었다. 면담 후 활동(예: "심전도 읽기")은 진단 능력을 평가하기 위해 종종 포함되었다. 실용적인 관점에서 이러한 구조화된 활동을 완료한 학습자들은 자신의 강점과 약점에 대한 즉각적이고 의미 있는 피드백을 얻을 수 있었다. 이 정보는 교육학적 관점에서 매우 가치가 있지만, 필요한 역량 평가의 심리측정학적 속성에 대해서는 거의 주의를 기울이지 않았다.

한편, 지난 40년 동안 OSCE 및 SP 활용 평가에서 얻은 점수의 심리측정학적 속성에 대한 광범위한 연구가 이루어졌다.[18-20] 특히, 점수의 측정 속성에 대한 많은 관심은 대규모 의학인증 및 면허시험 도입에 의해 촉발되었다.[21] 이러한 고부담 시험을 준비하기 위해 생성된 연구자료와 의학교육 환경에서 연구자가 생성한 정보는 인증/면허 교부 또는 교육과정에 활용되는 SP바탕 시험 개발의 근거와 지침을 제공한다. 그러나 평가의 "부담" 또는 목적과 상관없이 점수 및/또는 점수에 기초한 의사결정의 심리측정학적 적합성을 뒷받침할 수 있는 근거를 수집하는 것이 중요하다는 점에 주목해야 한다.

일반적으로 점수를 바탕으로 한 결정(예: 통과/미통과)의 근거는 합리적으로 타당한 역량을 평가할 수 있는 시험인지의 여부에 달려 있다. 이를 위해 적절한 채점용 루브릭 제작 및/또는 선정, SP(또는 다른 평가자)의 교육, (필요하다면) 점수동등화 전략의 선정 및 이행, 질적보장, 수행기준을 정하기 위해 채택된 방법, 자주 무시되는 점수 타당도에 대한 잠재적 위협 연구 등에 세심한 주의를 기울여야 한다.

표준화환자 평가의 채점

체크리스트와 평정척도

SP바탕 평가에서는 면담의 횟수가 전체 점수 신뢰성의 일차적 결정 요인이지만,[16,22] 평가도구의 선택은 여전히 점수의 심리측정학적 적합성에 주목할 만한 영향을 미칠 수 있다. SP 시험 중 수행평가를 위한 가장 흔한 방법은 장단점이 확인된 체크리스트와 평정척도를 사용하는 것이다.[14] 내용바탕 체크리스트는 일반적으로 시험 응시자가 특정 조치를 취하는지 여부를 기록하기 위해 사용된다. 이 체크리스트는 종종 병력청취와 신체진찰 수행을 평가하는 데 사용된다. 응시자의 행동은 범주 형태(대개 이분법 적으로)로 기록되며, 여기서 체크 표기는 예상 병력 항목을 질문했는지 또는 특정 진찰 수기가 올바르게 수행되었는지를 나타낸다. 이것은 미국의사면허시험 2단계 임상술기에서 사용되는 접근으로[23,24] SP가 면담 직후에 체크리스트를 완성한다. 체크리스트 채점에 대한 또 다른 접근법은 기록자가 진찰이 시도되었는지를 표시하고, 만약 시도되었다면 잘못 수행되었는지 또는 올바르게 수행되었는지를 표시해야 하므로 세 가지 채점 옵션을 허용해야 한다. 범주형 자료를 얻는 것과 관계없이, 임상적 관련성이나 임상 결과와의 상관관계에 기초하여 특정 항목에 가중치를 부여할 수 있다. 그러나 병력청취 질문들과 신체진찰 소견들 간에는 상호의존성이 있으며, 하나의 행동이 다른 것과 대조적으로 얼마나 더 중요한지를 결정하는 데 어려움을 고려움을 고려해보면,[25] 가중치의 사용은 문제가 될 수 있으며 의미 있는 평가 점수를 제공하는 측면에서 큰 차이가 없을 수 있다.

가장 일반적으로 병력 및 신체진찰 체크리스트는 초기 증례 개발 작업 중에 작성되며, 대체로 평가 활동의 목표와 목적에 부합해야 한다. 따라서 체크리스트를 어떻게 사용할지 먼저 결정하는 것이 중요하다. 신체진단 과정의 입문단계에 있는 초보 학습자의 자료수집 능력을 평가하려는 의도라면 자료수집 작업과 관련된 상세하고 철저한 체크리스트를 사용하는 것이 적절할 것이다. 그러한 세부 체크리스트는 과정 또는 임상실습 책임자에게 술기나 임상업무와 관련된 학습목표나 임상목표를 분명하게 정의하고 전달할 수 있도록 한다. 상위 수준의 학습자의 경우 또는 높은 수준의 의사결정에 사용하기 위한 체크리스트는 제시된 호소증상과 관련된 특정 조치 또는 소견의 중요성을 상대적으로 반영해야 한다.

체크리스트 내용을 선택하기 위해 증례 개발팀은 임상역량 그 자체 보다는 철저한 시험 수행에 대한 보상이나 부적절한 행동에 대한 조치에 주의를 기울여야 한다. 즉, 보다 효율적이거나 대체적인 자료 수집 접근법을 통해 적절한 진단이나 건강관리 의사결정을 내리는 더 유능한 수험생에게 불이익을 주어서는 안 된다. 개발자는 너무 많은 채점 항목을 포함하려는 경향을 피해야 하는데, 이는 자연스러운 현상이지만 점수의 신뢰도에 부정적인 영향을 미칠 수 있다.[26] 증례의 구체적인 내용에는 익숙하지 않은 상급 교육생이나 다른 교수자가 증례와 체크리스트를 시범적으로 작성하게 하면 효과적인 "실제 점검"이 될 수 있다. 이 과정은 종종 불필요한 체크리스트 항목의 수를 줄이거나, 때로는 초기 증례 개발자들이 고려하지 않았던 하나 또는 그 이상의 핵심 항목들을 추가하는 기회를 제공한다. 일반적으로 체크리스트의 길이를 15개에서 20개 항목으로 제한하는 것이 좋다. 체크리스트가 길면 대부분의 SP가 응시자 수행의 특정 요소를 정확하게 기억할 수 있는 능력을 초과할 수 있다.[27] 또한, 임상의사 출신 교수자가 SP 트레이너와 협력하여 개별 체크리스트 항목을 범주형 채점이 가능하도록, 명확하고 관찰 가능한 행동 언어로 기술하는 것이 중요하다. SP가 수험생의 의도를 해석하거나 복수의 행동을 기억하도록 요구하는, 필요 이상으로 복잡한 체크리스트 항목은 체크리스트 기록의 정확성을 떨어트릴 수 있다.[27] 예를 들어, "수험생은 내 가슴 통증을 유발하는 요인에 대해 물었다"로 기술하는 대신 내용을 행동별로 더 세분화하여 다음과 같이 기술해야 한다. "수험생은 신체 활동이 가슴 통증을 유발하는지 물었다", "심호흡을 하는 것이 가슴 통증을 유발하는지 물었다", "수험생은 일어나 앉는 것이 가슴 통증을 유발하는지 물었다."

SP바탕 방법에 대한 많은 정보가 있지만 일반적으로, 증례별 체크리스트를 개발하는 사람들에게 도움이 될만한 지침을 담은 학술문헌은 거의 없다.[28] 실제로 출판된 논문에서도 체크리스트가 작성되는 과정을 기술한 경우는 매우 드물다. 더군다나 진료 지침의 변경이 비교적 자주 일어날 경우, 현재 중요하게 여겨지는 체크리스트 항목이 미래에는 중요하지 않을 수 있다.[29] 따라서, 일반적으로 체크리스트 내용을 임상적 근거가 뒷받침 되거나 임상의사 및/또는 교수진의 확실한 합의에 의해 뒷받침되는 항목으로 제한하는 것이 필요하다.[13] 그런 다음, 개발된 체크리스트는 파일럿 시행을 통해 개선될 수 있다.

SP바탕 면담을 채점하기 위한 다른 방법들에는 다양한 유형의 평정척도가 사용된다.[30-33] 평정척도는 평가 중인 술기나 행동이 이분법적 채점에 적합하지 않고 수행의 다면적 판단을 필요로 할 때 흔히 사용된다. 평정척도는 흔히 대인관계와 의사소통 기술 측정과 인문학적 또는 전문직업성 행동 평가에 사용된다.[32] 일반적으로 실제 임상 환경에서 전문가가 사용하는 총괄평정척도와 마찬가지로, 응시자 수행에 대한 타당한 평가를 얻기 위해서는 적절한 평가자 훈련과 그 척도에 대한 설명 또는 기준의 제공이 필수적이다.[34]

임상술기를 측정하는 데에는 총괄평정척도와 대조적으로 체크리스트의 유용성에 대한 학술 문헌의 논란이 있으며, 이는 아마도 앞으로도 지속될 것이다.[35] 기존에 발표된 자료는 총괄평가가 경험이 더 많은 임상의사들의 임상술기를 구별하는 데 보다 타당하다고 주장하였으나, 그 차이는 그다지 크지 않을 것인데, 이는 아마도 체크리스트와 총괄평가 모두 최소한 측정오류가 일부 있을 수 있고 서로 다른 수행 특성을 계량화할 수 있다는 사실과 상당히 관련 있을 것이다.[36]

만약 평가자 교육이 적절하다면, 현재까지 수행된 연구는 분석적 또는 전인적(holistic)인 척도의 선택이 점수 신뢰성에 큰 영향을 미치지 않을 것이라는 점을 시사하고 있다.[37] 그러나, 시험의 목적, 평가할 특정 속성, 수험생의 능력 수준, 그리고 전인적(평가척도) 또는 분석적(체크리스트) 도구의 특정 구조에 따라 점수 결과의 타당도에 영향을 미칠 수 있다.[14] 예를 들면, 더 많은 경험이 있는 의사가 체크리스트를 활용한 평가에서는 점수를 덜 받을 수 있다는 점이 보고되었다.[38] 이는 체크리스트가 매우 간단한 방법으로 수행하는 평가이기 때문에 합리적인 감별진단을 내리는 데 필요한 정보의 양을 최소화하기 때문이다. 그럼에도 불구하고, 세심한 도구 개발과 선정, 평가자 교육을 통해 잠재적인 타당도 문제를 최소화할 수 있으며, 체크리스트나 총괄평가 사용 여부는 주로 시험목표에 따라 결정하면 된다.[19] 앞에서 언급한 바와 같이, 체크리스트는 주어진 증례에서 시험 응시자가 중요한 병력 질문을 하거나 필수적인 신체진찰 수기를 수행하는지에 대한 신뢰할 수 있는 평가에 보다 적합하다. 뿐만 아니라 수험생들에게 구체적인 피드백을 제공하기에 적합하다. 이와는 대조적으로, 총괄평가는 의사소통, 대인관계기술, 전문직업성 등 다면적인 영역 평가에 보다 적절하게 응용될 수 있다. 여기서 SP 또는 기타 자격이 있는 평가자는 무엇이 적절하고 부적절한 수행을 구성하는지에 대해 보다 명확한 관점을 갖고 있을 것이다. 또한 비록 종종 사용되고는 있으나, 의사-환자 의사소통과 같은 구조(예: 눈 마주치기, 자기소개)에 체크리스트를 사용하는 것은 특정 행동을 보상할 수는 있지만,[39] 상호작용에 있어 필수적이고 구체적으로 수량화하기 어려운 요소들을 제대로 기록하지 못할 수도 있다.

평가자 훈련

채점 루브릭의 선택 외에도 평가자(SP, 동료, 교수진 또는 기타 관계자들)는 측정 척도를 일관성 있고 공정하게 사용할 수 있는 사람들로 모집되고 교육되어야 한다.[34] SP바탕 평가에 과제 표집의 가변성이 높은 경향이 있음에도 불구하고,[40] 평가자에게는 올바른 행동의 인정이나 등급 부여에 관한 적절한 지침이 제공되지 않을 때 평가자 가변성은 점수 정밀도에 여전히 영향을 미칠 수 있다. SP바탕 평가에 일반적으로 사용되는 병력청취 및 신체진찰 체크리스트의 경우, SP나 자료수집 활동을 문서화하는 사람은 질문의 변형을 이해하고 올바른 신체진찰과 부정확한 신체진찰 수기를 구별하도록 훈련받아야 한다. SP 교육에 의사가 참여하는 것은 특정 증례에 대한 임상적 접근방식에 있어 수용 가능하고 수용 불가능한 변형을 설명하는 데 도움이 된다. 평가자는 어떤 평정척도를 사용하든지, 평가하고자 하는 수행 내용을 연속성이 있는 평정척도 내에서 차별할 수 있도록 교육받아야 한다. 만약 이 훈련이 제대로 이루어지지 않는다면, 평가점수는 수험자의 진정한 역량과는 상관없이 단순히 평가자의 선택(예: "매" 또는 "비둘기")을 반영한 것일 수 있다.

다행히도 적절한 선택과 훈련 그리고 효과적인 질적보장 절차를 통해 SP 및 기타 평가자를 교육하여 합리적으로 재현 가능한 점수를 제공할 수 있다.[41,42] 여기에서 훈련은 종종 역할극, 암기 기법의 검토, 모범 임상면담을 촬영한 비디오테이프를 포함하는 파일럿 테스트 연습의 개발과 활용을 포함한다. 체계적(예: 바이어스) 및 무작위(예: 기억) 평가자 오류는 완전히 제거할 수 없지만 효과적으로 제어할 수 있으므로 평가 점수의 타당도에 대한 잠재적 위협을 완화할 수 있다. 단, 일부(예: 의료진에 대한 선천적 편견, 부적절한 기억력을 가진 사람)는 불량한 SP와 불량한 평가자가 될 수 있다는 점이 강조되어야 한다. 마찬가지로, 일부 교수 평가자들은 학습목표와 잘 일치하지 않는 비현실적인 기대를 하거나 더 심각한 경우, 쉽게 바뀔 수 있는 수행에 대한 선입견이 가지고 있을 수 있다. 따라서 가능한 SP와 기타 평가자를 평가팀의 일부로 활용하기 전에 선별하는 것이 타당하다.[43]

점수 동등화 전략

SP바탕 평가의 경우, 특히 승진, 진급이나 면허 부여와 같은 고부담 의사결정에 사용되는 평가의 경우, 모든 수험생들이 "진정한" 능력을 발휘할 수 있는 공평하고 평등한 기회를 갖도록 조치를 취해야 한다. 앞서 언급한 바와 같이 교육의 여부와 관계없이, 일부 평가자는 다른 평가자보다 엄격하거나 관대할 수 있다. 따라서 동일한 조건(즉, 동일한 평가자)에서 응시자를 평가하지 않는다면, 필요한 경우 점수 조정을 실시하는 것이 중요하다.[20] 그렇지 않으면 평가의 공정성에 의문이 제기될 수 있다. 마찬가지로, 서로 다른 증례가 동일한 평가의 일부로 사용되는 경우가 많기 때문에, 난이도를 염두에 두어야 한다. 난이도가 무시된다면, 더 어려운 일련의 증례를 경험한 수험생은 자신의 진정한 역량이 과소평가되는 시험 점수를 받게 될 것이다. 이와는 대조적으로, 조정 없이 더 쉬운 시험 형식(증례의 혼합)을 경험한 수험생은 유리할 것이며, 평가 결과의 타당도를 훼손할 수 있다.

많은 의과대학이나 전공의 기반의 SP 평가, 특히 본래의 목적이 주로 형성평가인 경우, 보통 점수 조정이 필요하지 않다. 여기서 대부분의 학생들은 여러 평가 세션에서 동일한 증례와 SP를 보게 될 것이다. 또한 평가 결과는 피드백을 제공하고 재교육이 필요한 교육생을 식별하는 데 사용될 것이다. 인증 및 면허시험의 경우 또는 의과대학 졸업 요건처럼 총괄평가 성격의 평가는 시험 관리(예: 증례 선택, SP)와 자료수집에 특별한 주의를 기울인다면 수행바탕 평가를 위해 개발된 점수동등화 전략을 응용하는 것이 비교적 간단하다.[20] 따라서 시험 양식의 난이도나 특정 평가자의 선택과 관계없이 모든 응시자는 공정하게 처리될 수 있다.

의과대학이나 전공의 총괄평가(예: 졸업 요건으로 사용되는 평가)의 경우, 특정 증례에 배정된 응시자의 수와 채용된 평가자의 수가 적을 수 있는 경우, 점수 산정 전략을 이행하는 것이 어려울 수 있다. 이는 증례 난이도 및/또는 평가자의 엄격성의 추정치가 시험 응시자가 적으면 덜 정확할 것이라는 사실에 기인한다. 단, 동일한 증례 중 일부를 매년 사용할 경우, 이전 학습자 수행에서 도출한 추정치를 사용하여 특정 증례와 시험 형식의 난이도를 확인할 수 있다. 연도별 전체 학습자 역량이 크게 변동하지 않는다면, 이러한 "공통" 증례를 평가양식에 활용할 수 있다. 의사-환자 의사소통과 같이 최소한 기본적인 임상술기를 측정하는 시험의 경우, 증례 선택이 학습자들의 수행에 지나치게 영향을 미칠 것이라고 예상되지 않는다. 평가자가 대략 상대적으로 동등한 능력을 가진 학습자들을 만난다고 가정하면, 평가자에 의한 수행의 평균을 계산함으로써 평가자의 엄격성/관대함에 대한 추정치를 간단하게 산출할 수 있다. 이는 개별적인 학습자 채점을 조정하는 데 사용될 수 있으며, 따라서 평가의 공정성을 유지할 수 있다.

질 보장

질적으로 수준 높은 체크리스트 항목을 개발하고 체크리스트 분량을 제한하려는 노력에도 불구하고, 기록 오류는 여전히 발생한다.[44,45] SP는 누락보다 표기 오류를 더 많이 범하는 경향이 있어 실제 응시자의 행동을 기록하지 않은 경우보다 약 2-3배 더 자주 수행되지 않은 행동에 점수를 부여한다.[27,46] 그럼에도 불구하고, 시뮬레이션 역할을 잘 할 수 있도록 SP를 준비를 최적화하고, 채점 정확도에 대한 주기적인 관찰 및 모니터링을 제공하는 질 보장(quality assurance) 프로그램을 함께 진행한다면 SP 오류를 크게 줄일 수 있다.[47,48]

응시자 점수의 정확성을 보장하기 위해 SP바탕 평가에서 발생하는 여러 평가과정을 문서화하는 구체적인 단계를 수행해야 한다.[49,50] 첫째, 질적 내용이기는 하지만 묘사 충실도를 확보해야 한다. SP가 예상한 대로 증례를 수행하지 않으면(예: 정서와 감정이 증례와 일치하지 않는 경우), 응시자는 특정 질문을 하지 않거나 관련 신체진찰 수기를 수행하지 않을 수 있다. 그 결과, 체크리스트나 전체적 채점을 통해 얻어진 응시자의 점수는 쉽게 오류가 날 수 있다. 실시간 또는 비디오로 촬영된 면담을 통해 주기적으로 관찰하여 정확도에 관한 피드백을 SP에 제공하면, 질 관리의 일관성을 개선시킬 수 있다.

획득한 점수는 일반적으로 SP, 트레이너 또는 관련 분야의 전문지식을 갖춘 다른 평가자(예: 의사, 간호사)와 같은 두 번째 평가 집단을 활용하여 일부 하위 요소를 확인해야 한다. 이 두 번째 점수는 시행 중인 평가의 전반적인 신뢰도를 높이는 데 큰 도움이 되지 않겠지만, 적절한 표본 추출 틀을 활용한다면, 이러한 자료는 정확한 점수를 매기지 않는 SP 및/또는 의도한 대로 채점 척도를 사용하지 않는 다른 평가자를 식별하는 데 사용될 수 있다. 단, SP를 추가로 사용할 수 있고 전체적인 신뢰도가 향상되는 것이 목표라면 기존 증례에 추가 점수를 제공하는 것보다 증례를 추가하는 것이 더 합당하다는 점에 유의해야 한다.[22,51] 마지막으로 체크리스트를 포함한 증례 자료를 주기적으로 검토하는 것이 매우 중요하다. 의료행위는 정적이지 않기 때문에, 특정 신체진찰 소견의 중요성, 또는 심지어 면담 질문의 중요성도 시간이 지남에 따라 변할 수 있다.

누가 점수를 매겨야 하는지에 대해서는 관련 연구에 의하면 SP나 의사 평가자 사이에 병력청취, 신체진찰 술기, 심지어 의사소통 능력 평가의 정확도에도 큰 차이가 없다고 한다.[39,42] 그러나 전문성과 경험이 가장 중요한 더 복잡한 진단 또는 관리 기술이 평가되는 경우, 경험 있는 의사들이 응시자의 수행을 평가하도록 해야 할 것이다.[52] 또한 선행연구에 따르면 여러 SP가 동일한 증례를 연기할 때 적절한 훈련과 피드백이 정확한 증례 묘사와 체크리스트 기록의 일관성을 유도하는 것으로 나타났다.[53] 마지막으로, SP는 감정(고통의 심각도)을 묘사하거나 신체검사 채점보다 병력의 시뮬레이션과 기록에서 조금 나은 것으로 나타났다.[27, 46]

준거 설정

많은 SP바탕 평가 즉, 학습을 지원하기 위해 시행되는 평가의 경우, 특정 수행 준거를 개발하거나 적용할 필요가 거의 없다. 일반적으로 역량이나 숙련도에 대한 결정을 하지 않는 경우, 특정 수행 준거를 설정할 필요가 없다. 대신, 종종 백분위수 표로 작성된 점수(즉, 특정 체크리스트 수행, 요약 채점)를 사용하여 응시자에게 형성적 피드백을 제공하면 된다. 응시자는 전형적 보고서를 통해 자신의 강점과 약점, 평가 대상자 중 자신의 상대적 순위에 대해 어느 정도 알게 된다. 단, 평가가 총괄적 목적(예: 과정 통과 기준, 졸업요건)에 사용되고 있다면, 적절한 술기를 보유한 사람과 그렇지 않은 사람을 구분하는 점수를 결정할 필요가 있다.

SP바탕 평가를 위한 준거 설정 방법론은 지난 몇 년 동안 개발되고 개선되었다. 수행평가 문헌에서[54] 차용하고, 접하기 쉬운 기법들을 채택함으로써 SP바탕 임상시뮬레이션에 대한 표준을 설정하기 위한 합리적으로 효율적이고 효과적인 방법이 만들어졌다.[54-56] 가장 효과적인 기법은 일반적으로 임상 전문가를 채용하여 수행(예: 비디오 테이프) 또는 적절한 대용물(예: 완성된 채점표)을 검토하고 수행에 나타난 개인의 역량을 판단한다.[57] 다음으로 이러한 판단은 필요한 기술을 가진 사람과 그렇지 않은 사람을 최대한 구별하는 척도의 한 점수로 회귀한다. 예를 들어, 의사 패널에게 일련의 학습자의 수행 비디오테이프를 보여주고 의사-환자 의사소통의 적절성에 대한 숙련도 판단을 요약해달라고 요청할 수 있다. 실제로 저조한 수행을 보였다면, 아마도 모든 패널들이 학습자의 숙련도가 부족하다고 동의할 것이다. 매우 뛰어난 수행을 보여주는 학습자에게도 의견의 일치가 나타날 것이다. 그러나 숙련도가 보통 수준 영역 있다면 평가자들 간 의견의 불일치가 나타날 수 있다. 충분한 수의 패널리스트와 적절한 학습자 수행 표본이 있을 경우, 이 판단을 사용하여 능률적인 수행과 비효율적인 수행을 구별하는 점수 척도의 지점을 확인할 수 있다. 수학적 기법(예: 선형 회귀)은 이 특정 지점을 구분하는 데 쉽게 사용될 수 있다.[58]

수행 준거를 정하기 위해 선택한 방법과 상관없이, 평가 과정에 참여한 사람(즉, 측정 분야에 전문지식을 가진 임상의사)은 비현실적으로 높은 수행 기대치를 갖는 경향이 있다. 이는 아마도 아니면 적어도 부분적으로 일부 "전문가"들이 교육생이 환자와 상호작용하는 것을 거의 관찰하지 못하여 교육생의 능력에 대한 통찰력이 거의 없다는 사실과 관련 있을 것이다. 또한, 체크리스트 개발 과정에서 종종 임상적 근거가 충분하지 않아서, 합의바탕 접근법을 사용하여 임상진료와 일치하지 않는 수행 표준을 설정할 수도 있다.[59] 따라서 SP바탕 시험에 대한 표준 설정 과정에 착수할 때 표준 설정 패널(일반적으로 임상의사)은 평가목적에 대한 공통 정의를 가지고 있으며, 평가방법의 복잡성과 미묘한 차이를 깊이 알고 있는 것이 매우 중요하다. 종종, 준거 설정 패널들은 철저한 오리엔테이션 외에도 그들의 기대를 현실과 맞추기 위한 수단으로 평가의 일부(예: 일부 증례의 응시자로)에 참여하도록 할 수 있다.

타당도에 대한 위협 식별

시뮬레이션 사용을 지지하는 근거는 다양한 방법으로 개념화하고 분류될 수 있다.[60] 질 보장 계획과 더불어 평가의 타당도에 대한 잠재적 위협들을 조사하는 것이 중요하다. 특히 사람을 활용한 채점이 포함되고, 상대적으로 제한된 내용을 다루거나 고부담 결정을 내릴 때 그러하다. 여기에는 시험 시행 프로토콜의 조사(예: 수험생은 특정한 증례에 충분한 시간을 갖음), 편파적인 평가자의 식별,[62-65] SP바탕 평가 점수와 기타 역량 평가자 사이의 관계 분석,[66] 시험 보안 문제(예: 후반에 시험을 치르는 학습자들은 앞서 시험을 치른 학습자들로부터 정보를 얻을 수 있다)[67,68] 또는 분할점수를 사용할 경우, 준거의 타당성 확인을[69] 포함한 다수의 전략이 포함될 수 있다. 시간이 경과함에 따라, 이러한 연구 관행은 응시생 점수가 그들의 역량을 반영한 것임을 확실히 하는 데 도움이 될 것이다. 또한, 이러한 조사 결과가 평가 점수의 해석 가능성에 대한 심각한 위협을 식별하지 않았다면, 교육생들은 평가를 더 수용하고 결과에 이의를 제기하지 않을 것이다.

표준화환자바탕 시험 개발

SP를 이용한 객관구조화진료시험(OSCE) 설정 방법에 대한 구체적인 내용은 여러 문헌에서 확인할 수 있다.[70-73] 교육 환경에서 OSCE 바탕 평가 프로그램을 관리하는 책임자에게도 포괄적 지침이 제공된다.[12,74] 이러한 프로그램을 구성하고 시행하는 데는 SP바탕 평가에서 사용되는 이론과 방법에 대한 전문지식 그 이상이 필요하다. 성공적인 OSCE의 이면에는 일반적으로 SP바탕 평가가 평가 프로그램 내에서 어디에 적합한지 이해하고 시험 운영을 위한 세심한 계획과 준비에 최선을 다하는 개인과 팀이 존재한다. 수준 높은 OSCE 시행을 위한 세심한 계획과 준비에는 다음 사항이 포함된다. 다양한 시험 바탕 활동에 대한 적절한 관리 지원 보장; 증례 개발자, 시뮬레이션 환자와 평가자 모집 및 교육절차 개발; 적절한 채점 루브릭 식별 또는 개발; 준거 설정 절차의 선택과 감독; 질 관리 및 프로그램 개선 방법 확립[12,74]

OSCE의 SP 특정 요소 관점에서 많은 의과대학의 시험과 증례 개발 과정은 비록 덜 체계적이고 개별 기관의 문화에 기인하지만, 종종 고부담의 인증 평가와 면허시험에 사용되는 것과 유사하다. 의과대학이나 전공의 프로그램의 경우, 임상술기 평가 관련 활동을 담당하는 교수나 위원회가 증례 개발 과정에서 교육을 받거나, 최소한 시간이 지나도 재현 가능한 체계적이고 방어적인 과정을 마련하는 것이 중요하다. 자원구성과 관련하여, 개별 증례 시나리오를 개발하기 위해 다양한 의료전문 분야 또는 세부전공분야의 교수진을 모집해야 할 수 있다. 또는 전문직간 의사소통, 팀워크, 치료 전환(transition), 조율 또는 기타 유사한 업무에 초점을 맞춘 증례의 개발, 시행 또는 채점을 지원하기 위해 다른 보건의료 직종의 교수진을 모집할 수 있다.

교수자는 평가의 목적에 중점을 두어야 하고, SP가 할 수 있는 것과 할 수 없는 것에 대한 배경 정보를 제공받고, 증례가 어떻게 진행되어야 하는지에 대한 임상적 의견을 듣도록 한다. 증례 개발을 안내하는 표준과정과 견본을 교수자 또는 다른 증례 개발자에게 제공하는 것은 일관성과 철저함을 보여줄 것이다.[74] 초기 시나리오가 개발되면 SP에 의해 수행되고, 비평된다. 증례 시나리오와 관련 SP 매개변수가 결정되면 병력청취 및 신체진찰 체크리스트를 개발할 수 있다. 그러나 증례 개발은 반복적인 과정임을 강조해야 한다. 시나리오가 실행되고 일부 시범 시행이 이루어질 때까지 SP 묘사와 관련된 문제, 대본에 명시된 SP 응답에 대하여 예상하지 못한 의과대학생 또는 전공의들의 반응, 증례 불규칙성(예: 환자 기록 및/또는 신체검사 결과가 의도한 진단과 일치하지 않음)을 포함한 모든 잠재적 문제를 식별하기는 어렵다(그림 5.2).

시험의 목적

SP를 활용한 평가 연습이나 프로그램을 도입할 때는 우선 활동의 목적을 고려하는 것이 중요하다. 주로 학습을 지원하는 것이 목적이라면, 평가결과가 어떻게 작성되어 응시자에게 해

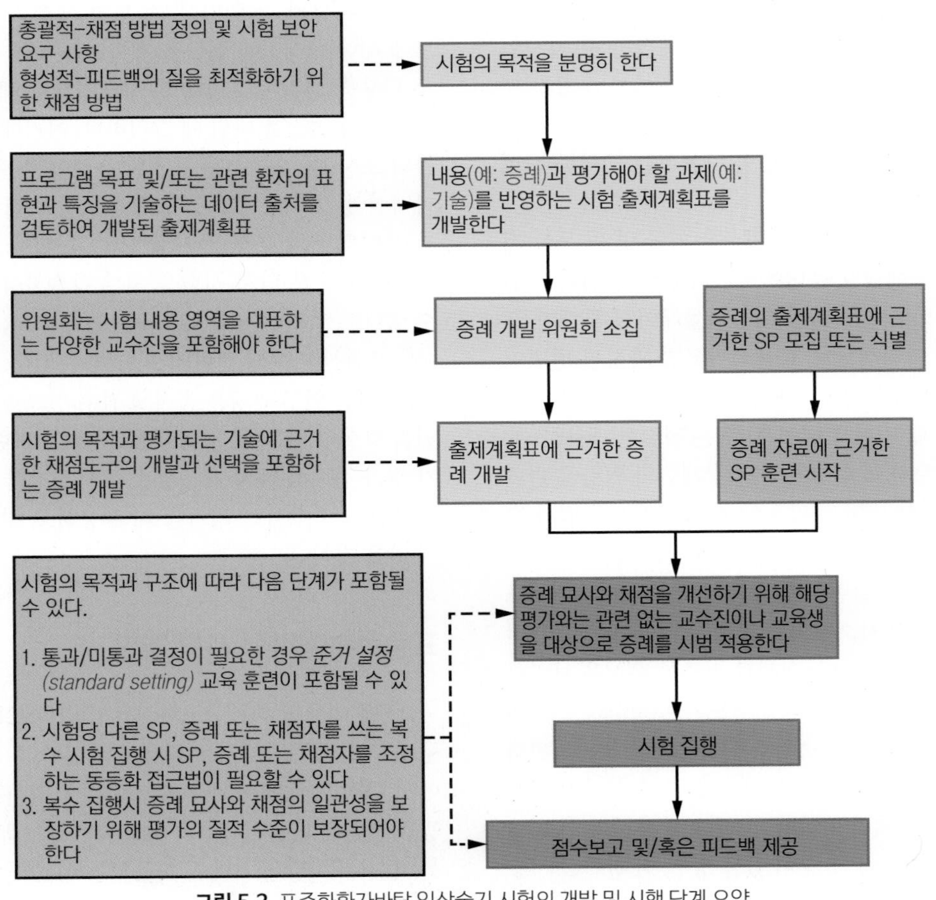

그림 5.2 표준화환자바탕 임상술기 시험의 개발 및 시행 단계 요약

석 가능한 수준 높은 피드백으로, 또 개별적으로 전달될 것인지를 결정하는 것이 중요한 우선순위여야 한다. 만약 총괄평가가 목적이라면, 시험문항 개발의 초점은 적절한 신뢰도를 확보하고, 평가되는 임상술기의 타당한 추론을 할 수 있는 시험을 구성하는 데 있어야 한다. 일반적으로 피드백의 질적 수준과 성격에 주의를 덜 기울이지만 학습평가에 시험 점수를 사용하는 것은 학습을 지원하기 위한 평가에 도움이 된다. 채점 보고에 대한 좋은 설계 접근방식은 평가가 학습에 미치는 영향을 활용하여 술기, 역량 또는 EPA와 관련된 중요한 정보를 제공하여 필요한 후속교육활동을 안내할 수 있다.[17] 또한 통과/미통과 또는 진급 결정에 사용하거나 특히, 향후 평가나 여러 시험에서 증례를 사용해야 하는 경우, 시험 보안을 고려해야 한다.

시험의 내용

시험 개발의 중요한 초기 단계는 평가의 일반적인 내용을 기술하는 것이다. 학습을 촉진하는 것이 목적인지 평가하는 것이 목적인지와 상관없이, 어떤 영역(술기)을 측정할 것인지와 이를 달성하기 위해 시뮬레이션해야 하는 특정 유형의 임상적 면담 상황을 결정해야 한다. 이것이 적절히 이루어지면 특히 평가의 목표에 대한 언급과 함께 평가의 타당도를 뒷받침하는 근거가 확보될 것이다. 시험 내용의 묘사는 측정할 기술이나 역량(예: 신체진찰)에 대해 특정 평가 내용 영역(시뮬레이션 된 환자 묘사/ 환자가 의사를 방문한 이유)을 연계시킬 수 있는 세부 출제계획표를 개발하는 것이다(표 5.1).[74] 또는 출제계획표의 주요 초점은 또한 일반적으로 행사될 수 있는 역량의 임상 내용 또는 치료과정 표본과 연계된 특정 기술 또는 역량일 수 있다(표 5.2).[75] 출제계획표 개발 과정은 다면적인 작업이며 교과서와 과정 개요를 포함한 관련 교육목표와 교육과정을 검토해야 한다. 또한 모범 면담이 환자의 의사 방문에 대한 전형적인 이유를 반영하도록 지역, 지역과 국가보건의료에서 제공하는 통계자료들을 참고하는 것이 좋다.[76] 교육목적과 자료검토, 환자 증상 빈도에 대한 보건의료 통계 분석, 이 두 가지는 종종 보완적이며, 출제계획표에서 임상자료를 분류하기 위한 접근방식이다. 보건의료 데이터베이스 검토에 의한 분류를 통해 의사를 방문하게 된 호소증상/이유(예: 다리 통증, 호흡곤란)로 정의되는 임상증례를 개발할 수 있다. 대안적으로, 교육자료나 목적을 검토하면 증례들을 장기계통 중심 또는 학문분야별 범주로 분류시킬 수 있다.

표 5.1 표준화환자 평가를 위한 기본 출제계획표

	방문 사유/ 주호소 증상				
	심혈관/호흡기	소화기/비뇨기	신경/정신	전신증상	기타: 피부, 손톱, 모발, 눈과 귀, 근골격
성별: *최소한 남자 3명 여자 3명*					
연령: *최소한 2 > 64 2 = 45-64 2 = 15-44*					
급성: *최소한 2개 급성 2개 아급성 2개 만성*					
신체적 소견: *최소한 평가양식별 2가지*					

멀티스테이션 SP평가에 사용할 수 있는 기본 출제계획표의 예이다. 내용의 타당도를 확보하기 위해 방문/주호소 증상(x축) 및 환자/증례 특성(y축)에 따라 증례를 분류한다. 10개의 스테이션 평가가 이루어진다고 가정하면, 각 x축 분류에서 두 개의 증례를 선택할 수 있다. 이 작업은 비교적 간단하지만, 환자 특성(예: 성별, 나이)과 증례 표현(예: 급성)의 혼합도 이루어져야 한다는 것을 명심해야 한다. 국가고시처럼 선택할 수 있는 증례가 많고 제약조건이 합리적인 경우 작업 과정은 상당히 간단할 수 있다. 그러나 상대적으로 증례가 적고 수많은 제약조건이 있는 경우에는 의미 있는 시험의 조건을 만족시키기 매우 어려울 수 있다. 보통 증례 개발에 필요한 자원이 한정되어 있는 의과대학이나 전공의 과정평가의 경우, 의학적 내용 및 환자 특성에 근거한 일반적인 출제계획표를 개발한 다음, 필요한 제약조건을 충족시키는 제한된 수의 증례를 의도적으로 조합하는 것이 최선일 것이다.

표 5.2 보건의료시스템 역량에 초점을 둔 표준화환자 시험 증례내용

기본 역량 영역	대상 하위 역량	증례 영역	표준화환자 역할
시스템바탕 진료	팀워크, 치료전환	간호사 및 사회복지사와 협력하여 병원에서 환자 퇴원 계획	간호사, 사회복지사
시스템바탕 진료	환자안전, 외출시 서명	당직인 동료 인턴에게 외출시 서명	인턴
대인관계와 의사소통 기술	환자안전, 의사소통	잘못된 약의 처방을 포함하는 의료오류를 환자 가족에게 공개	환자의 부모
진료바탕학습과 개선	근거바탕 진료	새로운 환자 면담과 환자 문제 관련 문헌검색에 필요한 임상질문 구성	환자
환자진료	비용에 민감한 진료	만성두통 평가를 위해 컴퓨터 단층촬영을 요청하는 환자 상담	환자
진료바탕학습과 개선	가치바탕 진료 의료정보학	환자면담 및 진찰, 면담 기록하기, 진단/치료 접근 설명, 처방 전산입력	환자

예를 들어, 임상실습 끝에 시행하는 시험에는 심장학, 신장학, 소화기학 등 각 분야에 따라 공통 장기별 하위 전문분야로 분류된 증례가 포함될 수 있다. 3학년말 시험은 각 핵심 실습의 증례를 전문분야 또는 실습 기간별로 배분할 수 있다. 즉, 실습당 한 증례 또는 6주 간격당 한 증례(따라서 보다 많은 증례를 보다 긴 실습기간에 할당)를 실시할 수 있다. 시스템바탕 실습 및 진료바탕학습 및 역량 개선에 대한 관심이 높아짐에 따라 환자 안전, 질 향상, 근거중심진료 실습 및 팀워크 영역을 포함하는 시험 내용이 개발되었다.[77-85] 표 5.2는 중요한 의료시스템 관련 역량 학습평가를 위한 SP 시험의 예이다. 선택된 증례분류 방법과 상관없이 응시자의 수행에 대한 타당한 해석은 시험내용이 의학입문 과정, 임상실습, 학업년도, 전공의 프로그램 등의 중요한 교육목표와 목적을 반영하는 정도와 관련 있다.

잘 개발된 시험 출제계획표는 산출된 점수의 신뢰도를 최적화하는 데에도 중요한 역할을 한다. 앞서 언급했듯이 점수 신뢰도는 여러가지 요인에 의해 결정되는데, 응시자 집단의 이질성, 개별 증례의 복잡성, SP의 증례 묘사와 채점의 정확성, 평가되는 특정 술기, 그리고 무엇보다 면담 횟수와 유형이 가장 중요하다.[12] 현재 참고 가능한 문헌에 따르면 수행바탕평가에서 평가점수의 신뢰도는 주로 평가자의 선택보다 시험 길이(면담 횟수)의 함수임을 시사한다. 따라서 일반적으로 평가점수의 신뢰도를 향상시키려면 시험 증례 수를 늘리는 것이 최선이다.[12] 반 데르 블루텐(van der Vleuten)과 스완슨(Swanson)의 연구에 따르면 수행바탕 SP 평가가 0.80의 일반화 계수를 얻으려면 시험시간이 3시간에서 12시간 사이여야 한다는 것을 발견했다.[86] 개별 교육생의 학습 평가 또는 계획적 활동에 대한 평가를 목적으로 하는 시험의 경우(예: 교육과정이 적절한지 판단) 시험 길이를 단축하는 것이 적절할 수 있다. 계획적 평가에 사용할 경우, 개별 응시자 수행의 종합 자료들을 엮으면 하나 또는 소수의 증례만 사용하더라도 보다 신뢰할 수 있는 결과를 얻을 수 있다.

의사와 전공의는 증례의 임상 내용(내용 또는 증례의 특수성)에 따라 수행에 상당한 변동성을 나타내기 때문에, 면담의 범위와 횟수는 검사 신뢰도의 중요한 결정 요인이다.[74] 응시자의 전체 임상술기에 대한 정확한 측정치를 얻기 위해 충분한 수의 증례가 평가에 포함되도록 해야 한다. 평가과정에서 술기를 좀 더 광범위하게 표집하도록 설계된 멀티스테이션 SP 시험은 한 번의 면담에 내재된 심리측정학적 한계를 보완하며, 일반적으로 임상역량에 대해 더 신뢰할 수 있는 평가를 이끌어 낸다.[12, 87,88]

응시자가 개별 면담에서 SP와 함께 보내야 하는 시간과 관련하여, 비교적 짧은 스테이션(5-10분)은 상대적으로 긴 스테이션(> 20분)만큼 신뢰도가 있으므로 시험을 위해 할당된 자원과 총 시간에 따라 선택될 수 있다. 고정된 시험 시간 단위의 경우, 스테이션이 짧을수록 보다 많은 증례와 보다 넓은 범위의 내용으로 특정 기술을 평가할 수 있다.[89] 그러나 주어진 임상 과제에 충분한 시간을 제공할 수 있도록 주의해야 한다. 그렇지 않으면 체크리스트 점수가 높아도 임상 숙련도에 타당하지 않은 측정치가 산출되는 부적절한 시험 응시 행동(예: 속사포 같은 질문)이 강화될 수 있다. 일반적으로 개별 면담에 할당된 시간은 과제에 적합해야 하는데, 특정 임상 상황에 적절한 행동과 속도가 있다.[61] SP바탕 시험에서 수행이 평가될 때에는 기본 임상술기(예: 자료 수집)를 측정할 때가 복잡한 환자관리 기술 평가보다 신뢰할 수 있는 결과를 얻는다. 스틸먼(Stillman)과 동료들은 자료수집 기술에 대한 신뢰도 평가에는 6-10건의 증례가 필요하지만, 감별진단 능력이나 진단연구의 적절한 사용을 신뢰성 있게 평가하기 위해서는 25건 이상의 증례가 필요함을 확인하였다.[90] 따라서 SP바탕 평가는 자료수집, 의사소통 그리고 대인관계 기술 평가에 가장 효율적이다.

평가목적에 따라 출제계획표에 관련된 기술과 임상 증례를 포함시키는 것 외에, 평가가 반영하고자 하는 보다 넓은 인구집단을 반영하는 임상적 환경과 기타 환자특성을 모두 고려하는 것도 중요할 수 있다. 교육목표(또는 관련 보건의료 통계)과 관련하여, 시험 개발자는 급성, 아급성[3] 및 만성 증상을 나타내는 증례의 비율과 그러한 환자가 내원하는 환경(입원, 외래, 응급실 등)을 결정해야 한다. 마지막으로, 교육목적 및/또는 보건의료 자료에 따라 시험 출제계획표는 인종, 민족, 연령 및 성별과 같은 환자의 특성도 고려해야 한다. 그러나 출제계획표가 점점 복잡해지고 다원화됨에 따라 시험 개발자는 어느 시점이 되면, 교육과정 목표에 따라 주요범주를 구분한 다음 신중한 SP 모집과 합리적인 증례 배정을 시도해야 한다. 많은 경우 증례 개발과 배정을 위해 행렬표나 시험 내용 개요를 구성하는 것이 도움될 것이다(표 5.1 참조).

증례 개발 및 표준화환자 훈련

이 장을 작성할 때 사용된 가정 중 하나는 학부 또는 졸업 후 교육 수준의 의학교육에 참여한 의사들이 임상술기센터와 SP 트레이너를 포함한 전문 인력을 쉽게 활용할 수 있을 것이라는 점이다. 비록 임상교수가 SP바탕 방법의 사용에 대해 많은 지식과 경험을 습득할 수 있지만, SP바탕 평가 프로그램을 개발하고 관리하는 데 필요한 많은 활동에 참여할 시간이나 전문지식을 갖춘 사람은 거의 없을 것이다. 다음 내용의 대부분은 임상교수가 평가과정에 대한 잠재적 기여도를 이해하고 기관의 SP바탕 평가의 개발 및 시행에 효과적이고 의미있게 참여하도록 돕기 위한 것이다.

임상교수들은 SP가 다양한 삶, 건강, 경험, 학력, 직업을 가진 개인으로 구성되어 있다는 것을 이해해야 한다. SP 트레이너 및/또는 임상술기센터 직원은 SP를 모집하고 고용할 때 다양한 암시적 또는 명시적 기준을 적용한다.[2] 일반적으로 직업 배경(일부는 배우일수도 있음), 지적 능력, 지리적 안정성, 정서적 안정성, 동기 및 가용성 등의 요인을 고려해야 한다.[2,70,87] 또한 개별 평가를 위한 SP를 선택할 때, 이전의 건강 경험과 특정 임상 증례 요건과 관련된 연령, 성별, 인종 및 신체적 속성(안정적 또는 일시적인 신체소견 같은)과 같은 개별 환자 특성을 고려할 필요가 있다. 단, 시뮬레이션해야 할 의학문제에 대해 사전 경험이 있는 SP를 선택하는 것의 가치는 명확하게 확립되어 있지 않다. SP의 경험이 임상적 문제에 대한 보다 진정한 묘사로 이어질 수 있지만, 증례 시뮬레이션 요구 사항에서 개인의 과거병력을 분리하지 못할 수도 있다.[70,91] 예상한 바와 같이 의료 직종에 대해 적대적이거나 씁쓸한 태도를 보이거나 강한 개인적 감정이 있는 사람은 SP로 고용되어서는 안 된다.[2]

증례 개발과 훈련의 경우, 임상교수는 SP 훈련 직원과 상호작용하고 교육 또는 측정 전문가로서 중요한 역할을 한다.[70] 과정, 임상실습 및 프로그램 책임자는 평가나 시험에 포함될 증례를 식별해야 한다. 과정책임자와 교수진들에게 문의하면 측정해야 할 술기와 각각의 평가에서 얼마나 중점을 두어야 할지를 판단할 수 있다. 이들은 내용전문가로서 증례 개발 팀과 협력하여 자신의 임상경험으로 새로운 증례를 개발하는 것을 돕거나 기존 SP 증례 목록을 검토하여 평가 목표를 충족시킬 수 있는 증례를 선정해야 한다. 증례 개발 시 표준화 과정을 따르고 템플릿을 사용하면 증례 개발 절차의 효율성과 효과를 최적화하는 데 도움이 될 것이다.[74]

불행히도, 시뮬레이션 임상 시나리오의 개발에 있어서는 교수자가 유용한 증례 자료를 제공하는 것이 어려울 수 있다. 교수자들은 비교적 드물거나 불필요하게 복잡한 환자 증상을 초기 증례 시나리오로 만드는 경향이 있다. 이러한 유형의 증례는 일반적으로 SP에게 수행 부담을 주기 때문에 시행하기 어렵고 미미한 평가 자료만 남는다. 그럼에도 불구하고, 평가의 목적을 반복적으로 강조하고 적절한 증례 개발 훈련을 통해 개별 증례 시나리오를 모으는 것은 효율적이고 생산적일 수 있으며, 우리에게 가장 중요하고 타당하며 의미 있는 평가 결과를 가져올 수 있다.

SP 교육에 대한 임상 의사의 참여는 묘사 및 채점 정확도에 영향을 미치는 문제를 해결하는 데 유용하다. 여기서 의사는 SP가 제시해야 하는 임상 문제를 이해하도록 도울 수 있고, 감정 시뮬레이션에 대한 피드백을 제공하며, 신체진찰 소견의 정확한 채점방법을 안내할 수 있다.[91] SP바탕 방법에서 가장 자주 언급되는 장점 중 하나가 평가와 피드백이 "환자중심"이라는 점이지만, 묘사에 대한 많은 세부사항과 채점 및 피드백 요소는 보건의료전문가가 개발한 기대치와 표준이다. 시뮬레이션 개선 작업에 도움을 주고 평가 및 피드백 접근방식에서 환자의 목소리가 수용되도록 하며, 실제 환자의 참여를 통해 증례 개발 시 환자의 관점을 확보하는 것이 가치 있을 것이다.[1]

또한 의사는 SP바탕 시험동안 의과대학생과 전공의 수행에 대한 평가자로 참여할 수 있다. 수행 차원 훈련과 참조틀 훈련을 포함하여 4장에서 기술한 채점 교육 방식은 평가의 내용과 목적에 적절하게 응용될 수 있다. 평가를 수행하는 데 사용할 수 있는 자원에 따라 의사 대 SP 평가자의 교육에 상대적 배분(평가와 피드백의 각 역할 포함)을 고려하거나 심리측정학적 질을 향상시키기 위해 평가할 SP 증례 추가에 자원을 더 투자할지 결정해야 한다.[34] 교수진의 가용성에 대한 한계를 고려할 때, 책임지도전문의는 교수진의 가장 적절한 시간 사용(증례 및 평가표 개발, SP 교육, 학습자 수행 채점 등)에 대해 숙고할 필요가 있다.

SP 모집과 선정을 지원하기 위해 의사가 제공할 수 있는 중요한 서비스 중 하나는 개별 SP에 대해 철저한 선별 신체진찰을 수행하는 것이다. SP는 알려지지 않았거나 예기치 않은 신체적

3) 역자 주. 아(亞)급성(subacute)은 질병을 지속기간으로 구분할 때 급성과 만성의 중간 정도에 해당되는 것을 말한다.

소견으로 인해 증례 묘사와 난이도에 영향을 미칠 수 있으며, 이로 인해 수험생들은 증례 개발자의 의도와는 다른 종류의 질문을 할 수 있다.[92] 반면, SP바탕 시험이 학습을 위한 평가를 지원하는 데 사용될 때에는 SP와 현장 간의 표준화가 필요없으며 양립할 수 있는 신체적 소견은 증례 내용과 학습 경험을 풍부하게 할 수 있다.

교육성과 평가를 위한 표준화환자바탕 방법

SP바탕 평가방법은 기존의 표준에 대해 학습자의 숙련도를 측정하는 것뿐만 아니라 졸업할 준비가 되어 있거나 다음 단계의 훈련으로 넘어갈 수 있는지를 판단하는 데 목적을 둔 총괄평가와 학습을 모니터링하고 피드백을 제공하는 데 중점을 둔 형성평가에 모두 사용될 수 있다. 일반적으로 평가에 대한 접근법의 구성요소에 따라, 교육훈련 단계가 끝날 때 시행하는 총괄평가를 *학습에 대한 평가(assessment of learning)*라고 하는 반면, 교육과정에 내재된 형성적 평가는 *학습을 위한 평가(assessment for learning)*라고 한다.[3] 교육에서 평가의 역할에 대한 우리의 생각은 점진적으로 진화해 왔으며, 평가 프로그램의 맥락에서 평가를 수행하는 것에 관심이 높아지고 있다. 여기에서 다양한 평가방법과 도구의 선택은 장기적인 안목에서 학습자의 역량이 향상될 수 있는 방향으로 결정된다.[17]

학습을 위한 평가

SP바탕 평가는 병력청취, 신체진찰, 의사소통과 대인관계 기술을 포함한 기본적인 임상술기에 대하여 신뢰롭고 타당한 측정치를 제공할 수 있다. 미국전문의협회(ABMS)/미국졸업후교육인증위원회(Accreditation Council of Graduate Medical Education, ACGME) 핵심 역량,[93] 캐나다전문의사양성(Canadian Medical Education Directive for Specialists, CanMEDS) 역량모델,[94] 및 영국의학협회(United Kingdom General Medical Council, GMC)의 내일의 의사(Tomorrow's Doctors)[95] 훈련 프로그램을 포함한 성과바탕교육의 도입은 보건의료전문 교육자들이 이러한 개념틀에서 요구하는 복잡한 행동을 측정할 수 있는 SP 시나리오를 설계하도록 유도했다. 다양한 인증기관 사이에 약간의 차이는 있지만, 이러한 역량 모형에는 여전히 상당한 개념적 중첩이 존재하므로 ACGME 모형을 활용하면 SP바탕 평가를 다양한 교육성과 측정에 어떻게 응용할 수 있는지 알 수 있다.

SP바탕 방법은 환자진료 영역 내에서 *대인관계와 의사소통 기술(interpersonal and communications skills)* 및 *환자진료(patient care)* 영역(환자정보 도출, 환자로부터 필수적이고 정확한 정보수집, 환자상담 및 교육)을 평가하는 데 적합하다. 멀티스테이션 SP 시험은 광범위한 교육 프로그램, 단기 교육과정, 임상실습, 순환근무, 학습기간 등의 전, 중, 후에 교육요구나 학습성과를 측정하는 데 사용될 수 있다. SP 시나리오와 과제중심 교육모형을 일부 결합한 하이브리드 평가 스테이션은 기술적 역량과 비기술적 역량을 모두 평가하도록 설계될 수 있으므로 학습자에게 다양한 기술을 통합하도록 요구할 수 있다.[96] 기본기술과 보다 진보된 기술을 학습한 후 배운 것을 평가하는 시뮬레이션 방법과 마찬가지로 SP의 활용은 교실에서 진료실로 학습자의 교육환경을 안전하게 전환해준다.

SP는 환자의 문화, 나이, 성별, 건강정보 이해능력, 영적 신념 및 지적 신체적 장애에 대한 반응을 포함한 *전문직업성(professionalism)*에 내재하는 행동을 평가하기 위해 개별적 또는 멀티스테이션 훈련의 일부로 사용될 수 있다.[97-100] SP가 학생과 전공의가 전문적이고 인문학적인 방식으로 행동할 수 있는 능력이 있는지 그 여부를 판단하는 데 유용하다는 것은 명백하지만, 교육이나 평가 훈련의 맥락 안에서 이러한 기술을 입증한다고 해서 관련 행동이 일상적으로 나타날 것이라고 보장할 수 없다. 전문적 행동의 유지를 보장하기 위해서는 다양한 임상적 맥락에서 다양한 평가자 집단으로부터 교육생의 수행을 지속적 및/또는 단편적으로 관찰하는 노력이 필요하다.

또한 SP바탕 방법의 유연성은 *진료바탕학습과 개선(practice-based learning and improvement, PBLI)*과 *시스템바탕진료(systems-based practice, SBP)*의 역량을 측정하기 위한 평가 시험의 개발을 용이하게 한다(표 5.2 참조). 교수자, 임상실습 및 수련 프로그램 책임자는 SP 트레이너와 협력하여, 환자 관리에 있어 교육생이 과학적 근거를 검색, 평가, 응용하는 능력; 환자 정보와 온라인 자원을 관리하는 데 정보 기술을 사용하는 능력; 환자의 선호도를 확인하는 등 정보에 기반한 의사결정 능력; 환자의 상태와 건강 유지에 적절한 돌봄을 제공하는 능력[77,101,102] 등을 평가하는 증례를 개발할 수 있다.[7,101,102] 지난 10년 동안 보건의료전문 교육자는 현행의 보건의료의 우선 순위, 특히 환자안전, 진료의 전환, 상호전문성 및 팀작업과 관련된 것들을 달성하는 데 필수적인 역량을 측정하는 SP바탕 방법의 개발에 집중해 왔다.[77,80,103] SP바탕 평가 시나리오를 작성하여 "근접오류(near miss)[4)]" 관리 및 의료오류 공개를 포함한 환자안전 역량의 사회문화적 차원을 평가할 수 있다.[83,84,104] 보건의료전문가의 역할을 하는 SP는 환자인계 훈련을 받을 수 있고, 환자치료 계획을 세울 때 협력 기술을 측정하도록 구성된 전문가 팀 회의에 참여할 수도 있다.[85,105,106] 시뮬레이션된 전문가 팀은 갈등 관리 능력, 환자 옹호 및 상급자에게 반대의견 제시하기를 포함한 팀 중심 수행을 평가하기 위해 구성될 수도 있다.[107] 이러한 협업 실무역량 영역의 평가에는 검증된 도구를 사용해야 한다.[108] SP바탕 방법론을 활용하여 이와 같이 복잡한 보건의료시스템 구성의 역량을 평가하는 것은 어려울 수 있다. 왜냐하면 복잡한 시나

4) 역자 주. 근접오류(near miss)는 사고가 일어날 뻔하였으나 직접적인 인적, 물적 피해가 일어나지 않은 상황을 말한다.

리오의 경우, 표준화하기가 더 어려울 수 있고 신뢰도와 타당도가 높은 평정척도를 개발하기 어렵기 때문이다. 따라서 현재로서는 심리측정학적 문제가 해결될 때까지 보건의료시스템 관련 역량에 대한 SP바탕 평가를 학습을 위한 평가 활동으로 제한하는 것이 현명하다.

SP바탕 방법은 *의학지식(medical knowledge)* 평가에 적용할 때 효율적이지 않지만 모의환자치료 상황에서 지식의 응용을 측정하는 데 사용될 수 있다. SP 면담은 미니임상평가연습(mini-clinical evaluation exercise, mini-CEX)과 같은 구조화된 총괄평가로 보완할 수 있으며, 기타 중요한 술기를 측정하기 위해서는 환자 메모나 의무기록 형태의 회상(recall) 과정과 결합될 수 있다. 이러한 유형의 평가 접근방식은 실제 임상 환경에서 현재 사용되고 있는 평가방법을 모방하기 때문에 평가 책임자와 평가를 받는 사람 모두에게 보다 쉽게 수용될 수 있다. 여기서, 교육과정 또는 임상실습 책임자는 또한 임상실습 중 간혹 접하게 되는 중요한 임상증례에서 지식 응용 능력을 평가하기 위해 SP를 활용할 수 있다.

성과바탕교육은 교육 중 다양한 시점에서 학습자 수행을 측정하기 위한 마일스톤을 틀에 통합하면서 더욱 발전했다. ACGME은 기존의 여섯 핵심 역량에 마일스톤을 포함시켰다. 각 마일스톤은 드레퓌스(Dreyfus)의 술기 습득 모형에 기초하여 점진적으로 발전하는 숙련 수준으로 나뉜다. 앞으로 교수자들은 학습자의 마일스톤 달성 상황을 알기 위한 새로운 SP바탕 평가방법을 개발하거나 기존의 SP바탕 평가방법을 개선해야 하는 숙제를 안고 있다. 기존의 SP바탕 시나리오에서는 달성하고자 하는 수행목표가 마일스톤의 다섯 단계 중 어디에 위치하는지 신중하게 분석되어야 하는데 이를 통해 서로 다른 수준의 숙련도를 쉽게 평가하기 어렵다는 점을 알게 될 것이다.[109] 증례에 대한 서술적 설명, SP를 위한 지시사항, 체크리스트 항목 및 면담 후 훈련과정의 검토는 한 마일스톤에서 학습자의 능력을 파악하기 위해 증례를 사용할지를 확인하는 데 도움이 된다.[75] 대부분의 마일스톤은 꾸준히 진행되는 학습자의 수행에 대한 복합적인 설명이다. 따라서 SP바탕 평가는 특정 마일스톤에 대한 판단을 알리는 유일한 평가방법으로 의존해서는 안 되고 학습자의 진행 상황에 대한 판단을 위해 설계된 보다 넓은 의미로 평가과정의 일부가 되어야 한다. SP 시나리오가 다면평가 프로그램의 구성요소로 사용될 경우, 인턴십과 같은 새로운 훈련 단계에 진입할 때 학습자가 지식, 기술 및 태도 영역에서 어느 수준에 있는지 측정하는 데 유용할 수 있다.

학습에 대한 평가

SP는 주로 학습을 평가하기 위해 활용되지만 총괄적 목적을 위한 학습평가에도 사용할 수 있다. 지난 25년 동안 SP바탕 평가방법은 고부담 인증 및 면허시험의 일부가 될 수 있을 만큼 질적 수준이 발전해 왔다.[21] 1980년대부터 의과대학과 면허/인증기관 양쪽이 실시한 수많은 연구에 의하면, 실습영역에서 충분한 수의 시뮬레이션이 적절하게 표본으로 추출되면 신뢰할 수 있고 타당한 평가를 내릴 수 있다고 결론짓고 있다.[18] 캐나다의학협회(Medical Council of Canada, MCC)는 1992년부터 캐나다 의과대학 졸업생에 대한 면허요건인 자격심사 제2부(Part II)를 시행하였다.[111] MCC 시험이 시작된 이후, 영국의학협회(GMC),[112] 외국의과대학졸업생교육위원회(Educational Commission for Foreign Medical Graduates, ECFMG), 미국정골의사국가시험원(National Board of Osteopathic Medical Examiners, NBOME), 미국의사면허시험(United States Medical Licensing Examination, USMLE)을[11] 포함한 여러 기관에서 고부담 멀티스테이션 OCSE를 개발하고 시행해왔다. 많은 의과대학들도 졸업요건으로 SP바탕 임상술기 평가를 성공적으로 완료할 것을 요구하고 있다.[113]

총괄적 목적(예: 역량 측정)을 위한 SP바탕 평가의 사용은 증가할 것이다. 역량바탕교육을 향한 움직임, 개별 교육생의 술기에 대한 보다 체계적인 문서화의 필요성(예: 마일스톤), 그리고 환자안전이 진료의사의 자격에 기초하며 핵심이라는 일반적 인식과 함께, SP바탕 평가는 잠재적으로 보다 방대한 시뮬레이션바탕 평가의 일부로 반드시 필요할 것이다. SP바탕 평가를 둘러싼 집행 관리, 실행 계획 그리고 측정 문제를 보다 잘 이해하기 위해 수행된 연구의 양을 고려해보면 통합모형을 사용하는 것이 현명하다. 이 통합모형은 SP와 시뮬레이션을 활용하고, 보건의료 평가의 틀을 사용하며 특히, 특정 학습목표를 측정하도록 설계된 것이다. 이는 이미 많은 임상분야에서[114,115] 수행되었으며 시뮬레이션 기술이 향상됨에 따라 더욱 확대될 것이다.

환자진료 평가를 위한 비공개 표준화환자의 이용

실제 임상 환경에서 비공개 표준화환자(unannounced SP, USP)를 이용하는 것은 교육성과와 의료의 질을 측정하는 효과적인 방법이다. USP의 활용을 지지하는 연구기반은 방법론 그 자체(다른 평가방법과의 비교 포함)와, 다양한 교육적 개입이 의사의 역량에 미치는 영향 평가, 그리고 의료의 질 측정에 초점을 맞추고 있다.[116] 일부 저자들은 USP가 의료의 질과 실습에서 교육의 효과를 측정하는 "황금 기준"이라고 말한다.[59,117-121] 발표된 몇 편의 연구결과 예를 보면, 흔한 질환에 대한 자원 활용, 예방적 관리 관행, HIV 위험 평가 및 낙인 감소, 요통 관리, 당뇨병 진료지침 준수, 종양유전학 교육의 효과, 우울증에서의 정신건강 의뢰 및 자살사고 질문, 암 예방, 가정 폭력 선별, 면담 및 의사소통 기술, 행동수정상담 등 질적 평가에 대한 USP의 다양한 응용을 설명하고 있다.[118,121-135] 최근 연구는 일차진료 팀에서 환자중심진료를 평가하기 위해 USP를 활용하여, 안전수칙, 환자중심의 의사소통 및 시스템 탐색 지원에 대한 유용한 피드

백을 제공하고 있다고 밝혔다.[136]

USP는 특히 환자-의사 면담 및 관계에 기초하는 의료의 질적 측면을 측정하는 데 유용한 방법이다. 실제 임상 환경에서 USP에 의해 측정된 의사 행동이 의사가 관찰을 받고 있다는 사실을 알고있으면서 SP를 활용하여 평가한 수행보다 의사의 실제 관행을 더 잘 반영할 가능성이 높다.[119,137,138] 눈에 띄지 않는 직접관찰을 통해 진정한 행동을 기록할 수 있는 능력은 진료 측면의 평가를 가능하게 한다. 이는 중요하나 전통적인 질적 내용 측정에서는 일반적으로 접근할 수 없다.[139] 예를 들어, USP를 사용한 평가는 의사나 환자의 특성, 편견, 환자 선호도 또는 상황적 요인이 환자진료의 개별화와 임상적 판단에 영향을 미치는 상황에서 매우 유용하다.[119,130,132,140] 뿐만 아니라, 표준화되고 일관된 묘사 및 채점과 함께 효과적인 증례 선택과 개발은 선택 바이어스(bias)를 무효화하고 전통적인 질적 측정 접근법에 필요한 증례를 혼합하거나 복잡성 조정의 필요성을 없앨 수 있다.[141]

의사 수행평가에 USP를 사용하는 이유 중 하나는 일반적으로 사용되는 임상수행 및 의료의 질에 대한 기존 측정에 대한 우려와 관련이 있다.[119,121,126,136, 139, 142, 143] 흔히 사용되는 도구는 의무기록 감사, 의료비 청구 또는 활용률 자료, 의사의 자체보고서, 환자의 평가자료, 비디오 촬영된 환자면담, 또는 시험센터환경에서 시뮬레이션 바탕 접근 등이 있는데 이 도구들은 일련의 방법론적 및 심리측정학적 난관을 극복해야 한다. USP의 활용은 기존의 평가방법과 관련된 측정 문제와 잠재적 바이어스를 피할 수 있는 잠재력을 가지고 있다.[126,142,143] 의사소통 기술에 대한 실제 환자의 평가와 비교하여도, USP가 제공하는 평가는 보다 신뢰할 수 있고, 의사 자신과 의사들 사이에서도 의사소통 기술의 차이를 보다 잘 식별할 수 있다.[118] USP의 평가와 비교할 때, 의무기록 감사의 부정당한 민감도와 특이도는 의료의 질 측정에 대한 타당도의 문제가 있을 수 있다.[127,139,144,145] 실제 임상시나리오를 묘사하고 잘 개발된 채점 도구와 보충 정보를 적절히 사용할 줄 아는 고도로 훈련된 SP는 여러 속성과 보건의료 성과와 관련된 수행의 타당한 해석들이 가능한 심리측정학적 평가를 해왔다.[116-118,124,142,146] SP를 활용한 연구에 참여한 전공의와 개업 의사는 자신의 경험에 만족했고, 이 방법을 이용한 향후 참여에 동의했으며, 제공된 피드백의 타당도와 유용성 및 환자치료에 대한 긍정적인 영향을 인정했다.[131,131,147]

USP 방법의 타당도에 대한 일차적 위협은 USP의 증례 묘사 또는 채점에 일관성이 없는 것이며, 평가를 받는 의사가 USP를 감지하는 것이다.[148] 묘사와 채점의 불일치는 수행평가의 정확성에 부정적인 영향을 미칠 수 있으며, 평가자는 전반적 수행에 대한 타당한 해석이 단일 환자 또는 첫 번째 환자 방문 시 전형적인 (그리고 적절한) 의사 행동에 의해 제한될 수 있음을 이해해야 한다.[46,149] 예방적 건강관리 또는 보다 만성질환의 관리와 같은 일부 행동은 단일 방문 시 적절하게 확인되지 않을 수 있으며, 한 번 이상의 방문에 걸친 평가가 필요할 수 있다.[129,133] 묘사 및 채점의 정확성은 엄격한 훈련(경험이 있는 SP라도), 사전 평가 및 평가의 질적 수준 보장을 위한 훈련(SP 수행의 오디오 또는 비디오 테이프 모니터링 및 피드백 등) 또는 기타자료(의무기록 감사, 검사 요청, 오디오 녹음된 면담)로 SP 점수를 보완함으로써 향상될 수 있다.[46,121,136,148]

증례묘사 중 USP가 감지되면 의사의 실제 임상진료 상황을 더 이상 반영하지 못할 수 있으므로 의사의 행동과 평가 결과에 기초하여 도출될 수 있는 추론에 영향을 미칠 수 있다.[120,121,150] 감지율은 발표된 보고에 의하면 매우 다양하며(1-70%) 일반적으로 평균 5- 20%이다.[116,148,150] USP 감지는 보다 긴 상호작용, 보다 어려운 시뮬레이션, 또는 환자의 진료 흐름이 더 통제되거나 안정된 환경에서 발생할 가능성이 높다.[121,150] 임상 공간에서 USP 감지 예방은 의료 실무진들과 협력 관계를 만들고, USP "정체성"을 생성하고 보호해야 하는 측면이 있으므로 상당히 어려울 수 있다. 이에 USP 방식을 사용하는 전문가들은 USP를 어떻게 현장에 도입할 수 있을 것인지에 대한 권고사항을 제공했다.[137,143,148,151] 최근의 지침은 정보기술의 발전, 전자의무기록으로의 이동, 환자진료 및 보험 제공자 간의 신속한 의사소통에 의한 복잡성을 다룬다. 예를 들면, 현재는 사진 ID와 전화번호로 허위 신분을 만드는 것이 쉽지만, 전자의무기록 및 등록시스템, 즉시지불 방법으로 인해 현재 의료현장에서 허위 신분을 유지하는 것이 더 어려울 수 있다.

관련 비용을 포함한 USP 방법의 훈련과 시행에 관련된 방법론적 및 물리적 요구는 USP의 실제 적용을 제한할 수 있다.[119,136,143] 특히, SP 훈련 요구사항의 강도와 노출을 피하기 위한 세부사항에 대한 엄격한 주의가 필요하므로, 일상적인 평가 활동에서 USP의 활용이 제한된다.[141] USP의 활용은 아마도 질적연구에서 구체적이고 상세한 정보를 얻거나, 진료의 질에 대한 우려가 있을 때 표적평가를 수행하거나, 다른 질적 평가방법의 사용을 검증하는 것으로 제한하는 것이 좋다.[119] USP를 활용한 진료의 직접관찰은 "수행평가의 3부 전략"으로써 기록 감사와 환자경험 설문을 보완하는 것으로 간주될 수 있으며, 각 방법은 질적 측정목표와 가용 자원에 근거하여 선택될 수 있다.[139]

표준화환자바탕 교육과 평가방법의 장점과 한계점

임상술기를 가르치고 평가하는 데 SP를 사용할 때의 주목할 만한 장점 중 하나는 의과대학생이나 전공의와 SP 사이의 상호작용을 직접관찰 할 수 있다는 것이다. 관찰자/평가자가 훈련된 SP, 교수진, 동료 또는 다른 당사자인지와 관계없이, 술기에 대한 평가는 증례 발표, 개인지도교수(preceptor) 교육시간이나 의무기록 검토에서 암시되지 않는다. 어떤 형태이든지 직접관찰의 적용은 의과대학생과 전공의의 임상술기 개선을 위한 부분을 식별하는 데 중요하다.[152]

SP를 교육활동에 통합하면 프로그램, 과정 또는 임상실습 책임자가 교육과 평가활동에 대해 어느 정도 통제력을 발휘할 수 있다. SP와의 면담은 학습자의 요구에 부합하는 방식으로 기타 관련 교육 또는 평가활동과 일치하거나 보완하도록 계획할 수 있다. 이는 특정 학습경험이 환자의 가용성에 따라 달라지는 실제 임상 환경에서의 교육과는 상당히 다르다. SP 훈련은 학습자의 학업적 수준과 일치하거나 특정 개인 또는 교육과정 요구에 부응하도록 조정될 수 있다. 예를 들어, 병력청취 과제에서 증례의 강조나 묘사의 작은 수정을 통해 상담이나 보다 복잡한 의사소통 기술이 필요한 작업으로 변경될 수 있고, 환자 노트를 면담 후 활동에 추가하면 자료수집 평가에서 진단적 관리와 문서화의 평가로 증례의 초점이 변경될 수 있다. SP 증례를 수정하여 임상역량의 다른 측면에 초점을 맞추는 것 외에도, 동일하거나 유사한 질환에 대한 임상 증상의 변동 또는 시간이 임상 과정에 끼치는 영향과 같은 다양한 임상적 현상들을 통합하도록 면담을 조정할 수 있다.

학습자와 교육내용의 수준과 요구에 따라 맞춤형 교육과 형성평가를 조정할 수 있는 유연성을 제공하는 동시에 SP바탕 방법은 고부담 평가를 위해 임상내용의 일관성과 표준화를 촉진하는 데에도 사용되며, 평가내용과 형식을 다양한 학습성과에 대응시키는 유연성을 지속적으로 제공한다.[153] 응시자들은 동일한 임상문제에 노출되기 때문에, 증례의 복잡성과 동반질환, 환자의 선호도와 환자치료와 관련된 기타 복잡한 요인의 변수를 통제할 필요가 없다. 임상내용, 증례 묘사 및 채점을 표준화하는 능력은 교육과정의 다양한 시점에서 SP 방법을 멀티스테이션 시험에 적용할 수 있게 한다. 그 결과 승진, 진급뿐만 아니라 졸업과 관련된 중요한 결정을 내릴 수 있다.

의과대학생과 전공의의 관점에서 SP를 학습을 위한 평가형식으로 활용하면 위협적이지 않고 실제 환자에게 해를 끼칠 위험이 없는 환경에서 자신의 임상술기에 대한 훈련과 피드백을 받을 수 있다. 그러나 교육생이 불신을 떨쳐버리고 시뮬레이션을 믿는 능력에 따라, 수험생이 온전하게 편안함을 느낄 때까지 어느 정도 SP에게 자주 노출이 되어야 최대한의 교육적 혜택을 얻을 수 있다. 그럼에도 불구하고, SP의 활용의 비위협적 성격과 낮은 위험성은 어렵거나 민감한 의사소통 또는 신체진찰의 어려움에 대한 교육과 평가에 이상적인 방법이 될 수 있다. 특히 환자에게 나쁜 소식을 전할 수 있는 응시자의 능력, 말기 환자 치료에 대한 선호도를 논하며, 환자면담이나 교육에 참여하며 유방, 직장, 비뇨생식계 진찰을 가르치고 평가하는 데 있어 SP의 활용은 소중한 자원임이 입증되었다.[154-156] SP의 활용은 임상적 역량의 다양한 측면을 교육/평가하는데 초점을 맞추기 위해 임상적 면담을 조정함으로써, 시뮬레이션 면담은 제공된 피드백의 질을 향상시키고 다양한 환자 문제와 증상을 접할 때 교육생이 다양한 접근법을 배우고 전략의 유연성을 개발할 수 있는 기회를 제공한다. 예를 들면, 형성평가와 피드백을 제공하기 위해 SP 면담이 잠시 중단되는 "정지화면(freeze frame)" 또는 "타임 아웃(timeout)" 기법을 사용하면 교육생이 자신의 술기를 연습하거나 어려운 임상 상황에 대한 대안적 접근법을 개발할 수 있다.

학습을 위한 평가 활동에 SP를 사용하는 것은 종종 제공된 피드백의 질을 향상시킨다.[2] 다양한 관찰자들이 개별 술기와 행동에 초점을 맞추어 학습자에게 즉각적인 피드백을 제공할 수 있다. 또한 SP는 교육생들의 술기와 행동에 대한 귀중한 환자 관점을 제공하도록 훈련될 수 있다. 앞에서 언급한 바와 같이 증례 묘사와 채점 방식에 실제 환자 투입을 포함시키면 SP 피드백의 진위성에 대한 추가 확신을 제공할 수 있다.[1] 비디오로 찍은 면담은 교수진, 동료, SP 또는 교육생 자신이 평가할 수 있다. 비디오테이프의 검토는 자극회상 과정으로 수행할 수 있으며, 평가자는 표기 오류나 누락 오류가 발생할 때를 포함하여 중요한 진단 정보를 수집할 수 있다. 이러한 방법은 경계선 혹은 문제가 있는 의과대학생이나 전공의의 평가에 확실히 유용할 것이다.

SP를 개별적으로 또는 멀티스테이션 임상술기시험의 일부로 활용하면 임상실습과 교육과정 책임자는 개별 교육생에 관한 귀중한 피드백을 얻을 수 있을 뿐만 아니라 교육과정 전체의 시각에서 중요한 교육과정 목표 달성 성공여부를 판단할 수 있다. 프로그램 평가에 SP바탕 방법을 사용하는 것은 이상적이라 할 수 있는데, 이는 우리가 환자 면담을 학습이 이루어지고 개별 평가의 초점이 되는 매우 중요한 사건으로 인식한다는 점 때문이다. 우리가 잘 알고 있듯이, 평가가 학습에 끼치는 영향은 임상의학에 대한 새로운 관심을 불러일으키고 환자중심의 술기 개발에 관심을 집중시킬 것이다. 견고한 교육과정은 과정목표, 교육과정 및 평가 사이의 상승작용 관계와 상호작용에 의존한다. 고로 평가가 학습목표와 교육경험과 어떻게 연결되는지에 대한 고려는 과정 및 프로그램 책임자가 교육 전략에 대해 폭넓게 생각할 수 있게 도와주며, 제한된 자원이 가장 잘 효율적으로 활용될 수 있게 한다. 예를 들어, 환자 일지는 특정 임상경험이 다양한 임상 순환과정에서 드물게 또는 예측 불가능하게 접하게 된다는 점을 보여준다. 교육경험 중이나 이후에 SP를 도입함으로써, 교수진은 교육생들이 관련 경험을 쌓으면서 중요한 지식과 술기를 보다 잘 개발할 수 있도록 할 수 있다.

교수진은 교육과정에서 SP바탕 교육과 평가의 이행을 통해 상당한 이익을 얻을 수 있다. SP를 활용하면 교수진이 불필요한 평가 업무에 투입되어 시간을 허비하는 상황을 줄일 수 있으며, 교수 및 평가 역할에 보다 효과적으로 대비할 수 있다. 일반적으로 교수진은 선택된 증례에 대한 수행 기준을 정의하는 것뿐만 아니라, 교육이나 평가할 임상내용과 술기의 우선순위를 정하고 결정하는 데 도움을 줄 필요가 있다. 잘 훈련된 SP는 일반적으로 관찰과 평가에 상당한 시간이 소요되는 면담 및 신체진찰 술기에 대해 신뢰할 수 있는 평가와 피드백을 제공하여 교수진이 진단 또는 치료관리, 증례 발표, 문제해결 등에 시간을 집중할 수 있도록 한다.

SP바탕 교육과 평가과정의 이행에 관한 명백한 우려 중 하나는 잠재적인 비용이다.[2,153] SP 트레이너와 SP의 고용은 비용이 많이 들 수 있으며, 프로그램에 따라 찾아내고 모집하기가 어려울 수 있다. 마찬가지로, SP바탕 교육과 평가활동을 수행할 시간과 공간을 찾는 것은 임상술기센터를 보유하지 않았거나 임상술기센터가 있는 기관과 제휴되어 있지 않으면 어려울 수 있다. 연구에 따르면 OSCE와 관련된 모든 직접 및 간접 비용의 범위를 가늠하기 어려울 수 있으며, 후속 조치보다 고부담 시험과 초기 행정 비용이 더 많이 든다고 한다.[153] 자원 제한에 대한 잠재적인 해결책 중 하나는 수련프로그램이나 기관 간의 협업인데, 이는 자원과 전문지식을 결합하고, 재정 및 기타 자원 투입을 최소화하며 SP, 증례 그리고 교육받은 직원의 가용성을 보장한다. 교육과 평가에서 SP(및 기타 시뮬레이션 방법)의 사용에 초점을 맞춘 지역 협력단의 개발도 이러한 접근방식 중 하나이다.[157, 158]

또한 개인이 증례 및 시험개발, 피드백, 준거설정 및 평가활동에 의미 있게 참여할 수 있도록 교수개발이 필요하다. 불행히도 교수진이 실제 임상 환경에서 획득한 관찰 및 평가기술은 시뮬레이션센터나 임상술기센터로 자동 이전되지 않는다. 반대로, 관찰력과 평가능력이 부족한 교수진은 아무리 임상술기센터 안에 있다고 해서 저절로 평가능력을 획득하지는 못할 것이다. 교육이나 평가 활동에 수반되는 내용이나 과정에 관계없이, 교수개발은 교육 지도자들에게 중요한 우선순위로 여겨지고 있다.

SP바탕 방법의 한 가지 제한점은 시연하거나 시뮬레이션할 수 있는 신체소견의 수가 한정되어 있다는 것이다. 또한 신체진찰 소견의 기술적 숙련도를 입증하는 것이 병리학적 소견이 있을 때 이를 알아차리는 능력을 나타내는 것은 아니라는 점을 기억해야 한다.[159] 이 점에서 SP는 실제 환자를 대체하는 것이 아니라 실제 환자의 보완이라는 점을 기억해야 한다. 실제로 교육프로그램 내에서 광범위한 신체소견을 평가하기 위해서는 실제와 시뮬레이션 결과의 조합이 이상적일 것이다.[2] 교육생이 임상증상의 다양성을 이해하기 위해서는 여전히 많은 "실제(real)" 환자와의 접촉이 필요하다. 실제 환자와의 면담의 다층적 성격과 사회적 의미는 시뮬레이션 환자와의 면담 중에 포착되지 못한 학습효과를 제공한다.[160]

이 관점에 따라, 평가 환경에서 의과대학생과 전공의의 수행이 실제 임상 환경에서 수행할 수 있는 능력을 뜻하지 않을 수 있다는 점을 기억해야 한다. 실제로 진료의사 역량평가에서 SP의 활용을 기술한 자료에 따르면 수행을 증명하는 능력(역량)과 진료 중 실제 수행 사이에 상당한 차이가 있음을 밝히고 있다.[137,161] 그러한 시뮬레이션 조건에서 작동되는 관찰 효과("호손[Hawthorne]")는[5] 분명히 있다. 교수자가 교육생에게 관련 역량의 습득을 주기적으로 증명하도록 요구하는 것은 중요하지만, 이는 그러한 능력이 실제 임상 환경에서 발휘될 것이라는 절대적인 증거로 받아들여서는 안 된다. 따라서 미래의 의사들의 일상적인 활동에서 관련 지식, 기술 및 행동이 나타나도록 하는 평가 프로그램 활동을 구축하는 것이 매우 중요하다.

새로운 개발과 향후 방향

지난 50년 동안 SP바탕 교육과 평가의 활용은 크게 확대되었다. 처음에는 의과대학생들의 교육과 평가를 위해 개발되었지만, SP는 현재 치과, 간호학, 청각학, 약학을 포함한 대부분의 보건의료분야에 활용되고 있다.[7,9,10,162-164] 더욱이 이 방법론은 앞서 언급한 바와 같이 고부담 인증과 면허시험에서 방어 가능한 평가 점수를 산출하도록 발전해 왔다.[21]

이 절에서는 향후 SP 방법이 어떻게 사용될 수 있는지에 대해 논의하고 향후 연구를 위한 몇 가지 분야를 제안하고자 한다. 최소한 표준화환자 평가의 시행과 검증에서 배운 교훈은 마네킹, 부분과제 실습도구, 가상 현실 및 관련 조합내용을 포함한 다른 의료 시뮬레이션 모형을 개발하고 개선하는 데 사용될 수 있다.

채점

측정 대상에 따라 SP바탕 평가의 점수는 일반적으로 체크리스트 또는 평정척도를 사용하여 달성되었다. 이러한 도구는 타당하고 신뢰할 수 있는 능력의 척도를 산출할 수 있지만, 제작이 어렵고 많은 비용이 들 수 있다. 따라서 보다 자동화된 채점 방식이 도움이 될 것이다. 자료수집 활동의 경우, 녹음된 오디오 트랙에서 제공자와 환자 사이의 통신을 데이터화 한 다음 언어적 알고리즘을 사용하여 의사소통 점수를 만들 수 있다.[165] 마찬가지로, 텍스트 음성 변환 프로그램의 사용도 특정 병력수집 질문을 했는지를 확인하는 데 도움이 될 수 있다. 면담 후 훈련(예: 환자메모 작성, 전자기록 기입)을 활용하는 SP바탕 평가의 경우 다른 분야에서 행해지는 것처럼 자동채점이 가능하다.[166,167] 설령 자동채점 기술이 완벽하지 않더라도 질 보증 절차에 도움이 될 수 있고 능률 개선을 확실히 할 수 있다.

지난 10년간 시뮬레이션바탕 활동을 기록하고 관련 자료를 저장하는 시스템은 보다 사용자 친화적이고 경제적으로 변하였다. 그 결과, 평가/채점 활동은 외부 검토자들을 활용한 영상 검토를 통해 이루어지는 것이 보다 일반화되었다.[168] 외부 검토자가 웹바탕 애플리케이션을 사용하여 원격으로 참가자를 평가할 수 있도록 허용한다면 평가과정을 보다 효율적으로 만들어 훈

5) 역자 주. 사람을 관찰하여 주목받게 하거나 환경을 조작하면 해당 대상의 행동과 능률에 변화가 생기는 현상

련 및 채점과 관련된 여러 가지 물리적 문제를 해결할 수 있다.

팀워크/대인관계 기술

SP바탕 평가는 전통적으로 개별 진료의사의 임상술기를 평가하는 데 사용되어 왔다. 그러나 환자진료는 팀으로 진행되는 경우가 많다. 그 결과, SP는 현재 팀워크 능력을 평가하기 위해 활용되고 있으며 의사뿐 아니라 다양한 분야의 전문직 종사자들을 포함할 수 있는 시뮬레이션 시나리오의 개발이 필요하다. 팀 바탕 평가의 경우, 여러 분야의 진료의사들은 다른 임상의사의 역할을 수행하는 "연합"의 의미로도 활용될 수 있다. 이러한 유형의 시뮬레이션은 고부담 평가에 채택하기 어려울 수 있지만, 보건의료 종사자의 초기 훈련과 업무현장바탕 평생교육에서 전문직 간 기술을 개발하고 향상시키는 데 중요한 교육학적 역할을 할 수 있다.

다면시뮬레이션

보건의료서비스의 제공은 수많은 환경과 여러 제공자와 다양한 기술을 포함되었기 때문에 상당히 복잡할 수 있다. 내용을 잘 평가하기 위해 시뮬레이션 모형을 결합하여 보다 정확한 임상과제를 만들 수 있다. 예를 들어, 전기기계식 마네킹으로 비극적인 사건(예: 환자 사망)을 시뮬레이션한 다음, 이어서 의사가 친척에게 나쁜 소식을 전하도록 요구하는 SP바탕 시뮬레이션을 할 수 있다. 다중 시뮬레이션 방법을 사용하면 SP바탕 방법만으로는 측정할 수 없는 기술을 평가할 수 있다.

SP는 증상 묘사에 상당히 능숙할 수 있고 일부 진찰결과(예: 신경학적 진찰)도 가능하지만 폐음(lung sounds) 등의 다른 징후를 묘사하지 못할 수 있다. 많은 SP바탕 평가에는 소품 또는 주형 도구들이 사용되는데, 이는 시뮬레이션의 충실도를 높이고 참가자가 특정 환자 질환의 불완전한 모방에 기인하는 "불신을 유예"할 수 있게 해준다. 측정 영역을 확장하고 일반적인 SP바탕 평가에서 신체소견의 부족에 대한 우려를 해결할 수 있는 많은 기술 혁신들이 있다. 그 중에는 심장 소리를 프로그래밍한 청진기와 촉진 가능한 혹 있는 유방 모형(SP가 착용)도 있다. 시뮬레이션 모형을 결합하고 개인이 신체소견으로 환자를 모방할 수 있는 기술을 통합하면 SP바탕 평가의 내용 타당도를 개선하는 데 도움이 된다.

전공의 훈련, 자격 인증 및 자격의 유지

앞 절에서 언급한 바와 같이, SP바탕 평가는 현재 여러 국가에서 의사면허 과정의 필수적인 부분이다. SP바탕 평가방법을 다른 목적(예: 전문의 자격인증)에 사용하는 것도 물론 타당하다. 역량바탕교육을 지향하고 교육목표를 문서화하기 위한 마일스톤의 사용으로, SP와 시뮬레이션은 주로 교수학습과 평가 영역을 확장하는 역할을 맡을 것으로 보인다.[109] 특히, SP바탕 방법 및 다른 형태의 시뮬레이션의 유용한 응용은 행정직 또는 연구직 직위에 머무르거나 일정 기간 동안 활동을 하지 않은 후 진료현장으로 복귀를 고려하는 의사들의 지속적인 역량을 보장하는 데 있을 것이다.

참고문헌

1. Nestel D, Clark S, Tabak D, et al. Defining responsibilities of simulated patients in medical education. *Simul Healthc.* 2010;5:161-168.
2. Cleland JA, Abe K, Rethans JJ. The use of simulated patients in medical education: AMEE Guide No 42. *Med Teach.* 2009;31:477-486.
3. Schuwirth LW, van der Vleuten CP. Programmatic assessment: from assessment of learning to assessment for learning. *Med Teach.* 2011;33:478-485.
4. Sturpe DA. Objective structured clinical examinations in doctor of pharmacy programs in the United States. *Am J Pharm Educ.* 2010;74:148.
5. Hawker JA, Walker KZ, Barrington V, Andrianopoulos N. Measuring the success of an objective structured clinical examination for dietetic students. *J Hum Nutr Diet.* 2010;23:212-216.
6. Bogo M. Evaluating an objective structured clinical examination (OSCE) adapted for social work. *Res Social Work Pract.* 2012;22(4):428-436.
7. Horton N, Payne KD, Jernigan M, et al. A standardized patient counseling rubric for a pharmaceutical care and communications course. *Am J Pharm Educ.* 2013;77:152.
8. Traynor M, Galanouli D. Have OSCEs come of age in nursing education? *Br J Nurs.* 2015;24(7):388-391.
9. Hofer SH, Schuebel F, Sader R, Landes C. Development and implementation of an objective structured clinical examination (OSCE) in CMF-surgery for dental students. *J Craniomaxillofac Surg.* 2013;41:412-416.
10. Dinsmore BF, Bohnert C, Preminger JE. Standardized patients in audiology: a proposal for a new method of evaluating clinical competence. *J Am Acad Audiol.* 2013;24:372-392.
11. Boulet JR, Smee SM, Dillon GF, Gimpel JR. The use of standardized patient assessments for certification and licensure decisions. *Simul Healthc.* 2009;4:35-42.
12. Khan KZ, Ramachandran S, Gaunt K, Pushkar P. The objective structured clinical examination (OSCE): AMEE Guide No. 81. Part I: an historical and theoretical perspective. *Med Teach.* 2013;35:e1437-e1446.
13. Hettinga AM, Denessen E, Postma CT. Checking the checklist: a content analysis of expert- and evidence-based case-specific checklist items. *Med Educ.* 2010;44:874-883.
14. Ilgen JS, Ma IW, Hatala R, Cook DA. A systematic review of validity evidence for checklists versus global rating scales in simulation-based assessment. *Med Educ.* 2015;49:161-173.
15. Varkey P, Natt N, Lesnick T, Downing S, et al. Validity evidence for an OSCE to assess competency in systems-based practice and practice-based learning and improvement: a preliminary investigation. *Acad Med.* 2008;83:775-780.

16. Brannick MT, Erol-Korkmaz HT, Prewett M. A systematic review of the reliability of objective structured clinical examination scores. *Med Educ*. 2011;45:1181-1189.
17. Swanson DB, van der Vleuten CP. Assessment of clinical skills with standardized patients: state of the art revisited. *Teach Learn Med*. 2013;25(suppl 1):S17-S25.
18. Newble DI, Swanson DB. Psychometric characteristics of the objective structured clinical examination. *Med Educ*. 1988;22:325-334.
19. Norcini J, Boulet J. Methodological issues in the use of standardized patients for assessment. *Teach Learn Med*. 2003;15: 293-297.
20. Swanson DB, Clauser BE, Case SM. Clinical skills assessment with standardized patients in high-stakes tests: a framework for thinking about score precision, equating, and security. *Adv Health Sci Educ Theory Pract*. 1999;4:67-106.
21. Dillon GF, Boulet JR, Hawkins RE, Swanson DB. Simulations in the United States Medical Licensing Examination (USMLE). *Qual Saf Health Care*. 2004;13(suppl 1):i41-i45.
22. van der Vleuten CP, Norman GR, De Graaff E. Pitfalls in the pursuit of objectivity: issues of reliability. *Med Educ*. 1991;25:110-118.
23. Hawkins RE, Swanson DB, Dillon GF, et al. The introduction of clinical skills assessment into the United States Medical Licensing Examination (USMLE): a description of USMLE Step 2 Clinical Skills (CS). *J Med Licensure Discipline*. 2005;91:22-25.
24. Hoppe RB, King AM, Mazor KM, et al. Enhancement of the assessment of physician-patient communication skills in the United States Medical Licensing Examination. *Acad Med*. 2013;88:1670-1675.
25. Sandilands DD, Gotzmann A, Roy M, et al. Weighting checklist items and station components on a large-scale OSCE: is it worth the effort? *Med Teach*. 2014;36:585-590.
26. Wilkinson TJ, Frampton CM, Thompson-Fawcett M, Egan T. Objectivity in objective structured clinical examinations: checklists are no substitute for examiner commitment. *Acad Med*. 2003;78:219-223.
27. Vu NV, Marcy MM, Colliver JA, et al. Standardized (simulated) patients' accuracy in recording clinical performance check-list items. *Med Educ*. 1992;26:99-104.
28. Gorter S, Rethans JJ, Scherpbier A, et al. Developing case-specific checklists for standardized-patient-based assessments in internal medicine: a review of the literature. *Acad Med*. 2000;75:1130-1137.
29. Boulet JR, van Zanten M, De Champlain A, et al. Checklist content on a standardized patient assessment: an ex post facto review. *Adv Health Sci Educ Theory Pract*. 2008;13:59-69.
30. Rothman AI, Blackmore D, Dauphinee WD, Reznick R. The use of global ratings in OSCE station scores. *Adv Health Sci Educ Theory Pract*. 1997;1:215-219.
31. Solomon DJ, Szauter K, Rosebraugh CJ, Callaway MR. Global ratings of student performance in a standardized patient examination: is the whole more than the sum of the parts? *Adv Health Sci Educ Theory Pract*. 2000;5:131-140.
32. Boulet JR, Ben-David MF, Ziv A, et al. Using standardized patients to assess the interpersonal skills of physicians. *Acad Med*. 1998;73:S94-S96.
33. Reinders ME, Blankenstein AH, van Marwijk HW, et al. Reliability of consultation skills assessments using standardised versus real patients. *Med Educ*. 2011;45:578-584.
34. Preusche I, Schmidts M, Wagner-Menghin M. Twelve tips for designing and implementing a structured rater training in OSCEs. *Med Teach*. 2012;34:368-372.
35. Pell G, Homer M, Fuller R. Investigating disparity between global grades and checklist scores in OSCEs. *Med Teach*. 2015;37:1106-1113.
36. Reznick RK, Regehr G, Yee G, et al. Process-rating forms versus task-specific checklists in an OSCE for medical licensure. Medical Council of Canada. *Acad Med*. 1998;73:S97-S99.
37. Boulet JR, McKinley DW, Norcini JJ, Whelan GP. Assessing the comparability of standardized patient and physician evaluations of clinical skills. *Adv Health Sci Educ Theory Pract*. 2002; 7:85-97.
38. Hodges B, Regehr G, McNaughton N, et al. OSCE checklists do not capture increasing levels of expertise. *Acad Med*. 1999;74: 1129-1134.
39. Liew SC, Dutta S, Sidhu JK, et al. Assessors for communication skills: SPs or healthcare professionals? *Med Teach*. 2014;36: 626-631.
40. Wimmers PF, Fung CC. The impact of case specificity and generalisable skills on clinical performance: a correlated traits-correlated methods approach. *Med Educ*. 2008;42:580-588.
41. Moineau G, Power B, Pion AM, et al. Comparison of student examiner to faculty examiner scoring and feedback in an OSCE. *Med Educ*. 2011;45:183-191.
42. Bergus GR, Woodhead JC, Kreiter CD. Trained lay observers can reliably assess medical students' communication skills. *Med Educ*. 2009;43:688-694.
43. Gormley GJ, Johnston J, Thomson C, McGlade K. Awarding global grades in OSCEs: evaluation of a novel eLearning resource for OSCE examiners. *Med Teach*. 2012;34: 587-589.
44. Boulet JR, McKinley DW, Whelan GP, Hambleton RK. Quality assurance methods for performance-based assessments. *Adv Health Sci Educ Theory Pract*. 2003;8:27-47.
45. De Champlain AF, Margolis MJ, King A, Klass DJ. Standardized patients' accuracy in recording examinees' behaviors using checklists. *Acad Med*. 1997;72:S85-S87.
46. Tamblyn RM, Grad R, Gayton D, et al. McGill Drug Utilization Research Group: Impact of inaccuracies in standardized patient portrayal and reporting on physician performance during blinded clinic visits. *Teach Learn Med*. 1997;9:25-38.
47. Payne NJ, Bradley EB, Heald EB, et al. Sharpening the eye of the OSCE with critical action analysis. *Acad Med*. 2008;83: 900-905.
48. Bouter S, van Weel-Baumgarten E, Bolhuis S. Construction and validation of the Nijmegen Evaluation of the Simulated Patient (NESP): assessing simulated patients' ability to role-play and provide feedback to students. *Acad Med*. 2013;88: 253-259.
49. Tavakol M, Dennick R. Post-examination analysis of objective tests. *Med Teach*. 2011;33:447-458.
50. Pell G, Fuller R, Homer M, Roberts T. How to measure the quality of the OSCE: a review of metrics - AMEE guide no. 49. *Med Teach*. 2010;32:802-811.
51. Boulet JR, Swanson DB. Psychometric challenges of using simulations for high-stakes assessment. In: Dunn WF, ed. *Simulations in Critical Care Education and Beyond*. Des Plains, IL: Society of Critical Care Medicine; 2004:119-130.
52. Martin JA, Reznick RK, Rothman A, et al. Who should rate candidates in an objective structured clinical examination? *Acad Med*. 1996;71:170-175.

53. Vu NV, Steward DE, Marcy M. An assessment of the consistency and accuracy of standardized patients' simulations. *J Med Educ*. 1987;62:1000-1002.
54. McKinley DW, Norcini JJ. How to set standards on performance-based examinations: AMEE Guide No. 85. *Med Teach*. 2014;36(2):97-110.
55. Boulet JR, De Champlain AF, McKinley DW. Setting defensible performance standards on OSCEs and standardized patient examinations. *Med Teach*. 2003;25:245-249.
56. Jalili M, Hejri SM, Norcini JJ. Comparison of two methods of standard setting: the performance of the three-level Angoff method. *Med Educ*. 2011;45:1199-1208.
57. McKinley DW, Boulet JR, Hambleton RK. A work-centered approach for setting passing scores on performance-based assessments. *Eval Health Prof*. 2005;28:349-369.
58. Boulet JR, Murray D, Kras J, Woodhouse J. Setting performance standards for mannequin-based acute-care scenarios. *Simul Healthc*. 2008;3:72-81.
59. Williams RG. Have standardized patient examinations stood the test of time and experience? *Teach Learn Med*. 2004;16:215-222.
60. Andreatta PB, Gruppen LD. Conceptualising and classifying validity evidence for simulation. *Med Educ*. 2009;43:1028-1035.
61. Chambers KA, Boulet JR, Gary NE. The management of patient encounter time in a high-stakes assessment using standardized patients. *Med Educ*. 2000;34:813-817.
62. Carson JA, Peets A, Grant V, McLaughlin K. The effect of gender interactions on students' physical examination ratings in objective structured clinical examination stations. *Acad Med*. 2010;85:1772-1776.
63. Chesser A, Cameron H, Evans P, et al. Sources of variation in performance on a shared OSCE station across four UK medical schools. *Med Educ*. 2009;43:526-532.
64. Humphrey-Murto S, Touchie C, Wood TJ, Smee S. Does the gender of the standardised patient influence candidate performance in an objective structured clinical examination? *Med Educ*. 2009;43:521-525.
65. McLaughlin K, Ainslie M, Coderre S, et al. The effect of differential rater function over time (DRIFT) on objective structured clinical examination ratings. *Med Educ*. 2009;43:989-992.
66. Whelan GP, McKinley DW, Boulet JR, et al. Validation of the doctor-patient communication component of the Educational Commission for Foreign Medical Graduates Clinical Skills Assessment. *Med Educ*. 2001;35:757-761.
67. Swygert KA, Balog KP, Jobe A. The impact of repeat information on examinee performance for a large-scale standardized-patient examination. *Acad Med*. 2010;85:1506-1510.
68. Boulet JR, McKinley DW, Whelan GP, Hambleton RK. The effect of task exposure on repeat candidate scores in a high-stakes standardized patient assessment. *Teach Learn Med*. 2003;15:227-232.
69. Kane MT, Crooks TJ, Cohen AS. Designing and evaluating standard-setting procedures for licensure and certification tests. *Adv Health Sci Educ Theory Pract*. 1999;4:195-207.
70. King AM, Pohl H, Perkowski-Rogers LC. Planning standardized patient programs: case development, patient training, and costs. *Teach Learn Med*. 1994;6:6-14.
71. Olive KE, Elnicki DM, Kelley MJ. A practical approach to developing cases for standardized patients. *Adv Health Sci Educ Theory Pract*. 1997;2:49-60.
72. Troncon LE. Clinical skills assessment: limitations to the introduction of an "OSCE" (Objective Structured Clinical Examination) in a traditional Brazilian medical school. *Sao Paulo Med J*. 2004;122:12-17.
73. Boursicot K, Roberts T. How to set up an OSCE. *Clin Teach*. 2005;2:16-20.
74. Khan KZ, Gaunt K, Ramachandran S, Pushkar P. The objective structured clinical examination (OSCE): AMEE Guide No. 81. Part II: organisation & administration. *Med Teach*. 2013;35:e1447-e1463.
75. Mookherjee S, Chang A, Boscardin CK, Hauer KE. How to develop a competency-based examination blueprint for longitudinal standardized patient clinical skills assessments. *Med Teach*. 2013;35:883-890.
76. Boulet JR, Gimpel JR, Errichetti AM, Meoli FG. Using National Medical Care Survey data to validate examination content on a performance-based clinical skills assessment for osteopathic physicians. *J Am Osteopath Assoc*. 2003;103:225-231.
77. Varkey P, Natt N, Lesnick T, et al. Validity evidence for an OSCE to assess competency in systems-based practice and practice-based learning and improvement: a preliminary investigation. *Acad Med*. 2008;83:775-780.
78. Chen JG, Mistry KP, Wright MC, Turner DA. Postoperative handoff communication: a simulation-based training method. *Simul Healthc*. 2010;5:242-247.
79. McQueen-Shadfar L, Taekman J. Say what you mean to say: improving patient handoffs in the operating room and beyond. *Simul Healthc*. 2010;5:248-253.
80. Hingle ST, Robinson S, Colliver JA, et al. Systems-based practice assessed with a performance-based examination simulated and scored by standardized participants in the health care system: feasibility and psychometric properties. *Teach Learn Med*. 2011;23:148-154.
81. Siassakos D, Draycott T. Measuring the impact of simulation-based training on patient safety and quality of care: lessons from maternity. *Resuscitation*. 2011;82:782-783.
82. Bonnell S, Macauley K, Nolan S. Management and handoff of a deteriorating patient from primary to acute care settings: a nursing academic and acute care collaborative case scenario. *Simul Healthc*. 2013;8:180-182.
83. Ginsburg LR, Tregunno D, Norton PG, et al. Development and testing of an objective structured clinical exam (OSCE) to assess socio-cultural dimensions of patient safety competency. *BMJ Qual Saf*. 2015;24:188-194.
84. Sukalich S, Elliott JO, Ruffner G. Teaching medical error disclosure to residents using patient-centered simulation training. *Acad Med*. 2014;89:136-143.
85. Oza SK, Boscardin CK, Wamsley M, et al. Assessing 3rd year medical students' interprofessional collaborative practice behaviors during a standardized patient encounter: a multi-institutional, cross-sectional study. *Med Teach*. 2015;37:915-925.
86. van der Vleuten CPM, Swanson DB. Assessment of clinical skills with standardized patients: state of the art. *Teach Learn Med*. 1990;2:58-76.
87. Stillman P, Swanson D, Regan MB, et al. Assessment of clinical skills of residents utilizing standardized patients. A follow-up study and recommendations for application. *Ann Intern Med*. 1991;114:393-401.
88. Petrusa ER, Blackwell TA, Ainsworth MA. Reliability and validity of an objective structured clinical examination for assessing the clinical performance of residents. *Arch Intern Med*. 1990;150:573-577.
89. Shatzer JH, Darosa D, Colliver JA, Barkmeier L. Station-length requirements for reliable performance-based examination scores. *Acad Med*. 1993;68:224-229.

90. Stillman PL, Swanson DB, Smee S, et al. Assessing clinical skills of residents with standardized patients. *Ann Intern Med.* 1986;105:762-771.
91. Tamblyn RM, Klass DK, Schanbl GK, Kopelow ML. Factors associated with the accuracy of standardized patient presentation. *Acad Med.* 1990;65:S55-S56.
92. Peitzman SJ. Physical diagnosis findings among persons applying to work as standardized patients. *Acad Med.* 2001;76:383.
93. Swing SR. The ACGME outcome project: retrospective and prospective. *Med Teach.* 2007;29:648-654.
94. *Royal College of Physicians and Surgeons of Canada: CanMEDS Physican Competency Framework.*; 2005. Available at. http://www.royalcollege.ca/portal/page/portal/rc/canmeds/framework.
95. General Medical Council. *Tomorrow's Doctors: Outcomes and standards for undergraduate medical education*; 2009. Available at http://www.gmc-uk.org/Tomorrow_s_doctors_1214_pdf_48905759.pdf.
96. Pugh DM, Wood TJ, Boulet JR. Assessing procedural competence. *Simul Healthc.* 2015;10:288-294.
97. Lie D, Bereknyei S, Braddock III CH, et al. Assessing medical students' skills in working with interpreters during patient encounters: a validation study of the Interpreter Scale. *Acad Med.* 2009;84:643-650.
98. Brown RS, Graham CL, Richeson N, et al. Evaluation of medical student performance on objective structured clinical exams with standardized patients with and without disabilities. *Acad Med.* 2010;85:1766-1771.
99. McEvoy M, Schlair S, Sidlo Z, et al. Assessing third-year medical students' ability to address a patient's spiritual distress using an OSCE case. *Acad Med.* 2014;89:66-70.
100. Bloom-Feshbach K, Casey D, Schulson L, et al. Health literacy in transitions of care: an innovative objective structured clinical examination for fourth-year medical students in an internship preparation course. *J Gen Intern Med.* 2015;31(2):242-246.
101. Bradley P, Humphris G. Assessing the ability of medical students to apply evidence in practice: the potential of the OSCE. *Med Educ.* 1999;33:815-817.
102. Thistlethwaite JE. Developing an OSCE station to assess the ability of medical students to share information and decisions with patients: issues relating to interrater reliability and the use of simulated patients. *Educ Health (Abingdon).* 2002;15:170-179.
103. Jefferies A, Simmons B, Tabak D, et al. Using an objective structured clinical examination (OSCE) to assess multiple physician competencies in postgraduate training. *Med Teach.* 2007;29:183-191.
104. Wagner DP, Hoppe RB, Lee CP. The patient safety OSCE for PGY-1 residents: a centralized response to the challenge of culture change. *Teach Learn Med.* 2009;21:8-14.
105. Siassakos D, Bristowe K, Hambly H, et al. Team communication with patient actors: findings from a multisite simulation study. *Simul Healthc.* 2011;6:143-149.
106. Yuasa M, Nagoshi M, Oshiro-Wong C, et al. Standardized patient and standardized interdisciplinary team meeting: validation of a new performance-based assessment tool. *J Am Geriatr Soc.* 2014;62:171-174.
107. Odegard PS, Robins L, Murphy N, et al. Interprofessional initiatives at the University of Washington. *Am J Pharm Educ.* 2009;73:63.
108. Curran V, Casimiro L, Banfield V, et al. Research for interprofessional competency-based evaluation (RICE). *J Interprof Care.* 2009;23:297-300.
109. Beeson MS, Vozenilek JA. Specialty milestones and the next accreditation system: an opportunity for the simulation community. *Simul Healthc.* 2014;9:184-191.
110. Hauff SR, Hopson LR, Losman E, et al. Programmatic assessment of level 1 milestones in incoming interns. *Acad Emerg Med.* 2014;21:694-698.
111. Medical Council of Canada: Qualifying Examination Part II. Available at http://mcc.ca/examinations/mccqe-part-ii.
112. Tombleson P, Fox RA, Dacre JA. Defining the content for the objective structured clinical examination component of the professional and linguistic assessments board examination: development of a blueprint. *Med Educ.* 2000;34:566-572.
113. Vargas AL, Boulet JR, Errichetti A, et al. Developing performance-based medical school assessment programs in resource-limited environments. *Med Teach.* 2007;29:192-198.
114. Berkenstadt H, Ziv A, Gafni N, Sidi A. Incorporating simulation-based objective structured clinical examination into the Israeli National Board Examination in Anesthesiology. *Anesth Analg.* 2006;102:853-858.
115. Rathmell JP, Lien C, Harman A. Objective structured clinical examination and board certification in anesthesiology. *Anesthesiology.* 2014;120:4-6.
116. Rethans JJ, Gorter S, Bokken L, Morrison L. Unannounced standardised patients in real practice: a systematic literature review. *Med Educ.* 2007;41:537-549.
117. Luck J, Peabody JW. Using standardised patients to measure physicians' practice: validation study using audio recordings. *BMJ.* 2002;325:679.
118. Fiscella K, Franks P, Srinivasan M, et al. Ratings of physician communication by real and standardized patients. *Ann Fam Med.* 2007;5:151-158.
119. Schwartz A, Weiner SJ, Binns-Calvey A. Comparing announced with unannounced standardized patients in performance assessment. *Jt Comm J Qual Patient Saf.* 2013;39:83-88.
120. Shah R, Edgar D, Evans BJ. Measuring clinical practice. *Ophthalmic Physiol Opt.* 2007;27:113-125.
121. Brunner E, Probst M, Meichtry A, et al. Comparison of clinical vignettes and standardized patients as measures of physiotherapists' activity and work recommendations in patients with non-specific low back pain. *Clin Rehabil.* 2016;30:85-94.
122. Carney PA, Ward DH. Using unannounced standardized patients to assess the HIV preventive practices of family nurse practitioners and family physicians. *Nurse Pract.* 1998;23:56-58.
123. Day RP, Hewson MG, Kindy P, Van Kirk J. Evaluation of resident performance in an outpatient internal medicine clinic using standardized patients. *J Gen Intern Med.* 1993;8:193-198.
124. McLeod PJ, Tamblyn RM, Gayton D, et al. Use of standardized patients to assess between-physician variations in resource utilization. *JAMA.* 1997;278:1164-1168.
125. Grad R, Tamblyn R, McLeod PJ, et al. Does knowledge of drug prescribing predict drug management of standardized patients in office practice? *Med Educ.* 1997;31:132-137.
126. Grant C, Nicholas R, Moore L, Salisbury C. An observational study comparing quality of care in walk-in centres with general practice and NHS Direct using standardised patients. *BMJ.* 2002;324:1556.
127. Dresselhaus TR, Peabody JW, Lee M, et al. Measuring compliance with preventive care guidelines: standardized patients, clinical vignettes, and the medical record. *J Gen Intern Med.* 2000;15:782-788.
128. Carney PA, Dietrich AJ, Freeman DH, Mott LA. A standardized-patient assessment of a continuing medical education

program to improve physicians' cancer-control clinical skills. *Acad Med.* 1995;70:52-58.
129. Krane NK, Anderson D, Lazarus CJ, et al. Physician practice behavior and practice guidelines: using unannounced standardized patients to gather data. *J Gen Intern Med.* 2009;24:53-56.
130. Weiner SJ, Schwartz A, Weaver F, et al. Contextual errors and failures in individualizing patient care: a multicenter study. *Ann Intern Med.* 2010;153:69-75.
131. Zabar S, Ark T, Gillespie C, et al. Can unannounced standardized patients assess professionalism and communication skills in the emergency department? *Acad Emerg Med.* 2009;16:915-918.
132. Li L, Lin C, Guan J. Using standardized patients to evaluate hospital-based intervention outcomes. *Int J Epidemiol.* 2014;43:897-903.
133. Kravitz RL, Franks P, Feldman M, et al. What drives referral from primary care physicians to mental health specialists? A randomized trial using actors portraying depressive symptoms. *J Gen Intern Med.* 2006;21:584-589.
134. Houwink EJ, Muijtjens AM, van Teeffelen SR, et al. Effectiveness of oncogenetics training on general practitioners' consultation skills: a randomized controlled trial. *Genet Med.* 2014;16:45-52.
135. Vannoy SD, Fancher T, Meltvedt C, et al. Suicide inquiry in primary care: creating context, inquiring, and following up. *Ann Fam Med.* 2010;8:33-39.
136. Zabar S, Hanley K, Stevens D, et al. Unannounced standardized patients: a promising method of assessing patient-centered care in your health care system. *BMC Health Serv Res.* 2014;14:157.
137. Rethans JJ, Sturmans F, Drop R, et al. Does competence of general practitioners predict their performance? Comparison between examination setting and actual practice. *BMJ.* 1991;303:1377-1380.
138. Ozuah PO, Reznik M. Residents' asthma communication skills in announced versus unannounced standardized patient exercises. *Ambul Pediatr.* 2007;7:445-448.
139. Weiner SJ, Schwartz A. Directly observed care: can unannounced standardized patients address a gap in performance measurement? *J Gen Intern Med.* 2014;29:1183-1187.
140. Bertakis KD, Franks P, Epstein RM. Patient-centered communication in primary care: physician and patient gender and gender concordance. *J Womens Health (Larchmt).* 2009;18:539-545.
141. Glassman PA, Luck J, O'Gara EM, Peabody JW. Using standardized patients to measure quality: evidence from the literature and a prospective study. *Jt Comm J Qual Improv.* 2000;26:644-653.
142. Beullens J, Rethans JJ, Goedhuys J, Buntinx F. The use of standardized patients in research in general practice. *Fam Pract.* 1997;14:58-62.
143. Gorter SL, Rethans JJ, Scherpbier AJ, et al. How to introduce incognito standardized patients into outpatient clinics of specialists in rheumatology. *Med Teach.* 2001;23:138-144.
144. Rethans JJ, Martin E, Metsemakers J. To what extent do clinical notes by general practitioners reflect actual medical performance? A study using simulated patients. *Br J Gen Pract.* 1994;44:153-156.
145. Luck J, Peabody JW, Dresselhaus TR, et al. How well does chart abstraction measure quality? A prospective comparison of standardized patients with the medical record. *Am J Med.* 2000;108:642-649.
146. Carney PA, Dietrich AJ, Freeman Jr DH, Mott LA. The periodic health examination provided to asymptomatic older women: an assessment using standardized patients. *Ann Intern Med.* 1993;119:129-135.
147. Epstein RM, Levenkron JC, Frarey L, et al. Improving physicians' HIV risk-assessment skills using announced and unannounced standardized patients. *J Gen Intern Med.* 2001;16:176-180.
148. Siminoff LA, Rogers HL, Waller AC, et al. The advantages and challenges of unannounced standardized patient methodology to assess healthcare communication. *Patient Educ Couns.* 2011;82:318-324.
149. Tamblyn RM, Abrahamowicz M, Berkson L, et al. First-visit bias in the measurement of clinical competence with standardized patients. *Acad Med.* 1992;67:S22-S24.
150. Franz CE, Epstein R, Miller KN, et al. Caught in the act? Prevalence, predictors, and consequences of physician detection of unannounced standardized patients. *Health Serv Res.* 2006;41:2290-2302.
151. Woodward CA, McConvey GA, Neufeld V, et al. Measurement of physician performance by standardized patients. Refining techniques for undetected entry in physicians' offices. *Med Care.* 1985;23:1019-1027.
152. Holmboe ES. Faculty and the observation of trainees' clinical skills: problems and opportunities. *Acad Med.* 2004;79:16-22.
153. Patricio MF, Juliao M, Fareleira F, Carneiro AV. Is the OSCE a feasible tool to assess competencies in undergraduate medical education? *Med Teach.* 2013;35:503-514.
154. Chalabian J, Garman K, Wallace P, Dunnington G. Clinical breast evaluation skills of house officers and students. *Am Surg.* 1996;62:840-845.
155. Colletti L, Gruppen L, Barclay M, Stern D. Teaching students to break bad news. *Am J Surg.* 2001;182:20-23.
156. Foley KL, George G, Crandall SJ, et al. Training and evaluating tobacco-specific standardized patient instructors. *Fam Med.* 2006;38:28-37.
157. Morrison LJ, Barrows HS. Developing consortia for clinical practice examinations: the macy project. *Teach Learn Med.* 1994;6:23-27.
158. Pangaro LN, Worth-Dickstein H, MacMillan MK, et al. Performance of "standardized examinees" in a standardized-patient examination of clinical skills. *Acad Med.* 1997;72:1008-1011.
159. Chalabian J, Dunnington G. Do our current assessments assure competency in clinical breast evaluation skills? *Am J Surg.* 1998;175:497-502.
160. Bell K, Boshuizen HP, Scherpbier A, Dornan T. When only the real thing will do: junior medical students' learning from real patients. *Med Educ.* 2009;43:1036-1043.
161. Kopelow ML, Schnabl GK, Hassard TH, et al. Assessing practicing physicians in two settings using standardized patients. *Acad Med.* 1992;67:S19-S21.
162. Broder HL, Janal M. Promoting interpersonal skills and cultural sensitivity among dental students. *J Dent Educ.* 2006;70:409-416.
163. Wilson L, Gallagher Gordon M, Cornelius F, et al. The standardized patient experience in undergraduate nursing education. *Stud Health Technol Inform.* 2006;122:830.

164. Rushforth HE. Objective structured clinical examination (OSCE): review of literature and implications for nursing education. *Nurse Educ Today*. 2007;27:481-490.
165. Higgins D, Xi X, Zechner K, Williamson D. A three-stage approach to the automated scoring of spontaneous spoken responses. *Comput Speech Lang*. 2010;25(2):282-306.
166. Williamson DM, Xi X, Breyer FJ. A framework for evaluation and use of automated scoring. *Educ Meas Issues Pract*. 2012;31:2-13.
167. Dikli S. An overview of automated scoring of essays. *J Technol Learn Assess*. 2006;5:1-35.
168. Chan J, Humphrey-Murto S, Pugh DM, et al. The objective structured clinical examination: can physician-examiners participate from a distance? *Med Educ*. 2014;48:441-450.
169. King S, Carbonaro M, Greidanus E, et al. Dynamic and routine interprofessional simulations: expanding the use of simulation to enhance interprofessional competencies. *J Allied Health*. 2014;43:169-175.
170. Stillman PL. Technical issues: logistics. AAMC. *Acad Med*. 1993;68:464-468.
171. Newble D. Techniques for measuring clinical competence: objective structured clinical examinations. *Med Educ*. 2004;38:199-203.
172. Whelan GP, Boulet JR, McKinley DW, et al. Scoring standardized patient examinations: lessons learned from the development and administration of the ECFMG Clinical Skills Assessment (CSA). *Med Teach*. 2005;27:200-206.
173. Hauer KE, Hodgson CS, Kerr KM, et al. A national study of medical student clinical skills assessment. *Acad Med*. 2005;80:S25-S29.
174. Myung SJ, Kang SH, Kim YS, et al. The use of standardized patients to teach medical students clinical skills in ambulatory care settings. *Med Teach*. 2010;32:e467-e470.

6

의학지식의 평가와 임상적용을 위한 필기시험

DAVID B. SWANSON, PHD, AND RICHARD E. HAWKINS, MD, FACP

개요

서론

견고한 의학적 지식은 다양한 임상상황에 이를 적용하는 활용 능력뿐 아니라 임상역량이 구축되는 토대이다.[1] 실제로 개인의 폭넓고 체계화된 지식은 임상적 추론과정의 가장 중요한 요소이면서 전문가가 되기 위한 필수 요소이다.[2-4]

미국졸업후교육인증위원회(Accreditation Council for Graduate Medical Education, ACGME)의 성과 프로젝트는 의학지식을 의과대학 졸업자의 핵심 역량(Core competency)으로 정의하고 있다.[5] ACGME의 일반 역량(General Competencies)에는 특정 역량으로 의학적 지식이 포함되며, 또한 기타 역량들 중 구체적 지식목표들이 포함된다. 예를 들면, 연구설계와 통계방법 지식은 진료바탕학습과 개선을 촉진시키고자 다양한 임상 실무와 전달 체계의 차이점을 이해하는 데 도움이 되며, 유능한 시스템바탕진료에 필수적이다.[5]

이 장의 목적은 의학지식을 평가할 수 있는 필기시험과 그 적용에 대한 개요를 제시하는 것이다. 의학지식을 평가하기 위한 다른 방법(컴퓨터바탕과 환자바탕 시뮬레이션과 업무현장바탕 평가방법)은 다른 장에 설명되어 있다.

저자들은 "적용(application)" 이라는 단어를 기억과 연관된 인지과정을 포함하여 문제해결과 임상적 추론에 활용되는 임상지식의 응용력을 포괄적으로 의미하는 것으로 사용한다. 이러한 인지 과정은 해석, 분석, 합성과 추론을 포함하며, 전형적으로 응시자는 능숙하게 지식을 적용하거나 해결해야 할 특정 임상 상황, 내용, 해결해야 할 문제에 관하여 개인마다 다양한 경험을 갖고 있다.[1,6] 따라서, "적용"이라는 단어는 단순히 개별적인 사실 정보를 기억에서 불러오는 것과는 다른 것이며 임상문제를 해결하고 시험(문항)에 답하기 위해서 앞서 말한 과정 중 한가지 또는 그 이상을 활용하는 것을 의미한다.

임상교육 전, 교육 중, 그리고 교육 후 평가의 역할

오랜 기간 동안 의과대학생과 전공의교육은 매우 다양하고 널리 분포된 이질적인 병원과 외래 네트워크에서 이루어져 왔다. 대부분의 수업은 스승의 역할을 하는 세부 전공 전문의들과 다른 보건의료 전문가, 전공의 간에 도제 형식으로 제공되고 있다. 교육의 목표와 내용, 질은 수련기관들의 소재지와 개인지도

교수에 따라 매우 다양해질 수 있다. 각 기관의 환자 군은 공통 필수 의학교육과 수년간의 의학적 문제해결 능력이나[4,7] 임상역량평가에[8,9] 필요한 방대한 영역의 질병을 반드시 가지고 있지는 않다. 유사한 학습성과가 필요하기는 하지만 실제로 의과대학생과 전공의들은 서로 다른 교육과정을 경험하게 된다.

환자군이 수련 기관마다 수업목적에 잘 맞아떨어진다 하더라도 복잡한 의료환경은 환자치료에 역점을 두기 때문에 수업활동을 계획하고 조정하기에는 어려움이 있다. 50년 전에 이미 커 화이트(Kerr White)와 동료들은 병원환경에서 의과대학생들에게 제공되는 제한적이고 편향되어 있는 학습경험에 대해 심각한 문제점을 제기하였다.[10] 입원 전 진단, 조기 퇴원, 재원일수 감소와 병의 중증도 증가를 포함한 최근의 병원환경의 변화는 교육적으로 더욱 적합하지 않은 환경을 만들고 있다. 다른 이유들보다 이러한 변화가 외래에서의 수련의 필요성을 가져왔으며, 병원바탕 교육을 보충하기 위한 외래 환경의 교수학습 개발이 시급하게 되었다. 그러나 이러한 외래로 의과대학생과 전공의 교육을 분산시키는 것은 교육적 경험에 대한 일관성에 위배된다. 따라서 지도하는 교수진과 임상실습을 나가는 학생, 병원순환근무를 하는 전공의들은 어려운 교육문제에 직면하고 있다. 배워야 할 양은 너무 많고 교육환경은 복잡하고 구조화되어 있지 않은데다가 환자를 진료하는 동안에도 개인 학습과 더불어 동료와 후배들의 학습을 도와주어야 한다는 사실이다.

교육 전, 중, 후의 학습평가

임상교육이 이루어지는 복잡한 환경에서 평가는 개별 교육생에게 성적 부여, 학습성과 달성 모니터링, 학습동기 부여, 개별 재교육 계획 수립, 다음 단계에 교육에 대한 준비여부, 환자돌봄에 대한 책임감을 부여하는 등 다양한 역할을 할 수 있다. 이와 유사하게 평가는 학습자 집단과 전반적인 교육과정과 관련하여 학습집단의 수업 속도, 교육방법 및 주제의 선택, 개별집단의 질에 대한 평가 피드백 제공 등을 포함한 여러가지 잠재적 역할도 할 수 있다. 크론바하(Cronbach)에[11] 의한 표 6.1은 평가가 개별 교육생 및 교육생 집단에 대해 수행할 수 있는 일부 역할에 대한 개요를 교육 전, 중 및 후로 보여주고 있다. 또한 계획적 평가와 학습을 위한 평가(Programmatic Assessment and Assessment for Learning) 부분에서 다룬 바와 같이 수업 내용의 기억 향상을 위해 평가 프로그램을 정확하게 설계하는 것이 점점 더 강조되고 있다.

교육생마다 교육 받은 내용이 매우 상이하므로 학습성과를 평가하려면 지속적인 형성평가가 매우 중요하다. 이 경우 높은 수준의 필기시험이 가장 유용한데 필기시험은 광범위한 내용을 효과적으로 다룰 수 있고 교육생과 교육프로그램의 학습성과 성취 정도를 모니터링하는 근거를 제공하여 교육생과 프로그램의 강점을 활용하고 약점을 재교육할 수 있다. 특히 뒤에서 다뤄지겠지만 잘 개발된 국가표준화 수련 중 시험은 교육생의 임상지식과 글상자 6.1에 제시된 짧거나 긴 비네트(vignettes)[1] 같은 상황에서 모의환자를 다루는 능력을 주기적으로 정확하게 평가하는 데 이용할 수 있다. 이런 교육생의 학습 상황의 정밀도(신뢰도), 정확도(타당도) 그리고 특수성은 이후 절에서 언급하겠지만 사용된 평가의 유형, 길이 및 질에 따라 달라진다.

시험강화 학습과 기억력 증진을 위한 반복, 주기적 시험의 활용

시험강화 학습은 인지심리학에 근거한 교육현상으로 장기교육과 기억을 향상시키는 데 활용될 수 있다. 많은 의학교육자들은 평가란 학생들에게 동기부여를 하고 장단점에 관한 피드백을 주며 중요 학습성과를 습득했는지 확인하는 도구로 생각한다. 한편, 약 1세기 전 수행되었던 한 연구에 의하면 반복적인 시험이 동일한 주제를 반복해서 공부하는 것보다[12-14] 더 정교하면서도 기억의 회상 경로를 강화한다는 점에서 효과적이었다는 것을 보여주었다.[15-17]

이러한 일명 “시험 효과(testing effect)”의 결과는 대단히 강력하다. 이는 학습 소재와 학생군의 다양성에도 일반화될 수 있음을 보여주었다. 의학교육분야 연구자들은 주로 수 주에서 수 개월의 일정한 간격을 두고[18-24] 반복되는 시험의 경우, 특히 유익한 정보를 담은 피드백이 제공되고[24] 단문의 답가지나 맥락이 충분히 기술된 답가지의 다지선다(multiple-choice question, MCQ) 형식으로 지식의 적용을 요구하는 시험은[25] 반복 학습에 비해 학습효과를 보다 증진 시킬 수 있다는 것을 보여주었다.[26] 게다가 반복적 시험을 통한 회상 연습이 학습내용을 이해하고 새로운 상황에 적용하는 데 도움을 준다는 증거들이 점차 확인되고 있다.[27,28] “고정간격 교육(spaced education)”에 관한 연구에서는 자기평가 내용에 반복적으로 노출되는 것이 지식을 기억하는데 도움을 주고,[29] 이는 2년까지도 지속됨을 보고하였다.[30]

종합해보면, 이러한 일련의 연구들은 반복적인 평가의 사용이 학습과 기억 그리고 지식을 임상으로의 이행을 향상시킴을 의미한다. 이는 시험을 단지 교육생들을 독려하고 학습이 일어났는지를 확인하는 것으로 간주하지 않고, 평가를 교육과정의 필수 구성요소로 보는 것이다. 이는 계획적 평가와 학습을 위한 평가를 다루는 장에서 더 논의될 것이다.

의학교육에서 다양한 종류의 반복 시험은 이미 흔하게 활용되고 있다. 수 십 년 동안 의과대학은 일정 간격마다 반복적으로 발달시험(progress test) 형식으로 평가를 해왔다.[31,32] 발달시험을 위한 시험의 출제계획표는 일반적으로 졸업 가능한 수준의 목적과 목표를 다루도록 설계되며, 시험 관리는 매년 수 차례

1) 비네트(vignette)는 특정한 사람·상황 등을 보여주는 짤막한 글, 행동, 사진 등을 말하는데, 의학교육 맥락에서는 임상교육 상황에서 짧은 시나리오를 글이나 영상으로 학습자에게 제공되는 경우가 많다.

표 6.1 임상교육 향상을 위한 세 가지 평가의 역할

예비평가		형성평가		총괄평가	
교육을 시작하기 전에 교육생이 소유한 속성을 확인하기 위함		교수학습 진행 시 교육생 및 교수진에게 그들의 학습효과에 대한 지속적인 피드백 제공하기 위함		교육이 끝날 때 수업목표를 달성 한 정도를 평가하기 위함	
개별 교육생과 관련된 역할					
P1	다음 교육 단위에 대한 교육생의 준비 상태 중 부족한 부분 식별 및 개선	F1	개별 교육생의 학습 관련 어려움 진단; 교육개선 계획	S1	달성해야 할 목표 중 부족한 부분에 대한 피드백 제공; 등급 및 진급 결정
P2	개별 교육 계획	F2	숙련을 위한 강화법 제공	S2	수업 중 동기 부여 및 노력
P3	교육생을 대체 교육 단위 과정으로 전환	F3	개별 교육생의 학습 속도 조절	S3	목표 달성을 위한 강화 제공
교육생 집단과 프로그램 전반과 관련된 역할					
P4	집단교육을 위한 적절한 출발점 찾기	F4	집단의 목표 달성이 원하는 수준보다 미달된 영역 식별; 재교육 계획	S4	교육 단위의 효과 평가
P5	재교육 계획	F5	현재 교육생 집단에 대한 후속 교육 계획	S5	서로 다른 교육생 집단의 학습 성과 비교
P6	교수학습방법 선택	F6	교육 단위의 효과 평가	S6	동일한 교육생 집단에 대한 후속 교육에서 준비평가를 위한 정보 제공
P7	교육생들에게 교육 집단 배정	F7	교육 단위에 대한 질 관리 제공	S7	교육생 집단이 획득한 지식과 기술 인증
P8	이전 교육의 효과에 대한 정보 수집	F8	각 단위 마다 교육생들에게 일관성 있는 등급 유지	S8	후속 교육활동 성공 예측

P : Preparative Evaluation (준비평가)
F: Formative Evaluation (형성평가)
S: Summative Evaluation (총괄평가)

출처 Cronbach LJ: *Educational Psychology,* 3rd ed. New York, Harcourt Brace Jovanovich, 1997, p. 688의 내용 수정

• 글상자 6.1 단순 사실 회상 시험 대 지식의 적용 시험

비네트가 아닌 문제
정상 신장 기능을 보이는 신증후근 소아에서 가장 흔한 신장 이상은 무엇인가?

짧은 비네트
2세 남자 아이가 1주간 부종이 있었다. 혈압은 100/60 mmHg이며, 전신에 부종과 복수가 있다. 혈청 크레아티닌 농도는 0.4 mg/dL, 알부민 1.4 mg/dL, 콜레스테롤 569 mg/dL이고 소변 검사에서 4+ 단백이 확인되나 혈뇨는 없다. 가장 가능성이 높은 진단은 무엇인가?

긴 비네트
2세 흑인 미국인 아이가 지난 주 내내 눈과 발목에 부종이 있었다. 혈압은 100/60 mmHg, 맥박 분당 110 회, 호흡수 분당 28회이다. 눈 주변 부종뿐 아니라 2+의 압박시 함몰되는 부종이 발목에서 확인되며, 복부는 팽창되고 타진시 복수의 파동이 관찰된다. 혈청 크레아티닌 농도는 0.4 mg/dL, 알부민 1.4 mg/dL, 콜레스테롤 569 mg/dL이고 소변 검사에서 4+ 단백이 확인 되나 혈뇨는 없다. 가장 가능성이 높은 진단은 무엇인가?

다지선다형 문항 유형의 가능한 선택 목록
A. 급성 사구체 신염
B. 용혈-요독 증후군
C. 미세 신증후군
D. 국소분절 사구체 경화증에 의한 신증후군
E. 쇤라인-헤노흐(Schonlein-Henoch) 자반병 신염

이루어지고 때로는 의학교육과정 첫 해에 시작된다. 발달시험은 학생들이 의과대학생의 학습 발달에 맞춰 학습자료를 다양한 시기에 제공하고 전반적인 발달 상황을 추적하고 강점과 약점을 식별할 수 있도록 운영되는[31] 문제바탕학습 의과대학에서 도입되었다.[33,34] 그러나 현재 발달시험의 중요한 부작용으로 인식되는 것 중 하나는 학습과 기억을 위해 일정간격으로 시행되는 반복 시험의 장점이기도 하다. 이러한 발달시험 관련 문제에 관하여는 참고문헌 35와 36을 참고하기 바란다.

또한, 학부 수준에서는 학생들이 미국의사면허시험(United States Medical Licensing Examination, USMLE)을 위해 자기평가 앱(apps)인 앵키(Anki), 파이어크래커(Firecracker)와 오스모시스(Osmosis) 등을 활용하고 있다. 보드바이탈스(BoardVitals), 이그잼마스터(ExamMaster), 캐플란(Kaplan), 랭(Lange), 리핀코트(Lippincott), 맥그로우힐(McGraw-Hill), USMLE월드(USMLEWorld), 그리고 USMLE-Rx 상업출판사에서는 수업자료 외에도 문제은행, 플래시카드, 자기평가 자료들을 제공하고 있다. 그리고 퍼스트 에이드(First Aid) 웹사이트는 이러한 서비스들에 대한 자세한 논평을 제공해주고 있다.[37]

졸업 후 교육수준에서는 미국의 전문학회 및 인증위원회가 제공하는 전문 분야별 수련 중 시험도 일정 간격을 두고 반복되는 시험의 한 형태이다. 평생의학교육 차원에서는 상업출판사(예: NEJM Knowledge+)와 전문학회(예: 미국내과학회 [American College of Physicians])가 유사한 온라인 평가를 제공하고 있어, 의사가 최신 정보를 접하고 인증유지(maintenance of certification, MOC) 시험을 준비할 수 있도록 지원하고 있다. 한 위원회는[38] 시험강화 학습으로 MOC 프로그램의 평가 구성요소를 재구성하여 시험강화 학습에 대한 연구결과를 도출하였고, 다른 세부 분과들도 이와 같은 접근법을 고려하고 있다.

계획적 평가와 학습을 위한 평가

이 책의 초판 이후, 의학교육에서 개별 평가방법의 특성 측정에 중점을 두는 것으로부터 핵심 학습성과를 촉진하는 교육과정목적에 맞추어 서로 다른 평가방법을 종적으로 결합한 평가과정 설계로 평가의 현저한 변화가 있었다.[39-41] *평가프로그램(assessment programs)*은 개별 평가의 계획적인 배치로 보여지는데, 각 평가과정은 개별적인 장단점을 가질 수 있지만 함께 취합하여 교육생의 동기부여, 학습을 지도하고 진급과 졸업에 관한 의사결정에 필요한 정보를 제공한다. 고부담 의사결정의 경우, 다수의 평가결과가 결합되어 정보를 종합하고 개별 평가의 약점을 보완한다.

학습에 *대한(of)* 평가(학습이 일어났는 지의 시점 단위)에 초점을 맞추기보다는 평가를 교육과정의 필수적인 부분인 교육설계 문제로 보는 학습을 *위한(for)* 평가가 강조되고 있다. 시험 강화 학습과 더불어 개별평가와 전체 교육과정 평가는 교육생의의 학습성과에 직간접적으로 큰 영향을 미치는 것으로 보이며, 평가방법의 선택은 학습에 필요한 영향에 따라 결정된다. 어떤 의미에서 교육과정은 교수진이 무엇을 가르치는지 안내하고, 평가는 학생들이 무엇을 배우는지 안내해 준다. "강아지가 꼬리를 흔들어 안내하는 것처럼 평가에 따라 교육과정 방향이 결정된다."

평가 시스템은 의도적으로 학습과 기억을 향상시키고 강점과 약점에 대해 교육생에게 구체적인 피드백을 제공하도록 설계되었다. 일반적으로 다양한 총괄 및 형성평가가 자주 이용되며 시험은 자주 그리고 지속적으로 진행된다. 방법론적으로 학생들이 성공적으로 완수하기 위해서 여러가지 역량을 통합적으로 발휘해야 하는 진짜같은 통합적인 임상과제가 주어진다. 그리고 광범위한 임상상황, 환자 문제와 평가자 등을 이용한 업무현장바탕 평가방법이 종종 강조되고 있다.[41]

최근에는 한 국제집단 의학교육 평가단이 좋은 평가에 필요한 공인된 기준을 개발했다.[42] 해당 내용은 글상자 6.2와 같다. 처음 세 가지 심리측정학적 이론에 기초한 속성은 학습평가에 대한 전통적 강조점인 총괄평가를 이용한 학습평가를 반영한다. 자세한 내용은 신뢰도와 타당도에 대한 다음 절에서 다루었다. 반면, 계획적 평가와 학습을 위한 평가의 원칙은 마지막 세 가지 기준에서 명확해진다. 고부담 의사결정이 필요한 경우 이 세 가지 기준이 매우 중요하다. 한편, 고부담 의사결정이 다양한 평가의 통합된 결과에 기초한다면 다양한 평가의 조합으로 해당 기준을 충족해야 한다.

• 글상자 6.2 좋은 평가 기준

1. **타당도 또는 일관성:** 일관되고("단합") 특정 목적을 위해 평가결과의 사용함을 지지하는 상당한 증거가 있다.
2. **재현성과 일치성:** 유사한 상황에서 반복되는 경우 평가 결과는 동일하다.
3. **동등성:** 동일한 평가는 다른 기관이나 시험 주기에 걸쳐 관리될 때 동등한 점수나 결정을 산출한다.
4. **실행 가능성:** 상황과 맥락을 고려할 때 평가는 실용적이며 현실적이며 합리적이다.
5. **교육 효과:** 평가는 그것을 받아들이는 사람들에게 교육적 이익을 주는 방식으로 준비하도록 동기를 부여한다.
6. **촉매 효과:** 평가는 교육을 만들고, 강화하고, 지원하는 방식으로 결과와 피드백을 제공하며, 미래의 학습을 추진한다.
7. **수용성:** 이해관계자는 평가과정과 결과를 신뢰할 수 있다고 판단한다.

Norcini JJ, Anderson MB, Bollela V, et al: Criteria for good assessment: consensus statement and recommendations from the Ottawa 2010 Conference. *Med Teach* 2011;33(3):206−214의 내용을 수정함. Taylor & Francis Ltd, http://www.tandfonline.com으로부터 재출판 승인을 받았음.

필기시험을 이용한 지식평가방법

필기시험에 활용하기 위해 지난 수년 간 문자 그대로 수십 가지의 문항 형식이 개발되어 왔다. 예를들면, 의료분야에서 다지선다 형식의 예는 참고문헌 43(특히, 부록의 "미국의사국가시험원 문항 형식 모음[The Graveyard of NBME Item Formats]" 참조)과 레바인(Levine)을[44] 참조하기 바란다. 컴퓨터바탕 시험의 출현으로 문항 형식의 수가 계속 증가하고 있다.[45,46] 그러나 일반적으로 대부분의 형식은 "지문 유형" 과 "응답 유형"에 기반을 둔 두 가지 차원으로 분류된다. 이에 관하여 다음 절에서 간략하게 설명하고자 한다.

응답 유형

전통적으로 응답 유형은 구인반응(constructed-response) 형식과 선택반응(selected-response) 형식의 두 가지 범주로 나뉜다. 선택반응 형식은 참/거짓 형식과 가장 옳은 정답 형식으로 구분된다. 구인반응 형식과 선택반응 형식은 표 6.2에 설명되어 있다. 구인반응 형식은 응시자에게 단어나 문구만 기입하도록 요구하는 것부터 여러 장의 논술을 작성하는 것까지 매우 다양하다. 또한 응시자의 반응을 보기 위해 특정 구인요소를 필요로 하는 일부 형식(예: 환자상황을 제시한 후에 SOAP노트작성 혹은 시행해야 하는 진단검사와 약물처방을 위한 처방전 작성)과 함께 매우 광범위하고 비구조화된 내용(예: 심근경색을 겪은 환자 진료 시 고려해야 하는 내용 식별하기 등)을 포함한다.

지문 유형

필기시험을 위한 지문 유형은 연속성에 따라 낮은 단계부터 높은 단계에 이르기까지 "현실성"(실제 임상현장에서 경험하는 문제와 유사한)에 따라 변하는 것으로, 그 형식은 단순한 사실을 기억하는 것부터 매우 복잡한 임상 상황을 기술하는 유형에 이르기까지 매우 다양하다. 글상자 6.1의 첫 문단은 "중요하지 않은 흥밋거리 정보"와 같은 문항줄기로, 응시자가 특정 상황에서 특정 사실만 기억하면 되는 단순함 때문에 MCQ 평가가 악명높게 된 이유이기도 하다. 반면, 글상자 6.1의 가운데와 아래쪽의 문단에 있는 문항줄기는 환자의 바네트로 응시자가 임상적 판단을 위한 사전 지식을 적용해 보게 하는 MCQ의 종류를 보여준다. 이는 제공되는 환자정보의 양과 어느 정도 해석된 형태로 제공되는 환자정보(예: 배에 물이 차는 "복수(ascites)"라는 단어와 "타진시 파동이 감지되는 복부 팽창")가 시험 목적과 교육생의 배경에 따라 적절히 조정될 수 있다.

글상자 6.1의 모든 내용은 선택반응 형식 또는 구인반응 형식으로 제시될 수도 있음에 주목하기 바란다. 고학년과 졸업후 교육 수준에서 적절한 유형 목록은 글상자 6.1 하단에 표시되어 있다. 대신, 이 항목들은 응시자들이 선택할 수 있는 선택 목록으로 제공되지 않고 단답형으로 제시될 수도 있다. 또한 응시자들에게 그들의 대답을 정당화하도록 요구함으로써 구조화된 논술 형식을 사용할 수도 있다.

지문 유형과 응답 유형의 선정

의학교육 내에서[47] 그리고 보다 포괄적인 의미의 교육에 관한 연구에서[47,48] 보면, 응답 유형의 선택은 응시자 점수순위에 거의 영향을 미치지 않는 것으로 나타났다. 점수 신뢰도 보정후에 동일한 응시자는 잘하거나 못하는 경향을 보였다. 그러나 이 사실은 응답 유형의 선택이 결과에 영향을 미치지 않는다는 것이 아니다. 다음 절에서 설명하겠지만 응답 유형은 시험의 실행계획과 체점 비용뿐 아니라 시험에 필요한 시간에도 큰 영향을 미칠 수 있다. 어떤 특성을 유효하게 평가할 때 서술한 내용의 예시(즉, SOAP 노트 작성의 숙련도 측정)가 요구되지 않는 한 일반적으로 서술문과 같은 광범위한 구인반응 형식을 사용하는 것은 재현 가능한 점수를 얻기 위해 시험 시간이 너무 많이 소요되어 권장하지 않는다.[49,50] 학습에 대한 평가 관점에서 보면 기

표 6.2 구인반응 형식과 선택반응 형식의 예

응답 유형		
구인반응	선택반응	
	참/거짓 유형	정답 유형
완성/채우기	단순 참/거짓	단일 정답
단답형	다중 참/거짓	연결하기
논술 및 기타 확장된 응답	임상 시뮬레이션 필기시험(예: 환자관리 문제)	사례 군집(한 문단 정도 길이의 임상사례에 대한 일련의 다지선다 객관식 문제)
수정된 논술 문제		
"풀이과정 보여주기" 서술형 문제		

본 임상추론 과정은 서술형 답안이 더 판단하기 쉬울 수 있지만 일반적으로 더 많은 수의 문제에서 추론 과정의 성과가 평가되도록 설계된 형식을 사용하는 것이 좋다.

비용적 관점에서 구인반응 형식의 채점은 일반적으로 해당 분야 전문가의 상당한 시간이 필요하며, 채점에 있어 시험관의 주관성은 종종 점수 해석의 타당도를 증가시키지 못하고 결과 점수 재현성을 감소시킨다.[46,47] 선택반응 형식 중, 최선의 정답 고르기 형식은 일반적으로 단위 시험 당 보다 많은 정보를 얻을 수 있고[51] 임상 상황에서 의사결정시 정답/오답 형식보다 적합할 수 있다.[43] 또한 최선의 정답 고르기 형식은 제시된 답가지를 최고에서 최악까지 마음으로 순위를 매긴 후 최선의 답만 선택하도록 하므로(예: 동일 계열의 여러 약물 중 가장 적합한 치료를 선택하기) 임상적 판단을 평가할 수 있다.

지문 유형 중 한가지를 고를 때, 문항은 응시자가 어떤 단순 사실을 기억해 내기보다 임상적 판단을 내릴 수 있는 정보를 사용해야 한다-일반적인 환자치료 상황 또는 중환자에 적용할 수 있는 내용과 동떨어진 지식을 평가할 필요는 거의 없기 때문이다. 일반적으로 시험 문항은 이런 상황의 "핵심 기능"- 즉, 효과적인 환자치료 제공에 가장 중요하거나, 실수 또는 환자에게 나쁜 결과로 이어질 수 있는 핵심적인 요소에 중점을 두어야 한다.[52-54] 글상자 6.3의 예시로 알 수 있듯이 문항줄기는 임상 상황을 현실적이고 자세하며, 다소 거칠더라도 있는 그대로의 환자 상태를 설명하는 환자 비네트로 제시되어야 한다.[55] 이러한 지문과 응답 형식의 조합은 결과적으로 응시자들에게 임상결정을 내리기 위해 지식을 적용하도록 도전시키는 저충실도 환자시뮬레이션을 제공하게 된다. 이 접근방식은 매우 많은 장점을 가지고 있으므로, 다른 지문 유형을 사용할 경우 해당 문항에 의해 측정된 속성과는 다른 속성을 측정하는 것으로 정당화되어야 하는데,[44] 이는 쉽지 않을 것이다. 이러한 문항의 조합으로 개발된 시험은 다양한 시험 시간 내에서 중요한 임상적 판단력을 광범위하게 추려 낼 수 있다. 다음 절에서 다루겠지만 타당하고 믿을 수 있는 점수 해석을 위해서는 평가에서 충분한 수의 임상과제를 제시하는 것이 핵심이다.

시험강화학습의 관점에서 볼 때, 구인반응 형식이 보다 나은 이해력과 내구성 있는 학습으로 이어질 수 있다는 근거들이 발표되었다. 그러나 구인반응 유형과 비네트를 이용한 기억 재현 MCQ 방법을 비교하는 최근 연구에서는[26] 기억바탕 MCQ는 반복 시험 효과를 줄임으로써 구인반응 유형과 비네트바탕 MCQ가 유사한 기억효과를 보였다. 장기 기억에 관한 지문과 응답 유형의 영향은 더 많은 연구가 필요하다.

• 글상자 6.3 저충실도 임상 시뮬레이션 다지선다형 문항

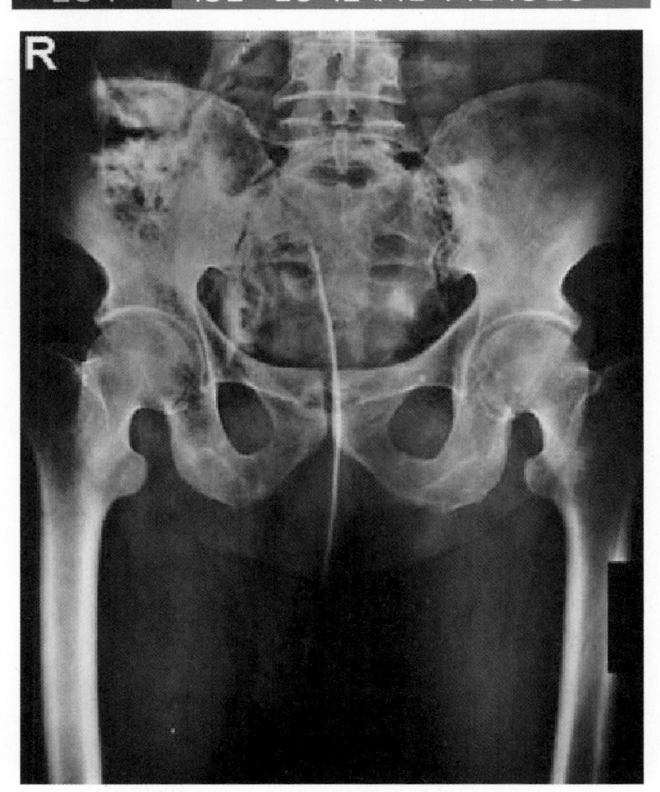

53세 남성의 자동차가 나무에 충돌한 후 응급구조사에 의해 응급실로 왔다. 남성은 안전벨트를 매고 있지 않았다. 응급실 도착 당시 환자는 확실히 술에 취해 있었으나 검사에는 잘 협조하였다. 활력징후는 체온 37.0도(화씨 98.6도), 맥박수 분당 110회, 호흡수 분당 18회, 그리고 혈압은 110/75 mmHg이었다. 신체 진찰에서 하복부와 골반부위에 전반적 압통이 있다. 신경학적 검사와 두부 CT 검사는 정상으로 나타났고, 경추, 흉부와 골반부의 방사선 사진은 정상이었다. 3시간 후 재검시 소변이 전혀 나오지 않았음이 확인되었다. 환자의 소변 검체를 제출할 수 없는 상태이다. 그는 사고 후 지금까지 1400 mL의 링거젖산용액을 맞았다. 폴리도뇨관을 삽입하였고 5 mL의 혈성 소변만 나왔다. 위 사진은 폴리도뇨관 삽입 후의 방사선 사진이다. 다음 중 환자치료를 위해 가장 적합한 다음 단계는?

A. 10일간 폴리도뇨관을 이용한 배뇨
B. 관찰만 시행
C. 경피적 신장창냄술
D. 치골 상부 도뇨관 배뇨
E. 수술적 치료

필기시험에 대한 점수의 신뢰도 및 점수 해석의 타당도

이 절에서는 필기시험의 두 가지 주요 특성인 점수 해석의 신뢰도와 타당도에 대해 다루고자 한다. 첫 번째는 교육생이 유사한 시험을 본 경우 어느 정도까지 비슷한 점수를 얻는지에 관한 것이고 다른 용어로는 흔히 정밀도, 일반화 및 재현성으로 불린다. 타당도는 평가 점수가 의도한 의미를 나타내는 정도를 말한다. 이와 같이, 평가방법, 특정 시험 또는 시험 점수의 속성이 아닌 시험 점수에서 도출된 추론의 속성이다. 동일한 점수는 일부 추론에는 유효하지만 다른 추론에는 유효하지 않을 수 있다.

고부담 총괄평가에서는 ("학습에 대한[of] 평가") 신뢰도와 타당도 모두 매우 중요한 항목이다. 다음 단계의 수련으로 승급할 수 있을지, 의과대학을 졸업할 수 있을지, 의사면허를 딸 수 있을지를 결정하는 학습평가 시험에서 잘했는지 못했는지의 결과는 매우 중요하다. 잘하거나 못하거나의 결과가 크게 영향을 미치지 않는 저부담 시험상황에서는 이 사항이 별로 중요하지 않다. 이는 가끔 수련 중 형성평가에서 나타나는데, 강점과 약점을 찾는 것이 핵심이어서 수련이 부족할 때 재교육의 필요성을 보여준다. 마찬가지로 의사결정이 여러 평가에 걸쳐 집계된 정보를 바탕으로 하거나 시험의 주요 목적이 교육생에게 동기를 부여하고 학습 활동에 영향을 주는 것이라면 신뢰도와 타당도는 덜 중요하다. 이런 상황의 대부분은 "학습을 *위한(for)* 평가" 범주에 속한다. 한편, 학습을 위한 평가도 달성해야 할 최소 수준의 신뢰도와 타당도가 있다. 평가결과가 수행 수준에 대한 신뢰할 수 없는 정보를 제공할 때 학습자가 교육적 활동을 목표로 삼거나 환자 진료 방법을 변경하는 것은 적절하지 않다.

시험 점수의 신뢰도

모든 평가의 목적은 시험에 포함된 특정 질문을 넘어서 시험에 포함된 보다 광범위한 영역의 질문까지 확장하여 응시자 숙련도를 추론해 내는 것이다. 표본에 대한 분석은 실제 관심 있는 보다 넓은 분야에 관한 숙련도를 예견할 수 있는 근거가 된다. 표본의 크기와 특성에 따라 이러한 추정치는 어느 정도 재현 가능하거나(신뢰 가능하고, 정밀하고, 일반화가 가능하며) 어느 정도 정확(타당)할 수 있다. 표본이 너무 작으면 한 시험 문제 세트에서 다음 시험 문제에 대한 응시자 숙련도 추정치를 재현할 수 없다. 만약 문제가 한쪽으로 치우치게 되면 알고 싶은 분야의 숙련도를 잘 반영하지 못하게 된다.

시험 점수의 재현성에 관한 정보를 제공하기 위해 여러 유형의 통계지수가 고안되었다. 그 중 한 가지 유형의 지표가 신뢰도 검사이다. 알파계수, 두 가지의 쿠더-리처드슨(Kuder-Richardson) 공식(KR-20과 KR-21) 및 기타 "내적 합치도" 계수를 포함하는 이 유형의 지표는 시험에서 관찰된 점수와 유사하지만 동일하지는 않는 내용을 포함하는 재시험에서 관찰되는 점수 사이의 관계 강도를 나타내는 모든 형태의 집단 내(intraclass) 상관관계(일반화가능도 계수)이다. 이 수치의 해석은 다른 상관계수들과 동일하다. 0에 가까운 값은 재시험을 본다면 결과가 획득한 점수와 거의 관련이 없으며, 1에 가까운 값은 재시험에서 매

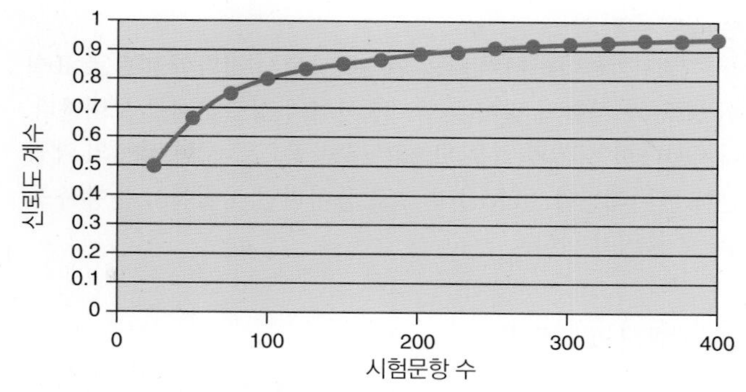

그림 6.1 가상 다지선다형 시험과 신뢰도 그래프와의 관계

우 유사한 점수를 얻을 가능성을 나타낸다. 고부담 결정이 필요한 시험(예: 진급, 졸업, 면허, 인증)은 신뢰도가 0.8 (0.9 이상이면 더 좋다) 이상이 바람직하다. 이 값은 재시험에서 얻은 점수가 일차 시험 점수와 0.8 정도의 상관관계가 있다는 것을 의미한다. 100-200개의 단일정답형 문항으로 잘 만들어진 다지선다형 시험의 총점은 일반적으로 이 범위의 신뢰도 계수를 보인다.

거의 모든 시험에서 평가형식에 관계없이 시험 시간이 길어질수록 신뢰도 지수가 증가한다. 그림 6.1은 내과, 외과, 소아과, 혹은 가정의학과와 같은 광범위한 전문 분야에서 가상의 다지선다 시험이 100개 문항으로 구성되었을 때 0.8의 신뢰도(잘 설계된 된 임상 실습 종합시험의 전형적인 값)를 갖는 특성을 보여준다.

흔히 사용되는 또다른 시험 점수의 재현성 지수는 측정의 표준오차(standard error of measurement, SEM)이다. SEM은 시험 점수에 사용된 척도와 관계없이 0에서 1까지 변화하는 신뢰도 지수와 달리 점수와 동일한 척도로 표현되어 신뢰 구간을 계산할 수 있다. 이를 통해 표준오차 해석이 보다 간단해진다. 예를 들어 임상실습이나 전공의의 순환근무에서 100개 항목으로 구성된 최종 시험에 대한 평균과 표준편차가(백분율로 따졌을 때) 각각 70% 및 8%, 표준오차는 3.5%(이는 신뢰도 약 0.8에 해당한다), 통과/미통과의 기준은 60%로 가정해보자. 응시자가 58%의 점수를 얻은 경우, 획득한 점수에서 SEM을 두 배 더하고 빼서 해당 점수의 95% 신뢰 구간을 계산할 수 있다. 재시험 시 100번 중 95번은 획득한 점수가 51%(58%에서 SEM 3.5%의 두 배를 뺀)와 65%(58%에 SEM 3.5%의 두 배를 더한 것) 사이에 있게 된다.

SEM과 신뢰구간이 시험점수와 동일한 척도로 표현되므로 재현 가능한 통과/미통과 결정을 위한 정밀도를 고려할 때에는 점수 정밀도의 적절성을 판단하는 것이 더 쉽다. 이 경우 고부담 결정(예: 교육과정에서 유급 결정)이 해당 시험 점수에 의존하는 경우 재시험에서 통과/미통과 기준 60% 보다 높은 점수를 얻을 수 있으며, 시간이 더 길고 신뢰할 수 있는 시험을 사용하

는 것이 좋다.

그림 6.2는 이러한 예시의 연속성상에서 정확한 비율로 표현된 SEM과 시험의 길이(문항 수) 사이의 상관관계를 보여준다. 다지선다형 시험의 경우 SEM은 일반적으로 시험 길이의 제곱근에 반비례한다. SEM을 반으로 줄이려면 시험에서 문항 수를 4배로 늘려야 한다.

점수 해석의 타당도

타당도와 검증 절차에 관한 설명은 이 장의 범위를 벗어난다. 자세한 내용은 이 책의 클라우저(Clauser)와 동료(2장), 케인(Kane),[56] 클라우저(Clauser) 등,[57] 쿡(Cook) 등[58]의 내용을 참조하기 바란다. 그러나 일반적으로 타당도란 검사에서 도출된 추론의 정확성과 평가 점수의 추론이 의미하고자 했던 범위를 의미한다. 평가도구 자체는 고유의 질로써 타당도를 지니지는 않는다. 그러나 타당도는 평가결과를 기반으로 하는 추론과 결정의 속성을 가지며 동일한 평가도구가 한 목적에서는 타당하지만 다른 목적에서는 타당하지 않을 수 있다. 예를 들어, 사실 회상시험은 교육생이 의학 교과서의 한 장를 읽고 이해했는지 평가하는 데는 타당하나 동일한 장에 나온 내용을 임상에서 환자 진료에 응용할 수 있는지 평가하는 데는 타당하지 않다. 마찬가지로 미국의과대학에서 시행하는 잘 설계된 임상술기 평가법은 병력청취 기술을 평가하는 데 있어 영어를 모국어로 하는 학생에게는 타당하나 영어가 제 2 외국어인 학생들에게는 타당하지 않다. 따라서 동일한 평가도구는 도출할 추론과 평가할 집단에 따라 복수의 타당도를 가질 수 있다.

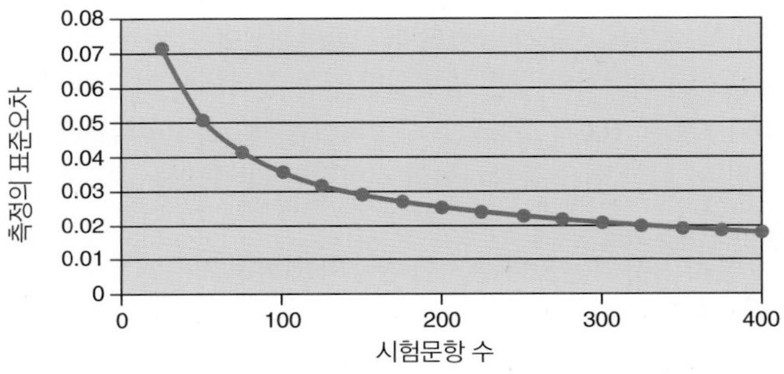

그림 6.2 시험문항 수에 따른 측정의 표준오차

타당도 평가에는 항상 판단이 필요하다. 2장에서 서술했듯이 시험 검증은 시험 점수의 의도된 해석을 뒷받침하는 근거를 수집하는 과정으로 볼 수 있다. 일반적으로 이는 여러가지 사안이 포함된 논쟁이 필수적으로 따라올 것이다(표 6.3). Kane은[57,59] 이 타당도 논쟁을 위한 체계적인 방법을 제시하고 있는데, 이는 시험 진행에서 최종 결정 또는 해석에 이르는 4가지 추론적 연결고리로 설명한다. 그는 이 네 가지 요소를 *채점, 일반화, 추론 그리고 해석/결정*이라고 분류하였다. 전체 항목 중 *채점(scoring)* 항목을 위해서 시험이 적절히 진행되었는지, 응시자의 반응이 제대로 관찰되었는지, 그리고 채점 규칙이 적절하고 정확하게 적용되었는지 증명되어야 한다. *일반화(generalization)*를 위해서는 시험 문항이 광범위한 내용 중에서 적절히 선택되었는지, 표본 양은 수용할 수준의 정확성을 지니며 점수를 산출할 수 있을 만한 양인지 반영되어야 한다. *추론(extrapolation)*에는 시험점수가 시험이 목표로 하는 숙련도와 얼마나 연관성이 있는지 그 근거가 필요하다. 이것은 관측치가 해석에 연관되어 있고 점수는 의도한 바와 무관한 분산 원인에 의해 지나치게 영향을 받지 않는다는 것을 보여주어야 한다. 문항의 의사결정/해

표 6.3 케인(Kane)의 타당도에 대한 논증바탕접근법의 네 가지 구성요소와 관련된 질문

구성요소	질문
채점	1. 관찰이 이루어졌는가 또는 지문자료가 표준화된 조건에서 제공되었는가? 2. 점수가 정확하게 기록되었는가? 3. 채점 알고리즘이 올바르게 적용되었는가? 4. 적절한 보안 절차가 시행되었는가?
일반화	1. 평가에서 관찰된 점수에 기여하는 측정 오류의 원인은 무엇인가? 2. 측정 과정을 반복한다면 얼마나 비슷한 점수가 나올 것인가? 3. 측정 과정을 반복한다면 얼마나 유사한 결정이 나올 것인가? 4. 어느 정도 체계적 과정을 통해 시험 형태를 구성하는가?
추론	1. 점수가 실제 능력과 어느 정도 일치하는가? 2. 관심있는 분야의 숙련도를 평가하는 데 방해가 되는 요인이 있는가? 3. 점수가 관심있는 실제성과를 예측하는가? 4. 시험 조건에 영향을 미치는 인공적인 측면이 있는가?
결정	1. 방어적이고 적절하게 시행된 절차를 통해 표준이 설정되었는가? 2. 재교육이 필요하다고 확인된 응시자는 표준을 충족하도록 향상되거나 혹은 확인이 되지 않은 응시자보다 재교육과정의 혜택을 더 많이 받는가?

석(decision/interpretation) 구성요소는 시험에 대한 통과/미통과 기준(기준 점수)을 뒷받침하는 증거가 필요하다. 구성요소는 연결고리 사슬과 같아서 시험 점수를 이용하는 사람들은 각 구성요소에 대한 근거가 존재하는 경우에만 해석에 자신감을 가질 수 있다. 사슬의 견고함은 가장 약한 포인트에 의해 결정된다. 필요한 근거의 유형은 평가의 목적과 특성에 따라 달라진다. 2장에서 소개된 클라우저(Clauser)와 그의 동료들이 제시한 내용에서 발췌한 표 6.3은 타당도 논쟁의 각 단계에서 발생하는 질문의 몇 가지 예시이다.

MCQ로 구성된 필기시험의 경우 일반적으로 채점 및 일반화가 모두 상당히 강하다. 해당 전문가들의 검토에서 통계적으로 이상한 특성을 가진 항목을 가려냈다고 가정했을 때, 채점 연계는 매우 강하다고 볼 수 있다. 물론, 시험 유형의 예비 채점을 실시함으로써 답안의 정확성을 확인하는 것이 항상 바람직하며, 내용 전문가들이 항목을 세심하게 작성하고 검토해야 한다. 전형적으로, 구체적 목적을 달성하기 위해 만들어진 100개 이상의 문항(시험 결과로 진급이나 졸업이 결정되는 고부담 결정은 문항이 더 많아야 하지만)이 합리적으로 재현 가능한 점수를 제공하여 일반화 해석을 가능하게 할 것이다. 그동안 표준설정을 위한 좋은 방법들이 개발되었는데, 그 방법 중 하나를 주의 깊게 활용하였다면 의사결정/해석과의 연계도 강할 것이다. MCQ 바탕 시험에서 가장 취약한 연계는 일반적으로 추론화 연계로, 응시자의 필기시험 점수에 근거하여 실제 임상과제도 잘 수행할 것이라고 추론하는 것은 믿음의 도약이 분명히 필요한 사안이다. 그러나 특히 이전 단원에서 다루어진 환자 비네트 형식으로 시험이 구성된 경우, 필기시험에서 성적이 좋지 않은 응시자는 실제 임상과제도 잘 수행하지 못할 것으로 예측할 수 있다. 만약 응시자가 필기시험에서 기술된 임상상황에 자신의 지식을 적용할 수 없는 경우, 임상 환경에서 유사한 직무에 대해 잘 수행할 가능성은 낮다. 좋은 시험수행은 실제 임상적 판단을 위해 필요하지만 충분조건이라고 보지 않는 것이 합리적이다.

다른 필기시험 형식의 타당도는 시험 유형과 활용도에 따라 달라진다. 문항이 세심하게 작성되고 검토되었다고 가정할 때, 비네트 형식이 아닌 "단순한" MCQ와/ 혹은 참/거짓 선택 유형의 문제는 채점과 일반화와의 연계가 강할 가능성이 더 높다. 그러나 그러한 항목은 임상과제를 직접적으로 다루지 않기 때문에 환자의 이야기를 다루는 비네트에 기반한 MCQ 보다 추론 연계면에서는 취약할 수 있다.[55] 문항 작성과 채점루브릭을 개발하고 적용하는 데 주의를 기울이지 않는 한, 단답형과 짧은 서술형 문제로 구성된 시험의 경우 채점과 일반화가 약해질 수 있다. 직관적으로, 답을 고를 때 선택 목록에서 힌트가 없으므로 이러한 형식에 대해 추론이 더 강해진 것처럼 보이지만, MCQ와 단답형 유형을 비교한 대부분의 연구는 두 유형의 점수 간 상관관계가 매우 높다는 것을 보여준다.[46,55] 일반화는 일반적으로 긴 논술로 구성된 시험에는 매우 약하다. 일반화를 만족시키기 위해 충분한 수의 논술 지문을 포함하지 않으면[49,50,55] 종종 채점과 추론 또한 약해질 수 있다.

교육프로그램에서 필기시험의 활용

의학교육에 사용되는 대부분의 필기시험은 개념적으로 성취도 시험으로 볼 수 있다. 이 필기시험들은 특정 시점에서 특정 또는 일반적인 내용에서 교육생의 지식 습득을 측정하려고 한다. 이는 일반적으로 학생, 전공의와 교수들에게 교육목표 방향을 제시하기 위해 이용된다. 시험의 목적과 기간에 따라 보다 광범위한 범위 내에서 특정 주제 영역에 대해 더 구체적인 진단 정보를 제공한다. 또한 필기시험의 개별 수행에서 수집된 정보는 특정 교육과정 성공에 대한 피드백을 교육자에게 제공하는데 유용하며 교육과정 계획이나 변경시 정보를 제공한다.

학부 및 졸업 후 의학교육에 사용되는 필기시험은 교육이나 평가관련 전문 인력의 지원이 없어도 교육과정이나, 인턴쉽 수련프로그램 책임지도전문의와 임상교육자들에 의해 시험을 자체 개발하여 사용할 수 있다. 혹은 교육자들은 국가표준화시험을 교육 프로그램에 사용할 수도 있다. 국가표준화시험은 흔히 문항개발과 관리에 대한 전문지식을 갖춘 기관(예: 미국의사국가시험원[National Board of Medical Examiners, NBME], 미국전문의협회[American Board of Medical Specialties], 또는 의학분야별 전문학회들)에 의해 개발된다. 이러한 조직은 시험 문항이 임상적으로 정확하고 관련성이 있는지 확인하기 위해 다양한 내용 전문가들과 협업하고 있으며, 시험 자체는 확인하고자 하는 지식영역을 대표하는 문제를 이용한다. 국가표준화시험은 일반적으로 잘 구성되어 있으며 교육자에게 프로그램 및 교육생의 수행을 유사한 교육생 및 프로그램의 국가 코호트와 비교할 수 있는 신뢰할 수 있는 정보를 제공한다.[60-63] 교수진들은 자체개발 시험과 국가표준화시험의 차이점, 그리고 각 시험을 해당 교육기관의 교육과정에 사용될 시기를 이해해야 한다. 글상자 6.4는 교육과정에 자체개발 시험과 국가시험을 사용하기 위한 지침을 제시하고 있다.

자체개발 시험

자체개발 시험은 일반적으로 지역 프로그램의 교육목표와 교육과정에 더욱 세밀히 맞추어 진다. 국가표준화시험은 일반적으로 교육기관에서 공유되는 핵심교육목표를 반영한다. 종종, 국가 임상실습, 전공의 교육 기관에서 그 목표를 개발한다. 어떤 의미에서 자체개발 시험과 표준시험이 상호 보완적일 수 있는데 교육 지도자는 교육생이 그 기관의 교육목표뿐 아니라 면허와 인증에 대한 국가표준까지 도달했는지 확인할 필요가

• 글상자 6.4 교육프로그램에서의 다지선다 문항시험 개발 및 활용 지침

자체평가 개발

1. 시험 내용(출제계획표)이 교육목표와 일치하고 교육과정과 일치하는지 확인하기
2. 핵심 교수진에게 시험개발 및 문항 작성 지침/워크숍을 제공하기
3. 위원회를 구성하여 시험 내용을 검토하고 교수진이 작성한 항목을 검토/교정하기
4. 통과/미통과 또는 진급 결정에 사용되는 경우 시험의 신뢰도와 타당도를 확인하기
5. 다음을 교수진에게 장려하기
   a. 가능한 임상비네트 형태로 항목을 작성하기
   b. 공통 형식을 사용하여 문항 작성; 문항 작성 결함 피하기
   c. 수업 내용 및 자료 작성시 문항작성 시간을 배정하기
   d. 시험에 나올 내용만 가르치거나 치우쳐서 가르치지 않기

국가시험 이용하기

1. 외부 시험에 대한 자체 응시자의 수행을 해석하고 조치를 취할 때 다음 사항을 고려한다:
   a. 외부 시험과 자체시험의 교육목표 및 교육과정이 유사한지 여부
   b. 문항 형식과 난이도
   c. 지역 응시자와 수험생 집단의 특성 비교
   d. 시험 점수에 대한 교육과정/순환근무 시기와 기간에 관한 정보
   e. 외부 시험의 신뢰도
2. 교육과정 평가에 관하여:
   a. 평균 점수의 작은 변동에 기초한 복잡하거나 비용이 많이 드는 교육과정 변경 피하기
   b. 교육적 중재를 설계할 때, 시험점수(예: 교수자/학습자 비율, 교육 기간, 임상 업무량)와 교육과정 내용의 구조적 요인 고려하기
3. 개별평가의 경우:
   a. 재교육 계획은 시험 점수가 낮거나 점점 낮아지는 이유에 관한 진단적 정보를 바탕으로 수립되어야 한다.

있다. 교육프로그램에 대한 자원 지원의 잠재적 한계를 고려할 때, 교수진들은 자체시험을 개발할 것인지 아니면 국가표준시험을 사용할 것인지 결정할 때 시험의 의도된 목적을 분명히 해야 한다. 두시험 모두 다지선다문항, 참/거짓 항목, 단답형 문제, 논술형 문제를 포함한 다양한 문항 형식을 포함할 수 있다.

임상실습책임자가 자체개발 시험을 만드는 일반적인 이유는 시험 내용을 임상실습의 목적과 연관시키기 위함이다.[63-66] 또한, MCQ 유형이 아니거나 다른 형태의 문항을 다루기 위해, 시험에 대한 많은 피드백 제공을 위해, 심지어는 임상실습의 기말고사, 통과/미통과 평가에 이용되는 NBME 과목시험을 준비하는 학생들을 도우려 자체개발 평가를 만들기도 한다.[64,67] 과목시험에서 지식의 적용을 보완하기 위해 임상실습책임자는 학생들이 임상진료 실제상황과 같은 방식으로 외부 정보 자원을 찾고 평가하는 학생들의 능력을 평가하는 오픈 북(open-book) 시험을 시행하기도 한다. 시스템바탕진료와 진료바탕학습과 개선(practice-based learning and improvement, PBLI)의 하위역량을 다루어야 하는 필요성 증가에 따라 교수진들은 과목시험에서 광범위하게 다루지 않는 질 향상, 환자 안전 및 근거중심진료와 같은 영역에 보다 초점을 맞춘 시험을 개발하게 되었다.[63,70-72]

자체개발 시험은 교육생들이 학습목표를 달성하고 학습 노력에 우선순위를 정하는 피드백을 제공하는 데 유용한 목적을 제공할 수 있지만, 일정한 질적 수준이 보장되지 않은 시험은 그러한 목적을 적절히 수행할 수 없다. 의과대학의 자체개발시험 출제자들은 통과/미통과 선별 목적으로 쓰는 시험조차 기초적인 시험문항개발과 심리측정학 작업(신뢰도 추정치나 유효성 분석 등)을 하지 않는 경우가 많다.[64] 미국 세 개 의과대학의 MCQ 시험을 분석한 결과 현지 교수진이 개발한 문항이 면허시험에 필요한 문항개발 교육을 받은 교수진이 작성한 항목보다 부실하였다.[73] 문항개발에 대해 특별히 훈련된 교수들이 작성한 시험문항들은 비네트를 포함할 가능성이 더 높았고, 다양한 숙련도의 학습자를 구분해 낼 수 있는 시험문항의 변별력을 떨어뜨리는 오류가 적었다. 여러 개의 참/거짓(K 형) 문항의 사용, 초점이 흐리고 부정적 의미의 단어로 된 문항 줄기, 답가지가 산만한 문항, 불필요한 정보를 담은 문항, 그리고 "다음 중 전부/혹은 답 없음"의 답가지를 포함하는 문항 등이 의과대학이나 간호대학 시험에서 흔히 발견되며 이는 일부 학생의 진급과 유급을 결정하는 데 잘못 사용되기도 한다.[74,75]

자체개발 시험에서 발생하는 타당도를 저하시키는 원인에는 구인-무관 변인(construct-irrelevant variance, CIV)과 구인과소 대표성(construct underrepresentation, CUR)이 포함될 수 있다. CIV는 시험에서 응시자의 지식 기반과 무관하게 시험 점수에 미치는 영향을 말한다. CIV는 "시험에 능숙한" 응시자에게 유리하거나, 많은 것을 알고 있어도 실수하기 쉽게 만든 형편없는 시험 문항들을 의미한다. 매년, 수련과정, 또는 임상실습 마다 시험 문제를 바꾸지 않으면 앞서 치뤄진 시험 내용 정보에 접근할 수 있는 교육생은 실제 지식이 많은 학생보다 시험을 더 잘 수행하는 초래되기도 한다. 문항 수가 제한적이거나 결함이 많은 문항 시험은 낮은 신뢰도를 가질 수 있으므로 통과/미통과 결정의 정당성이나 시험결과에 기초한 기타 중요한 결정을 저해할 수 있다.[76]

CUR은 시험점수의 의미 있는 해석을 가능하게 하는 해당 분야의 내용과 기술에 적절한 양의 표본이 없을 때 발생한다. 교수자의 "애완 동물 이야기" 같은 사적인 내용이나 기타 사소한

문항을 포함하면 관련 지식 영역에 대한 교육생의 실제 실력을 반영하지 못하는 점수가 나올 수 있다. 마지막으로, 교수자가 시험문제에 맞추어 교재와 학습자료를 골라 강의를 할 경우, 응시자의 해당 분야에 대한 지식이나 술기 능력을 잘 반영하지 못하기 때문에 시험 점수의 타당한 해석을 방해할 수 있다.[76]

흔히 학습자가 교육과정이나 순환근무과정을 통과했는지 결정할 때 사용되는 시험은 면허나 인증시험과 같은 심리측정학적 표준의 대상은 아니라고 주장한다. 그러나, 앞서 언급한 것처럼 학습자에게 피드백을 제공하기 위해 주로 사용하는 시험은 교육활동의 우선 순위를 알리거나 환자진료에 영향을 미치는 추론을 검증하기 위한 표준까지 충족할 필요는 없다는 의견을 지지하기는 어렵다. 좋은 문항과 시험 문항개발 연습을 통해 쓸데없거나 수준 미달의 내용으로 인한 문제가 발생하는 것을 예방할 수 있다. 교육하는 사람은 통과/미통과이 시험 점수에 의해 결정되는 경우 좋은 시험 문항의 작성, 적합한 내용 선택(적절한 시험 출제계획서 개발 포함), 시험 관리 및 채점과 등락의 기준 설정에 시간이 많이 필요하고 목적과 방향이 맞아야 하며 다루고자 하는 내용이 바람직하고 중요한 교육성과를 충족할 수 있는 평가방법이 시험의 질을 높일 수 있다.[72,77] 교수자가 강의 교재를 만들 때부터 시험문항을 작성하고 검토하는데 소중한 시간을 할애하는 등 매우 중요한 단계를 설정하고, 고의로 시험문항을 강의 한다거나 힌트를 주는 것을 최소화하고, 시험 기술만 좋은 학생에게 유리한 여러가지 오류를 만들지 않아야 한다. 또한, 시험 보는 기술이 부족한 사람이 부당하게 낮은 성적을 받지 않게 하고, 환자진료 맥락(임상 비네트)을 시험문항에 이용하여 학습자가 개념을 잘 이해하고, 단순 암기내용을 확인하는 것이 아니라 지식을 환자치료 맥락에서 개념적으로 적용하게 잘 평가하게 해야 한다.[73,76] 시험문항 작성에 지침을 주고 동료 검토 및 문항분석을 포함하는 질적 검증과정을 구현하면 자체개발 시험에 사용되는 문항의 질이 크게 향상될 수 있다.[78-80] 참고자료들은 문제를 내는 교수자나 다른 문항 개발자들에게 도움이 될 수 있다.[43,81] 핵심 교수진을 위한 문항작성 워크숍은 양질의 문항을 만들 수 있고 동료의 문항검토 과정을 통하여 다른 교수진이 준비한 문항의 질을 평가하고 향상시키는 기회로 활용될 수 있다.[43] 또한 동료들로 구성된 문항검토위원회는 시험 내용을 검토하여 문항이 일관된 형식을 따르고 내용범위가 교육과정목표에 적절한 지 확인할 수 있다.[73,76] 교수개발 및 문항검토 활동은 시간과 노력이 들지만 시험 문항이 자체개발 문항이며, 시험의 결과가 교육생의 발달과 임상수행에 상당한 영향을 주는 경우 빛을 발하므로 충분히 투자할 가치가 있다.

자신이 볼 시험의 문항개발에 의과대학생이 참여하는 것은 교수진의 일을 줄여 줄 뿐 아니라 학습자의 입장에서도 핵심 내용을 파악하여 공부할 수 있고, 자기조절학습을 촉진할 수 있는 또 다른 방법이다. 문항 작성에 대한 교육을 받은 후 문항개발 및 문항검토과정에 참여하는 학생들은 내용전문가인 교수진의 참여를 최소화하면서 형성평가와 총괄평가를 위한 높은 수준의 문항을 개발할 수 있다.[82-84] 교육과정책임자의 관점에서 학생 문항개발 활동을 모니터링하면 학생들이 가지고 있는 공통적인 학습결손을 식별하고, 특히 어려움을 겪고 있거나 우수한 개별 학생을 식별하는 데 도움이 될 수 있다.[82] 활용도가 높은 문제은행을 만드는 것 외에도 문항개발에 대한 학생의 참여는 학습과 평가의 주인의식을 높이고 자신감을 북돋우며 심화학습을 향상시키고, 평생학습과 자기조절학습을 촉진하는 메타인지와 비판적 사고를 촉진할 수 있다.[82,83,85]

자체개발 시험 문항개발에서 교수들의 시간을 절약하는 두 가지 접근법은 평가 문항개발에 전 교육과정의 상호협력과 컴퓨터를 활용한 문제은행 개발방법이 있다. 학교들간에 문항개발 책임과 문제은행 항목을 공유하면 중요한 공통영역의 시험개발을 지원할 수 있다. 세부 교과과정 및 평가목표의 연계성을 확보하기 위해 문제를 검토하고 편집하는 과정이 필요하기는 하지만 이러한 공동작업의 결과로 우수한 문항개발과 유용한 시험을 치를 수 있다.[65,86]

자동 문항 생성(Automatic item generation, AIG)에 대한 최근 연구는 문항 생성을 위해 인지 모델링을 사용하는 문항개발 과정을 통해 많은 문항을 개발할 수 있다고 제안하였다.[87-89] 내용전문가들은 시작단계에서 문항 생성을 위한 인지모형을 개발하는 데 시간을 소비하고 개별 문항작성 할애 시간을 줄인다. AIG를 사용하여 문항의 질을 최적화하기 위한 추가 작업이 남아 있지만, 이 접근방식은 교육과정뿐만 아니라 면허와 인증시험에도 사용할 수 있는 잠재력이 있다.[87,88,90]

국가표준화시험

USMLE 와 *NBME* 과목 시험

미국 기본의학교육에서 가장 일반적으로 사용되는 국가표준시험은 미국의사면허시험(United States Medical Licensing Examination, USMLE)과 NBME에서 의과대학 임상실습을 위해 개발한 과목시험이다. 교육 환경에서 이러한 시험은 각 학습자에 대한 평가, 교육과정 평가, 의과대학 졸업 프로그램에서 전공의의 선발 등의 세 가지 주요 목적에 사용한다. 이러한 각 영역에서는 검사 결과가 소중한 정보를 제공할 수 있지만 잘못 적용되면 혼란을 가져오거나 잠재적으로 문제가 되는 결론에 이를 수 있다.[91-97]

앞서 언급한 시험들을 교육 프로그램에 활용하는 것에 대해서는 여러가지 관점이 있다. 어떤 사람들은 면허를 위한 별도의 시험이 의사들이 안전하고 효과적인 환자치료에 중요한 지식과 술기에 대한 최소의 기준을 달성했다는 것을 대중에게 확인시켜 줄 수 있다고 믿는다. 또한, 각 기관에서 원하는 다양한 요구와 개별 수행능력의 요구에 충족하는 새롭고 혁신적인 평가방법의 사용을 포함한 교육과정을 개발하는 데 있어 각 의과대학들이 그 범위를 충족시킬 수 있도록 한다고 생각한다.[90] 다른 이들은 이러한 시험에서 외부 감사의 중요한 역할과 이 외부 감사를 인증 과정의 기준으로 고려함으로써, 해당 교육과정에서 면허 및 과목시험 내용을 철저히 다루고 유사한 과정을 내부 평가 과정에 포함해야 한다는 부담을 느낀다. 다음에서 다루고자 하는 내용의 목적은 USMLE와 NBME 과목시험 결과를 교육과정에 통합하기 위한 철학적 장단점을 따지는 것이 아니라, 이를 사용하기로 결정한 사람들을 위하여 적절한 적용방법에 관한 지침을 제공하는 것이다.

여기서 주의할 점이 있다. 평가방법이 의도된 목적 이외의 목적으로 사용될 때마다 구체적으로 관련이 있을 수도 있고 없을 수도 있으므로 사용자는 평가의 원래 의도 목적과 관련된 특성을 알고 있어야 한다. 교육과정 내에서의 평가를 위해 NBME 과목시험 혹은 면허시험의 이용은 시험 내용과 형식이 교육과정의 목적과 목표와 시험이 활용되는 환경과 적절히 일치하는 경우에만 적합하다. 과목시험은 전문 분야별로 구성되어 있으며, 임상실습 연간 운영에 맞추어 설계된 내용 개요에 따라 구성된다. USMLE 2 단계 임상지식 시험의 내용은 보다 다학제적이다. 이 시험은 응시자가 감독하에 안전하고 효과적인 치료를 제공하는 데 중요시 여겨지는 임상과학 관련 필수지식과 이해 정도(임상실습 준비)를 평가하도록 설계되었다.

USMLE와 NBME의 과목시험 결과를 사용하는 사람은 학생 및/또는 프로그램 평가 목표와의 관련성을 보장하기 위해 이러한 시험내용에 익숙해져야 하며 시험점수 해석에 대한 제한이나 자격요건을 완벽히 이해해야 한다. 그리고 USMLE 정보 게시판 또는 MBME의 과목시험 자료에 포함된 내용개요가 교육과정 목표와의 적합성을 측정하기 위해 검토되어야 한다.[98]

뿐만 아니라, 과정 혹은 임상실습책임자는 시험에 포함된 문항유형을 검토하여 이들이 기관의 교육목적이나 목표에 부합하고 적절한 난이도를 구현하는지 확인하는 것이 필요할 것이다. 이 시험은 단순 암기력 측정 이외에도 지식 적용 능력을 평가하기 위해 임상비네트로 구성된 단일정답 다지선다와 확장결합형 문항만 포함된다. 일반적으로 자체개발 시험에서 볼 수 있는 것보다 도전적인 문항을 포함하지만 이것이 통과율이 낮은지에 대한 여부는 과목시험과 자체개발 양쪽 시험에 대해 임상실습이 정한 표준에 따라 달라진다.[91]

개별 학생에 대한 평가

학생의 수행을 평가하기 위해 USME 또는 NBME 과목시험을 사용하는 이점은 시험 출제계획표와 문항개발 및 검토에 국가 수준의 내용전문가 집단의 참여, 시험 자료에 대한 높은 수준의 질 관리 및 채점, 다양한 시험 양식의 가용성, 높은 신뢰도, 국가적 규범 및 채점 지침을 제공 받을 수 있다는 점이 포함된다.[61,63,97,99-102] 교수자들은 동등한 능력을 가진 학생들이 언제 시험을 보는지 시험 타이밍과 임상실습 기간에 따라 특정 과목시험에서 서로 다른 수행 능력을 보인다는 것을 알고 있어야 한다. 기말 총괄평가의 기준에 따라 합격 기준을 설정하면 몇 개월 전 동일한 시험을 본 사람들에게 불공정한 영향을 줄 수 있다. 내과와 외과와 같은 광범위한 분야의 과목시험 점수는 학년이 올라갈수록 차이가 크게 난다.[102-104] 이러한 전문 분야에 대한 지식 기반의 일반적인 특성과 임상실습 기간 동안 얻은 지식이 보완되거나 강화될 수 있다는 것을 감안할 때 이러한 차이는 예상 가능한 것이다. 산과 및 부인과 과목 시험에서도 점진적 점수 향상이 보고되었다.[99,105-107] 교육시간은 정신과시험수행에 영향을 미치는 독립된 요소는 아니지만 임상실습을 더 오래 돌수록 수행이 향상되었다. 정신과에서 8주 실습한 학생은 6주 실습한 학생보다 점수가 더 높았고 실습을 처음 시작한 학생보다 월등히 높았다.[99] 임상실습 시기와 이와 유사한 복잡한 관련성은 외과와 산부인과 시험에서도 기술되었다.[67,102,106-108] 외과실습 기간을 늘림으로써 외과 과목시험점수가 향상된[109] 반면, 산부인과 임상실습 기간을 단축하자 과목시험 수행에 부정적인 영향이 나타났다.[67] 훈련기간과 지식습득 사이에서 관찰된 연관성은 새삼스러운 것은 아니다. USMLE 임상 2단계 시험과 심장전문의 자격시험의 성적은 의과대학 임상실습 기간 및 임상강사 수련기간과 직접적 연관성이 있다.[110,111]

임상실습 기간 동안 핵심 강의, 자기주도 학습, 시험대비 책자들과 복습시간을 통한 다양한 전략들이 과목시험을 준비하는 학생들에게 도입되고 있다.[112] 일반적으로, 핵심강의에 꾸준히 참석하는 것은 과목시험에서 더 나은 수행과 관련이 있었다.[113-15] 우수한 임상교수자(전공의 혹은 교수)와 꾸준히 대면하는 것은 과목시험과 USMILE 2단계 수행을 향상시킬 수 있는데 도움이 된다.[115-119] 내과에서 시행된 과목시험에 대한 대규모의 디기관 연구에 의하면 여러 개의 소집단 교육과 지역사회바탕의 개인 지도교수를 이용한 경우 시험 점수가 높았다.[115] 흥미롭게도 환자진료 경험을 많이 한 집단이 내과 과목시험과 USMLE 1과 2단계 수행과 양적 상관관계를 보여 각 시험의 타당도를 입증하였다.[115,120] 이러한 시험에서 성적이 좋지 않은 학생에게는 집중적인 자기학습, 개별적인 교수진, 문제바탕학습, 또는 소규모 그룹 활동을 포함하여 재교육에 대한 보다 체계적인 접근방식이 유익할 수 있다.[112,115] 자체개발 시험에서 학생들에게 주기적인 정량적 피드백을 제공한 경우 NBME 시험 이전에 임상실습 기간 감축으로 수행능력이 떨어졌던 산부인과 과목에서 점수와 합격율이 향상되었다.[67] 여기서 효과적인 재교육 전략은 학습자와 학습상황에 따라 달라질 수 있으며, 특정 학습자와 수준 미달 학습자를 대상으로 교육하는 데 있어 "한 가지 사이즈가 모두에게 들어맞지는 않는다"는 점에 유의해야 한다.[115] USMLE에서 반복적으로 떨어진 일부 학생들은 시험 수행능력에 영향을 주는 읽기 능력과 언어능력이 부족한 학생일 수 있다. 인지재활치료(개별 학습자의 평가에 기반한)는 인지 능력의 강점과 약점을 확인하고 반복적인 정보처리 기술의 함양과 긴장을 푸는 기술, 그리고 새로운 학습기법과 보상전략 개발을 제공하기 때문에 다음 시험의 통과확률을 높일 수 있다.[121]

교수자는 외부 표준화시험을 이용하는 것과 교육과정 내에서 가르치는 것 사이에 간극이 있을 때 학생들이 어느 정도 불공정하다고 느낄 수 있음을 알고 있어야 한다. NBME 문항개발에 전국 의과대학 교수진을 전문인력으로 활용하는 것은 시험 내용이 교육과정과 연계된다는 점에서는 필요한 부분이지만 개별 교육내용과 자체 교육목적과 외부시험간에는 언제나 간극이 존재하기 때문에 외부 시험만으로는 감당할 수 없는 부분이 존재한다.[63,65] 이러한 이유로, 특정 교육과정에서 외부 시험 점수를 수행의 유일한 척도로 사용하지 않는 것이 중요하다. 이 외부 시험들은 특정 수업이나 과정목표를 포함한 교수자의 자체 개발 평가를 보완하는 것으로 받아들여져야 한다.[92] 또한, 대부분의 교수자는 학업성취도의 유일한 척도로 인지능력 평가 시험을 사용하는 경우의 부작용에 더 많은 관심을 갖기 시작했으며 임상수행의 직접관찰, 시뮬레이션, 임상술기시험, 다면피드백, 포트폴리오, 그리고 주요 술기와 행동에 대한 폭넓은 관찰을 가능케 하는 기타 평가접근 방식에 점점 더 관심을 갖게 되었다.

과목시험은 USMLE에서 득점이 낮게 나올 위험이 있는 학생을 식별하는 데 유용할 수 있다. 교육과정의 목표와 목적을 반드시 USMLE 점수에 맞출 필요는 없지만, 졸업생에게 의학면허 취득 능력을 보장하는 것은 교육과정의 중요한 성과 중 하나이다.[122] 핵심 임상실습, 특히 일차진료 전문분야를 다루는, 시기에 시행된 과목시험으로 향후 USMLE의 임상 1, 2, 3단계의 득점(수행)을 예상하게 할 수 있다.[122-124] 따라서 당연히, NBME의 종합적인 임상과학 자체평가 점수는 USMLE 2단계의 임상시험 점수(수행)를 예측한다.[125] 차례로 USMLE 성적은 전공의 수련 중 시험과 전문의 자격시험에서의 수행에 대한 예측치를 제공한다.[101,123,126-129] 또한, 지식을 바탕으로한 면허시험에서 수행이 저조하면 진료의 질과 환자진료 결과 또한 저조할 수 있는 개인을 식별할 가능성이 있다.[130,131] 따라서 과목시험과 면허시험에서 저조한 성적을 보이는 학생은 전공의 시기에 이와 유사한 평가에서 어려움을 겪고, 환자진료 결과가 저조할 것을 예측하여 의과대학에서 추가적인 관심이 필요한 대상으로 선별할 수 있다.[122]

교육과정 평가

USMLE와 NBME 과목시험 점수는 의과대학 교육과정 평가에서도 일반적으로 사용된다.[93] 이러한 시험 성적을 자체 프로그램 평가에 통합하면, 광범위한 지식을 기반으로 술기를 개발하고, 안전하고 효과적인 환자치료 제공에 필수적인 인지기술의 숙달 정도와 관련 과정목표를 얼마나 성공적으로 달성했는지 알 수 있다. 외부 모니터링 시험이 있다는 것은 교수자가 잠재적(미처 예상하지 못한 부분까지)인 긍정적 혹은 부정적 작용을 추적하는 동시에 교육과정의 수정이나 개혁 및 교육혁신에 참여할 수 있게 한다. 몇몇 연구는 NBME 과목시험이 교육과정의 혁신 정도와 임상실습의 구조 변화의 효과를 측정하는 데 유용함을 보고하고 있다. 중재 전/후의 과목시험 점수는 임상실습 단축의 영향, 기초과학 과정에 임상관련 강의 및 평가도입의 결과 측정, 내과 및 외과의 다학제적 임상실습을 도입했을 때의 영향, 새로운 문제바탕학습이 지식 습득에 미치는 영향, 그리고 정기적이고 정량적 피드백이 학생들에게 미치는 영향을 평가에 활용하였다.[67,106,108,132-134] 과목시험은 지역사회 진료현장이나 병원에서 외래 순환진료에 참여한 학생 코호트와 전통적인 입원환자치료 실습에 참여하는 학생 코호트를 비교하는데 사용되었다.[135,136]

외부 시험을 개인 학생평가에 활용하는 것처럼 프로그램 평가시스템에 통합하는 것은 외부 시험의 내용과 질을 철저히 이해하고 교육과정의 목적과 목표에 부합함을 바탕으로 해야 한다.[63] 외부 평가는 단독으로 적용되어서는 안 되고 다른 필기시험과 임상술기 시험을 포함한 여러 가지 평가방법과 병합하여 사용하여야 한다. 과정책임자나 임상실습책임교수들은 해당 학교의 평균점수의 표준오차를 알고 있어야 연도별 평균 점수 변화의 의미를 충분히 이해할 수 있다. 교육경험과 시험내용의 일치성뿐만 아니라 학생의 숙련도 또한 해마다 다를 수 있으므로, 비용이 많이 드는 교육과정 개선을 진행하기 전에 평균점수의 변동이 1-2년 이상 지속되는지를 미리 파악한 후 접근하는 것이 현명하다. 하나의 합리적인 접근방식은 영구적인 과정 조정이 이루어지거나 추가 변경이 도입되기 전에 시험 평균점수가 2년 연속 표준오차의 2배를 초과하는지 확인하는 것이다.[93]

전공의 선발

전공의 선발에 USMLE 점수를 사용하는 것은 일반적이면서도 논란의 여지가 있다.[97,126,137,138] 과거에는 여러 "경쟁적인" 전공의 프로그램에서 의한 USMLE 임상 1단계 점수 사용에 중점을 두었지만 각 임상분과 설문에서는 학생들이 USMLE 2단계 필기시험과 2단계 술기시험을 모두 본 후에 전공의 과정에 지원한다는 결과를 보였다.[137] 전공의 선발의 목적은 전공의 과정과 향후 임상실무 수행을 잘 할 사람을 구별해 내는 것이므로 USMLE 통과/미통과 여부와 점수가 선발 과정에 어떤 영향을 미치는지 이해하는 것이 중요하다.[139] 선발과정에 USMLE의 통과/미통과 결과를 채용 기준으로 이용하자는 주장이 특정 시험 점수를 전공의 선별과정에 이용하자는 의견보다 우세하다.

특히 1단계 시험에 통과하지 못하는 경우 의과대학 졸업이 연기되고, 2단계 임상시험에서 떨어질 가능성이 높아지기 때문에 결국 전문의 자격증을 따지 못할 가능성이 있다.[126,127,140] 따라서 전공의 책임지도전문의는 제때 전공의 과정을 시작하지 못할 후보자를 선발에 의국심을 가지며 전공의 중 의사면허나 전문의 자격증을 따기 어려운 이들을 교육하는 데 많은 자원을 별도로 할당해야는 것을 우려하는 것은 합리적이라 할 수 있다.

전공의를 선발할 때 특정 USMLE 점수를 고려하는 근거는 핵심역량으로서 의학지식의 중요성과 국가 의학기관에서 기본적으로 중요하게 여기는 기초과학 및 임상내용에 대한 숙달 정도를 나타내는 USMLE 점수의 심리측정학 강점을 인정하는 데 기초한다.[97,100] USMLE 점수는 국가 수행 기준에 대해 신뢰할 수 있는 비교수치를 제공하며, 이는 교육기관에 따라 비교할 수 없고 전공의 수행에 대해 예측할 수 없는 학장의 서신이나 면접과 같은 다른 선별 수단과 대조된다.[137,139] "학문적 명성"이 높지 않은 학교 학생들이 USMLE 고득점을 받을 경우 전공의 선발에 있어 경쟁력을 높일 수 있다. 지식을 평가하는 데 있어, USMLE 점수는 전공의 수련 중 시험이나 전문의자격시험 같은 유사한 시험에서의 수행을 예측할 수 있다.[101,123,126-129,139,141-143] 비록 USMLE 점수와 다른 평가 점수들은 USMLE와 유사한 표준화시험만큼 강한 관련성은 아니지만 면허 및 인증시험 점수와 전공의 및 그 이후 과정의 다양한 수행 측정 사이에는 상호관련성이 있다.[95,130,131,139,144-147] 따라서 전공의 선정에 있어 국가면허시험 성적을 이용하는 것은 경험에 비추어볼 때 적절하다고 볼 수 있다.

그러나 전공의 선발에 이러한 시험 점수만 사용하거나 시험 점수의 근소한 차이만 이용하는 것은 바람직하지 않다. USMLE 점수는 면허 과정을 지원하기 위해 개발되었으며, 통과/미통과 임계값을 둘러싼 방어적 판단에 심리측정학적 엄격함이 적용된다.[97] 그러므로 이론적으로 인증 여부의 결정에 있어 타당도에 관한 논쟁은 전공의 선정에 사용하기 위한 개별 점수의 활용 영역으로 확대될 수는 없다.[138] 작은 점수 차이를 바탕으로 전공의 선발을 위한 순위를 정하는 것은 전공의 수련 중 임상 수행의 차이와 구체적 관련이 없을 수 있으므로 합리적이지 않다.[148-151] 실제 연구에 따르면 USMLE 점수는 전공의 수련 중 중요한 일부 술기 평가와 큰 상관관계가 없으며,[138] USMLE 점수와 전공의 과정의 시험을 기반으로 하지 않은 평가와의 상관은 시험만큼 강하지 않다고 보고되었다. 또한 전공의 선발과정에서 지식기반 시험결과를 단독으로 이용하는 것은 의사소통, 대인관계 기술과 전문적인 태도와 같은 임상 역량의 중요성을 간과한다는 우려도 있다.[152,153] 실제로 이러한 속성 자체를 측정하면 이후 수행 능력을 예측할 수 있게 된다.[152,153] 교수자가 학습자에게 면허시험 내용을 지나치게 강조하게 되면 안전하고 효과적인 진료에 필수적인 다른 타 역량내용의 학습과 평가에 소홀할 수 있으며, 환자와 보건의료 체계가 요구하는 변화와 혁신을 가로막을 수 있다.[97]

근거중심과 성과바탕교육과 평가의 시대로 나아가면서 책임지도전문의와 기관 GME 담당자는 전공의 선발과정을 개선하기 위해 전공의 선발기준과 전공의 수행 간의 관계에 관한 정보를 체계적으로 취합할 필요가 있다.[95] 기관의 교육적 가치와 궁극적으로 추구하는 성과에 대한 대화로 시작하는 것이 원하는 전공의 특성을 설명하는 데 큰 도움이 될 것이다.[149] 역량바탕교육과 평가 틀의 광범위한 채택은 학습자의 역량을 폭넓게 대변하여 더 신뢰할 수 있는 수단을 개발하도록 이끌고 있다.[139] 전공의 선발에 있어 USMLE를 주요 결정요소로 사용하는 것에서 벗어나는 움직임은 미국과 해외 국가에서 기본의학교육에서 활용할 수 있는 신뢰로운 평가방법의 개발뿐만 아니라 지원자 자격에 대한 투명한 소통에 달려있다. 마지막으로, 선행연구에 따르면 심도 있고 통합적인 면접을 이용하면 여러 분야에서 전공의 교육과정을 잘 수행할 수 있는 학습자를 찾아낼 수 있다고 제안한다.[151,154]

수련 중 시험

전공의 수련 중 시험(in-training examination, ITE)은 다양한 전공의 세부분과에서 활용할 수 있다. 일반적으로 전공의들에게 향후 전공과 세부전공에 필요한 지식을 마스터할 수 있도록 모니터링하고 피드백 제공을 목적으로 전공의들의 지식과 인지기술을 평가하도록 설계되었다. 구체적으로는 수련의 특정 시점에 국가 및 지역 또래집단과 비교하여 개별 교육생에게 장점과 단점 영역에 대한 피드백을 제공함으로써, 학습에 대한 형성평가를 제공하는 것이다. 또한 ITE는 책임지도전문의에게 교육과정의 인지적 목표 달성의 효과를 전국의 기타 교육과정과 비교하여 제공한다. 대부분의 ITE 후원자들은 이 시험을 진급과 낙제 결정에 단독으로 사용하는 것을 권장하지는 않거나 혹은 금하고자 한다.[62,155-159]

ITE는 책임지도전문의에게 중요한 두 가지 특성을 가진다. 전문 또는 세부 전문 영역에서 의학지식의 핵심 역량을 광범위하게 평가하기 위한 높은 신뢰도와 전문의자격시험의 예측 타당도가 그것이다.[62,155-163] 예를 들어, 전공의 2년차 내과 ITE의 신뢰도 계수가 안정적으로 0.90 이상이다. 그리고 각 세부 전문 영역에서는 신뢰도 계수가 0.90 보다 낮거나 다양하여, 내과 영역에서는 0.50-0.80 사이이다. 이는 각 영역에서 문항 수가 더 적고 문항 수에 변화가 많다는 것을 의미한다.[62] 다른 전공분야의 ITE 결과도 유사하며, 일반적으로 개별 응시자의 경우 총점수에서는 높은 신뢰도, 항목별 점수에서는 비교적 낮은 신뢰도를 보인다.[155,159]

자격인증시험 수행을 예측하기 위한 ITE의 이용

다양한 전문분과와 세부 전문분과에서 ITE는 관련 전문의 자격인증시험에서의 수행을 예측할 수 있는 것으로 나타났다.[155,157,158,160,161,163-169] 향후 자격인증시험 결과에 대한 ITE의 예측 가능성을 고려할 때 ITE는 전문의자격시험을 통과하기 어려운 교육생을 식별해낼 때 사용된다. 최근 미국외과전문의협회 수련 중 시험(American Board of Surgery ITE, ABSITE)과 가정의학과전문의협회 수련 중 시험(America Beard of Family Medicine, ITE) 후원자들이 발표한 논문에 의하면 ITE 점수를 전문의 시험에서 떨어질 학습자를 가려내는 데 유일한 척도로 사용하는 것에 대한 우려를 제기하고 있다. ITE 점수는 자격인증시험에 합격할 전공의를 식별하는 데 민감도와 양성예측도가 높지만 불합격할 전공의를 식별하는 데 있어 특이도와 음성예측도는 부족한 경향이 있다.[170,171] ITE 점수가 낮은 전공의 중 많은 수가 결국 자격인증시험에 합격하게 되는데, 이것이 낮은 시험 점수를 받은 학습자들에 대한 다양한 개입이 이러한 결과에 기여했는지는 확실하지 않다.[171]

ITE와 전문의자격시험 점수간의 상관관계는 교육과 실무의 연장선에서 필기시험 결과를 평가한 연구결과와 일치한다. 이전 NBME 1부와 2부 시험 점수와 최근 USMLE 1단계, 2단계 CK 및 3단계의 점수가 ITE 와 전문의자격시험 성과와 연관성이 있다.[123,126-128,172-180] 정형외과 접골의 면허시험에서 유사한 결과가 나왔는데, 3단계의 시험인 종합적인 미국접골의학면허시험(Comprehensive Osteopathic Medical Licensing Examination, COMPLEX-USA)과 미국정형외과 인턴 임상시험(American College of Osteopathic Internists), 미국내과접골의 위원회(American Osteopathic Board of Internal Medicine, AOBIM)의 자격인증시험에서 한 번의 시험이 다른 시험의 수행의 60% 이상의 분산을 예측하였다.[181]

그러므로 자격인증시험에서의 결과가 ITE에 의해 잘 예측된다는 것은 새삼스럽지 않다. ITE 및 자격인증시험 수행은 모두 수년간의 교육을 통해 얻은 상세한 의학지식에 달려 있다. 마라톤에서의 성공은 대회 당일 운이 좋아서가 아니라 훈련에 의해 크게 좌우된다. 두 가지 중요한 결론은 오랜 기간 시험 수행을 연결하는 연구에서 나타난 결과의 패턴에서 유추할 수 있다. 첫째, 수행은 단순히 일반적 시험 기술에 달려 있지 않고 주로 특정 내용의 숙지와 기억에 달려 있다. 예를 들어, 연구결과에 따르면 응시자의 면허시험과 전문의자격시험 점수는 서로 상당한 연관성을 보인다. 그러나 이 연관성은 구체적이고 관련된 지식의 숙달에 의해 실제 영향을 받는다. 예를 들어, 미국 정형외과 전문의 자격시험에서의 성적은 행동과학이나 예방의학 점수보다는 해부학과 외과 분야의 면허시험 문항별점수와 보다 강한 연관성을 보인다.[141] 마찬가지로, 광범위하고도 다학제적 내용을 포함하고자 한 USMLE 2단계 시험 점수는 NBME 과목시험 중 정신과보다 내과 점수와 더 연관성이 있다.[61]

둘째, 향후 시험점수는 반드시 이전 시험점수로만 설명되지는 않는다. 교육과정과 응시자 개인의 성향이 중요한 부분을 차지 한다. 접골의 면허시험과 내과시험을 비교한 연구 결과와 유사하게 프로그램들의 평균점수를 비교분석한 연구에서 노르치니(Norcini) 등은 이전 의사면허시험 점수가 미국내과전문의자격시험 점수에 중요한 영향(40%의 분산 설명)을 미친다고 보고 하였다. 그러나 설명된 분산의 60%는 특정 전공의 수련교육과정에 의한 것으로 설명되었는데, 13%는 교육과정의 질, 47%는 교육과정과 면허시험 수행의 상호작용에 의한 것으로 나타났다.[173] 따라서 향후의 수행을 예측하는 데에는 전공의가 교육과정에서 활용할 수 있는 사전 지식이 중요하지만, 교육과정의 질과 교육경험에서 전공의의 참여가 지식 습득이 일관성 있게 지속되는지 여부에 영향을 미친다. ITE와 자격인증시험 점수에 대한 다양한 중재 영향에 관하여 후반부에 설명된 연구는 특정 교육방법 및 평가방법과 시험 수행 동기에 대한 중요성을 강조한다.

ITE 결과와 기타 평가방법의 비교

교육과정에서 ITE를 얼마나 자주 사용할 지, 어떻게 이용할 지 결정할 때 지식역량 평가를 위해 일반적으로 사용되는 다른 평가방법의 효용성에 관한 정보가 도움이 될 수 있다. 표준화환자(SP), 의무기록 감사, 환자와의 상호작용 직접 참관 등은 전공의 ITE 만큼 지식을 믿을 만하고 철저하게 평가할 수는 없을 것이다. 지식바탕 및 수행바탕 평가방법(교수평가와 SP바탕 평가 포함) 간에 매우 가변적인 상관관계를 입증하는 수많은 연구가 있다.[162,182-187] OSCE와 같은 임상술기시험에서의 수행은 ITE 점수와 아무리 높아도 중간수준 정도의 관련이 있는데[187] 이는 역량의 평가되는 측면이 다르기 때문이며 임상술기평가는 전형적으로 재현가능한 만큼 충분한 스테이션이 포함되지 않기 때문이다.[188] ITE는 주로 지식과 인지 능력을 측정하는 반면, 다른 평가도구는 임상 역량과 수행에 대한 서로 다른 측면을 평가한다. 다른 임상역량 척도, 특히 수행바탕 시험과의 연관성이 낮거나 중간정도라고 해도 ITE를 유용하지 않다고 배제하지는 않을 것이다. 다른 평가방법은 단순히 임상역량의 다른 측면만 평가하는 것 일 수 있다. 특정 분야 지식에 대한 교수자의 평가도 ITE 성적과 잘 일치하지 않을 수 있는데 이는 전공의의 준비도와 발표 기술, 그리고 간헐적으로 시행되는 시험에서 암기 내용의 오류와 매회 교수자가 얼마다 엄격하게 채점하는지 등의 기타 영향 요소의 반영 때문일 수 있다.[189,190] 최근의 연구는 아마도 지식 역량을 평가할 때 기억 오류와 다른 속성의 영향을 감소시킴으로써 현장진료(point-of -care), 사례바탕 지식평가 및 ITE 수행 사이의 보다 강력한 상관관계를 제시하고 있다.[191]

인지 기술에 대한 교수자 평가가 ITE 점수와 관련 없다는 증거에도 불구하고 교수자가 그러한 시험의 수행을 구체적으로 예측할 수 있는지 여부를 아는 것이 유용하다. ITE의 잠재적 가치와 최적 빈도는 인지 기술이 부족하고 전문의 시험에서 불합격할 가능성이 있는 전공의를 식별하는 교수자의 능력에 어느 정도 달려 있다. 안타깝게도 교수진은 ITE에 대한 전공의 수행을 예측하는 능력에 있어 개인차가 크고 "중간 정도" 또는 "보통"의 상관관계를 보이는 것으로 나타났다.[178,185,192-194] 전공의들과 더 많은 시간을 보내거나 교육의 총괄 위치에 있어 전공의의 이전 ITE 성적을 포함한 전공의의 기록을 상세히 알 수 있는 교수자도 예측의 정확성 면에서 더 우월하지는 않다.[193,194] 아마 더 중요한 것은 교수자가 ITE에서 성과가 좋지 않고 전문의 시험에 실패할 위험이 높은 전공의를 확실하게 식별할 수 없다는 것이다.[193,194] 전공의는 자신의 지식 부족을 파악하는 데 있어 더 이상 정확하지 않으며, 후속적으로 나타날 수 있는 저조한 시험성적을 포함한 자신의 ITE 수행을 일관성 있고 정확하게 예측할 수 없다.[195-198] 이러한 사실은 지식 부족, 특히 전문의자격시험에 실패할 위험이 있는 전공의를 식별할 수 있는 우리의 능력에 분명한 영향을 미친다. 이것은 전문의 자격시험에서 성공을 예측하는 데 타당도가 객관적으로 확립된 외부 평가의 잠재적 이점을 강조한다.

수련 중 시험 점수 향상 방안

교육과정 효과를 평가하기 위해 외부 데이터를 사용하는 것은 필수이며 인증을 위해서도 필요하다.[199] 전공의 교육과정이 공통 교육목표를 충족해야 한다는 요건을 감안할 때 프로그램 수행에 관한 피드백이 공통 목표 달성에 있어 취약한 영역을 확인하는 데 유용할 수 있다.[200] 실제로 책임지도전문의는 ITE 수행이 교육과정을 평가하고 향상시키는 데 중요한 도구라고 믿으며 ITE 점수를 사용하여 교습에 집중하고, 강의 내용을 수정하며, 교육과정 내용을 변경하고 전공의를 위한 체계적인 검토를 제공한다.[61,201-203] ITE 점수를 높이기 위해 여러 전문분야에 걸쳐 다양한 개입이 시도되었다. 이러한 중재의 효과는 전반적으로 일관성은 없었다. 이러한 일관성 없는 연구결과는 연구의 질과 방법론의 다양성에 기인하여 이것이 연구결과의 체계적인 평가를 복잡하게 하고 ITE 성과 개선에 효과적인 방법에 대한 결론을 도출하는 데 한계를 준다.[203,204] 많은 연구들은 소수의 전공의와 단일 프로그램을 다루고, 일부는 이전 시험점수와 같은 교란인자를 보정하지 않고, ITE 수행이 보고되는 방식도 백분율, 백분위 순위, 표준점수등 상당한 이질성을 보인다.[203,204]

이러한 한계에도 불구하고, 몇 가지 주제가 ITE 수행 개선을 위한 연구에서 도출할 수 있다. (1) 체계적이고 능동적인 학습에 전공의를 참여시키는 노력이 단순히 강의 내용을 추가하거나 늘리는 것보다 성공적일 가능성이 높다. (2) 다양한 접근 방식을 도입한 다면적인 개입은 수행 향상에 보다 성공적일 가능성이 높다. (3) 분명한 목표와 리더십 활동이 있는 의무적인 재교육이 효과적인 경향이 있다. 그리고 (4) 교육과정 수준에서 성공적인 전술이 일부 전공의에게는 반드시 효과적이지는 않을 수 있다.[203-224] 책임지도전문의는 선택한 개입에 따라 학습재료를 구입하거나 기술을 개발해야 할 수도 있고, 교수진의 시간 투자를 지원하기 위해 상당한 자원이 필요함을 아는 것이 중요하다.[219,221,225]

ITE 수행 대한 피드백을 이용하여 컨퍼런스 일정을 늘리거나 조정하는 것만으로는 ITE 수행을 향상시키는 데 그다지 효과적이지 않다.[203,205-209] 교훈적인 컨퍼런스나 문제바탕학습에 참여하는 것이 ITE 수행에 미치는 영향은 여러가지 혼합된 결과를 보인다.[177,179,203-209,213,226-228] 이는 컨퍼런스 출석률과 자체개발 시험 및 인증시험 간에 낮은 상관관계를 보인다는 다른 연구들과 일치한다.[174,229] 고등교육과 의학교육에서 청중응답 시스템(audience response system, ARS) 의 사용이 증가하고 있으며, 강의 및 컨퍼런스에서 학습을 향상시키는 역할을 할 수 있다.[230,231] ARS의 사용은 학습자 참여가 증가하고 학습을 강화하는 인지과정이 요구되며, 교수자가 필요에 따라 교육방식을 모니터링하고 수정하는 메커니즘을 제공한다.[230-233] 학습에 대한 긍정적인 영향이 일관되게 입증되지는 않지만 일부 연구에서는 GME에 ARS를 사용할 때 지식 습득과 유지가 향상됨을 입증하였다.[231-233] ARS를 통해 실시간으로 전달되는 질문은 ITE 수행 향상을 위한 다양한 노력의 일환으로 전공의 검토시간(review session)을 촉진하는 데 유용하다.[219,234] 그러나 ARS 사용이 지속적으로 우수한 학습성과와 높은 ITE 점수를 산출할 수 있는지 여부를 결정하기 위해서는 더 많은 연구가 필요하다.

일반적으로, 시험 강화학습에 대한 연구와 일치하듯 ITE에 대한 준비 접근방식에 있어 시험문항의 통합은 긍정적인 수행성과와 관련이 있다. 문항은 교육 모듈 내에서 자체평가도구로, 사전 ITE 질문 형태로, 또는 중요한 내용에 중점을 둔 자체개발 시험을 통해 개별적으로 전달 될 수 있다.[180,204,217-224,234-243] 실제로, 일부 연구에서는 해당 문항의 수와 자체시험 점수 및 후속 ITE 수행 간에 직접적인 관계가 있음을 시사하였다.[217,218,235,237]

양질의 독립적 학습습관, 특히 많은 독서와 자기평가 질문을 이용하는 것은 ITE 수행에 긍정적 영향을 미친다.[206,241,244-246] ITE 피드백을 기반으로 전공의 스스로 개발한 체계적이고 구조화된 독서 프로그램과 검토 질문 또는 정기적인 필기시험, 전공의 발표 또는 문제바탕 토의, 시중의 자기평가 프로그램 등을 이용하는 것은 ITE 점수 향상과 연관성이 있었다.[204,209-214,216,217,220-224]

책임지도전문의와 교수진의 적극적인 참여는 ITE 성과를 향상시키기 위한 효과적인 교육의 중요한 요소이다. 리더십 활동은 여러 메커니즘을 통해 전공의의 동기 부여와 수행에 긍정적 영향을 미친다. ITE 기반 진급과 탈락 결정에 관련된 정책 조정,[226,227,247] 교육과 재교육 활동에 전공의의 참여와 참여과정의 추적 및 모니터링,[203,218,220,222,224] 명확한 기대치와 수행기준 설정,[204,247] 교육개입에 의무적으로 참여 요청 등이 그것이다.[204,217,218,242] 전공의에 대한 다양한 각도의 중재는 ITE 수행의 중요성을 교육과정 진행 교수들에게 전달함으로써 전공의의 학습동기와 공부 습관에 영향을 미칠 수 있다.[226,227,243]

최근 몇 가지 활동은 온라인 프로그램을 성공적으로 활용하여 전공의의 ITE 준비를 도와주고 있다. 온라인 접근방식에 대한 연구는 많지 않지만, 온라인 학습의 장점 중 하나는 교육활동을 효율적이고 자유로운 시간에 전달 할 수 있으므로 근무 시간으로 인한 교육적 한계를 줄여서 전공의가 스스로 공부하고 평가 할 수 있다.[204,218,220] 온라인 학습관리 시스템을 이용하면 다양한 상호작용 수준의 교육자습서, 시험 및 자체평가 문항을 제공할 수 있고 교수진이 전공의의 활동 및 수행을 추적 할 수 있는 종합시스템에 편리하게 접근 할 수 있다. 이러한 특징들이 긍정적인 ITE 성과와 연관된다.[218,220,221,248] 모든 전공의 관련 연구에서 웹 기반 접근방식의 결과가[249] 긍정적인 것은 아니지만, 전공의들은 온라인 교육에 상당히 만족하고 있음을 알 수 있다.[203,250]

교육과정 수준에서의 중재가 교육에 참여하는 모든 전공의의 ITE의 수행을 반드시 향상시키지는 않을 수 있다. 일반적으로 효과적인 중재가 모든 연구에서 성공적이지는 않았으며 긍정적인 결과를 보인 연구에서도 모든 전공의들이 의미 있는 개선을 보인 것은 아니었다.[204,216,224,246,251] ITE 세부과목 점수가 낮았던 집단이나 기타 미달 점수를 집중 관찰 해도 ITE 하위 점수의 신뢰도가 낮은 경우 ITE 점수를 올리거나 향후 전문의 인증시험에서 성공적인 성과를 낼 가능성을 높이지 못할 수 있다.[161,165] 그러나 최근 연구에 따르면 상당히 광범위하고 (100개 이상으로) 문항 수가 많은 부문의 하위 점수는 인증시험의 수행을 예측할 수 있으며,[252] ITE의 결함 영역에 초점을 맞추면 인증시험 성과를 향상시킬 수 있다고 한다.[225]

책임지도전문의는 ITE 점수가 낮아 자격인증시험에 실패할 위험이 높은 전공의에게 특별히 관심을 가진다. 낮은 점수를 받은 대부분의 전공의는 다른 전공의에게도 유사한 효과가 있는 종합적인 재교육 노력이 도움이 될 것이다.[180,222,225,242,243] 그러나 점수가 낮은 일부 전공의들의 수행은 다각도의 노력이나 포괄적 개선 노력에도 좋아지지 않을 수 있다.[206,242,243,253]

ITE 수행 향상을 위한 중재와 관련된 연구결과들의 불일치는 특별히 놀라운 것은 아니다. ITE 점수가 낮은 모든 학습자에게 한 번의 재교육 방법을 적용하여 자격인증시험을 성공적으로 통과시킬 가능성은 거의 없다. 역량 부족에 대한 성공적인 재교육은 근본적인 주요 문제를 식별하는 것에 크게 좌우된다. ITE을 잘 수행하지 못하는 전공의의 잠재적인 원인은 일관성 없는 교육경험, 열악한 학습습관, 지적능력 부족, 축적된 지식 부족, 임상 상황에서 지식을 적용할 수 없는 것과 다양한 개인 및 환경적 요인을 포함한다.[171] 인지기술이 부족한 학습자에 대한 진단 조사는 가장 적절한 재교육 전략을 파악하는 데 반드시 필요하다.[113,244] 최소한 전공의의 학습 습관, 학습유형과 선호도를 탐색하면 개별화된 재교육 과정을 설계하는 데 도움이 될 수 있다.[113,203,244]

ITE 결과를 기반으로 특별 관리 조치(예: 조건적 진급, 진급 유예 또는 해고)를 진행할 지 여부는 복잡한 문제이며 특히 ITE 의뢰자는 일반적으로 이를 특별관리의 목적으로 사용하는 것을 금지하기 때문이다. 또한 ITE 결과를 어떤 행정 조치의 정당화를 위해 사용하고자 할 때 어떤 부분이 부족한 지식을 의미하는지 불확실 할 수 있다. 앞에서 언급했지만, 다양한 책임지도전문의가 전공의 수행의 기대치나 표준치를 설정하거나 의무적인 재교육 프로그램의 임계값을 식별하는 데 있어서 취한 접근방식은 일반적으로 적절했다. 설정된 임계값은 특정 백분위수 등급에 대한 후속 전문의 시험에 불합격할 위험이 증가했음을 보여주는 데이터에 기초했으며, 평균 점수와 표준 편차 측면에서 타당하거나 다른 맥락에서 설정된 표준과 상관관계가 있었다.[180,222,223,225,242,243,247,254]

ABSITE의 본래 의도와 반드시 일치하는 것은 아니지만, 일반 외과의 책임지도전문의는 개별 전공의를 평가하기 위해 ABSITE 점수를 사용하는 방법은 행정적 또는 학술적 조치 방법에 따라 매우 다양하다.[170,201,204,255] 설문조사에 참여한 책임지도전문의 197명 중 거의 절반(45%)이 전공의의 ABSITE 점수가 일정 수준에 미치지 못하면 상담을 시작하고, 지속적으로 평가하거나 검토 위원회에 전공의를 소환하겠다고 하였다. 또한 해당 전공의가 일정 ITE 점수를 취득하지 못한 경우 책임지도전문의의 28%는 해당 전공의를 조건부 관찰하겠다고 했고, 13%는 전공의를 1년 유급시키거나 해고를 고려하고, 10%는 기타 불리한 행동을 취하겠다고 하였다.[201] 보다 최근에는 ABSITE를 세부 전문의 과정을 위한 외과 전공의 선발에 이용하는 고부담 시도가 있었다.[204,256] 한 수술 교육 프로그램에서 35번째 백분위 수를 합격 기준으로 설정하였더니 그 기준에 미치지 못하는 전공의 수가 크게 감소하였다.[247] 그러나 이 조치를 정당화 할 수는 없는데 이 연구에서 저자들은 준거에 기반한 표준설정 관련 정책 결정은 개인별로 차이를 두어야 하고 이러한 조치의 타당성에 대하여 전공의와 투명하게 소통하고 그들이 필요로 하는 학습을 도와 줄 수 있어야 한다고 제시하였다. 더욱이, 낮은 점수의 특이도와 예측 값에 의문을 갖는 최근 연구는 ABSITE 점수를 불리한 행정적 결정을 위한 유일한 근거로 사용하는 것에 우려를 제기하였다.[170] 또한 책임지도전문의는 형성평가를 지원하기 위해 고안된 도구를 총괄평가 형식으로 사용하면 교수진과 전공의 사이에 긴장을 유발하고 부정행위를 조장하는 등 해로운 영향을 미칠 수 있음을 알고 있어야 한다.[257,258]

앞에서 여러 번 언급한 전공의의 지식과 인지 기술을 향상시키는 조치들은 ITE 수행 피드백으로 확인되는 교육내용에 집중되어 있다. 그러나 지식의 획득에는 영향력 있는 교육의 구조와 과정(process)의 요소가 있다. Norcini 등은 전공의 업무량이 ABIM 인증시험 수행에 영향을 미친다는 것을 발견하였다.[173] 교육과정 수준에서 전공의가 책임을 지고 있는 환자 수가 증가하면 자격인증시험 점수가 감소하였는데 하루 25명을 초과하거나 10명 아래로 떨어지면 감소하였다. 시험 수행은 미국에서 훈련을 받은 전공의 비율과 전공의에 대한 교수 비율에 따라 개선되었으며 의과대학생과 보낸 시간 또는 외래 또는 상담 참여 시간과 비례하여 증가하였다. 산부인과 ITE에서는 단기적으로 순환근무의 난이도와 학습시간의 가용성이 수행 능력에 큰 영향을 미치지 않았다.[113] 비록 연구결과들이 한결같지는 않지만 ITE 전날 당직을 서는 것의 영향에 관하여, 시험 점수는 영향을 받을 가능성이 있으며 따라서 이런 관행은 피해야 하는 충분한 근거가 된다.[227,232,259,260] 정형외과 ITE 연구에 의하면 수술 건수가 ITE 수행에 영향을 줄 수 있다고 하며[236] 일반 외과에서는 임상 증례수가 ABSITE 임상 관리 항목별 점수에 영향을 미치는 것으로 나타났다.[255] 반면 응급의학과 전공의의 생산성은 ITE 점수나 인증시험 점수에 영향을 미치지 않았다.[261] 보다 최근에 일본의 일반의사 과정의 전공의가 포함된 한 연구에서는 학습환경에 대한 인식이 ITE 수행에 영향을 줄 수 있음을 보고하였다.[262] 특정 지식 영역을 교육하는 노력에 초점을 두는 것 외에도, 최소한 시험 점수가 낮은 영역에서는 전공의의 임상경험(진료 양 포함)과 교수진 감독과정의 적절성을 고려하는 것이 확실히 타당한 것으로 보인다.

주로 외과교육 책임자들 사이에서 ABSITE 성과에 대한 근무시간 제한의 영향에 많은 관심이 집중되어 왔다.[204] 근무시간 제한의 장점 중 하나는 전공의들이 정규 강의가 많은 컨퍼런스 횟수의 감소에도 불구하고 독서에 보다 많은 시간을 할애하려 하고 자기주도학습 방식에 많은 시간을 할애한다는 것이었다.[218,220,263] 흥미롭게도 근무시간 감소에도 불구하고 전공의들은 여전히 학습의 주요 방해요소로 근무 작업량을 지적한다.[263] 전공의 근무시간 단축에 대응하여 많은 프로그램-진료 업무를 대신 부담할 수 있는 대체 전문의의 이용, 근무대기와 야간당직 시스템 조정, 행정 보조, 임상과 순환근무표와 컨퍼런스, 팀구성원 변경 등의 구조적 변화-이 전공의들이 충분한 교육활동과 외과 술기 경험을 보장하기 위해 도입되어 왔다.[264-270] 대부분 근로시간 정책의 변경 결과는 ABSITE 결과 및 수술량이 안정되었거나 개선되었고 전공의의 직업 만족도와 삶의 질이 향상되었다.[255,264-272]

ITE 수행 향상을 위한 책임지도전문의와 교수진의 노력과 무관하게 ITE의 중요성과 신뢰성에 대한 전공의의 인식은 자기주도학습의 동기가 된다. 전공의들은 일반적으로 시험이 현재 지식과 학업 수행의 척도로 유용하다고 생각한다.[193,250,273,274] ITE의 중요성에 대한 전공의의 인식은 시험의 수행과 관련이 있다.[250,263] ITE에 대비하거나 ITE 수행에 기초하여 학습 습관을 수정하고, 독서에 집중하거나 일정을 조정하는 것으로 나타났다.[193,263,273] 학습방법에 있어 전공의들은 시험 준비를 위해 교과서바탕 학습방법 보다는 질문바탕학습(인터넷 자료 포함)을 선호한다.[250,274] 앞에서 설명한 것처럼 ITE 준비 시 질문 자료를 사용하는 것이 효과적인 전략으로 보인다.

평가도구로서 필기시험의 장점

필기시험은 지식의 측정과 적용을 목적으로 다양한 평가목표에 적용할 수 있다. 필기시험은 효율적이고 재현 가능한 방식으로 광범위한 지식 영역을 평가할 수 있다. 개인별 교육과정 목표 달성에 관한 의사결정을 도와주고 설정된 표준과 비교하거나 자신의 지식수준에 대해 응시자에게 여러 동료 집단과 비교한 피드백을 제공하는 등 다양한 목적으로 활용될 수 있다. 집계된 결과는 형성적으로 개별 교육과정이 교육의 질을 평가하고 과정목표 달성에 성공했는지 판단하는 데 이용될 수 있으며, 궁극적으로 교육과정 개선을 촉진한다. 또한 집계된 결과는 인증기관이 특정 교육과정 질에 대한 결정을 내리는 총괄평가에 이용될 수 있다. 또한 교육연구나 평가 관점에서 선별적으로 시험결과를 사용하여 교육적 개입 또는 교육과정 개선 시 그 영향을 측정할 수 있다.

이러한 평가의 운영방식은 지속적으로 적용되어야 하는 다른 도구와 비교할 때 교수진의 시간적 부담이 거의 없다. 필기시험은 의학교육에 사용되는 가장 비용 효과적인 방법 중 하나 일 수 있다. 교수진이 시험 시행 업무를 감독할 필요는 없지만, 선택된 교수진은 교육적 또는 교정적 개입의 효과를 권고하고 모니터링하는 것을 포함하여 학생과 전공의에게 시험 결과를 전달하고 해석하는 데 관여할 필요가 있다.

NBME 과목시험은 임상실습책임자가 전국의 학생 코호트와 비교하여 임상업무 시작을 위한 필수 전제조건인 의사면허시험에서 불합격할 위험이 높은 학생을 식별하게 한다. 전문의자격시험의 성공을 예측하는 ITE 예측도는 중요한 강점인데, 전문의 자격이 고용과 정부 보조금 특혜 부여와 점점 더 관련성을 보이고 있기 때문이다. 성과의 관점에서 ITE를 활용한 전공의 수행의 종합 피드백은 국가 표준에 대한 "방향계" 역할을 할 수 있다. 각 시험에 대한 내적 일치성 및 신뢰도가 높기 때문에 프로그램 또는 교육과정 내용에 대한 피드백은 좋은 질적 관리로 간주된다.[62] 동일한 내용이 전문의자격시험에도 적용되지만 "상황 종료 후"의 정보는 특정 전공의 응시자 집단에서는 덜 유용하다.

광범위한 지식 기반을 확보하고 이를 적용하는 숙련도는 전반적인 임상역량 개발에 가장 중요하다. ITE는 NBME, USLME와 전문의자격시험처럼 준비하는 전공의들이 별로 없기 때문에 일부 기관에서는 "학습된" 지식이 아닌 "일하면서"

얻는 지식의 정확한 평가를 반영한다고 생각한다.[62] 그러나 최근 연구에 따르면 일부 전공의는 ITE나 관련 자격인증시험이 가까워지면 ITE 학습에 더 많은 시간을 할애함을 보여주고 있다.[241,263,274]

평가도구로서 필기시험의 단점

필기시험은 지식과 관련된 인지 기술만 측정할 수 있다. 필기시험의 수행이 실제 임상에서 지식을 적용하는 데 있어 반드시 성공을 보장하는 것은 아니다. 이런 점에서 지식은 가장 기본적으로 필요하다고 보여 지지만 실제 환자진료에서 적절한 임상적 판단이나 술기를 보장하기에는 충분한 요소가 아니다. 필기시험은 일반적으로 증례바탕토론(의무기록 자극회상), mini-CEX, 혹은 기타 구조화된 관찰기법과 같은 환자 대면 상황에서 지식 적용 측정법으로 보완되어야 한다.

필기시험은 신체 진찰, 의사소통, 의료인문학 및 전문직업성의 기술적 혹은 수행측면과 같은 중요한 임상술기를 평가하지 않는다. 바로 "그" 임상 역량의 평가에 있어 단지 표준화된 필기시험에만 단독으로 의존하는 것은 의학교육의 초점을 환자로부터 멀어지게 할 수 있다. 평가도구로서 필기시험을 부적절하게 강조하는 것은 의사소통 기술, 팀워크, 진료바탕학습 및 개선과 같은 임상역량의 다른 측면에 대한 학생이나 전공의의 관심에 부정적 영향을 줄 수 있다.

필기시험, 특히 ITE는 대형 교육과정에서 저렴하지 않다. 이런 "부가 가치"가 과연 비용을 치를 만할까? 특히 매 학년마다 ITE를 시행하는 것이 비용 대비 효과적일까? 앞서 기술된 연구는 지식에 대한 신뢰할 수 있고 타당한 평가법이 일반적으로 우리의 수련교육에서 제공되지 않으므로 매년 시험을 보는 것이 바람직할 수 있음을 시사한다. 물론, 체계적인 시험결과 활용은 교육과정 개선이나 개입의 영향을 측정하는 데 유용할 수 있다.

결론

잘 개발된 지식기반은 임상역량 및 의학전문 지식을 구축할 수 있는 중요한 기초를 제공한다. 필기시험은 의학지식과 그 적용을 신뢰할 수 있고 효율적으로 평가한다. 이는 중요한 지식 목표를 달성하는 데 있어 개별 학습자의 숙련도와 교육과정의 전반적 성공을 평가하는 데 적절하게 이용된다. 따라서 필기시험은 교수자들에게 임상역량 평가에 대한 다양한 접근법이라는 맥락에서 중요한 도구이다.

참고문헌

1. Miller GE. The assessment of clinical skills/competence/performance. *Acad Med.* 1990;65:S63-S67.
2. Gruppen LD, Frohna AZ. Clinical reasoning. In: Norman GR, van der Vleuten CPM, Newble DI, eds. *International Handbook on Research in Medical Education.* Dordrecht: Kluwer Academic Publishers; 2002:205-230.
3. Norman GR. Critical thinking and critical appraisal. In: Norman GR, van der Vleuten CPM, Newble DI, eds. *International Handbook of Research in Medical Education.* Dordrecht: Kluwer Academic Publishers; 2002:277-298.
4. Elstein AS, Shulman L, Sprafka S. *Medical Problem Solving.* Cambridge, MA: Harvard University Press; 1978.
5. Accreditation Council for Graduate Medical Education (ACGME): General competencies. 2003. www.acgme.org.
6. Elstein AS. Beyond multiple-choice questions and essays: the need for a new way to assess clinical competence. *Acad Med.* 1993;68:244-249.
7. Swanson DB, Stillman PL. Use of standardized patients for teaching and assessing clinical skills. *Eval Health Prof.* 1990;13:79-103.
8. Swanson DB, Norcini JJ, Grosso L. Assessment of clinical competence: written and computer-based simulations. *Assess Eval Higher Edu.* 1987;12:220-246.
9. Swanson DB. A measurement framework for performance-based tests. In: Hart I, Harden R, eds. *Further Developments in Assessing Clinical Competence.* Montreal, Can-Heal Publications; 1987:13-45.
10. White KL, Williams TF, Greenberg BG. The ecology of medical care. *N Engl J Med.* 1961;265:885-892.
11. Cronbach LJ. *Educational Psychology.* 3rd ed. New York: Harcourt Brace Jovanovich; 1977.
12. Jones HF. The effects of examination on the performance of learning. *Arch Psychol.* 1923;10:1-70.
13. Spitzer HJ. Studies in retention. *J Educ Psychol.* 1939;30:641-656.
14. Glover JA. The "testing" phenomenon: not gone but nearly forgotten. *J Educ Psychol.* 1989;81:392-399.
15. Roediger HL, Karpicke JD. The power of testing memory: basic research and implications for educational practice. *Perspect Psychol Sci.* 2006;1:181-210.
16. Karpicke JD, Roediger HL. The critical importance of retrieval for learning. *Science.* 2008;319:966-968.
17. Karpicke JD, Blunt JR. Retrieval practice produces more learning than elaborative studying with concept mapping. *Science.* 2011;331:772-775.
18. Cook DA, Thompson WG, Thomas KG, et al. Impact of self-assessment questions and learning styles in web-based learning: a randomized, controlled, crossover trial. *Acad Med.* 2006;81:231-238.
19. Friedl R, Höppler H, Ecard K, et al. Comparative evaluation of multimedia driven, interactive, and case-based teaching in heart surgery. *Ann Thorac Surg.* 2006;82:1790-1795.
20. Kerfoot BP, DeWolf WC, Masser BA, et al. Spaced education improves the retention of clinical knowledge by medical students: a randomized controlled trial. *Med Educ.* 2007;41:23-31.
21. Larsen DP, Butler AC, Roediger HL. Test-enhanced learning in medical education. *Med Educ.* 2008;42:959-966.

22. Larsen DP, Butler AC, Roediger HL. Repeated testing improves long-term retention relative to repeated study: a randomised controlled trial. *Med Educ*. 2009;43(12):1174-1181.
23. Larsen DP, Butler AC, Roediger HL. Comparative effects of test-enhanced learning and self-explanation on long-term retention. *Med Educ*. 2013;47:674-682.
24. Agrawal S, Norman GR, Eva KW. Influences on medical students' self-regulated learning after test completion. *Med Educ*. 2012;46:326-335.
25. Butler AC, Roediger 3rd HL. Feedback enhances the positive effects and reduces the negative effects of multiple-choice testing. *Mem Cognit*. 2008;36:604-616.
26. McConnell MM, St-Onge C, Young ME. The benefits of testing for learning on later performance. *Adv Health Sci Educ*. 2014;20(2):305-320.
27. Butler AC. Repeated testing produces superior transfer of learning relative to repeated studying. *J Exp Psychol Learn Mem Cogn*. 2010;36:1118-1133.
28. Larsen DP, Butler AC, Lawson AL, Roediger HL. The importance of seeing the patient: test-enhanced learning with standardized patients and written tests improves clinical application of knowledge. *Adv Health Sci Educ*. 2012;18(3):409-425.
29. Kerfoot BP, Fu Y, Baker H, et al. Online spaced education generates transfer and improves long-term retention of diagnostic skills: a randomized controlled trial. *J Am Coll Surg*. 2010;211(3):331-337.
30. Kerfoot BP. Learning benefits of online spaced education persist for 2 years. *J Urol*. 2009;18(6):2671-2673.
31. van der Vleuten CPM, Verwijnen GM, Wijnen WHFW. Fifteen years of experience with progress testing in a problem-based curriculum. *Med Teach*. 1996;18:103-110.
32. Arnold L, Willoughby TL. The quarterly profile examination. *Acad Med*. 1990;65(8):515-516.
33. Blake JM, Norman GR, Keane DR, et al. Introducing progress testing in McMaster University's problem-based medical curriculum: psychometric properties and effects on learning. *Acad Med*. 1996;71(9):1002-1007.
34. Swanson DB, Case SM, van der Vleuten CPM. Strategies for student assessment. In: Boud D, Feletti G, eds. *The Challenge of Problem-Based Learning*. London: Kogan Page Ltd; 1997:269-282.
35. Langer MM, Swanson DB. Practical considerations in equating progress tests. *Med Teach*. 2010;32(6):509-512.
36. Ravesloot CJ, Van der Schaaf MF, Muijtjens AM, et al. The don't know option in progress testing. *Adv Health Sci Educ*. 2015;20(5):1325-1328.
37. First Aid for USMLE. 2016. Available at http://www.firstaidteam.com/wp-content/uploads/FAS1_2015_20_On-LineBookRev_rev-1.pdf.
38. American Board of Anesthesiology. MOCA 2.0™ FAQ. 2016. Available at http://www.theaba.org/PDFs/MOCA/MOCA-2-0-FAQs.
39. van der Vleuten CPM, Schuwirth LWT. Assessing professional competence: from methods to programmes. *Med Educ*. 2005;39:309-317.
40. Schuwirth LWT, van der Vleuten CPM. Programmatic assessment: from assessment of learning to assessment for learning. *Med Teach*. 2011;33:476-485.
41. van der Vleuten CPM, Schuwirth LW, Driessen EW, et al. A model for programmatic assessment fit for purpose. *Med Teach*. 2012;34(3):205-214.
42. Norcini JJ, Anderson MB, Bollela V, et al. Criteria for good assessment: consensus statement and recommendations from the Ottawa 2010 Conference. *Med Teach*. 2011;33(3):206-214.
43. Case SM, Swanson DB. *Constructing Written Test Questions for the Basic and Clinical Sciences*. 3rd ed. revised. Philadelphia: National Board of Medical Examiners; 2003.
44. Levine HG. Selecting evaluation instruments. In: Morgan I, ed. *Evaluating Clinical Competence in the Health Professions*. St. Louis: CV Mosby; 1978.
45. Sireci SG, Zeniski AL. Innovative item types in computer-based testing: in pursuit of improved content representation. In: Downing SM, Haladyna TM, eds. *Handbook of Test Development*. Mahwah, NJ: Lawrence Erlbaum Associates; 2006.
46. Norman G, Swanson DB, Case SM. Conceptual and methodological issues in studies comparing assessment formats. *Teach Learn Med*. 1996;8:208-216.
47. Wainer H, Thissen D. Combining multiple choice and constructed response test scores: toward a Marxist theory of test construction. *Appl Meas Educ*. 1993;6:103-118.
48. Lukhele R, Thissen D, Wainer H. On the relative value of multiple-choice, constructed response, and examinee-selected items on two achievement tests. *J Educ Meas*. 1994;31:234-250.
49. Norcini JJ, Diserens D, Day SC, et al. The scoring and reproducibility of an essay test of clinical judgment. *Acad Med*. 1990;65:S41-S42.
50. Day SC, Norcini JJ, Diserens D, et al. The validity of an essay test of clinical judgment. *Acad Med*. 1990;65:S39-S40.
51. Swanson DB, Case SM. Variation in item difficulty and discrimination by item format on Part I (basic sciences) and Part II (clinical sciences of US licensing examinations. In: Rothman A, Cohen R, eds. *Proceedings of the Sixth Ottawa Conference on Medical Education*. Toronto: University of Toronto Bookstore Custom Publishing; 1995:285-287.
52. Bordage G, Brailovsky C, Carretier H, Page G. Content validation of key features on a national examination of clinical decision-making skills. *Acad Med*. 1995;70:276-281.
53. Page G, Bordage G. The Medical Council of Canada's key features project: a more valid written examination of clinical decision-making skills. *Acad Med*. 1995;70(2):104-110.
54. Farmer EA, Page G. A practical guide to assessing clinical decision-making skills using the key features approach. *Med Educ*. 2005;39(12):1188-1194.
55. Swanson DB, Case SM. Trends in written assessment: a strangely biased perspective. In: Harden R, Hart I, Mulholland H, eds. *Approaches to the Assessment of Clinical Competence: Part 1*. Norwich, England: Page Brothers; 1992:38-53.
56. Kane M. Validation. In: Brennan RL, ed. *Educational Measurement*. 4th ed. Westport, CT: American Council on Education/Praeger; 2006.
57. Clauser BE, Margolis MJ, Case SM. Testing for licensure and certification in the professions. In: Brennan RL, ed. *Educational Measurement*. 4th ed. Westport, CT: American Council on Education/Praeger; 2006:701-731.
58. Cook DA, Brydges R, Ginsburg S, Hatala R. A contemporary approach to validity arguments: a practical guide to Kane's framework. *Med Educ*. 2015;49:560-575.

59. Kane M. An argument-based approach to validation. *Psych Bull.* 1992;112:527-535.
60. Strauss GD, Yager J, Liston EH. A comparison of national and in-house examinations of psychiatric knowledge. *Am J Psychiatry.* 1984;141:882-884.
61. Ripkey DR, Case SM, Swanson DB. Identifying students at risk for poor performance on the USMLE Step 2. *Acad Med.* 1999;74:S45-S48.
62. Garibaldi RA, Trontell MC, Waxman H, et al. The in-training examination in internal medicine. *Ann Intern Med.* 1994;121:117-123.
63. Elnicki DM, Lescisin D, Case S. Improving the National Board of Medical Examiners Internal Medicine Subject Exam for use in clerkship evaluation. *J Gen Intern Med.* 2002;17:435-440.
64. Kelly WF, Papp KK, Torre D, Hemmer PA. How and why internal medicine clerkship directors use locally developed, faculty-written examinations: result of a national survey. *Acad Med.* 2012;87:924-930.
65. Slatt LM, Steiner BK, Hollar DW, et al. Creating a multi-institutional family medicine clerkship examination: lessons learned. *Fam Med.* 2011;43:235-239.
66. Ogershok PR, Moore RS, Ferrari ND, Miller LA. An Internet-based pediatric clerkship examination. *Med Teach.* 2003;25: 381-384.
67. Brar MK, Laube DW, Bett GCL. Effect of quantitative feedback on student performance on the National Board of Medical Examination in an obstetrics and gynecology clerkship. *Am J Obstet Gynecol.* 2007;197:530. e1-530.e5.
68. Durning SJ, Dong T, Ratcliffe T, et al. Comparing open-book and closed-book examinations: a systematic review. *Acad Med.* 2016;91(4):583-599.
69. Broyles IL, Cyr PR, Korsen N. Open book tests: assessment of academic learning in clerkships. *Med Teach.* 2005;27:456-462.
70. Mookherjee S, Ranji S, Meeman N, Sehgal N. An advanced quality improvement and patient safety elective. *Clin Teach.* 2013;10:368-373.
71. Aboumatar H, Thompson D, Wu A, et al. Development and evaluation of a 3-day patient safety curriculum to advance knowledge, self-efficacy and system thinking among medical students. *BMJ Qual Saf.* 2012;21:416-422.
72. Crites GE, Markert R, Goggans DS, Richardson WS. Local development of MCQ tests for evidence-based medicine and clinical decision making can be successful. *Teach Learn Med.* 2012;24:341-347.
73. Jozefowicz RF, Koeppen BM, Case S, et al. The quality of in-house medical school examinations. *Acad Med.* 2002;77:156-161.
74. Downing SM. The effects of violating standard item writing principles on tests and students: the consequences of using flawed test items on achievement examinations in medical education. *Adv Health Sci Educ Theory Pract.* 2005;10: 133-143.
75. Tarrant M, Ware J. Impact of item-writing flaws in multiple-choice questions on student achievement in high-stakes nursing assessments. *Med Educ.* 2008;42:198-206.
76. Downing SM. Threats to the validity of locally developed multiple-choice tests in medical education: construct-irrelevant variance and construct underrepresentation. *Adv Health Sci Educ Theory Pract.* 2002;7:235-241.
77. McLaughlin K, Lemaire J, Coderre S. Creating a reliable and valid blueprint for the internal medicine clerkship examination. *Med Teach.* 2005;27:544-547.
78. Ware J, Vik T. Quality assurance of item writing: during the introduction of multiple choice questions in medicine for high stakes examinations. *Med Teach.* 2009;31:238-243.
79. Wallach PM, Crespo LM, Holtzman KZ, et al. Use of a committee review process to improve the quality of course examinations. *Adv Health Sci Educ.* 2006;11:61-68.
80. Naeem N, van der Vleuten C, Alfaris EA. Faculty development on item writing substantially improves item quality. *Adv Health Sci Educ.* 2012;17:369-376.
81. Haladyna TM. *Developing and Validating Multiple-Choice Items.* 3rd ed. Mahwah, NJ: Lawrence Erlbaum Associates; 2004.
82. Sircar SS, Tandon OP. Involving students in question writing: a unique feedback with fringe benefits. *Adv Physiol Educ.* 1999;22:S84-S91.
83. Papinczak T, Babri AS, Peterson R, et al. Students generating questions for their own written examinations. *Adv Health Sci Educ.* 2011;16:703-710.
84. Harris BHL, Walsh JL, Tayyaba S, et al. A novel student-led approach to multiple-choice question generation and online database creation, with targeted clinician input. *Teach Learn Med.* 2015;27:182-188.
85. Baerheim A, Meland E. Medical students proposing questions for their own written final examination: evaluation of an educational project. *Med Educ.* 2003;37:734-738.
86. Freeman A, Nicholls A, Ricketts C, Coombes L. Can we share questions? Performance of questions from different question banks in a single medical school. *Med Teach.* 2010;32:464-466.
87. Gierl MJ, Lai H, Turner S. Using automatic item generation to create multiple-choice test items. *Med Educ.* 2012;46:757-765.
88. Gierl MJ, Lai H. Evaluating the quality of medical multiple-choice items created with automated processes. *Med Educ.* 2013;47:726-733.
89. Pugh D, De Champlain A, Gierl M, et al. Using cognitive models to develop quality multiple choice questions. *Med Teach.* 2016;38(8):838-843.
90. Swanson DB, Roberts TE. Trends in national licensing examinations in medicine. *Med Educ.* 2016;50:101-114.
91. O'Donnell MJ, Obenshain SS, Erdmann JB. Background essential to the proper use of results of Step 1 and Step 2 of the USMLE. *Acad Med.* 1993;68:734-739.
92. Hoffman KI. The USMLE, the NBME subject examinations, and assessment of individual academic achievement. *Acad Med.* 1993;68:740-747.
93. Williams RG. Use of NBME and USMLE examinations to evaluate medical education programs. *Acad Med.* 1993;68: 748-752.
94. Swanson DB, Case SM, Kelley P, Nungester RJ, Powell R, Volle R. Phase-in of the NBME comprehensive Part I. *Acad. Med.* 1991;66(8):443-444.
95. Berner ES, Brooks CM, Erdmann JB. Use of the USMLE to select residents. *Acad Med.* 1993;68:753-759.
96. Bowles LT. Use of NBME and USMLE scores. *Acad Med.* 1993;68:778.
97. Prober CG, Kolars JC, First LR, Melnick DE. A plea to reassess the role of the United States Medical Licensing Examination Step 1 scores in residency selection. *Acad Med.* 2015;91(1):12-15.

98. Hammoud MM, Cox SM, Goff B, et al. The essential elements of undergraduate medical education in obstetrics and gynecology: a comparison of the Association of Professors of Gynecology and Obstetrics Medical Student Educational Objectives and the National Board of Medical Examiners Subject Examination. *Am J Obstet Gynecol.* 2005;193:1773-1779.
99. Case SM, Ripkey DR, Swanson DB. The effects of psychiatry clerkship timing and length on measures of performance. *Acad Med.* 1997;72:S34-S36.
100. Dillon GF, Clauser BE, Melnick DE. The role of USMLE scores in selecting residents. *Acad Med.* 2001;86:793.
101. Swanson DB, Holtzman KZ, Johnson DA. Developing test content for the United States Medical Licensing Examination. *J Med Licensure Discipl.* 2009;95(2):22-29.
102. Ripkey DR, Case SM, Swanson DB. Predicting performances on the NBME Surgery Subject Test and USMLE Step 2: the effects of surgery clerkship timing and length. *Acad Med.* 1997;72:S31-S33.
103. Widmann WD, Aranoff T, Fleischer BR, et al. Why should the first be last? "Seasonal" variations in the National Board of Medical Examiners (NBME) Subject Examination Program for medical students in surgery. *Curr Surg.* 2003;60:69-72.
104. Ouyang W, Cuddy MM, Swanson DB. US medical student performance on the NBME subject examination in internal medicine: do clerkship sequence and clerkship length matter? *J Gen Intern Med.* 2015;30(9):1307-1312.
105. Manetta A, Manetta E, Emma D, et al. Effects of rotation discipline on medical student grades in obstetrics and gynecology throughout the academic year. *Am J Obstet Gynecol.* 1993;169:1215-1217.
106. Smith ER, Dinh TV, Anderson G. A decrease from 8 to 6 weeks in obstetrics and gynecology clerkship: effect on medical students' cognitive knowledge. *Obstet Gynecol.* 1995;86:458-460.
107. Edwards RK, Davis JD, Kellner KR. Effect of obstetrics-gynecology clerkship duration on medical student examination performance. *Obstet Gynecol.* 2000;95:160-162.
108. Myles TD. Effect of a shorter clerkship on third year obstetrics and gynecology final examination scores. *J Reprod Med.* 2004;49:99-104.
109. Jacobsen MJ, Sherman L, Perlan I, et al. Clerkship site and duration: do they influence student performance? *Surgery.* 1986;100:306-311.
110. Norcini Jr JJ, Downing SM. The relationship between training program characteristics and scores on the cardiovascular disease certification examination. *Acad Med.* 1996;71:S46-S48.
111. Vosti KL, Bloch DA, Jacobs CD. The relationship of clinical knowledge to months of clinical training among medical students. *Acad Med.* 1997;72:305-307.
112. Torre D, Papp K, Elnicki M, Durning S. Clerkship directors' practices with respect to preparing students for and using the National Board of Medical Examiners Subject Exam in medicine: results of a United States and Canadian survey. *Acad Med.* 2009;84:867-871.
113. Riggs JW, Johnson C, O'Neill P, Berens P. Are residents' work schedules related to their in-training examination scores? *Obstet Gynecol.* 1996;88:891-894.
114. Magarian GJ. Influence of medicine clerkship conference series on students' acquisition of knowledge. *Acad Med.* 1993;68:923-926.
115. Griffith III CH, Wilson JF, Haist SA, et al. Internal medicine clerkship characteristics associated with enhanced student examination performance. *Acad Med.* 2009;84(7):895-901.
116. Griffith CH, Georgesen JC, Wilson JF. Six-year documentation of the association between excellent clinical teaching and improved students' examination performances. *Acad Med.* 2000;75(suppl 10):S62-S64.
117. Roop SA, Pangaro L. Effect of clinical teaching on student performance during a medicine clerkship. *Am J Med.* 2001;110:205-209.
118. Stern DT, Williams BC, Gill A, et al. Is there a relationship between attending physicians' and residents' teaching skills and students' examination scores. *Acad Med.* 2000;75:1144-1146.
119. Blue AV, Griffith CH, Wilson JF, et al. Surgical teaching quality makes a difference. *Am J Surg.* 1999;177:86-89.
120. Dong T, Artino AR, Durning SJ, Denton GD. Relationship between clinical experiences and internal medicine clerkship performance. *Med Educ.* 2012;46:689-697.
121. Laatsch L. Evaluation and treatment of students with difficulties passing the Step examinations. *Acad Med.* 2009;84:677-683.
122. Dong T, Swygert K, Durning SJ, et al. Is poor performance on NBME clinical subject examinations associated with a failing score on the USMLE Step 3 examination? *Acad Med.* 2014;89:762-766.
123. Perez JA, Greer S. Correlation of United States Medical Licensing Examination and Internal Medicine In-training Examination performance. *Adv Health Sci Educ.* 2009;14:753-758.
124. Zahn CM, Saguil A, Artino AR, et al. Correlation of National Board of Examiners scores with United States Medical Licensing Examination Step 1 and Step 2 scores. *Acad Med.* 2012;10:1348-1354.
125. Morrison CA, Ross LP, Sample L, Butler A. Relationship between performance on the NBME Comprehensive Clinical Science Self-Assessment and USMLE Step 2 Clinical Knowledge for USMGs and IMGs. *Teach Learn Med.* 2014;26:373-378.
126. Kay C, Jackson JL, Frank M. The relationship between internal medicine residency graduate performance on the ABMI certifying examination, yearly in-service training examinations, and the USMLE Step 1 examination. *Acad Med.* 2015;90:100-104.
127. McDougle L, Mavis BE, Jeffe DB, et al. Academic and professional career outcomes of medical school graduates who failed USMLE Step 1 on the first attempt. *Adv Health Sci Educ.* 2013;18:279-289.
128. Miller BJ, Sexson S, Shevitz S, et al. US Medical Licensing Exam scores and performance on the Psychiatry Resident In-training Examination. *Acad Psychiatry.* 2014;38:627-631.
129. Dillon GF, Swanson DB, McClintock JC, Gravlee GP. The relationship between the American Board of Anesthesiology Part 1 Certification Examination and the United States Medical Licensing Examination. *J Grad Med Educ.* 2013;5(2):276-283.
130. Wenghofer E, Klass D, Abrahamowicz M, et al. Doctor scores on national qualifying examinations predict quality of care in future practice. *Med Educ.* 2009;43:1166-1173.
131. Norcini JJ, Boulet JR, Opalek A, Dauphinee WD. The relationship between licensing examination performance and the outcomes of care by international medical school graduates. *Acad Med.* 2014;89:1157-1162.
132. Vasan NS, Holland BK. Increased clinical correlation in anatomy teaching enhances students' performance in the course and National Board subject examination. *Med Sci Monit.* 2003;9:SR23-SR28.

133. Blue AV, Griffith III CH, Stratton TD, et al. Evaluation of students' learning in an interdisciplinary medicine-surgery clerkship. *Acad Med.* 1998;73:806-808.
134. Curtis JA, Indyk D, Taylor B. Successful use of problem-based learning in a third-year pediatric clerkship. *Ambul Pediatr.* 2001;1:132-135.
135. Pangaro L, Gibson K, Russell W, et al. A prospective, randomized trial of a six-week ambulatory medicine rotation. *Acad Med.* 1995;70:537-541.
136. White CB, Thomas AM. Students assigned to community practices for their pediatric clerkship perform as well or better on written examinations as students assigned to academic medical centers. *Teach Learn Med.* 2004;16:250-254.
137. Green M, Jones P, Thomas JX. Selection criteria for residency: results of a national programme directors survey. *Acad Med.* 2009;84:362-367.
138. McGaghie WC, Cohen ER, Wayne DB. Are United States Medical Licensing Exam Step 1 and 2 scores valid measures for postgraduate medical residency selection decisions? *Acad Med.* 2011;86:48-52.
139. Kenny S, McInnes M, Singh V. Associations between residency selection strategies and doctor performance: a meta-analysis. *Med Educ.* 2013;47:790-800.
140. Andriole DA, Jeffe DB. A national cohort study of U.S. medical school students who initially failed Step 1 of the United States Medical Licensing Examination. *Acad Med.* 2012;87:529-536.
141. Case SM, Swanson DB. Validity of NBME Part I and Part II scores for selection of residents in orthopaedic surgery, dermatology, and preventive medicine. In: Gonnella JS, Hojat M, Erdmann JB, Veloski JJ, eds. *Assessment Measures in Medical School, Residency, and Practice: The Connections*. New York: Springer; 1993:101-114.
142. Dougherty PJ, Walter N, Schilling P, et al. Do scores of the USMLE Step 1 and OITE correlate with the ABOS Part I Certifying Examination? *Clin Orthop Relat Res.* 2010;468:2797-2802.
143. Thundiyil JG, Modica RF, Silvestri S, Papa L. Do United States Medical Licensing Examination (USMLE) scores predict in-training test performance for emergency medicine residents? *J Emerg Med.* 2010;38:65-69.
144. Tamblyn R, Abrahamowicz M, Dauphinee WD, et al. Association between licensure examination scores and practice in primary care. *JAMA.* 2002;288:3019-3026.
145. Ramsey PG, Carline JD, Inui TS, et al. Predictive validity of certification by the American Board of Internal Medicine. *Ann Intern Med.* 1989;110:719-726.
146. Daly KA, Levine SC, Adams GL. Predictors for resident success in otolaryngology. *J Am Coll Surg.* 2006;202. 94-54.
147. Hamdy H, Prasad K, Anderson MB, et al. BEME systematic review: predictive values of measurements obtained in medical schools and future performance in medical practice. *Med Teach.* 2006;28:103-116.
148. Rifkin WD, Rifkin A. Correlation between housestaff performance on the United States Medical Licensing Examination and standardized patient encounters. *Mt Sinai J Med.* 2005;72:47-49.
149. Dirschl DR, Campion ER, Gilliam K. Resident selection and predictors of performance: can we be evidence based? *Clin Orthop Relat Res.* 2006;449:44-49.
150. Thordarson DB, Ebramzadeh E, Sangiorgio SN, et al. Resident selection: how are we doing and why? *Clin Orthop Relat Res.* 2007;459:255-259.
151. Brothers TE, Wetherholt S. Importance of faculty interview during the resident application process. *J Surg Educ.* 2007;64:378-385.
152. Papadakis MA, Teherani A, Banach MA, et al. Disciplinary action by medical boards and prior behavior in medical school. *N Engl J Med.* 2005;353:2673-2682.
153. Boulet JR, McKinley DW, Whelan GP, et al. Clinical skills deficiencies among first-year residents: utility of the ECFMG clinical skills assessment. *Acad Med.* 2002;77:S33-S35.
154. Geissler J, Vanheest A, Tatman P, Gioe T. Aggregate interview method of ranking orthopedic applicants predicts future performance. *Orthopedics.* 2013;36:e966-e970.
155. Webb LC, Juul D, Reynolds III CF, et al. How well does the psychiatry residency in-training examination predict performance on the American Board of Psychiatry and Neurology. Part I. Examination? *Am J Psychiatry.* 1996;153:831-832.
156. Holzman GB, Downing SM, Power ML, et al. Resident performance on the Council on Resident Education in Obstetrics and Gynecology (CREOG) In-Training Examination: years 1996 through 2002. *Am J Obstet Gynecol.* 2004;191:359-363.
157. Baumgartner BR, Peterman SB. 1998 Joseph E. Whitley, MD, Award. Relationship between American College of Radiology in-training examination scores and American Board of Radiology written examination scores. Part 2. Multi-institutional study. *Acad Radiol.* 1998;5:374-379.
158. Biester TW. The American Board of Surgery In-Training Examination as a predictor of success on the qualifying examination. *Curr Surg.* 1987;44:194-198.
159. Replogle WH. Interpretation of the American Board of Family Practice In-training Examination. *Fam Med.* 2001;33:98-103.
160. Waxman H, Braunstein G, Dantzker D, et al. Performance on the internal medicine second-year residency in-training examination predicts the outcome of the ABIM certifying examination. *J Gen Intern Med.* 1994;9:692-694.
161. Replogle WH, Johnson WD. Assessing the predictive value of the American Board of Family Practice In-training Examination. *Fam Med.* 2004;36:185-188.
162. Leigh TM, Johnson TP, Pisacano NJ. Predictive validity of the American Board of Family Practice In-Training Examination. *Acad Med.* 1990;65:454-457.
163. Swanson DB, Marsh JL, Hurwitz S, et al. Utility of AAOS OITE scores in predicting ABOS Part I outcomes. *J Bone Joint Surg Am.* 2013;95(12):e84.
164. Garvin PJ, Kaminski DL. Significance of the in-training examination in a surgical residency program. *Surgery.* 1984;96:109-113.
165. Grossman RS, Fincher RM, Layne RD, et al. Validity of the in-training examination for predicting American Board of Internal Medicine certifying examination scores. *J Gen Intern Med.* 1992;7:63-67.
166. Klein GR, Austin MS, Randolph S, et al. Passing the Boards: can USMLE and Orthopaedic in-Training Examination scores predict passage of the ABOS Part-I examination? *J Bone Joint Surg Am* 2004: *86-A*; 1092-1095.
167. Grabovsky I, Hess BJ, Haist SA, et al. The relationship between performance on the Infectious Diseases In-Training and Certification Examinations. *Clin Infect Dis.* 2015;60:677-683.

168. Juul D, Sexson SB, Brooks BA, et al. Relationship between performance on Child and Adolescent Psychiatry In-Training and Certification Examinations. *J Grad Med Educ*. 2013;5(2):262-266.
169. Lohr KM, Clauser A, Hess BJ, et al. Performance on the Adult Rheumatology In-Training Examination and relationship to outcomes on the Rheumatology Certifying Examination. *Arthritis Rheumatol*. 2015;67:3082-3090.
170. Jones AT, Biester TW, Buyske J, et al. Using the American Board of Surgery In-Training Examination to predict board certification: a cautionary study. *J Surg Educ*. 2014;71:e144-e148.
171. O'Neil TR, Li Z, Peabody MR, et al. The predictive validity of the ABFM's In-Training Examination. *Fam Med*. 2015;47:349-356.
172. Sosenko J, Stekel KW, Soto R, Gelbard M. NBME Examination Part I as a predictor of clinical and ABIM certifying examination performances. *J Gen Intern Med*. 1993;8:86-88.
173. Norcini JJ, Grosso LJ, Shea JA, Webster GD. The relationship between features of residency training and ABIM certifying examination performance. *J Gen Intern Med*. 1987;2:330-336.
174. FitzGerald JD, Wenger NS. Didactic teaching conferences for IM residents: who attends, and is attendance related to medical certifying examination scores? *Acad Med*. 2003;78:84-89.
175. Bell JG, Kanellitsas I, Shaffer L. Selection of obstetrics and gynecology residents on the basis of medical school performance. *Am J Obstet Gynecol*. 2002;186:1091-1094.
176. Carmichael KD, Westmoreland JB, Thomas JA, Patterson RM. Relation of residency selection factors to subsequent orthopaedic in-training examination performance. *South Med J*. 2005;98:528-532.
177. Hern Jr GH, Wills C, Alter H, et al. Conference attendance does not correlate with emergency medicine residency in-training examination scores. *Acad Emerg Med*. 2009;16(suppl 2):S63-S66.
178. Aldeen AZ, Salzman DH, Gisondi MA, Courtney DM. Faculty prediction of in-training examination scores of emergency medicine residents. *J Emerg Med*. 2014;46:390-395.
179. McDonald FS, Zeger SL, Kolars JC. Factors associated with medical knowledge acquisition during internal medicine residency. *J Gen Intern Med*. 2007;22:962-968.
180. Aeder L, Fogel J, Schaeffer H. Pediatric board review course for residents "at risk." *Clin Pediatr (Phila)*. 2010;49:450-456.
181. Cavalieri TA, Shen L, Slick GL. Predictive validity of osteopathic medical licensing examinations for osteopathic medical knowledge measured by graduate written examinations. *J Am Osteopath Assoc*. 2003;103:337-342.
182. Schwartz RW, Donnelly MB, Sloan DA, et al. The relationship between faculty ward evaluations, OSCE, and ABSITE as measures of surgical intern performance. *Am J Surg*. 1995;169:414-417.
183. Joorabchi B, Devries JM. Evaluation of clinical competence: the gap between expectation and performance. *Pediatrics*. 1996;97:179-184.
184. Adusumilli S, Cohan RH, Korobkin M, et al. Correlation between radiology resident rotation performance and examination scores. *Acad Radiol*. 2000;7:920-926.
185. Wise S, Stagg PL, Szucs R, et al. Assessment of resident knowledge: subjective assessment versus performance on the ACR in-training examination. *Acad Radiol*. 1999;6:66-71.
186. Quattlebaum TG, Darden PM, Sperry JB. In-training examinations as predictors of resident clinical performance. *Pediatrics*. 1989;84:165-172.
187. Dupras DM, Li JT. Use of an objective structured clinical examination to determine clinical competence. *Acad Med*. 1995;70:1029-1034.
188. Swanson DB, van der Vleuten CPM. Assessment of clinical skills with standardized patients: state-of-the-art revisited. *Teach Learn Med*. 2013;25(suppl 1):S17-S25.
189. Elfenbein DM, Sipple RS, McDonald R, et al. Faculty evaluations of resident medical knowledge: can they be used to predict American Board of Surgery In-Training Examination performance. 2013; 209:1095-1101.
190. Ryan JG, Barlas D, Pollack S. The relationship between faculty performance assessment and results on the In-Training Examination for residents in an Emergency Medicine training program. *J Grad Med Educ*. 2013:582-586.
191. Post RE, Jamena GP, Gamble JD. Using Precept-Assist® to predict performance on the American Board of Family Medicine In-Training Examination. *Fam Med*. 2014;46:603-607.
192. Taylor C, Lipsky MS. A study of the ability of physician faculty members to predict resident performance. *Fam Med*. 1990;22:296-298.
193. Hawkins RE, Sumption KF, Gaglione MM, Holmboe ES. The in-training examination in internal medicine: resident perceptions and lack of correlation between resident scores and faculty predictions of resident performance. *Am J Med*. 1999;106:206-210.
194. Aldeen AZ, Quattromani EN, Williamson K, et al. Faculty prediction of in-training examination scores of emergency medicine residents: a multicenter study. *J Emerg Med*. 2015;49:64-69.
195. Parker RW, Alford C, Passmore C. Can family medicine residents predict their performance on the in-training examination? *Fam Med*. 2004;36:705-709.
196. Nathan RG, Mitnick NC. Using an in-training examination to assess and promote the self-evaluation skills of residents. *Acad Med*. 1992;67:613.
197. Simpson-Camp L, Meister EA, Kavic S. Surgical resident accuracy in predicting their ABSITE score. *JSLS*. 2014;18:277-281.
198. Jones R, Panda M, Desbiens N. Internal Medicine residents do not accurately assess their medical knowledge. *Adv Health Sci Educ*. 2008;13:463-468.
199. Accreditation Council for Graduate Medical Education (ACGME): ACGME timeline. 2006. www.acgme.org.
200. Mahour GH, Hoffman KI. The development and validation of a standardized in-training examination for pediatric surgery. *J Pediatr Surg*. 1986;21:154-157.
201. Abdu RA. Survey analysis of the American Board of Surgery In-Training Examination. *Arch Surg*. 1996;131:412-416.
202. Hall JR, Cotsonis GA. Analysis of residents' performances on the In-Training Examination of the American Board of Anesthesiology-American Society of Anesthesiologists. *Acad Med*. 1990;65:475-477.
203. Kim JJ, Gifford E, Moazzez A, et al. Program factors that influence American Board of Surgery In-Training Examination Performance: a multi-institutional study. *J Surg Educ*. 2015;72(6):e236-e242.
204. Kim RH, Tan T-W. Interventions that affect resident performance on the American Board of Surgery In-Training Examination: a systematic review. *J Surg Educ*. 2015;72:418-429.
205. Moon MR, Damiano Jr RJ, Patterson GA, et al. Effect of a cardiac-specific didactic course on thoracic surgery

in-training examination performance. *Ann Thorac Surg.* 2003;75: 1128-1131.
206. Wade TP, Kaminski DL. Comparative evaluation of educational methods in surgical resident education. *Arch Surg.* 1995;130:83-87.
207. Shetler PL. Observations on the American Board of Surgery In-Training examination, board results, and conference attendance. *Am J Surg.* 1982;144:292-294.
208. Cacamese SM, Eubank KJ, Hebert RS, Wright SM. Conference attendance and performance on the in-training examination in internal medicine. *Med Teach.* 2004;26:640-644.
209. Bull DA, Stringham JC, Karwande SV, Neumayer LA. Effect of a resident self-study and presentation program on performance on the thoracic surgery in-training examination. *Am J Surg.* 2001;181:142-144.
210. de Virgilio C, Stabile BE, Lewis RJ, Brayack C. Significantly improved American Board of Surgery In-Training Examination scores associated with weekly assigned reading and preparatory examinations. *Arch Surg.* 2003;138:1195-1197.
211. Dean RE, Hanni CL, Pyle MJ, Nicholas WR. Influence of programmed textbook review on American Board of Surgery In-service Examination scores. *Am Surg.* 1984;50: 345-349.
212. Hirvela ER, Becker DR. Impact of programmed reading on ABSITE performance. American Board of Surgery In-Training Examination. *Am J Surg.* 1991;162:487-490.
213. Itani KM, Miller CC, Church HM, McCollum CH. Impact of a problem-based learning conference on surgery residents' in training exam (ABSITE) scores. American Board of Surgery in Training Exam. *J Surg Res.* 1997;70:66-68.
214. Hollier LM, Cox SM, McIntire DD, et al. Effect of a resident-created study guide on examination scores. *Obstet Gynecol.* 2002;99:95-100.
215. Shokar GS, Burdine RL, Callaway M, Bulik RJ. Relating student performance on a family medicine clerkship with completion of web cases. *Fam Med.* 2005;37:620-622.
216. Klena JC, Graham JH, Lutton JS, et al. Use of an integrated, anatomic-based, orthopaedic resident education curriculum: a 5-year retrospective review of its impact on Orthopaedic In-Training Examination scores. *J Grad Med Educ.* 2012;4(2):250-253.
217. Weglein DG, Gugala Z, Simpson S, Lindsey RW. Impact of a weekly reading program on orthopedic surgery resident's in-training examination. *Orthopedics.* 2015;38:e387-e393.
218. Kelly DM, London DA, Siperstein A, et al. A structured educational curriculum including online training positively impacts American Board of Surgery In-Training Examination scores. *J Surg Educ.* 2015;72:811-817.
219. Sharma R, Sperling JD, Greenwald PW, Carter WA. A novel comprehensive in-training examination course can improve residency-wide scores. *J Grad Med Educ.* 2012;4(3): 378-380.
220. Millstein LS, Charnaya O, Hart J, et al. Implementation of a monitored educational curriculum and impact on pediatric resident in-training examination scores. *J Grad Med Educ.* 2014;6(2):377-378.
221. Dua A, Sudan R, Desai SS. Improvement in American Board of Surgery In-Training Examination performance with a multidisciplinary surgeon-directed integrated learning platform. *J Surg Educ.* 2014;71:689-693.
222. Eck L, Nauser T, Broxterman J, et al. Utilization of an educational prescription to improve performance on the internal medicine in-training examination. *J Grad Med Educ.* 2015;7(2):279-280.
223. de Virgilio C, Chan T, Kaji A, et al. Weekly assigned reading and examinations during residency, ABSITE performance, and improved pass rates on the American Board of Surgery Examinations. *J Surg Educ.* 2008;65:499-503.
224. Gillen JP. Structured emergency medicine board review and resident in-service examination scores. *Acad Emerg Med.* 1997;4:715-717.
225. Visconti A, Gaeta T, Cabezon M, et al. Focused board intervention (FBI): a remediation program for written board preparation and the medical knowledge core competency. *J Grad Med Educ.* 2013;5(3):464-467.
226. Godellas CV, Hauge LS, Huang R. Factors affecting improvement on the American Board of Surgery In-Training Exam (ABSITE). *J Surg Res.* 2000;91:1-4.
227. Godellas CV, Huang R. Factors affecting performance on the American Board of Surgery in-training examination. *Am J Surg.* 2001;181:294-296.
228. McDonald FS, Zeger SL, Kolars JC. Associations of conference attendance with internal medicine in-training examination scores. *Mayo Clin Proc.* 2008;83:449-453.
229. Picciano A, Winter R, Ballan D, et al. Resident acquisition of knowledge during a noontime conference series. *Fam Med.* 2003;35:418-422.
230. Boscardin C, Penuel W. Exploring benefits of audience-response systems on learning: a review of the literature. *Acad Psychiatry.* 2012;36:401-407.
231. Nelson C, Hartling L, Campbell S, Oswald AE. The effects of audience response systems on learning outcomes in health professions education. A BEME systematic review: BEME Guide No. 21. *Med Teach.* 2012;34:386-405.
232. Schackow TE, Chavez M, Loya L, Friedman M. Audience response system: effect on learning in family medicine residents. *Fam Med.* 2004;36(7):496-504.
233. Pradhan A, Sparano D, Ananth CV. The influence of audience response system on knowledge retention: an application to resident education. *Am J Obstet Gynecol.* 2005;193: 1827-1830.
234. Hettinger A, Spurgeon J. El-Mallakh, Fitzgerald B: Using audience response system technology and PRITE questions to improve psychiatric residents' medical knowledge. *Acad Psychiatry.* 2014;38:205-208.
235. Webb TP, Paul J, Treat R, et al. Surgery Residency Curriculum Examination Scores predict future American Board of Surgery In-Training Examination Performance. *J Surg Educ.* 2014;71:743-747.
236. LaPorte DM, Marker DR, Seyler TM, et al. Educational resources for the Orthopedic In-Training Examination. *J Surg Educ.* 2010;67:135-138.
237. Chang D, Kenel-Pierre S, Basa J. Study habits centered on completing review questions result in quantitatively higher American Board of Surgery In-Training Exam scores. *J Surg Educ.* 2014;71:e127-e131.
238. Trickey AW, Crosby ME, Singh M, Dort JM. An evidence-based curriculum improve general surgery residents' standardized test scores in research and statistics. *J Grad Med Educ.* 2014;6(4):664-668.
239. Mathis BR, Warm EJ, Schauer DP, et al. A multiple choice testing program coupled with a year-long elective experience is associated

with improved performance on the internal medicine in-training examination. *J Gen Intern Med*. 2011;26:1253-1257.
240. Langenau EE, Fogel J, Schaeffer HA. Correlation between and email board review program and American Board of Pediatrics General Pediatrics Certifying Examination scores. *Med Educ Online*. 2009;14:18.
241. Miyamato RG, Klein GR, Walsh M, Zuckerman JD. Orthopedic Surgery residents study habits and performance on the Orthopedic In-Training Examination. *Am J Orthop*. 2007;36:E185-E188.
242. Borman KR. Does academic intervention impact ABS qualifying examination results? *Curr Surg*. 2006;63(6):367-372.
243. Harthun NL, Schirmer BD, Sanfey H. Remediation of low ABSITE scores. *Curr Surg*. 2005;62:539-542.
244. Derossis AM, Da RD, Schwartz A, et al. Study habits of surgery residents and performance on American Board of Surgery In-Training examinations. *Am J Surg*. 2004;188:230-236.
245. Yeh DD, Hwabejire JO, Iman A, et al. A survey of study habits of general surgery residents. *J Surg Educ*. 2013;70:15-23.
246. Mahmouud A, Andrus C, Matolo N, Ward C. Directed postgraduate study results on quantitative improvement in American Board of Surgery In-Training Exam scores. *Am J Surg*. 2008;191:812-816.
247. Pofahl WE, Swanson MS, Cox SS, et al. Performance standards improve American Board of Surgery In-Training Examination scores. *Curr Surg*. 2002;59:220-222.
248. Maddaus MA, Chipman JG, Whitson BA, et al. Rotation as a course: lessons learned from developing a hybrid online/onground approach to general surgical resident education. *J Surg Educ*. 2008;65(2):112-116.
249. Ferguson CM, Warshaw A. Failure of a web-based educational tool to improve residents' scores on the American Board of Surgery In-Training Examination. *Arch Surg*. 2006;141:414-417.
250. Evaniew N, Holt G, Kreuger S, et al. The Orthopaedic In-Training Examination: Perspectives of program directors and residents from the United States and Canada. *J Surg Educ*. 2013;70:528-536.
251. Cheng D. Board review course effect on resident in-training examination. *Int J Emerg Med*. 2008;1:327-329.
252. Ponce B, Savage J, Momaya A, et al. Association between Orthopaedic In-Training Examination subscores and ABOS Part I Examination performance. *South Med J*. 2014;107:746-750.
253. Shokar GS. The effects of an educational intervention for "at-risk" residents to improve their scores on the In-training Exam. *Fam Med*. 2003;35:414-417.
254. Ling FW, Grosswald SJ, Laube DW, et al. The in-training examination in obstetrics and gynecology: an attempt to establish a remediation indicator. *Am J Obstet Gynecol*. 1995;173:946-950.
255. Durkin ET, McDonald R, Munoz A, Mahvi D. The impact of work hour restrictions on surgical resident education. *J Surg Educ*. 2008;65:54-60.
256. Miller AT, Swain GW, Widmar M, Divino CM. How important are American Board of Surgery In-Training Examination scores when applying for fellowships? *J Surg Educ*. 2010;67:149-151.
257. Friedmann P. A program director's view of the In-Training Examination. *Bull Am Coll Surg*. 1985;70:7-11.
258. Ballinger WF. The validity and uses of the In-Training Examination. *Bull Am Coll Surg*. 1985;70:12-16.
259. Jacques CH, Lynch JC, Samkoff JS. The effects of sleep loss on cognitive performance of resident physicians. *J Fam Pract*. 1990;30:223-229.
260. Stone MD, Doyle J, Bosch RJ, et al. Effect of resident call status on ABSITE performance. American Board of Surgery In-Training Examination. *Surgery*. 2000;128:465-471.
261. Frederick RC, Hafner JW, Schaefer TJ, Aldag JC. Outcome measures for emergency medicine residency graduates: do measures of academic and clinical performance during residency training correlate with American Board of Emergency Medicine test performance? *Acad Emerg Med*. 2011;18(suppl 2):S59-S64.
262. Shimizu T, Tsugawa Y, Tanoue Y, et al. The hospital educational environment and performance of residents in the General Medicine In-Training Examination: a multicenter study in Japan. *Int J Gen Med*. 2013;6:637-640.
263. Kim JJ, Kim DY, Kaji AH, et al. Reading habits of general surgery residents and association with American Board of Surgery In-Training Examination performance. *JAMA Surg*. 2015;150:882-889.
264. Barden CB, Specht MC, McCarter MD, et al. Effects of limited work hours on surgical training. *J Am Coll Surg*. 2002;195:531-538.
265. Condren AB, Divino CM. Effect of 2011 Accreditation Council for Graduate Medical Education Duty-Hour regulations on objective measures of surgical training. *J Surg Educ*. 2015;72:855-861.
266. De Virgillo C, Yaghoubian A, Lewis RJ, et al. The 80-hour resident workweek does not adversely affect patient outcomes or resident education. *Curr Surg*. 2006;63:435-440.
267. Pape HC, Pfeifer R. Restricted duty hours for surgeons and impact on resident quality of life, education and patient care: a literature review. *Patient Saf Surg*. 2009;3:3.
268. Roses RE, Foley PJ, Paulson EC, et al. Revisiting the rotating call schedule in less than 80 hours per week. *J Surg Educ*. 2009;66:357-360.
269. Schneider JR, Coyle JJ, Ryan ER, et al. Implementation and evaluation of a new surgical residency model. *J Am Coll Surg*. 2007;205:393-404.
270. Hutter MM, Kellogg KC, Ferguson CM, et al. The impact of the 80-hour resident workweek on surgical residents and attending surgeon. *Ann Surg*. 2006;243:864-872.
271. Vetto JT, Robbins D. Impact of the recent reduction in working hours (the 80 hour work week) on surgical resident cancer education. *J Cancer Educ*. 2005;20:23-27.
272. Zare SM, Galanko JA, Behrns KE, et al. Psychologic well-being of surgery residents after inception of the 80-hour workweek: a multi-institutional study. *Surgery*. 2005;138:150-157.
273. Cox SM, Herbert WN, Grosswald SJ, et al. Assessment of the resident in-training examination in obstetrics and gynecology. *Obstet Gynecol*. 1994;84:1051-1054.
274. Eastin TR, Bernard AW. Emergency medicine residents' attitudes and opinion of in-training exam preparation. *Adv Med Educ Pract*. 2013;4:145-150.
275. Downing SM, Haladyna TM, eds. *Handbook of Test Development*. Mahwah, NJ: Lawrence Erlbaum Associates; 2006.
276. Clauser BE, Margolis ME, Swanson DB. Issues of validity and reliability for assessments in medical education. In: Holmboe ES, Hawkins RE, Durning S, eds. *Practical Guide to the Evaluation of Clinical Competence*. 2nd ed. Philadelphia: Elsevier; 2018:22-36.

277. Millman J, Greene J. The specification and development of tests of achievement and ability. In: Linn RL, ed. *Educational Measurement*. 3rd ed. American Council on Education/Macmillan Publishing Co; 1989:335-366.
278. National Council on Measurement in Education, Instructional Topics in Educational Measurement Series. Available at http://www.ncme.org.
279. Nitko AJ. Designing tests that are integrated with instruction. In: Linn RL, ed. *Educational Measurement*. 3rd ed. American Council on Education/Macmillan Publishing Co; 1989:447-474.
280. American Educational Research Association. *American Psychological Association, National Council on Measurement in Education: The Standards for Educational and Psychological Testing*. Washington, DC: AERA, APA, & NCME; 2014.
281. Elnicki DM, Lescisin DA, Case S. Improving the National Board of Medical Examiners Internal Medicine Subject Exam for use in clerkship evaluation. *J Gen Intern Med*. 2002;17(6):435-440.
282. O'Neill TR, Li Z, Peabody MR, et al. The predictive validity of the ABFM's In-Training Examination. *Fam Med*. 2015;47:349-356.

7

업무현장에서의 임상추론 평가

ERIC S. HOLMBOE, MD, MACP, FRCP, AND STEVEN J. DURNING, MD, PHD

개요

서론

앞 장에서는 보다 표준화되고 통제된 상황에서 인지평가(assessment)를 논의했다. 즉, 필기(예: 다지선다, 논술) 형식으로 임상추론과 같은 구성을 탐구하는 데 사용할 수 있는 다양한 방법과 기법에 대해 설명하였다. 이 책의 여러 장에서는 임상추론과 같은 주제를 평가하기 위한 여러가지 표준화수행평가 유형(예: 객관구조화진료시험[objective structured clinical examinations, OSCE])을 다루고 있다.

이 장에서는 업무현장의 맥락에서 임상추론(즉, 평가의 구인) 평가에 대해 이전 장에서 살펴본 내용을 토대로 논의할 것이다. 임상추론은 이 장의 핵심 내용이지만, 이 논의의 측면은 독자가 염두에 두고 있을 업무현장에 대한 다른 중요한 평가구인(예: 전문직업성, 팀워크)에도 적용될 수 있다. 우리는 배경부터 시작하여, 이론적 틀, 개별학습 평가를 고려한 프로그램 전반에 적용할 수 있는 업무현장 평가방법들을 설명할 것이다. 그리고 마지막으로 이러한 새로운 평가방법들의 주목할 만한 도전과제와 기회의 내용으로 이 장을 마무리하고자 한다.

배경

우리는 지난 수십 년 동안, 심지어 이 책의 초판 이후로도 의료 현장과 의학교육에서 극적인 변화를 목격했다. 이러한 변화는 부분적으로는 과학적, 기술적 진보와 역량, 마일스톤, 위임가능전문활동, 전자의무기록과 현장진료 자원을 포함하여 학습자와 교육과정 평가 접근 방법에 대한 진화에 의해 촉진되었다(1장 참조).

엄청난 기술력의 발전에도 불구하고 정확한 진단과 치료로 이어지는 인간의 임상추론 과정은 임상 환경에서 양질의 안전한 환자진료에 필수적이다. 예를 들어, 지난 30년 동안의 연구는 정확한 진단을 위한 의학면담의 중요성을 보여주었다.[1,2] 게다가 고부담, 필기시험은 종종 임상 실무에서 나타나는 광범위한 변수의 작은 부분만을 다룬다. 진단오류(diagnostic error)는 수십 년간 엄격한 고부담 시험 실시에도 불구하고 환자와 의료시스템에 심각하고 성가신 문제로 남아 있다.[3] 최근 미국국가과학학술원(National Academy of Medicine) 보고서인 *의학 진단 개선(Improving Diagnosis in Medicine)*은 진단오류를 위험하고 지속적인 환자안전 문제로 부각시켰다.[4] 이 보고서는 거의 모든 환자가 평생 최소한 한 번의 진단오류를 경험할 것이라고 지적했다. 맥캐리(Makary)와 다니엘(Daniel)은 의료오류(medical error)에[1] 초점을 맞춘 연구들을 검토하면서 의료오류가 미국에서 세 번째 사망 원인일 수 있다고 결론지었다. 진단오류는 의료오류의 상당 부분을 차지한다.[5] 오류가 실제로 사인의 원인 중 몇 번째인 지와 상관없이, 너무 많은 환자들이 진단오류로 인해 피해를 입는다는 것에 대부분의 사람들이 동의할 것이다. 우리는 마지막 장에 요약된 "생체 외(in vitro)" 평가 시행으로 큰 진전을 이루었지만(즉, 통제된 비임상적 환경에서 평가) 진단오류에 대한 최근 자료들은 임상추론의 표준화된 평가를 사용하는 것이 필요하지만 임상추론의 효과적인 평가를 보장하기에 충분하지 않음을 시사한다.

임상추론의 결함은 진단오류의 주요 원인이 되고 있다. 환자들은 진료 시에 적절하고 경제적으로도 부담 가능하며, 위해를 가하지 않는 정확한 진단과 건전한 임상 조치를 받을 수 있다는 기대를 가지고 의사와 상담한다. 의사, 학자, 자금 조달자 및 규제 기관 모두 이러한 성과에 관심을 갖고 있다. 1999년 의학연구소(Institute of Medicine)의 *실수하는 것이 인간이다(To Err Is Human)* 보고서가 발표된 후, 입원 환자 100명당 약 25명이 위해를 경험하고 이 수치는 10년 동안 변하지 않았다.[6,7] 잘못된 의사소통과 의사소통 부족이 의료오류의 중요한 원인이지만(처방오류처럼)[8], 그래버(Graber)는 최근 그의 논문에서 다음과 같이 언급하였다. "다양한 연구들은 진단 과정의 문제로 인해 엄청난 위해와 환자의 사망이 초래된다는 것을 시사한다."[9] 최근 25년 동안의 의료과실 청구를 검토한 논문의 저자들은 다음과 같이 지적한다. "진단오류는 의료 과실 중 가장 흔하고, 가장 비용이 많이 들며, 가장 위험해 보인다."[10]

이러한 모든 최신 이론적 견해를 종합해보며 왜 생체 외 평가가 실제 진료수행을 충분히 파악하지 못하는 지에 대해 시사하는 바가 있다고 생각한다. 이러한 최신 이론들은 더 나은 업무현장 또는 업무바탕 평가(work-based assessments, WBAs)의 발달을 뒤에서 인도할 수 있다. 우리는 WBA를 "생체 내(in vivo)" 평가라고 부른다. 여기에 임상추론영역 평가가 포함된다. 임상추론은 진단(진단 추론)과 치료(치료 추론)에 도달하기 위한 단계를 포함한다. 임상추론은 절차(단계)와 성과(진단 또는 치료적 "정답")을 강조하고, 따라서 성과(의사의 행동)에 보다 중점을 두는 의사결정과 오류와 같은 영역과 대조적이다. 이는 다르지만 서로 관련된 분야이며, 보다 심도 있는 구분을 논의하기 위해 독자는 다음의 문헌을 참조하기 바란다.[4,9]

이 장에서 우리는 업무현장에서 진단적 임상추론을 평가하는 데 초점을 두었는데 그럴 만한 여러가지 이유들이 있다. 진단의 "명명"은 가치나 뉘앙스에 기반을 두기보다 종종 환자의 상황과 선호를 고려해야 하는 환자 특이적인 치료적 결정에 영향을 받는다. 적절하고 성공적으로 치료하기 위해서는 정확한 진단이 필요하다. 10장에서는 치료적 추론의 성과를 평가하기 위해 질적 지표를 사용하는 방법을 탐구한다. 비록 우리가 진단 추론에 대해 이제는 더 많이 이해하게 되었지만, 치료적 추론과 연결되기 때문에 아직 해결해야 할 과제가 남아 있다.

정의와 이론적 틀

"임상추론"을 정의하는 것은 "임상추론"이 함축하는 용어가 무수히 많기 때문에 중요한 도전이다. 이 장의 목적을 위해 *인지적*, 신체적 절차로 요약할 수 있는 포괄적인 틀을 사용할 것이다. *그러한 과정으로 의사는 의식적으로 그리고 잠재적으로 환자 및 환경과 상호작용하여 환자의 자료를 수집하고 해석하며, 행위의 이득과 위험요소를 따져보고, 진단과 치료적인 계획을 결정하기 위해 환자의 선호도를 파악하여 환자의 웰빙을을 향상시키려고 할 것이다.*[11]

실무 적용에 관한 이 책에서 이론을 다루는 것이 전형적이지 않지만, 이 절이 진료현장에서 임상추론을 평가하는 렌즈나 나침반 역할을 할 수 있으므로, 특히 업무현장 수행이 이전 장과 이 책의 다른 장(6장)에서 설명한 생체 외 방법을 사용하는 것과 다를 수 있으므로 중요할 수 있다. 문헌에서 많이 언급되는 여러 가지 연관된 개념과 이론도 있다. 우리는 교수자가 진료현장과 교육프로그램에서 임상추론의 구인을 평가하는 것을 돕기 위해 이론에 대한 간략한 토론으로 시작해 보고자 한다. 어떤 의미에서, 이론은 교수자가 임상 환경의 많은 유동적인 부분에 어떤 질서를 부여하는 틀을 제공하고, 검사 대상 영역(이 경우 임상추론)이 복잡하고 때로는 혼란스러운 업무현장에서 평가를 받고 있다는 확신을 교수자, 학습자, 교육프로그램 그리고 평가자에게 제공할 수 있다.

아마도 임상추론에서 가장 흔하게 인용되는 것은 이중 정보처리 이론(dual process theory)일 것이다. 이중 정보처리 이론은 우리가 추리를 할 때 두 가지 정보처리 기법을 사용한다고 보는데, 시스템 1 또는 빠른 사고는 적은 노력과 빠른 속도를 의미하고, 시스템 2나 느린 사고는 많은 노력을 의미한다. 빠른 사고는 비분석적 추론이라고도 하며, 느린 사고를 분석적 추론이라고 한다.[12] 이중 정보처리 이론과 관련된 것은 시나리오 이론이다. 대본은 조직화된 지식(예: 기억의 덩어리)을 나타낸다고 생각되며, 진단 대본에는 일반적으로 진단을 구성하는 모든 증상 및 소견, 각 증상의 범위와 주어진 진단의 소견, 그리고 각 증상과 소견에 가장 가능성이 높거나 "기본"적인 패턴이 포함되어 있다. 인지부하 이론은 우리가 주어진 시간에 많은 정보를 보유하거나 처리할 수 있게 되는 제한된 인지 구조를 말한다. 실제로, 이러한 이론들은 우리가 끊임없이 정보를 함께 통합하거나 묶는다는 개념(지속적인 패턴을 만듦)으로 수렴하여 명령체계(빠른

---

1) 역자주. 의료오류(medical error)는 환자의 질병을 치료하는 과정에서 발생하는 단순한 "실수"를 의미하기 때문에, 의료 전문가가 환자의 상태에 맞는 적절한 치료 기준을 충족하지 못하고 오류를 범하는 의료과실(medical malpratice)과는 차이가 있다. 의료오류가 단순한 실수라면, 의료과실은 의사로서 지켜야하는 의무의 문제이므로 모든 의료오류가 의료과실이나 의료사고(medical accident)로 이어지지는 않는다.

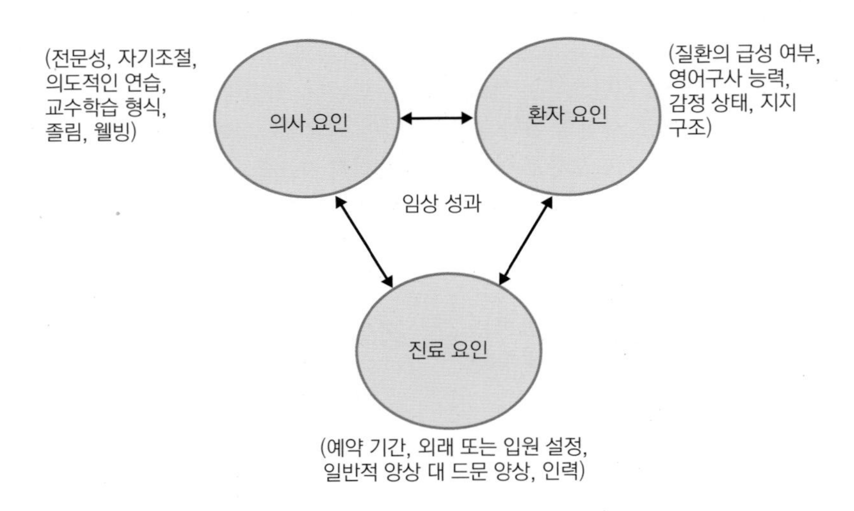

그림 7.1 임상추론의 업무현장 평가: 상황 인지 접근법

사고를 가능하게 함)를 유도하고 작업기억(인지 부하)을 자유롭게 한다. 이러한 이론과 임상추론과 관련된 다른 이론에 대해 더 알기 원한다면 다음 문헌들을 참조하기 바란다.[13-15]

우리는 이전에 언급한 이론을 포함하여 업무현장에서 임상추론을 최적으로 평가하기 위한 포괄적인 틀을 선택했다. 그리고 *맥락 특수성(context specificity)*의 현상을 포함하는 임상추론 연구에서 떠오르는 결과들을 일부 선택했다. 맥락 특수성은 한 명의 의사가 같은 주소, 같은(거의 동일한) 증상 및 같은 소견(신체검사, 실험실 검사 등), 같은 기저 질환을 가진 두 명의 환자를 볼 수 있고, 그런데도 의사가 두 가지 다른 진단 결정을 내리는 반복적인 결과를 말한다. 즉, 진단을 확립하는 데 필요한 양상의 필수 내용(즉, *내용[content]* 특수성)을 벗어난 것이 의사의 의사결정과 조치를 주도한다는 것이다. 일부에서는 이러한 "다른 것"을 맥락적 요인이라고 부르기도 한다(맥락적 요인의 예는 그림 7.1을 참조하기 바란다). 따라서 업무현장에서 임상추론 평가에 대한 우리의 관점은 내용 그 이상을 포함해야 하며, 환경(시스템)과 맥락 특수성을 뒷받침하는 참여자 간의 상호작용을 포함해야 한다고 믿는다. 또한 이것이 표준화된 평가 설정에서 복잡한 진료 환경(예: 맥락 특수성)에서 발생하는 것으로 전환될 때 유용하다고 본다.

이 평가를 지원하기 위해 간략하게 설명할 이론적 틀은 *상황 인지론(situated cognition)*이다.[16,17] 업무현장에서 임상추론 평가를 위한 포괄적인 이론적 틀에 대한 문헌은 제한적이며, 상황 인지론은 포괄적인 이론적 틀 중 하나이다. 상황 인지는 사고(인식)가 환경과 조화를 이루며 행동하는 개인으로부터 발생한다고 주장한다. 이는 의사의 개인적인 특정 설정이나 면담의 맥락에서 환자와 상호작용하는 의사로 그 초점을 이동시킨다. 이러한 시각에서 보면, 추론의 구성 요소와 상호작용할 수 있고 상호작용이 명확해지기 때문에 추론이 잘못되었을 경우 어디에서 잘못되었는지 알 수 있다. 또한 상호작용이 잘 될 때 더 잘 이해

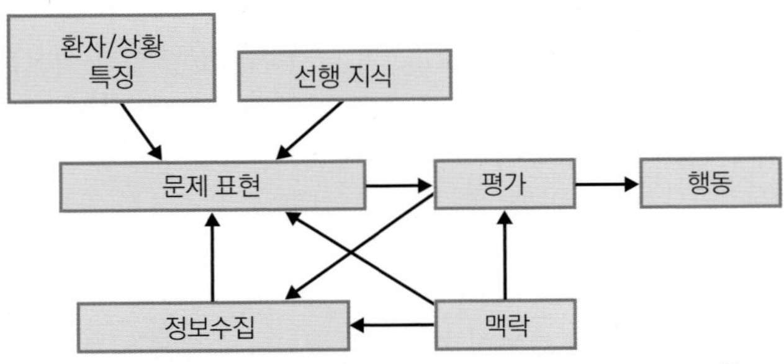

그림 7.2 임상추론의 그루펜(Gruppen)과 프로나(Frohna) 모형

할 수 있도록 도와주며, 혼란스럽고 복잡한 특성을 지닌 진료에서 의사(및 교육생)를 도울 수 있는 수단을 제공한다.

임상 면담에서 참여자(그림 7.1, 의사와 환자)는 서로 간 그리고 환경(또는 설정)과 상호작용한다. 임상추론의 생체 내 평가는 상황에 따라 다르며, 이 모델은 구성요소를 "분해"하는 수단을 제공하므로 맥락 특수성을 더 잘 이해할 수 있다. 또한 임상 설정(예: 환자 가족, 교육생, 간호사 또는 다른 보건의료전문가)에 기초하여 필요한 자원이 추가될 수 있으며, 수치는 포함될 수 있는 맥락 요인의 표본에 불과하다. 각각의 개별 역량을 평가하듯이 우리는 시간에 걸쳐 다양한 방법으로 표시된 요인들을 평가해야 한다는 개념을 강조하고자 한다. 이 이론적 틀은 다른 종류의 틀을 이해하기 위한 확장된 렌즈의 역할을 한다(그림 7.1 참조).

예를 들어, 이 틀은 보엔(Bowen)모형, 그루펜(Gruppen)과 프로나(Frohna)모형(그림 7.2에 표시된 Gruppen과 Frohna모형)에서 맥락의 개념을 확장한다.[15,18] 상황 인지론(필자의 접근방식)에서는 임상추론이 이전의 Bowen모형, Gruppen과 Frohna모형보다 업무현장에서 더 긴요하고 상호작용적이라고 주장한다. 임상추론은 역동적이고 여러 가지 요인을 고려하는 과정이다.

진료현장에서 임상추론의 평가를 볼 수 있는 렌즈를 제공했으니, 이제 여러가지 방법을 설명해보고자 한다. 최신 방법들 중

몇몇 방법들은 아직까지 신뢰도와 타당도 자료가 제한적이다. 필자는 이 방법들을 예시 범주로 분류하였다.

"전문가" 평가

"전문가(expert)" 평가는 "총괄적 요약(global summaries)"이라고 부르기도 한다. 전문가 평가는 일반적으로 학습경험 끝에 시행되며, 평가자, 대부분의 경우 교수진에 의해 수행되는 "전반적(overall)" 또는 "준-총괄(quasi-summative)" 평가에 해당된다. 전문가 평가는 정해진 기간에 걸쳐 관찰에 기초하는 종적인 평가로 일반적으로 교수진에 의한 집합적이고 "게슈탈트" 형태의 평가를 말한다. 이러한 판단은 전통적으로 어떤 유형의 평가척도(예: 5점 리커트 척도)로 표현되어 왔다. 특히 체크리스트를 작성하는 것이 골치 아프고 특정한 상황에서 복잡한 경우, 총괄적 평가가 가치가 있음을 시사하는 자료들이 있다. 교육프로그램에 의한 의학지식의 총괄평정은 고부담 시험의 성과와 다양하게 연관된다(6장 참조).[19-21] 또한 임상추론을 평가하기 위해 이러한 척도를 사용하는 데 있어 한계가 지적되었으며, 가장 중요한 것은 평가자간 신뢰도가 0.25 - 0.37로 낮다는 사실이다.[22,23] 다수의 요인들이 이러한 낮은 상관관계를 설명해주고 있다. 첫째, 교수자 자신의 임상술기와 임상 내용 및 맥락의 표준화 부족이 교수자 평가와 판단에 영향을 미치는 것으로 나타났다. 코간(Kogan)과 동료들은 교수자의 임상술기가 그들의 평가의 엄격성과 양적인 상관관계가 있음을 밝혔다.[24] 교수자는 임상추론 판단에 영향을 미칠 수 있는 자신의 강점, 약점, 독특한 점을 가지고 있다(4장 참조).[25]

둘째, 교수자는 종종 임상추론 과정에 대한 맥락 요인의 중요한 역할과 영향을 적절하게 인식하지 못하는데, 이는 상황 인지와 같은 이론적 틀이 임상추론의 업무현장 평가를 개선할 수 있는 이유라고 생각한다. 임상추론에 어려움을 겪고 있는 학습자를 예로 들어보자. 우리는 종종 학습자가 불충분한 지식이나 경험을 가지고 있다는 결론을 내릴 수 있지만, 그림 7.1은 환경(또는 진료), 의사 개인적 특성(예: 소진이나 졸음)과 환자(예: 방문 시 질병으로 인한 예민성 또는 진료 시 정서적 변화)를 포함하여 발생할 수 있는 여러가지 요인을 지적한다. 또한 이러한 요인들이 조합되어 잘못된 임상추론의 결과를 가져오는지 재빨리 추측할 수 있을 것이다. 예를 들어, 전자의무기록 상의 내용으로는 그다지 도움이 안되는 신경질적인 환자와 상호작용해야 하는 전공의가 마침 진료시간에 늦었고 상당히 피곤한 상태인 경우이다.

최근 한 연구에서는 실제로 오류의 원인이 되는 건강정보 기술의 취약성을 발견했다.[26] 오류의 원인이 되는 요인들은 명시적으로 기술되지 않는 한 누락될 수 있으며, 이러한 요인들은 선형 심리측정학적 접근방식으로 쉽게 찾아낼 수 없다. 실제로 이러한 요인들은 표준화된 평가가 제거하고자 하는 "소음(noise)"의 상당 부분을 차지한다. 우리가 상황인지론을 활용하는 이유는 임상추론 상황이 좋지 않거나 또는 잘 진행될 때 진단할 수 있는 수단을 제공하는 장점 때문이라고 생각한다. 상황인지론의 구성요소들은 무엇인가? 무엇이 성공(또는 부족)을 보장할 수 있는가? 교수자가 미래를 위해 무엇을 제안할 수 있는가?

셋째, 임상추론 평가에 사용되는 여러가지 총괄형 척도와 도구에 대한 검토에서 이전에 강조된 것과 같은 교육이론을 사용하는 경우는 눈에 띄게 없었다. 나중에 추가로 논하겠지만, 직접관찰 도구로 가장 흔하게 활용된 미니임상평가연습(mini-CEX)에는 척도 서술의 의미나 임상판단의 평가 이론에 대한 정의가 거의 없는 9점 척도(1-3 = 불만족, 4-6 = 만족, 7-9 = 우수)를 사용한 임상판단 범주가 포함되어 있다(4장 참조).

마지막으로, 교수자는 표준화된 시험과는 매우 다른 맥락에서 임상추론을 평가하고 있다. 교수자는 대부분 개인지도(예: 전공의가 입원 회진이나 외래 진료소에서 교수진에게 환자를 보고할 때와 같이), 반형식적인 보고(예: 전날 밤 입원한 환자에 대한 아침 보고, 사례 회진 등), 그리고 환자를 치료하는 동안 다양한 질문의 복잡한 조합을 통해 임상추론을 평가한다. 문제는 대부분의 교수자가 이러한 활동 중에 임상추론 평가를 위하여 체계적인 접근법을 사용하지 않는 경우가 많다는 사실이다. 최종 결과는 교육을 마친 후 교수자가 종합적인 평가로 환산한 특이한 조합이라는 것이다. 자료가 상당히 제한적이지만, 교수자가 학습자의 임상추론을 보다 잘 판단하는 데 도움이 될 수 있는 구조화된 접근법을 추후 언급할 것이다. 이러한 접근방식은 임상추론 평가에 대한 정보를 줄 뿐 아니라 전반적인 평가에 중요한 "입력 정보"의 역할을 할 수도 있다.

SNAPPS

SNAPPS는 모든 교육 틀 중에서 가장 많이 연구된 틀이다. 글상자 7.1에는 SNAPPS 단계가 간략히 설명되어 있다. SNAPPS는 학습자가 환자의 임상 상황을 보다 체계적으로 보고하는 것을 돕고, 동시에 학습자의 임상추론을 평가하는 교수진의 능력을 촉진하도록 설계되었다.[27-29]

SNAPPS는 전공의보다 대부분 의과대학생을 대상으로 연구되어져 왔다. 그래서 전공의나 임상강사와 같은 상급 학습자들

• 글상자 7.1 임상추론을 촉진시키기 위한 SNAPPS 모형

S: 병력과 소견을 요약한다
N: 감별 진단을 좁힌다
A: 감별 진단을 분석한다
P: 확실하지 않은 것에 대하여 개인지도교수(preceptor)에게 묻는다
P: 조치를 계획한다
S: 자기학습을 위하여 증례와 관련된 이슈들을 선정한다

에게 SNAPPS가 어떻게 작용하는지 알려져 있지 않다. 그러나 SNAPPS를 사용하면 학습자의 임상추론 과정을 설명하는 능력이 향상될 수 있다는 사실이 여러 연구에서 입증되었다. 교수자는 이 기법을 교육현장에서 사용하는 것이 가능하다고 생각하지만 SNAPPS의 사용이 임상추론의 전반적인 교수자 판단에 어떻게 영향을 미치는지는 알려져 있지 않다. 또한 SNAPPS는 근거중심의학(9장 참조)에 대한 환자-중재-비교-결과(Patient-Intervention-Comparator-Outcome, PICO) 접근법과 결합되어, 잘 구성된 임상 질문을 생성하도록 도와준다.

1분 개인지도교수와 IDEA

평가 관점에서 연구되지 않은 다른 틀에는 1분 개인지도교수(one-minute preceptor)와 IDEA 틀이 있다(글상자 7.2).[30-31] 한 연구는 학생 입학 정보의 질을 판단하기 위해 IDEA 틀의 활용을 조사했다. 연구자들은 15개 항목의 도구를 사용하여 중간 정도의 신뢰도와 최종 임상실습 성적과의 양적인 상관관계를 발견했다.[32]

이렇게 구조화된 틀의 사용이 임상추론 능력을 더 신뢰할 수 있고 유효하게 평가할 수 있는지를 결정하기 위해서는 더 많은 연구가 필요하지만, 업무현장에서 임상추론 구조를 교수진에게 제공하는 것을 시작하기에 합리적이고 논리적인 상황이 될 것이다.

필자는 간호학 분야에서 사용되며, 타당도와 근거가 있는 전문가 바탕의 독특한 평가도구를 발견했다. 더 명확한 연구결과를 얻기 위해서는 더 크고 다양한 집단에서 시험되어야 하지만, 라세터 임상판단 루브릭(Lasater Clinical Judgment Rubric, LCJR)은[33,34] 타당도와 신뢰도 지수가[33-35] 있고, 임상추론에 상응하는 임상판단 평가를 위한 훌륭한 틀이다. 이 도구는 임상추론의 요소들인 정보 탐색, 예상한 것으로부터 벗어남의 인지, 자료 우선순위 결정, 자료 이해, 결과에 대한 의사소통을 포함한다. 이 루브릭은 초보(beginning)단계, 발전(developing)단계, 우수(accomplished)단계, 그리고 모범(exemplary)단계로 수행을 나눈다. 이 루브릭은 부록 7.1에 기술되어 있다.

• 글상자 7.2 1분 개인지도교수(one-minute preceptor)와 IDEA 틀

1분 개인지도교수	IDEA
• 약속하기	• I –해석적 요약
• 근거자료 조사하기	• D –감별 진단
• 일반적인 규칙 가르치기	• E –가장 가능성 있는 진단을 선택한 이유 설명
• 올바르게 수행한 것을 강화하기	• A –추론을 설명할 수 있는 대안적인 진단
• 실수 바로잡기	

직접관찰

직접관찰(direct observation)은 오랫동안 임상술기 평가를 위한 주된 방법이었다. 앞에서 언급한 바와 같이, 복수의 관찰은 총괄적이거나 전문적 요약 판단을 가능케 한다. 일대일의 환자진료 면담 판단을 위한 여러가지 평가도구가 존재한다. 많은 도구 중 mini-CEX는 아마도 가장 일반적으로 사용되는 형태일 것이다(4장 참조).[36] 본래 mini-CEX는 구체적인 "임상적 판단"의 평가 영역을 포함하고 있다. 관찰을 통해 임상적인 판단을 평가하는 것은 앞서 설명된 다른 평가도구에서는 부족했던 자료수집 기술(의학면담 및 신체진찰) 평가를 포함한다. 직접관찰의 장점은 자료수집 기술에 대한 평가를 함께 할 수 있으므로 교수자가 학습자의 진단(진단 추론) 수립과정을 포함하여 모든 평가단계를 통합적으로 평가할 수 있도록 한다. 예를 들어, 학습자가 자료를 제대로 수집하지 못하면, 정확한 감별 진단을 내릴 수 있는 가능성이 현저하게 낮아진다. 앞서 SNAPPS에서 언급된 원칙, 개인지도교수 및 IDEA 틀은 mini-CEX와 같은 면담시점 평가에도 적용할 수 있다.

Mini-CEX와 기타 여러가지 관찰 도구들은 임상술기를 판단하기 위한 합리적인 신뢰도와 타당도를 가지고 있는 것으로 나타났지만, 임상추론의 평가와 관련하여 이 도구들의 심리측정학 속성에 대해서는 잘 알려져 있지 않다.[36] 직접관찰은 임상추론의 다른 평가와도 결합될 수 있다. 예를 들어, 관찰된 내용영역에 대한 다지선다문항 시험과 결합할 수 있다. 직접관찰의 여부와 상관없이, 관찰에 효과적인 질문이나 다른 추가적인 도구와 결합하면 학습자에게 의미 있는 피드백을 제공할 수 있다.

의무기록 자극회상

의무기록 자극회상(chart-stimulated recall, CSR)은 실제 환자를 만나 작성한 의무기록을 사용하여 의료전문가의 임상추론 과정을 후향적으로 검토하는 구조화된 "구술 시험"으로 간주할 수 있다.[37] 최근 CSR을 의료제공자를 위한 "게임 테이프 검토"의 한 형태라고 칭하고 있다.[38] 일반적으로 임상 면담에 대한 의무기록은 전문의, 교육생, 또는 평가자가 선택하는데, 기록에 대한 첫 검토는 평가자가 하게 된다. 그리고 그 검토는 의료전문가의 해당 조치와 결정 뒤에 존재하는 "왜(이유)"를 조사하도록 설계된 일련의 구조화된 질문지를 활용하게 된다.[38-41] 평가자는 이 질문지를 의료전문가의 일대일 평가에서 활용한다. 의무기록에 반영된 선택사항에 대한 의료전문가의 이론적 근거와 추론을 도출하고 문서화한다. 또한 문서화되지 않은 정보도 추가한다. 시간 할애와 평가자의 훈련과 더불어, 이러한 평가의 가장 큰 숙제는 환자와의 면담과 관련된 맥락의 적절한 예시를 얻는 것이다. 상황적 진료바탕 평가를 사용할 때 충분한 예시가 고부담 평가를 위해 필수적이지만 학습을 위한 평가(또는 형성평가)

를 지원하는 데 사용할 때는 덜 중요하다.

CSR과 증례바탕 토론(case-based discussion, CBD)으로 알려진 변형은 현재 여러가지 맥락에서 사용되고 있다. CSR은 원래 1980년대 초에 미국응급의학과 전문의자격인증에 사용하기 위해 개발되었다. CSR은 양호한 심리측정학 속성 가지고 있는 것으로 밝혀졌지만, CSR 바탕 고부담 시험을 운영하면서 비용과 실행의 어려움(예: 일정조정, CSR을 수행할 수 있는 충분한 교수자 모집)으로 인해 결국 폐기되었다.[42,43] 가장 큰 문제는 응급의학과를 전공하는 의사들이 늘어남에 따라 필요한 시험관의 수 또한 증가했다는 점이었다. 현재 CSR은 캐나다(특히 앨버타[Alberta] 주)의 의사성취도 평가(Physician Achievement Review, PAR) 프로그램의 검증된 구성요소이고, CBD는 영국재단 프로그램의 일부로 연구된 바 있다.[44-47] 주로 저부담 형성평가인 두 기법은 평가자와 응시자 모두에게 신뢰할 만하고 유용한 것으로 밝혀졌다. CSR은 또한 최근 일개의 퀘벡(Quebec) 가정의학과 의사 집단의 의무기록 감사와 비교되었다. 진단 정확도에 대한 제한된 표본에서 CSR과 의무기록 감사 간의 동의률은 81%였지만, CSR은 예상대로 임상추론에 대한 보다 유용한 정보를 제공했다.[47] 또한 레디(Reddy)와 동료들은 CSR을 사용할 때 주의할 점들을 제공했으며, 특히 구인 과소대표성(Construct underrepresentation)의 타당도 이슈들(예: 불충분한 표집, 일관되지 않은 증례 난이도)와 구인무관 변이(평가자 바이어스 및 인지 오류)같은 타당도 문제였다.[48] 우리가 보기에 CSR과 CBD는 아마도 업무현장에서 임상추론을 조사하기 위해서 활용도가 낮은 평가방법일 것이다. 질문을 유도하기 위해 유용한 견본이 있으며, CSR은 고군분투하는 학습자의 부족함을 식별하는 데 특히 유용할 수 있다.

CSR은 또한 전자의무기록(electronic medical records, EMR) 시대에 특히 유용할 수 있다. EMR은 실제로 여러가지 이유로 임상추론을 평가하는 능력을 훼손할 수 있다(10장 참조). 첫째, 대부분의 EMR은 자료 입력을 표준화하기 위해 "템플릿(견본)" 기능을 사용하는데, 학습자의 사고와 추론의 뉘앙스를 효과적으로 반영하지 못한다. 둘째, EMR은 이전 기록의 "자르기와 붙여넣기"를 허용하며, 이는 환자의 현재 임상 상태와 조건을 보다 정확하게 표현하는 것을 왜곡한다. 따라서 CSR은 교수자가 임상추론 능력에 영향을 미칠 수 있는 EMR의 정보 격차를 볼 수 있게 한다.

한 가지 좋은 예로, 환자가 진료소를 방문한 지 14일 이내에 예기치 않게 진료현장(외래, 응급실 또는 입원실)으로 되돌아오게 되는 사례의 이유와 원인을 조사한 연구가 있다. 환자의 4분의 1 이상은 진단오류로 인해 되돌아왔다.[49] 이러한 유형의 사건은 CSR과 근본원인분석(root cause analysis, RCA, 10장 참조)을 결합하여, 임상추론 기여(CSR)로부터 환경 및 시스템이 진단오류에 어떻게 영향을 미쳤는지(RCA)에 이르기까지 오류가 발생한 이유를 탐구하는 데 매우 유용하다.

업무바탕 관련 평가

다음 절에서는 실제 환자진료에서 사실상 핵심이 되고 있지는 않지만, 앞서 설명한 부가적인 방법으로 해당 지역의 프로그램으로 잠재적으로 적용될 수 있는 임상추론 평가방법의 예를 제공하고자 한다. 이러한 방법은 연속적인 역량바탕 개발 세계에서 학습자의 현위치를 파악하는 데 특히 도움이 될 수 있으며, 임상 환경에서 임상추론 평가에 대한 교수자의 접근방식을 개별화하는 데 필요한 정보를 제공한다.

객관구조화진료시험과 고충실도 시뮬레이션

객관구조화진료시험(objective structured clinical examination, OSCE)은 아마도 표준화환자(standardized patient, SP)를 활용하여 임상술기를 평가할 때 가장 일반적인 형식일 것이다. SP들은 다양한 임상 시나리오를 묘사하도록 훈련 받은 실제 배우들이다. OSCE는 일반적으로 SP와의 논의나 상담 여부와 관계없이 학습자가 주어진 15분에서 20분 동안 해당 병력청취와 신체진찰을 시행하고 적절한 영상 또는 검사자료를 검토하는 것이 일련의 스테이션으로 이루어진다(5장 참조).[50] 5장에서 SP와 OSCE를 자세히 다루었다. 예를 들어, 형성평가 형식과 총괄평가 형식 모두 임상추론의 평가를 포함할 수 있다. USMLE 2단계 임상술기 시험에는 응시자가 감별 진단을 하는 "환자 기록"이 통합되어 있다. 또한 교수자의 간단한 "구술 시험", 추가 임상자료에 대한 해석, SP 또는 교수진에게 치료 계획을 보고하는 것 등이 저부담 OSCE에서도 유사하게 사용된다(5장).

고충실도 시뮬레이션도 평가 과정에 점점 통합되고 있다. 고충실도 시뮬레이션은 종종 SP를 포함하지 않는 대신에 정교한 마네킹, 가상현실 및 기타 컴퓨터바탕 시뮬레이션을 사용한다. OSCE와 마찬가지로 복수의 접근방식을 통한 임상추론은 시뮬레이션에 통합될 수 있다(시뮬레이션에 관한 12장 내용 참조).[51] 최근 미국마취과전문의협회는 마취과 의사들이 통제된 환경에서 보다 덜 흔하고 어려운 임상 시나리오를 연습할 수 있도록 고안된 보수교육과정 시뮬레이션을 필수로 추가했다.[52] 가상현실에서도 실제 환자처럼 행동하고 학습자의 임상적 결정에 따라 다양한 경로로 이동하게 하는 프로그램된 아바타를 개발할 수 있다.[53,54] 이러한 유형의 평가가 실제 임상진료로 효과적으로 전이되는지 여부에 대해서는 잘 알려져 있지 않다. 그럼에도 불구하고 시뮬레이션은 평가방법으로서 상당히 유망하다.

임상추론 평가에서 떠오르는 전략들

임상추론을 평가하는 여러가지 최신 수단이 문헌에 등장하고 있다. 여기서는 세 가지 기법을 간략히 설명하고자 한다. 그러나 그 밖의 다양한 기법들이 존재하는데, 이러한 방법들은 현재까지 제한적인 타당도 근거를 가지고 있다. 처음 두 가지는 교육이론을 명시적으로 반영한다는 점에서 우리가 알고 있는 평가도구들에 비해 중요한 발전이라고 볼 수 있다. 나머지 하나는 추론 과정에 대한 보다 직접적인 자기성찰을 허용함으로써 그 가능성을 보여준다. 임상추론 평가 전략 중 하나 이상 사용하는 것을 고려할 경우 전체 교육과정 평가에 해당 전략을 추가하는 데 따르는 장단점을 신중하게 따져 보아야 한다.

개념 지도

개념 지도(concept mapping)는 학습자의 생각이나 지식 구조를 시각적으로 표현하기 위한 기법이다.[55] 개념 지도에서 학습자는 다양한 생각(개념)과 특정 구문(연결 단어)을 연결하여 자신의 생각을 어떻게 통합하는지 보여준다. 개념 지도는 구조화되지 않거나(빈혈을 주제로 한 개념 지도 그리기), 부분적으로 구조화되거나(헤모글로빈, 말초혈액 도말, 소적혈구 지수, 골수생검 등을 포함하는 빈혈을 주제로 개념 지도 그리기), 또는 완전히 구조화(학습자가 단어 맞추기 퀴즈처럼 특정 개념이나 연결 단어로 채우기)될 수 있다. 의학교육 문헌을 살펴보면 개념 지도에 관한 최근 논문들이 다수 있다(그림 7.3).[55-57]

대본일치시험

대본일치시험(script concordance test, SCT)은 가능한 실제와 유사한 상황을 통합한 임상추론을 평가하기 위해 설계되었다. SCT는 실제 임상 면담에서 발생할 수 상황을 시뮬레이션하기 위해 응시자에게 순차적으로 제공되는 정보에 기초하여 한정된 범위의 응답을 하도록 설계되었다. 이 가설은 SCT가 실제 진료에서 흔히 접하는 불확실성을 보다 효과적으로 포착한다는 것이다.

SCT에서는 학습자에게 간단한 임상 시나리오가 제시되고, 학습자가 몇 가지 진단 또는 치료 옵션을 나열(또는 선택)하고 가능한 감별 진단에 대한 영향을 추정할 수 있는 질문을 제시한다. 도리(Dory)와 동료들은 그들의 종설 논문에서 해당 내용에 대한 예시를 제시하였다(표 7.1).[58]

증례에 불확실성이 포함되면 합리적인 범위 내에서 일련의 답을 개발할 수 있다. 또한 SCT는 진단과 관련된 자신감 평가를 통합할 수 있는데, 이는 실제 진료환경에서 임상추론의 확률적 특성과 비슷하다. 학습자의 답변은 전문가 패널이 선택한 체계적으로 수용 가능한 응답 범위와 비교된다.

루바르스키(Lubarsky)와 동료들은 최근 SCT의 유용한 AMEE 가이드를 발간하고, SCT의 최신 근거에 대한 종설을 발표하였다.[59,60] 이들은 불확실성과 모호성이 존재하는 상황에서 임상정보와 자료의 순차적 해석에 따라 SCT를 사용한 임상추론 평가에 몇 가지 타당도 근거가 있다고 결론지었다.[60] SCT를 사용하는 경우 기존의 심리측정학 방법으로 비선형적이고 보다 복잡한 평가방법론을 분석하기에는 부족할 수 있다. 임상추론 평가에서 SCT와 같은 새로운 방법을 일상적으로 사용하려면 주의를 기울일 것을 권고한다.[61,62]

자기조절학습

자기조절학습(Self-regulated learning, SRL)은 학습자가 자신의 학습과 수행을 조정하기 위해 사용하는 일련의 과정으로 정의되는데, 이는 전형적으로 세 단계 사전 숙고(실행 전), 수행(실행 중), 자기성찰 나뉜다(실행 후).[63-66] 이러한 요소들은 서로 상호작용하며, 이 모형에서 학습과 수행이 서로 통합된다고 본다. 최근에는 의학교육 연구자들이 SRL 이론, 특히 SRL 상세분석 평가기법을 연구하여 왜 다른 교육생은 실패할 때 일부 교육생은 성공하는 지 그 이유와 방법을 이해하고 설명하는 데 도움을 주고 있다.[67] SRL 상세분석 기법에서 학습자는 시작과 끝이 있는 임무(예: 외래에서 환자를 보거나 정맥 주사를 놓는 것)를 준비(실행 전), 수행(실행 중), 완료한 것에 대해 성찰(실행 후)하고, 관련된 구체적인 질문을 받는다. 각 단계 질문의 예로는 활동을 시작하기 전에 목적 설정(예: 이 활동에 대해 생각해둔 목적이 있는가?)과 전략 계획(잘 수행하기 위해 무엇을 해야 하는가?), 활동을 하는 동안 메타인지 모니터링(예: 활동을 하면서 무엇을 생각하고 있는가?), 활동을 완료한 후의 자기성찰(예: 왜 적절한 진단에 도달할 수 없었다고 생각하는가?) 등이 있다.

신경생물학계에서는 기능적 자기공명영상 뇌파와 같은 더 직접적인 수단을 통해 임상추론 평가를 탐구하고 있다.[67] 이러한 수단들은 완전한 숙고의 대상으로 여겨지지 않는 비분석적 추론 방법에 특히 유용할 수 있다.

팀바탕 진단

진단은 거의 전적으로 의사의 영역이자 "단독 행위"로 간주되어 왔다. 이러한 현상은 외래 진료 중 일부 상황에서 계속 발생하고 있지만 병원, 재활시설 및 외래수술센터와 같은 기관바탕 진료상황에서는 다르다. 예를 들어, 많은 전공의들은 간호사, 의사 보조인력, 전문간호사가 빈틈없이 관찰할 때 ICU, 병동 또는 응급실의 사건을 상기할 수 있고 이는 정확한 진단 또는 진단 수정으로 이어진다. 이러한 상황에서 우리는 팀바탕 진단(team-based diagnosis)의 특성을 평가하고 포착하기 위해 제대로 개발된 평가방법이나 도구가 없다. 그러나 교수자가 현상에 주의를 기울이도록 권장하고, 1분 개인지도교수와 같은 구두기법을 사용하여 학습자 집단의 이해를 조사하고, IDEA와 같은 틀을 사용하여 환자진료에 참여한 다수의 학습자가 작성한 노트의 누적된 질을 평가해야 할 것이다.

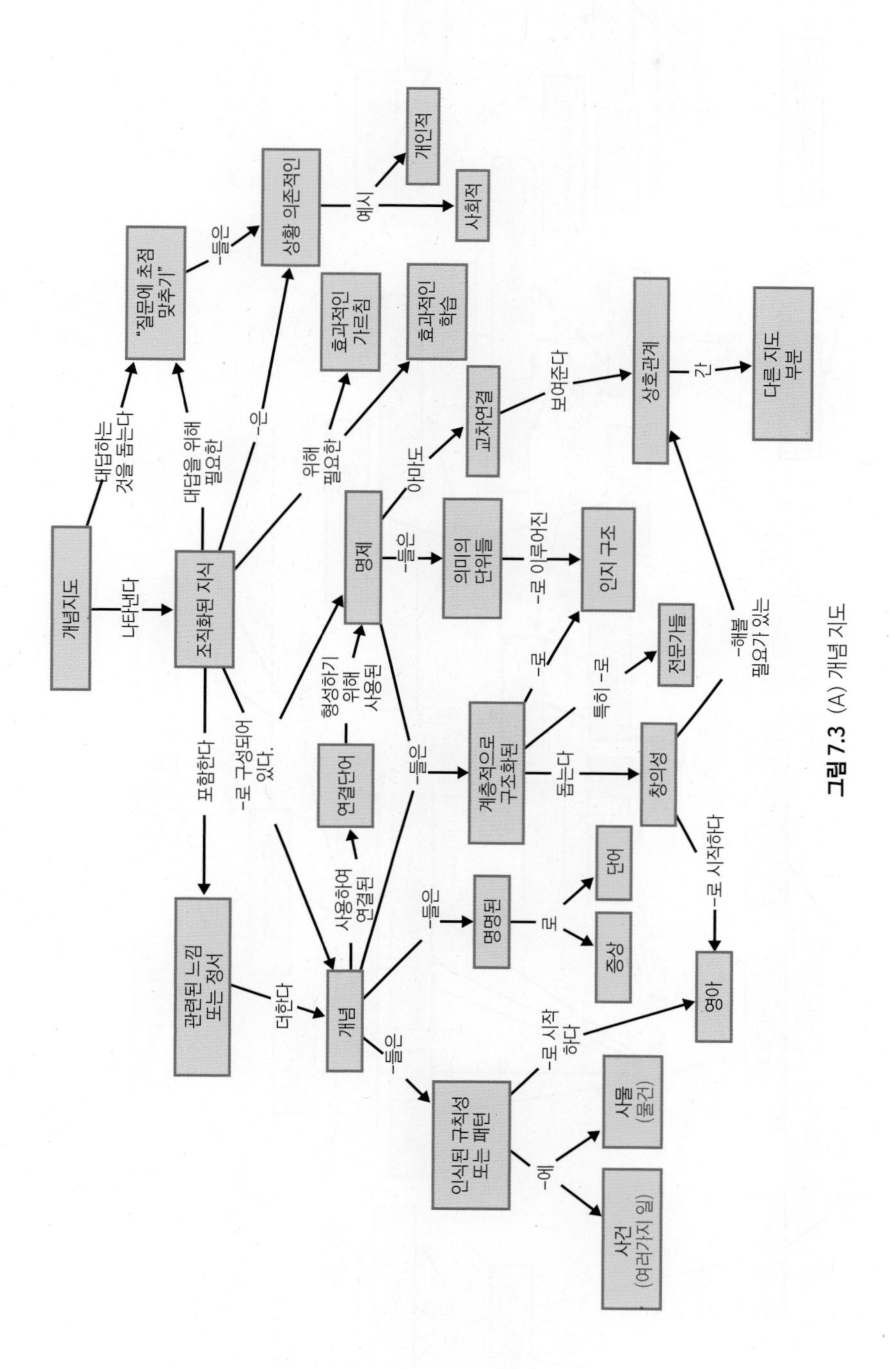
개념지도
나타낸다
조직화된 지식
대답하는 것을 돕는다
"질문에 초점 맞추기"
대답을 위해 필요한
-은
-들은
상황 의존적인
예시
개인적
사회적
위해 필요한
효과적인 가르침
효과적인 학습
포함한다
관련된 느낌 또는 정서
더한다
-로 구성되어 있다.
개념
형성하기 위해 사용된
연결단어
사용하여 연결된
명제
-들은
의미의 단위들
-로 이루어진
인지 구조
아마도
교차연결
보여준다
상호관계
간
다른 지도 부분
-들은
계층적으로 구조화된
-로
특히 -로
전문가들
돕는다
창의성
-해볼 필요가 있는
-로 시작하다
영아
-들은
명명된
-로
단어
증상
-로 시작하다
-들은
인식된 규칙성 또는 패턴
-에
사물 (물건)
사건 (여러가지 일)

그림 7.3 (A) 개념 지도

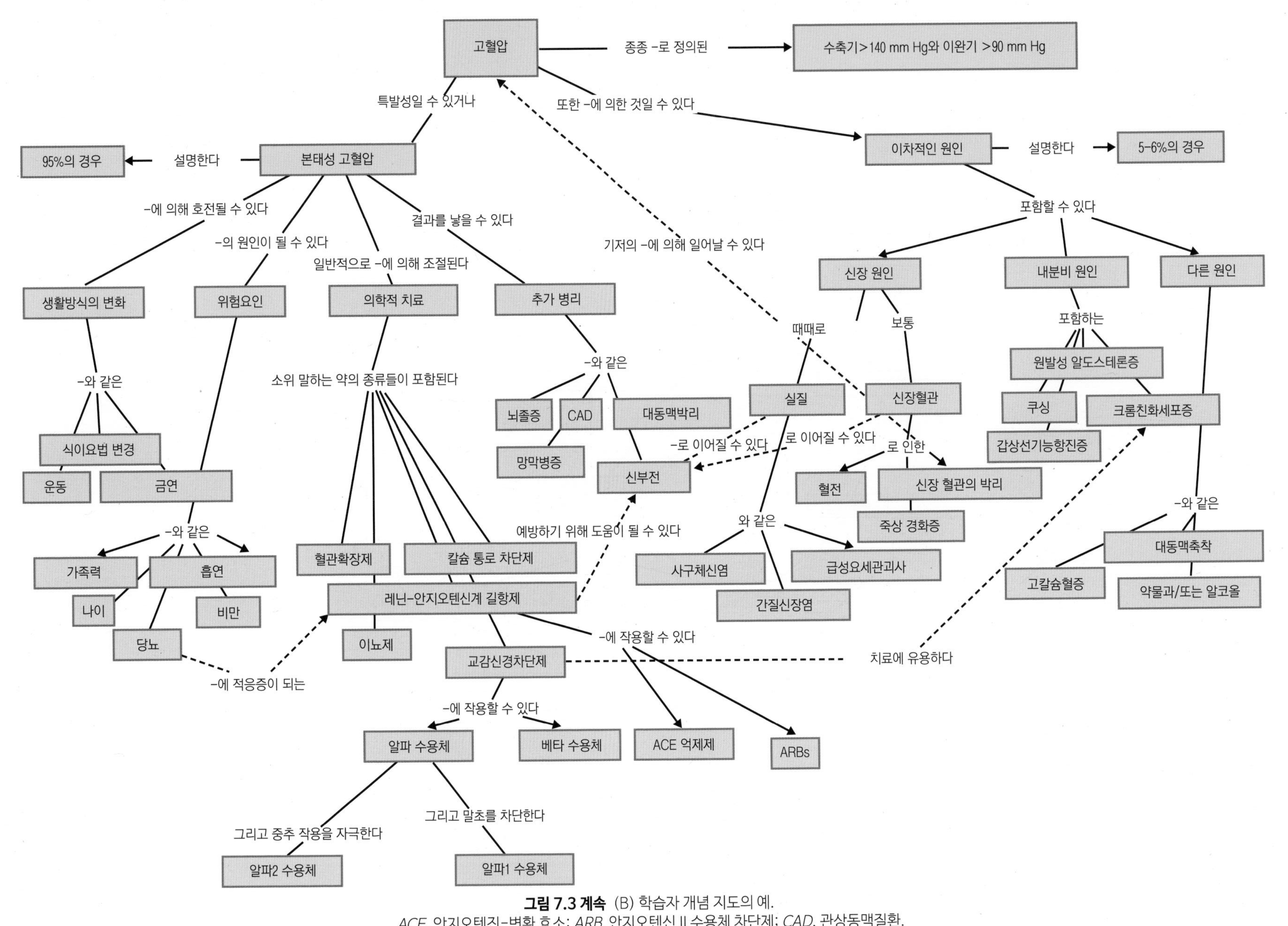

그림 7.3 계속 (B) 학습자 개념 지도의 예.
ACE, 안지오텐진-변환 효소; *ARB*, 안지오텐신 II 수용체 차단제; *CAD*, 관상동맥질환.
드렉설 대학(Drexel University)의 다리오 토레(Dario Torre) 박사가 제공하는 무료 개념 지도.

표 7.1 세 가지 문항이 이어지는 대본일치시험 사례

25세 남자가 일반외과 진료실에 왔다. 어젯밤에 심한 복장뼈뒤 흉통이 시작되었다. 병력에서 특이할 만한 것은 없다. 환자는 비흡연자이다. 60세의 아버지와 55세의 어머니 모두 건강하다.						
당신이 이 증례에 대하여 생각하는 것은:	**환자 보고서 또는 임상 검사에서 발견한 것은:**	**이 가설은**				
심낭염	정상 흉부 청진	−2	−1	0	+1	+2
기흉	왼쪽 흉부 타진시 과다공명이 있고 호흡음 감소	−2	−1	0	+1	+2
공황 발작	눈꺼풀 주위에 노란색 침착	−2	−1	0	+1	+2

−2: 배제되거나 거의 배제; −1: 거의 가능성이 없음; 0: 거의 그럴 가능성이 없거나 있음; +1: 그럴 가능성이 있음; +2: 확실하거나 거의 확실.
출처: Dory V, Gagnon R, Vanpee D, et al: How to construct and implement script concordance tests: insights from a systematic review. *Med Educ* 2012;46(6):552–563.

진단 추론의 오디오 및 비디오 검토

스마트폰 시대에 임상면담 비디오(또는 오디오) 검토는 진단하는 과정과 진단 확정을 평가하는 데 상당히 유용할 것 같다. 비디오는 SP를 위한 보고 도구로서 일상적으로 사용되고 임상 교육에서 점차 많이 사용되고 있다(예: 전공의가 환자의 동의를 얻고 환자와 면담하는 과정을 촬영하여 병력청취, 신체진찰 및 상담 기술에 대한 피드백을 준다).

이전 연구에서는 학습자가 개인지도교수에게 보고하는 것이 진찰실에서 전공의와 환자 사이에서 실제로 일어났던 일을 정확하게 반영하지 못하는 경우가 많다는 것을 보여주었다.[68] 많은 경우, 이러한 불일치는 환자 진료에 상당한 영향을 주었다. 이 영역에 대한 개선 작업이 거의 수행되지 않았지만, 환자와의 면담과 학습자-개인지도교수의 상황 종료를 확인한 다음, 진찰실에서 수집한 정보와 학습자의 보고를 비교하고 대조하는 것은 자료수집(특히 병력청취; 비디오로 녹화하면 신체진찰을 포착할 수 있다)이 어떻게 임상추론과 학습자의 결정에 영향을 주는지 검토하는 데 매우 도움이 된다. 앞서 언급된 여러 가지 기법(예: 자극회상)을 임상추론을 평가하기 위해 결합할 수 있다.

결론

업무현장에서 평가는 어려울 수 있다. 필자들은 이론에 대한 이해가 중요하다고 생각한다. 왜냐하면 이론은 "혼란스러운" 임상 환경에서 표준화가 실현 가능하지 않을 때 렌즈 역할을 할 수 있기 때문이다. 또한 교수자는 그들의 평가와 판단을 이끄는 임상추론 핵심 이론에 대한 기본적인 이해가 필요하다. 이 장에서는 맥락 특수성을 보다 잘 이해할 수 있도록 포괄적인 이론 모델(상황 인지)을 소개함으로써(의사가 동일한 증상과 소견을 가지고 동일한 기저 진단을 받은 두 명의 환자를 볼 수 있고, 두 가지의 상이한 진단에 도달하는 현상) 임상추론의 업무현장 평가를 최적화할 수 있다. 우리는 독자를 돕기 위해 많은 교육적 체계와 평가를 기술하였다. 고부담 표준화시험의 진보에도 불구하고, 우리는 여전히 임상추론 평가를 위한 많은 도전과 기회를 맞이하고 있다. 표준화된 필기시험이 임상추론을 완전하게 평가할 수 있다고 생각하지 않는다. 따라서 임상추론의 업무현장 평가에 대한 명확한 근거가 없음에도 불구하고 임상 상황에서 생체내 평가를 수행하는 것은 중요하다.

참고문헌

1. Hampton JR, Harrison MJG, Mitchell JRA, et al. Relative contributions of history-taking, physical examination, and laboratory investigation to diagnosis and management of medical outpatients. *BMJ*. 1975;2:486-489.
2. Peterson MC, Holbrook JH, Hales DV, et al. Contributions of the history, physical examination, and laboratory investigation in making medical diagnoses. *West J Med*. 1992;156:163-165.
3. Holmboe ES, Weng W, Arnold G, et al. The comprehensive care project: measuring physician performance in ambulatory practice. *Health Serv Res*. 2010;45(6 Pt 2):1912-1933.
4. National Academy of Medicine. *Improving Diagnosis in Medicine*. Washington, DC: National Academy Press; 2016.
5. Makary MA, Daniel M. Medical error - the third leading cause of death in the US. *BMJ*. 2016;353:i2139.
6. Institute of Medicine. *To Err is Human*. Washington, DC: National Academy Press; 1999.
7. Landrigan CP, Parry GJ, Bones CB, et al. Temporal trends in rates of patient harm resulting from medical care. *N Engl J Med*. 2010;363(22):2124-2134.
8. Starmer AJ, Spector ND, Srivastava R, et al. Changes in medical errors after implementation of a handoff program. *N Engl J Med*. 2014;371(19):1803-1812.
9. Graber ML. The incidence of diagnostic error in medicine. *BMJ Qual Saf*. 2013;22(suppl 2):ii21-ii27.
10. Saber Tehrani AS, Lee H, Mathews SC, et al. 25-year summary of US malpractice claims for diagnostic errors 1986-2010: an analysis from the National Practitioner Data Bank. *BMJ Qual Saf*. 2013;22(8):672-680.
11. Rencic J, Durning S, Holmboe E, Gruppen LD. Assessing competence in professional performance across disciplines and professions. In: Wimmers PF, Mentkowski M, eds. *Innovation and*

Change in Professional Education. Cham, Switzerland: Springer International Publishing; 2016.

12. Kahneman D. *Thinking, Fast and Slow*. New York. *Farrar, Strauss and Giroux*. 2011:19-97.
13. Trowbridge RL, Rencic JJ, Durning SJ. *Teaching Clinical Reasoning*. Philadelphia: ACP Press; 2015.
14. Eva KW. What every teacher needs to know about clinical reasoning. *Med Educ*. 2005;39(1):98-106.
15. Bowen JL. Educational strategies to promote clinical diagnostic reasoning. *N Engl J Med*. 2006;355(21):2217-2225.
16. Bredo E. Reconstructing educational psychology: situated cognition and Deweyian pragmatism. *Educ Psychol*. 1994;29(1): 23-35.
17. Durning SJ, Lubarsky S, Torre D, et al. Considering "nonlinearity" across the continuum in medical education assessment: supporting theory, practice, and future research directions. *J Cont Educ Health Prof*. 2015;35(3):232-243.
18. Gruppen LD, Frohna AZ. Clinical reasoning. In: Norman GR, Van Der Vleuten CP, Newble DI, eds. *International Handbook of Research in Medical Education. Part 1. Dordrecht*. The Netherlands: Kluwer Academic; 2002:205-230.
19. Tamblyn R, Abrahamowicz M, Dauphinee WD, et al. Association between licensure examination scores and practice in primary care. *JAMA*. 2002;288:3019-3026.
20. Norcini JJ, Lipner RS, Kimball HR. Certifying examination performance and patient outcomes following acute myocardial infarction. *Med Educ*. 2002;36(9):853-859.
21. Holmboe ES, Wang Y, Meehan TP, et al. Association between maintenance of certification examination scores and quality of care for Medicare beneficiaries. *Arch Intern Med*. 2008;168(13): 1396-1403.
22. Hawkins RE, Sumption KF, Gaglione M, Holmboe ES. The In-training Examination (ITE) in internal medicine: resident perceptions and correlation between resident ITE scores and faculty predictions of resident performance. *Am J Med*. 1999;106: 206-210.
23. Striener DL. Global rating scales. In: Neufeld VR, Norman GR, eds. *Assessing Clinical Competence*. New York: Springer; 1985.
24. Kogan JR, Hess BJ, Conforti LN, Holmboe ES. What drives faculty ratings of residents' clinical skills? The impact of faculty's own clinical skills. *Acad Med*. 2010;85(suppl 10):S25-S28.
25. Gingerich A, Kogan J, Yeates P, et al. Seeing the "black box" differently: assessor cognition from three research perspectives. *Med Educ*. 2014;48(11):1055-1068.
26. Graber ML, Siegal D, Riah H, et al. Electronic health record-related events in medical malpractice claims. *J Patient Saf*. 2015. [Epub ahead of print].
27. Wolpaw TM, Wolpaw DR, Papp KK. SNAPPS: A leaner-centered model for outpatient education. *Acad Med*. 2003;78(9):893-898.
28. Wolpaw T, Papp KK, Bordage G. Using SNAPPS to facilitate expression of clinical reasoning and uncertainties: a randomized comparison group trial. *Acad Med*. 2009;84:517-524.
29. Nixon J, Wolpaw T, Schwartz A, et al. SNAPPS-Plus: an educational prescription to facilitate formulating and answering clinical questions. *Acad Med*. 2014;89:1174-1179.
30. Baker E, Riddle J. IDEA in evolution: an attempt to use RIME to more accurately assess medical student write-ups. *JGIM*. 2005;20(suppl 1):157.
31. Baker E, Ledford C, Liston B. Teaching, Evaluating and remediating clinical reasoning. *Acad Intern Med Insight*. 2010;8:12-17.
32. Baker EA, Ledford CH, Fogg L, et al. The IDEA assessment tool: assessing the reporting, diagnostic reasoning, and decision-making skills demonstrated in medical students' hospital admission notes. *Teach Learn Med*. 2015;27(2):163-173.
33. Lasater K. Clinical judgment development: using simulation to create an assessment rubric. *J Nurs Educ*. 2007;46:269-276.
34. Lasater K. Clinical judgment: the last frontier for evaluation. *Nurse Educ Pract*. 2011;11:86-92.
35. Adamson KA, Gubrud P, Sideras S, Lasater K. Assessing the reliability, validity, and the use the Lasater clinical judgment rubric: three approaches. *J Nurs Educ*. 2012;51:66-73.
36. Kogan JR, Holmboe ES, Hauer KR. Tools for direct observation and assessment of clinical skills of medical trainees: a systematic review. *JAMA*. 2009;302:1316-1326.
37. Norcini JJ, McKinley DW. Assessment methods in medical education. *Teaching Teacher Educ*. 2007;23:239-250.
38. Holmboe ES, Durning SJ. Assessing clinical reasoning: moving from in vitro to in vivo. *Diagnosis*. 2014;1(1):111-117.
39. Hall W, Violato C, Lewkonia R, et al. Assessment of physician performance in Alberta: the physician achievement review. *CMAJ*. 1999;161:52-57.
40. Jennett P, Affleck L. Chart audit and chart stimulated recall as methods of needs assessment in continuing professional health education. *J Cont Educ Health Prof*. 1998;18:163-171.
41. Schipper S, Ross S. Structured teaching and assessment: a new chart-stimulated recall worksheet for family medicine residents. *Can Fam Physician*. 2010;56:958-959.
42. Munger BS. Oral examinations. In: Mancall EL, Bashook PH, eds. *Recertification: New Evaluation Methods and Strategies*. Evanston, IL: American Board of Medical Specialties; 1994.
43. Munger BS, Krome RL, Maatsch JC, Podgorny G. The certification examination in emergency medicine: an update. *Ann Emerg Med*. 1982;11:91-96.
44. Davies H, Archer J, Southgate L, Norcini J. Initial evaluation of the first year of the Foundation Assessment Program. *Med Educ*. 2009;43:74-81.
45. Norcini J, Burch V. Workplace-based assessment as an educational tool: AMEE Guide No. 31. *Med Teach*. 2007;29: 855-871.
46. Cunnington JP, Hanna E, Turnbull J, et al. Defensible assessment of the competency of the practicing physician. *Acad Med*. 1997;72(1):9-12.
47. Goulet F, Gagnon R, Gingras ME. Influence of remedial professional development for poorly performing physicians. *J Cont Educ Health Prof*. 2007;27:42-48.
48. Reddy ST, Endo J, Gupta S, et al. A case for caution: chart-stimulated recall. *J Grad Med Educ*. 2015;7(4):531-535.
49. Singh H, Giardina TD, Meyer AN, et al. Types and origins of diagnostic errors in primary care settings. *J Am Med Assoc Intern Med*. 2013;173:418-425.
50. Cleland JA, Abe K, Rethans JJ. The use of simulated patients in medical education: AMEE guide no 42. *Med Teach*. 2009;31(6):477-486.
51. Walsh CM, Sherlock ME, Ling SC, Carnahan H. Virtual reality simulation training for health professions trainees in gastrointestinal endoscopy. *Cochrane Database Syst Rev*. 2012;6:CD008237.
52. American Board of Anesthesia: MOCA 2.0 Part 4: Improvement in Medical Practice. Available at http://www.theaba.org/MOCA/MOCA-2-0-Part-4.

53. Satter KM, Butler AC. Finding the value of immersive, virtual environments using competitive usability analysis. *J Comput Inf Sci Eng*. 2012;12(2):024504.
54. Courteille O, Bergin R, Stockeld D, et al. The use of a virtual patient case in an OSCE-based exam-a pilot study. *Med Teach*. 2008;30(3):e66-e76.
55. Pinto AJ, Zeitz HJ. Concept mapping: a strategy for promoting meaningful learning in medical education. *Med Teach*. 1997;19:114-122.
56. Daley B, Torre D. Concept maps in medical education: an analytical literature review. *Med Educ*. 2010;44:440-448.
57. Torre D, Daley B. Using concept maps in medical education. In: Walsh K, ed. *Oxford Textbook of Medical Education*. Oxford: Oxford University Press; 2003:86-99.
58. Dory V, Gagnon R, Vanpeez D, Charlin B. How to construct and implement script concordance tests: insights from a systematic review. *Med Educ*. 2012;46:552-563.
59. Lubarsky S, Dory V, Duggan P, et al. Script concordance testing: from theory to practice: AMEE guide no. 75. *Med Teach*. 2013;35(3):184-193.
60. Lubarsky S, Durning S, Charlin B. AM last page. The script concordance test: a tool for assessing clinical data interpretation under conditions of uncertainty. *Acad Med*. 2014;89(7):1089.
61. Lineberry M, Kreiter CD, Bordage G. Threats to validity in the use and interpretation of script concordance test scores. *Med Educ*. 2013;47(12):1175-1183.
62. Lineberry M, Kreiter CD, Bordage G. Script concordance tests: strong inferences about examinees require stronger evidence. *Med Educ*. 2014;48(4):452-453.
63. Brydges R, Butler D. A reflective analysis of medical education research on self-regulation in learning and practice. *Med Educ*. 2012;46:71-79.
64. Cleary TJ, Durning SJ, Hemmer PA, et al. Self-regulated learning in medical education. In: Walsh K, ed. *Oxford Textbook of Medical Education*. Oxford: Oxford University Press; 2013:465-477.
65. Durning SJ, Cleary TJ, Sandars J, et al. Viewing strugglers through a different lens: how a self-regulated learning perspective can help medical educators with assessment and remediation. *Acad Med*. 2011;86:488-495.
66. Zimmerman B, Schunk D, eds. *Handbook of Self-Regulation of Learning and Performance*. New York: Routledge; 2011.
67. Durning SJ, Costanzo M, Artino Jr AR, et al. Using functional magnetic imaging to improve how we understand, teach, and assess clinical reasoning. *J Contin Educ Health Prof*. 2014;34:76-82.
68. Gennis VM, Gennis MA. Supervision in the outpatient clinic: effects on teaching and patient care. *J Gen Intern Med*. 1993;8(7):378-380.

부록 7.1

라세터(Lasater) 임상판단 루브릭

단계	모범단계	우수단계	발전단계	초보단계
효과적 인식 활동:				
초점을 맞춘 관찰	적절하게 초점을 맞추어 관찰; 매우 다양하고 객관적이며 주관적인 자료를 정기적으로 관찰하고 감시하여 유용한 정보를 발견한다.	주관적이고 객관적인 다양한 자료를 정기적으로 관찰하고 검토한다; 대부분의 유용한 정보를 알아차린다; 발견하기 어려운 징후를 놓칠 수 있다.	주관적이고 객관적인 자료를 다양한 검토하려고 하지만 자료의 순서에 당황한다; 가장 명백한 데이터에 초점을 맞추지만, 일부 중요한 정보를 놓친다.	임상 상황 및 자료의 양과 종류가 많아 혼란스러워 한다; 관찰이 체계적이지 않고, 중요한 자료를 놓치거나 평가 오류가 발생한다.
효과적인 인식 활동:				
예상되는 양상으로부터 편차 인식	자료에서 예상되는 양상으로부터 미묘한 양상과 편차를 인식하고 평가를 위해 이들을 이용한다	자료에서 가장 명백한 양상과 편차를 인식하고 이를 사용하여 지속적으로 평가한다.	몇 가지 중요한 정보를 누락하지만 명백한 양상과 편차를 알아차린다; 지속적인 평가에 자신이 없다.	한 번에 한 가지 일에 집중하고 대부분의 양상과 예상에서 벗어나는 부분들을 놓친다; 평가를 개선할 기회를 놓친다.
정보 찾기	개입을 계획하기 위한 정보를 적극적으로 모색한다; 환자와 가족을 관찰하고 상호작용하여 유용하고 주관적인 자료를 주의 깊게 수집한다.	개입을 계획하기 위해 환자와 가족으로부터 환자 상황에 대한 주관적 정보를 능동적으로 찾는다; 때로는 중요한 단서를 얻지 못하는 경우도 있다.	환자와 가족으로부터 추가 정보를 찾기 위해 제한적인 노력을 기울인다; 종종 어떤 정보를 찾을지 모르고/모르거나 관련없는 정보를 구한다.	정보를 찾는 데 효과적이지 않다; 대부분 객관적인 자료에 의존한다; 환자와 가족과 상호작용하는 데 어려움을 겪으며 중요한 주관적인 자료를 수집하지 못한다.
효과적 해석 활동:				
자료의 우선 순위 선정	환자의 상태를 설명하는 데 유용하고, 가장 적절하며, 중요한 자료에 초점을 맞춘다.	일반적으로 가장 중요한 자료에 초점을 맞추고 관련 정보를 더 찾지만 관련성이 적은 자료에 주의를 기울이기도 한다.	자료의 우선순위를 정하고 가장 중요한 자료에 집중하려고 하지만 관련성이 떨어지거나 그다지 중요하지 않은 자료에도 집중한다.	집중에 어려움을 겪고 진단에 필요한 핵심 자료를 알지 못한다; 가능한 모든 자료에 주의를 기울이려고 한다.

단계	모범단계	우수단계	발전단계	초보단계
자료의 이해	복잡하고 모순되거나 혼란스러운 자료를 마주하는 경우에도 (1) 환자 자료의 양상을 기록하고 이해할 수 있으며, (2) 알려진 양상(간호 지식 기반, 연구, 개인적 경험 및 직관으로)과 비교하고, (3) 성공 가능한 측면에서 정당화될 수 있는 개입을 계획한다.	대부분의 경우, 환자의 자료 양상을 해석하고 알려진 양상과 비교하여 개입 계획과 이에 수반되는 근거를 찾아낸다; 예외적이거나 복잡한 증례는 전문가 또는 경험이 풍부한 간호사의 안내를 적절하게 구한다.	간단하고 흔하며, 익숙한 상황에서 환자의 자료 양상을 알려진 것과 비교할 수 있고 개입을 계획하거나 설명할 수 있다; 그러나 학습자의 예상 범위 내에 있는 보통 수준 난이도의 자료나 상황에서조차 어려워한다; 부적절한 조언이나 도움을 필요로 한다.	단순하고 흔하며, 익숙한 상황에서도 자료를 해석하거나 이해하는 데 어려움을 겪는다; 서로 상반되는 설명과 적절한 개입들을 구분하는 데 어려움을 겪으며, 문제를 진단하고 개입하는 데 도움이 필요하다.
효과적 반응 행동:				
침착하고 자신 있는 태도	책임을 인정하고; 배정된 팀을 대표하고; 환자를 평가하고 환자와 가족을 안심시킨다.	일반적으로 리더십과 자신감을 보이며, 대부분의 상황을 통제하거나 진정시킬 수 있다; 특히 어렵거나 복잡한 상황에서 스트레스를 보일 수 있다.	지도자의 역할에 있어 잠정적이다; 일상적이고 비교적 간단한 상황에서 환자와 가족을 안심시키지만 쉽게 스트레스를 받고 체계가 무너진다.	단순하고 일상적인 상황을 제외하고는 스트레스를 받고 체계적이지 못하며, 자제력을 잃고, 환자와 가족들을 불안하게 하거나 협조할 수 없게 한다.
명확한 의사소통	효과적으로 의사소통한다; 중재를 설명한다; 환자와 가족을 진정시키고 안심시킨다; 팀원을 중재하고 내용을 설명하고 지시 내린다; 이해했는지 점검한다.	일반적으로 의사소통을 잘 한다; 환자에게 세심하게 설명한다; 팀에게 명확한 지시를 한다; 라포를 형성하는 데 조금 부족한 면이 있다.	의사소통 능력(예: 지시 내림)을 보여준다; 환자, 가족 및 팀원과의 의사소통은 부분적으로 성공적이다; 배려할 뿐 역량을 발휘하지 않는다.	의사소통에 어려움이 있다; 설명이 혼란스럽다; 지시는 분명하지 않거나 모순적이다; 환자와 가족들은 혼란스럽거나 불안하고 안심하지 못한다.
잘 계획된 중재/융통성	중재는 개별 환자에 맞게 조정된다; 환자의 진행 상황을 면밀히 감시하고 환자의 반응에 따라 치료를 조정할 수 있다.	관련 환자 자료를 기반으로 중재방법을 찾는다; 진행 과정울 정기적으로 모니터하지만 치료방법을 바꾸어볼 생각은 하지 못한다.	가장 명확한 자료를 기반으로 중재방법을 찾는다; 진행 과정을 모니터하지만 환자의 반응에 따라 융통적으로 조정하지 못한다.	한 가지 중재 방법을 찾는 데 초점을 맞추고, 가능한 해결책을 제시하지만 모호하고 혼란스러우며 불완전할 수 있다; 일부 모니터링 능력을 보여준다.
기술적인 능력	필요한 간호 기술의 숙달을 보여준다.	대부분의 상황에서 숙달된 간호 기술을 보여준다; 속도나 정확도는 보다 향상될 수 있는 여지가 있다.	간호 기술을 사용하는 데 주저하거나 효과적이지 않다.	간호 기술을 선택하고/거나 수행할 수 없다.

다음에 계속

단계	모범단계	우수단계	발전단계	초보단계
효과적 성찰 행동:				
평가/자기분석	자신의 임상 수행을 독립적으로 평가하고 분석하며, 의사결정의 요점에 주목하며, 대안을 상세히 설명하고, 평가를 바탕으로 여러가지 대안 중 자신의 선택을 명확하게 내린다.	주로 핵심 사건이나 의사결정에 대해 최소한의 유도로 개인 임상 수행을 평가하고 분석한다; 주요 의사결정의 요점을 식별하고 대안을 고려한다.	시간이 촉박한 상황에서도 뻔한 내용을 잠시 구두로 표현한다; 대안적 선택을 생각해내는 데 어려움을 겪는다; 개인적인 선택을 평가하는 데 있어 자기 보호적이다.	즉각적인 진단평가도 너무 간략하고, 대략적이며, 자신의 수행 향상에 활용하지 못한다; 평가 없이 개인적인 결정과 선택을 정당화한다.
개선을 위한 노력	지속적인 개선을 위한 노력을 보여준다; 간호 경험에 대해 성찰하고 비판적으로 평가한다; 강점과 약점을 정확하게 파악하고, 약점을 극복하기 위한 구체적인 계획을 수립한다.	간호 수행을 개선하려는 욕구를 보여준다; 경험에 대해 성찰하고 평가한다; 강점과 약점을 파악한다; 약점을 평가하는 데 보다 체계적인 노력이 필요하다.	지속적인 개선의 필요성에 대한 인식을 보여주고, 경험으로부터 배우고 수행을 향상시키기 위해 약간의 노력을 하지만 뻔한 내용을 언급하는 경향이 있고 외부 평가가 필요하다.	수행 향상에 관심이 없거나 그렇게 할 수 없을 것으로 보인다; 성찰은 거의 없다; 자기 자신에 대해 비판적이지 않거나 지나치게 비판적이다(발달 수준에 비추어 볼 때), 자기결함을 볼 수 없거나 개선의 필요성을 찾아볼 수 없다.

출처: © 2005, Kathie Lasater, EdD, RN. Tanner(2006)가 개발한 임상판단모형을 수정함.

8

시술 기술의 업무현장바탕 평가

STANLEY J. HAMSTRA, PHD

개요

목적

이 장의 목적은 졸업후의학교육(GME)에서 책임지도전문의, 핵심 교수진, 교육지도자 등을 대상으로 수술 및 관련 분야의 시술 역량(procedural competence) 평가(assessment)를 위한 도구의 활용과 선정을 위한 실천적 지도를 하는 데 있다. 이 장은 최근 의학교육에서의 두 가지 주요 발전을 강조할 것이다. (1) 평가에서 "타당도"에 대한 재개념화와 (2) "구인정렬 척도"를 사용하여 평가도구를 만드는 새로운 접근법이 그것이다. 최근 이 두 가지의 발전은 교수진과 책임지도전문의가 교육생의 신뢰도와 타당도가 높은 평가 데이터를 생성하는 어려운 과제를 해결하는 데 도움이 될 것이다. 또한 바쁜 임상 환경에서 교육생을 평가하는 데 어떻게 사용될 수 있는지를 설명하기 위해 시술 기술(procedural skill) 평가도구와 과정들을 간략하게 검토할 것이다. 이 장은 전공의 평가(즉, 졸업후교육 기간의 학습자)에 초점을 맞추지만, 이 원칙은 실제로 의과대학생과 의사 평가에도 동일하게 적용될 수 있다.

시술 기술 평가를 위한 구조화된 평가도구 도입

시술 기술(procedural skill)을 평가하기 위해 가장 일반적으로 사용되고 영향력 있는 도구 중 하나는 객관구조화술기평가(objective structured assessment of technical skills, OSATS)이다(그림 8.1).[1,2] 이 도구는 1990년대 초에 개발되었는데, 하든(Harden)과 동료들이 개발한 객관구조화진료시험(objective structured clinical examination, OSCE)의 기본 개념을 바탕으로 개발되었다.[3,4] OSATS는 외과 교육에서 널리 채택되었으며, 이 도구를 설명하는 원저는 외과교육 문헌에서 가장 많이 인용된 논문 중 하나이다.[1,2,5,6] 오늘날 사용되고 있는 많은 인기 있는 평가도구들은 복강경 수술 술기의 총괄평가(Global Operating Assessment of Laparoscopic Skills, GOALS),[7] 다중목표 술기측정(Multiple Objective Measures of Skill, MOMS),[8] 안내 수술 술기의 총괄평정(Global Rating Assessment of Skills in Intraocular Surgery, GRASIS),[9] 술기의 총괄평정 지수(Global Rating Index for Technical Skills, GRITS),[10] 산부인과 용 OSATS,[11] 수정된 정형외과 OSATS[12] 등을 포함한 OSATS에 뿌리를 두고 있다.

이러한 초기 발전 이후 의학교육은 역량바탕 의학교육에 초점을 맞추게 되었고 미국, 캐나다, 기타 관할권에서 역량바탕 평가를 위한 지침을 제공했다.[13-15] 2000년대 초반부터 시작된 이 같은 추세로 시뮬레이션과 임상 환경에서 전공의의 역량을 기록하기 위한 더 많은 평가도구를 개발하게 되었다. 책임지도전문의는 이러한 지침의 기대를 충족시키기 위해 다양한 평가도구 중 하나를 선택해야 한다. 다행히 최근 몇 가지 발전으로 선택이 보다 쉬워졌는데, 그러한 발전 내용이 이 장의 초점이 될 것이다.

응시자의 수행을 다음 척도로 채점해 주십시오

	1	2	3	4	5
피부 조직에 대한 주의	피부조직에 불필요한 힘을 자주 가거나 부적절한 기기 사용으로 인한 손상 발생		피부조직을 조심스럽게 다루지만 부주의로 인한 손상 발생		피부 손상을 최소화하면서 일관되게 피부 조직을 적절하게 다룸
시간과 동작	불필요한 움직임이 많음		효율적인 시간/동작을 하나, 불필요한 동작도 약간 있음		경제적이고 효율을 극대화한 움직임
도구 다루기	도구를 사용할 때 반복적으로 머뭇거리거나 어색한 동작 수행		도구를 능숙하게 사용하지만 때로는 경직되거나 어색해 보이기도 함		도구를 사용할 때 유연한 움직임을 보이며 어색함이 없음
시술도구에 대한 지식	잘못된 도구를 자주 요청하거나 부적절한 도구를 사용함		대부분의 시술도구 명칭을 알고, 시술에 적합한 도구를 사용함		시술에 필요한 기도구와 그 명칭을 명확히 알고 있음
보조 인력 활용	보조 인력을 지속적으로 배치하지 못하거나 아예 활용하지 못함		대부분의 경우 보조 인력을 잘 활용함		항상 전략적으로 가장 유용한 보조 인력을 활용함
시술의 흐름과 계획성	동작이 자주 중지되거나 다음 동작에 대해 상의해야 함		다음 동작을 미리계획하면서 시술과정의 안정적이 진행 능력을 보여줌		한 동작에서 다음 동작으로 자연스럽게 이동할 수 있도록 명백히 계획된 시술 과정을 보여줌
특정 시술에 대한 지식	지식이 부족함. 대부분의 시술 단계에 대한 구체적인 설명을 해주어야 함		시술과정의 모든 핵심 내용을 파악하고 있음		시술과정의 모든 측면에 매우 익숙한 모습을 보임

그림 8.1 OSATS (objective structured assessment of technical skill, 객관구조화술기평가) 총괄평정 척도. 출처: Martin JA, Regehr G, Reznick R, et al: Objective structured assessment of technical skill (OSATS) for surgical residents. Br J Surg 1997:84(2):273-278.

"타당도"는 평가도구 자체가 아니라 평가과정에 있다

가장 중요한 발전 중 하나는 타당도가 평가도구 자체에 있지 않으며 평가결과가 어떻게 도출되고 점수가 어떻게 사용되는지에 달려 있다는 인식변화이다. 따라서 평가도구에서 획득한 평정의 타당도에 영향을 미치는 요인으로는 평가도구 자체의 구조뿐만 아니라 *평가자의 특성과 평가자가 학습자에 대한 관찰과 판단을 내리는 맥락*이 있다. 따라서 타당도는 평가도구 자체의 구조보다 평가과정과 더 관련이 있다. 이러한 인식 만으로도 책임지도전문의와 교수진이 교육적 맥락에 맞는 타당하고 신뢰할 수 있는 평가과정을 만드는 데 도움이 될 것이다. 평가자는 "타당한" 도구 선택에 지나치게 신경을 쓰지 말고, 맥락의 고유한 성질을 이용하여 맥락에 따라 방어가능한 유용하고 타당한 평가 결정을 도출해야 한다. 물론 이것은 개별 학습자가 개선할 수 있도록 도와주는 *형성적(formative)* 피드백과 전공의의 발달, 수료, 개선 필요성에 대한 고부담적, *총괄적(summative)* 의사결정에 모두 적용된다.

이 새로운 체계에서 타당도는 평가도구의 내용과 언어 뿐만 아니라 평정척도의 성격, 숫자 값을 설명하는 데 사용되는 문구, 평가의 신뢰도, 평가자의 특성 및 평가가 임상 환경에서 미래의 수행을 얼마나 잘 예측하는지를 포함한다. 평가도구의 타당도에 대한 이 단일 체계는 클라우저(Clauser)와 동료들이 이 책의 2장에서 검토한 바 있으며 1999년부터 전국 측정기관의 교육심리검사의 새로운 기준으로 승인되었다.[16] 또한 쿡(Cook)과 베크만(Beckman)은[17] 의학교육에 적용된 단일 타당도 체계에 대한 훌륭한 소개와 요약을 제공하였다. 비록 2000년대 초반부터 시술기술 평가도구의 수가 급격히 증가했지만,[18] 이러한 도구 중 단일 타당도 틀을 염두에 두고 개발된 도구는 거의 없었다. 또한 그 기준은 시술 기술 평가에 관한 문헌에서 관심을 받지 못하였고, 외과 교수자들에게는 수행과 관련된 모범 사례에 대한 지침이 거의 없었다.[19,20] 다행히도 최근에 기술적인 술기 평가도구에 대한 훌륭한 고찰 결과가 가데리(Ghaderi)와 동료들에 의해 발표되었다.[21] 그들은 단일 타당도 틀을 사용한 평가도구를 표준화된 국가교육과정과 일치시켰다. 또한 최근 미국외과협회(American College of Surgeon)와 미국외과책임지도 전문의협회(Association of Program Directors in Surgery)에서 채택한 35개 술기 교육과정 모듈의 총 23개의 평가도구를 분류할 수 있었다.[22,23] 이 분석에서 평가도구의 개발이나 현장에서의 활용 정도를 다루는 연구 중 학습자의 역량에 관한 고부담적 의사결정을 뒷받침할 수 있는 타당도와 충분한 근거를 제공하는 연구결과는 매우 적은 수에 불과하다는 점을 보여주었다.

평가도구의 단순화: 구인정렬 척도

또 다른 중요하고 새로운 발전은 과거에 일반적으로 보였던 것보다 훨씬 자연스러운 언어로 평가도구를 개발하는 *구인정렬 척도(construct-aligned scale)*의 개념이다. 그동안 사용했던 많은 평가도구들은 "심리측정학적 전문용어"로 기술되어 있는데, 이는 교수들에게 특별한 기준(예: "1-5의 척도", "불만족스러운"에서 "우수한", 3장 참조)이 없는 척도로 번역해 보라는 요청했을 때 척도에 대한 의미 해석에 차이가 있었다.[8] 크로스리(Crossley)와 동료들은[24] 평가자의 부담을 줄이고 평가자 간의 신뢰도를 높이며, 심리측정학에 특별한 관심이 없는 교수자의 교수개발 교육의 필요성을 줄이기 위해 구인정렬 척도를 개발했다. 이 척도를 사용하는 평가자는 동료들이 이미 사용하고 있는 자연스러운 단어에 빠르고 쉽게 적응할 수 있다. 한 예로 그림 8.2의 O-SCORE가 있다.[25] 그림에서 볼 수 있듯이, 5점 평정 척도는 과거에 개발된 많은 평가도구에서 널리 사용되는 심리측정학 전문용어보다는 평가자들이 사용하는 자연스러운 언어, 전문 지식 및 우선 순위를 반영한다. 실제로 O-SCORE는 외과의사들과 포커스 그룹 면담을 통해 그들이 보통 전공의들과 토의할 때(예: 수술실에서 전공의들과 함께 하루를 보낸 후 라운지에서 대화할 때) 사용하는 언어를 바탕으로 개발되었다. 이를 통해 평가자는 별도의 교육 없이 도구를 보다 쉽게 사용할 수 있으며, 타당도에 대한 기대 기준을 유지할 수 있다.[26]

구인정렬 척도는 종종 평가자가 직면하는 "유용성" 문제를 해결하는 데 도움이 된다. 다른 말로 하자면, 평가자가 "빈번하게", "때로", "일관되게" 등의 기준(OSATS에서 사용되는 용어)에 동의하지 않거나 평가도구에 사용되는 다른 전문용어에 동의하지 않는다면, 그 도구에서 얻은 데이터의 타당도가 떨어진다. 예를 들어, 그림 8.2에서 O-SCORE의 행동기준 언어는 "내가 직접 보여주어야 했다"나 "내가 있을 필요가 없었다"와 같이 보다 자연스럽고 객관적이며, 외과의사들이 증례에 따라 전공의에 대해 자연스럽게 이야기하는 방식을 반영하는 반면, 그림 8.1에서는 OSATS의 행동기준에 대한 언어가 추상적이어서 평가자의 주관적인 해석을 요구한다. 예를 들어, "불필요한 힘을 *자주(frequently)* 사용했다"라는 표현이나 "*이따금씩(occasionally)* 부주의로 인한 손상을 입혔다"등의 표현이다. 이는 이 분야의 관련 연구와도 일치한다.[27] 연구자들은 *타당한 평가가 평가도구보다 평가자에 보다 의존한다는 사실*을 발견했다. 따라서, 구인정렬 척도는 평가자에게 추상적인 심리측정 언어를 사용하는 척도로 구성된 평가도구로 평가하도록 요구하기보다, 평가자가 바쁜 임상 환경에서 일반적으로 사용하는 보통 언어로 구성된 행동 앵커를 제공한다.

평가자가 사용하기 쉽고 이해하기 쉽게 만드는 것 외에도, 구인정렬 척도의 장점은 종종 "위임(entrustment)" 결정이 가능한 용어로 되어 있으므로 임상과 관련된 책임을 직접 부여(또는 보류)할 수 있게 한다.[29] 예를 들어, 즈비쉬(Zwisch) 척도는 단순한 행동 용어로 기술된 행동기준평정(1-4) 척도를 사용하여 기술적인 시술 단계에서 필요한 지침내용의 정도를 평가한다.[30,31] 각 단계가 교육생을 위해 개략적으로 설명되는 "보여주고 알려주기"부터 "적극적 도움", "소극적 도움", 그리고 마지막으로 "감독하기"까지의 절차가 있는데, 이때 감독자는 환자안전을 보장하기 위해서만 존재한다(표 8.1). O-SCORE와 Zwisch척도와 함께 자연스러운 용어를 사용하여 이러한 접근 방식이 확장되었는데, 예를 들어 하루의 외과진료를 수행하는 데 있어 전공의 능력의 다른 측면을 설명하는 등에 활용되었다.[32]

"위임가능성(eutrustability)"의 언어로 쓰여진 구인정렬 척도의 이점 중 하나는 *평가자가 사정 결정에서 보다 많은 의미를 찾는다*는 것이다. 평가하는 의사가 자신의 전문적 능력 판단을 "일관되지 않게", "정규적으로" 또는 "대부분의 시간"과 같은 전형적인 심리측정학 언어로 번역하도록 요구하기 보다는, 평가자가 전공의와 함께 일하면서 암묵적으로 표현하는 범주적 판단(즉, 환자를 위임하거나 위임하지 않거나)을 적용할 수 있다.[33] 따라서 평가자가 교육생에 대해 일련의 고부담적인 미시적 결정을 내리도록 한다.[34] 결국 이 누적된 근거는 전공의의 발전이나 특정 재교육의 필요성에 대한 결정을 내릴 때 보다 유효하고 좋은 근거자료가 된다. 또한 평가자의 기존 범주형 스키마를 일상용어 행동 기술로 "역설계" 함으로써 위임가능 언어를 사용하는 구인정렬 척도는 평가 신뢰도를 높일 수 있다.[26] 비어드(Beard)와 동료들의 최근 연구는[35] 자연스러운 언어로 구성된 위임가능성 척도의 장점을 강조하였다. 그들은 OSATS를 이용한 평가와 비교했을 때 위임가능성척도의 일종인 시술바탕평가(procedure-based assessment, PBA)에 기초한 전공의의 기술적 술기(technical skills) 평가를 통해 보다 높은 신뢰도를 발견했다.

독립적 수술 수행을 위한 전공의 준비도 평가

교육생:	수준: 1 2 3 4 5	평가자:
시술:		날짜:

다른 평균적인 시술 대비 해당 시술에 대한 난이도: 낮음 보통 높음

이 척도의 목적은 해당 시술을 안전하고 독립적으로 수행할 수 있는 교육생의 능력을 평가하는 것입니다. 이 사례의 경우 전공의의 교육수준과 관계없이 아래 척도를 사용하여 각 항목을 평가하십시오.

척도

1 – "내가(평가자가) 직접 다 보여주어야 했다" – 즉, 모든 절차에 대한 안내를 직접적으로 해주어야 했고, 시술을 보여주지 않거나 보여주려고 노력하지 않음
2 – "시술 과정 내내 설명해주어야 했다" – 즉, 과제를 수행할 수 있지만 지속적인 안내가 필요함
3 – "가끔씩 간섭해야 했다" – 즉, 어느 정도의 독립성을 보여주지만 간헐적인 안내가 필요함
4 – "만약을 위해 수술실에 있어야 했다" – 즉, 독립적으로 수행할 수 있지만 위험 요소를 파악하지 못하여 안전한 진료를 위해 여전히 감독을 필요로 함
5 – "내가(평가자가) 있을 필요가 없었다." – 즉, 완전한 독립 수행이 가능하며, 위험 요소를 인지하고 안전한 수행을 보여줌, 진료할 준비가 됨

1. 이 시술의 최적 결과를 위해 필요한 전반적인 감독 수준	1	2	3	4	5
2. 수술 전 계획 진단에 도달하기 위해 필요한 정보를 수집/사정하고 필요한 절차를 결정함	1	2	3	4	5
3. 사례 준비 환자가 올바르게 준비 및 배치하고, 치료 접근법과 필요한 도구를 이해하며, 발생할 수 있는 복잡한 상황을 처리할 준비가 되어 있음	1	2	3	4	5
4. 특정 시술 단계에 대한 지식 시술 단계, 잠재적 위험과 이를 방지/극복할 수 있는 방법 이해	1	2	3	4	5
5. 기술적 수행 효율적인 단계 수행, 위험한 상황은 피함	1	2	3	4	5
6. 기술적 술기(보여주기) 조직과 시술 도구를 조심스럽게 다룸	1	2	3	4	5
7. 시공간 기술 3D 공간 방향을 갖고 있으며, 도구/하드웨어 위치 파악이 가능함	1	2	3	4	5
8. 수술 후 계획 수술을 마친 후 적절한 계획을 세움	1	2	3	4	5
9. 효율성과 흐름 이동과 흐름의 효율성을 고려하여 명확하게 계획된 시술을 보여줌	1	2	3	4	5
10. 의사소통 전문적이고 효과적으로 보조원을 활용하고 소통함	1	2	3	4	5
11. 전공의는 이 시술을 수행할 때 자신의 한계를 이해함	Y		N		
12. 전공의는 이 시술을 안전하고, 독립적으로 수행할 수 있음 (O표 하기)	Y		N		
13. 이 시술에서 최소 1가지 잘한 점을 구체적으로 기술하시오.					
14. 개선할 수 있는 점 최소 1가지를 구체적으로 기술하시오.					
이 평가 내용을 교육생과 함께 검토하였음	Y		N		

그림 8.2 오타와수술역량평가 척도(The Ottawa Surgical Competency Operating Room Evaluation, O-SCORE) 척도: 시술 역량을 평가하기 위한 구인정렬 평가도구.
출처: Gofton W, Dudek N, Wood T, et al: The Ottawa Surgical Competency Operating Room Evaluation (O-SCORE): a tool to assess surgical competence. *Acad Med* 2012:87(10):1401-1407.

시술 역량의 차원

침습적(invasive)[1] 시술을 수행하는 역량에는 정신운동 기술이 포함된다는 데는 의문의 여지가 없다. 그러나, 많은 연구에서 높은 수준의 수행을 달성하는 데 다양한 차원의 역량의 중요성을 분명히 보여주었다. 소위 기술적 능력 그 자체는 인지 및 정신운동 모두를 포함하기 때문에 여러가지 상호 의존적인 능력에 달려 있다. 또한 기술적 술기의 성공적인 수행은 (1)기능적 해부학에 대한 깊은 지식, (2)사전 시술 계획의 기능, (3)수술 중 의사결정, (4)시술 흐름 및 (5)다양한 전문직종 간 의사소통 기술이 필요하다.[36-40] 그럼에도 불구하고, 수술에서 이용 가능한 대부분의 평가도구는 기술적 수행이나 수동적 기술의 정신운동(psychomotor) 측면만을 강조한다. 다른 복잡한 기술과 마찬가지로 외과적 기술은 수행의 특정 맥락에 크게 의존하며 인지, 정신운동, 의사소통 및 관리기술의 조합과 관련된 의도적인 연습을 통해 습득된다. 이러한 의미에서 수술(surgery) 관련 전문지식을 습득하는 과정은 인간 활동의 다른 영역에서의 전문지식 습득에 대한 이전의 연구와 일치하는 것으로 보인다.[41]

평가도구의 사용을 고려할 때 평가도구의 항목들이 교육생의 성과에서 표집하고자 하는 "관심구인"을 직접 대상으로 하고 있는지를 반영하는 것이 매우 중요하다. "구인"이라는 용어는 심리학과 같은 사회과학과 행동과학의 일부 분야에서 널리

1) 역자 주. 침습적(invasive)이라 함은 질병이 급속도로 퍼지는 현상 또는 몸에 칼을 대는 외과적 치료 행위를 뜻한다. 출처: 옥스퍼드 사전.

표 8.1 **즈비쉬 척도(Zwisch Scale)**

Zwisch 감독 (supervison) 단계	교수자의 행동	해당 수준의 감독에 상응하는 전공의의 행동
보여주고 말하기	대부분을 주요 수술을 수행한다. 증례에 대해 이야기한다(즉, 생각을 소리내어 말한다). 중요한 개념, 해부, 술기를 보여준다.	열고 닫기 제1조수, 관찰자
발전 가능성의 신호		제1조수로 참여하면서 적극적인 도움을 준다. (즉, 집도의사의 요구를 예상한다.)
현명한 도움	집도의와 제1조수의 역할을 전환한다. 전공의가 제1조수로 참여할 때 수술자의 역할을 부여한다(능동적 도움). 현장/노출을 최적화한다. 수술부위와 구조를 보여준다. 특정 술기를 지도한다. 다음 단계를 지도한다. 전공의에게 해부학적으로 중요지점을 지속적으로 알려준다.	위 사항을 포함하여: 외과의사와 제1조수 역할 사이를 이동한다. 모든 수술 술기를 알고 있다. 보조자의 도움을 받아 수술의 다른 주요부분을 수행할 수 있는 능력이 향상되고 있음을 보여준다.
발전 가능성의 신호		능동적인 지원을 받아 수술의 대부분의 주요 단계를 수행할 수 있다.
약간의 도움	전공의의 주도를 따르고 보고해준다(수동적 도움). 술기 연마와 정교함을 지도한다. 수술 내내 전공의 주도를 따른다.	위 사항을 포함하여: 효율성 향상으로 전체 사례에 대한 다음 단계를 "설정"하고 수행할 수 있다 중요한 전환 지점을 인식한다.
발전 가능성의 신호		감독관의 수동적 지원만으로도 모든 단계 간 전환 가능하다.
도움 없음	전반적으로 불필요한 조언을 하지 않는다. 주니어 전공의나 주니어 전공의처럼 행동하는 교수자의 도움을 받는다. 진행 상황과 환자 안전을 모니터링 한다.*	위 사항을 포함하여: 경험이 부족한 제1조수와 함께 작업할 수 있다. 교수자의 도움 없이 안전하게 사례를 마무리할 수 있다. 대부분의 실수를 극복할 수 있다. 도움/조언이 필요한 시기를 안다.

*이 모든 단계에서 교수자는 최적의 환자안전과 결과를 보장해야 할 책임이 내포되어 있다. 이를 위해 언제라도 실수 할 수 있는 행동을 수정하거나, 이미 실수가 발생한 경우 이를 "인계"하여 실수를 바로 잡을 수 있어야 한다.
출처: DaRosa DA, Zwischenberger JB, Meyerson SL, et al: A theory-based model for teaching and assessing residents in the operating room. *J Surg Educ* 2013;70(1):24-30.

사용된다. 내용전문가가 이 개념을 고려하는 것은 평가도구를 설계하거나 지역적 맥락에서 사용할 기존 도구를 선택할 때 중요하다. 모든 도구가 지역적 요구에 쉽게 적용될 수 있는 것은 아니다. "관심구인"은 본질적으로 근본적인 능력에 대한 "조직검사"의 대상이며, 평가는 당신이 측정하고자 하는 것에 대한 불완전한 표본만을 산출할 수 있다는 것을 항상 기억해야 한다.

관심구인을 교육적 맥락에서 유용하게 사용하려면, 관심구인은 경험이나 훈련에 근거하여 교육생들 간 중요하고 의미 있는 차이가 있는 수행 영역을 나타내야 한다. 교육생 사이에 다차원적 역량에 대한 분산이 관찰되지 않는다면 (교육생에게 유용한 피드백을 제공할 수 있는 능력과 마찬가지로) 다음 단계로의 의사결정은 불가능할 것이다. 이 경우, 실제로 전체 교육과정의 효과가 의심스러울 것이다. 따라서 이러한 수행 차원 각각에 대한 평가도구를 획득하거나 개발하는 것이 필요할 수 있다. 이 문제들은 부록 8.1에서 더 논의하였다.

모든 전문분야 시술 기술 평가에 유용한 도구

책임지도전문의에게 있어서 각 전공의의 시술 기술에 대하여 잘 문서화되고 신뢰할 수 있으며 타당한 평가는 예상 모범사례의 중요한 구성요소가 되었다. 이러한 평가과정에 대한 세부사항은 미국의 ACGME가 정한 표준에 기초한 임상역량위원회의 기준과 다른 나라(예: 캐나다 CanMEDS, 스코틀랜드 의사(Scottish Doctor) 및 영국의학협회(GMC) 지침; 1장 참조)에서 채택된 개념틀에 명시되어 있다. 이러한 변화는 책임지도전문의들이 마취,[42] 수술,[43-45] 응급의학 등 다양한 분야에서 시술 기술 평가의 원리와 관행을 이해할 수 있도록 돕기 위해, 전문 학술지의 많은 종설과 조사연구 논문으로 이어졌다.[46] 시뮬레이션 바탕 평가에 관한 문헌은 Cook과 동료들에 의해 광범위하게 검토되었다.[18]

시술 능력 평가방법은 시술 일지나 비정형 관찰평가와 같은 비공식 평가에서부터 고도로 구조화된 수행바탕 시험까지 다양하다. 평가도구와 그 속성 목록은 Ghaderi와 동료들이 제시하고 있다.[21] 이 훌륭한 설문조사에서 가장 핵심적인 내용은 글상자 8.1에 요약되어 있다. 어떤 방법을 사용하든지 평가의 목적을 고려하고 그 방법에서 얻은 점수의 타당도에 대한 근거를 검토해야 한다. 보다 자세한 사항은 의학교육의 평가에 관한 수많은 지침서와 연구논문을 참고하기 바란다.[47-49]

시술 기술 평가도구 설계와 선정의 현실적 문제

해결해야 할 실제적인 문제들 중에는 다음과 같은 내용들이 있다. (1) 정확히 누가 어떤 맥락에서 학습자의 수행을 평가할 것인지를 포함한 실행 가능성 문제, (2) 교수개발 - 평가도구를 효과적으로 사용할 수 있는 교육이나 오리엔테이션 제공(구인정렬 척도 활용 포함), (3) 각 상황에서 서로 다른 평가자들이 사용한 평가도구의 타당도 입증과 지속적인 질 개선을 위한 수집정보의 구체적인 내용 제공, (4) 평가 데이터가 어디에 저장되고, 누구에게, 언제, 어떻게 데이터가 보고될 것인지를 포함한 보고의 문제이다. 이러한 질문 중 일부는 체계적인 것으로 보이지만, 최근 문헌은 모든 문제가 평가도구에서 이루진 결정의 타당도에 영향을 주므로 각 교육생에게 얼마나 정확한 점수를 제공할 수 있느냐 하는 점에도 영향을 미친다. 잘못된 점수를 제공하는 위험은 학습자들의 교육과정 졸업 문제와 재교육 문제와 연결되어 있으며, 이는 학습자들의 지속적인 이의신청과 문제와도 연계된다. 8장과 다른 장에서 설명한 타당도 원칙을 이해하고 잘 따를 수 있다면, 책임지도전문의는 이러한 어려움의 영향을 최소화하고, 신뢰도과 타당도에 대한 근거 기준을 제시할 수 있는 평가도구를 개발할 수 있을 것이다.

특정 관심구인에 대한 평가도구의 선택, 개발 또는 수정이 필요할 때, 내용전문가와 이해관계자는 구인의 정의와 경계를 충분히 논의해야 하고, 평가도구 채택 전에 일부 합의가 이루어지도록 하는 것이 중요하다. 내용전문가나 이해관계자 집단이 관심구인에 대한 공통된 정의를 공유하지 않는다면 불확실성을

• 글상자 8.1 기술적 술기 도구상자 검토 요약

검토(review)의 목적

- 미국외과협회(American College of Surgeon)/미국외과책임지도전문의협회(Association of Program Directors in Surgery)의 외과술기 교육과정에 활용할 기술적 술기 평가도구를 만든다.
- 미국교육연구협회(American Educational Research Association), 미국심리학협회(American Psychological Association) 및 국가교육측정위원회(National Council on Measurement in Education)가 승인한 단일 타당도 틀을 사용하여 평가도구의 핵심 정보를 제공한다.

주요 결과

- 소수의 도구만이 고부담 결정을 지원하기 위한 타당도 근거에 대한 일관적인 타당도 틀의 기준을 충족한다.

결론

- 대부분의 기존 평가도구는 결함을 시정하기 위한 추가 연구가 필요하다.

시사점

- 책임지도전문의는 사용하기 쉬운 도구와 타당도 입증 자료가 잘 확립된 도구를 선택해야 한다.

이번 검토에서 확인된 상위 세 가지 도구는 다음과 같다.

1. 수술수행도평정척도(Operative Performance Rating Scale, OPRS)[50]
   a. 목적: 순환근무후평가에서는 잊어버리거나 선택적 기억 대상이 되는 상세한 정보를 제공하는 것
   b. 전공의의 수술 일지에 대한 보충 정보로서 개별 수술성과를 측정하고 해석하도록 설계됨
   c. 일반 외과 교육과정에서 모든 수준의 전공의를 평가하도록 설계됨
   d. 여러 수행 내용에서 안정적인 추정치를 얻는 것과 지속적인 학습으로 인해 수행이 향상되지 못하는 시간적 한계 사이의 균형이 필요
   e. 중심정맥접근, 동맥관수술, 수술적조직검사, 복강경복부탈장수술, 감시림프절생검 및 액와부림프절 절제, 고식적 서혜부탈장수술, 복강경 서혜부탈장수술, 복강경 담낭절제술, 갑상선절제술, 부갑상선 절제술을 사정하는 데 사용되어 왔다.
   f. 대부분의 시술 타당도에 대한 충분한 근거가 있다.
2. 메이요 임상술기평가 시험(Mayo Clinical Skills Assessment Test, MCSAT)[51]
   a. 인지 및 운동 기술 평가를 위해 설계되었다.
   b. 주로 정기검진 검사를 위해 외과전문의의 대장내시경 검사 수행에 초점을 맞춘다.
   c. 임상강사에게 처음 400개의 시술에 대한 학습곡선 정보를 제공한다.
   d. 측정도구 제작 및 설계를 포함하여 타당도에 대한 매우 상세한 근거를 제공한다.
3. 오타와수술역량평가 척도(Ottawa Surgical Competency Operating Room Evaluation, O-SCORE)[25]
   a. 적절한 피드백을 제공하고 전공의의 진급에 관한 고부담 의사결정을 내릴 수 있도록 간단한 증례 기록에 대한 보충정보로서 개별 수술수행을 측정하도록 설계되었다.
   b. 모든 수준의 전공의들을 위해 설계되었다.
   c. 어떤 외과 시술에도 적용될 수 있도록 설계하였기 때문에 단순한 기술적 기술을 넘어서는 모든 일반적인 모든 수술 역량을 포함한다.
   d. 외과의사 포커스 그룹의 정확한 정보를 기반으로 한 평가도구로 설계되었기 때문에 좋은 타당도 근거가 있다.
   e. 과대평가 경향을 피하기 위해 구인정렬 척도를 사용한다.
   f. 행동 기준에서 심리측정학적 언어보다 전문적인 지식에 보다 의존한다.

출처: Ghaderi I, Manji F, Park YS, et al: Technical skills assessment toolbox: a review using the unitary framework of validity. *Ann Surg* 2015;261(2):251–262.

야기하고 비판을 받을 수 있으며, 대부분의 경우 현장에서 평가도구의 수용이 어려워진다. 이는 질 낮은 평가정보의 생성으로 바로 이어질 수 있다. 다시 말하지만, *타당한 평가란 평가도구 자체보다 과정(process)이 보다 중요하다는 점*을 강조하고자 한다.

책임지도전문의로서는 가르치는 것과 평가에 대한 지원과 열정을 유지하는 것이 가장 중요하며, 평가자들이 현재 선택한 평가도구에 대한 수용이 부족할 경우 향후 핵심 교수진을 참여시키는 데 한계가 있을 수 있다(1장 참조). 예를 들어, 복강경 수술 환경에서 "시공간 인지능력"의 한 측면은 수술 부위를 정확히 식별하여 해부를 통해 효율적으로 대상 조직에 접근하는 능력으로 정의할 수 있다. 이 예에서는 내용전문가를 섭외하여 "수술 부위"과 "시공간"이라는 용어가 행동기준에 따라 의미하는 바를 정확하게 논의하는 것이 필요하다. 전문가 패널이 한 가지 또는 두 가지 조건이 의미하는 바에 동의하지 않는다면 효율적인 작업이 어려울 것이다. 이상적인 평가도구에서 평가 결과의 모든 분산은 *구인관련 변인*이다. 즉, 평가는 관심구인과 관련된 질적인 측면만을 측정하고 수행척도에서 평가자 바이어스(bias), 무관한 상황적 요인이나 평가척도 내의 혼란스러운 언어와 같이 수행평가에서 불필요한 영향 요소들을 걸러낸다.

결론

시술역량 평가는 자원집약적일 수 있다. 평가과정에 자원 할당을 정당화할 수 있는 한 가지 방법은 평가과정을 바탕으로 내린 결정을 방어하기 위한 근거를 수집하는 것이다. 즉, 평가결정의 타당도에 대한 근거를 지속적으로 수집해야 한다. 이러한 노력은 현재 역량바탕의학교육과 공공책무의 증가 추세와 상통된다. 적절한 근거 수집을 하려면 동료평가가 이루어진 연구문헌에 대한 지식이 필요한데, 수많은 선택지 중 질적 수준, 실행 가능성 및 타당도에 대한 최신의 기준을 고려하여 선택하는 데 도움이 되기 때문이다. 이 장의 내용은 이러한 자원과 기준에 대한 접근방법을 제공하여 책임지도전문의에게 유용한 지침서가 될 것이다.

시사점

- 평가도구를 선택할 때 내용전문가를 자유롭게 활용하라. 구인의 정의와 경계를 충분히 논의하고, 평가를 진행하기 전에 어느 정도의 합의를 보는 것이 중요하다.
- 선택한 평가도구의 시범 시행에 노력을 조금 기울이도록 하라. 관심구인과 더불어 이를 수행하여 평가하려는 특정 역량에 대해 많은 것을 배우게 된다.
- 평가도구를 개발하고 작업할 때 신뢰도, 타당도 및 실행 가능성에 주시하라. 타당도를 확보하기 위해 지속적인 질적 개선을 위한 데이터를 수집하라.

참고문헌

1. Winckel CP, Reznick RK, Cohen R, Taylor B. Reliability and construct-validity of a structured technical skills assessment form. *Am J Surg*. 1994;167:423-427.
2. Martin JA, Regehr G, Reznick R, et al. Objective structured assessment of technical skill (OSATS) for surgical residents. *Br J Surg*. 1997;84:273-278.
3. Harden RM, Stevenson M, Downie WW, Wilson GM. Assessment of clinical competence using objective structured examination. *BMJ*. 1975;1:447-451.
4. Harden RM, Gleeson FA. Assessment of clinical competence using an objective structured clinical examination (OSCE). *Med Educ*. 1979;13:41-54.
5. Reznick R, Regehr G, MacRae H, et al. Testing technical skill via an innovative "bench station" examination. *Am J Surg*. 1997;173:226-230.
6. Faulkner H, Regehr G, Martin J, Reznick RK. Validation of an objective structured assessment of technical skill for surgical residents. *Acad Med*. 1996;71:1363-1365.
7. Vassiliou MC, Feldman LS, Andrew CG, et al. A global assessment tool for evaluation of intraoperative laparoscopic skills. *Am J Surg*. 2005;190:107-113.
8. Mackay S, Datta V, Chang A, et al. Multiple Objective Measures of Skill (MOMS): a new approach to the assessment of technical ability in surgical trainees. *Ann Surg*. 2003;238:291-300.
9. Cremers SL, Lora AN, Ferrufino-Ponce ZK. Global Rating Assessment of Skills in Intraocular Surgery (GRASIS). *Ophthalmology*. 2005;112(10):1655-1660.
10. Doyle JD, Webber EM, Sidhu RS. A universal global rating scale for the evaluation of technical skills in the operating room. *Am J Surg*. 2007;193:551-555.
11. Goff BA, Lentz GM, Lee D, et al. Development of an objective structured assessment of technical skills for obstetric and gynecology residents. *Obstet Gynecol*. 2000;96:146-150.
12. Leong JJ, Leff DR, Das A, et al. Validation of orthopaedic bench models for trauma surgery. *J Bone Joint Surg Br*. 2008;90:958-965.
13. Frank J, ed. *The CanMEDS 2005 Physician Competency Framework: Better Standards. Better Physicians. Better Care*. Ottawa: The Royal College of Physicians and Surgeons of Canada; 2005.
14. Nasca TJ, Philibert I, Brigham T, Flynn TC. The next GME accreditation system—rationale and benefits. *N Engl J Med*. 2012;366(11):1051-1056.
15. Swing SR. The ACGME outcome project: retrospective and prospective. *Med Teach*. 2007;29(7):648-654.
16. American Educational Research Association. *American Psychological Association, and National Council on Measurement in Education: Standards for Educational and Psychological Testing*. Washington, DC: American Educational Research Association; 1999.
17. Cook DA, Beckman TJ. Current concepts in validity and reliability for psychometric instruments: theory and application. *Am J Med*. 2006;119(2). 166.e7-e16.
18. Cook DA, Brydges R, Zendejas B, et al. Technology-enhanced simulation to assess health professionals: a systematic review of validity evidence, research methods, and reporting quality. *Acad Med*. 2013;88(6):872-883.
19. Korndorffer Jr JR, Kasten SJ, Downing SM. A call for the utilization of consensus standards in the surgical education literature. *Am J Surg*. 2010;199:99-104.

20. Cook DA, Zendejas B, Hamstra SJ, et al. What counts as validity evidence? Examples and prevalence in a systematic review of simulation-based assessment. *Adv Health Sci Ed Theory Pract.* 2014;19(2):233-250.
21. Ghaderi I, Manji F, Park YS, et al. Technical skills assessment toolbox: a review using the unitary framework of validity. *Ann Surg.* 2015;261(2):251-262.
22. Scott DJ, Dunnington GL. The new ACS/APDS Skills Curriculum: moving the learning curve out of the operating room. *J Gastrointest Surg.* 2008;12:213-221.
23. ACS/APDS Surgical Skills Curriculum for Residents. ACS Division of Education website. Available at http://www.facs.org/education/surgicalskills.html.
24. Crossley J, Johnson G, Booth J, Wade W. Good questions, good answers: construct alignment improves the performance of workplace-based assessment scales. *Med Educ.* 2011;45:560-569.
25. Gofton WT, Dudek NL, Wood TJ, et al. The Ottawa surgical competency operating room evaluation (O-SCORE): a tool to assess surgical competence. *Acad Med.* 2012;87:1401-1407.
26. Crossley J, Jolly B. Making sense of work-based assessment: ask the right questions, in the right way, about the right things, of the right people. *Med Educ.* 2012;46:28-37.
27. van der Vleuten C, Verhoeven B. In-training assessment developments in postgraduate education in Europe. *ANZ J Surg.* 2013;83:454-459.
28. MacRae CN, Bodenhausen GV. Social cognition: thinking categorically about others. *Ann Rev Psychol.* 2000;51:93-120.
29. ten Cate O, Scheele F. Competency-based postgraduate training: can we bridge the gap between theory and clinical practice? *Acad Med.* 2007;82:542-547.
30. DaRosa DA, Zwischenberger JB, Meyerson SL, et al. A theory-based model for teaching and assessing residents in the operating room. *J Surg Educ.* 2013;70(1):24-30.
31. George BC, Teitelbaum EN, Meyerson SL, et al. Reliability, validity, and feasibility of the Zwisch scale for the assessment of intraoperative performance. *J Surg Educ.* 2014;71:e90-e96.
32. Rekman J, Hamstra SJ, Dudek N, et al. A new instrument for assessing resident competence in surgical clinic: the Ottawa Clinic Assessment Tool (OCAT). *J Surg Educ.* 2016;73(4):575-582.
33. Yeates P, O'Neill P, Mann K, Eva K. Seeing the same thing differently: Mechanisms that contribute to assessor differences in directly-observed performance assessments. *Adv Health Sci Educ Theory Pract.* 2013;18:325-341.
34. Rekman J, Gofton W, Dudek N, et al. Entrustability scales: outlining their usefulness for competency-based clinical assessment. *Acad Med.* 2016;91(2):186-190.
35. Beard JD, Marriott J, Purdie H, Crossley J. Assessing the surgical skills of trainees in the operating theatre: a prospective observational study of the methodology. *Health Technol Assess.* 2011;15(1):i-xxi,1-162.
36. Anastakis DJ, Hamstra SJ, Matsumoto ED. Visual-spatial abilities in surgical training. *Am J Surg.* 2000;179:469-471.
37. Wanzel KR, Hamstra SJ, Caminiti MF, et al. Visual-spatial ability correlates with efficiency of hand motion and successful surgical performance. *Surgery.* 2003;134(5):750-757.
38. Sidhu RS, Tompa D, Jang RW, et al. Interpretation of three-dimensional structure from two-dimensional endovascular images: implications for educators in vascular surgery. *J Vasc Surg.* 2004;39(6):1305-1311.
39. Moulton CA, Regehr G, Lingard L, et al. Operating from the other side of the table: control dynamics and the surgeon educator. *J Am Coll Surg.* 2010;210(1):79-86.
40. Moulton CA, Regehr G, Mylopoulos M, MacRae HM. Slowing down when you should: a new model of expert judgment. *Acad Med.* 2007;82(10):S109-S116.
41. Ericsson KA. Deliberate practice and the acquisition and maintenance of expert performance in medicine and related domains. *Acad Med.* 2004;79:S70-S81.
42. Boulet JR, Murray D. Review article: assessment in anesthesiology education. *Can J Anaesth.* 2012;59(2):182-192.
43. Hamstra SJ, Dubrowski A. Effective training and assessment of surgical skills, and the correlates of performance. *Surg Innov.* 2005;12(1):71-77.
44. Sidhu RS, Grober ED, Musselman LJ, Reznick RK. Assessing competency in surgery: where to begin? *Surgery.* 2004;135:6-20.
45. Fried GM, Feldman LS. Objective assessment of technical performance. *World J Surg.* 2008;32(2):156-160.
46. Farrell SE. Evaluation of student performance: clinical and professional performance. *Acad Emerg Med.* 2005;12(4):302.e6-e10.
47. Messick S. Validation of inferences from persons' responses and performances as scientific inquiry into score meaning. *Am Psychol.* 1995;50:741-749.
48. Wass V, Van der Vleuten C, Shatzer J, Jones R. Assessment of clinical competence. *Lancet.* 2001;357(9260):945-949.
49. Epstein RM, Hundert EM. Defining and assessing professional competence. *JAMA.* 2002;287:226-235.
50. Williams RG, Verhulst S, Colliver JA, et al. A template for reliable assessment of resident operative performance: assessment intervals, numbers of cases and raters. *Surgery.* 2012;152:517-527.
51. Sedlack RE. The Mayo Colonoscopy Skills Assessment Tool: validation of a unique instrument to assess colonoscopy skills in trainees. *Gastrointest Endosc.* 2010;72:1125-1133.
52. Case SM, Swanson DB. *Constructing Written Test Questions for the Basic and Clinical Sciences.* 3rd ed. Philadelphia: National Board of Medical Examiners; 2002.
53. Streiner DL. Global rating scales. In: Neufeld VR, Norman GR, eds. *Assessing Clinical Competence.* New York: Springer; 1985:119-141.
54. Maxim BR, Dielman TE. Dimensionality, internal consistency and interrater reliability of clinical performance ratings. *Med Educ.* 1987;21:130-137.
55. Dauphinee WD. Assessing clinical performance: where do we stand and what might we expect? *JAMA.* 1995;274:741-743.

부록 8.1

보다 광범위한 맥락에 대한 평가

사정(assessment)은 의학교육의 매우 중요한 부분이고, 또한 복잡한 주제다. 교육계에서는 "사정(assessment)"과 "평가(evaluation)"라는 용어가 다른 의미를 갖는다. 사정은 개인 학습자의 진척 상황을 판단하는 데 반해, 평가는 교육과정이나 교육과정의 효과를 판단하는 것을 말한다. 거의 모든 사정도구는 일련의 개별 항목으로 구성된다. 사정도구의 질은 사정을 구성하는 개별 항목의 질에 따라 달라지기 때문에, 문항개발(또는 수정) 과정을 가볍게 보아서는 안된다. 두 가지 일반적인 형태의 항목은 (1)"응시자는 주의를 기울여야 하는 긴장된 상황 속에서도 효율적으로 시술 흐름을 유지했다"(리커트 5점 척도 적용)와 같은 수행에 관한 일반적인 정보와 (2)"피부를 봉합하면서 창상외번(eversion)을 잘 유지한다 - 수행함/수행하지 못함"과 같은 간단한 체크리스트 항목이다. 지식을 사정하거나 임상문제에 지식을 적용하기 위한 항목을 작성하는 과정에 관한 문헌은 무수히 많다. 문항작성에 대한 가장 좋은 지침 중 하나는 미국의사국가시험원에서 발행된 매뉴얼이다.[52] 이는 예비사정도구에 있는 항목의 질을 평가하거나 직접 사정도구를 개발하려고 할 때 참조해야 한다. 문항작성, 그리고 기존 사정도구의 항목에 대한 비판적 평가(appraisae)는 학습되는 기술이며, 훈련을 통해 효율적이고 효과적으로 수행될 수 있다.

필기시험의 경우, 주요 우려 사항 중 하나는 시험성과가 고도로 개발된 시험응시 전략의 기능을 하는 것은 아닌지 확인하는 것이다. 비록 이것이 수행이나 술기시험에는 문제가 덜 되지만, 어떤 시험이든 학생에게 강력한 동기적 영향을 미친다는 것을 깨닫는 것은 필요하며, 어려운 시험에서 좋은 성적을 내기 위해 가능한 모든 수단을 사용하는 것은 인간의 본성이다. 이러한 경향을 고려할 때, 시험은 관련 시험응시 기술이 아니라 측정하려는 대상을 측정해야 한다. 이 개념이 타당도의 핵심이다.

분산의 중요성

어느 영역에서나 수행을 평가할 때는 점수의 분산을 확인해야 한다. 분산분석은 간단하지만 중요한 사안이다. 평가 활동에 의해 생성된 점수에 차이가 없다면, 모든 개인은 관심 영역에서 동일하다고 간주되므로 사정도구를 사용할 필요가 없다. 다시 말하면, 사정도구가 사용되는 이유 중 하나는 다른 수준의 기술이나 성과를 가진 개인을 구별하는 것이다. 순환근무 후 평가와 같이 전공의의 사정에 사용되는 많은 역량 사정도구들은 상대적으로 편차가 적은 결과를 낸다.[53-55] 다행히도 이 책에서 설명된 많은 시험은 다양한 수행 범위내의 분산과 타당도의 근거를 보여주었다. 사정 분야의 또 다른 문제는 "학점 인플레이션" 경향으로 교수자가 최저 수준의 학습자를 평가하기 어려울 수 있다는 점이다. 이 장의 앞부분에서 설명한 "구인정렬 척도"의 개발은 이러한 경향을 완화하는 데 도움이 될 수 있다.

역량바탕 의학교육의 보다 광범위한 맥락에서 사정

사정에 관한 문헌에 영향을 미치는 또 다른 주요 요인은 전공의 훈련 중 필수적인 하위역량 성과와 성과의 마일스톤을 상세히 기술하는 등 역량바탕 의학교육 틀로의 신속한 변화다. 현재 전 세계적으로 널리 채택되고 있는 이 틀은 훈련을 통해 진행되면서 개별 전공의의 역량에 대한 세부적이고 정기적인 모니터링을 강조한다. 대부분의 의료진들이 최선을 다해 의술을 행하기로 약속했음에도 불구하고, 의료 오류는 발생하기 마련이다. 타당한 사정바탕 결정의 궁극적인 목표는 학습자를 얼마나 효과적으로 교육하고 감독 없는 의료행위에 대비시키는지에 대한 공적 책무를 높이는 것이다. 이는 핵심 교수진 개인과 책임지도전문의 및 전공의에게 엄청난 압력을 가하는데, 다음 단계로의 수련과정 승급과 졸업에 관한 의사결정에 타당한 근거를 제공해야만 하기 때문이다. 이 책은 이 과제를 해결하는 데 있어 책임지도전문의와 핵심 교수진을 위한 지침을 제공하기 위한 것이다.

• 글상자 8.2 좋은 사정도구를 개발하기 위한 7단계 체크리스트

1. 사정의 목적을 결정한다.
   - 형성적 또는 총괄적(준거설정/기준)평가 또는 연구에 사용할 것인가?
   - 지식, 기술 또는 태도(예: 수행, 팀워크, 불안정도)를 사정할 것인가?
2. 내용타당도 확립에 도움이 되는 주요 관심구인과 이해관계를 식별한다.
3. 포커스 그룹과 같은 합의 방법을 사용하여 내용전문가와 함께 구인을 검토한다.
   - 서로 다른 교육기관 및 전공분야의 표본을 구한다.
   - 주제와 관련된 많은 교수진을 섭외하고 정치적 이슈를 다룬다.
   - 예비준거 설정: 완벽한 수준/경계선 통과 수준은 어느 정도의 수준인가?
4. 가능하다면 기존 시험에 기초하여 문항을 개발하고 작성한다.
5. 필요한 경우 평가자를 교육한다(평가자간 신뢰도 평가분석을 한다).
6. 표본으로 평가도구의 타당도검증을 위한 파일럿 테스트를 한다.
   - 평가도구의 실행 가능성(소요시간, 명확성, 비용)을 확인한다.
   - 필요한 경우 4단계로 돌아가서 문항을 수정한 다음, 다시 파일럿 테스트를 수행한다.
7. 수정된 시험을 시행하고, 보다 큰 표본을 구하여 신뢰도과 타당도를 측정한다.
   - 구인타당도를 사정한다.

최종 참고 사항: 완벽한 타당도를 얻을 수는 없으므로, 이 과정은 수행 결과의 통계를 지속적으로 확인하여 신뢰도와 타당도를 확인하는 지속적인 과정이라고 생각하라.

출처: Hamstra SJ: The focus on competencies and individual learner assessment as emerging themes in medical education research. *Acad Emerg* Med 2012;19(12):1336–1343의 내용을 수정함.

기타 자료

현재 많은 의과대학에는 의학교육 연구부서가 있으며, 일반적으로 평가전문가(즉, 심리측정학자)가 있다. 글상자 8.2는 양질의 사정도구 개발을 위한 체크리스트이다. 이 체크리스트는 기존 사정도구의 질을 평가하기 위해 수정할 수 있다.

9
근거중심진료 평가

MICHAEL L. GREEN, MD

개요

서론

근거중심진료(Evidence-based practice, EBP)는 보건의료 질 향상을 위한 국가적 우선과제로 대두되고 있다.[1] EBP는 임상적 의사결정에 있어서 환자의 가치와 임상상황과 함께 최상의 근거를 통합하는 과정으로 정의될 수 있다.[2] 최근 합의문에서 저자들은 "근거중심의학(evidence-based medicine)"이라는 표현 대신 "근거중심진료" 라는 단어를 사용하였는데 이는 "전체 의료팀과 조직들이 근거중심접근법을 서로 공유하는 데에서 오는 이득을 반영"하기 위함이다.[3] 그러나 현실은 이상과 거리가 있기 마련이다. 임상의사들은 가지고 있는 임상질문들 대부분에 대해 해답을 찾지 못하고,[4,5] 종종 근거 없는 정보를 참고하고, 수련 후 수년의 시간이 지나가면서 최신 의학지식과 술기가 퇴보하는 경우를 경험하기도 하며,[6] 효능이 검증된 임상술기를 적용하지 못하는 상황을 자주 맞이한다.[7-9] 그리고 전통적인 강의 위주의 평생의학교육(continuing medical education, CME)이 해결책으로서는 제한적으로 활용되고 있다.[10,11]

이에 전문 단체들은 모든 수준의 의학교육에서 EBP 교육을 강화하도록 하였다.[12-16] 미국졸업후교육인증위원회(Accreditation Council for Graduate Medical Education , ACGME)는 "성과 프로젝트(outcome project)"에서[14] EBP를 강조하였는데, 이는 현재 인증평가의 방향을 구조와 절차에서 여섯 가지 역량에 해당하는 교육성과로 전환하였다. EBP는 "환자 진료"와 "진료바탕학습과 개선(practice-based learning and improvement, PBLI)"의 공통 역량에서 가장 두드러진다. 유사하게, 미국의과대학협회(Association of American Medical Colleges, AAMC)는 전공의 수련과정에 들어가기 위한 13개 위임가능전문활동[17] 중 "임상 질문을 만들고 환자진료를 발전시키는 근거를 찾도록"[16] 하고 있다. 미국의학연구소(Institute of Medicine, IOM)에서는 모든 의료 직종에게 5가지 필수 역량 중 "근거중심진료를 도입" 하고 "정보과학을 활용" 하도록 하고 있다.[12] 마지막으로, 캐나다전문의양성 역량모델(Canadian Medical Education Directions for Specialists, CanMEDS) 2015 틀에서는 EBP가 의학전문가와 학자로서의 역할에 포함되어 있다.[18]

필자의 생각으로는 성찰하는 의사들은 자신의 진료를 "조사하고 평가(evaluate)"할 때 서로 다른 두 가지 부족한 점을 발견하게 되고, 이에 두 가지 다른 "개선"을 시도하는 듯하다. 이 장에서 여러 번 언급될 다음의 임상사례를 살펴보도록 하자.

70세 노인 한 분이 정기 검진을 위해 병원을 방문하였다. 최근 새롭게 발견된 증상은 3개월 간의 간헐적인 마른 기침뿐이라고 한다. 과거력에서 양성 전립선 비대, 골관절염, 고립형 수축성 고혈압 밖에 없다. 과거에는 하루 한 갑 정도 담배를 피웠지만 60세에 끊었다. 병원에서 추천하는 예방적 정기검진을 모두 시행하여 대장 내시경 소견은 정상이었고, 폐렴구균예방접종과 매년 시행되는 인플루엔자 예방접종을 받았다. 문진이 끝날 무렵 노인은 게이트볼을 같이하는 친구가 최근 복부 대동맥류 파열로 급히 입원했다고 말해주었다. 그리고 이렇게 물었다. "의사선생님, 저도 그거 검사해 주실 수 있나요?"

최근 연구결과와 제안사항을 모르는 의사는 지식 부족을 경험하게 된다. 의사들(혹은 다른 전문가들)의 학습형태를 관찰한 연구에서 이러한 지식 결핍은 "붕괴",[19] "문제"[20] 혹은 "당황스러운 상황들"[21]로 표현되었다. 우리는 이를 근거중심진료 용어에서 "임상질문들(clinical questions)" 이라고 부른다. 최근의 체계적 문헌고찰 연구에 의하면 의사에게 환자 한 명당 0.57개의 질문이 발생한다고 한다.[22] 임상의사들은 발생한 질문의 51%에 대하여 답을 찾으려고 노력했고 그 중 답을 찾은 경우는 78%로 나타났다. 발생한 질문 중 34%는 약물 치료에 관한 것이고 24%는 증상, 신체진찰 소견, 또는 진단검사 결과의 잠재적 원인에 관련된 것이었다. 임상의사들은 시간이 부족하고, 유용한 정답이 있을까 하는 의심은 정보를 찾는데 있어 주요 장애물이었다.

의사는 질문에 답할 수 있는 형식으로 *질문(ask)*하고, 최상의 근거를 *습득(acquire)*하고 그 타당도과 유용성에 관해 근거를 *비평(appraise)*하고, 해당 환자의 의사결정이나 환자상담에 근거를 *적용(apply)*하고 그 성과를 *평가(assess)*해야 한다. 그런 다음 과정을 성찰하면 이 새로운 정보는 실무 지식의 일부가 되며 "당황하지 않고" 추후 발생할 수 있는 시나리오에 반영될 수 있다. 이러한 근거중심진료 시 "행함을 통해 알게 된다" 고 말할 수 있는 것이다. 이 장에서는 PBLI 측면을 평가하기 위한 도구와 전략의 심리측정학적 속성을 검토하고 현재 교육실무 및 향후 연구에 관한 권고사항들을 제시하고자 한다. 또한, 부록에 참고할 수 있는 자료의 목록을 제시하였다.

한편, 이전 시나리오에서 의사는 선별검사에 대한 메타분석에 기초하여 미국질병예방특별위원회(Unites States Preventive Services Task Force, USPSTF)에서 흡연 이력이 있는 65세 이상의 남성에게 1회의 복부 초음파 검사를 추천한다는 사실을 미리 알고 있었을 수 있다.[23] 차후 의무기록 감사를 통한 진료 내용을 확인해보면 의사는 본인이 진료한 흡연 습관이 있는 노인 환자 중 60% 만 복부대동맥류 선별검사를 했다는 사실을 알게 될 것이다. 이러한 발견은 의사로하여금 진료의 품질 향상을 촉진할 수 있는데, 그 개선에는 선별검사에 장애가 되는 의사, 환자, 그리고 진료실의 마이크로시스템 장벽; 진료시 방해되는 상기(reminder) 시스템; 선별검사 효과에 대한 평가(evaluate)의 내용이 포함될 수 있다. 이 경우 의사는 "아는 만큼 진료"하게 된다. 홀름뵈(Holmboe)는 이러한 PBLI와 개선에 대해 10장에서 다루고 있다.

의학교육 평가(evaluate)의 공통 이슈들

이 장의 목적 상, 미국교육연구학회(American Educational Research Association)의 교육 및 심리 표준검사를 위한 공동위원회(Joint Committee on Standards for Educational and Psychological Testing), 미국심리학회(American Psychological Association), 미국교육측정평가협의회(National Council on Measurement in

표 9.1 타당도 근거 유형에 대한 분류 및 용어

타당도 근거의 출처	내용	분석*
검사 내용에 따른 분류	도구의 내용과 측정하려는 구성 간의 관계분석. 내용은 학습주제, 문항의 표현과 유형, 또는 시험 문제, 채점 과정을 포함함.	전문가의 외부 검토에 의해 종종 결정됨 (*내용 타당도*)
응답 절차에 따른 분류	평가도구를 채점하는 "과정"에서 관찰자들이 얻은 정보 또는 응시자들이 검사를 수행하는 "과정"에서 수집된 데이터	
내부 구조에 따른 분류	검사 문항과 내용이 정확한 검사 결과의 해석 즉, 검사의 구인타당도에 얼마나 적합한 지의 여부	항목들 중 일관성 있는 잠재적 구성 탐색 혹은, 만약 미리 구체화되었다면 요인 분석에 의해 결정된 정확한 하위 주제 탐색(차원성) 전체 평가도구 내 문항 또는 사전 지정된 부분의 문항 간의 상관관계. 종종 크론바흐(Cronbach) 알파(내적 일관성)로 측정됨
기타 변수들과의 관계에 따른 분류	시험 점수와 외부 변수(기준)의 관계분석을 가정하여 동일한 구인을 측정하거나 대표함. 예측 타당도 연구는 데이터가 미래에 획득한 준거점수를 얼마나 정확하게 예측할 수 있는지를 나타냄. 공인 타당도 연구는 예측과 준거 정보를 동시에 나타낼 수 있음.	심리측정학적 특성을 가진 다른 검사에서 얻은 점수와의 상관관계(*준거 타당도*) 서로 다른 수준의 전문지식을 가진 것으로 간주되는 집단간 점수 비교(*판별 타당도*) 교육적 개입 전후의 점수 비교 (*반응 타당도*)

분석 열의 기울임 꼴로 표시된 설명은 통상적으로 사용되는 용어이며, 이 출처에서 가져온 것은 아님.
*미국교육연구학회(American Educational Research Association)의 교육 및 심리 표준검사를 위한 공동위원회(Joint Committee on Standards for Educational and Psychological Testing); 미국심리학회(American Psychological Association); 미국교육측정평가협의회(National Council on Measurement in Education) 위원회가 제안한 분류: *교육과 심리검사의 기준(Standards for Educational and Psychological Testing)*. Washington, DC, American Educational Research Association, 1999.

Education)가 개발한 분류와,[24,25] 다우닝(Downing)의 EBP 평가도구 분석 및 권고에 관한 최근 방법론을[26-31] 참고하기 바란다(표 9.1).

최근 학자들은 특정 유형의 타당도 근거를 제시하기 위한 "구인타당도" 사용을 거부하였다.[26] 평가도구는 보이지 않는 심리적 "구인(construct)"을 정확히 가늠한다는 근거가 있으므로 오히려 모든 타당도는 구인타당도로 본다. 이는 지식, 술기 및 태도에 해당된다. 한편, 행동은 직접 관찰될 수 있다. 그러나 자원과 시간의 제약으로 인해 종종 직접 관찰이 실용적이지 않기 때문에 연구자는 대리 평가 수단을 이용해야 하기도 한다. 이 경우 타당도에 대한 근거는 대리 평가 수단이 실제 수행과 유사하다는 것을 입증해야 한다.

마지막으로, 선호되는 유형의 타당도 근거에 대한 절대적인 위계는 없다. 오히려, 평가도구를 계획적으로 선택하여 적절한 분석이 이루어져야 한다. 예를 들어, EBP 교육과정의 효과를 평가하는 데 있어 도구의 반응 타당도(표 9.1 참조)가 더 중요할 수 있는 반면, 판별 타당도가 확립된 도구는 개별 학습자를 평가하는 데 보다 적합할 수 있다. 과정수료나 진급과 같은 고부담 평가에는 수정 피드백에 사용되는 형성평가 보다 확실한 타당도(견고한 과학적 연구결과로부터 수집된 다양한 종류의 근거)가 필요하다.

EBP 평가 영역

표 9.2는 이전에 출판된 EBP 평가의 개념 틀[1)]에서 도출된 EBP 평가의 세부영역 틀을 보여준다.[32-35] 교육에서의 EBP 사정도구에 대한 분류 기준(Classification Rubric for EBP Assessment Tools in Education, CREATE)은[35] 이 틀과 많은 유사점이

1) 역자 주. 사물이나 사태를 파악, 또는 설명할 때 사용되는 개념의 논리적 관계나, 그 개념에 의해서 묘사되는 사실의 인과적 관계의 총체적인 틀. 참조: 교육학용어사전. 개념도식, 개념체계, 개념틀 등으로 다양하게 사용되고 있어 framework와의 통일성을 위해 개념 틀로 번역함.

표 9.2 EBP 평가 영역*

심리측정학적 영역		내용설명 (EBP "방식"에 따름) 행위자	사용자	추종자
지식과 기술				
EBP 단계	질문하기	최근 정보 파악하기		
		"배경"과 "전경" 질문 구별하기		
		임상문제와 관련된 "임상 과제" 인식하기		
		PICO 형식으로 전경 질문하기		
	습득하기	일반적인 컴퓨터/인터넷 기술[33]		
		서로 다른 "EBP 방식" 34 인식하기와 선택하기[34]		
		원저 연구 검색하기(예: Medline)	근거중심 요약자료의 2차 문헌 비평하기	자문한 사람들의 EBP 성과 알기
			근거중심 요약자료의 보조 데이터베이스 검색하기(예: Cochrane Library)	
	비평하기	연구설계와 수행의 기본적인 비평하기	타인이 수행한 핵심 비평 내용을 이해하고 인식하기	
	적용하기	효과측정을 개별화하기†		
		환자의 특정 임상 상태와 주위 상황을 고려하기		
		환자의 선호도 고려하기		
	사정(assess)하기	타인의 EBP 수행도를 사정하기		
태도		EBP에 대한 태도		
		자기주도학습 "준비"하기		
행동		임상진료에 EBP 단계 시행하기		
		임상에서 근거중심 임상술기 수행하기		
		바람직한 환자 경과가 나타나도록 영향 미치기		
총괄평정		EBP 역량 총괄평정		

EBP, Evidence-based practice(근거중심진료); *PICO*, Patient-Invention-Comparison-Outcome(환자-중재-비교-결과)
*자세한 내용은 본문을 참조할 것.
†예를 들어, 환자의 사전 위험 가능성과 진단검사의 가능성 비율을 활용하여 환자의 기준선 위험을 기반으로 치료하거나 질병의 검사 후 확률을 결정하는데 필요한 치료 횟수가 수정된다.

있다.

근거중심진료를 하는 의사들은 다섯 단계의 지식과 기술(knowledge and skills)을 갖추고 있어야 하는데, 이 단계는 다섯 개의 대문자 "A" 로 표현되기도 한다. 먼저, 새로운 정보 수요를 인식하고 답할 수 있는 임상 질문을 *물어본다(ask)*. 임상 질문은 (일반적)*배경(background)*과 (특정, 환자 기반)*전경(foreground)*으로 분류 될 수 있으며[36] 치료, 진단 또는 예후와 같은 특정 *임상업무(clinical tasks)*와 관련이 있다.[37] 또한, 환자의 특성, 중재, 비교 및 결과를 명시적으로 식별하여 전경 질문을 PICO (Patient-Intervention-Comparison-Outcome) 형식으로 구성할 수 있다.[38] 앞서 보여준 임상 시나리오의 경우 다음과 같이 물어볼 수 있다. "고혈압 및 흡연 병력이 있는 70세 환자에서 복부 초음파 검사로 복부대동맥류를 선별하면 복부대동맥류 파열로 인한 사망 위험이 감소하는가?" 이러한 질문을 하면 정보출처의 선택, 검색어 선택, 검색 중지 시기 파악, 의사결정시 근거 적용, 그리고 다른 전문가들과의 의사소통에 도움이 될 수 있다.[39-42]

*습득(acquire)*과 *비평(appraise)* 단계를 수행할 때 임상의사들은 마주친 상황, 시간 제약, EBP의 전문성 정도와 개인적 취향의 속성에 따라 세 가지 EBP 방식[34,43] 중 하나를 사용한다. 자주 마주치는 상황과 극한의 시간 제약이 없는 상황에서는 임상 연구에서 원저논문을 찾아보고 비판적으로 평가해보는 "행동(doing)" 방식을 채택할 수 있다. 자주 겪지는 않은 상황이거나 보다 급박한 임상 상황에서는 핵심 비평(critical appraisal) 단계를 건너뛰고 "사용자(user)" 방식을 선택하여 연구결과 검색 시 미리 엄격하게 사전 평가된 참고자료로 제한함으로써 시간을 절약할 수 있다. 이러한 근거에 기초한 이차 문헌 자료의 편집자들은 명백한 방법론적 기준을 준수하면서 체계적인 검토의 "합성"(체계적 문헌고찰)과 "개요"의 형태로 원저논문에서 얻은 근거를 검색, 선택, 평가 및 요약한다.[44,45] 앞서 보인 증례에서 "사용자" 방식을 적용해보면 철저한 체계적 문헌고찰이 이루어질 수 있고, 복부 대동맥류 파열 선별검사에 관한 새로운 권고에 따라 진찰을 하게 될 수 있다.[23] 마지막으로, "*추종자(replicator)*" 방식은 EBP 자문가의 권고를 신뢰하고 적극적으로 따르는 방식이다(적어도 근거에 대한 검색과 구체적인 비평 내용을 포기한다).

의사는 다양한 시간에 다양한 방식으로 진료할 수 있지만 그 활동은 주로 한 범주에 속할 것이다. 영국의 일반 진료의사에 대한 설문조사에서 72%는 진료 중 일부 시간은 다른 사람들이 요약해 놓은 근거중심 자료를 이용하는 "사용자 방식"을 사용한다고 응답하였다.[46] 반면, 치료에 필요한 수의 "비평" 도구(35%)와 신뢰구간(20%)을 이해한다고 응답한 사람은 적었다. 마지막으로, "근거중심의학 기술을 익히는 것"(5단계 모두)이 "의견바탕의학(opinion-based medicine)에서 근거중심의학"으로 이행하는 데 있어 가장 적절한 방법이라고 믿는 사람은 5%에 그쳤다.

어떤 방식으로든 임상의사는 개별 환자에 대한 결정을 내릴 때 근거를 *적용(apply)해야 한다*. 여기에서 근거, 환자의 특정 임상상황 및 환자의 선호도를 통합하기 위해 자신의 임상적 전문지식에 의존한다.[2] 마지막으로, 임상의사는 전체 EBP 과정에서 자신의 성과를 *사정(assess)*한다 .

태도 영역에서는 적절성, 효과성, 실행 가능성, 진료 선호도, 장점, "의도하지 않은 결과" 및 EBP에 대한 인지 장벽에 대한 관점이 포함된다. 또한, 평생학습을 위한 전략으로서 EBP는 교육심리학에서 가져온 구인항목인 자기주도학습의 "준비성" 또는 "선호도"를 필요로 한다.

우리는 EBP 수행에서 두 가지 수준을 고려할 수 있다. 먼저, 다음과 같은 질문을 할 수 있다. "교육생은 임상진료에서 다섯 가지 EBP 단계를 수행하는가?" 반대로, 임상진료에 대한 직접적인 질문을 통해 보다 깊이 살펴볼 수 있다. "해당 교육생은 자신의 임상진료에서 근거중심 임상술기를 수행하는가?" 마지막으로, 환자의 결과를 적절한 EBP "결과"로 확인할 수 있다.

EBP 평가도구

1999년 EBP 교육과정에 대한 체계적 문헌고찰 결과 EBP 교육과정에 대한 소수의 공개 보고서에서만 평가내용을 포함하였다.[47] 이 중 평가도구는 EBP 단계의 기타 단계를 배제하기 위한 핵심 비평에 중점을 두고 EBP 지식과 기술을 측정했지만 실제 임상수행을 객관적으로 문서에 기록하지 않았고 종종 정확한 타당도와 신뢰도가 부족했다. 마찬가지로 2000년도에 내과 전공의 수련과정에 대한 전국 조사에서 37%가 근거중심의학(evidence-based medicine, EBM)교육과정을 제공하였고 해당 교육과정을 평가하는 경우는 그 중 3분의 1로 나타났다.[48] 그리고 매우 적은 경우에서만 객관적인 전공의 술기평가를 시도하였다. 당시 편집자들은 다음과 같이 탄식했다.

> *EBM에 대한 광범위한 교육에도 불구하고 EBM 교육과정의 성과에 대해 알려진 사실은 대부분 관찰자료에 의존한다. 연구근거의 질적 평가가 EBM의 핵심 역량이지만 EBM을 효과적으로 가르치기 위한 근거의 양과 질은 형편없다. 아이러니하게도 이러한 결과를 바탕으로 EBM을 가르치는 방법에 대한 지침을 개발한다면 질적으로 가장 낮은 수준의 근거에 기반하게 될 것이다.*[49]

다행히도 지난 몇 년간 광범위한 EBP 평가도구가 개발된 것이 확인되었고 그 중 일부는 엄격한 심리측정학적 검사도 있었다. 2006년도에 실시된 체계적 문헌고찰은 모든 보건의료 전문교육을 포함하였는데, 104개 평가도구의 EBP 분야 영역, 실행가능성, 그리고 심리측정학적 특성을 요약정리 하였다.[50] 비록, 이전과 마찬 가지로 평가도구들은 대체적으로 비평적 근거 평가기술을 평가하였지만, 몇몇 새로운 도구들은 *질문(ask)*하고 *습득(acquire)*하고 *적용(apply)*하는 단계를 위하여 개발되었다. 한편, 습득 단계에서는 대부분의 도구는 메드라인(Medline) 검색을 사정(assess)하기 때문에 사전 평가된 요약자료가 포함되어 있는 자료를 비평하고, 선별하고, 검색하는 과정을 평가하지 않는다. 마찬가지로, 대부분의 *적용(apply)*에 이용되는 도구는 의사결정을 할 때 연구 근거로만 고려하며, 특정 임상상황이나 환자 선호도를 고려하지 않는다. EBP 행동과 관련하여, 체계적인 문헌고찰에서는 EBP 단계 수행을 기록하기 위한 몇 가지 새로운 객관적 접근법과 소수의 근거중심 임상술기를 평가하기 위한 도구를 발견하였다.

종설에서 언급한 104개 평가도구 중 53%는 적어도 한가지 유형의 타당도 근거가 있었지만, 3가지 이상의 타당도 근거가 있는 경우는 10%에 그쳤다. 2006년도 바로 다음 해에 시행된 문헌검토에서는 몇 가지 새로운 EBP 평가도구가 개발되었다. 다음 절에서는 심리측정학적으로 보다 강화된 평가도구를 설명하고 다양한 EBP 평가목적에 따른 적합 여부를 제안하고자 한다.

EBP 지식과 기술 평가

판별 타당도를 포함한 타당도에 대한 여러 유형의 근거가 있는 도구

표 9.3은 평정자간 신뢰도(해당되는 경우), 객관적인(자체보고 되지 않은) 성과측정 및 적어도 *판별 타당도(discriminative validity)*가 포함된 여러 유형(3개 이상)의 타당도 근거가 받쳐주는 평가도구의 특정 영역, 형식, 심리측정학적 속성을 정리한 내용이다. 각기 다른 수준의 전문 지식을 구분할 수 있는 능력을 감안할 때 이러한 도구는 교육생들에게 EBP 역량을 평가하는 데에 적합해야 한다. 또한, 확실한 심리측정학적 특성은 일반적으로 형성평가와 총괄평가에 활용되도록 장려하여야 한다. 그러나 개별 기관은 학년 진급이나 과정수료 등의 고부담 평가를 위해서[31,51,52] 이 평가도구들이 활용되기 전에 미리 합격 기준을 확립하고 공인 절차를 밟는 것이 필요하다.

표 9.3의 평가도구 중에서 프레스노 검사(Fresno Test)와[53] 2개의 다른 도구는[54,55] 4가지 EBP 단계를 모두 평가하는 유일한 도구이다. Fresno Test를 치르면서 교육생들은 단답형 응답이나 서술문, 계산하기 등을 통해 자신의 사고 과정을 보여줄 수 있는 실제적인 EBP 작업을 수행하게 된다. 그러나 검사를 채점하려면 보다 많은 시간과 전문가가 필요한다. 정신과 전공의,[56] 직업치료사,[57,58] 물리치료사,[59] 및 보건의료 관련 전공 신입생들에게[60] 적합하게 만든 버전은 적절한 심리측정학적 속성이 포함되었다. 스페인어로 번역된 초안 연구도 발표되었다.[61] Fresno Test와 채점 견본은 인터넷에서 찾아볼 수 있다(부록 9.1 참조).

베를린 검사(Berlin Test)의 MCQ 형식은 EBP 응용 지식사정에만 적용하도록 제한하고 있지만 적용이 보다 용이하다.[62] 최근 Berlin Test의 네덜란드어판은 낮은 내적일관성을 제외하면, 적절하고 다양한 유형의 타당도 근거를 제시하고 있다.[63] 표 9.3의 다른 도구들은 기술된 바와 같이 보다 좁은 범위의 EBP 단계를 평가한다. 이 모든 평가도구에 대해 교육자들은 다양한 기준 설정 절차를[51,52] 통해 개별 목적에 맞는 "통과" 점수를 결정할 수 있다.

반응 타당도에 대한 "강한 근거"를 가진 도구

표 9.3에[62,64-67] 있는 5가지 도구 외에 반응 타당도의 "강력한 근거"의 기준을 충족하는 7개의 도구가 더 존재한다. 이 도구들은 (1)확립된 평정자간 신뢰도(해당되는 경우), (2)무작위대조시험(randomized controlled trial, RCT) 또는 사전/사후 비교시험 설계, 그리고 (3)객관적인(자체보고 되지 않은) 성과 측정을 기반으로 한다. 일반적으로 이러한 도구는 표 9.3에 여러 유형의 타당도 근거를 지닌 다른 평가도구들에 비해 심리측정학적 속성이 떨어진다. 그러나 만약 교육 후 지식과 술기에 변화가 있다면 이러한 도구는 EBP 교육과정의 프로그램 수준의 영향을 결정하는 데 적합하다고 볼 수 있다. 이러한 유형의 평가의 경우 일반내과학회(Society of General Internal Medicine)의 EBP 전문위원회에서는 학습자(학습자 수준과 특정 목표 포함), 중재(교육과정 목표, 강도, 전달 방법 및 목표한 EBP 단계 포함), 그리고 성과(지식, 기술, 태도, 행동 또는 환자 중증도에 따른 성과)에 대한 전략을 조정할 것을 권장한다.[34]

표 9.4의 측정도구 중 스미스(Smith)의 EBP 검사만이[68] 4가지 EBP 단계를 모두 측정한다. 전공의들은 임상질문을 기술해보고 Medline을 검색하고, 계산을 하고, 핵심 비평과 근거 적용에 관하여 응답해야 한다. 이 연구는 6개월 후 재시험 시기까지 지속된 기술 습득을 통해 동시적이고 예측 가능한 반응 타당도를 보여주었다. 그린(Green) 과 엘리스(Ellis)가 기술한 도구에서는[69] 수정된 학술논문에 대한 중요한 비평과 연구결과를 환자에게 적용하는 점에 대해 의견을 자유롭게 기술하도록 되어 있다. 세 가지 MCQ 검사는[70-72] 교육생들의 EBP 지식에 대한 개선을 확인시켜주었다. 그러나 이 두 연구에서 보여준 개선은 검사 품목을[71] 측정하는 핵심 비평 기술의 향상을 가져오거나 입원시 진료기록에 문헌을 통합하는 기술에는 적용되지 않는다.[70]

마지막으로, 빌라누에바(Villanueva)와 동료들의 연구에서[73] 사서들은 임상질문 요청 자료에서 PICO 형식[38] 요소들을 발견하여, 4가지 요소에 대해 각각1점씩 부여하였다. 이 평가도구는 "근거 탐색과 핵심 비평 서비스"의 일환으로 지침과 임상질문 예시를 제공하는 무작위대조시험의 개선을 가져왔다.

추가 EBP 지식과 기술 도구

심리측정학적 도구는 제한적인 시험임에도 불구하고 다음에 소개하는 평가도구들은 혁신적인 평가전략이거나 EBP단계 중 비평 이외의 사정(assessment)을 제공하므로 언급할 가치가 있다(앞서 언급했듯이, 오래된 많은 EBP 평가도구는 핵심 비평 지식과 술기를 측정하였고 다른 EBP 단계는 제외되었다).

표 9.3 **판별 타당도를 포함한 여러 유형의 타당도 근거를 지닌 근거중심진료 지식과 기술 도구**

도구	지식과 술기 영역	내용설명	사례	평정자간 신뢰도*	타당도
Berlin 설문지† [62,63,155,156]	근거 해석에 대한 지식(*비평하기*) 임상 문제를 임상 질문과 연관시키는 기술(*질문하기*) 질문에 답변하는 최적의 설계(*비평하기*) 환자의 특정 문제해결을 위한 정량적 정보 형식 사용(*적용하기*)	"일반적인" 임상 시나리오를 바탕으로 개발된 15개의 MCQ 문제 2세트	"전문가" 43명, 3학년 학생 20명, EBM 과정 참가자 203명을 포함한 개발 연구[62] EBM 교육과정 대조 연구에 참여한 49명의 내과 전공의[155] 다양한 전문 분야의 신임교수와 전공의53명[156] EBP 과정에서 일반수련의 140명과 강사7명[63]	해당 없음	내용 타당도 내적 일치도 판별 타당도 반응 타당도
Taylor† [64,157–159]	핵심 비평에 대한 지식(*비평하기*) Medline 검색에 대한 지식(*습득하기*)	3개의 잠재적 답변이 있는 6개의 MCQ 문항 세트(각각 정답, 오답 혹은 모름) 각 세트에서 최고 점수 = 18	개발 연구에서 152명의 "의료 전문가" [64] 국제 EBP 회의에 참가한 55명의 참가자가 수정하고 "재검증한" 도구[157] 자기주도적 학습과 워크숍 기반 EBP 교육과정을 비교한 RCT의 175명의 학생[158] 핵심비평훈련의 RCT에서 145명의 일반 진료의사, 병원 의사, 연합 보건의료전문가 및 보건관리자[159]	해당 없음	내용 타당도 내적 일치도 판별 타당도 반응 타당도
Fresno검사† [53,56,57,59–61]	핵심 질문작성(*질문하기*) 질문에 대한 답을 얻을 수 있게 적절한 연구 설계하기(*비평하기*) 이차 문헌을 포함한 인터넷 정보검색 지식 보여주기(*습득하기*) 검색한 논문의 관련성과 타당성에 중요한 문제 식별(*평가하기*) 연구결과의 규모와 중요성에 대하여 토론하기(*적용하기*)	2개의 소아 임상 시나리오와 관련된 짧은 답변을 자유롭게 기술하는 문항과 계산 문제. 표준화된 등급 루브릭을 사용하여 채점함	개발 연구에 참여한 "전문가 54명"과 43명의 가정의학과 전공의와 교수진[53] 개선사항 EBM 교육과정의 무대조군 시험의 정신과 전공의 56명과 EBP "전문가/교수" 6명[56] 봉사활동과 결합된 2일간의 EBP 워크숍의 사전/사후 무대조군 시험에 참여한 114명의 직업치료사[57] 단면연구에 참여한(EBP –초보 물리치료사 학생 31명, EBP–훈련받은 학생 50명, 그리고 EBP – 전문 교수 27명) 참가자 108명[59] 보다 의미 있게 개선된 시험에서 **질문하기, 습득하기** 그리고 **적용하기** 단계만 평가하고 짧은 에세이 작성 문제와 MCQ 항목 포함. 100명의 초보 보건의료 관련 전공생[60]	있음	내용 타당도 내적 일치도 판별 타당도 반응 타당도
MacRae† [65,160]	핵심 비평 기술(*비평하기*)	3개의 논문과 관련된 55개의 단답형 질문과 7점 척도 등급	개발 연구에 참여한 외과 전공의 44명[65] 인터넷기반 EBP 교육과정 RCT연구에 참여한 외과의사 55명[160]	있음	내적 일치도 판별 타당도 반응 타당도
Weberschock[161]	EBP 지식 및 기술(***구체적 기술은 명시되지 않음***)	임상 시나리오와 연계되고 연구논문의 데이터와 관련된 20개 문항(5개 "쉬운", 10개 "보통" 그리고 5개 "어려운"문항)으로 이루어진 MCQ 문제 5세트	동료학습 EBP 교육과정의 개발과 사전/사후 무대조군 시험에서 "EBM 실무 집단"으로 사전교육을 받은 학생 11명과 의과대학생 3학년 132명[161]	해당 없음	내적 일치도 판별 타당도 반응 타당도 준거 타당도

Bennett[66]	핵심 비평 기술(*비평하기*)	어떤 검사나 치료를 옹호하는 논문과 맞아떨어지는 진단검사 혹은 치료 결정을 요하는 일련의 증례바탕 문제. 학생들은 서면으로 "입장을 밝히고" "방어" 해야 한다. 사전 기준에 따라 등급이 매겨짐.	사전/사후 대조군 시험에서 임상실습을 도는 의과대학생 79명 [66]	있음	내용 타당도 판별 타당도 반응 타당도
Haynes† [67,95,96]	Medline 검색 기술(*습득하기*)	검색 결과는(동일한 임상 질문에 대하여) 검색 전문가 수준의 의사와 사서의 검색과 비교하여 점수를 매김. "상대적 재현율"은 주어진 검색 관련 인용 횟수를 3개의 검색 관련 인용 횟수(피험자, 전문가 의사 및 사서)로 나눈 값으로 계산됨. "정확도"는 검색된 관련 인용의 수를 해당 검색에서 검색된 총 인용 수로 나눈 값으로 계산됨. 논문의 "관련성" 은 7점 척도로 평가됨.	158명의 임상의(초보자), 13명의 "전문 검색가" 임상의(전문가)와 3명의 사서[67,95] 일대일 교육 및 검색에 관한 피드백 관련 RCT연구에서 308명의 의사와 수련 중인 의사[96]	있음	내용 타당도 판별 타당도 반응 타당도
Hendricson[162]	EBP 지식 EBP 태도 EBP 자신감 자체 보고된 근거 접근 방법(*습득하기*)	EBP 지식에 대한 MCQ 문항, 다른 영역에 대한 Likert나 기타 5점 척도	치과생 472명 치과 전공의 54명 치과 교수 58명	해당 없음	내용 타당도 내적 일치도 판별 타당도 반응 타당도
Ilic[55]	EBP 지식 및 기술(*질문하기, 습득하기, 비평하기, 적용하기*) EBP 태도	임상 시나리오, 검색 전략 및 논문 초록과 관련된 15개의 예/아니오 문항	초급, 중급, 고급 수준의 EBM 교육생을 대표하는 342명의 교육생	해당 없음	내용 타당도 내적 일치도 판별 타당도
Chernick[54]	EBP 지식 및 기술(*질문하기, 습득하기, 비평하기, 적용하기*) EBP의 편안함 수준 자체 보고된 EBP 실습	주어진 임상 시나리오에 대해 자유 형식으로 응답을 기술하는 문항	소아과 전공의 56명	있음	내용 타당도 내적 일치도 판별 타당도

EBM (evidence-based medicine), 근거바탕의학; 근거바탕의학; *EBP (evidence-based practice),* 근거중심진료; *MCQ (multiple-choice question)* 다지선다형 문항; *RCT,* 무작위대조군 시험.
*평가자가 점수를 채점할 필요가 없는 다지선다형 시험과 같은 도구는 채점자간 신뢰도 검사가 "해당사항 없음"으로 간주되었다(글상자 9.1 참조).
†도구는 하나 이상의 연구에서 평가되었다. 모든 연구결과는 교육생의 수, 신뢰도와 타당도를 결정하는 데 사용되었다.
출처: Shaneyfelt T, Baum KD, Bell D, et al: Instruments for evaluating education in evidence-based practice: a systematic review. *JAMA* 2006;296(9):1116-1127 내용 수정.

표 9.4 반응 타당도의 "강한 근거"가 있는 EBP 지식과 기술 도구*,†

도구	지식과 술기 영역	내용	학습 설정/참가자	평정자간 신뢰도‡	타당도
Landry§ [70]	연구설계 및 핵심 비평(*비평하기*)	10개 문항 검사	90분 동안 진행되는 2개의 세미나로 구성된 대조군 시험의 의과대학생 146명[70]	해당 없음	내용 타당도 반응 타당도
	임상적 의사결정에 의학 문헌을 적용하는 기술(*적용하기*)	문헌 인용이 필요한 환자 "기록"에 대한 맹검 검토		없음	
Linzer§ [71]	역학 및 생물 통계학 지식	객관식 검사(지식). 완벽한 점수를 받을 경우, 81%의 의학 문헌에 접근할 수 있도록 선택된 15가지 질문 (1983)[163]	저널 클럽 교육과정의 RCT에 속한 전공의 44명[71]	해당 없음	내용 타당도 반응 타당도
	핵심 비평 기술(*비평하기*)	문헌에 대해 자유롭게 기술한 비평 내용. 채점은 교수자의 합의에 의해 개발된 "최적의 표준" 기준에 따름		있음	내용 타당도 판별 타당도
Green[69]	핵심 비평 기술(*비평하기*), 개별 환자 의사결정에 근거를 적용하는 기술(*적용하기*)	증례 발표와 수정된 논문과 관련된 9문항 검사(자유롭게 기술한 반응 필요)	7개 영역으로 구성된 EBP 교육과정에서 대조군 시험에 참여한 전공의 34명[69]	있음	내용 타당도 반응 타당도
Stevermer[125]	EBP 행동(임상에서 EBP 단계 수행하기)	"일반적인 일차의료 문제에 대한 주요 결과"(교수자가 선정)를 보고한 최근 문헌에 대한 인식 및 기억에 대한 시험	EBP "학술적 세부내용"의 RCT에 속한 가정의학과 전공의 59명[125]	해당 없음	반응 타당도
Smith[68]	임상 질문을 작성하는 기술(*질문하기*) Medline 검색 기술(*습득하기*) 핵심 비평 기술(*비평하기*) 개별 환자의 의사결정에 근거를 적용하는 기술(*적용하기*) 진단 및 치료 연구의 정량적 측면에 대한 지식	5가지 임상사례 관련 질문 세트(형식 지정되지 않음)를 포함한 검사	상호작용 학습과 컴퓨터 실습이 포함된 7주간의 EBP 교육과정에 대한 사전/ 사후 대조교차설계 시험에 참여한 55명의 전공의[68]	있음	반응 타당도‖
Villanueva[73]	임상 질문을 작성하는 기술(*질문하기*)	사서는 임상 질문 요청에서 Patient-Intervention-Comparison-Outcome (PICO, 환자개입치료 비교결과) 형식의 요소를 식별했음.[147] 4가지 항목이 포함된 경우 각각에 대해 1점씩 받음.	강의와 임상 질문 예시가 포함된 RCT연구에서 "근거 탐색과 핵심 비평 서비스"를 제공하는 39명의 보건의료전문 참가자[73]	있음	반응 타당도
Ross[72]	EBP 지식(세부 단계는 정해지지 않았음)	50개 항목의 "오픈 북" 객관식 시험	10회의 EBP 워크숍 교육(대조군 전공의는 다른 프로그램 참여)의 대조연구에 참여하는 가정의학과 전공의 48명[72]	해당 없음	내용 타당도 반응 타당도
	EBP 행동(임상에서 EBP 단계 수행하기)	전공의-교수 상호작용의 오디오 테이프 분석, 문헌검색과 관련된 문구 찾기, 역학 또는 임상적 비평		없음	내용 타당도 반응 타당도

EBP (evidence-based practice) 근거중심진료; *RCT (randomized controlled tiral)* 무작위대조시험.

*"강한 근거"를 얻으려면, 도구가 평정자간 신뢰도(해당되는 경우)와 반응 타당도가 RCT 연구나 사전/사후 대조연구 설계 및 객관적(자체 보고 되지 않은) 성과 측정을 통한 연구에 의해 입증되어야 한다.

† 표 9.3의 4가지 도구는 반응 타당도에 대한 "확실한 근거"를 보여주었다.[62,64-66]

‡ 평가자가 점수를 매길 필요 없는 객관식 시험과 같은 도구에는 신뢰도 검사 표기 시 "해당사항 없음" 으로 간주 되었다(글상자 9.1 참조).

§ EBP의 지식 영역에서는 "확실한 근거" 기준이 충족되었고, EBP 술기 영역에서는 충족되지 않았다.

‖ 6개월 후에도 기술이 향상된다는 것은 공인 및 예측(반응) 타당도가 확보되었음을 의미한다.

출처: Shaneyfelt T, Baum KD, Bell D, et al: Instruments for evaluating education in evidence-based practice: a systematic review. *JAMA* 2006;296(9):1116-1127 내용 수정.

EBP 평가 객관구조화진료시험

객관구조화진료시험(OSCEs)은 현실적인 임상 환경에 적용되는 지식과 기술을 측정한다(밀러[Miller]의 학습분류 체계 중 "방법을 보여주는[show how]" 단계[74]). 연구자들은 표준화 환자,[75-78] 컴퓨터 스테이션,[79-81] 및 기록된 증례를[82,83] 사용하여 EBP OSCE를 보고했다. 투디버(Tudiver)와 그의 동료들은 증례와 관련된 EBP 수행 문제를 포함시켜 기존 OSCE 스테이션을 확장했다.[77] 약간의 EBP 수련을 받은 2년차 전공의는 총괄평정 척도 항목에서 1년차 전공의 보다 약간 높은 점수(110점 만점에서 6.95점 대 5.65점)를 받았다. 버너(Berner)와 동료들의 연구를 보면 "수준 높은 의료정보학 교육과정"을 경험한 의과대학생들이 "정식 의료정보학 수업이 없는" 타대학 의과대학생(MCAT 및 USMLE II 점수가 더 높은)들 보다 11개의 과제 중 4개에서 높은 점수를 받았다.[79]

핵심 비평 주제

커스텐(Kersten)과 동료들은 서면으로 작성된 핵심 비평 주제(critically appraised topics, CAT)와 후속 발표를 검토하며 EBP 지식과 기술을 평가 하였다.[84] 흥미롭게도 그들은 Dreyfus의 술기 발달 모델을 바탕으로 앵커를 구성한 채점 루브릭을 개발했다. 그러나 심리측정학적 검사는 내적 일치성과 평정자간 신뢰도에 국한되었다.

질문(ask) 평가하기: 임상질문을 명확히 하기

표 9.4에 나와있는 하나의 평가도구[73] 이외에도, 3명의 추가 연구자들은 PICO 항목과 연계하여 4점,[85] 2점,[86] 8점[87] 척도를 가진 임상 문제의 공식을 평가하는 접근법을 개발했다. 이후의 PICO 적합성 척도는 각 항목에 대해 2점(그렇다, 명확하게 명시되었다), 1점(조금 그렇다) 또는 0점(아니다)을 부여한다. 이 척도를 학생의 교육처방에 적용할 때,[88] 높은 점수는 한가지 답과 답의 질적 수준과 관련이 있었다.[87]

습득(acquire) 평가하기: 근거 탐색하기

여러 연구에서, 사서는 대개 합의에 의해 개발되는 사전 기준에 따라 교육생들의 Medline 검색 전략을 평가했다.[89-94] 검색 전략 기준에는 불리언 연산자(Boolean operator),[2)] MeSH(Medical Subject Headings), "explode" 기능,[3)] 방법론에 따른(혹은 출판 타입에 따른) 필터 기능을 능숙하게 쓰는지 등이 포함되었다. 이러한 Medline 검색 전략 수준 측정에 대하여 세 가지 연구에서는[90,92-94] 반응 타당도의 근거를, 한 연구는 준거 타당도를,[93] 그리고 다른 하나는 평정자간 신뢰도를 보여주었다.[94] 표 9.3의 헤인즈(Haynes) 등의 연구에서[67,95,96] 설명된 바와 같이 논문 검색 전략의 중간 성과를 넘어 검색 기술을 안정적으로 평가할 수 있다.

습득 단계에 대한 거의 모든 평가 방법이 Medline 검색 기술을 집중적으로 평가한다는 점은 주목할 만하다. 근거중심의학 이차 문헌 자료들을 평가하는 네 가지 도구 중 Fresno Test[53]만이 술기를 평가했고(표 9.3 참조), 다른 도구들은[46,85,97] "알고 있는" 혹은 "선호하는" 자원에 관하여서만 설문을 진행하였다.

적용(apply) 평가하기: 의사결정에 근거를 적용하기

EBP 단계에 대한 평가는 대부분의 EBP 평가도구에서 연구되지 않은 상태로 남아 있다. 일반적인 EBP 도구 중 일부는 개별 환자에게 근거 적용과 관련된 한두 가지 질문을 포함하지만, 근거를 "개별화" 하고 환자의 특정 임상 상황, 선호도 및 잠재적 행동과 통합하는 기술을 종합적으로 평가하지 않는다. 이러한 유형의 평가에 대한 좋은 접근법에는 연구결과 근거를 검토한 후 치료 결정을 내리는 학생들의 설명을 표준화환자가 평가하거나,[75,76] "문서로 제시된 증례"에[69] 대해 연구결과를 찾아보고 전공의의 서술적 근거를 채점하거나, 연구초록 검색이나[82,83] Medline 검색[98] 전후에 의사결정을 문서화한 것을 채점하는 방법이 있다.

EBP 태도와 학습환경평가

많은 EBP 도구가 태도에 대한 몇 가지 질문을 포함하지만 이 영역을 깊이 탐구하는 사람은 거의 없다.[46,99-107] 맥앨리스터(McAlister)와 동료들의 설문조사는 EBP 태도, EBP에 대한 장벽, 선호하는 정보 지원, 그리고 EBP 기술에 대한 자신감을 자체평가 했다.[99] 이 연구는 자체보고 된 EBP 사용 및 주요 연구논문에 대한 선호도 같은 도구 내 일부 척도 간의 상관관계를 타당도의 근거로 보고 했다. 맥콜(McColl)과 동료들의 설문조사의 태도 영역에서 응답자들은 EBP에 대한 태도, 의료정보 자원에 대한 인식, 정보 데이터베이스에 접근하는 능력, EBP 용어에 대한 이해, EBP에 대한 장벽 인식과 어떻게 하면 "의견바탕에서 근거바탕 의학으로 이행하는지"를 제시하였다.[46] 후속 RCT 연구에서 EBP의 학문적 상세 분석은 이 도구를 사용한 일반 진료의사들의 태도에 영향을 미치지 않았다(지식 영역의 MCQ 평가에서는 확실히 점수가 향상되었다).[108]

영(Young)과 워드(Ward)의 설문조사에서는 EBP에 대한 견해, 기술용어 이해, 장벽, 지원 전략 및 정보 데이터베이스에 대한 능숙도를 다루었다.[101] 바움(Baum)의 대조군이 없는 연구에 의하면 EBP 워크숍 후 전공의들의 태도가 개선되었다.[100] 추가 평가도구들은[102] EBP에 대한 신뢰와 적용; EBP 자신감;[105,106] 간호사들의 EBP 태도, 지식, 실무에 대한 자체평가;[107] 보완 대체의학 진료의사의 태도와 활용,[103] 지식, 술기, 그리고 신념을[104] 측정한다. 연구자들은 이러한 정량적 설문조사 외에도 질적 기술을 사용하여 포커스 그룹의 응답과 구조화된 면담들을 분석했다.[109-116]

학습 환경은 모든 교육 장소에서 학습에 중대한 영향을 미친

---

2) 역자 주. 컴퓨터 프로그램에 사용되는 or나 and 같은 단어나 기호. 참조: 옥스퍼드 영한사전

3) 역자 주. 함수를 이용하여 문자열을 단어별로 검색하는 기능

다. 상황에 따른 많은 장애물이 교육생의 EBM 학습과 적용을 저해할 수 있다. 여기에는 개인적인 시간 부족, 지지와 멘토링 부족, 숙련된 EBM 교수자 부족, EBM 자원에 대한 접근 제한 및 통계 개념의 부족이 포함된다.[115,117] 교육생 입장에서 특히 전공의에게 해당되는 장애물로는 기관의 문화와 팀의 역동성이 포함된다.[115,118] 이러한 요소에 대한 관심 부족은 EBM 교육의 시작을 저해할 수 있다.

교육자들은 미(Mi)와 동료들의 설문조사를 통해 기관별 EBM 학습 환경을 특징 지을 수 있다. 이 연구에서 소개된 평가 도구는 Likert척도 응답 유형으로 이루어졌으며, 36개 항목의 내적 일치성이 높았다(Cronbach's α = 0.86).[119] 채점결과 의과대학과 전공의 프로그램에서 EBM 수련을 받은 전공의의 점수가 높았으며 6개의 전공의 프로그램에서 차이가 있었다. 요인분석에 의하면 이러한 결과의 요인은 다음과 같은 7가지로 나타났다: 상황 단서, 학습자 역할, 유용성과 책무, 학습 문화, 자원 가용성, 학습 지원, 사회적 지원.

EBP 행동(수행) 평가

EBP 행동은 평가자에게 가장 어려운 영역이다. 그럼에도 불구하고 우리는 교육생이 실제 임상상황에서 EBP 기술을 구현하도록 해야 한다.[120] 평가 전략의 범위는 글상자 9.1에 요약되어 있다.

진료에서 EBP 단계의 수행평가

EBP 단계와 관련하여 우리는 교육생에게 예를 들어, 임상 질문에 대한 답을 찾기 위해 지속적으로 근거자료를 검색하는지 여부를 물어볼 수 있다. 그러나 의사들은 정보 요구에 대해서는 과소평가하고 정보를 추구하는 것을 과대평가하는 경향이[4] 있으므로 EBP 행동에 대한 후향적 자체평가 보고서는 매우 편향되어 있다. 철저히 정반대의 상황을 떠올려보면, 교육생들이 환자대면할 때 떠오르는 임상질문을 기록하고, 추후 해당 질문에 대한 답을 찾고, 비평하고, 적용하는 과정에서 근거를 바탕으로 수행하는 장면을 상상할 수 있다. 질문을 수집하는 과정은 수동적 "인류학적" 관찰이나[121] 능동적 디브리핑[4,5,122] 과정을 포함한다. 이러한 직접 관찰은 보다 유용한 자료를 얻을 수 있지만, 일반적으로 연구 환경 밖에서는 실현 불가능하다. 따라서 교육자들은 EBP 성과를 평가하기 위한 중재적인 접근법을 모색해왔다.

세 가지 연구에서, 연구자들은 전공의-교수간의 대화를 녹음하여 EBP 단계와 관련된 문장들이 있는지 찾아서 분석하였다.[72,123,124] 교육적 중재후에 가정의학과 전공의들은 "EBP 발언" 이 시간당 0.21에서 0.29로 증가하였다.[72] 또 다른 연구에서는 연구원들이 (1)임상 질문의 사용여부, (2)근거중심 절차의 사용여부, (3)임상 질문을 명확하게 구사하는 전공의의 능력 등 세 가지 기준으로 구성된 질적 분석 견본을 사용하여 상호작용을 평가하였다.[124] 그러나 필자의 시각에서 이 결과는 EBP 수행 능

• 글상자 9.1 의사의 EBP 행동과 환자 예후 평가를 위한 전략*

진료에서 EBP 단계의 수행

- EBP 단계 수행에 대한 후향적 자체 보고서
- 양방향 수업 녹음 내용 분석에서 EBP 용어 사용 횟수
- 특정 진료와 전공분야의 최근 주요 문헌에 관한 기억과 지식
- "접속" 횟수, 검색 량, 초록 또는 전체문헌 검색 시간을 포함한 검색 동작의 전자 캡쳐
- EBP 학습 포트폴리오
- 직접 관찰과 브리핑

진료에서 근거중심 임상술기 수행 및/혹은 바람직한 환자결과에 영향을 미침

- 일차 진단 및 치료에 대한 기록 감사와 근거 수준 결정
- 수행 품질 지표 및 환자 결과에 대한 기록 감사
- 임상 비네트

EBP, evidence-based practice(근거바탕진료).
*본문 설명 참조

력을 보여주기에는 부족한 대안이라고 생각된다. 또 다른 접근법을 사용한 연구에서는 전공의들에게 일차진료와 연관이 있다고 여겨지는 최근 학술논문 내용에 대해 아는지 질문해 보았다.[125] 이와 같은 사전/사후 RCT에서 "학문적 세부 지식"을 접한 전공의들이 더 많은 논문 내용을 기억하였고 연관된 질문에 보다 많이 정확하게 답변하였다.

교육자들은 "접속" 횟수, 검색량, 초록 혹은 논문 검토, 검색 시간 등을 포함하여 교육생의 검색 행동을 컴퓨터로도 확인할 수 있다.[96,126] RCT를 이용한 연구에서 캐벨(Cabell)과 동료들은 1시간 분량의 강의, 잘 구축된 임상질문 카드 사용, 그리고 임상질문 능력 향상을 위한 실습 시간을 포함한 중재가 효과가 있는 것을 발견하였다.[126] 헤인즈(Haynes) 등은 RCT에서 개인 지도교수의 보충 학습과 사서의 피드백을 받은 의사들은 두 시간의 별도 교육을 받은 대조군보다 더 자주 검색하는 것은 아니었다. 이 접근법은 상당히 현실적이지만, 검색 "양"을 확인하는 간략한 측정방법으로는 각 임상상황에서의 정보습득과 적용과정을 상세히 알 수 없다.

또다른 접근법은 교육생의 EBP 학습활동 내용을 "학습 포트폴리오"에 넣는 것으로, 이는 "특정 학습분야에 대한 학습자의 노력, 향상 과정 또는 성취를 자신(그리고/또는 다른 사람)에게 보여주는 의도적인 학습과제 모음"이다.[127] EBP 포트폴리오에는 "교육적 처방(prescriptions)" 이 포함될 수 있으며 이는 환자진료 과정에서 불확실한 상황이 발생할 때 교수가 제공한다.[88,128-131] 전형적인 교육처방은 임상문제를 설명하고, 질문하고, 누가 답할 지 정해주고, 교육생과 교수에게 다음 교육시간을 확인해 주는 것이다. 전형적인 포트폴리오에서 벗어난 몇 가지 변형 방법은 교육생이 PICO 형식으로 사전 질문을 제시해보고, 검색된 정보를 기록하고, 해당 정보의 근거를 평가해보거나 배운 것을 요약해 보도록 하는 것이다(예시는 부록 9.2를 참조할 것). 펠드스타인(Feldstein)과 동료들의 시스템에서는[131] 전

공의가 교육적 처방전을 전자문서로 작성하고 교수자는 네 가지 EBP 단계를 바탕으로 이를 채점한다. 교육용 처방전은 모바일 장치로 용이하게 전달할 수 있다.

EBP 학습 포트폴리오는 정교한 인터넷 기반 데이터베이스에서 유지 관리할 수 있다.[132-135] 교육자들은 여러 전공의 수련 교육과정에서 KOALA(Computerized Obstetrics and Gynecology Automated Learning Analysis, 자동화된 산부인과 학습 분석) 프로그램을 구현했다.[133] 이 포트폴리오를 통해 전공의들은 임상 경험을 기록하고 정보자원에 직접 연결하며 "중요한 학습 상황"을 기록할 수 있었다. 네 개의 KOALA 프로그램은 4개월간 시범운영 되었는데, 41명의 전공의가 7049명의 환자를 만났으며, 1460건의 중요한 학습경험을 기록했다. 일 년의 KOALA 프로그램 경험이 있었던 전공의들은 상대적으로 높은 "자기주도 학습 준비도"를 보여주었다.[136] 또 다른 프로그램에서는 내과 전공의들이 임상적 문제, Medline 참고문헌 링크와 요약본을 유사한 인터넷 양식에 입력하였다.[132] EBP 교육은 10개월 이상 진행된 프로그램에서 625개의 임상문제 중 82% 문제에 대하여 "유용한 정보"를 생성했으며, 39%의 환자관리 전략이 수정되었다. 미국 내과전문의들은 인터넷 기반 포트폴리오에 (네 가지 EBP 단계 모두를 이용한) 실시간 현장학습 내용을 기록할 수 있다.[137]

근거바탕 임상술기 수행과 환자결과에 미치는 영향력 평가하기

엘리스(Ellis)와 동료들은 임상의들이 1차 치료 중재를 결정할 때 활용할 수 있는 근거의 질적 수준을 구별하기 위한 신뢰로운 방법을 고안했다.[138] 이 방법에서 중재는 (1)무작위대조시험(RCT)의 개별 또는 체계적 문헌고찰을 통해 뒷받침되거나 (2) "믿을 만한 비실험적 근거"를 통해 뒷받침되거나 (3)실질적 근거 부족이 해당된다. 이 방법은 입원 환자,[138,139] 일반 외래환자 진료,[140] 응급 안과학,[141] 피부과학,[142] 마취과학,[143] 일반외과학,[144] 소아외과학[145] 및 입원 정신과학 연구에서[146] 도입되었다. 스트라우스(Straus)와 동료들은 다각적인 EBP 교육중재 방법의 사전/사후 연구에서 이러한 평가 전략에 "반응하는" 타당도의 기본 근거를 제공하였다.[147] 이러한 중재기법을 적용한 후에 입원한 환자들은 RCT에서 효과적인 치료를 받을 가능성이 더 높았다(62% 대 42%; *P*=.016). 그리고 시범 운영된 치료법 중 EBP 중재 후 제공되는 치료법은 고품질의 RCT에 기초한 경향이 더 높았다(95% 대 87%; *P*= .023).

루카스(Lucas)와 동료들의 연구에 따르면 내용을 뒷받침하는 근거의 질적 수준을 분류하는 이 방법은 근거중심치료에서 임상의사가 내리는 선택에 민감하지 않을 수 있다.[148] 입원환자 진료에서 33개 기관 중 86%의 입원환자는 기본적으로 "근거중심 치료"(Ellis 분류의 1 혹은 2 단계)를 받았다. 그 다음 일차 진단과 관련된 표준화된 문헌검색을 수행한 후, 임상의사들은 담당 환자 중 23명(18%)의 치료 방법을 변경했다. 그러나 "근거중심 치료" 로 분류된 환자의 비율은 크게 변하지 않았다(86%-87%).

Ellis "프로토콜(protocol)"은 교육적 개입 후 또는 단순히 시간이 지남에 따라 EBP 수행의 변화를 평가하는 데 가장 적합한 것으로 보인다. 이를 사용하려면 수행 능력의 절대 임계값이 필요하다. 절대 임계값을 구하려면 모든 교육생의 환자별 근거중심 치료 옵션의 "분모"를 알아야 하는데, 이는 임상교육 상황에서는 비현실적이다.

우리는 또한 근거중심 지침과 질평가 지표에 중점을 두는지 기록을 감사(audit)함으로써 근거중심진료 내용을 문서화할 수 있다. 새로운 유형의 개발은 아니지만 이러한 유형의 점검은 기관에서 내부적인 질평가의 일환으로 진행하거나 제3자인 재정 지원기관이나 규제전문 기관에 의해 이루어진다. 랭햄(Langham)과 동료들은 EBP 교육과정의 영향을 평가하기 위해 문서화 작업, RCT, 진료의사의 의무기록 개선, 임상 중재, 심혈관 위험도에 따른 환자 결과 개선에 대해 질적 감사법(auditing)을 이용하였다.[149] 이플링(Epling)과 동료들은 진료지침 개발과 관련된 교육과정에 참여한 후 전공의들의 당뇨 진료 수행 능력이 향상됨을 보여주었다. [150] 임상 비네트는 임상진료의 질을 측정하기 위한 보다 현실적이고 유용한 대안이 될 수 있다.[151]

마지막으로, 환자-수준 결과는 평가자가 평가하기에 가장 애매 모호한데, 의사의 수행 능력과는 큰 상관이 없는 다양한 원인의 영향을 받는다. 그럼에도 불구하고, 연구자들은 EBP 교육 개입 후 비록 중간 결과이지만 혈압, 혈당조절 및 혈청 지질 같은 환자결과의 변화를 보고하였다.[149,150,152]

어느 수준의 EBP 행동을 측정해야 할까?

교육생의 EBP 단계의 재정은 중간 행동 성과를 반영한다고 논쟁할 수 있다. EBP 단계를 일관성 있게 수행하는 의사가 근거중심진료를 할 것이라고 가정할 수 있고, 이는 곧 보다 많은 EBP를 유도하여 더 나은 환자 결과로 이어진다고 보는 것이다. 그러나 우리의 임상 경험으로 볼 때 중간 성과가 우리가 관심 있는 최종 성과를 보장하지 못할 수 있다. 그렇다면 교육자들은 근거중심진료 수행과 가능한 경우, 환자의 임상 결과를 측정하기 위해 EBP 단계 그 이상의 수준으로 "선을 그어야" 하는가?

필자는 두 가지 유형의 EBP 행동 성과를 모두 기록해야 한다고 생각한다. 진료 수행 측정은 궁극적인 성과를 나타내지만 "후속"도구의 특성을 가진, 섬세하지 못한 무딘 도구이다. 예를 들어, 복부대동맥류를 가진 노인 남성환자를 선별하는 의사의 성과는 무수한 진료행위의 최종 결과를 나타내며, 그 중 일부는 자신이 통제할 수 있는 범위를 벗어난다. 환자가 의료보험이 없어 선별검사를 받으라는 권고 사항을 잘 준수하지 않았다는 것을 의무기록 조사로 "찾아낼 수" 있을까? 또는 의사가 선별검사를 권장하지 않았는데 이는 의사의 결정이 근거가 체계적 문헌고찰로 지지되는 새로운 지침을 고려하지 못해서가 아니라 환자의 특정 임상상황과 선호도에[2,113] 대한 신중한 고려를 반영한 의사결정 때문이었을 수 있다. 예를 들어, 흉부 방사선 사진에서 폐결절이 나타났고, 폐암이 배제되기 전까지 의사는 검진을 연기했을 수도 있다. 그리고 마지막으로 교육생이 임상에서 지속적인 EBP 단계를 수행하도록하여 미래에 그들이 마주칠 수 있는 예상 밖의 (따라서 감사가 불가능한) 임상문제에 있어서도 이 행동을 수행하도록 확립시켜야 한다.

권고사항

1. 교육자들은 평가의 목적, 학습자의 수준과 요구, EBP 관심 영역, 실행 가능성, 평가 유형, 기관의 상황 변수와 계획과의 호환성에 따라 평가도구와 전략을 선택해야 한다.
2. EBP 지식과 술기 평가
   a. 개별 교육생의 역량 평가를 위해 교육자들은 다양한 수준의 전문지식을 구별하는 표 9.3의 평가도구를 활용할 수 있다. 확실한 심리측정학적 특성은 형성평가와 총괄평가에서 활용되면 좋을 것이다. 이 중 Fresno 검사는 네 가지 EBP 단계를 모두 평가하기 때문에 매우 우수한 평가도구라 할 수 있다. 단답형, 서술형 그리고 계산문제와 함께 현실적인 사례를 통해 현장감 있는 상황에서 학습자를 평가할 수 있게 하며, 다양한 수준의 학습자와 언어, 기관 그리고 의료진들로부터 타당도 근거를 도출한다. 교육자들은 목적에 맞는 "통과" 점수를 결정하기 위해 다양한 준거설정 절차를[51,52] 이용할 수 있다.
   b. 교육자들은 또한 EBP 평가를 임상진료와 교육에 통합하여 그 효율성을 활용할 수 있다. 필자는 아직까지 문서로 발표된 연구자료를 접해보지 못했지만, 교육자들은 EBP 전략을 mini-CEX(미니임상평가연습)의 일부분으로 활용할 수 있을 것이다. 여기에서의 관찰 평가는 제4장에서 설명된 바와 같이, 실제 임상상황에서의 단편적인 평가가 가능하고, 다른 수행평가와 유사한 평가 특성을 보여주며, 보다 광범위한 임상상황과 환자문제를 설정할 수 있고, 다중 검사를 통해 충분한 신뢰도를 얻을 수 있다.[153] 예를 들어, 서론에서 기술되었듯이 환자와의 면담을 지도하는 임상지도교수는 전공의의 임상 질문 작성, 정보수집, 또는 복부대동맥류 선별검사에 대한 근거를 고지된 의사결정 토의에 통합하는 것을 촉진하고 사후평가할 수 있다. 이러한 항목들은 통합하여 맞춤형 mini-CEX로 사용할 수 있다. 또한 EBP "상황"이 실시간으로 발생하지 않는다면 교수자는 먼저 교육처방을 "제공(dispense)"하고 나중에 평가할 수 있다(부록 9.2).[131] 이 방법은 보다 많은 타당도 근거가 축적될 때까지 형성평가에만 사용되어야 한다.
   c. 특정 교육과정 계획 수준의 영향을 평가하기 위해 교육자는 표 9.3에[62,64-67] 있는 다섯 개의 평가도구와 표 9.4에[68-73,125] 있는 일곱 가지 도구 등 확실한 반응 타당도 근거가 있는 평가도구를 사용할 수 있다. 교육자들은 교육과정의 학습목표와 일치하는 성과 측정 값을 가진 도구를 선택해야 한다.
3. EBP 태도. 태도 평가는 교육생의 EBP 기술 개발과 수행에 걸림돌이 될 수 있지만 개선이 가능한 잠재적 문제들을 발견할 수 있다. 교육자는 설문조사(또는 부분적인 설문조사)[46,99-101] 외에도 포커스 그룹이나 교육생의 태도와 경험 정도를 확인할 수 있는 구조화된 면접 질문지를 활용할 수 있다.[109-116] 교육자들은 또한 교육과정의 EBP 학습환경을 특징지을 수 있다.[119]
4. EBP 행동
   a. EBP 행동은 평가하기에 가장 어려운 영역이지만 그럼에도 불구하고, 평가자는 교육생들이 EBP 기술을 실제 임상에서 반드시 구현하도록 해야 한다. EBP 행동을 평가하기 위한 전략의 범위는 글상자 9.1에서 확인할 수 있다. 교육적 처방의 하나인 포트폴리오는 임상 현장에서 EBP 수행을 기록하는 가장 훌륭한 전략이다(부록 9.2 예시 참조). 평가양식을 제공하고 수집할 수 있는 간단한 시스템을 통해 교육생은 대부분의 데이터를 입력할 수 있다. 인터넷 바탕 시스템은 검색 행동과 적용 행동을 보다 용이하게 추적할 수 있다. 또한 여러가지 다른 접근 방식과 달리 교육적 처방은 특히 교육생이 "EBP 순간"을 성찰하고 교수자와 함께 검토할 때 교육적 개입의 역할을 한다 할 수 있다. 책임지도전문의(또는 규제 기관)는 현재 실시하고 있는 기술적인 과정과 유사하게, "EBP 증례"의 최소 건수 이상의 필수 기록을 작성해 보도록 지시해 볼 수 있다.
   b. EBP 수행 내용을 기록하기 위해서 교육자들은 의료기관이나 기관 관계자 팀이 이미 수집한 질적 데이터를 통해 개선을 위한 기초 자료로 활용할 수 있다. 또한 여러 인증위원회(미국내과전문의인증기구[ABIM], 미국가정의학과전문의인증기구[ABFM])는 웹기반 진료 품질 평가도구를 전공의 수련 교육과정에 활용할 수 있게 한다.[154] 이러한 도구는 정기적으로 업데이트나 변경되므로 본인이 해당되는 특정 전문의인증기구의 웹사이트를 확인하는 것이 좋다. 마지막으로, 앞서 언급한 바와 같이 우리는 양질의 교육과정을 제공하기 위해 전공의들이 자신의 진료수행 데이터(종종 불만도 공정하게 평가하면서)를 수집하도록 할 수 있다.[152]

참고문헌

1. Institute of Medicine. *Crossing the Quality Chasm: A New Health System for the 21st Century*. Washington, DC: National Academy Press; 2001.
2. Haynes RB, Devereaux PJ, Guyatt GH. Clinical expertise in the era of evidence-based medicine and patient choice. *ACP J Club*. 2002;136(2):A11-A14.
3. Dawes M, Summerskill W, Glasziou P, et al. Sicily statement on evidence-based practice. *BMC Med Educ*. 2005;5(1):1.
4. Covell DG, Uman GC, Manning PR. Information needs in office practice: are they being met? *Ann Intern Med*.

1985;103(4):596-599.
5. Gorman PN, Helfand M. Information seeking in primary care: how physicians choose which clinical questions to pursue and which to leave unanswered. *Med Decis Making.* 1995;15(2):113-119.
6. Choudhry NK, Fletcher RH, Soumerai SB. Systematic review: the relationship between clinical experience and quality of health care. *Ann Intern Med.* 2005;142(4):260-273.
7. McGlynn EA, Asch SM, Adams J, et al. The quality of health care delivered to adults in the United States. *N Engl J Med.* 2003;348(26):2635-2645.
8. Hayward RA, Asch SM, Hogan MM, et al. Sins of omission. Getting too little medical care may be the greatest threat to patient safety. *J Gen Intern Med.* 2005;20(8):686-691.
9. Clancy CM, Cronin K. Evidence-based decision making: global evidence, local decisions. *Health Aff.* 2005;24(1):151-162.
10. Davis DA, Thomson MA, Oxman AD, Haynes RB. Changing physician performance. A systematic review of the effect of continuing medical education strategies. *JAMA.* 1995;274(9):700-705.
11. Davis D, O'Brien MA, Freemantle N, et al. Impact of formal continuing medical education: do conferences, workshops, rounds, and other traditional continuing education activities change physician behavior or health care outcomes? *JAMA.* 1999;282(9):867-874.
12. Institute of Medicine. *Health Professions Education: A Bridge to Quality.* Washington, DC: National Academies Press; 2003.
13. Association of American Medical Colleges. Medical School Objectives Project (MSOP). Contemporary Issues in Medicine: Medical Informatics and Population Health. 1998. Available at https://www.aamc.org/initiatives/msop/. Accessed September 15, 2016.
14. Accreditation Council for Graduate Medical Education. Milestones. Available at http://www.acgme.org/acgmeweb/tabid/430/ProgramandInstitutionalAccreditation/NextAccreditationSystem/Milestones.aspx. Accessed September 15, 2016.
15. American Board of Internal Medicine. Maintenance of Certification (MOC). Available at http://www.abim.org/maintenance-of-certification/. Accessed September 15, 2016.
16. Association of American Medical Colleges. *Core Entrustable Professional Activities for Entering Residency: Curriculum Developers' Guide.* Washington, DC: AAMC; 2014.
17. Chen HC, van den Broek WES, ten Cate O. The case for use of entrustable professional activities in undergraduate medical education. *Acad Med.* 2015;90(4):431-436.
18. Frank JR, Snell L, Sherbino J, eds. *The Draft CanMEDS 2015 Physician Competency Framework - Series IV.* Ottawa: The Royal College of Physicians and Surgeons of Canada; March 2015.
19. Smith CS, Morris M, Francovich C, et al. A qualitative study of resident learning in ambulatory clinic. *Adv Health Sci Educ.* 2004;9:93-105.
20. Slotnick HB. How doctors learn: physicians' self-directed learning episodes. *Acad Med.* 1999;74(10):1106-1117.
21. Schon DA. *Educating the Reflective Practitioner.* San Francisco: Jossey-Bass; 1987.
22. Del Fiol G, Workman T, Gorman PN. Clinical questions raised by clinicians at the point of care: a systematic review. *JAMA Intern Med.* 2014;174(5):710-718.
23. U.S. Preventive Services Task Force. Screening for abdominal aortic aneurysm: recommendation statement. *Ann Intern Med.* 2005;142(3):198-202.
24. Joint Committee on Standards for Educational and Psychological Testing of the American Educational Research Association. *the American Psychological Association; and the National Council on Measurement in Education: Standards for Educational and Psychological Testing.* Washington, DC: American Educational Research Association; 1999.
25. Cook DA, Thompson WG, Thomas KG, et al. Impact of self-assessment questions and learning styles in web-based learning: a randomized, controlled, crossover trial. *Acad Med.* 2006;81(3):231-238.
26. Downing SM. Validity: on the meaningful interpretation of assessment data. *Med Educ.* 2003;37(9):830-837.
27. Downing SM, Haladyna TM. Validity threats: overcoming interference with proposed interpretations of assessment data. *Med Educ.* 2004;38(3):327-333.
28. Downing SM. Reliability: on the reproducibility of assessment data. *Med Educ.* 2004;38(9):1006-1012.
29. Downing SM. Threats to the validity of clinical teaching assessments: what about rater error? *Med Educ.* 2005;39(4):353-355.
30. Downing SM. Face validity of assessments: faith-based interpretations or evidence-based science? *Med Educ.* 2006;40(1):7-8.
31. Downing SM, Tekian A, Yudkowsky R. Procedures for establishing defensible absolute passing scores on performance examinations in health professions education. *Teach Learn Med.* 2006;18(1):50-57.
32. Greenhalgh T, Macfarlane F. Towards a competency grid for evidence-based practice. *J Eval Clin Pract.* 1997;3(2):161-165.
33. McGowan JJ, Berner ES. Proposed curricular objectives to teach physicians competence in using the world wide web. *Acad Med.* 2004;79(3):236-240.
34. Straus SE, Green ML, Bell DS, et al. Evaluating the teaching of evidence based medicine: conceptual framework. *BMJ.* 2004;329(7473):1029-1032.
35. Tilson J, Kaplan S, Harris J, et al. Sicily statement on classification and development of evidence-based practice learning assessment tools. *BMC Med Educ.* 2011;11(1):78.
36. Richardson WS, Wilson MC. On questions background and foreground. *Evidence-based Healthcare Newsletter.* Nov 1997:6.
37. Straus SE, Richardson WS, Glasziou P, Haynes RB. *Evidence-Based Medicine: How to Practice and Teach EBM.* 3rd ed. Edinburgh: Elsevier; 2005.
38. Richardson WS, Wilson MC, Nishikawa J, Hayward RS. The well-built clinical question: a key to evidence-based decisions [editorial]. *ACP J Club.* 1995;123(3):A12-A13.
39. Richardson WS. Ask, and ye shall retrieve. *Evidence-Based Med.* 1998;3:100-101.
40. Rosenberg WM, Deeks J, Lusher A, et al. Improving searching skills and evidence retrieval. *J R Coll Physicians Lond.* 1998;32(6):557-563.
41. Bergus GR, Randall CS, Sinift SD, Rosenthal DM. Does the structure of clinical questions affect the outcome of curbside consultations with specialty colleagues? *Arch Fam Med.* 2000;9(6):541-547.
42. McKibbon KA, Richardson WS, Walker-Dilks CM. Finding answers to well-built questions. *Evidence-Based Med.* 1999;4:164-167.
43. Centre for Evidence-based Medicine. How do we actually practice EBM? Available at http://ktclearinghouse.ca/cebm/intro/howtopractice. Accessed September 15, 2016.
44. Haynes RB. Of studies, syntheses, synopses, and systems: the "4S" evolution of services for finding current best evidence. *ACP J Club.* 2001;134(2):A11-A13.
45. Guyatt GH, Meade MO, Jaeschke RZ, et al. Practitioners of evidence based care. Not all clinicians need to appraise evidence from scratch but all need some skills. *BMJ.* 2000;320(7240):954-955.
46. McColl A, Smith H, White P, Field J. General practitioner's perceptions of the route to evidence based medicine: a

questionnaire survey. *BMJ*. 1998;316(7128):361-365.
47. Green ML. Graduate medical education training in clinical epidemiology, critical appraisal, and evidence-based medicine: a critical review of curricula. *Acad Med*. 1999;74(6):686-694.
48. Green ML. Evidence-based medicine training in internal medicine residency programs a national survey. *J Gen Intern Med*. 2000;15(2):129-133.
49. Hatala R, Guyatt G. Evaluating the teaching of evidence-based medicine. *JAMA*. 2002;288(9):1110-1112.
50. Shaneyfelt T, Baum KD, Bell D, et al. Instruments for evaluating education in evidence-based practice: a systematic review. *JAMA*. 2006;296(9):1116-1127.
51. Ben-David MF. AMEE Guide No. 18: standard setting in student assessment. *Med Teach*. 2000;22(2):120-130.
52. McKinley DW, Norcini JJ. How to set standards on performance-based examinations: AMEE Guide No. 85. *Med Teach*. 2014;36(2):97-110.
53. Ramos KD, Schafer S, Tracz SM. Validation of the Fresno test of competence in evidence based medicine. *BMJ*. 2003;326(7384):319-321.
54. Chernick L, Pusic M, Liu H, et al. A pediatrics-based instrument for assessing resident education in evidence-based practice. *Acad Pediatr*. 2010;10(4):260-265.
55. Ilic D, Nordin R, Glasziou P, et al. Development and validation of the ACE tool: assessing medical trainees' competency in evidence based medicine. *BMC Med Educ*. 2014;14(1):114.
56. Rothberg B, Feinstein RE, Guiton G. Validation of the Colorado Psychiatry Evidence-Based Medicine Test. *J Grad Med Educ*. 2013;5(3):412-416.
57. McCluskey A, Bishop B. The Adapted Fresno Test of competence in evidence-based practice. *J Contin Educ Health Prof*. 2009;29(2):119-126.
58. McCluskey A, Lovarini M. Providing education on evidence-based practice improved knowledge but did not change behaviour: a before and after study. *BMC Med Educ*. 2005;5(1):40.
59. Tilson J. Validation of the modified Fresno Test: assessing physical therapists' evidence based practice knowledge and skills. *BMC Med Educ*. 2010;10(1):38.
60. Lewis L, Williams M, Olds T. Development and psychometric testing of an instrument to evaluate cognitive skills of evidence based practice in student health professionals. *BMC Med Educ*. 2011;11(1):77.
61. Argimon-Pallas J, Flores-Mateo G, Jimenez-Villa J, et al. Study protocol of psychometric properties of the Spanish translation of a competence test in evidence based practice: the Fresno test. *BMC Health Serv Res*. 2009;9(1):37.
62. Fritsche L, Greenhalgh T, Falck-Ytter Y, et al. Do short courses in evidence based medicine improve knowledge and skills? Validation of Berlin questionnaire and before and after study of courses in evidence based medicine. *BMJ*. 2002;325(7376):1338-1341.
63. Zwolsman SE, Wieringa-de Waard M, Hooft L. van Dijk N. Measuring evidence-based medicine knowledge and skills. The Dutch Berlin Questionnaire: translation and validation. *J Clin Epidemiol*. 2011;64(8):928-930.
64. Taylor R, Reeves B, Mears R, et al. Development and validation of a questionnaire to evaluate the effectiveness of evidence-based practice teaching. *Med Educ*. 2001;35(6):544-547.
65. MacRae HM, Regehr G, Brenneman F, et al. Assessment of critical appraisal skills. *Am J Surg*. 2004;187(1):120-123.
66. Bennett KJ, Sackett DL, Haynes RB, et al. A controlled trial of teaching critical appraisal of the clinical literature to medical students. *JAMA*. 1987;257(18):2451-2454.
67. Haynes RB, McKibbon KA, Walker CJ, et al. Online access to MEDLINE in clinical settings. A study of use and usefulness. *Ann Intern Med*. 1990;112(1):78-84.
68. Smith CA, Ganschow PS, Reilly BM, et al. Teaching residents evidence-based medicine skills: a controlled trial of effectiveness and assessment of durability. *J Gen Intern Med*. 2000;15(10):710-715.
69. Green ML, Ellis PJ. Impact of an evidence-based medicine curriculum based on adult learning theory. *J Gen Intern Med*. 1997;12(12):742-750.
70. Landry FJ, Pangaro L, Kroenke K, et al. A controlled trial of a seminar to improve medical student attitudes toward, knowledge about, and use of the medical literature. *J Gen Intern Med*. 1994;9(8):436-439.
71. Linzer M, Brown JT, Frazier LM, et al. Impact of a medical journal club on house-staff reading habits, knowledge, and critical appraisal skills. A randomized control trial. *JAMA*. 1988;260(17):2537-2541.
72. Ross R, Verdieck A. Introducing an evidence-based medicine curriculum into a family practice residency-is it effective? *Acad Med*. 2003;78(4):412-417.
73. Villanueva EV, Burrows EA, Fennessy PA, et al. Improving question formulation for use in evidence appraisal in a tertiary care setting: a randomised controlled trial. *BMC Med Inform Decis Mak*. 2001;1(1):4.
74. Miller GE. The assessment of clinical skills/competence/performance. *Acad Med*. 1990;65(suppl 9):S63-S67.
75. Davidson RA, Duerson M, Romrell L, et al. Evaluating evidence-based medicine skills during a performance-based examination. *Acad Med*. 2004;79(3):272-275.
76. Bradley P, Humphris G. Assessing the ability of medical students to apply evidence in practice: the potential of the OSCE. *Med Educ*. 1999;33(11):815-817.
77. Tudiver F, Rose D, Banks B, et al. Reliability and validity testing of an evidence-based medicine OSCE station. *Fam Med*. 2009;41(2):89-91.
78. Asemota E, Winkel A, Vieira D, Gillespie C. A novel means of assessing evidence-based medicine skills. *Med Educ*. 2013;47(5):527-527.
79. Berner ES, McGowan JJ, Hardin JM, et al. A model for assessing information retrieval and application skills of medical students. *Acad Med*. 2002;77(6):547-551.
80. Fliegel JE, Frohna JG, Mangrulkar RS. A computer-based OSCE station to measure competence in evidence-based medicine skills in medical students. *Acad Med*. 2002;77(11):1157-1158.
81. Frohna JG, Gruppen LD, Fliegel JE, Mangrulkar RS. Development of an evaluation of medical student competence in evidence-based medicine using a computer-based OSCE station. *Teach Learn Med*. 2006;18(3):267-272.
82. Schwartz A, Hupert J. Medical students' application of published evidence: randomised trial. *BMJ*. 2003;326(7388):536-538.
83. Schwartz A, Hupert J. A decision making approach to assessing critical appraisal skills. *Med Teach*. 2005;27(1):76-80.
84. Kersten HB, Frohna JG, Giudice EL. Validation of an evidence-based medicine critically appraised topic presentation evaluation tool (EBM C-PET). *J Grad Med Educ*. 2013;5(2):252-256.
85. Cheng GY. Educational workshop improved information-seeking skills, knowledge, attitudes and the search outcome of hospital clinicians: a randomised controlled trial. *Health Inform Libr J*. 2003;20(suppl 1):22-33.

86. Bergus GR, Emerson M. Family medicine residents do not ask better-formulated clinical questions as they advance in their training. *Fam Med.* 2005;37(7):486-490.
87. Nixon J, Wolpaw T, Schwartz A, et al. SNAPPS-Plus: an educational prescription for students to facilitate formulating and answering clinical questions. *Acad Med.* 2014;89(8):1174-1179.
88. Rucker L, Morrison E. The "EBM Rx": an initial experience with an evidence-based learning prescription. *Acad Med.* 2000;75(5):527-528.
89. Burrows SC, Tylman V. Evaluating medical student searches of MEDLINE for evidence-based information: process and application of results. *Bull Med Libr Assoc.* 1999;87(4):471-476.
90. Gruppen LD, Rana GK, Arndt TS. A controlled comparison study of the efficacy of training medical students in evidence-based medicine literature searching skills. *Acad Med.* 2005;80(10):940-944.
91. Vogel EW, Block KR, Wallingford KT. Finding the evidence: teaching medical residents to search MEDLINE. *J Med Libr Assoc.* 2002;90(3):327-330.
92. Bradley DR, Rana GK, Martin PW, Schumacher RE. Real-time, evidence-based medicine instruction: a randomized controlled trial in a neonatal intensive care unit. *J Med Libr Assoc.* 2002;90(2):194-201.
93. Toedter LJ, Thompson LL, Rohatgi C. Training surgeons to do evidence-based surgery: a collaborative approach. *J Am Coll Surg.* 2004;199(2):293-299.
94. Rana GK, Bradley DR, Hamstra SJ, et al. A validated search assessment tool: assessing practice-based learning and improvement in a residency program. *J Med Libr Assoc.* 2011;99(1):77-81.
95. McKibbon KA, Haynes RB, Dilks CJ, et al. How good are clinical MEDLINE searches? A comparative study of clinical end-user and librarian searches. *Comput Biomed Res.* 1990;23(6):583-593.
96. Haynes RB, Johnston ME, McKibbon KA, et al. A program to enhance clinical use of MEDLINE. A randomized controlled trial. *Online J Curr Clin Trials.* 1993; Doc No 56:[4005 words; 39 paragraphs].
97. Forsetlund L, Bradley P, Forsen L, et al. Randomised controlled trial of a theoretically grounded tailored intervention to diffuse evidence-based public health practice. *BMC Med Educ.* 2003;3(1):2.
98. Reiter HI, Neville AJ, Norman GR. Medline for medical students? searching for the right answer. *Adv Health Sci Educ.* 2000;5:221-232.
99. McAlister FA, Graham I, Karr GW, Laupacis A. Evidence-based medicine and the practicing clinician. *J Gen Intern Med.* 1999;14(4):236-242.
100. Baum KD. The impact of an evidence-based medicine workshop on residents attitudes towards and self-reported ability in evidence-based practice. *Med Educ Online.* 2003;8:4-10.
101. Young JM, Ward JE. Evidence-based medicine in general practice: beliefs and barriers among Australian GPs. *J Eval Clin Pract.* 2001;7(2):201-210.
102. Melnyk BM, Fineout-Overholt E, Mays MZ. The evidence-based practice beliefs and implementation scales: psychometric properties of two new instruments. *Worldviews Evid Based Nurs.* 2008;5(4):208-216.
103. Leach MJ, Gillham D. Evaluation of the evidence-based practice attitude and utilization survey for complementary and alternative medicine practitioners. *J Eval Clin Pract.* 2008;14(5):792-798.
104. Hadley J, Hassan I, Khan K. Knowledge and beliefs concerning evidence-based practice amongst complementary and alternative medicine health care practitioners and allied health care professionals: a questionnaire survey. *BMC Complement Altern Med.* 2008;8(1):45.
105. Salbach NM, Jaglal SB. Creation and validation of the evidence-based practice confidence scale for health care professionals. *J Eval Clin Pract.* 2011;17(4):794-800.
106. Salbach NM, Jaglal SB, Williams JI. Reliability and validity of the evidence-based practice confidence (EPIC) scale. *J Contin Educ Health Prof.* 2013;33(1):33-40.
107. Upton D, Upton P. Development of an evidence-based practice questionnaire for nurses. *J Adv Nurs.* 2006;53(4):454-458.
108. Markey P, Schattner P. Promoting evidence-based medicine in general practice-the impact of academic detailing [see comment]. *Fam Pract.* 2001;18(4):364-366.
109. Freeman AC, Sweeney K. Why general practitioners do not implement evidence: qualitative study. *BMJ.* 2001;323(7321):1100-1102.
110. Montori VM, Tabini CC, Ebbert JO. A qualitative assessment of 1st-year internal medicine residents' perceptions of evidence-based clinical decision-making. *Teach Learn Med.* 2001;14(2):114-118.
111. Tracy CS, Dantas G, Upshur R. Evidence-based medicine in primary care: qualitative study of family physicians. *BMC Fam Pract.* 2003;4(1):6.
112. Putnam W, Twohig PL, Burge FI, et al. A qualitative study of evidence in primary care: what the practitioners are saying. *CMAJ.* 2002;166(12):1525-1530.
113. Oswald N, Bateman H. Treating individuals according to evidence: why do primary care practitioners do what they do? *J Eval Clin Pract.* 2000;6(2):139-148.
114. Bhandari M, Montori V, Devereaux PJ, et al. Challenges to the practice of evidence-based medicine during residents' surgical training: a qualitative study using grounded theory. *Acad Med.* 2003;78(11):1183-1190.
115. Green ML, Ruff TR. Why do residents fail to answer their clinical questions? A qualitative study of barriers to practicing evidence-based medicine. *Acad Med.* 2005;80(2):176-182.
116. Lam WWT, Fielding R, Johnston JM, et al. Identifying barriers to the adoption of evidence-based medicine practice in clinical clerks: a longitudinal focus group study. *Med Educ.* 2004;38(9):987-997.
117. van Dijk N, Hooft L, Wieringa-de Waard M. What are the barriers to residents' practicing evidence-based medicine? A systematic review. *Acad Med.* 2010;85(7):1163-1170.
118. Sahu JK. Evidence based practice of pediatrics-right time to start. *Indian J Pediatr.* 2007;74(1):66.
119. Mi M, Moseley JL, Green ML. An instrument to characterize the environment for residents' evidence-based medicine learning and practice. *Fam Med.* 2012;44(2):98-104.
120. Whitcomb ME. Research in medical education: what do we know about the link between what doctors are taught and what they do? *Acad Med.* 2002;77(11):1067-1068.
121. Osheroff JA, Forsythe DE, Buchanan BG, et al. Physicians' information needs: analysis of questions posed during clinical teaching. *Ann Intern Med.* 1991;114(7):576-581.
122. Green ML, Ciampi MA, Ellis PJ. Residents' medical information needs in clinic: are they being met? *Am J Med.* 2000;109(3):218-223.
123. Flynn C, Helwig A. Evaluating an evidence-based medicine curriculum. *Acad Med.* 1997;72(5):454-455.
124. Tilburt JC, Mangrulkar RS, Goold SD, et al. Do we practice what we preach? A qualitative assessment of resident-preceptor interactions for adherence to evidence-based practice. *J Eval Clin Pract.* 2008;14(5):780-784.

125. Stevermer JJ, Chambliss ML, Hoekzema GS. Distilling the literature: a randomized, controlled trial testing an intervention to improve selection of medical articles for reading. *Acad Med.* 1999;74(1):70-72.
126. Cabell CH, Schardt C, Sanders L, et al. Resident utilization of information technology. *J Gen Intern Med.* 2001;16(12):838-844.
127. Reckase MD. Portfolio assessment: a theoretical estimate of score reliability. *Educ Meas Issues Pract.* 1995;14:12-31.
128. Khunti K. Teaching evidence-based medicine using educational prescriptions. *Med Teach.* 1998;20:380-381.
129. Green ML. Evaluating evidence-based practice performance [editorial]. *ACP J Club.* 2006;145:A8-A10.
130. Centre for Evidence-Based Medicine - University of Toronto. Educational prescriptions. Available at http://www.cebm.utoronto.ca/practise/formulate/eduprescript.htm. Accessed September 15, 2016.
131. Feldstein DA, Mead S, Manwell LB. Feasibility of an evidence-based medicine educational prescription. *Med Educ.* 2009;43(11):1105-1106.
132. Crowley SD, Owens TA, Schardt CM, et al. A web-based compendium of clinical questions and medical evidence to educate internal medicine residents. *Acad Med.* 2003;78(3):270-274.
133. Fung MF, Walker M, Fung KF, et al. An internet-based learning portfolio in resident education: the KOALA multicentre programme. *Med Educ.* 2000;34(6):474-479.
134. Campbell C, Gondocz T, Parboosingh J. Documenting and managing self-directed learning among specialists. *Ann R Coll Phys Surg Canada.* 1995;28:80-84.
135. Campbell C, Parboosingh J, Gondocz T, et al. A study of the factors that influence physicians' commitments to change their practices using learning diaries. *Acad Med.* 1999;74(suppl 10):S34-S36.
136. Guglielmino LM. Development of the self-directed learning readiness scale-doctoral dissertation, University of Georgia. *Dissertation Abstracts Int.* 1977;38:6467A.
137. Green ML, Reddy SG, Holmboe E. Teaching and evaluating point of care learning with an Internet-based clinical-question portfolio. *J Contin Educ Health Prof.* 2009;29(4):209-219.
138. Ellis J, Mulligan I, Rowe J, Sackett DL. Inpatient general medicine is evidence based. A-Team, Nuffield Department of Clinical Medicine. *Lancet.* 1995;346(8972):407-410.
139. Michaud G, McGowan JL, van der Jagt R, et al. Are therapeutic decisions supported by evidence from health care research? *Arch Intern Med.* 1998;158(15):1665-1668.
140. Gill P, Dowell AC, Neal RD, et al. Evidence based general practice: a retrospective study of interventions in one training practice. *BMJ.* 1996;312(7034):819-821.
141. Lai TYY, Wong VWY, Leung GM. Is ophthalmology evidence based? A clinical audit of the emergency unit of a regional eye hospital. *Br J Ophthalmol.* 2003;87(4):385-390.
142. Jemec GB, Thorsteinsdottir H, Wulf HC. Evidence-based dermatologic out-patient treatment. *Int J Dermatol.* 1998;37(11):850-854.
143. Myles PS, Bain DL, Johnson F, McMahon R. Is anaesthesia evidence-based? A survey of anaesthetic practice. *Br J Anaesth.* 1999;82(4):591-595.
144. Kingston R, Barry M, Tierney S, et al. Treatment of surgical patients is evidence-based. *Eur J Surg.* 2001;167(5):324-330.
145. Kenny SE, Shankar KR, Rintala R, et al. Evidence-based surgery: interventions in a regional paediatric surgical unit. *Arch Dis Child.* 1997;76(1):50-53.
146. Geddes J, Game D, Jenkins N, et al. What proportion of primary psychiatric interventions are based on evidence from randomised controlled trials? *Qual Saf Health Care.* 1996;5(4):215-217.
147. Straus SE, Ball C, Balcombe N, et al. Teaching evidence-based medicine skills can change practice in a community hospital. *J Gen Intern Med.* 2005;20(4):340-343.
148. Lucas BP, Evans AT, Reilly BM, et al. The impact of evidence on physicians' inpatient treatment decisions. *J Gen Intern Med.* 2004;19(5 Pt 1):402-409.
149. Langham J, Tucker H, Sloan D, et al. Secondary prevention of cardiovascular disease: a randomised trial of training in information management, evidence-based medicine, both or neither: the PIER trial. *Br J Gen Pract.* 2002;52(483):818-824.
150. Epling J, Smucny J, Patil A, Tudiver F. Teaching evidence-based medicine skills through a residency-developed guideline. *Fam Med.* 2002;34(9):646-648.
151. Peabody JW, Luck J, Glassman P, et al. Measuring the quality of physician practice by using clinical vignettes: a prospective validation study. *Ann Intern Med.* 2004;141(10):771-780.
152. Holmboe ES, Prince L, Green ML. Teaching and improving quality of care in a primary care internal medicine residency clinic. *Acad Med.* 2005;80(6):571-577.
153. Norcini JJ, Blank LL, Duffy FD, Fortna GS. The Mini-CEX: a method for assessing clinical skills. *Ann Intern Med.* 2003;138(6):476-481.
154. American Board of Internal Medicine. Clinical Supervision PIM. Available at http://www.abim.org/program-directors-administrators/pims-training-programs.aspx. Accessed September 15, 2016.
155. Akl EA, Izuchukwu IS, El-Dika S, et al. Integrating an evidence-based medicine rotation into an internal medicine residency program. *Acad Med.* 2004;79(9):897-904.
156. Wyer P, Naqvi Z, Dayan P, et al. Do workshops in evidence-based practice equip participants to identify and answer questions requiring consideration of clinical research? A diagnostic skill assessment. *Adv Health Sci Educ.* 2009;14(4):515-533.
157. Bradley P, Herrin J. Development and validation of an instrument to measure knowledge of evidence-based practice and searching skills. *Med Educ Online.* 2004;9:15-19.
158. Bradley P, Oterholt C, Herrin J, et al. Comparison of directed and self-directed learning in evidence-based medicine: a randomised controlled trial. *Med Educ.* 2005;39(10):1027-1035.
159. Taylor R, Reeves B, Ewings P, Taylor R. Critical appraisal skills training for health care professionals: a randomized controlled trial. *BMC Med Educ.* 2004;4(1):30.
160. MacRae HM, Regehr G, McKenzie M, et al. Teaching practicing surgeons critical appraisal skills with an Internet-based journal club: a randomized, controlled trial. *Surgery.* 2004;136(3):641-646.
161. Weberschock TB, Ginn TC, Reinhold J, et al. Change in knowledge and skills of year 3 undergraduates in evidence-based medicine seminars. *Med Educ.* 2005;39(7):665-671.
162. Hendricson WD, Rugh JD, Hatch JP, et al. Validation of an instrument to assess evidence-based practice knowledge, attitudes, access, and confidence in the dental environment. *J Dent Educ.* 2011;75(2):131-144.
163. Emerson JD, Colditz GA. Use of statistical analysis in the New England Journal of Medicine. *N Engl J Med.* 1983;309(12):709-713.
164. Ilic D. Assessing competency in evidence based practice: strengths and limitations of current tools in practice. *BMC Med Educ.* 2009;9(1):53.

부록 9.1

인터넷 근거중심진료교육 참고 사이트

근거바탕의학센터 (옥스포드)	http://www.cebm.net/
근거바탕의학센터 (토론토)	http://www.cebm.utoronto.ca/
교육적 처방 (토론토 근거바탕의학 센터)	http://www.cebm.utoronto.ca/practise/formulate/eduprescript.htm
근거바탕의학 팁 전자 자료	http://www.ebmtips.net/risk001.asp
Fresno EBP 시험[53]	http://bmj.bmjjournals.com/cgi/content/full/326/7384/319/DC1
Berlin 시험[62]	http://bmj.bmjjournals.com/cgi/content/full/325/7376/1338/DC1
근거바탕의학에 대한 "일반 진료의사의 인식" 설문조사[46]	http://bmj.bmjjournals.com/cgi/content/full/316/7128/361/DC1

부록 9.2

교육적 처방의 예

Rx 교육적 처방전

환자명	학습자

임상질문 3개 부분

대상 질환:

중재 (+/− 비교):

결과:

작성 시간과 장소:

다음의 사항을 포함하도록 한다.

1. 검색 전략
2. 검색 결과
3. 해당 근거의 타당도
4. 해당 근거의 중요성
5. 타당성과 중요성이 확보된 이 근거를 당신의 환자에게 적용할 수 있는가?
6. 이 과정에 대한 평가

그림 9.1 교육적 처방의 예시

근거중심의학센터: 토론토대학 교육적 처방에서 발췌. 접속일 2016.6.23 http://ktclearinghouse.ca/cebm/practise/formulate/eduprescriptions.

전공의: ______	교수자: ______	"처방" 날짜 ______ "조제" 날짜 ______

1. 순환근무지	병동	선택의료	노인의료	만성질환 병동	외래진료실	기타:
	ICU	응급의료	야간당직		전문과 외래	

2. 내용	질의응답 집담회	EBM 교육과정	전공의 보고서	일반 환자진료	기타:

3. 임상 시나리오:

4. 질문			
환자	중재	비교	결과

5. 임상과제:	임상	감별진단	예후	예방
	병인/피해	진단검사	소견	질병의 증상

6. 답을 제공한 정보 자원:	임상적 근거	EBM 후보 자료	원저 연구자료
	코크레인 도서관/자료	자료	MEDLINE 메타분석 자료
	ACP JC 온라인 자료	PIER 자료	MEDLINE 종설 자료
	임상시험결과 자료	교과서	자문/동료
	정보습득 자원(POEM 또는 기타 자료:______)		기타:

7. 근거 (참고자료)

8. 자신의 응답/결과:

9. 이 경험을 통해 무엇을 배웠는가? 자신의 임상진료에 변화를 줄 수 있다면 그 내용은 무엇인가?

교수자 평가란

회신 날짜: ______

이 학습활동에서 학습자를 위해 강조한 핵심교수요점(EBM 부분)은 무엇이었는지 기술하세요.

☐ 없음	
☐ 질문	
☐ 습득	
☐ 비평	
☐ 적용	

그림 9.2 교육적 처방의 예. 출처. Green ML: 근거중심진료의 근거 평가[사설]. *ACP J Club* 2006;145:A8-A10. 저작권자의 허락하에 재인용함.

10
임상진료검토

ERIC S. HOLMBOE, MD, MACP, FRCP, AND DANIEL DUFFY, MD

개요

배경

의무기록 또는 진료 "감사(audit)"라고 불리는 임상진료의 검토를 통한 진료의 질적 사정(assessment)은 필수적이며, 실질적으로 중요한 사정방법으로 성장했다. 많은 나라와 보건의료 시스템에서, 질적 수준과 환자안전 측정(지표)은 의사에게 표준이 되었다. 이 측정은 질 향상과 결과 공개 등 여러 가지 목적으로 사용된다. 따라서 기본 및 졸업후의학교육과정의 학습자는 자신의 전문성 개발과 감독없는 진료수준에 도달하기 위해 구체적인 측정을 통해 임상진료를 배우고, 학습하며, 검토해보아야 한다.

단, 임상진료검토(clinical practice review), 혹은 감사(audits)의 중요성과 유용성을 충분히 이해하려면 우선 품질(quality)과 환자안전 과학의 개괄적인 설명부터 시작해야 한다. 첫째, 미국 의학연구소(Institute of Medicine, IOM)는 두 개의 중대한 보고서인 *"To Err Is Human"*과 *"Crossing the Quality Chasm"*에서 15년 전의 안전과 품질의 현저한 간극을 강조하였다.[1,2] 불행히도 전세계적으로, 품질과 안전의 개선 과정은 고통스러울 정도로 그 속도가 느렸다.[3-6] 이러한 문제는 처음에는 의학교육자의 영역을 벗어나 있는 것처럼 보일 수 있지만, 최근 자료를 보면 훈련 기관이 제공하는 임상 품질과 안전 수행도가 개별 학습자의 미래 진료와 역량에 얼마나 중요한 지 말해주고 있다.

둘째, 제한된 근거에도 불구하고, 전세계의 의사들은 성과급 프로그램의 일환으로 제공하는 진료의 품질과 안전에 기초하여 다양한 수준으로 판단되고, 임금을 받고 있다.[7] 셋째, 가장 중요한 것은 임상진료검토가 현 시대에 맞게 진료를 개선하고 중요한 역량을 획득하는 데 도움을 줄 수 있다는 것이다. 따라서 학습자는 최소한 기본적인 질적 수준과 안전을 위한 진료 원칙들을 학습하고 개선을 위해 의무기록 및 기타 출처의 수행 자료를 사용해야 한다. 감사 및 기타 기법을 통한 수행도 측정에 있어 "무엇과 어떻게"를 탐구하기 전에, 시스템 원칙과 개념의 개요는 이러한 형태의 사정을 전망하는 데 도움이 될 것이다. 임상적 수행은 항상 맥락에 기초하기 때문에 이 원리를 적용하면 품질, 안전측정, 그리고 지표를 통한 진료사정도 마찬가지이다.

시스템 및 질관리 입문서

의료시스템은 추상적인 실체가 아니라 사람과 기술의 협력적인 상호작용이다. 또한 의료시스템의 변화를 구현하기 위해서는 의사들이 시스템 설계자와 엔지니어가 되어 질적 간극을 극복하도록 시스템을 전환해야 한다. 이러한 능력을 획득하기 위한 여정은 수련 초기에 시작되어야 한다. 이에, 미국졸업후교육인증위원회(Accreditation Council for Graduate Medical Education, ACGME)와 미국전문의협회(American Board of Medical Specialties, ABMS)는 교육생과 의료시스템의 핵심 인물들은 시스템바탕 실무와 진료바탕학습과 개선에서 역량을 획득하는 것이 필수적이라고 판단했다.[8] 아주 최근 캐나다전문의학회는 관리자의 역할을 리더로 변경함으로써 보다 명확한 시스템과 품질 개선의 중요성을 강조했다.[9] 기본의학교육 수준에서 미국의사협회의 의학교육 컨소시엄(American Medical Association's Accelerating Change in Medical Education Consortium)에 참여하는 11개 의과대학 원년멤버들은 진화하는 의료시스템에서 학생들이 성공할 수 있도록 도와주기 위해 기초와 임상의학에 통합되어야 하는 제3의 핵심 과학영역으로 "보건의료시스템 과학(health systems science)"이라고 하는 것을 규명하였다. 과학적인 보건의료시스템의 내용으로는 보건의료시스템내에서 의사의 효과적인 기능과 관련된 질 향상, 안전, 팀워크, 리더십 및 기타 관련 영역의 원칙과 실천이 포함되어 있다.[10]

품질과 책무에 대한 헌신은 이제 핵심 전문적 가치로 자리매김하고 있다. 미국내과전문의인증재단(American Board of Internal Medicine Foundation, ABIMF), 유럽내과연합(European Federation of Internal Medicine, EFIM), 미국내과학회(American College of Physicians, ACP)가 공동으로 개발한 의학전문직업성에 대한 의사헌장(Physician Charter)은 질 향상에 대한 적극적인 참여를 전문직업성의 핵심 원칙으로 명시하였다.[11] 다른 기관들의 경우, 질 향상을 전문적 의무일 뿐만 아니라 시민의 의무라고 강조하였다.[12-16] 이 저자들은 의료에서 의미 있는 개선을 가져오기 위해 의사가 수용해야 하는 새로운 신념과 윤리에 대해 언급하고 있다.

1장에서 기술한 바와 같이, 미국의학연구소(IOM)는 모든 의료종사자의 핵심 역량으로 학제간 팀의 협력적인 노력을 통해 진료를 제공하는 근거중심의학 방법을 채택할 수 있는 능력과 질 향상 방법을 적용하는 능력을 열거하였다(글상자 10.1).[17]

> **• 글상자 10.1 모든 의료 제공자를 위한 미국의학연구소의 핵심 역량**
>
> - 환자중심진료 제공
> - 근거중심의학 적용
> - 정보과학 활용
> - 다학제간 팀과 협업
> - 질 향상 적용

이러한 새로운 역량을 가르치고 평가하기 위해서는 교육자들이 질 향상 과학의 핵심 개념과 방법에 대한 이해를 통해 시스템 내에서는 의사 혼자가 아니라 여러 보건의료 전문가들이 함께 일한다는 것을 깊이 이해해야 한다. 이제 전문직간 실무는 안전하고, 효과적이며, 환자중심적이며, 시기적절하고, 효율적이며, 공평한 진료를 제공하기 위한 표준을 갖추어야 한다.[18] 전문직간 협업 실무에 관한 핵심 역량은 현재 수련프로그램에 활용되고 있다.[18] 보건의료개선연구소 열린대학(Institute for Healthcare Improvement Open School)[19] 같이 질 향상의 과학을 가르치기 위한 자원의 가용성이 증가하고 있음에도 불구하고 이 개념은 많은 의학교육자와 의사들에게 여전히 새로운 개념으로 인식되고 있다.[20]

시스템이란 무엇인가?

대부분의 의사들은 "시스템"이라는 단어를 들으면, 즉각적으로 대형 의료기관을 떠올리면서 건강 계획, 병원과 의사 네트워크, 국민건강서비스 등의 단어들이 떠오르고, 의료라고 하는 규명하기 어려운 서비스를 제공하는 모든 사람과 운영체제 등의 개념을 생각한다. 임상의사에게는 "시스템"이라는 단어가 경멸적인 느낌으로 다가올 수 있으며 의사 수준의 진료 품질에 반한다고 본다. 이러한 태도는 자율성과 책임이라는 전문적인 가치에서 비롯된다. 불행히도 그것은 질 향상과 안전 과학(safe science)역량을 획득하는 의사들의 발전을 방해한다.

이와 같은 맥락에서 시스템이 의미하는 바는 사람들의 조직, 업무 과정, 그리고 훌륭한 환자 진료라는 공통된 목표를 달성하기 위해 사용하는 기술적 도구, 절차, 치료법들이다. 시스템에 대한 보다 깊은 이해를 위해서는 동심원(concentric circles), 조직수준 또는 관계 수준으로 시스템을 설명하고 있는 바탈덴(Batalden) 모형을 참고하는 것이 도움이 된다(그림 10.1).[21]

중심원에는 이원화된 환자-공급자 관계가 있다. 의사의 관점에서는 우리는 이것을 의사-환자 관계로만 생각하는 경향이 있다. 그러나 환자의 관점에서 이 관계는 사실, 보건의료서비스 과정에서 발생할 수 있는 환자-기타 등등 관계(즉, 다양한 보건의료전문가)로 인식된다. 실제로 중심축은 다양한 전문직종의 의료전문가들이 팀으로 환자와 직접 교류하고 작업하는 보건의

지역사회
마크로시스템
임상
마이크로시스템
제공자 및
환자

그림 10.1 의료시스템 조직의 수준

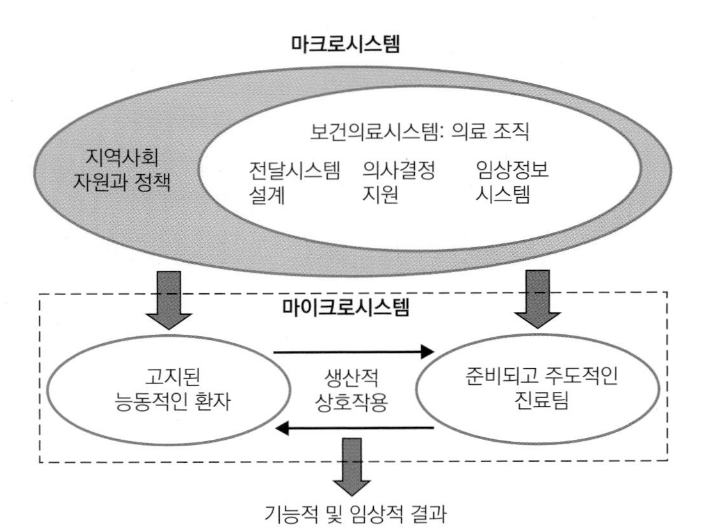

그림 10.2 만성질환 치료에서의 마크로시스템.
출처: Wagner EH, Austin BT, Von Korff M: Organizing care for patients with chronic illness. *Milbank Q* 1996;74(4):511-542의 내용 수정

료서비스가 되어가고 있다. 사정을 위해서는 의사-환자 관계와 전문직간 팀(interprofessional team)-환자/가족 관계 분석 모두 필수적이고 중요하다.

Batalden은 다음 중심축을 임상 마이크로시스템(microsystem)이라고[1] 명명하였다. 이것은 환자들이 의료서비스를 받는 조직의 단위다. 일차 또는 필수진료의 경우 이 단위를 "환자중심의 메디컬홈(patient-centered medical home)"이라고[2] 부르기도 한다.[22-24] 마이크로시스템은 환자와 가족에 대한 진료를 제공하거나 의료서비스를 통합하기 위해 협력적으로 일하는 사람과 기술의 작은 조직을 말한다.[25,26] 임상 마이크로시스템에서 건강과 진료라는 과정은 환자 및 가족과의 협력이 필요한 공동작업이자 공동제작 과정임이 날로 강조되고 있다.[25,26] 교육도 다르지 않으며, 이러한 마이크로시스템에서 임상교육이 대부분 이루어진다는 것을 인식하는 것이 중요하다.[27]

세 번째 원에는 관리에 필요한 서비스 내용을 제공하기 위해 서로 연결된 복수의 마이크로시스템 네트워크가 포함되어 있다. 이 원을 마크로시스템(macrosystem)이라고[3] 한다. 이 세 번째 원인 마크로시스템은 검사실, 영상서비스, 상담, 진단 및 치료절차 서비스, 환자교육 및 상담, 약국 등을 포함하는 다중 마이크로시스템을 포함한다. 네 번째 원은 공동체를 포함한다. 바그너(Wagner)의 만성치료모델(chronic care model)은 당뇨병과 같은 만성질환 환자의 고품질 진료를 용이하게 하기 위해 왜 마크로시스템이 필요한지 보여준다(그림 10.2).[28,29]

Batalden과 동료들은 그림 10.3 합작을 통해 바그너(Wagner) 모델을 구축하였다.[30] Batalden과 동료들이 지적했듯이, 대부분의 환자 결과는 의사와 "환자가 효과적으로 의사소통하고, 문제에 대한 이해를 공유하고, 상호 수용 가능한 평가와 관리 계획을 만들어 나갈 때"와 같은 합작 활동의 결과물이다.

교육훈련의 맥락에서 시스템을 논의하는 목적으로 우리는 2단계에 속하는 임상마이크로시스템을 들여다 보고자 한다. 임상마이크로시스템의 기능, 교육생들의 역량 획득과 적용에 직접적으로 영향을 미치는 이원화된 내부 시스템과 다음 단계의 마크로시스템과의 관계, 그리고 진료바탕학습과 개선(Practice-based learnig and improvement, PBLI) 및 시스템바탕진료 역량 사정 능력을 살펴볼 것이다. 이러한 시스템에서 교육생은 건강과 의료를 환자 및 가족과 결합하는 방법을 배워야 하며, 이를 위해서는 임상진료에 대한 사정이 필요하다.

임상마이크로시스템의 구성요소

넬슨(Nelson)은 마이크로시스템을 "개별환자들을 관리하기 위해 정기적으로 협력하고, 임상과 경영목표를 공유하는 수행결과를 도출하기 위한 진료 및 정보의 과정을 연계하는 사람들의 소집단"이라고 정의하고 있다.[25,26] 수련환경에서 임상 마이크로시스템의 예로는 외래 진료소, 방사선 검사실, 병원 병동 및 수술실을 포함한다. 교육생은 이러한 마이크로시스템이 어떻게 가장 효율적이고 효과적으로 기능해야 하는지, 마이크로시스템이 서로 어떻게 관련되어 있고 상호작용을 하는지 배워야 한다. 그림 10.4는 의사들이 의료서비스를 제공하기 위해 사용하는 단계, 임상 방법들이 일련의 작업과정에서 어떻게 결합되고 임상마이크로시스템을 만들기 위한 지원과정, 사람 및 기술과 통합

1) 역자 주. 또는 미시체계.
2) 역자 주. Patient-centered medical home (PCMH)은 "환자중심 주치의의원", "환자중심의료홈" 등으로 번역되기도 하는데, 의료정보기술을 활용하여 개별 환자의 건강을 통합적으로 관리하고자 하는 미국의 일차의료서비스 모형 중 하나이다.
3) 역자 주. 또는 거시체계.

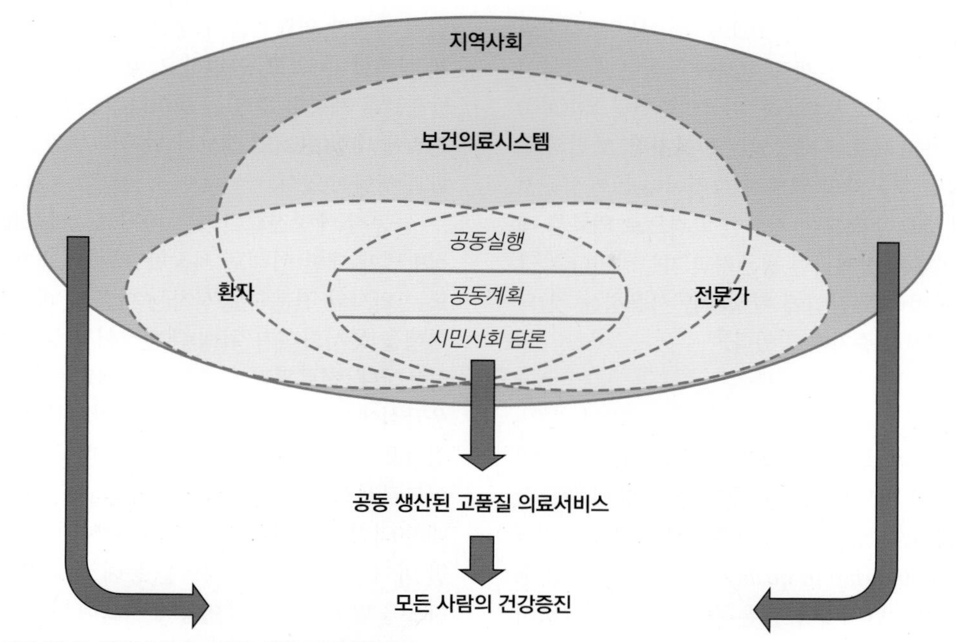

그림 10.3 의료과 학습개선을 위한 공동생산 활용
출처: Batalden M, Batalden P, Margolis P, et al: Coproduction of healthcare service. *BMJ Qual Saf* 2016;25(7):509-517.

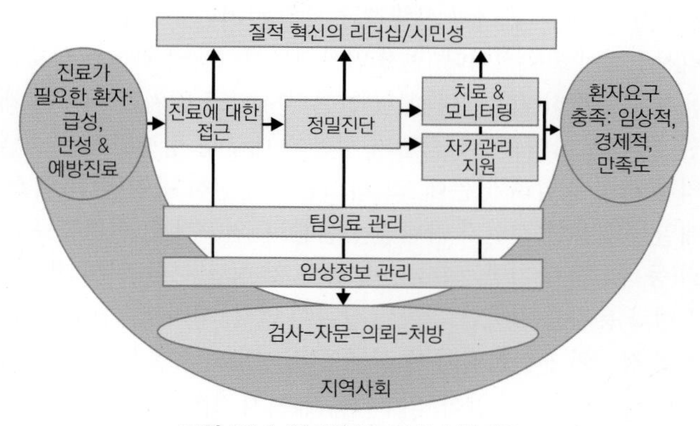

그림 10.4 임상마이크로시스템 개요

되는지를 보여준다. 이 중요한 요소들을 하나하나 살펴보자.

의료서비스가 필요한 환자군

그림의 가장 왼쪽에 있는 원은 특정 마이크로시스템으로부터 치료를 원하는 특정 건강관리 필요(급성질환 진료, 미래 질병의 예방, 만성진료 관리, 건강증진)가 있는 *환자*집단을 보여준다. 일차의료 마이크로시스템에서는 가정이나 직장에서 편리하기 때문에 해당 진료를 선택하는 환자도 있는 반면, 경제적인 이유나 매력적인 문화 또는 사회적 특징을 가지고 있으므로 선택하는 환자도 있다. 심장병 진료소나 투석 센터와 같은 다른 마이크로시스템에 있는 환자들은 자신들의 질병 상태에 따라 사전에 선택되기도 한다. 마이크로시스템이 전문화될수록 환자가 진료를 받기 전에 사전 선택이 더 많이 이루어진다. 업무 과정의 설계는 효율적이고 효과적으로 환자의 요구를 충족시키기 위해 달라져야 하기 때문에 마이크로시스템을 이용하는 환자집단의 요구를 이해하는 것이 중요하다.

임상 절차

도표의 상자에 나타난 순차적 단계는 임상 방법의 익숙한 구성요소로서 (1) *진료 접근 방법(access to the practice)* - 예약, 전화 또는 우편 연락, (2) *검사 및 진단(workup and diagnosis)* - 강력한 임상술기가 필요한 첫 번째 의료 과제, (3) *치료와 모니터링(treatment and monitoring)*- 두 번째 중요한 의료 과제, (4) *환자의 자기관리 지원(self-care support)* - 진료 과정에서 환자의 역할을 알리고 이를 수행하는 데 도움을 주는 세 번째 의료 과제이다.

환자의 요구에 맞춘 진료결과

오른쪽의 원은 모든 사람에게 관심 있는 진료의 결과, 즉 환자집단의 요구를 충족시키는 결과를 보여준다. 여기서 누구나 알 수 있는 분명한 목표는 진료를 원하는 개별환자와 환자집단에 대하여 바람직한 임상결과(예: 혈압 조절, 당뇨병의 허용 가능한 헤모글로빈 A1c 수준, 천식 환자의 기관지 수축 없음)를 달성하는 것이다.

임상결과 외에도, 성공적인 진료의 또다른 중요한 척도는 환자의 진료 경험에 대한 판단과 만족도이다. 의사와 직원들의 업무 만족도 또한 동일하게 중요하다. 전공의의 임상 경험, 특히 외래환자 마이크로시스템에서의 만족도는 궁극적인 진로 선택에서 제대로 다루어지지 못하고 있는 요소인데, 이는 보건의료 전문가 웰빙의 핵심 요인이다. 실제로 현재에는 많은 사람들이 네 가지 질적 목표를 강조하고 있다. 즉, 미국의학연구소(IOM)가 밝힌 의료의 여섯 가지 목표에 해당되는 환자경험, 보건의료, 비용, 그리고 보건의료 전문가의 웰빙이 그것이다.[31,32] 성공적인 진료의 다섯 번째 중요한 척도는 저렴한 가격으로 의료를 제공하여 경영목표를 이루는 경제적인 생존력과 가능성이다.[33] 그 결과, 과잉진료(예: 바이러스 감염에 항생제를 사용하는 것)의 측정을 목표로 하는 조치가 증가하고 있다.[34]

지원 절차

그림의 직사각형은 임상의가 주도하는 치료를 신뢰할 수 있고 안전하며 효율적으로 만드는 임상마이크로시스템의 중요한 절차를 나타낸다(그림 10.4). 도표 가장 위에는 *질적 혁신의 리더십/시민성(leadership/citizenship in quality innovation)*이 있다. 이것은 지원 절차 중 최고 단계이다. 많은 수련과정 마이크로시스템에서, 전공의들은 누가 질적 수행을 지도할 책임을 가지고 있는지 인지하는 데 어려움을 겪고 있다. 게다가, 마이크로시스템에서 질적 수행을 하기 위해 전공의에게 짧은 기간만이라도 "시민성(citizenship)"을 제대로 부여하는 곳은 매우 적다. 따라서 1년차 전공의나 2-3년차 전공의들이 해당 수련기관에서 질 향상이나 환자안전 사업에 의미있게 참여하지 못하는 경우가 허다하다.[35,36] 건강한 마이크로시스템은 리더십과 시민성 외에 의학의 지속적인 발전과 의료환경의 변화에 대응하여 마이크로시스템 과정을 적시에 변경하는 체계성을 갖추고 있다. 혁신 절차에는 진료 목표 대비 성과 측정 및 개선된 절차를 구상하는 방법, 가장 유망한 것을 시험하고, 효과가 있는 것을 실행하는 것이 포함된다. 학습자들은 이러한 과정에 참여해야 한다.

예전에 비해 더 많은 졸업후의학교육 프로그램들이 현재 일차 마이크로시스템 의료에서 제공되는 진료의 질에 대한 수행 측정에 관심을 갖고 있지만, 너무 많은 교육생들이 핵심 임상진료 측정에서 자신의 수행 수준이 어느정도인지에 대해 잘 알고 있지 못하기 때문에, 수행측정 활동은 여전히 충분하지 않다고 볼 수 있다. 진료바탕학습과 질적 개선에서 의사-수준(physician-level) 역량의 핵심은 수행측정을 수용하는 자세와 질 향상(quality improvement, QI) 실무(예를들어, 근본원인분석[root cause analysis, RCA] 또는 오류유형 영향분석 [failure mode effect analysis, FMEA])를 재설계하는 아이디어를 개발하고, 측정을 통해 수행 변화되었는지를 확인하여 진료에 미치는 영향을 평가하는 것이다.

이 그림에서 임상방법 아래의 직사각형은 *팀워크와 진료관리(teamwork and care management)*다. 의사와 기타 보건의료전문가가 수행하는 이 절차는 만성질환 환자의 예방적 사전관리와 적절한 예방진료를 보장한다. 이 마이크로시스템은 수행할 과제의 가장 효율적인 순서를 설계하고 이를 실행할 역할과 책임에 적절한 의료진을 구성한다. 이 표준화 작업으로 환자들에게 신뢰할 수 있고, 안전하고, 효율적이며, 효과적인 능동적 예방진료를 제공할 수 있는 것이다. 각 팀원은 환자의 원활한 진료관리에 대한 단계별 정보나 환자의 원활한 인수인계에 대한 역할과 책임이 있다.

능동적 예방진료관리는 마이크로시스템의 질적 정의와 측정방법에 대한 이해로 시작한다. 관리로 이어지는 단계에서는 모든 의사와 전문직 종사자는 다음 단계를 상기시키고 업무의 실행을 문서화하기 위해 개별적이고 통합된 환자진료 계획을 사용한다. 진료관리 절차는 병원, 몇몇 숱기 처치실, 수술실 및 응급실에서 가장 흔히 볼 수 있으며, 최근에는 메디컬홈 운동의 영향을 받은 일차의료 현장에서도 찾아볼 수 있다. 전공의는 마이크로시스템을 통해 순환 근무할 때 치료관리 과정의 작업에 대한 역할과 책임을 제대로 안내받아야 한다. 전공의들은 다양한 마이크로시스템의 경험을 통해 서로 상이한 문제를 가진 환자들을 팀워크를 통해 어떻게 치료해 나가는지 알 수 있다.

그림 아래에 위치한 직사각형은 환자에게 통합의료를 제공하기 위해 전체 마이크로시스템을 하나로 묶어 외부 자문, 검사실, 약국(도표 하단의 타원형으로 표시)과 연결하는 *임상정보관리 절차(clinical information management process)*를 보여준다. 신뢰할 수 있는 관리의 실행과 조정을 하려면 효과적인 정보관리시스템이 필수적이다. 전자 임상정보시스템의 완전한 상호운용성은 여전히 많은 기관에서 실현되지 않고 있지만 서서히 개선 중이다. 마이크로시스템의 성공은 대부분 정보관리 시스템의 효과성에 달려 있는데, 그 시스템이 순전히 종이/전화/팩스/메일을 활용한 것인지 아니면 실습관리, 의무기록, 환자자료 추적(등록), 전자 처방, 의사지시, 검사 및 상담 등을 위해 전자시스템과 용지를 결합한 것이든 상관이 없다. 따라서, 마이크로시스템 정보의 전산화 수준에 관계없이, 정보의 흐름은 템플릿, 흐름도, 주문서, 요청 양식, 의무기록 페이지, 처방전, 전화 메모 등의 시스템을 사용하여 마이크로시스템 구성원이 전달, 수집, 관리하는 방식으로 관리할 수 있다.

공급 마이크로시스템

그림 하단에 있는 타원형은 의료현장에서 환자에게 중요한 서비스를 제공하는 외부 마이크로시스템을 나타낸다. 이 마이크로시스템은 검사 서비스, 영상 서비스, 약국, 입원 관련 다양한 자문 서비스, 진단과 치료 서비스를 포함한다. 진료 현장에서의 임상정보관리 시스템은 마이크로시스템 내에서 수집된 임상자료를 외부 서비스와 연결해야 한다. 그리고 이러한 외부 서비스에서 반환된 정보를 추적하고 기록하기 위한 과정이 있어야 한다. 어떠한 형태의 마이크로시스템이든지 중요한 대인관계 업무는 외부 서비스 관계를 관리하여 여러 마이크로시스템이 제공하는 진료에 대해 환자들에게 믿음을 주고 추적 진료 서비스를 통해 양질의 환자진료를 보장하는 것이다.

시스템 및 적응

우리가 방금 배웠듯이, 시스템은 공통의 목적을 공유하는 상호의존적인 부분들의 집합이다. 상호의존성이란 시스템의 부분들이 상황에 따라 서로 조율하는 방식으로 작용하고, 서로에 대한 의존성을 이해하는 것을 의미한다. 궁극적으로 성과를 내는 것은 시스템이지 개인이 아니다. 시스템의 한 부분이 공통의 목적과 상호의존성이 부족하거나, 실제 의료현장에서 흔히 일어나는 것처럼, 개별적인 자율성을 가지고 행동할 때, 시스템은 약해지고 궁극적으로 붕괴될 수도 있다.

공통의 목적은 "고품질의 의료"를 제공한다는 상투적인 의미가 아니라, 전문직 간 팀이 함께 일하는 방식의 변화를 통해 지속적으로 의료를 개선하도록 유도하는 구체적인 질향상 목표를 명확히 규명하는 것이다. 임상 환경은 지속적으로 변화한다. 따라서 사람과 방법의 관리 시스템이 발전하기 위해서는 적응의 능력이 있어야 한다. 변화와 적응은 시스템을 구성하는 개인의 능력에서 비롯되는 건강한 시스템의 필수적인 속성이다.[38,39] 그렇다고 학생들과 전공의들이 임상 환경에서 매우 자주 접하는 기능장애 시스템에서 일을 제대로 수행하기 위해 지속적으로 "차선책(workarounds)"을 고안해야 한다는 의미가 아니다. 오히려 여기서 말하는 적응이란, 환경의 변화가 발생한 시기를 파악하고, 환자 질 목표의 변경에 따른 영향을 의료팀과 함께 결정하고, 개선방안에 대한 계획을 함께 개발할 수 있는 모든 개인의 능력을 말한다. 따라서 질적 향상은 시스템에 간헐적으로 적용되거나, 변화를 주기 위해 일상 업무를 중단해야 하는 "과학전람회 프로젝트(science fair project)"가 아니다. 질적향상에는 확실한 수행 측정 또한 동반되어야 한다.

질 향상은 체계적인 방법으로 관리되어 매일 변화가 일어나는 것을 의미하며, 우리 학생들과 전공의들은 이러한 변화를 개선하기 위해 어떻게 참여해야 하는지 명확한 교육을 받아야 한다. 수행자료는 과정의 필수적인 부분이다. 또한 의무기록과 의료비 청구자료, 검사결과 자료 등과 같은 기타 자료 시스템에 대한 검증은 교육생이 질 향상과 안전 과학에 참여하고 학습하는 데 필요한 내용을 제공한다. 그리고 사정 프로그램의 일환으로 교육생에 대한 사정 정보도 함께 제공해 준다.

부록 10.1은 질 향상과 시스템 과학에 대해 배울 수 있는 여러 가지 자료와 마이크로시스템과 환자중심 매나컬홈 운영 효과를 판단하는 데 사용할 수 있는 도구를 보여준다. 의무기록 검증과 다면피드백(multiple-source feedback)과 같은 사정 방법을 최대화하기 위해 시스템의 전반적인 수행도를 이해하는 것이 중요하다. 이 간단한 배경과 함께 우리는 이제 의무기록 검토와 임상수행측정에 대한 내용을 살펴보고자 한다.

진료의 품질과 안전성을 사정하기 위한 임상진료검토

의무기록에 대한 비평은 교육생 사정에 있어 오랜 시간 동안 지속된 접근법이다. 의무기록은 다음과 같은 여러가지 중요한 기능을 제공한다: (1) 다른 의료제공자와 환자가 사용하는 중요한 환자의료정보의 보관자료, (2) 특정 만성질환(예: 당뇨병), 수술 후 진료 또는 예방과 같은 진료수행을 사정하기 위한 자료의 출처, (3) 환자안전과 합병증 모니터링, (4) 진단 및 치료 의사결정의 문서화. 의무기록의 이러한 환자진료 기능이 교육과 평가의 목적으로 어떻게 활용할 수 있는지는 쉽게 파악될 수 있다.[37,40]

진료 감사(audit)는 캐나다 전문의양성 역량모델(Canadian Medical Education Directions for Specialists, CanMEDS)에서 지도자의 역할을 평가하거나, ACGME/ABMS의 일반역량과 개념 틀에서 *진료바탕학습 및 개선(PBLI)*과 *시스템바탕진료(SBP)*의 역량을 평가하는 데 필수적인 평가방법이다. 이러한 역량은 전공의가 제공하는 진료의 체계적인 검토를 바탕으로 자신의 임상진료 과정을 모니터링하고 진료의 질을 개선하는 데 적극적으로 참여하는 것을 의미한다. 진료 검토(review)는 의무기록을 사용하여 자기성찰을 촉진하고 평생학습에 필요한 중요한 기술인 자기주도적 학습을 지원할 수 있다.

품질(수행) 측정에 대한 입문서

특정 유형의 임상수행검토(clinical performance reviews)에 들어가기 전에 임상 수행도 측정에 대한 간단한 사전학습 도움될 수 있다. 미국보건복지부(Health and Human Services, HHS) 정의에 따르면 수행도 측정은 "의료 시스템을 측정하도록 설계한 것이며, 임상 또는 진료지침에서 도출된다. 구체적으로 측정 가능한 요소로 평가되는 자료들은 해당 기관 의료의 질적 수준의 계량기 역할을 한다."[41] HHS는 또한 수행도 측정과 임상지침은 동일하지 않다는 것을 강조한다. 임상지침은 의사와 환자가 특정 임상 환경에서 적절한 진료에 대한 의사결정을 안내하기 위해 체계적으로 설계된 것이다.[41]

HHS는 도나베디안(Donabedian) 모델을[42] 기반으로 수행도 측정치를 다음과 같이 분류했다.

- 의료구조측정(structure of care measure): 의료서비스 제공 능력과 관련된 의료조직(또는 임상의사)의 기능을 정량화한다. 간단한 예로는 전자의무기록의 유무와 기능, 수술실 또는 소생실에 적절한 도구가 있는지의 유무.[43]
- 과정측정(process measure): 효능 또는 효과의 과학적 근거를 바탕으로 환자를 대신하여 또는 환자에 의해 제공되는 특정 의료서비스를 정량화한다.[43] 과정측정의 예로는 의사에게 진료받은 적응증이 있는 여성 중 유방촬영술을 받은 여성의 비율을 들 수 있다.
- 성과측정(outcome measure): 의료서비스를 받은 환자의 건강

상태를 정량화한다. 성과측정 개선이 궁극적인 목표다. 사망률과 유병율(예: 합병증)이 가장 흔한 성과측정의 예이다. 어떠한 성과측정은 혈압 조절과 같이 "중간수준(intermediate)"의 성과측정으로 분류된다. 이는 확실한 과학적 근거로 혈압과 뇌졸중, 심장질환 등의 명확한 연관성을 입증할 수 있기 때문이다. 기타 중요한 성과측정으로는 치료에 대한 환자의 경험과 환자 자기보고 성과측정(patient-reported outcome measures, PROMs)이 있다. PROMs는 고관절 교체 6개월 후 통증 없이 걸을 수 있는 능력과 같이 주로 기능적 상태를 측정한다. 이러한 측정치들은 점점 더 중요시되고 있다.

- 균형측정(balancing measure): 시스템의 한 부분을 개선하기 위한 변경이 다른 부분에 새로운 문제를 야기하지 않는지 확인한다.[46] 시스템의 다른 부분을 조사하여 한 영역의 개선이 다른 영역에서 예기치 않은 결과를 가져오지 않는지 확인한다.

수련프로그램의 경우, 제공된 진료 품질과 교육적 성과 사이의 관계를 검토하고 학습환경이 최적으로 수행되고 있는지 확인하기 위해 처음 세 가지 유형의 측정이 중요하다. 보다 심화된 수련교육의 경우 균형측정("균형점수 카드")에[46] 대한 추가적인 경험을 제공하는 것이 도움이 될 수 있다. 개별 교육생에게 과정측정과 성과측정은 일반적으로 사정, 피드백 및 지속적인 전문성개발을 위한 가장 유용한 유형의 측정일 것이다.

진료검토를 위한 자료 출처

많은 병원과 점점 확대되고 있는 외래 진료소들은 환자들의 방문과 진료의 중요한 내용을 문서화하고 추적하기 위해 전자의무기록으로 이미 바뀌었거나 전환하고 있는 중이다. 의무기록이 전자이든 종이든 간에, "문서화된" 의무기록은 교육적 경험의 필수적인 요소이다. 검토(review)에 필요한 자료들로는 전산화된 검사실 자료와 영상의학 기록, 청구서, 약국 자료, 그리고 다른 행정 데이터들이 포함될 수 있다. 지역 수준에서 각 특정 유형의 자료 시스템에는 자체적인 한계가 있으므로, 소속된 기관의 질 향상 부서나 정보기술 부서와 논의하여 해당 전문분야에 대한 어떠한 데이터를 사용할 수 있는지 확인하는 것이 중요하다. 또한 다수의 국가에서 특히 국가수준의 질적 계획을 위해 환자등록체계의 중요성이 증가하고 있다.[47,48] 환자등록체계와 관련된 현재의 가장 큰 어려움은 환자등록체계들이 종종 학부교육이나 졸업후교육 과정에있는 학습자들은 접근할 수 없다는 것이다. 따라서 대부분의 수련프로그램에서는 지역 정보시스템 자료에 연결해야 할 것이다.[49]

종이의무기록

많은 국가에서 전자의무기록에 급속도로 자리를 내주고 있지만, 종이를 사용하는 서면 의무기록은 여전히 병원에 따라 임상진료 활동을 문서화하는 데 사용되며, 진료의 "질(quality)"에 대한 평가와 피드백을 제공하는 귀중한 자료가 될 수 있다. 측정 능력이 있는 전자의무기록을 확보할 수 없는 의학교육자는 교육과 평가를 위해 종이의무기록에서 중요한 정보를 사용하고 추출하는 방법을 이해할 필요가 있다.

비록 전산화바탕 기록도 그렇지만 종이를 사용하는 기록의 가장 큰 한계는 종이 안에 기록된 내용만큼만 정보로 활용할 수 있다는 점이다. 그러나 임상적 면담의 중요한 측면은 문서화되지 않는 경우가 많다는 연구결과(추후 내용 참조)가 있고, 서면정보의 질은 교육생들마다 다를 수 있다(물론 서면의 내용을 읽을 수 있다는 가정하에!). 또다른 한계는 종이는 기록을 유지하기 위해 과도한 인력의 동원이 필요하다는 점이다. 이러한 측면은 사정 시스템에서 종이 기록을 어떻게 활용할 것인지를 결정할 때 고려되어야 한다.

전자의무기록

수년간 "의무기록"이라는 용어는 환자의 종이 차트나 파일에 포함된 병력 및 신체진찰, 검사실 및 영상검사 결과, 문제 목록 등을 포함한 서면 정보의 수집을 의미하였다. 전자의무기록(electronic medical records, EMRs)은 의료서비스 차원에서 환자 의료정보가 만들어지고 사용되는 방법을 크게 변화시켰다.[50] 그 결과, 앞으로 EMR은 사정을 위해 의무기록을 사용하는 방식도 바꿀 것으로 예상할 수 있다. 컴퓨터를 활용하는 기록 시스템이 수련프로그램 문서에 미치는 영향은 아직 잘 알려져 있지 않지만 많은 기관들이 전자기록으로 옮겨가고 있으므로 더 연구할 가치가 있다. 일부 연구에서는 환자안전의 개선과 의료오류가 감소되었다고 보고하였지만,[51-54] 모든 연구가 긍정적인 결과를 보고한 것은 아니며 많은 연구에서는 EMR의 안전문제에 더 많은 주의가 요구된다고 발표하였다.[55-58] 예를 들어, 한 연구에서는 보건 정보기술 취약성이 오류와 의료과실 소송의 원인이 된다는 것을 발견하였다.[58] 한 가지 의도하지 않은 EMR의 부작용은 의사가 환자보다 컴퓨터 화면을 보는 시간이 훨씬 더 많은 "i-환자" 현상이다. 이는 학습자의 임상술기의 질에 영향을 미칠 수 있다[59](4장 참조).

다수의 EMR은 병력과 신체진찰을 입력하도록 견본과 체크리스트 구조를 제공한다. 서면기록에 비해 EMR을 활용하면 보다 정밀한 정보와 환자 고유정보의 입력이 감소할 수 있다. 많은 의과대학생들의 경우, 이제는 더 이상 전자의무기록에 정보를 입력하는 것조차 허용되지 않고 있다.[60] 유감스럽게도, EMR이 교육생의 기록업무의 질과 양상에 어떤 영향을 미치는지에 대해서는 거의 알려져 있지 않기에 보다 많은 연구가 필요한 영역이다.[60]

EMR의 이같은 현실적인 문제와 상관없이 전자기록은 교육생들의 실제 임상경험을 판단하는 데 큰 가치가 있다.[61-63] 첫째, EMR은 검토(review)를 위해 잠재적으로 특정 유형의 임상자료를 보다 쉽게 검색할 수 있다. 수행평가와 질 향상을 위해서는 임상자료가 필요하다. 특정 환자군(예: 예방치료가 필요한 환자, 당뇨병 등 만성질환 환자 등)을 대상으로 하는 확실한 임상자료가 없으면 질 향상을 구현하기가 거의 불가능하다. 둘째, 학습자는 임상진료 시 어떤 유형과 어떤 상태의 환자를 만나고 있는지 알아야 한다. 전자시스템은 어떤 환자들이 해당 질병 인구를 구성하는지 훨씬 좋은 단면 자료를 제공할 수 있다. 불행히도 아직은 학습자의 임상경험을 추적할 수 있는 프로그램은 거의 찾아볼 수 없다. 해당 교육기관에서 EMR을 접할 수 있는 교육자의 경우, 우선적으로 정보기술 및/또는 질 향상 부서와 접촉하여 EMR 시스템에서 어떤 종류의 데이터를 가지고 있는지, 그리고 교육생들에게 허락되는 데이터는 어느정도까지인지 확인할 필요가 있다. 예를 들어, 신시내티대학(University of Cincinnati)의 내과프로그램은 전공의들의 외래진료 실습의 일환으로 품질 대시보드(quality dashboard)[4)] 시스템을 만들었다.[64]

의료비 청구자료

전공의 및 임상강사 교육수준에서 교육생 및/또는 사무직원은 특히 외래 환자들이 방문할 때 국제질병분류(International Classification of Diseases, ICD)와 현행시술용어(Current Procedural Terminology, CPT) 코드를 일상적으로 사용한다.[61,62] 이 정보는 교육생들에게 임상진료에 대한 귀중한 정보출처가 될 수 있다. 예를 들어, 의료비 청구자료는 특징적인 환자의 집단을 식별하는 데 매우 유용할 수 있다. 의료비 청구자료는 진료과정을 사정하는 데 사용될 수 있다(예: 당뇨병 환자들에게 헤모글로빈 A1c, 지질, 마이크로알부민 측정을 처방하고 시행했는지의 여부). 의료비 청구자료를 사용하여 각 전공의의 환자집단의 구성을 "추적"할 수 있다. 마찬가지로 의료비 청구자료는 급성심근경색(acute myocardial infarction, AMI)과 폐렴과 같은 질환이 있는 환자군을 식별하는 데 사용될 수 있다. 그러면 검토(review)를 위한 의무기록자료 식별이 용이해질 수 있다. 그러나 평가를 위해 의료비 청구자료를 사용하는 것에 대해 몇 가지 주의를 기울여야 한다. 첫째, "질(quality)"을 측정하기 위한 의료비 청구자료의 사용은 코딩의 질에 크게 의존한다. 부실한 코딩 관행은 의료비 청구자료의 가치를 떨어뜨린다. 둘째로, 의료비 청구자료는 본질적으로 진료과정에 국한되며 일반적으로 진료결과에 대한 구체적인 세부사항은 없다.

검사실 및 기타 임상 데이터베이스

대부분 병원의 경우, 그러나 외래의 경우 훨씬 적은 범위에서, 환자군에 대한 검사, 약국 및 영상의학 자료를 전자자료로 검색할 수 있다. 이러한 유형의 전자자료에 대한 접근은 만성질환 치료, 암 검진 등에 대한 체계적 문헌고찰에 큰 도움을 준다. 그러나 불행히도 많은 환자들은 여러 의료기관에서 의료서비스를 받기 때문에 수련프로그램에서 환자들이 받은 각각의 의료서비스를 추적하기란 쉽지 않다. 유방촬영술의 경우, 환자가 검사를 수행하는 장소(외부 진료소, 이동식 차량, 병원 등)에 대해 몇 가지 옵션을 가질 수 있는 예다. 이러한 상황에서, 지역병원 자료만 사용하는 것은 특정 서비스의 사용과 내용을 상당히 과소평가할 가능성이 있다.

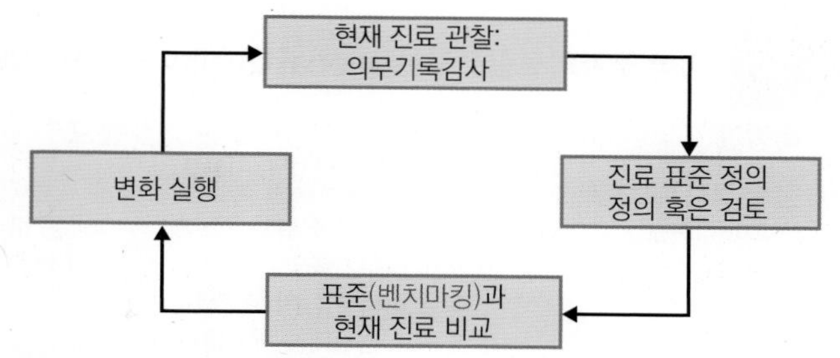

그림 10.5 감사 주기(audit cycle)
출처: Crombie IK, Davies HTO, Abraham SCS, et al: *The Audit Handbook: Improving Health Care Through Clinical Audit.* Chichester, UK, John Wiley & Sons, 1993.

환자등록체계

많은 나라에서 환자등록체계가 더욱 흔해졌다. 예를 들어, 미국에서는 침습성 심장시술과[65] 흉부 수술에 대한 확실하고 오래 지속된 환자등록체계가 있다.[66] 스웨덴에는 현재 스웨덴 인구의 80%를 차지하는 103개의 환자등록체계가 있다(예: PROMs).[47] 국지적으로 개발된 환자등록체계들은 가정의학 프로그램에서 강조된 일부 환자군 내에서 진료의 품질과 수행 추적에 매우 유용할 수 있다.[49] 국가 환자등록체계의 사용은 의학교육에서는 제한적이지만, 연구자들은 외과전공의 프로그램의 경험과 문제점들을 조사하기 위해 미국외과학회 국가수술질향상 프로그램(American College of Surgeons National Surgical Quality Improvement Program, NSQIP) 환자등록체계를 사용했다.[48] 하나의 환자등록체계로 한 명의 전공의에게 성과를 귀속시키는 것은 매우 어렵지만, 이 정보는 전공의의 의료서비스와 수련프로그램을 개선하고, 질 향상과 환자안전에 필요한 역량을 키우는 데 종합적으로 매우 유용할 수 있다. 따라서 지역과 국가적 차원에서 환자등록체계의 활용도는 증가할 가능성이 높다.

검토과정

형성평가를 위한 도구로서 임상자료와 의무기록의 활용도

4) 역자 주. Dashboard는 일반적으로 학습자 수행의 핵심적인 성과나 경과를 그래프, 차트, 수치 등을 사용하여 한 눈에 볼 수 있도록 정리한 시각 자료를 의미한다.

표 10.1 미국 국가의료질포럼(National Quality Forum, NQF) 당뇨병 진료과정 질적 측정 예제

측정값	분자	분모	예외	자료 출처
한 번 이상 헤모글로빈 A1c 검사를 받은 환자의 백분율	측정 기간(연도) 동안 적절한 CPT 코드로 식별되거나 최소한 의무기록의 문서에 기록된 하나 이상의 헤모글로빈 A1c 검사에는 헤모글로빈 A1c가 수행된 날짜 및 결과를 나타내는 메모가 포함되어야 한다.	1형 또는 2형 당뇨병 진단을 받은 18-75세 환자의 정리된 샘플	측정 기간(연도) 동안 다낭성 난소, 임신성 당뇨병 또는 스테로이드 유발 당뇨병 병력이 있는 환자는 제외	병원방문, 검사실 또는 약국을 통한 자료나 의료비 청구자료. 전자자료는 의무기록 자료로 보완될 수 있다.

CPT, Current Procedural Terminology(현행 시술 용어)

를 극대화하기 위해서는 측정검토(감사[audit]) 과정의 기본을 이해하는 것이 중요하다. 임상진료 검토는 시간이 많이 소요될 수 있으므로 교육목적과 사정목적에 대해 명확해질 때까지는 감사를 실시해서는 안 된다. 감사주기는 60년 전에 슈하르트(Shewart)가 개발한 PDSA(plan-do-study-act) 질 향상 주기와 밀접하게 관련되어 있다.[67] 감사 주기(그림 10.5)는 의무기록 감사에서 얻은 정보가 어떻게 교육생의 전문성 개발에 도움이 되는지 보여준다.

이 간단한 도표는 학습자 개인의 변화를 위한 촉매로서의 역할을 하는 임상진료 데이터의 중요성을 강조한다. 이러한 자료가 없으면 수행의 "질"을 결정하고 진척도를 측정하는 것은 거의 불가능하다. 앞에서 언급한 바와 같이 의무기록 또는 이전에 열거된 다른 출처로부터든 임상진료 자료를 사용하여 수행도를 측정하는 것은 ACGME/ABMS의 PBLI와 SPB 역량 및 CanMEDS의 리더 역할의 필수요소이다. 학습자는 이 간단한 감사주기(audit cycle)를 이해해야 할 뿐만 아니라 수련 중에 모든 단계를 효과적으로 수행하고 사정할 수 있는 기회를 가져야 한다.

검토과정의 가치는 의무기록에서 추출된 정보에 좌우된다. 검토방법으로는 "명시적(explicit)"과 "묵시적(implicit)" 검토의 두 가지 접근 방법이 있다. 과거의 의무기록 검토는 주로 묵시적 검토에 의존했다. 즉, 개인은 명시적인 기준이나 특별한 기준 없이 진료수준과 의사결정의 질에 대한 의무기록을 검토해왔다("이것은 좋은 의무기록인가?"; "이것은 잘 관리되었는가?"). 검토자들은 종종 기록의 질을 판단하기 위해 외형 또는 문서의 질에 대한 일반적인 감각을 사용했다. 당시 대부분의 기록은 많은 시스템이 전자의무기록으로 옮겨간 오늘날과 달리 종이에 기초한 것이었다.

묵시적 검토는 1980년대에 중요사건이나 이상반응을 경험하는 환자, 그리고 불만사항을 검토하거나 동료심사활동에 일반적으로 사용되었다. 의학교육에서 묵시적 검토는 임상실습이나 다른 임상경험에 대한 학습자의 환자 "기록하기"를 판단하는 일반적인 기법이다. 묵시적 검토에는 몇 가지 중요한 한계가 있다. 첫째, 수용 불가능한 평가자간 차이가 발생하여 신뢰도가 낮은 경향이 있다. 둘째, 합리적이고 일관성 있게 적용되는 준거와 표준이 없는 경우, 심사자는 특히 복잡한 경우에 대해 무엇이 좋고 나쁜 진료를 구성하는지를 판단하기 어렵다. 선행연구들은 묵시적 검토에 대한 훈련을 했음에도 불구하고 묵시적 검토는 신뢰할 수 없고 일관성이 없다는 것을 보여주었다.[68-70] 과거 묵시적 검토의 질을 높이기 위해 시도했었던 검토자 훈련 시도들은 대부분 성공하지 못했다.[68-70] 이러한 역사적 연구들의 결과, 묵시적 검토는 현재 졸업후교육 수준이나 진료의사 수준에서 비교적 드물게 이루어지고 있다.

명시적 검토 접근법은 세부 기준(즉, 준거 참조)을 사용한다. 명시적 검토에서 질적측정을 신중하게 선정하고 정의하여 진료를 신뢰있고 정확하게 평가할 수 있고 임상현장 전반에서 일반화할 수 있으며 환자 모집단을 대상으로 집계할 수 있다. 마찬가지로, 감사과정도 포함되거나 포함되지 않은 기준을 명확하게 정의하고 구체적으로 기술해야 한다. 측정치의 분자와 분모 모두에 대한 기준은 잘 정의되어 있다. 표 10.1은 미국의 국가의료질포럼(National Quality Forum, NQF)의 질적측정의 예이다.[71]

현재 많은 전문분야에서 광범위하고 표준화된 측정들이 있지만, 일부 전문분야에는 여전히 충분한 수의 의미있는 측정은 부족하다. 일부의 견해에 따르면, 현재는 너무 많은 종류의 질적 측정이 있다.[72,73] 수련프로그램, 특히 전공의나 전문분야의 임상강사의 경우, 해당 전공분야에 따라 프로그램에서 사용하는 측정방법과 내용은 선택적이어야 한다. 측정은 프로그램 및 사정 목적에 부합해야 한다. 질적측정이 중요하지만, 진단과 같이 효과적으로 포착하지 못하는 진료의 다른 측면도 있는데 이 또한 질 향상을 위해서는 측정이 필요한 부분이다.[72]

예를 들어, 일차 진료의사들은 당뇨병, 고혈압, 천식 등과 같은 여러 만성질환이 있는 환자들을 진료하는 법을 배울 것이다. 이 중요한 진료활동(즉, 위임가능전문활동, 1장 참조)에서 적절한 발달을 가능하게 하려면, 학습자는 우선 높은 가치의 진료를 제공하도록 설계된 기능적(환자중심의 의료시설)인 임상시스템에서 일해야 한다. 감사(audit)를 위해 선택한 측정은 교육과정 및 임상진료 목표(예: 혈당 및 혈압 조절, 적절한 백신 처방, 천식 약물의 효과적인 사용 등)와 일치해야 한다. 모든 사정도구와 마찬가지로 필요한 역량과 프로그램 목표와 어긋난 질적 측정법을 사용하는 것은 역효과를 초래한다.

임상진료검토의 장점

사정방법으로서 임상진료검토에는 여러가지 중요한 장점이 있다. 일부 임상진료검토 유형의 경우, 모든 수련프로그램에서 사정의 한 부분이 되어야 한다. 구체적인 장점은 다음과 같다.

유용성

의무기록 또는 기타 임상자료(예: 의료비 청구자료, 검사결과, 영상검사 자료)는 일반적으로 쉽게 이용하고 접할 수 있다. 의무기록에 접근하는 것은 보통 큰 문제가 아니지만, 기록의 종류(종이, 전자)에 따라 진료의 구체적인 측면을 추출하는 것이 어려울 수 있다. 전자 환자등록체계는 특정 품질 과정측정(만성질환 등)에 대한 인구기반 보고서를 작성하는 데 가장 좋지만 흐름도와 문제 목록만 잘 사용해도 만성환자 진료, 예방 등의 질적 자료 수집과 분석을 상당히 진행할 수 있다.

피드백

임상진료검토를 통해 실제 진료상황에 초점을 맞춘 교정적인 피드백을 적시에 받을 수 있다. 교수자는 의무기록에서 얻은 정보를 교육자의 사정과 피드백에 활용하지 못하는 경우가 허다하다. 실제로 이 의무기록은 왜 환자에게 구체적인 진단이나 치료법을 택했는지를 전공의에게 질문하는 '지침서'로 활용될 수 있다. 한 가지 접근방식인 의무기록 자극회상(chart -stimulated recall, CSR)은 7장에서 보다 자세히 다루었다.

임상 행동 변화

임상진료검토가 표적임상중재(예, 예방)의 수행에 대한 "보고 카드(report cards)"처럼 직접적인 피드백을 통해 교육생의 행동을 변화시킬 수 있다는 사실이 다수의 연구에서 제시되었다. 조금 더 오래된 연구에 의하면 단 세 가지 예방적 진료중재에 대한 감사가 감사되지 않은 다른 여섯 가지 예방적 진료중재 개선에 상당한 연관이 있다는 것을 발견했다(예: "유출[spill-over]" 효과).[74] 감사와 피드백의 영향을 조사하는 벨로스키(Veloski)와 동료들의 체계적 문헌고찰 결과 수련병원에서 긍정적인 결과를 발견하였다.[75] 구체적으로 Veloski와 동료들은 전공의 대상 또는 교수자와 전공의가 연구대상으로 선발된 29개의 연구들을 검토하였다. 29개 연구 중 18개(62%)가 임상진료에 대한 피드백의 긍정적인 효과를 보고했다. 그러나 대다수의 연구는 다양한 수준의 전공의를 대상으로 하였기 때문에 감독(supervision) 효과에 대해서는 언급하지 못했다.[75]

보다 최근의 체계적 문헌고찰에서는 의사의 모든 발달 단계에 대한 감사와 피드백의 긍정적인 효과가 발견되었지만 그 효과는 전반적으로 미미한 경향이 있었으며,[76] 기본 수행도가 낮은 의사에게서는 더욱 그러했다. 단순히 감사를 통해서만 자료를 제공하는 것이 중등도(modest)의 효과 크기를 가지는 데는 여러 가지 이유가 있다. 무엇보다도, 단순히 자료를 제공하는 것은 피드백이라 할 수 없다(피드백에 관한 13장 참조). 표 10.2는 의무기록감사 및 질 측정의 형성적 영향을 극대화하는 방법을 요약한 것이다.[77] 이러한 권고사항은 교육훈련 환경에 적합하다.

예를 들어, 의무기록 감사는 자료 피드백이 *전공의(resident)* (또는 의사)별로 주어지고, 검토를 위해 자료를 다시 개별 전공의에게 제공할 때 가장 효과적이라 할 수 있다. 그룹 단위로 제공되는 자료는 피드백의 효과가 떨어진다. 그룹 단위의 피드백 자료를 보는 사람들은 종종 "내가 이정도 수준보다는 더 낫다고 생각하기 때문에 동료들이 조금 더 잘했으면 좋겠다!"라고 말한다.[77,78]

실용성

임상진료 검토를 통해 무작위 또는 표적환자를 대상으로 설문조사를 실시할 수 있으며, 환자가 물리적으로 참석하지 않아도 기록 검토를 할 수 있다. 또한, 임상 활동에 대한 감사를 예정할 수 있어 수련프로그램과 전공의에게 편리하다. 프로그램과 교수자의 실용성을 향상시키는 자기주도 평가와 학습의 일부로 학습자 스스로 검토를 수행할 수 있다. 의무기록 검토는 "호손효과(Hawthorne effect)"를[5)] 최소화하는 데 도움이 될 수 있으며, 학습자에게 방해를 주지 않는 사정도구이다.

임상추론평가

문서의 질에 따라 분석, 해석, 그리고 관리 기술에 대한 평가가 가능하다. 또한 특정 환자나 상태에 대한 평가는 시간이 지남에 따라 수행할 수도 있으며, 많은 만성환자의 경우 핵심 성과와 과정 메트릭스를[6)] 만들 수 있는 좋은 근거들 사용할 수 있다. 제7장은 의무기록을 사용하여 임상적 추론을 사정하는 방법에 대해 논하고 있으니 참고하기 바란다.

신뢰도와 타당도

명시적(explicit) 기준을 사용할 경우 높은 수준의 신뢰도를 달성할 수 있다. 명시적 기준에는 실험실 검사의 적절한 사용, 예방적 건강검진, 비용 효과, 당뇨병 같은 만성질환의 관리, 기록의 양과 같은 영역이 포함된다. 명시적 기준은 진료과정측정

---

5) 역자 주. 호손효과(Hawthorne effect): 단지 주목받고 있다는 사실 때문에 그 대상자에게서 나타나는 업적의 향상. 출처: 동아출판 프라임 영한사전.

6) 역자 주. 메트릭스(metrics): 업무 수행 결과를 보여주는 계량적 분석. 출처: 옥스퍼드 영한사전.

표 10.2 임상진료검토 및 피드백의 효과개선

실행 전략 제안	예시
바람직한 행동/활동의 특성	
1. 교육기관과 프로그램과정에서 설정한 목표와 우선순위에 부합하는 행동	기존 우선순위와 일치하는 피드백 중재를 고려한다. 학습자에게 피드백을 제공하기 전에 현재와 미래의 진료에 필요한 요구와 행동의 특징을 조사한다.
2. 개선될 수 있고 학습자의 통제 하에 있는 행동 또는 활동 권고	피드백을 제공하기 전에 기준(baseline) 수행도를 측정하고, 행동이 학습자의 통제 하에 있는지 확인한다(예: 새로운 약처방의 시작에 대한 지시와 상담).
3. 구체적인 행동 및/또는 활동 권고	피드백과 함께 교정 행동(예: 코칭 또는 개발해야 할 기술)에 대한 실현가능성을 포함해야 한다. 목표행동에 대한 장벽을 극복할 계획이라면 학습자가 주도해야 한다.
피드백이 가능한 자료의 특성	
4. 다양한 피드백 사례 제공	일회성 피드백을 정기적인 피드백으로 교체한다. 임상진료검토는 전체 수련교육에 걸쳐 종단적이고 지속적이어야 한다.
5. 새로운 환자사례 수에 따라 가능한 즉각적으로 피드백 제공	많은 환자사례에서 결과에 대한 피드백의 빈도를 늘린다. 질적 보고서는 의미 있는 진료 자료에 대한 지속적인 접근 기회를 주므로 잠재적으로 유용할 수 있다.
6. 일반자료보다 개인자료 제공	병원별 자료 대신 학습자별 자료를 제공한다. 진료 품질을 단일 학습자의 탓으로 돌리는 것은 어려울 수 있지만, 개별화된 자료는 보다 강력하고 행동 변화를 일으킬 가능성이 있다.
7. 원하는 행동 변화를 강화하는 대조군 선택	여러 개보다 하나의 비교군을 선택. 예를 들어, 달성 가능한 벤치마킹 진료 자료나 국가 규범과 같은 준거참조 표준을 사용하는 것이 도움될 수 있다.
피드백 표시	
8. 시각적 표시 및 요약 메시지의 밀접한 연결	요약 메시지는 이를 지원하는 그림 또는 숫자 자료에 가깝게 배치한다.
9. 한 가지 이상의 방법으로 피드백 제공	주요 메시지를 문자 및 숫자로 제시한다. 주요 권장 사항을 반영하는 그래픽 요소를 제공한다(예: 임상 지침).
10. 피드백 시 관련 없는 인지 과부하 최소화하기	불필요한 3차원 그래픽 요소를 제거하고 공백을 늘리며 지침을 명확하게 하고 학습성과는 많지 않게 설정한다. 다시 말해 “적을수록 좋다(less is more).”
피드백 중재 제공	
11. 피드백 사용에 대한 장벽 극복	피드백을 제공하기 전에 문제점을 파악한다. 진료 외 피드백을 제공하기보다는 진료 과정에 피드백을 포함시킵니다. 피드백에 대해서는 13장을 참조하라.
12. 짧고 실행 가능한 메시지와 선택적 세부 정보 제공	주요 메시지/변수를 첫 페이지에 넣는다. 학습자가 탐색할 수 있도록 추가 정보를 제공한다. 임상 의사결정 지원과 관련된 링크를 학습자에게 제공하는 것도 도움이 된다.
13. 정보의 신뢰도 다루기	피드백이 연구팀이 아닌 신뢰할 수 있는 곳의 실력 있는 사람 또는 동료로부터 제공되는지 확인하고, 자료 출처의 투명성을 높이며, 이해 상충을 공개한다. 이는 또한 데이터를 정직하게 추출했다면 “자신의 정보로부터 도망가기”가 어렵기 때문에 학습자의 자기검토/감사에 특히 도움이 될 수 있는 부분이다.
14. 피드백에 대한 방어적 반응 방지	성찰을 유도한다. 부정적인 메시지와 함께 긍정적인 메시지를 포함한다. “건설적인 피드백”을 준다. 피드백 전달 및 방어적인 학습자 처리에 대한 구체적인 전략은 13장을 참조하라.
15. 사회적 상호작용을 통한 피드백 구축	피드백을 받기 전에 대상 행동에 대한 자기사정을 장려한다. 사용자가 피드백에 응답할 수 있도록 한다. 피드백이 제공될 때 동료들과 대화에 참여한다. 피드백에 관한 대화/코칭에 참여한다. 이는 모든 학습자가 임상진료검토에 참여하고 수련 환경 내에서 진료를 개선하기 위해 협력적으로 정보를 사용할 때 촉진될 수 있다.

출처: Brehaut JC, Colquhoun HL, Eva KW, et al: Practice feedback interventions: 15 suggestions for optimizing effectiveness. *Ann Intern Med* 2016;164(6):435–441의 내용 수정.

(예: 특정 기간 내에 당뇨병이 있는 환자에게 헤모글로빈 A1c를 지시하는 등)과 측정하기 쉽고 오랜 시간이 필요하지 않은 일부 결과(예: 중간 결과로서 헤모글로빈 A1c의 수준 측정)에 가장 적합하다. 기록에 포함된 정보는 실제 환자와 직접 관련되기 때문에 임상진료검토 결과는 매우 실제적인 것이다. 의무기록은 교육생이 실제로 수행하는 일 즉, 수행에 대한 기록이다.[79] 일부 연구에서는 다른 변수들과의 관계와 같은 다른 타당도 근거를 발견했는데, 진료품질의 감사결과는 공인된 면허를 취득하거나

안전한 시험을 통해 인정 받은 전문지식 수준과 보통 수준의 상관관계를 보였다.[80-84] 그러나 임상수행에 대한 고부담 시험에 의해 설명되는 분산의 크기는 크지 않으며, 대개는 5-10%에 불과하다. 이는 실제 수행을 사정하기 위해 임상진료검토와 같은 업무바탕 평가방법을 사용하는 것이 매우 중요하다는 것을 의미한다.[84] 고부담시험은 임상진료 수행평가를 위한 극히 일부분에 지나지 않는다.

수행을 통한 학습과 사정

의무기록감사는 전공의가 동료심사 과정에 직접 참여할 수 있도록 한다. 애쉬톤(Ashton)은[85] 20여 년 전 병원의 질향상 프로그램에 전공의를 참여시킨 "사례"를 만들었다. 전공의가 자체검토를 수행하도록 하는 것이 훨씬 큰 효과를 줄 수 있다. 전공의들의 자체감사(self-audit)를 다룬 한 연구는 대다수의 전공의들은 자신이 종종 핵심 질적지표를 수행하지 못했다는 결과에 놀랐다는 것을 발견했다.[78] 웹기반 도구인 진료개선모듈(practice improvement module, PIM)을 사용한 진료의사들을 대상으로한 연구결과, 자체감사는 PIM이 유용하다는 것을 발견했고 자신들이 예상외로 잘 수행하지 못하는 많은 영역을 발견했다는 점에 주목했다.[86] 우리는 이것을 유감(chagrin) 혹은 "아하(aha)" 요인이라고 부른다. 대부분의 자료를 스스로 입력해 감사를 실시했기 때문에 교육생들이 결과에 대해 "숨길(hide)" 수 없고 자료의 품질에 대해 불평하거나 심사자를 탓할 수 없다는 것이 자체감사의 주요 장점이다.

예일(Yale)대학의 내과전공의 프로그램 2년차에 접어든 전공의들은 외래 순환근무 중 질 향상 경험의 일환으로 자체감사에 참여했다. 전공의들은 근무 시간의 일부를 면역, 암 검진, 당뇨병 진료의 질에 대한 자체 의무기록을 검토하기 위해 할애했다. 이러한 접근방식은 전공의들이 자기주도적 사정과 진료에 대한 성찰과 같이 중요한 기술을 배우면서 질 향상 방안의 중요성을 이해할 수 있게 해주었다. 이렇게 비교적 간단한 개입으로 인해 전공의 행동의 의미 있는 변화와 환자진료에 대한 약간의 개선을 가져왔다.[78] 한 내과 프로그램은 전공의에게 정보 사용방법을 가르치는 동시에 관리의 질개선을 유도하는 품질 대시보드를 제공했다.[64,77] 내부적이든 외부적이든 표준수행에 미치지 못하는 전공의 수행에 대한 벤치마킹도 도움이 될 수 있다.[64,76,77]

의무기록감사와 같은 효과적인 임상진료검토 교육의 중요성은 날로 높아지고 있다. 대부분의 건강보험 회사들은 특정진료 관행에 대한 검토를 수행하기 위해 정기적으로 기록의 사본을 요구한다. 예를 들어, 미국보험청(Center for Medicare and Medicaid Services, CMS)은 현재 미국의 공개 보고와 품질 개선을 위해 입원과 외래 메디케어 환자의 진료를 일상적으로 검토한다. 효과에 대해서는 그 근거가 확실치 않지만 그럼에도 불구하고 많은 국가 의료시스템은 성과급 체계의 일환으로 의사에게 질적 데이터를 제공하고 있다. 학습자들은 이러한 실무의 측면에 대비할 필요가 있을 것이다. 따라서 교육생들을 임상진료검토에 참여시키는 것은 궁극적으로 그들의 성공적인 미래를 위해 중요하다.

자기사정 및 성찰

학습자가 검토과정에 참여할 때 그 결과는 자기사정(self-assessment), 자기조절학습(self-regulated learning)과 성찰을 촉진하는 강력한 도구가 될 수 있다. 공개보고와 지속적인 사정에 대해 언급된 내용들을 고려할 때, 수련 중인 의사는 진료 데이터를 사용하여 자신의 수행을 효과적으로 자체사정하고 결과를 정확하게 성찰한 다음 그 결과를 지속적인 전문성 개발을 위해 활용할 준비를 해야 한다.[87-89] 또한 자기주도사정(self-directed assessment)은 내적동기를 극대화하고 학습자가 자신의 임상진료에 대한 스스로의 사정에 대해 더 많은 통제/자율성을 부여하는 자기조절학습의 중요한 원칙과 잘 일치한다.[90]

임상진료검토는 매우 유용한 교육도구가 될 수 있고, 잠재적으로 행동을 변화시킬 수 있으며, 명확한 검토 기준이 사용될 때 유용한 정보가 될 수 있다. 이러한 검토자료들을 추적하면 종합적인 임상역량 기록의 일부로 포함할 수 있으며 포트폴리오에 쉽게 통합될 수 있다(14장 참조). 마지막으로, 많은 수의 학습자를 대상으로 한 임상진료검토의 결과는 프로그램 효과의 사정에 대한 귀중한 정보를 제공한다. 예일대학교의 연구에서 우리는 많은 임상지표에서 저조한 수행을 발견했는데, 이는 양질의 당뇨병 진료를 제공하는 데 있어 프로그램 수준의 비효과적인 부분을 성찰할 수 있었다. 또 다른 국가적 연구에서는 내과와 가정의학 전공의 프로그램에서 많은 질적 지표를 통해 노인들을 돌보는 데 상당한 결함이 있다는 것을 발견했다.[91]

이러한 연구들은 책임지도전문의들이 제도적 차원에서 효과적인 진료 제공에 대해 이해하는 것이 얼마나 중요한 지 강조하고 있다. 임상진료검토는 프로그램 평가와 프로그램 설계에서 중요한 역할을 해야 하는 환자에게 실제로 제공되는 진료의 장단점을 식별할 수 있다. 어떤 사람들은 임상교육훈련이 환자에게 제공된 진료의 질만큼만 좋다고 주장할 것이다. 최근의 여러 연구에서 이러한 사실의 확실한 근거를 제공하고 있다. 아시(Asch)와 동료들은 산부인과의사가 제공하는 진료의 질과 그들이 수련한 병원의 진료 질 사이에 강한 상관관계를 발견했다.[92] 주요 산부인과 합병증의 하위 5분위와 상위 5분위 사이의 상대위험도(relative risk) 차이는 32%이었다. 이 연관성은 의사가 전공의 과정을 마친 후 15년 이상 지속된 것으로 밝혀졌다.[93] 밴살(Bansal)과 동료들은 일반 외과의사들 사이에서 수술 합병증에 대한 유사한 패턴을 발견하였다.[94] 첸(Chen)과 동료들, 시로비치(Sirovich)와 동료들은 진료비와 적절한 보존 관리에 관하여 동일한 패턴을 발견했다. 고비용/고자원를 사용하는 병원에서 수련받은 전공의는 진료현장에서 고비용 의사가 되었고, 고부담시험에서 상대적으로 성적이 나빴는데 예를 들어, 정답이 보존적 치료(예: 주의 깊은 경과 관찰)와 연관된 질문일 경우 더욱 그러했다.[95,96] 여기에서의 핵심은 지속적인 진료 개선을 위해 수련 프로그램은 개별 학습자, 프로그램, 그리고 병원의 지속적인 진료 개선을 돕기 위해 양질의 자료를 사용해야 한다는 것이다. 임상진료검토는 교육병원에서 교육과 임상적 중재의 통합적인 효과를 사정하기 위해 활용될 수 있다.

임상진료검토의 잠재적 단점

역량평가도구로서 의무기록을 이용하는 전통이 있음에도 불구하고 터그웰과 독(Tugwell and Dok)은 30여 년 전 교육과 사정에 있어 교육생들의 의무기록을 이용한 연구가 부족했다고 한탄했다.[70] 비록 상황이 다소 나아졌지만, 아직도 갈 길은 멀다. 첫째, 병원 입원이나 경과기록 작성을 위해 사용되는 구조화된 포맷이 의과대학에서는 많은 관심을 받고 있지만, 전공의나 임상강사 수준에서는 이러한 철저한 검토가 사라지는 것 같다. 가장 큰 변화는 상형문자를 해독하는 것과 유사한 문제를 일으킨 전자의무기록의 도입이었다. 많은 EMR의 경우 교육생이 단지 일련의 상자를 체크하는 형식(특히 응급실 기록에서 흔하다) 견본의 기능을 제공하는데, 이는 환자의 병력, 신체진찰, 평가, 관리의 서로 관련성이 부족한 요약본을 만들게 된다. 이렇게 생성된 자료는 진료과정이나 의사의 사고 과정을 해석하거나 추론하기 매우 어렵다. 엎친데 덮친 격으로, 많은 EMR 공급업체들이 생기면서 여러 종류의 견본(template)과 체크리스트, 자유 텍스트 입력 공간 자료들을 조합하여 EMR 프로그램들을 만들기 시작했다. 이러한 현상은 의학교육자들에게는 골치아픈 새로운 문제가 만들어진 샘이다.

문서화와 관련하여 또 다른 지속적인 심각한 문제는 편집의 적절성 여부와 관계없이, 입원 및 경과기록에 이전 기록을 잘라 붙여넣는 "잘라 붙이기(cut and paste)" 증후군이다. 필자가 근무했던 과거 병원의 내부 질 향상 활동에서는 이러한 작업이 일상적인 경과기록을 "효율적으로" 완성하기 위한 일반적인 활동이라고 생각했었다. 그러나 우리가 새로운 시간 차원을 사용하지 않는한, 7일된 입원환자의 기록이 매일 "수술 후 1일"이라고 기록되는 것은 납득하기 어려운 것이다. 최근 중환자실 기록을 조사한 연구에서, 전문의와 전공의 모두 이전 기록의 정보를 자주 복사했다.[97] 의료기관평가 위원회는 이를 안전문제로 인식하고 "잘라 붙이기"의 위험과 적절한 사용에 대한 지침을 제공했다.[98] 미국보건정보관리협회(American Health Information Management Association)는 잘라 붙이기의 위험을 아래와 같이 열거했다.[99]

- 부정확하거나 오래된 정보
- 현재 정보를 식별하기 어려운 중복된 정보
- 입력자 확인이나 문서의 의도를 식별할 수 없음
- 문서가 처음 작성된 시기를 식별할 수 없음
- 허위 정보의 전파
- 내적일관성이 없는 경과기록
- 불필요하게 긴 경과기록

교육자는 이러한 관행에 특히 민감해야 하며, 잘라 붙이기 모니터링을 검토와 감사에 적합한 안전 및 교육문제로 고려해야 한다.

한편, 효과적이고 효율적이며 안전한 의료제공을 촉진하기 위한 EMR의 중요성을 감안할 때, 교육자는 교육생이 향후 EMR을 보다 효과적으로 사용할 수 있도록 준비해야 한다.[60] 이것은 교육생이 EMR 시스템을 실행할 때 찾아야 할 기능을 포함해야 한다. 또 다른 과제는 의무기록을 임상역량의 "측정내용"으로 사용하는 것이다. 여기서 우리가 던져야 하는 가장 중요한 질문은, 임상진료검토에서 역량에 대해 무엇을 실제로 측정하고 있는가 하는 점이다.

문서의 품질

의무기록 감사의 질은 문서의 질과 같다고 볼 수 있다. Tugwell과 Dok은 "기록이 관리 의사결정의 정당성에 대한 문서라기 보다는 기억의 보조(aide-de-memoir)적인 역할로 더 많이 사용되어 의무기록의 타당도를 지속적으로 훼손하고 있다"고 지적했다. 이 상황은 30년 동안 변하지 않았고 오늘날 EMR의 영향으로 현실에서는 상황이 더 나빠졌다. 특정 진료과정이 전달되었는지의 여부를 확인하는 수준에서 더 나아가 보다 질적인 측정을 목표로 한다면, 교수자 자신이 해야 하는 질문(또는 교육생이 스스로에게 해야 하는 질문)을 정리하면 다음과 같다.

- 환자가 방문 중 발생한 사항을 정확히 반영하고 있는가?
- 환자와 만나는 동안 수집된 관련 정보를 모두 기록하였는가? EMR 자료가 핵심적이고 적절한 진료의 측면을 효과적이고 정확하게 포착하고 있는가?
- 추정진단과 계획이 기록에서 정당화되었는가? EMR에서 환자 상태의 복잡성을 보다 잘 설명하기 위해 자유 텍스트 란에 의미 있고 효율적으로 입력할 수 있는가?
- 의무기록과 함께 제공되는 촉진 도구들(예: 양식지, 문제 목록, 흐름도 등)은 무엇인가? 학습자가 이러한 도구를 사용할 수 있도록 어떻게 준비하고 교육하는가?

놀랍게도, 의무기록의 이러한 측면에 대한 연구는 매우 적다. 한 연구는 학생의 입원기록의 질을 판단하기 위해 IDEA 개념틀의 사용을 조사했다. IDEA는 해석 요약(Interpreter summary), 감별 진단(Differential diagnosis), 추론 설명(Explaination of reasoning) 및 대안(Alternative)을 나타낸다. 연구자들은 15개 항목의 도구를 사용하여 최종 임상실습 등급과의 중간 정도의 신뢰도와 상관관계를 발견했다.[100] 이러한 유형의 도구는 전문직 간 팀원 및 환자 간 의사소통 도구로서 의무기록의 중요성을 감안할 때 해당

도구에 대한 추가 연구가 이루어져야 할 충분한 가치가 있다.

또 다른 연구들에서는 의무기록 감사를 사용하여 진료 및 수행의 특정 측면을 측정하는 잠재적 문제를 강조하였다. 한 연구는 의무기록 감사를 표준화환자(standardized patient, SP)의 진료의 질 항목에 대한 체크리스트와 비교했다. 럭(Luck)과 동료들은 SP의 전반적인 질 점수가 의무기록 감사보다 상당히 높았다는 것을 발견했다.[101] 이 연구에서 의무기록 감사는 SP를 황금기준으로 비교했을 때 70%에 불과했다. 그 후 동일한 저자가 임상비네트, SP 및 의무기록 감사를 비교한 결과, 의무기록 감사의 경우 교수자와 전공의 집단 사이에서 가장 낮은 품질 기준을 발견했다는 사실을 다시 확인했다.[102] 그러나 이러한 연구의 대부분은 시대에 뒤떨어진 연구들이며, 의무기록에는 기록되지 않는 의학면담의 중요한 관점들을 다루는 서면기록을 이용했다. 그럼에도 불구하고, 이렇게 오래된 연구들은 오늘날 문서작성의 주요 원칙을 강조한다.

뿐만 아니라, "좋은 의무기록"이 반드시 "좋은 진료"와 같을 필요는 없다. 예를 들어, 의무기록에는 금연 상담을 위한 확인란이 있을 수 있지만, 이러한 "확인"은 상담과정에서 다룬 내용과 상담이 얼마나 잘 수행되었는지에 대한 많은 정보를 제공하지 못한다. 여기에서는 직접 관찰이 필요하다. 특히 EMR 시대에는 기록의 질이 환자결과에 미치는 영향에 관한 더 많은 연구가 필요하다. 이는 환자진료가 종종 분절화되는 시대에서, EMR간의 호환성 부족으로 인해 편지와 이메일을 포함하는 서면 기록으로 여전히 진단과 치료 선택을 "소통"하는 다수의 의사들 사이에서는 특히 중요할 수 있다. 연속성의 부족은 여러 수련병원 간에 학습자를 이동하는 졸업후의학교육 과정에서 매우 시급한 문제다. 이상의 연구들은 진료품질에 대한 학습자와 프로그램 수행을 함께 측정할 수 있는 가장 좋은 방법의 조합이 무엇인지에 대한 질문을 던지고 있다.

절차 대 결과

임상진료검토는 특히 명시적 기준이 정의된 경우, 특정 진료과정이 수행되었는지 여부를 결정하기 위한 상당히 좋은 방법이다. 그러나 환자 결과에 대한 원인을 알기 위해 의무기록을 사용하는 데에는 제한이 있다. 대부분 혈압, 헤모글로빈 Alc 수치, 수술 후 합병증이 없는 것 등과 같은 중간결과가 활용된다. 위기상황 검토를 위한 체계적인 접근법으로 근본 원인분석법(root cause analysis)이[103] 있는데, 이 접근법은 의무기록으로부터 얻은 정보를 사용한다. 비록 감염, 합병증, 기능 상태, 기타 질환 유병률, 사망과 같은 환자 결과를 대부분의 상황에서 한 학습자의 행동과 결정에 인한 것으로 판단하기에 부적절하고 어려운 판단이다. 그래서 보다 현명한 판단은, 개념틀을 활용하여 학습자의 *기여(contribution)*, 특히 시스템과 전문직 간 팀의 맥락에서 환자결과에 미치는 *기여*를 탐구하는 것이다. 특히 졸업후의학교육과정에서 더욱 그러하다. 예를 들어, 그래버(Graber)와 동료들은 대부분의 환자 부작용이 개인의 실수(예: 자료수집 불량 및 잘못된 정보의 결합)와 시스템 요인(예: 직종 간 단절, 인수인계, 적절한 경고 부족)의 조합에서 비롯된다는 것을 발견했다.[104] 근본 원인분석은 이상반응탐구를 위한 효과적인 방법이다.

임상판단 사정

전공의의 분석 및 통합기술은 기록검토를 통해서 부분적으로만 사정될 수 있으며, 특히 문서작성의 품질 문제를 고려할 때 그러하다. 나아가 다음과 같은 질문도 던져볼 수 있다. 문서에 의사의 판단이 충분히 기록되어 있는가? 의사의 판단이 적절한 관리계획으로 이어졌는가? 제니스(Gennis)와 제니스(Gennis)는[105] 전문의가 전공의와 독립적으로 환자를 평가할 때, 전공의가 담당한 환자의 거의 33%에서 주치의의 진료관리에 대한 권고가 전공의와 다르다는 것을 발견했다. 일개 군대 외래 진료소에서 실시한 유사한 연구에서도 전문의와 전공의의 의사결정 대해 앞선 연구와 유사한 차이가 있는 것으로 밝혀졌지만, 그 차이의 폭이 크지 않았고 교수자들이 권고한 대다수의 변경 사항은 경미했다.[106] 이 두 연구는 의무기록검토에서 치료 계획의 적절성을 정확하게 측정할 수 있는지에 대해 매우 의미 있는 의문을 제기한다.

검토 시간과 양

임상진료검토는 시간이 매우 많이 소요될 수 있는데, 특히 고부담 의사결정 상황에서 의무기록 검토를 사용해야 하는 경우, 의학교육 환경에서 기존 문헌으로는 자료가 불충할 경우 더욱 그러하다. 무엇보다, 감독하는 의사와 다른 의사들이 검토에 관여하거나 참여해야 한다는 점을 감안할 때, 학습자에게 품질 및 안전 측정의 직권을 부여하는 것이 매우 어려운 경우가 많다. 둘째, 진료의와 함께 근무하는 연구자들은 단일조건(예: 당뇨병)의 프로그램에서 통과/미통과에 대한 의사결정을 위해서는 최소한 25-35명의 환자 의무기록이 필요하다는 것을 발견했다.[107] 한편, 측정결과를 혼합하여("복합양식[composites]") 사용하는 경우 신뢰도를 높이고 개별 의사 수행에 관한 타당도를 갖는 것으로 확인되었다.[83,108] 문제는 여전히 특정 조건에 필요한 환자의 수, 혼합 방법론을 사용하여 통계분석을 수행할 수 있는 분석전문가의 존재, 수련 환경에서 복합양식을 사용하는 것이 충분한 가치가 있는 지의 여부이다. 일차진료, 가정의학, 내과 등 여러 가지 만성질환이 있는 환자를 돌보는 전문분야에 대해서는 특히 미래에 복합적인 수행 기술을 갖추어야 할 경우, 연차별 전공의들에게 복합양식을 사용하는 것이 어느 정도 필요할 수 있다.

또한 임상진료검토에서는 추출도구의 개발 및 테스트, 자료수집 및 입력, 자료분석, 그리고 개별 전공의에게 결과가 배포되어야 한다. 만약 기능적인 EMR로 일할 수 있을 만큼 충분히 운이 좋은 임상 환경이라면, 필자의 제안은 정보기술 전문가들과 협력하여 얼마나 많은 과정이 자동화될 수 있는지 알아보기를 권한다. 자료를 스프레드시트로 내보낼 수만 있어도, 기본적인 분석을 위한 정리된 자료가 확보된다. 그리고 가능하면 표준화된 추출 도구를 사용하고, 이미 현장에서 검증된 질적 측정도구를 사용하는 것이 바람직하다. 이러한 추세가 날로 전세계적인 표준이 되고 있지만, 아직 해야 할 일이 많이 남아 있다. 몇몇 연구자들은 중복된 측정도구들이 필요이상으로 많이 개발되었지만 정작 제대로 정렬된 측정도구들은 부족한 현상이라고 논평했다. 미국에는 실제로 의료연구 및 품질 조사국(Agency for Healthcare Research and Quality, AHRQ)이 지원하는 질적 측정관리를 위한 웹 기반 정보센터가 있다.[109] 만약 소속된 병원/진료소에서 현재 수련프로그램 질 측정/지표를 사용하고 있지 않다면, 다음 소개하는 곳은 해당 전공분야에서 사용할 수 있는 측정도구를 검토할 수 있는 좋은 곳이다. 연방품질포럼(National Quality Forum)은 체계적으로 질 측정도구를 승인하고 있으며, 승인된 측정도구들은 웹사이트에서 다운로드할 수 있다.[71] 특히 전공의들에게 추출 수행법을 배울 수 있는 기회를 주고 싶다면, 첫 시작으로는 이 양식을 추천해보고 싶다.

미국의 인증기관 특히 내과, 소아과, 가정의학과 수련프로그램에서 웹 바탕 수행 개선 모듈을 활용하고 있는데, 이 모듈들은 핵심 주제와 관련하여 자료입력, 수집 및 분석이 가능하다.

이미 잘 개발된 측정도구를 활용하면 상당한 시간 절약할 수 있다. 또한 학습자가 실제 임상진료검토를 수행하는 것을 강력히 추천한다. 이렇게하면 수련프로그램과 교수자가 시간을 절약할 수 있을 뿐만 아니라 앞서 설명한 바와 같이, 교육생에게 자체감사 경험을 제공할 수 있다.[91,110,111]

비용

보관된 기록물에 대한 임상진료검토를 수행하고, 의무기록을 모으기 위해 수수료를 부과하는 경우, 비용은 수련교육에서 고려되어야 할 한가지 요인이 될 수 있다. 교수자나 다른 행정인력을 사용하여 자료 추출을 수행하는 경우에도 비용이 한 요인이 될 것이다. 교수자의 경우, 대개 그 비용은 시간이다. 자료추출 담당자를 지정한다면, 해당 서비스에 대한 금전적 수수료가 필요할 것이다. 정보기술부서가 EMR의 자료추출 업무를 맡을 경우 해당 업무에 대한 수수료를 부과할 수 있다. EMR을 활용하는 경우, 특정 환자를 돌보고 있는 전공의나 전임감사를 찾기 어려운 경우가 많다. 그 이유는 환자의 기록은 담당 의사가 기록하기 때문이다. 환자는 여러 학습자와 상호작용하는 경우가 많기 때문에, 특히 입원 환경에서 누가 특정 환자를 돌보는 전공의인지 판단하는 것이 매우 어려울 수 있다. 이러한 상황에서 사용할 수 있는 몇 가지 간단한 알고리즘(예: 특정 의사와의 만남 횟수)이 있지만, 가장 이상적인 것은 학습자에게 특정 환자를 "배정"하여 EMR 시스템으로 쉽게 찾을 수 있도록 하는 것이다.

교수개발

임상진료검토에 대한 폭넓은 경험이나[19] 환자안전 및 질 향상 과학 지식을 가진 교수자는 거의 없다. 교수개발에는 임상 문서의 품질, 추출 기술, 자료의 해석 등 몇 가지 핵심 주제가 있다. 많은 교수들은 자신의 의학면담 결과를 기록할 때 학습자와 동일한 행동을 보인다. 게다가, 교수들도 종종 학습자들과 동시에 전자의무기록의 사용을 배워야 할 때가 있다. 여러분의 최우선 과제는 해당 소속 기관에서 의무기록의 최적의 사용을 교수자들에게 교육하는 것이어야 한다. 둘째, 믿을 수 있고 정확한 자료추출은 그 자체로 기술인데, 대부분의 교수자는 경험이 거의 없다. 필자는 교수자가 자료추출 서비스를 제공하는 핵심 인력이 되어야 한다고 주장하는 것은 아니지만, 교수자가 자료추출 매뉴얼 사용방법, 품질 측정값의 구체적인 해석방법, 피드백을 위해 자료사용법(표 10.2 참조) 그리고 질 향상을 포함한 적절한 질적 검토를 수행하는 방법을 이해할 필요가 있다. 교수자는

표 10.3 의무기록감사 제한점 요약

제한점	해결방안
문서작성 품질	• 만성질환 및 예방 진료를 위한 문제 목록 및 흐름도 사용 • 병력 청취 및 신체진단을 위한 양식 • 전자의무기록(EMR)(문서작성을 개선할 수도 있고 개선하지 않을 수도 있다) EMR의 효과적인 사용을 위한 훈련이 필요하다. • 의무기록감사를 직접관찰 또는 환자면담과 결합(의무기록 정보를 보충하기 위해)
시간	• 교육생이 자신 및/또는 동료의 의무기록을 감사 • 특히 EMR이 있는 경우 병원 또는 진료소 질 개선 부서의 도움을 받아 수행 보고서를 작성하도록 한다. • 타 의료종사자의 활용(가능한 경우)
묵시적 검토	• 일반적으로, 비구조적 묵시적 검토는 피한다. • 의무기록 검토를 위한 최소한의 개념틀(예: IDEA 틀)을 제공하고 검토자의 판단에만 의존하지 않는다. • 가능할 때마다 명시적 준거 사용 • 감사자 교육과 질 모니터링/피드백 제공
비용	• 교육생이 자신 및/또는 동료의 의무기록을 감사 • 가능한 경우 질 향상 부서의 기존 보고서 활용
임상적 판단 사정	• 의무기록 감사를 의무기록-자극 회상과 결합

학습자가 개선될 수 있도록 임상진료검토결과를 해석하는 방법을 알고 있어야 한다. 예를 들어, 교수자는 질적 측정결과에서 몇 가지 수준 미달을 보여주는 "품질 보고서"를 통해 학습자에게 어떤 피드백을 줄 수 있는가라는 질문에 답할 수 있어야 한다. 부록 10.1은 질 향상 및 환자안전교육에 관한 자료 목록을 보여준다. 또한 13장에서는 임상수행 자료와 함께 사용할 수 있는 훌륭한 피드백 모델들을 제시하고 있다.

임상진료검토의 한계점은 다음과 같이 요약할 수 있다.

1. 의무기록검토는 시간이 많이 소요될 수 있으며, "고부담" 의사결정에 대한 신뢰도를 높이기 위해, 학습자당 상당한 수의 기록(대개 25개 이상의 의무기록)을 검토할 필요가 있으며, 학습자에 대한 의미 있는 권한부여가 필수적이다. 질적 측정이 포함된 임상진료검토를 사용하는 것이 형성평가 활동으로 가장 권장된다. 지역정보시스템과 자원에 따라 교수자의 실질적인 헌신이 필요할 수 있다. 실시간 감사뿐만 아니라 검색 기능과 환자등록체계 기능을 갖춘 전자의무기록은 지속적인 질적 피드백을 제공할 수 있다.
2. 현재 우리가 다루는 문서의 품질과 완성도는 의무기록검토의 타당도를 저해하고 있다. 기록된 자료가 의사와 환자의 상호작용을 포괄적으로 기록하는 경우는 드물다. 한편, 현재의 EMR 자료는 훨씬 덜 포괄적이고 통합적일 수 있다. 따라서 앞으로 해야 할 과제들이 많이 남아 있다.
3. 임상진료검토는 면담의 중요한 질적 측면을 사정할 수 없다. 예를 들어, 상담 내용을 문서화한 자료는 학습자의 의사소통 능력이나 상담의 질에 대해 그 어떤 언급도 기록하지 않는다.
4. 환자를 보거나 직접 학습자를 관찰하여 확인하지 않고는 의사의 진단적 추론능력과 판단을 적절히 사정하기는 어렵다.
5. 현재의 의무기록 조직 형태는 일관성이 결여되어 있어 임상진료 감사의 표준화를 계속 저해할 것이다.
6. 임상진료검토를 외부 전문가에게 맡긴다면 비용이 많이 들 수 있다.
7. 의무기록은 진료과정을 사정하는 데 보다 좋을 수 있고, 권한부여 문제로 인해 개별수준에서 환자결과를 보는 것은 효과가 떨어질 수 있다. 특정 절차와 중간결과에 집중하면 의무기록검토의 유용성을 높일 수 있다.

표 10.3에는 임상진료검토의 핵심 제한점과 실행 가능한 해결책이 요약되어 있다.

임상진료검토에 대한 대안적인 접근법

비공개 표준화환자

"비밀 쇼핑객(secret shoppers)"이라고도 불리는, 비공개 표준화환자(unannounced standardized patients, USP)는 의사들의 진료 품질을 사정하는 데 활용되어 왔다. 1990년대, 램지(Ramsey)와 동료들은 일차의료 의사의 진료의 품질을 검사하기 위해 USP를 사용하였고, 의무기록을 단독으로 사용하여 찾기 어려울 수 있는 많은 결함을 발견하였다.[112] 또한 피보디(Peabody)와 럭(Luck)은 USP가 의무기록 감사보다 낫지만 임상비네트를 사용하는 것만큼 확실하지 않다는 것을 발견하면서, 질적 수준을 판단하기 위해 USP를 사용했다(추후 내용 참조).[101,102] 자바(Zabar)와 동료들은 USP를 사용하여 11개의 일차진료팀을 대상으로 연구를 수행했는데, USP가 특히 팀과 시스템 수행을 잘 포착하고 의사의 환자중심성을 사정하는 데 뛰어나다는 사실을 발견했다.[113] USP를 사용하는 데 있어 가장 큰 어려움은 UPS의 이동과 피드백 자료를 관리하는 비용과 실행계획이다. 바로 이러한 점이 USP가 의사 수행이나 진료 품질의 정기적인 사정을 위한 비용효과적인 전략이 될 수 없는 이유가 되기도 한다. USP에 대한 보다 자세한 논의는 5장을 참조하기 바란다.

임상비네트

임상비네트(clinical vignette)는 가상현실을 포함하여 종이나 전자적으로 전달될 수 있는 시뮬레이션 임상증례이다. 전형적으로, 임상비네트는 환자의 인구학적 정보, 주요증상과 과거력을 제공한다. Peabody와 Luck은 임상비네트에 대한 반응이 의무기록 감사 그리고 USP와 상관이 있다는 것을 증명했다.[101,102] 최근 컨버스(Converse)와 동료들은 의사의 의사결정의 변이를 사정하기 위한 방법으로 임상비네트에 대한 검토를 수행했다. 그 결과 임상비네트가 실질적인 가능성을 가지고 있지만 많은 과제를 안고 있다고 결론을 내렸다.[114] 임상비네트는 유용한 사정 보조도구가 될 수 있지만, 여전히 추정에 불과(실제 임상 환경에서의 행동과 상관없거나 예측하지 못할 수 있음)하며 실제 환자진료를 평가하는 것은 아니다. 따라서 우리는 임상비네트가 실제 환자진료에 대한 임상진료검토를 대체하는 것을 권장하지 않는다.

요약

의무기록, 의료비 청구자료 및 환자등록체계와 같은 다양한 출처를 통한 임상진료검토는 임상역량을 사정하는 가치있는 도구가 될 수 있다. 질 향상을 위한 수행자료의 중요성, 미국의 진료바탕학습 및 개선 그리고 시스템바탕진료 역량과 CanMEDS의 리더 역할 내용을 고려할 때 모든 학습자는 전공의 수련 동안 최소한 개별 수행 자료를 제공받아야 하며, 임상진료검토는 모든 학습자의 사정 프로그램의 핵심 부분이어야 한다. 의무기록은 쉽게 접근할 수 있고, 잠재적으로 많은 수의 임상적 면담을 사정할 수 있으며, 학습자가 환자를 돌볼 때 실제로 무엇을 하는지 사정할 수 있고 실제 진료에 피해가 가지 않도록 실시할 수도 있다. 명시적 준거와 성과기준을 사용할 경우, 진료의 특정 영역

(즉, 예방적)에서 실질적인 습관에 대한 중요한 정보를 얻을 수 있다. EMR, 의료비 청구자료, 환자등록체계 및 검사실/영상검사 자료는 시기적절하고 지속적인 방법으로 접근 가능하고 다양한 정보를 제공할 수 있다.

교육생들을 임상진료검토에 참여시키는 것을 강력히 권장한다. 이것은 자기주도적인 사정와 성찰을 촉진하고 자기조절 학습의 원리와 상당히 일치한다. 또한 의사는 경력 과정 동안 여러 조직과 이해관계자로부터 제공되는 진료의 질에 대한 정밀 평가를 경험하게 될 것이다. 의사는 감사(audit) 방법론에 대한 긍정적인 이해가 필요할 것이며, 임상진료검토는 대부분의 감사 프로그램의 초석으로 남아 있다.

참고 문헌

1. Institute of Medicine. *To Err is Human*. Washington, DC: National Academy Press; 1991.
2. Institute of Medicine. *Crossing the Quality Chasm*. Washington, DC: National Academy Press; 2001.
3. Landrigan CP, Parry GJ, Bones CB, et al. Temporal trends in rates of patient harm resulting from medical care. *N Engl J Med*. 2010;363(22):2124-2134.
4. Agency for Healthcare Quality and Research: 2014 National Healthcare Quality & Disparities Report. Available at http://nhqrnet.ahrq.gov/inhqrdr/.
5. The Commonwealth Fund. *Multinational Comparisons of Health Systems Data*. 2014. Available at http://www.commonwealthfund.org/publications/chartbooks/2014/multinational-comparisons-of-health-systems-data-2014.
6. National Patient Safety Foundation: Free from Harm: Accelerating Patient Safety Improvement Fifteen Years After To Err Is Human. Available at http://www.npsf.org/?page=freefromharm.
7. Scott A, Sivey P, Ait Ouakrim D, et al. The effect of financial incentives on the quality of health care provided by primary care physicians. *Cochrane Database Syst Rev*. 2011;9:CD008451.
8. Batalden P, Leach D, Swing S, et al. General competencies and accreditation in graduate medical education. *Health Affairs*. 2002;21(5):103-111.
9. Royal College of Physicians and Surgeons Canada: CanMEDS 2015 Physician Competency Framework. Available at http://canmeds.royalcollege.ca/uploads/en/framework/CanMEDS%202015%20Framework_EN_Reduced.pdf.
10. Gonzalo JD, Dekhtyar M, Starr SR, et al. Health systems science curricula in undergraduate medical education: identifying and defining a potential curricular framework. *Acad Med*. 2016. [Epub ahead of print].
11. Blank L, Kimball H, McDonald W, Merino J. Medical professionalism in the new millennium: a physician charter 15 months later. *Ann Intern Med*. 2003;138:839-841.
12. Becher EC, Chassin MR. Taking health care back: the physician's role in quality improvement. *Acad Med*. 2002;77:953-962.
13. Brennan TA. Physicians' professional responsibility to improve the quality of care. *Acad Med*. 2002;77:973-980.
14. Goode LD, Clancy CM, Kimball HR, et al. When is "good enough"? The role and responsibility of physicians to improve patient safety. *Acad Med*. 2002;77:947-952.
15. Gruen RL, Pearson SD, Brennan TA. Physician-citizens-public roles and professional obligations. *JAMA*. 2004;291:94-98.
16. Holmboe E, Bernabeo E. The "special obligations" of the modern Hippocratic Oath for 21st century medicine. *Med Educ*. 2014;48(1):87-94.
17. Institute of Medicine. *Educating Health Professionals: A Bridge to Quality*. Washington, DC: National Academy Press; 2003.
18. Interprofessional Education Collaborative: Core competencies for interprofessional collaborative practice (2011). Available at http://www.aacn.nche.edu/education-resources/ipecreport.pdf.
19. Institute for Healthcare Improvement: The IHI Open School. Available at http://www.ihi.org/education/ihiopenschool/Pages/default.aspx.
20. Wong BM, Holmboe ES. Transforming the academic faculty perspective in graduate medical education to better align educational and clinical outcomes. *Acad Med*. 2016;91(4):473-479.
21. Batalden PB, Nelson EC, Edwards WH, et al. Microsystems in healthcare. Part 9: Developing small clinical units to attain peak performance. *Jt Comm J Qual Safety*. 2003;29:575-585.
22. Grumbach K, Bodenheimer T. A primary care home for Americans: putting the house in order. *JAMA*. 2002;288:889-893.
23. Patient Centered Primary Care Collaborative: Defining the medical home. Available at https://www.pcpcc.org/about/medical-home.
24. Jackson GL, Powers BJ, Chatterjee R, et al. Improving *patient care*. The *patient centered medical home*. A systematic *review*. *Ann Intern Med*. 2013;158(3):169-178.
25. Nelson EC, Batalden PB, Huber TP, et al. Microsystems in healthcare. Part 1: Learning from high performing front-line clinical units. *Jt Comm J Qual Saf*. 2002;28:472-493.
26. Nelson EC, Batalden PB, Godfrey MM. *Quality by Design: A Clinical Microsystems Approach. 2007*. San Francisco: Jossey-Bass; 2007.
27. Ogrinc GS, Headrick LA. *Fundamentals of Health Care Improvement. A Guide to Improving Your Patients' Care*. Oakbrook Terrace, IL: Joint Commission Resources; 2008.
28. Wagner EH, Austin BT, Von Korff M. Organizing care for patients with chronic illness. *Milbank Q*. 1996;74:511-542.
29. Von Korff M, Gruman J, Schaefer J, et al. Collaborative management of chronic illness. *Ann Intern Med*. 1997;127:1097-1102.
30. Batalden M, Batalden P, Margolis P, et al. Coproduction of healthcare service. *BMJ Qual Saf*. 2016;25(7):509-517.
31. Berwick DM, Nolan TW, Whittington J. The triple aim: care, health, and cost. *Health Aff (Milwood)*. 2008;27:*759-769*.
32. Bodenheimer T, Sinsky C. From triple to quadruple aim: care of the patient requires care of the provider. *Ann Fam Med*. 2014;12:573-576.
33. Demming WE. *The New Economics For Industry, Government, Education*. 2nd ed. Cambridge, MA: MIT Press; 1994:92-115.
34. Choosing Wisely. Available at http://www.choosingwisely.org/.
35. Wagner R, Patow C, Newton R, et al. The Overview of the CLER Program: CLER National Report of Findings 2016. *J Grad Med Educ*. 2016;8(2 suppl 1):11-13.
36. Bagian JP, Weiss KB. The overarching themes from the CLER National Report of Findings 2016. *J Grad Med Educ*. 2016;8(2 suppl 1):21-23.
37. Ogrinc G, Headrick LA, Morrison LJ, Foster T. Teaching and assessing resident competence in practice-based learning and improvement. *J Gen Intern Med*. 2004;19:496-500.

38. Bowen JL. Adapting residency training. Training adaptable residents. *Western J Med.* 1998;168:371-377.
39. Wagner R, Weiss KB. Lessons learned and future directions: CLER National Report of Findings 2016. *J Grad Med Educ.* 2016;8(2 suppl 1):55-56.
40. Arnold CWB, Bain J, Brown RA, et al. *Moving to Audit. Centre for Medical Education.* Dundee, Scotland: University of Dundee; 1992.
41. U.S. Department of Health and Human Services Health Resources and Services Administration. Performance management and measurement. 2011. Available at http://www.hrsa.gov/quality/toolbox/methodology/performancemanagement/index.html.
42. Donabedian A. *An Introduction to Quality Assurance in Health Care.* New York: Oxford University Press; 2003.
43. National Quality Measures Clearinghouse: http://www.qualitymeasures.ahrq.gov.
44. Nelson EC, Eftimovska E, Lind C, et al. Patient reported outcome measures in practice. *BMJ.* 2015;350:g350.
45. Chen J, Ou L, Hollis SJ. A systematic review of the impact of routine collection of patient reported outcome measures on patients, providers and health organisations in an oncologic setting. *BMC Health Serv Res.* 2013;13:211.
46. Kaplan RS: Conceptual foundations of the balanced scorecard. Available at http://www.hbs.edu/faculty/Publication%20Files/10-074.pdf.
47. Emilsson L, Lindahl B, Köster M, et al. Review of 103 Swedish healthcare quality registries. *J Intern Med.* 2015;277(1):94-136.
48. Hoffman RL, Bartlett EK, Medbery RL, et al. Outcomes registries: an untapped resource for use in surgical education. *J Surg Educ.* 2015;72(2):264-270.
49. Carek PJ, Dickerson LM, Stanek M, et al. Education in quality improvement for practice in primary care during residency training and subsequent activities in practice. *J Grad Med Educ.* 2014;6(1):50-54.
50. Kilo CM, Leavitt M. *Medical Practice Transformation With Information Technology.* Chicago: Healthcare Information and Management Systems Society; 2005.
51. Kaushal R, Shojania KG, Bates DW. Effects of computerized physician order entry and clinical decision support systems on medication safety: a systematic review. *Arch Intern Med.* 2003;163(12):1409-1416.
52. Bates DW, Gawande AA. Improving safety with information technology. *N Engl J Med.* 2003;348(25):2526-2534.
53. Longo DR, Hewett JE, Ge B, Schubert S. The long road to patient safety: a status report on patient safety systems. *JAMA.* 2005;294(22):2858-2865.
54. HealthIT.gov: Benefits of EHRs. Improved diagnostics and patient outcomes. Available at https://www.healthit.gov/providers-professionals/improved-diagnostics-patient-outcomes.
55. Hier DB, Rothschild A, LeMaistre A, Keeler J. Differing faculty and housestaff acceptance of an electronic health record. *Int J Med Inform.* 2005;74(7-8):657-662.
56. O'Connell RT, Cho C, Shah N, et al. Take note(s): differential EHR satisfaction with two implementations under one roof. *J Am Med Inform Assoc.* 2004;11(1):43-49.
57. Meeks DW, Smith MW, Taylor L, et al. An analysis of electronic health record-related patient safety concerns. *J Am Med Inform Assoc.* 2014;21(6):1053-1059.
58. Graber ML, Siegal D, Riah H, et al. Electronic health record-related events in medical malpractice claims. *J Patient Saf.* 2015 Nov 6. [Epub ahead of print].
59. Chi J, Verghese A. Clinical education and the electronic health records; the flipped patient. *JAMA.* 2014;312(22):2331-2332.
60. Hammoud MH. Opportunities and challenges in integrating electronic health records into undergraduate medical education: a national survey of clerkship directors. *Teach Learn Med.* 2012;24(3):219-224.
61. Sequist TD, Singh S, Pereira AG, et al. Use of an electronic medical record to profile the continuity clinic experiences of primary care residents. *Acad Med.* 2005;80(4):390-394.
62. Hripcsak G, Stetson PD, Gordon PG. Using the Federated Council for Internal Medicine curricular guide and administrative codes to assess IM residents' breadth of experience. *Acad Med.* 2004;79(6):557-563.
63. Wong BM, Etchells EE, Kuper A, et al. Teaching quality improvement and patient safety to trainees: a systematic review. *Acad Med.* 2010;85(9):1425-1439.
64. Zafar MA, Diers T, Schauer DP, Warm EJ. Connecting resident education to patient outcomes: the evolution of a quality improvement curriculum in an internal medicine residency. *Acad Med.* 2014;89:1341-1347.
65. American College of Cardiology: National cardiovascular data registry. Available at http://cvquality.acc.org/ncdr-home.aspx.
66. The Society of Thoracic Surgeons: The STS national database. Available at http://www.sts.org/national-database.
67. Langley GJ, Nolan KM, Nolan TW, et al. *The Improvement Guide. A Practical Approach to Enhancing Organizational Performance.* San Francisco: Jossey-Bass; 2009.
68. Hayward RA, McMahon Jr LF, Bernard AM. Evaluating the care of general medicine inpatients: how good is implicit review? *Ann Intern Med.* 1993;118:550-556.
69. Brook RH, Lohr KN. Monitoring quality of care in the Medicare program. Two proposed systems. *JAMA.* 1987;258(21):3138-3141.
70. Tugwell P, Dok C. Medical record review. In: Neufeld VR, Norman GR, eds. *Assessing Clinical Competence.* New York: Springer; 1985.
71. The National Quality Forum. Available at http://www.qualityforum.org/.
72. Berenson RA. If you can't measure performance, can you improve it? *JAMA.* 2016;315(7):645-646.
73. Berwick DM. Era 3 for medicine and health care. *JAMA.* 2016;315(13):1329-1330.
74. Holmboe ES, Scranton R, Sumption K, Hawkins R. Effect of medical record audit and feedback on residents' compliance with preventive health care guidelines. *Acad Med.* 1998;73:65-67.
75. Veloski J, Boex JR, Grasberger MJ, et al. Systematic review of the literature on assessment, feedback and physicians' clinical performance: BEME Guide No. 7. *Med Teach.* 2006;28(2):117-128.
76. Ivers N, Jamtvedt G, Flottorp S, et al. Audit and feedback: effects on professional practice and healthcare outcomes. *Cochrane Database Syst Rev.* 2012;6:CD000259.
77. Brehaut JC, Colquhoun HL, Eva KW, et al. Practice feedback interventions: 15 suggestions for optimizing effectiveness. *Ann Intern Med.* 2016;164:435-441.
78. Holmboe ES, Prince L, Green ML. Teaching and improving quality of care in a residency clinic. *Acad Med.* 2005;80:571-577.
79. Miller G. Invited reviews: the assessment of clinical skills/competence/performance. *Acad Med.* 1990;65:S63-S67.

80. Tamblyn R, Abrahamowicz M, Dauphinee WD, et al. Association between licensure examination scores and practice in primary care. *JAMA*. 2002;2888(23):3019-3026.
81. Tamblyn R, Abrahamowicz M, Brailovsky C, et al. Association between licensing examination scores and resources use and quality of care in primary care practice. *JAMA*. 1998;280(11):989-996.
82. Norcini JJ, Lipner RS, Kimball HR. Certifying examination performance and patient outcomes following acute myocardial infarction. *Med Educ*. 2002;36:853-859.
83. Lipner RS, Hess BJ, Phillips Jr RL. Specialty board certification in the United States: issues and evidence. *J Contin Educ Health Prof*. 2013;33(suppl 1):S20-S35.
84. Holmboe ES, Weng W, Arnold GK, et al. The comprehensive care project: measuring physician performance in ambulatory practice. *Health Serv Res*. 2010;45(6 Pt 2):1912-1933.
85. Ashton CM. "Invisible" doctors: making a case for involving medical residents in hospital quality improvement programs. *Acad Med*. 1993;68:823-824.
86. Holmboe ES, Meehan TP, Lynn L, et al. Promoting physicians' self-assessment and quality improvement: the ABIM diabetes practice improvement module. *J Cont Educ Health Prof*. 2006;26(2):109-119.
87. Davis DA, Mazmanian PE, Fordis M, et al. Accuracy of physician self-assessment compared with observed measures of competence. *JAMA*. 2006;296:1094-1102.
88. Duffy FD, Holmboe ES. Self-assessment in lifelong learning and improving performance in practice: physician know thyself. *JAMA*. 2006;296:1137-1138.
89. Sargeant J, Armson H, Chesluk B, et al. Processes and dimensions of informed self-assessment. *Acad Med*. 2010;85(7):1212-1220.
90. Artino Jr AR, Dong T, DeZee KJ, et al. Achievement goal structures and self-regulated learning: relationships and changes in medical school. *Acad Med*. 2012;87(10):1375-1378.
91. Lynn LA, Hess BJ, Conforti LN, et al. The relationship between clinic systems and quality of care for older adults in residency clinics and in physician practices. *Acad Med*. 2009;84(12):1732-1740.
92. Asch DA, Nicholson S, Srinivas S, et al. Evaluating obstetrical residency programs using patient outcomes. *JAMA*. 2009;302(12):1277-1283.
93. Asch DA, Nicholson S, Srinivas SK, et al. How do you deliver a good obstetrician? Outcome-based evaluation of medical education. *Acad Med*. 2014;89(1):24-26.
94. Bansal N, Simmons KD, Epstein AJ, et al. Using patient outcomes to evaluate general surgery residency program performance. *JAMA Surg*. 2016;151:111-119.
95. Chen C, Petterson S, Phillips R, et al. Spending patterns in region of residency training and subsequent expenditures for care provided by practicing physicians for Medicare beneficiaries. *JAMA*. 2014;312(22):2385-2393.
96. Sirovich BE, Lipner RS, Johnston M, Holmboe ES. The association between residency training and internists' ability to practice conservatively. *JAMA Intern Med*. 2014;174(10):1640-1648.
97. Thornton JD, Schold JD, Venkateshaiah L, Lander B. Prevalence of copied information by attendings and residents in critical care progress notes. *Crit Care Med*. 2013;41(2):382-388.
98. The Joint Commission: Quick Safety advisory. Preventing copy-and-paste errors in EHRs. Issue 10, 2015. Available at https://www.jointcommission.org/assets/1/23/Quick_Safety_Issue_10.pdf.
99. American Health Information Management Association: Position statement: Appropriate use of the copy and paste functionality in electronic health records. 1-7, 2014. Available at http://bok.ahima.org/PdfView?oid=300306.
100. Baker EA, Ledford CH, Fogg L, et al. The IDEA assessment tool: assessing the reporting, diagnostic reasoning, and decision-making skills demonstrated in medical students' hospital admission notes. *Teach Learn Med*. 2015;27(2):163-173.
101. Luck J, Peabody JW, Dresselhaus TR, et al. How well does chart abstraction measure quality? A prospective comparison of standardized patients with the medical record. *Am J Med*. 2000;108:642-649.
102. Peabody JW, Luck J, Glassman P, et al. Comparison of vignettes, standardized patients, and chart abstraction. *JAMA*. 2000;283:1715-1722.
103. Battles JB, Shea CE. A system of analyzing medical errors to improve GME curricula and programs. *Acad Med*. 2001;76(2):125-133.
104. Graber ML, Franklin N, Gordon R. Diagnostic error in internal medicine. *Arch Intern Med*. 2005;165(13):1493-1499.
105. Gennis VM, Gennis MA. Supervision in the outpatient clinic: effects on teaching and patient care. *J Gen Intern Med*. 1993;8(7):378-380.
106. Omori DM, O'Malley PG, Kroenke K, Landry F. The impact of the bedside visit in the ambulatory clinic. Does it make a difference? *J Gen Intern Med*. 1997;12(S1):96A.
107. Landon BE, Normand ST, Blumenthal D, Daley J. Physician clinical performance assessment prospects and barriers. *JAMA*. 2003;290(9):1183-1189.
108. Kaplan SH, Griffith JL, Price LL, et al. Improving the reliability of physician performance assessment: identifying the "physician effect" on quality and creating composite measures. *Med Care*. 2009;47(4):378-387.
109. Agency for Healthcare Quality and Research: Quality information and improvement. Available at http://www.ahrq.gov/qual/qualix.htm.
110. Shunk R, Dulay M, Julian K, et al. Using the American Board of Internal Medicine Practice improvement modules to teach internal medicine residents practice improvement. *J Grad Med Educ*. 2010;2(1):90-95.
111. American Board of Family Medicine: Certification MC-FP Exam. Available at https://www.theabfm.org/cert/index.aspx.
112. Ramsey PG, Curtis JR, Paauw DS, et al. History-taking and preventive medicine skills among primary care physicians: an assessment using standardized patients. *Am J Med*. 1998;104(2):152-158.
113. Zabar S, Hanley K, Stevens D, et al. Unannounced standardized patients: a promising method of assessing patient-centered care in your help system. *BMC Health Serv Res*. 2014;14:157.
114. Converse L, Barrett K, Rich E, Reschovsky J. Methods of observing variations on physicians' decisions: the opportunities of clinical vignettes. *J Gen Intern Med*. 2015;30(suppl 3):S565-S568.

부록 10.1

질적개선 및 환자안전과 관련된 유용한 자료목록

- Institute for Healthcare Improvement Open School
  - 품질과 환자안전 관련 온라인 과정: http://www.ihi.org/IHI/Programs/IHIOpenSchool/
- Healthcare Improvement Skills Center
  - 사정이 포함된 여섯 개의 웹기반 모듈: https://www.improvementskills.org/index.cfm
  - 여섯 개 모듈과 평생의학교육 10 학점에 대한 비용 $75/인
- HRSA Quality Improvement module
  - 이 웹 사이트에는 유용한 도구이 있으며 모두 무료이다: http://www.hrsa.gov/quality/toolbox/methodology/qualityimprovement/
- Johns Hopkins University
  - Guided Care (PCMH): http://www.guidedcare.org/module-listing.asp
  - 다양한 온라인 교육모듈
  - 수강료 있음 (모듈 당 $15)
- Choosing Wisely (ABIM Foundation)
  - 여러 전문분야에 속한 환자들에게 거의 또는 전혀 도움이 되지 않는 5가지 진단 및 치료적 중재: http://www.choosingwisely.org/
- High Value Cost Conscious Care
  - ACP 주관: https://www.acponline.org/clinical-information/high-value-care
  - 프로그램에 활용될 수 있는 유용한 도구와 자료
- Costs of Care
  - 유용한 자료: http://www.costsofcare.org/
- National Patient Safety Foundation
  - 환자안전 교육과정
  - 전체 10개 모듈 교육 과정 비용 $399/인
  - 인증프로그램 이용도 가능하다.
  - http://www.npsf.org/?page=pscurriculum
- World Health Organization (WHO) Patient Safety Curriculum Guide
  - 안내책자와 슬라이드를 포함하여 다양한 무료 자료를 제공하고 있다. http://www.who.int/patientsafety/education/curriculum/en/

11

다면피드백

JOCELYN M. LOCKYER, PHD

개요

서론

다면피드백(multisource feedback, MSF) 는 다음의 4단계로 묘사된다. (1) 개인과 상호작용하는 사람들의 설문지를 통해 개인의 관찰 가능한 진료현장 행동에 대한 데이터를 수집한다. (2) 수집된 데이터는 익명성과 기밀유지가 가능하도록 한다. (3) 가능한 경우 자체평가와 함께 집계된 데이터를 개인에게 제공한다. (4) 데이터 수령자는 신뢰할 수 있는 사람과 만나 내용을 검토하고 실행 계획을 수립한다.

의료 환경에서 관찰자(즉, 평가자 또는 평정자)는 동료의사(예: 동년배 또는 추천 의사, 교육생), 다른 분야의 보건의료전문가(예: 간호사, 약사 및 심리학자), 환자와 가족을 포함할 수 있다. 동료 의사가 사용하는 도구는 다른 분야의 보건의료전문가가 사용하는 도구와 동일하거나 다를 수 있다. 다른 도구의 항목과 일치하는 자체평가도 있을 수 있다. 이렇게 다양한 집단의 관찰자들은 상호작용하는 상황에 따라 의사 수행도에 있어서는 다른 형태의 관찰과 관점을 가지고 있다.[1-3] MSF는 의학교육 및 실습의 연속성에 따라 사용할 수 있다.

MSF 설문지는 구인(constructs) 또는 영역(domains) 내에 구조화된 문항(items) 세트로 구성된다(예: 의사소통 기술). 일반적으로 영역은 광범위하고 국가전문기관이 개발한 틀과 일치한다(예: 미국졸업후교육인증위원회[ACGME]의 역량, 캐나다 전문의학회[Royal College of Physicians and Surgeons of Canada, RCPSC]의 캐나다전문의양성 역량모델[Canadian Medical Education Directions for Specialists, CanMEDS], 영국의학협회[General Medical Council, GMC]의 바람직한 의료 행위[Good Medical Practice]). 이러한 틀의 의사소통, 전문성, 팀워크 및 협업과 같은 영역은 설문지의 구조를 제공하고 관찰 가능한 행동에 기초한 항목을 만들 수 있다. 일반적으로 문항은 업무현장의 기대치를 포착하는 하나의 아이디어를 가진 간략한 진술이다(예: "상대방을 정중히 대한다", "인계 시 적절한 정보를 제공한다"). 다른 자원(예: 동료의사 대 환자)을 활용한 상황에서는 다른 문항 또는 동일한 문항에 응답할 수 있다. 예를 들어 표 11.1은 앨버타(Alberta) 의과대학의 일회성 진료의사(예: 응급의료, 대진 의사, 예약이 필요 없는 진료소 의사)를 위한 의사 성취도 평가도구의 내용, 항목, 자원을 보여준다.[4] 이 설문지에는 각 자원에 대한 의사소통과 전문성을 위한 문항이 포함되어 있지만, 관찰하고 평가할 수 있는 내용에 따라 문항이 다르다. 항목들은 다중 평정척도(예: 1-5, 1-9) 또는 행동기준 평가척도(예: "항상 늦음"부터 "항상 정시에"까지)를 사용한다. 표 11.2는 도구의 문항과 목적에 따라 MSF에서 사용할 수 있는 평정척도의 예이다.

MSF에서 환자 설문조사는 의사나 의과대학생에 대한 환자 경험 정보를 제공할 수 있으며, 일반적으로 의사소통, 환자 진료 및 전문성 측면에 초점을 맞출 수 있다. 환자 평가에는 병원 직원과 시스템에 대한 환자의 관점(예: 전화 응답 시스템, 병원 대기 시간)도 포함될 수 있다. 의료전문가들은 협업, 전문성, 의사소통에 관한 데이터를 제공할 수 있다. 동료의사(동년배 포함)는 이러한 영역에 대해 질문을 자주 받지만 환자 진료, 기술적 술기, 신념 및 자원 사용에 대한 정보를 제공할 수 있는 능력도 있을 수 있다.

개인에게 제공되는 피드백은 다양할 수 있다. 그러나 대부분의 데이터는 각 출처(예: 동년배 그룹, 환자), 영역/내용(예: 의사소통) 및 항목별로 집계된다. 피드백은 평가된 다른 사람들과 대조군 데이터를 포함할 수 있다. 다른 출처에서 수집한 항목과 동일한 항목을 포함하는 자체 평가 설문지가 있을 경우, "다른"

표 11.1 응급의학 의사를 위한 평가 구인, 자원, 문항의 예

구인	자원	문항 예
의사소통	환자	이 의사는 내 말에 귀를 귀울였다.
		이 의사는 내 질문에 대답하였다.
	비의사 동료(예: 간호사, 약사)	다른 보건의료전문가와 효과적으로 의사소통 한다.
		환자에 대한 적절한 의사소통을 위해 접근이 가능하다.
	동료의사 (동료, 의뢰 받은 의사, 의뢰한 의사)	근무 종료시 적절한 작업량을 전달한다.
		어려운 임상의사결정 상황에서 동료에게 유용한 임상적 조언을 제공한다.
전문직업성	환자	존중으로 나를 대했다.
		내 사생활을 존중했다.
	비의사 동료	동료의 전문 지식과 기술을 존중한다.
		긴급 상황에서 적절하게 대응한다.
	동료의사	정시에 출근한다.
		자신의 전문적 행동에 대한 책임을 진다.

일회성 진료의사를 위한 앨버타(Alberta)대학의 의사 성취도 평가과정 형식 내용을 수정함.[4]

표 11.2 척도의 예

유형						
동의	매우 그렇다	그렇다	보통이다	그렇지 않다	전혀 그렇지 않다	정보 불충분
빈도	항상 그렇다	보통이다	가끔 그렇다	전혀 그렇지 않다		해당사항 없음
기대	기대 이상		기대에 충족함		기대에 미치지 못함	
질적 수준	탁월함	양호함	허용 가능	허용 불가		

출처의 데이터와 자체 데이터의 비교 또한 제공될 가능성이 있다. 피드백 보고서는 문항 또는 구성에 대한 그래픽 설명(예: 막대 차트)과 숫자 데이터(예: 범위, 평균, 중앙값)를 모두 포함할 수 있다. 자유롭게 기술 옵션이 있는 경우 주석을 제공할 수도 있다. 자체 및 대조군을 비교하는 데이터를 제공함으로써, 평가받는 사람은 자신의 개인 데이터를 다양한 관점에서 검토할 수 있다. 일단 데이터가 수집되면, 교육생은 피드백을 보고서로 받을 수 있다. MSF의 최종 단계에서 다른 사람과 보고서 내용을 논의하면서 피드백을 해석하고, 자신의 성과를 비판적으로 분석할 수 있으며, 이해한 데이터에 근거하여 자기개발을 도모할 할 수 있는 계획을 세울 수 있는 이점이 있다.

학습을 위한 도구 사용

MSF는 교육도구이다. 도구의 구인과 문항은 해당 환경에서 효과적인 작업에 중요하다고 간주되는 행동적 측면에 초점을 맞출 가능성이 높기 때문에 진료현장의 행동과 기대에 대해 의사에게 교육할 수 있는 수단을 제공한다.

MSF는 의학교육의 연속성을 따라 사용되어 온 평가도구다. 가장 많이 활용된 곳은 의과대학생, 특히 임상실습이나 임상교육단계에 사용되어 왔다.[5,6] 졸업후교육 수준의 교육생(전공의)들을 위해 미국, 영국, 캐나다에서 사용하는 예는 적어도 1990년대 초로 거슬러 올라가며 현재까지 계속되는 곳이 많다.[7-9] 진료의사를 위한 MSF는 1990년대로 거슬러 올라가는 유사한 역사를 가지고 있으며 미국과[1,10,11] 캐나다의 사례가 있다.[12] 영국의 진료의사를 위한 작업은 다소 늦게 시작되었으나 2000년대 초반에 자리를 확실히 잡았다.[13,14]

MSF의 역할을 이끄는 많은 요인들이 있다. 예를 들어, "모든 보건의료전문가는 근거중심진료, 질 향상 접근법 및 정보학을 강조하는 학제간 팀의 일원으로서 환자 및 가족 중심의 치료를 제공하도록 교육받아야 한다"라는[15] 분명한 임무가 있다. 역량바탕의학교육(Competency-based medical education, CBME)

으로의 움직임과 ACGME , RCPSC CanMEDS 및 GMC Good Medical Practice 틀에 설명된 보다 광범위한 역량을 평가할 필요성 또한 새로운 접근 방식의 필요성을 강화한다.[16] 의사를 평가하기 위해 전통적으로 사용되는 도구(예: 다지선다형 [MCQ], 객관구조화진료시험 [OSCEs], 술기의 직접 관찰)는 환자중심 의료에 중요하나, 체계적으로 평가하기 어려운 업무현장에서의 대인관계 행동을 최적으로 평가하지 않는다.

개인의 경우 도구 신뢰도에 대한 조사가 고부담의 총괄적 결정을 지원하는 수준을 거의 달성하지 못하기 때문에 MSF는 형성평가에 주된 역할을 한다.[3,17-19] 그러나 MSF는 부적절한 행동을 하는 의사와[20] 잠재적으로 위험에 처한 의사를 식별하는 데 사용될 수 있다.[20-22] 선별 도구로 사용할 경우, 다른 수준의 평가를 촉발할 수 있으며,[12,20] 환자 안전이 위험할 때 항상 조치를 취해야 하는 윤리적 의무가 있다.

또한 MSF는 특히 졸업후교육(전공의) 수련의 경우 전체적인 관점에서 개인의 수행 정도를 보다 잘 파악할 수 있도록 다른 평가와 결합하여 그 역할을 수행한다. MSF, 미니임상평가연습(Mini-clinical evaluation exercise, mini-CEX)와 술기의 직접관찰의 조합은,[23] MSF과 증례바탕 토론, mini-CEX 및 술기의 직접관찰의 조합처럼[24] 신뢰할 수 있는 판단의 기초를 입증해 왔다. 다른 평가와 함께 사용하는 것은 졸업후교육에 특히 유용하다. MSF는 유연하며, 리더십 기술[25,26] 또는 전문적 행동[6]뿐만 아니라 졸업후교육 수준 교육생에게 요구되는 광범위한 역량과[8,9,24] 같이 특정한 초점을 두고 도구를 개발할 수 있다.

진료의사를 위해 MSF는 개인의 질 향상에 사용되어 왔고,[12] 인증 유지 프로그램의 일부로 사용되어 왔으며,[11] 선택된 역량에 대한 피드백을 의사에게 제공하기 위해 사용되어 왔다.[12] MSF는 또한 새로운 국가에서 일하고자 하는 해외 의과대학 졸업생들에 대한 면허를 교부하는 의사결정의 일부로 사용되고 있다.[27,28] 최근에는 감독자 평가,[29] 팀워크,[30] 리더십[25, 26] 등 특정 기술 평가로 활용도가 확대되고 있다.

MSF는 개인에게 적용 가능하지만 여러 의사로부터 모은 데이터가 주의를 요하는 행동을 식별할 수 있으므로 단위나 기관 차원에도 도움이 될 수 있다. 이러한 환경에서는 특정 행동에 대한 합의를 도출한 후 진료 이동, 다른 보건의료전문가와의 의사소통, 환자 전화에 대한 병원 응대와 관련된 인식의 개선을 감시할 수 있다.

시작하기

기관에 MSF를 도입하는 것은 큰 사업이다. 지속가능성을 위해 행정부서의 전폭적인 지원과 모든 단계에서 승인이 있어야 실현 가능하다. 한번의 경험으로 설문지를 개발하고 실현 가능성과 수용성을 테스트하는 것은 비교적 쉽다. 그러나 완전한 실행과 지속 가능한 프로그램으로 전환하려면 글상자 11.1에 설명된 핵심 단계에 주의를 기울여야 한다.[31-33]

• 글상자 11.1 다면피드백 실행의 주요 단계

의사소통	기관 차원의 준비 상태 평가
	리더십 팀 확인
	의도한 용도 결정(형성평가 대 총괄평가)
	구성/영역 및 내용 설정
	평가도구 개발, 수정 또는 구매
	피평가자 및 관찰자 확인
	시행 빈도 설정
	도구 전달 방법 결정
	피드백, 목표 설정 및 멘토링을 위한 프로토콜 개발
	평가도구 시험
	프로그램 시행
	프로그램 평가 및 수정

무엇보다도 의사소통이 중요한 요소다. 소통은 빈번하고 명확해야 한다. 프로그램 의도를 알리는 초기 단계부터 시험, 실행, 평가에 몰두하는 과정 전반에 걸쳐 의사소통이 필요하다. 의사소통 수단은 이메일, 뉴스레터, 부서별 회의, 회진 및 학술 활동이 포함될 수 있다. 메시지는 일관성이 있어야 한다. 평가의 성격에 대한 명확성, 특히 참가자의 결과에 대한 명확성이 매우 중요하다. 사람들은 시스템이 신뢰할 수 있고 데이터가 의도한 대로 사용될 것이라고 믿어야 한다.

MSF의 첫 번째 단계는 프로그램 또는 기관의 MSF 준비 상태를 평가하는 것이다. 특히 이러한 유형의 평가가 평가요구를 어떻게 충족시키고 기존 도구, 정책 및 과정을 보완 또는 대체하는지를 고려해야 한다. MSF는 개인의 발전을 유도하고 조직의 문화, 교육과정 및 평가 절차의 가치체계 내에 맞추도록 데이터를 제공하는 부가가치 프로그램으로 보아야 한다. 전공의 및 학부 프로그램은 평가를 위한 많은 수단을 보유하고 있으며 MSF는 다른 수단을 통해 이용할 수 없는 피드백 데이터를 제공하는 것으로 보아야 한다. 지속가능성을 위해서는 리더십의 지원이 필요할 것이다. 초창기에 그 과정을 지도하고 감시하고 이해관계자와의 소통을 보장하기 위해서 "리더십 팀"을 구성할 필요가 있다. 성공적인 팀이 되려면 이해관계자, 리더, 그리고 그 과정에 참여자(피평가자, 관찰자)가 될 사람들을 포함시켜야 한다.

평가도구의 의도된 용도를 결정해야 한다. 앞서 언급한 바와 같이 MSF는 형성평가에 적합하다. 그럼에도 불구하고, 그 목적이 자기주도적인 성찰과 개선을 위한 것인지. 진행 상황 모니터링에 사용되는 것인지, 또는 지원 및 재교육의 시작에 사용되는 것인지에 대해 결정하고 소통해야 한다. 정보를 제공하거나 다른 평가나 감시를 촉발하는 경우, 모호함 없이 전달되어야 한다. 도구가 어떻게 사용될 것인지를 알면 관찰자가 다르게 반응하고 피평가자가 다른 관찰자를 선택할 수 있다.

MSF 도구는 일련의 문항으로 구성된다. 이와 같이 MSF는 유연한 도구로서, 관찰가능하고 잠재적 응답자가 볼 수 있는 행동이라면 진료현장에서 거의 모든 행동을 측정하는 데 사용할 수 있다. 개발의 핵심 단계는 측정할 구인/영역을 결정하는 것이다. 도구는 다양한 구인(예: 의사소통, 전문성, 협업)을 평가할 수 있지만, 의사가 수행하는 역할이나 도구의 길이에 따라 특정 영역(예: 리더십 또는 팀워크)으로 제한될 수도 있다. 문항은 구인에 맞추어 개발되어야 한다. 문항의 선정은 의사의 요구와 수준, 환경/설정, 전공, 환자 및 팀에 대한 행동의 중요성, 문항을 관찰하는 잠재적 응답자의 능력을 고려해야 한다.

기관이 자체적인 도구를 만들 것인지 아니면 기존 도구를 채택할 것인지를 결정하는 것이 필요하며, 기존 도구의 타당도와 신뢰도, 기관의 필요와 기존 도구와의 일치도, 그리고 기관의 요구에 맞는 도구를 만드는 데 필요한 작업에 대한 정보와 함께 이루어져야 한다. 평가도구 설계 및 시험에 대한 전문지식이 없는 기관은 유사한 환경에서 사용되는 도구를 선택하는 것이 더 유용할 수 있다. 예를 들어 프로빈(Probyn)과 동료들,[9] 무넨반 룬(Moonen-van Loon)과 동료들은[3] 모두 CanMEDS에 기반을 둔 예를 제공한다. 체스룩(Chesluk)과 동료들은[30] 전문가간 팀워크를 평가하는 데 사용되는 도구의 예를 제공한다. 미국의과대학협회(Association of American Medical Colleges, AAMC) MedEd Portal에 ACGME 역량에 기초한 다른 예시가 제공되고 있다.

리더 팀은 평가 대상 집단과 관찰자를 결정해야 한다. 관찰할 실제 행동과 의사를 평가하는 다양한 배경의 사람들에게 의뢰의 실행 가능성과 수용가능성에 기초하여 어떠한 자원을 포함할지를 결정하는 것이 중요하다. 급박한 응급상황, 정신질환, 또는 말기질환 환자의 데이터는 수집하기 어려울 수 있다. 마찬가지로, 읽고 쓰는 능력과 언어 능력이 제한된 환자들은 포함하기가 어려울 수 있다. 사람들이 자신의 관찰자를 선택하거나 직접 배정할 것인지에 대한 결정이 필요할 것이다(예: 책임지도전문의 또는 단위과정 관리자에 의해). 관찰자 수는 실행 가능성, 평가 목적(예: 곤란에 처한 의사 식별 대 질 향상) 및 필요한 신뢰도 수준에 따라 결정해야 한다. 실행의 빈도는 실행 가능성, 조사 부담, 그리고 집행 사이에 평가된 사람들이 문제를 해결할 수 있는 충분한 시간을 제공하는 것의 중요성에 의해 좌우될 것이다. Moonen-van Loon과 동료들은[3] MSF가 정기적으로 사용되는 졸업후교육 환경에서 그룹당 최소한 10명 이상의 평가자가 완료한 두 건의 MSF 또는 그룹당 5명의 평가자가 완료한 세 건의 MSF를 mini-CEX와 직접 술기 관찰과 결합하면 고부담 판단을 위한 실현 가능하고 신뢰할 수 있는 방법으로 활용할 수 있다고 판단하였다.

평가도구를 시험하기 전에는 피드백을 제공하는 방법을 고려해야 한다. 보고서의 내용은 특별한 주의를 요한다. 일부 보고서는 대조군 데이터와 함께 평가자의 데이터를 제공한다. 관찰자의 의견을 피평가자에게 제공하는 경우, 관찰자가 가려질지 말지를 결정하는 것은 중요할 것이다. 만약 평가 내용이 가려지지 않는다면, 익명성과 기밀유지의 문제가 고려될 필요가 있을 것이다. 데이터 전달을 위한 물리적 수단도 고려 대상이 될 것이다. 전달 수단으로는 포트폴리오(14장 참조),[34] 전자의무기록 대시보드(dashboard)[1)], 질적수준 보고서, 우편이나 전자메일 등 교육기관에서 학습자의 정보와 성적을 기록, 수집하고 제공하는 데 사용되는 웹 바탕 시스템을 통한 초기 정보전달 방법도 포함된다. 평가결과 내용은 촉진자와의 평가내용과 함께 전달되어야 한다. 피드백이 어떻게 촉진될지에 대한 고려는 필수적일 것이다. MSF 데이터는 피평가자가 현재 혹은 미래에 같이 일할 동료로부터 얻는다. 이러한 평가의 핵심목적이 전문적 발전임을 감안할 때, 실행 계획 개발이라는 명시적 목표를 가지고 데이터를 검토하고 비판적으로 분석할 수 있는 기회는 학습자들이 평가 프로그램으로부터 혜택을 얻는 데 중요할 것이다.

다소 미흡하든, 보통이든, 우수하든, 전달된 데이터의 결과에 대해 조기에 고려할 필요가 있다. 특히 평가 내용을 부정적인 것으로 인식할 수 있는 사람들의 경우, 피드백을 받는 결과와 재교육의 필요성을 프로그램 시행 전에 고려해야 한다. 특히 비전문적 행위와 같이 기관의 다른 업무에서도 문제가 될 수 있는 정보에 대해서 사전 결정을 고려하는 것이 중요하다.

평가도구는 시행 전에 테스트해야 한다. 전반적인 시행 전에 해당 도구를 시험하는 소규모 집단이 그 대상이 될 수 있다. 이를 통해 전달 시스템 및 모든 참여자의 인식을 평가할 수 있다. 시범 운영에서 얻은 데이터는 완전한 시행 여부를 판단하는 데 정보를 제공할 수 있다. 전체적인 프로그램을 어떻게 평가할 것인지도 중요하다. 평가에는 프로그램이 얼마나 잘 작동하는지, 참가자의 인식 및 생성된 데이터의 심리측정학적 질적 수준을 포함한 여러 측면이 필요할 수 있다.

타당도 및 신뢰도

MSF는 설문지 바탕 평가도구이다. 각 MSF의 문항과 척도는 각 도구의 성공 여부에 매우 중요하며, 평가가 측정 척도의 표준을 충족하는지 확인하는 것이 그 핵심이다.[35] 이 책에 기술된 다른 평가도구와 마찬가지로 타당도 평가는 활용도를 뒷받침하는 구조적 논의와 시험 점수에 기초한 의도된 해석을 필요로 한다. 의도된 해석을 뒷받침하는 일관된 논의를 준비하려면 근거를 수집해야 한다.[36-38] 전체 도구와 그 요인 또는 하위 점수 분석은 중요하다. 또한, 조사의 각 문항이 피평가자의 자기 계발 계획을 안내하는데 중요할지라도, 타당도 논의 또한 문항 수준까지 확장되어야 한다. MSF 도구가 다른 설정에서 채택되거나 변화하는 요구에 부응하기 위해 새로운 문항으로 조정되므로 단일 학습이 아닌 지속적인 과정이여야 한다. 도구의 수용성, 실

1) 역자 주. Dashboard는 일반적으로 학습자 수행의 핵심적인 성과나 경과를 그래프, 차트, 수치 등을 사용하여 한 눈에 볼 수 있도록 정리한 시각 자료를 의미한다.

행 가능성 및 반응을 평가하기 위해 전반적인 시행 전에 소규모 집단을 활용한 현장 테스트를 권장한다.

글상자 11.2에 나타난 바와 같이, 초기 단계에서 타당도에 대한 논의는 의도된 추론이나 결정으로부터 성립된다. 이 작업에서는 도구의 목적, 파생 정보의 사용, 측정할 구인의 결정에 대해 명확히 하는 것이 중요하다. 문항 자체는 구인과 일치해야 하며 가급적 이론적 토대에 기초해야 한다. 이것은 사람에 대한 평가이고, 자신과 다른 사람들에 대한 평가이기 때문에, 인터뷰, 포커스 그룹 또는 설문지를 통한 "최종 사용자"로부터의 조언이 중요하다. 이러한 조치는 평가의 목적과 행동 및 역량에 대한 의도된 추론 사이에 일관성이 있음을 확인하는 데 도움이 될 것이다. 개발 과정에 따라 조정이 필요할 수도 있다. 평가 문항은 관찰자가 평가도구를 오랜 기간 사용하다 보면 보다 심층적인 피드백을 제공하게 되므로 항목이 변경될 수 있다.

MSF 작업 및 출판된 기술 보고서를 보면, 초기 설계집단에 대해 설명하거나 인정한 내용, 최종 사용자(피평가자 및 관찰자)와 함께 평가도구를 테스트하기 위한 포커스 그룹 및/또는 설문지의 사용, 기타 도구와 문헌에 대한 참조를 쉽게 볼 수 있다.[17] 예를 들어, 앨버타주의 의사성취도평가 프로그램 개발을 위한 작업에서, 평가해야 할 내용과 데이터의 출처를 결정하는 방법, 그리고 평가 대상 의사에게 설문지에 대해 어떻게 설명했는지 보여준다.[2,12,39] 유사하게, 영국에서 쉐필드 동료평가도구(Sheffield Peer Review Assessment Tool, SPRAT)는 GMC와 영국왕립보건소아과학회(Royal College of Paediatrics and Child Health) 및 현장 실험에서 결정한 실천 요소를 기반으로 했다.[8,21] 미국의사국가시험원(National Board of Medical Examiners , NBME)이 전문적행동평가(Assessment of Professional Behaviors, APB) 설문조사 도구를 개발할 때,[6] 그들은 설문을 설계했던 팀으로써 평가행동을 결정하기 위한 회의와 APB의 작동 방식 및 한계를 이해하기 위해 학부 및 졸업후교육 교육과정에서의 광범위한 현장 평가를 포함하는 긴 준비과정을 거쳤다. 관여할 수 있는 평가자의 수와 유형을 고려할 때, 예외는 있지만 관찰자를 훈련시키는 경우는 드물다.[40] 그럼에도 불구하고 의사들이 도출하는 정보와 그들이 점수를 매기는 결정은 상당히 가변적일 수 있다.[41,42] 이를 인식하고, 관찰자를 돕기 위해 기관에서 개발한 자료와 지시문의 예가 있다.[6,41] 예를 들어, 서전트(Sargeant)와 동료들은[41] 포커스 그룹을 활용하여 가정의학과의사 및 전문가들이 의사평가도구 문항에서 보이는 고득점 및 저득점 행동을 식별했다. 다른 영역에서는 평가자 훈련에 이점이 있다는 근거에도[44] 불구하고 MSF에서는 평가자 훈련이 한계로 지적되어 왔으며 평가 시스템 시행에 필수요소로 언급된 것도 단 한 번에 불과했다.[43]

시험이나 도구사용에서 얻은 경험적 데이터가 이용 가능할 때, 초점은 도구의 무결성 측면과 사용 효과로 이동한다. 문항의 예시는 글상자 11.3에 수록되어 있다.

초기 분석은 종종 개별 의사에게 충분한 설문지를 수집하도록 하기 위해 응답률에 초점을 맞춘다. 이것은 프로그램에 대한 참여가 의무화되지 않는 설정에서 특히 중요하다. 응답이 너무 적다는 것은 응답이 편중되어 개별 수신자에 대한 데이터의 신뢰도에 문제가 있다는 것을 의미할 수 있다. 규제 당국, 전공의 프로그램 또는 기타 전문기관이 참여를 요구하는 환경에서는 응답률이 큰 문제가 아니다. 또한 각 문항의 점수, 평균, 중위수, 표준 편차, 범위, 왜곡 및 평가자가 점수를 매길 수 없는 항목 수(즉, 평가할 수 없거나 적용할 수 없음)에 특히 주의를 기울여야 한다. 높은 점수의 범위가 매우 좁을 경우, 피평가자는 자신의 평가 결과가 평균 집단에 속해 있거나 매우 근접할 때 평가 결과에 대해 크게 만족하지 않을 수 있다. 비록 진료의사들의 점수는

• 글상자 11.2 타당도를 위한 논의 구축: 초기 질문

- 얻은 정보에 기초하여 어떠한 추론과 결정을 원하는가?
- 평가도구는 어떻게 만들었는가? 누가 만들었는가?
- 어떤 영역 또는 구인을 평가하고 있는가?
- 평가도구개발을 지원하기 위해 어떤 문헌을 참조하였는가?
- 최종 사용자와 기타 이해관계자는 제시된 문항, 평가과정 및 모범적 피드백에 어떻게 대응하였는가?
- 개발자는 도구에서 제공하는 제안된 피드백뿐만 아니라 내용과 형식을 어떻게 평가하였는가? 어떤 "전문가" 또는 "최종 사용자" 집단으로부터 자문을 받았으며, 그들의 피드백은 어떻게 사용되었는가?
- 내용표집 또는 다루는 범위에 대한 계획이 있는가?
- 관찰자는 어떻게 교육받는가? 모든 관찰자들은 평가문항의 의미를 이해하고 있는가?
- 이러한 유형의 평가의 목적과 목표를 전파하기 위해 어떤 의사소통 도구를 사용하는가?

• 글상자 11.3 지속적인 타당도 조사

- 응답률은 얼마인가? 피평가자가 수용할 수 있는 피드백을 제공하기 위해 충분한 수의 관찰자를 모집할 수 있었는가?
- 점수 범위는 어떠한가? 보통 정규분포에 속하는가 아니면 왜곡되어 있는가?
- 다른 도구(예: 전문직업성 또는 의사소통 기술에 대한 또 다른 다면피드백 평가나 OSCE)의 측정과 어떠한 상관관계가 있는가?
- 평가점수에 영향을 미치는 것은 무엇인가? 점수 차이는 성별, 교육/실습 연도, 인종 또는 피평가자와 관찰자 사이의 친밀도에 영향을 받는가?
- 요인분석이 수행되는 경우, 의도된 요인을 확인하였는가?
- 피드백을 받는 피평가자, 감독자 또는 기관에서 데이터를 어떻게 사용하는가? 그들은 그 자료가 믿을 만하다고 생각하는가? 피드백을 바탕으로 행동이 변화하였는가? 그 행동 변화가 환자 치료의 개선으로 이어졌는가?
- 평가 또는 프로그램으로부터 의도하지 않은 또는 의도된 결과가 있었는가?
- 개별 피평가자에게 제공되는 데이터가 얼마나 안정적이고 신뢰할 만한가?

높고 좋은 결과 쪽으로 왜곡될 수 있지만,[12,14,39] 업무 수행에 어려움을 느끼는 의사를 구분하도록 설계된 도구에서는 보다 넓은 분포로 발견되었다.[8,45] 이 차이는 척도에 사용되는 숫자/단어의 선택과 관련이 있을 수 있는데, 의미를 나타내는 설명 없이 강하게 동의하지 않음(1)에서 강한 동의(5)를 사용한 평가도구와는 달리 점수 "3"은 "발전이 필요함"과 같은 서술적인 표현이 사용되었다. 보다 최근에는 업무 수행에 어려움을 느끼는 의사를 평가할 때, 평가자가 기관에서 배정한 평가자일 경우 평가 점수가 비교적 낮았고[22] 환자의 평가 점수는 비교적 높게 나타났다.[22] "해당되지 않음"의 비율이 높은 문항에 주의를 기울이는 것이 중요한데 관찰할 수 없거나 쉽게 이해되지 않는 문항이라는 뜻일 수 있으므로 이러한 문항은 제거하는 것이 타당하다.

MSF 기능과 가치를 더 평가하기 위해 타당도를 평가하는 많은 연구가 수행되었다.[46] 이러한 분석의 목적은 도구의 효용성을 검증하거나, 다른 평가를 제거하거나, 새로운 평가가 이전에 측정되지 않은 영역에 적용되는지 확인하는 것일 수 있다. 예를 들어, 지식 평가는 의사 및 간호사 관찰자의 점수와 상관관계가 있다.[47] MSF 데이터는 전체 임상역량의 책임지도전문의에 의한 이전 평가와 상관관계가 있다.[11] MSF와 미국외과전문의협회(American Board of Surgery, ABS)의 수련 중 시험 점수는 상관관계가 있다.[48] 자체평가와 동료의사 평정점수가 비교되었고[49,50] 동료의사나 간호사 집단에서와 같이[1,10,47] 상이한 관찰자 집단의 데이터가 동일한 정보를 제공하는지 또는 상호 보완적인 정보를 제공하는지를 평가하기 위해 상관관계 비교분석도 시행되었다. 최근 연구에서는 자체 지명 평가자와 기관 지명 평가자가 제공한 점수를 분석하였다.[22] 또한 한 프로그램내의 여러 수준에서 졸업후교육 교육생의 수행을 비교하고[51] 시간 경과에 따른 성과 변화를 비교하는 작업이 있었다.[52] 보다 최근의 연구에서는 동료의사들에 의해 평가된 높은 MSF 점수는 가르치고자 하는 교육적 책임과 연관되어 있다는 것을 보여주었다.[53] 이러한 연구결과에 대한 비판적 검토는 해당 연관성이 이치에 맞는지, 기존의 이론과 수행 관련 연구와 일치하는지 질문할 수 있게 하고, 도구의 지속적인 사용을 위한 사례를 구축할 수 있게 한다. 비록 알 안사리(Al Ansari)와 동료들은[46] 메타 분석을 통해 MSF가 타당도가 있다고 결론을 내렸지만, 그들은 또한 MSF를 다른 도구와 함께 사용하여 특정 술기에 대한 정확한 평가를 보장해야 한다고 경고했다.

MSF 연구에서는 점수의 분산에 영향을 미칠 수 있는 현상을 평가하는 것이 중요하다. 가장 큰 우려 중 하나는 피평가자 스스로 관찰자를 선발할 때 발생한다. 초기 연구에서는[10] 평가 대상자가 선택한 관찰자는 제3자가 선택한 평가자와 유의하게 다른 결과를 제공하지 않았지만. 업무수행에 어려움을 느끼는 의사와 관련된 최근의 연구에서는[22] 이 접근방식에 주의를 기울일 것이 제안되었다. 진료의사의 경우 의사가 넓은 지리적 지역에 걸쳐 분포되어 있을 때 관찰자의 신원을 확인할 수 없는 경우가 많다. 이에 관찰자와 피평가자 사이의 친숙함이 평가의 차이를 보이는지 확인하기 위한 연구도 진행되었다.[17] 또한 평가의 차이가 평가자와 피평가자의 전임 또는 비정규직인 상태, 병원의 유형(예: 교육병원 대 지역병원), 환자의 건강 상태, 환자의 성별 또는 의사의 성별, 교육기간, 연령, 인종 및 전공과목에 의해 영향을 받는 지와 어떻게 영향을 받는 지 연구되었다.[8,11,17,50] 왜냐하면, 이러한 모든 요소들은 일관성이 없지만 서로 다른 설정에서는 점수와 관련이 있는 것으로 확인되었기 때문이다. 로버트(Robert)와 동료들의[50] 자타 합의에 대한 조사를 통해 알 수 있듯이 평가는 평가자와 피평가자 모두의 특성에 영향을 받는다. 의사와 함께 피드백 결과를 해석하고 검토하는 책임자는 이러한 영향을 인식할 필요가 있다. 다양한 현상들이 어떠한 맥락 안에서 어떻게 작용하는지 이해하는 것이 중요하며, 특히 그것들이 평가에 부정적인 영향을 미치거나 기대에 반하는 방식으로 작용하는 경우(예: 상급 교육생보다 높은 점수를 받은 후배 교육생)를 이해하는 것이 중요하다.

평가도구는 특정 구인이나 영역(예: 팀워크, 의사소통 기술)에 맞추어 자주 개발된다. 항목들이 의도한 구인과 일치되도록 하기 위해, 요인 분석은 어떤 항목이 정렬되고 총 분산을 얼마나 설명하는지 보여준다.[12,14,29,40] 일반적으로 전체 도구 뿐 아니라 각 요인에 대해 내적 일관성 신뢰도(Cronbach's alpha)를 계산할 것이다. 요인 분석 데이터를 면밀히 검사하면 구인에 잘 부합되지 않거나 일부 수정해야할 문항을 식별하는 데 도움이 될 수 있다.

MSF 작업에서 타당도 사슬의 필수적인 부분은 최종 사용자 및 피평가자의 인식과 MSF 과정, 평가도구 및 피드백의 사용에 대한 궁극적인 효과와 관련이 있다. 연구에 따르면 대부분의 관찰자와 피평가자들은 MSF가 평가를 위한 중요한 도구라고 생각하고 있다.[1,17,45,54,55] 더 나아가, 많은 연구결과에서 의사들은 제공된 평가결과에 대해 상당히 만족한다는 것을 알 수 있다. 물론, 의사소통이나 전문직업성 같은 기술의 평가가 임상술기에 비해 보다 편안할 수 있으므로[1,56] 질문(설문 문항)이 적합해야 한다는 전제가 있어야 한다.

데이터 사용이 여러가지 요인에 영향을 받을 지라도, 연구에 따르면 의사들은 변화를 주기 위해서라면 평가결과로 제공된 데이터를 사용할 것으로 보인다.[11,40,54,55,57-60] 즉, 평가결과의 사용여부는 변화를 주기 위해 데이터 사용하는 것이 얼마나 용이한지; 피드백의 형식이 구두설명을 통한 것인지 또는 서술적인 것인지; 자체평가와 동료 평가가 일치하는지; 피드백이 긍정적인지 부정적인지; 멘토링에 대한 질적 수준; 의사가 신뢰할 수 있다고 생각하는 출처로부터 피드백을 받았는지 여부와 작업량 및 사회적 지원과 관련된 상황적 요인에 영향을 받는다.[40,58-61] 데이터가 개인에게 얼마나 유용한지 뿐만 아니라 개인의 변화에 대한 필요성이 상당히 다양하기 때문에 변화에 대한 현실적인 기대를 갖는 것이 중요하다. 졸업후교육 수준의 교육생과 진료의사의 점수를 시간경과에 따라 평가하는 종적 연구를 보면 의사들이 의도한 방식으로 변화한다는 것을 보여준다.[46,52,62] 피평가자가 데이터를 사용하는 이러한 유형의 분석은 도구 타당도의 근거를 확립하는데 중요하다. 만약 사람들이 그들의 피드백 데이터를 무시하거나 시간이 지남에 따라 변화를 보여주지 못한다면, MSF를 평가와 피드백 도구로 유지하는 것에 대해 주장하기 어렵다.

설문지가 측정하고자 하는 바를 측정한다는 것을 확인한 후 신뢰도에 대한 평가를 수행해야 한다. 43개의 연구를 포함하는 도논(Donnon)과 동료들에 의한 체계적 문헌고찰에 따르면, 연구자들은 문항의 내적 일치도를 결정하기 위해 알파계수법으로 신뢰도 계수를 검사하고 측정의 표준오차를 계산하거나, 일반화가능도계수(Ep2)를 계산하여 일반화가능도분석(G-studies)을 사용하며, 평가자 간 점수의 일치성 결정하기 위해 군내상관계수(Interaclass consistance coefficient, ICC)를 계산함으로써 신뢰도를 다루었다. 일반화가능도분석은 평가에 영향을 미칠 수 있는 요인을 조사하기 위함이며, 일반적으로 안정성을 달성하기 위한 문항 수와 평가자의 수를 설명한다. MSF 작업에서는 일반화가능도분석을 두 가지 목적으로 수행하는데, 평가자와 문항의 조합이 피평가자에게 신뢰할 수 있는 데이터를 생성하는지 여부와[1,2,7,11,10,40] 조사자 수가 업무 수행에 어려움을 느끼는 의사를 식별하는 데 적절한 지 확인하기 위함이다.[8] 무넨반룬(Moonen-van Loon)과 동료들이[3] 언급한 바와 같이, 연구는 MSF가 5-11명의 의사, 10-20명의 보건의료전문가 평가자 및 최대 50명의 환자 평가자를 대상으로 할 때 신뢰할 수 있는(즉, 신뢰도 계수 $G > 0.70$) 결과를 생산한다고 밝히고 있으며, 이는 일반화 계수 0.80보다 낮아 고부담 평가보다는 낮지만, 실제 전공의 교육에서는 허용 가능한 수준이다. 따라서, 일반화 분석은 저부담 형성평가 목적으로 데이터를 사용하는 것을 권한다.[6,17,18] 특히 다른 평가도구와 함께 교육적 성장을 목적으로 사용되는 경우[19,23] 혹은 동일한 교육생에게 여러 번 적용하는 경우,[3] 고부담 평가에 사용할 수 있을 정도로 높은 일반화 계수의 필요성에 대한 의문이 제기되었다. 그럼에도 불구하고, 일반화 분석은 저부담 판단에서 합리적인 수준의 신뢰도를 달성하는 데 필요한 도구 사용과 평가자의 수에 대한 추가 근거를 제공한다.

타당도와 신뢰도는 분명히 중요하다. 그러나 노르치니(Norcini)와 동료들이[64] 지적하는 바와 같이 도구의 평가에는 등가(equivalence), 실행 가능성, 교육 효과, 촉매 효과 및 수용성도 포함되어야 한다. 록카이어(Lockyer)는[17] 노르치니(Norcini)와 동료들이 설명한 기준에 기초하여 가정의학과 의사를 평가하는 데 사용되는 세 개의 MSF 프로그램을 조사하였고, 이러한 연구는 교육적 효과(즉, 참여자가 평가에 어떻게 대비하는지)를 제외한 모든 것을 설명하였다는 점에 주목하였다. 이전에 부분적으로 설명했듯이 등가는 MSF와 다른 데이터를 비교하는 것을 포함한다. 촉매 효과는 수령인에게 제공되는 데이터와 실무에 미치는 영향에 기초하여 이루어진 변화를 검토한다.[17,40,54,55,58,59,61] 실행 가능성 평가에는 일반적으로 지속가능성의 고려와 평가 목적을 위해 이미 수집되고 있는 데이터에 대한 MSF의 부가가치가 포함된다.[17,55] 수용성 평가에는 응답률과 도구의 효용에 대한 참여자의 인식이 포함된다.[17,55]

이 장에서 도출된 심리측정학적 미사여구에도 불구하고, MSF 설문지를 어떻게 평가하고 일련의 MSF 설문지에 대한 근거 자료를 질의하는 사람들에게 어떻게 대응해야 할지 궁금해하는 사람들에게 타당도와 신뢰도에 대한 명확한 메시지가 있다. 그 내용은 다음과 같이 요약할 수 있다.

- 타당도는 시험 점수 데이터의 사용과 의도된 해석을 지지하는 구조화된 논의가 필요하다.
- 설문지의 영역과 문항은 학습자와 설정에 적합해야 한다. MSF를 판단을 위한 또 다른 도구로 포함하는 것은 사용 중인 다른 데이터에 가치를 더해야 한다.
- 설문지의 개발 내용을 기술할 수 있어야 하며, 이를 통해 방어 가능하고 이해할 수 있는 접근 방식(예: 문헌검토, 포커스 그룹 테스트, 예비 시험)을 따를 수 있어야 한다.
- 설문지는 평균/중앙 점수(및 표준 편차)를 검사할 수 있도록 충분한 수의 의사들과 함께 시험해야 한다. 평가자가 평가할 수 없는 문항을 식별할 수 있어야 한다. 점수 분산이 너무 좁은 경우(즉, 척도가 높은 쪽의 극단적 군집화) 변화에 대한 설득력 있는 논의를 제공하기는 어려울 수 있다. 평가자가 비워 두거나 평가할 수 없다고 보고한 문항이 너무 많은 경우, 문항의 결함이나 관찰력 부족을 반영할 수 있다.
- 신뢰도는 가급적 일반화가능도계수 분석을 통해 평가해야 하며 $G > 0.70$의 일반화가능도계수 도달에 필요한 평가자 수를 표시해야 한다.
- MSF는 기관에서 실현 가능해야 하고 수용 가능해야 하며, 변화를 이끌 수 있어야 한다.

평가도구로서의 다면피드백의 강점과 약점

MSF는 감독자와 개인이 이용할 수 있는 정보를 향상시키고, 시뮬레이션 평가와 비교하여 고유한 정보를 산출하고, 현재 및 미래의 직무 수행과 성공을 보다 잘 나타내는 정보를 제공하기 위한 도구로 개발되었다. 하지만 다른 장점들도 있다. MSF는 개인이 수행할 수 있는 잠재력보다는 자신이 하는 일에 바탕을 두고 있다. 즉, 변화를 촉진시키기 위해 자기인식을 이용한다. MSF는 가치와 전문적 기대를 피평가자와 관찰자에게 명시한다. 피평가자가 메시지를 받도록 하기 위해 때때로 필요한 여러 가지 관점을 허용한다. 특히 장소/프로그램 간의 비교가 가능한 경우, 기관이 자체적인 조직내 문화와 기대를 평가하는 도구로 사용할 수 있다. MSF는 비교적 저렴하고 유연하다.

대부분의 MSF는 진료현장에서의 성공을 지원하고, 우수성을 확인하거나 우수한 직무 수행을 예측하는 역량을 개발하는 접근방식에 뿌리를 두고 있다. 문항과 구인은 일반적으로 집단 활동을 통해 구성 된다. 참여자(기관 지도자, 관찰자 및 피평가자)가 해결해야 할 요점과 질문을 결정하는 데 참여할 기회를 갖는다. 따라서, 타당도 관점에서 MSF는 문항과 직무 수행을 연결하는 데 있어 보다 투명한 평가 형태 중 하나일 수 있다.

MSF의 또 다른 장점은 피평가자의 인식 성장, 성찰과 통찰력을 활용하고 촉진한다는 것이다. 일반적으로 피평가자는 MSF 과정의 일부로 자체 평가를 완료한다. 다른 사람의 데이터와 함께 자체 데이터를 함께 사용함으로써, 피평가자는 불일치와 유사성에 초점을 맞춘다. 피평가자와 함께 작업하는 지도자나 멘토들은 이러한 데이터를 사용하여 피평가자를 도울 수 있다. 단, 외부 평가가 예상보다 낮은 경우 MSF에 대한 부정적 반응이 발생할 가능성이 높다는 점도 유의해야 한다.[58,59]

MSF의 뚜렷한 장점 중 하나는 도구를 구성하는 바로 그 과정이 수행에 대한 직무 관련 기준뿐만 아니라 흔히 발설되지 않은 문화와 환경에서 "규칙"의 다른 측면을 표현하게 만든다는 것이다. 내용과 지식 영역이 잘 설명되어 있는 기존의 표준화된 평가와는 달리 MSF는 종종 내용이 덜 정의된 행동과 가치에 초점을 맞춘다. 따라서, MSF를 사용하는 기관은 이와 관련하여 기관의 가치, 정책, 교육과정을 설명하고 명시해야 한다. 피드백은 모든 사람들이 수행에 대한 기대뿐만 아니라 문항과 행동의 명확한 정의에 동의할 때 최적으로 제공된다. 이 과정에서 진화된 토의는 매우 생산적이고 유익할 수 있다. MSF 과정 계획과 시행을 통해 관찰자 및 피평가자로 참여하는 사람들의 기대를 인식하게 된다는 점에서 유익하다. MSF 사용의 또다른 효과는 모든 사람이 자신의 전문적 역할의 일부로서 시스템 내의 동료와 타인들에게 건설적이고, 지지적이며, 전문적으로 제시된 피드백을 제공해야 할 책임이 있다는 메시지를 보낸다는 것이다.

정의에 의하면, MSF는 피평가자의 직속 감독자뿐만 아니라 다른 사람들의 관점을 포함한다. 즉, 광범위한 시각에서 교육생, 진료의사, 기타 보건의료 전문가, 환자 및 가족 구성원이 포함될 수 있다. 감독자에게 의존하는 평가의 불만사항은 피평가자가 불리한 피드백에 동의하지 않을 때는 제한된 정보에 대한 비난의 대상이 되고, 최악의 경우는 편견이 된다는 것이다. MSF는 한 개인과의 문제가 있는 관계에 의해 피드백이 편향된다는 불만을 피할 수 있다. MSF에서는 평가자의 수, 표본의 수, 표본을 채취하는 경우를 늘리게 되어있다. 따라서, 단일 사건이나 수행에 대한 "오해", 잘못된 집행, 또는 "컨디션이 안좋은 날"에 근거한 편견과 다른 불평들에 대한 비난을 피할 수 있다.

개별 수행에 대한 모든 평가와 마찬가지로, MSF 데이터는 개인별로 집계되어 집단에 대한 정보를 제공하고 프로그램 평가에 필요한 데이터의 일부를 형성할 수 있다. MSF의 내용에 따라, 이것은 다른 형식으로 획득한 것과 상이한 정책 또는 교육과정 개정에 유용한 정보를 제공할 수 있다. 예를 들어, 개인별로 데이터를 집계하면 환자 인계 문제, 환자중심 의료의 어려움, 보건의료전문가의 지식과 기술에 대한 존중의 결여와 관련된 문제를 강조할 수 있다. 반대로, 집계된 데이터는 모든 의사들이 높은 수준의 수행을 보인 영역이나 조사할 가치가 있는 다양한 의견이 있는 특정 주제를 강조할 수도 있다.

MSF 과정 내에서 관리되는 설문조사 도구는 다른 평가 형식과 비교했을 때 쉽게 수정되고, 여러 매체를 통해 관리되며, 상대적으로 신속하게 피드백을 제공할 수 있다는 장점이 있다. 수정은 특히 MSF도구를 저부담 용도에 사용할 경우 비교적 유연하게 진행할 수 있다. 단, 수정된 도구의 심리측정학적 평가에 대해서는 여전히 주의를 기울여야 한다. 설문조사는 종이, 전화 또는 컴퓨터-어떤 것이든 평가를 수행하는 사람이 쉽게 할 수 있다. 물론 어떤 매체의 사용은 조사 설계와 데이터 처리 속도에 영향을 미칠 것이다. 그러나 예를 들어 환자의 경우, 종이나 전화로 응답할 수 있는 능력은 응답률을 증가시키고 읽고 쓰는 능력, 응답에 대한 시간 압박 또는 컴퓨터 기술 접근의 한계를 피할 수 있다. 마지막으로, 설문조사는 조사를 완료한 시점부터 피평가자에게 피드백을 제공하는데 이르기까지 빠른 시간 내에 이루어질 수 있다.

MSF도 내재된 약점이 있다. 그 많은 특징들이 MSF를 다른 평가 형식과 구별한다. 일반적으로 표준화된 평가와 대조적으로 MSF 자극은 매일 관찰되는 실제 사건이다. 그 내용은 무작위이고 모든 관찰자마다 다르다. 표준화의 결여는 데이터 해석과 신뢰도 분석에 도전이 될 수 있다. 또한 보다 표준화된 형식과는 대조적으로, MSF는 실행에서의 약간의 변화가 수집된 정보의 질적 수준에 큰 차이를 만들 수 있다는 점에서 매우 민감하다. 예를 들어 정보가 저부담 형성적 피드백에만 사용될 것이라는 신뢰의 결여는 관찰자의 과대평가 또는 과소평가로 이어질 수 있다. 지식과 술기 평가와 달리 행동과 가치에 초점을 맞춘 피드백은 매우 예민할 수 있으며, 잘못 전달되면 즉각적이고 장기적인 부정적 영향을 줄 수 있다. 의사들은 일반적으로 수년 동안 전공의 프로그램을 경험하고 다양한 의료진들과 실무현장에 일한다. 그들의 동료의사나 간호사와 약사가 자신의 성과를 미흡하다고 평가한 사실을 알게 되는 것은 놀라움으로 다가올 수 있고 피드백이 전달된 후 상당 시간 동안 의도하지 않은 반응을 일으킬 수 있다. 평가환경의 설정, 응답자 및 피드백이 전달되는 방식에 주의를 기울이지 않으면 MSF의 유용성을 현저히 감소시킬 수 있다.

일부 환경에서는 MSF가 작동하지 않을 수 있다. 첫째, 신뢰할 수 있는 조직문화가 필요하며 피드백에 대한 적극적 참여는 불필요한 행정적 부담이 아닌 전문적 기대감으로 보는 분위기가 필요하다. 그러나 다음의 우려는 누구든지 가질 수 있는 우려이지만 기관 내 MSF의 폭넓은 수용을 방해할 수 있다. 우려 중 일부는 관찰자의 기밀 유지 보장, 부정확하거나 유해하거나 오용된 정보의 사용에 대한 법적 영향 및 평가결과에 따른 전문가로서의 수치감을 포함한다. 또한 MSF를 성공적으로 시행하려면 일반적으로 폭넓은 수용과 참여를 보장하기 위해 주요 의사결정자와 지도자의 승인을 필요로 하며, 정보의 사용은 기관의 목표 및 관련된 개입과 일치해야 한다. 견실한 MSF 과정 또는 폭넓은 승인이 없는 상태에서 평가도구만 도입하면 문제가 발생할 것이다. MSF는 또한 학습자에게 반향을 불러일으키고 조치를 취할 수 있도록 적시에 전달되어야 한다.

그러나 폭넓은 승인과 선의조차 특정한 업무 환경에서는 부족할 수 있다. 예를 들어 MSF는 복수의 관찰자의 정보입력에 의존한다. 소규모 전공의 프로그램이나 지방에서의 의료활동, 또는 개인이 고립되어 있거나 극소수의 사람들과 함께 일하는 환경에서는 관찰자의 수가 너무 적어서 신뢰할 수 있는 데이터를 산출할 수 없을 수 있고, 응답의 기밀 유지가 침해될 경우 사회적 네트워크에 대한 위험부담이 너무 클 수 있다.

평가도구를 사용할 평가자와 피평가자에 대한 합의가 이루어진 후에도 데이터 수집의 질적 수준에 대한 위협은 여전히 존재한다. 관찰할 과제, 도구 및 문항과 친숙해지기 위해 관찰자를 교육하는 것이 MSF 접근법의 성공여부에 핵심이 될 것이라는 사실은 명백하다. 노르치니(Norcini)의[65] 언급처럼 동료에 대한 평가 기준이 개발되고 소통되어야 하며 참가자는 훈련을 받아야 하지만, 훈련에 대한 접근방식의 바람직한 사례는 거의 찾아볼 수 없다.[6,40,41]

피드백에 대해 논의하고 실행 계획을 개발할 기회는 MSF 성공에 매우 중요하다. 데이터에 대한 논의 기회를 수반하지 않는 MSF 프로그램의 예는 수없이 많지만, 촉진된 피드백이 피드백의 수용과 달성 가능한 목표 설정에 긍정적인 영향을 미친다는 근거가 점점 명확해지고 있다.[40,61] 구두로 설명하는 피드백에는 평가자, 멘토, 감독자 또는 코치가 참여할 수 있다.[61] 피드백 시간은 피평가자가 평가자와 관계를 형성하고, 평가결과에 반응하고, 데이터의 내용에 초점을 맞추고, 변화에 필요한 노력을 기울이는 구조화된 형식을 따라야 한다.[33,40,66,67] 피드백에 대한 체계적인 접근방식은 13장에서 논의된다.[68] MSF는 기본적으로 다른 유형의 피드백과 다를 수 있다. 지식에 대한 피드백이 부정적일 때, 공부, 튜터링, 또는 다른 수단을 통해 교정할 수 있고 일시적인 결핍만 존재한다는 내재적 믿음이 있다. MSF의 경우, 행동이나 가치 피드백은 정보를 전달하는 사람과 정보를 받는 사람 둘 다에 의해 결함이 있는 성격적 특성을 반영하는 것으로 볼 수 있다. 결과적으로, 피드백 제공자 또는 수신자의 준비 부족으로 인해 의사소통이 잘못되거나 더 나빠질 수 있다. 또한 MSF 보고서의 내용은 실제로 듣기가 매우 어려운 메시지를 가질 수 있다(예를 들어, 당신의 동료들은 "이 의사는 적절한 업무 분담을 수용한다"에 강한 반대의견을 내렸을 경우). 자유롭게 기술한 글이나 논평은 데이터를 더욱 명시적으로 만들 수 있지만 사람들이 데이터에 이의를 제기하게 할 수도 있다.

MSF의 목적에 따라 피드백을 제공하는 데 적절한 사람은 다를 수 있다. 예를 들어, 공정한 상담자가 직속 감독자보다 더 나을 수 있다. 그럼에도 불구하고 피드백을 제공하는 사람은 이러한 점에서 피평가자의 기대를 이해하는 것을 포함하여 훈련되어야 한다. 실제로 평가과정과 피드백에 대한 인식은 피드백이 개선을 위해 사용되는지 여부에 영향을 미칠 수 있다.[40,58,61]

요약

MSF는 의사 역량 측면을 검사할 수 있는 고유한 도구를 제공한다. 그러나 브래컨(Bracken)과 동료들은 MSF 과정이 까다롭다고 경고한다. 최악의 경우, "MSF는 100% 정확도를 요구하는 대규모 데이터 수집 조건에서 보통 수준의 평가도구와 기존 계획과의 비논리적인 연계를 사용하여 (의심스러운 기술과 동기를 가진) 수많은 피드백 제공자가 있는 통제되지 않은 환경에서 작동한다. ...[MSF]는 통제되지 않은 실시간 환경에서 작동하는 이러한 모든 요소들의 복잡한 조합이다."[69]

지난 25년 간 평가도구의 개발과 유용성과 적용가능성에 대한 평가에 의하면 우수한 MSF 절차를 실행하기 위해서는 기관리더의 지원과 헌신이 필요하며, 참가자가 목표와 목적 및 데이터 사용을 이해할 수 있는 좋은 소통계획, 그리고 프로그램을 주도하고 관리하기 위한 운영 집단이 필요하다는 것은 명백한 사실이다. 이러한 평가도구는 저부담 형성평가 목적에 적합한 측정자료를 생성할 수 있다. 의사는 촉진될 때 데이터를 보다 잘 흡수하여 변화를 일으키도록 데이터를 사용할 것이다. MSF 시스템을 개발함에 있어서 MSF는 단일 도구가 아니라 일련의 과정이라는 것을 인식하는 것이 중요하다; 개발된 각 설문지는 좋은 평가를 위해 표준 기준에 따라 검토할 필요가 있다.[64]

감사의 글

이 장은 Holmboe ES, Hawkins RE(eds)의 편저 Practical Guide to the Evaluation of Clinical Competence. Philadelphia, Elsevier, 2008에 수록된 Lockyer JM, Clyman SG: Multisource feedback(360-degree feedback) 내용의 업데이트된 개정판이다. 저자는 이 장에 초기 공헌과 피드백을 제공해준 National Board of Medical Examiners의 Research and Discovery 수석 부사장인 Dr.Clyman, Senior에게 감사를 표한다.

참고문헌

1. Wenrich MD, Carline JD, Giles LM, et al. Ratings of the performances of practicing internists by hospital-based registered nurses. *Acad Med.* 1993;68:680-687.
2. Violato C, Marini A, Toews J, et al. Using peers, consulting physicians, patients, co-workers and self to assess physicians. *Acad Med.* 1997;72:57S-63S.
3. Moonen-van Loon JM, Overeem K, Govaerts MJ, et al. The reliability of multisource feedback in competency-based assessment programs: the effects of multiple occasions and assessor groups. *Acad Med.* 2015;90(8):1093-1099.
4. Lockyer JM, Violato C, Fidler H. The assessment of emergency physicians by a regulatory authority. *Acad Emerg Med.* 2006;13:1296-1303.
5. Sharma N, Cui Y, Leighton JP, et al. Team-based assessment of medical students in a clinical clerkship is feasible and acceptable. *Med Teach.* 2012;34:555-561.
6. Fornari A, Akbar S, Tyler S. *Critical Synthesis Package: Assessment of Professional Behaviors (APB).* MedEdPORTAL Publications; 2014. Available from https://www.mededportal.org/publication/9902.
7. Wooliscroft JO, Howell JD, Patel BP. Resident-patient interactions: the humanistic qualities of internal medicine residents assessed by patients, attending physicians, program supervisors and nurses. *Acad Med.* 1993;68:680-687.
8. Archer J, Norcini J, Davies HA. Peer review of paediatricians in training using SPRAT. *BMJ.* 2005;330:1251-1253.
9. Probyn L, Lang C, Tomlinson G, et al. Multisource feedback and self-assessment of the communicator, collaborator, and professional CanMEDS roles for diagnostic radiology residents. *Can Assoc Radiol J.* 2014;65:379-384.
10. Ramsey PG, Carline JD, Inui TS, et al. Use of peer ratings to evaluate physician performance. *JAMA.* 1993;269:1655-1660.
11. Lipner RS, Blank LL, Leas BF, et al. The value of patient and peer ratings in recertification. *Acad Med.* 2002;77:64S-66S.
12. Hall W, Violato C, Lewkonia R, et al. Assessment of physician performance in Alberta: the Physician Achievement Review Project. *CMAJ.* 1999;161:52-57.
13. Griffin E, Sanders G, Craven D, et al. A computerized 3600 feedback tool for personal and organizational development in general practice. *Health Informatics J.* 2000;6:71-80.
14. Campbell JL, Richards SH, Dickens A, et al. Assessing the professional performance of UK doctors: an evaluation of the utility of the General Medical Council patient and colleague questionnaires. *Qual Safety Health Care.* 2008;17:187-193.
15. Greiner AC, Knebel E, eds. *Committee on the Health Professions Education Summit, Health Professions Education: A Bridge to Quality.* Washington, DC: National Academies of Sciences, Engineering and Medicine; 2003. Available at http://www.nap.edu/catalog/10681/health-professions-education-a-bridge-to-quality.
16. Whitehead CR, Kuper A, Hodges B, et al. Conceptual and practical challenges in the assessment of physician competencies. *Med Teach.* 2015;37(3):245-251.
17. Lockyer J. Multisource feedback: can it meet criteria for good assessment? *J Cont Educ Health Prof.* 2013;33:89-98.
18. Wright C, Richards SH, Hill JJ, et al. Multisource feedback in evaluating the performance of doctors: the example of the UK General Medical Council Patient and Colleague Questionnaires. *Acad Med.* 2012;87:1662-1678.
19. Ten Cate O, Sargeant J. Multisource feedback for residents: how high must the stakes be? *J Grad Med Educ.* 2011;3:453-455.
20. Lewkonia R, Flook N, Donoff M, et al. Family physician practice visits arising from the Alberta Physician Achievement Review. *BMC Med Educ.* 2013;13:121.
21. Davies HA, Archer JC. Multi source feedback using Sheffield Peer Review Assessment Tool (SPRAT) - development and practical aspects. *Clin Teacher.* 2005;2:77-81.
22. Archer JC, McAvoy P. Factors that might undermine the validity of patient and multi-source feedback. *Med Educ.* 2011;45:886-893.
23. Moonen-van Loon JM, Overeem K, Donkers HH, et al. Composite reliability of a workplace-based assessment toolbox for postgraduate medical education. *Adv Health Sci Educ Theory Pract.* 2013;18:1087-1102.
24. Davies H, Archer J, Southgate L, et al. Initial evaluation of the first year of the Foundation assessment Program. *Med Educ.* 2009;43:74-81.
25. Lakshminarayana I, Wall D, Bindal T, et al. A multisource feedback tool to assess ward round leadership skills of senior paediatric trainees: (1) Development of tool. *Postgrad Med J.* 2015;91(1075):262-267.
26. Goodyear HM, Lakshminarayana I, Wall D, et al. A multisource feedback tool to assess ward round leadership skills of senior paediatric trainees: (2) Testing reliability and practicability. *Postgrad Med J.* 2015;91(1075):268-273.
27. Maudsley RF. Assessment of international medical graduates and their integration into family practice: the Clinician Assessment for Practice Program. *Acad Med.* 2008;83:309-315.
28. Nestel D, Regan M, Vijayakumar P, et al. Implementation of a multi-level evaluation strategy: a case study on a program for international medical graduates. *J Educ Eval Health Prof.* 2011;8:13.
29. Archer J, Swanwick T, Smith D, et al. Developing a multisource feedback tool for postgraduate medical educational supervisors. *Med Teach.* 2013;35:145-154.
30. Chesluk BJ, Reddy S, Hess B, et al. Assessing interprofessional teamwork: pilot test of a new assessment module for practicing physicians. *J Contin Educ Health Prof.* 2015;35:3-10.
31. Fleenor JW, Taylor S, Chappelow C. *Leveraging the Impact of 360-Degree Feedback.* San Francisco: Pfeiffer; 2008.
32. Lepsinger R, Lucia A. *The Art and Science of 360° Feedback.* San Francisco: Jossey Bass; 2009.
33. Lockyer J, Sargeant J. Implementing multisource feedback. In: Boud D, Molloy E, eds. *Feedback in Higher and Professional Education.* London: Routledge; 2013:158-172.
34. O'Sullivan P, Carraccio C, Holmboe E. Portfolios. In: Holmboe ES, Hawkins RE, Durning SJ, eds. *Practical Guide to the Evaluation of Clinical Competence* 2nd ed. Philadelphia: Elsevier; 2018: 270-287.
35. Streiner DL, Norman GR, Cairney J. *Health Measurement Scales: A Practical Guide to Their Development and Use.* 5th ed. Oxford: Oxford University Press; 2015.
36. Clauser BE, Margolis MJ, Swanson DB. Issues of validity and reliability for assessments in medical education. In: Holmboe ES, Hawkins RE, Durning SJ, eds. *Practical Guide to the Evaluation of Clinical Competence* 2nd ed. Philadelphia: Elsevier; 2018:22-36.
37. Kane MT. Validating the interpretations and uses of test scores. *J Educ Measure.* 2013;50(1):1-73.
38. Cook DA, Brydges R, Ginsburg S, et al. A contemporary approach to validity arguments: a practical guide to Kane's framework. *Med Educ.* 2015;49:560-575.
39. Lockyer J, Violato C, Fidler H, et al. The assessment of pathologists/laboratory-medicine physicians through a multi source feedback tool. *Arch Pathol Lab Med.* 2009;133:1301-1308.

40. Overeem K, Wollersheim HC, Arah OA, et al. Factors predicting doctors' reporting of performance change in response to multisource feedback. *BMC Med Educ*. 2012;10(12):52.
41. Sargeant J, Macleod T, Sinclair D, et al. How do physicians assess their family physician colleagues' performance? Creating a rubric to inform assessment and feedback. *J Cont Educ Health Prof.* 2011;31:87-94.
42. Mazor KM, Canavan C, Farrell M, et al. Collecting validity evidence for an assessment of professionalism: findings from think-aloud interviews. *Acad Med*. 2008;83:9S-12S.
43. Richmond M, Canavan C, Holtman MC, et al. Feasibility of implementing a standardized multisource feedback program in the graduate medical education environment. *J Grad Med Educ*. 2011;3(4):511-516.
44. Kogan JR, Conforti LN, Bernabeo E, et al. How faculty members experience workplace-based assessment rater training: a qualitative study. *Med Educ*. 2015;49(7):692-708.
45. Hesketh EA, Anderson F, Bagnall GM, et al. Using a 360 degrees diagnostic screening tool to provide an evidence trail of junior doctor performance throughout their first postgraduate year. *Med Teach*. 2005;27:219-233.
46. Al Ansari A, Donnon T, Al Khalifa K, et al. The construct and criterion validity of the multi-source feedback process to assess physician performance: a meta-analysis. *Adv Med Educ Pract*. 2014;27(5):39-51.
47. Johnson D, Cujec B. Comparison of self, nurse and physician assessment of residents rotating through an intensive care unit. *Crit Care Med*. 1998;26:1811-1816.
48. Risucci DA, Tortolani AJ, Ward RJ. Ratings of surgical residents by self, supervisors and peers. *Surg Gynecol Obstet*. 1989;169: 519-526.
49. Violato C, Lockyer J. Self and peer assessment of pediatricians, psychiatrists and medicine specialists: implications for self-directed learning. *Adv Health Sci Educ Theory Pract*. 2006;11:235-244.
50. Roberts MJ, Campbell JL, Richards SH, et al. Self-other agreement in multisource feedback: the influence of doctor and rater group characteristics. *J Cont Educ Health Prof.* 2013;33:14-23.
51. Archer J, Norcini J, Southgate L, et al. Mini-PAT (Peer Assessment Tool): a valid component of a national assessment programme in the UK? *Adv Health Sci Educ Theory Pract*. 2008;13:181-192.
52. Violato C, Lockyer JM, Fidler H. Changes in performance: a 5-year longitudinal study of participants in a multi-source feedback programme. *Med Educ*. 2008;42:1007-1013.
53. Lockyer JM, Hodgson CS, Lee T, et al. Clinical teaching as part of continuing professional development: does teaching enhance clinical performance? *Med Teach*. 2016;38(8):815-822.
54. Overeem K, Lombarts MJ, Arah OA, et al. Three methods of multi-source feedback compared: a plea for narrative comments and coworkers' perspectives. *Med Teach*. 2010;32:141-147.
55. Alofs L, Huiskes J, Heineman MJ, et al. User reception of a simple online multisource feedback tool for residents. *Perspect Med Educ*. 2015;4:57-65.
56. Nikels SM, Guiton G, Loeb D, et al. Evaluating non-physician staff members' self-perceived ability to provide multisource evaluations of residents. *J Grad Med Educ*. 2013;5:64-69.
57. Fidler H, Lockyer JM, Toews J, et al. Changing physicians' practices: the effect of individual feedback. *Acad Med*. 1999;74:702-714.
58. Sargeant J, Mann K, Ferrier S. Exploring family physicians' reactions to multisource feedback: perceptions of credibility and usefulness. *Med Educ*. 2005;39:497-504.
59. Sargeant J, Mann K, Sinclair D, et al. Challenges in multisource feedback: intended and unintended outcomes. *Med Educ*. 2007;41:583-591.
60. Overeem K, Wollersheim H, Driessen E, et al. Doctors' perceptions of why 360-degree feedback does (not) work: a qualitative study. *Med Educ*. 2009;43:874-882.
61. Ferguson J, Wakeling J, Bowie PL. Factors influencing the effectiveness of multisource feedback in improving the professional practice of medical doctors: a systematic review. *BMC Med Educ*. 2014: 11(14):76.
62. Lockyer JM, Violato C, Fidler HM. What multisource feedback factors influence physician self-assessments? A five-year longitudinal study. *Acad Med*. 2007;82:77S-80S.
63. Donnon T, Al Ansari A, Al Alawi S, et al. The reliability, validity, and feasibility of multisource feedback physician assessment: a systematic review. *Acad Med*. 2014;89:511-516.
64. Norcini J, Anderson B, Bollela V, et al. Criteria for good assessment: consensus statement and recommendations from the Ottawa 2010 Conference. *Med Teach*. 2011;33:206-214.
65. Norcini JJ. Peer assessment of competence. *Med Educ*. 2003;37:539-543.
66. Bruce D, Sargeant J. Multi-source feedback. In: Mohanna K, Tavabie A, eds. *General Practice Specialty Training: Make It Happen: a Practical Guide for Trainers, Clinical and Educational Supervisors*. London: Royal College of General Practitioners; 2008.
67. Sargeant J, Lockyer J, Mann K, et al. Facilitated reflective performance feedback: developing an evidence and theory-based model. *Acad Med*. 2015;90(12):1698-1706.
68. Sargeant J, Holmboe E. Feedback and coaching in clinical teaching and learning. In: Holmboe ES, Hawkins RE, Durning SJ, eds. *Practical Guide to the Evaluation of Clinical Competence*. 2nd ed. Philadelphia: Elsevier; 2018:256-269.
69. Bracken DW, Timmreck CW, Church AH, eds. *The Handbook of Multisource Feedback: The Comprehensive Resource for Designing and Implementing MSF Processes*. San Francisco: Jossey-Bass; 2001.
70. Richards SH, Campbell JL, Walshaw E, et al. A multi-method analysis of free-text comments from the UK General Medical Council Colleague Questionnaires. *Med Educ*. 2009;43(8):757-766.

12

시뮬레이션바탕 사정

ROSS J. SCALESE, MD

개요

의학 시뮬레이션이란 무엇이며 왜 사용하는가?

의학교육에서 시뮬레이션에 관한 논문이 약 50년 전부터 발표되었지만,[1,2] 보건의료분야 교육과 사정(assessment)에 시뮬레이션 기술의 사용이 크게 증가하기 시작한 것은 불과 20년 밖에 지나지 않았다. 이것은 전통적인 접근방식 즉, 수백 년 동안 수련과정과 각종 평가에서 실제 환자를 중심으로 운영되었던 시스템의 대담한 변화와 출발을 의미한다. 이러한 변화에는 다양한 요인들이 기여했다. 의료서비스 제공의 변화로 환자 수가 증가했고, 급성질환 환자들이 늘었으며, 입원 기간과 진료 시간이 단축되었다. 이로 인해 대학소속 병원이나 수련병원에서는 학습과 사정에 활용될 수 있는 환자의 수가 줄어들고 임상교수들은 교육생을 가르치고 평가하는 시간이 줄게 되었다.[3,4] 이와 대조적으로 시뮬레이터는 언제든지 쉽게 이용할 수 있으며, 필요에 따라 다양한 임상 조건과 상황을 재현할 수 있다. 실제 환자와 달리, 시뮬레이터는 교육생이나 응시자가 평가를 수행할 때 진단검사나 치료를 받기 위해 "병실을 떠나는" 일도 절대 없다. 시뮬레이터는 결코 "너무 아프거나" 피곤해 하거나 당황스러워하거나 예측할 수 없는 행동을 하지 않으므로 모두에게 표준화된 교육경험을 제공할 수 있다.[5]

또한, 새로운 영상 방식과 최소침습적(minimally invasive) 술기와 같은 진단과 치료의 기술 발전에는 전통적인 접근방식과는 다른 정신운동 및 지각기술의 개발이 필요하므로 교육, 학습 및 사정을 위한 새로운 기법이 필요하다.[6] 점점 현실화되는 가상현실 시뮬레이터와 같은 시뮬레이션 기술의 진보는 이러한 교수학습, 기술 습득 및 평가에 도움이 되고 있다.

이와 동시에, 저명한 국제 보고서들의[7-11] 내용을 살펴보면, 의료 오류 문제와 개인의 실수 예방뿐만 아니라 의료시스템에서 발생할 수 있는 결함 교정을 통해 환자안전을 개선해야 할 필요성을 강조하고 있다. 고위험 수행 환경의 다른 전공분야에서는 수련과정과 사정 프로그램에 시뮬레이션 기술을 오랫동안 성공적으로 활용해왔는데, 이는 단순히 개인의 팀워크 기술을 개발하고 시험하기 위해서만 아니라 안전한 환경을 구축하기 위한 의도도 있다. 예를 들어, 조종사와 우주 비행사를 위한 비행 시뮬레이터, 원자력 발전소 직원을 위한 기술 운영 시나리오와 같은 사례가 있을 수 있다.[12-15] 의학교육 분야에서 이러한 모델을 채택하여 시뮬레이션 방식을 사용하는 데 마취과, 중환자의학과, 응급의학과와 같은 전문과들이 주도적인 역할을 했으며, 특히 드문 환자사례나 응급상황을 다루는 데 필요한 기술을 가르치고 평가하기 위해 사용되었다.[16,17] 모의 환경에서는 교육생들이 실제 환자에게 피해를 주거나 실수로 인한 처벌에 대한 두려움 없이 실수를 할 수 있고, 그 실수를 인지하고 교정하는 법을 학습할 수 있다.

실제(심지어 표준화) 환자를 교육 또는 사정의 자원으로 "활용"하는 것의 적절성은 이러한 안전문제와 밀접히 관련이 있는 중요한 윤리적 문제이다. 이러한 논쟁은 종종 민감한 술기(예: 골반 내진) 또는 환자에게 해를 입힐 수 있는 위험한 상황(예: 기관 삽관 또는 기타 침습적 술기)과 관련된 교수학습이나 평가가 중점이 된다. 시신이나 동물과 같은 환자 대용을 사용하는 것은 그 자체가 윤리적 문제가 된다. 비용, 가용성 및 적절한 수준의 사실성 유지를 포함한 추가적인 문제들도 임상술기 교육과 사정에 활용되는 시신과 동물의 역할에 제한점을 드러내었다. 반면에 시뮬레이터는 이러한 문제 대부분을 우회하여 모든 수준의 보건의료전문가 교육과 평가에 널리 사용되기 시작했다.

마지막으로, 시뮬레이션의 활용도를 높이는 이러한 영향은 보다 넓고 새로운 맥락에서 이해해야 한다. "학생들의 학습이 교육의 가장 중요한 목표이지만 학습자에게 실제로 학습이나 숙달이 일어났는지 그 근거를 보여주어야 하는 경우가 많다."[18] 1장에서 언급한 바와 같이 이 진술은 보건의료 분야의 성과바탕 또는 역량바탕 교육에 대한 세계적 관심의 변화를 반영한다. 이러한 패러다임 변화는 질적 표준을 설정하고 이를 유지하려는 교육기관과 전문기관의 자발적인 노력에 부분적으로 기인하지만 대체적으로 의사 역량의 보증을 기대하는 대중의 요구에 대한 반응이라 할 수 있다.[19] 성과바탕 모델에는 필요한 역량이 실제로 달성되었는지 사정해야하는 의무가 있다. 따라서 의과대학, 전공의 수련프로그램, 병원 및 보건의료체계 자격인증위원회, 면허 및 분야별 전문의위원회(고부담 자격시험 포함)는 다양한 영역에서의 임상적 역량을 평가하기 위해 시뮬레이션 방식을 사용하는 데 보다 중점을 두기 시작했다.[20-27]

의학 시뮬레이션이란 무엇인가? 일반적으로 의학 시뮬레이션은 실제 환자, 인체 부위 또는 임상술기를 모방하고, 의료서비스가 제공되는 실제 상황을 반영하는 것을 목표로 한다. 이러한 시뮬레이션은 정적인 해부학 모형이나 술기모형(예: 정맥 천자용 팔 모형과 삽관용 마네킹 머리 모형)에서 사용자 행동에 반응하는 동적인 컴퓨터 증강시스템(예: 마취용 전신 환자 시뮬레이터), 비교적 쉬운 기술을 평가하는 표준화환자(standardized patient, SP) 면담에서부터 최첨단 가상현실 수술시뮬레이터, 그리고 술기 수준에 따른 시뮬레이터와 단일 사용자의 수행을 평가하기 위한 개별 모형부터 여러 보건의료 종사자 집단이 참여할 수 있는 대화형 역할극 시나리오까지 그 종류도 매우 다양하다. 이어지는 논의에서는 시뮬레이션과 시뮬레이터 어원의 차이를 설명하고자 한다. 앞에서 언급한 것처럼 "시뮬레이*션*(*simulation*)"은 실제처럼 평가문제를 제시하려고 시도하는 어떤 장비나 일련의 상황을 폭넓게 의미하는(예: SP를 바탕으로 한 시험) 반면 "시뮬레이*터*(*simulator*)"는 보다 좁은 의미의 시뮬레이션 *장비*(*device*)를 말한다. 대부분의 사항은 시뮬레이션에 적용되지만 이 교재의 앞장(2장 및 5장 참조)에서 이미 SP 바탕 사정과 관련된 문제를 심층적으로 살펴보았으므로 이 장(특히 활용 가능한 기술 부분)에서는 보다 구체적으로 시뮬레이터에 초점을 두도록 하겠다.

논의를 진행하기 전에 사정의 개념에 대한 추가 설명이 필요하다. 한 온라인 사전에[28] 의하면 "사정(assessment)"을 다음과 같이 정의하고 있다. "사람 또는 무언가의 성격, 품질 또는 능력에 대한 평가 또는 측정." 이 단순하지만 유용한 정의는 사정과 밀접하게 연관된 단어인 "평가(evaluation)"의 의미도 포함하고 있다. 일부 학자들은 교육영역에서의 "사정"은 *사람*(*people*)에 대한 추론을 도출하는 데 사용되는 데이터를 얻는 방법으로 설명하는 반면, "평가"는 학습단위 또는 *교육과정*(*program*)의 특성을 결정하는 데 사용되는 체계적 기술로 설명한다. 다음 논의를 위해, 우리는 이 용어들을 거의 상호교환적으로 계속 사용할 것이지만, 일반적으로 우리의 고려 사항은 사람들, 특히 교육훈련이나 실제 임상상황에서 의료종사자에 의한 학습 사정, 기술습득 또는 기타 학습성취에 중점을 둘 것이다.

우리는 교육상황을 분석할 때 때로는 *형성평가*(*formative*)보다는 *총괄평가*(*summative*) 목적으로 사용되는 시뮬레이션바탕 사정에 더 중점을 둔다. 그러나 그 의도는 형성평가의 중요성을 경시하는 것이 아니다. 오히려, 개별적인 피드백의 제공은 시뮬레이션 바탕 중재로 효과적인 교육성과를 달성하는 데 중요한 역할을 한다.[29-31] 교육생은 과거 성과의 평가를 바탕으로 개선을 위한 학습지도를 받으므로 교육과 학습은 형성평가와 밀접하게 관련되어 있다. 반면에 총괄평가의 일반적인 예로는 임상실습 종료 후, 전공의 수련 1년 후, 또는 전문의 자격을 위한 시험이 포함된다. 이러한 평가에는 일반적으로 형성평가 목적으로 수행되는 시험보다 많은 부담이 된다. 이것으로 통과/미통과를 결정하거나 보여준 임상수행 과정이 전문의시험 합격에 허용된 기준을 충족하는 지를 결정할 수 있기 때문이다.

마지막으로, 미리 언급하고 싶은 사항이 한 가지 있다. 앞으로 제시하는 논의점들에 대하여 필자의 개인적 교육경험과 임상경험의 내용들을 제시할 것이다. 따라서, 인용되는 사례들은 종종 북미 상황에서의 의학교육과 관련이 있다. 그렇다고 간호 및 다른 보건의료 전문직 또는 다른 문화와 국가의 상황을 가볍게 여긴다는 것은 아니다. 오히려 세계 각국의 보건의료 관련 시뮬레이션바탕 교육훈련과 사정에 광범위하게 적용할 수 있다는 점을 명확히 하고자 한다.

심리측정학적 특성 및 관련 고려 사항

임상역량을 평가하기 위한 시뮬레이션(또는 다른 방식)의 활용에 대해 논의하기 전에 다양한 사정방법의 특성과 유용성을 판단하기 위한 기준을 설정해야 한다.[32] 전통적으로는 시험의 심리측정학적 특성, 특히 그 타당도와 신뢰도에 초점을 두었으나 최근에는 평가 전문가들이 다양한 평가방법의 장단점을 평가하고 특정 목적에 활용할 것을 결정할 때 고려해야 할 사항들을 추가로 제안했다.[33,34] 신뢰도과 타당도의 핵심 개념을 적절하게 강조한 "바람직한 사정"의 기준에 대해서는 앞 장에서 이미 다루었다(2 장 참조). 여기서는 시뮬레이션바탕 평가의 맥락에서 이 주제를 다시 다루고, 장의 마지막에는 바람직한 사정이 충족해야 하는 다른 기준들 예컨대, 교육적 영향과 결과에 따른 판단의 신뢰성과 수용성 등의 사항을 살펴보고자 한다.

우선 평가도구 자체에 내재된 특성으로 신뢰도와 타당도를 종종 언급하지만, 실제로 이것들은 특정 목적이나 특정 상황에서의 사정방법을 통해 얻은 시험점수와 이에 대한 해석과 결정을 묘사한다는 점을 기억하는 것이 중요하다.[35] 또한 시뮬레이션 기술과 관련된 특성을 고려할 때 평가자는 시뮬레이터 자체의 측정 특성과 전체 사정의 특성을 구분해야 한다. 그 이유는 시뮬레이터 자체는 일반적으로 전체 사정을 구성하는 것이 아니라 기존 평가방법을 보완하고 임상 소견을 제시하며 표준화를 촉진하는 도구로서의 역할을 하기 때문이다. 예를 들어, 시뮬레이터는 종종 객관구조화진료시험(objective structured clinical examination, OSCE)의 간단한 평가스테이션에서 효과적인 도구로 사용된다. 이러한 사정에서, 평가자는 종종 체크리스트나 총괄평정척도를 사용하여 시뮬레이션 상황에서의 응시자 수행을 판단하는데, 이러한 상황의 채점도구는 자체적인 특성이 있다. 따라서 시뮬레이션 자체의 심리측정학적 특성과 평정척도의 특성 및 전체적인 OSCE 특성을 구분하여 논의할 수 있다. 동시에, 하나의 평가 스테이션에서 시뮬레이터로부터 얻은 수행지표의 신뢰도가 전체 시험 점수의 신뢰도와 타당도에 영향을 미치는 방식이 서로 연관된 것으로 고려하는 것이 필요하다.

신뢰도

단순하게 생각하면, 일반적으로 사정의 맥락에서 *신뢰도(reliability)*는 특정 평가방법을 사용하여 얻은 점수의 재현성을 의미하며, 보다 구체적으로 의학시뮬레이션에 적용되는 경우, 수행 데이터를 신뢰할 수 있을 정도로 수집하거나 많은 응시자에게 여러 차례에 걸쳐 반복적이고 일관되게 동일한 임상 소견, 과제 또는 시나리오를 제시하는 시뮬레이터의 능력과 관련있다. 임상사정 방정식에 세 가지 변수-환자, 응시자 및 평가자가 포함되어 있는 점을 고려하고 획득한 점수가 응시자의 임상역량에 대한 실제 값으로 반영되는 평가를 고안한다면 처음 두 변수를 통제해야(또는 두 변수의 신뢰도를 극대화해야) 한다. 평가자 교육과 신뢰할 수 있는 기타 평가도구(체크리스트, 평정척도 등)를 사용하면 "평가자" 구성요소를 표준화할 수 있다. 반면, 시뮬레이터는 프로그래밍 기능으로 "환자" 변수의 다양한 측면을 표준화할 수 있어 여러 응시자에게 균일하고 재현 가능한 경험을 제공할 수 있다. 이 높은 수준의 신뢰도는 사정을 위한 시뮬레이터의 고유한 강점 중 하나이며 특히 고부담 시험에서 중요하다. 특정 사정 설정에서 시뮬레이터를 사용하여 얻은 점수의 신뢰도 계수는 비교적 간단하게 계산할 수 있다.[36]

타당도

신뢰도 측정과는 대조적으로, 우리는 직접 *타당도(validity)*를 측정하거나 "타당도 계수"를 계산할 수 없으나 해석의 타당성과 시험 결과의 사용에 대한 근거를 뒷받침하기 위해 다양한 분석과 경험적 연구로부터 자료를 축적해야 한다.[37,38] 신뢰도는 재현성 및 일관성과 관련 있으며 사정에서 수집된 데이터의 속성인 반면, 타당도는 정확성과 방어 가능성을 의미하며 이러한 데이터를 기반으로 하는 해석, 사용 및 결정의 특징이다. 따라서 두 개념은 서로 밀접하게 관련되어 있다. 신뢰할 수 있는 데이터가 없으면 해당 데이터의 유효한 해석과 사용이 불가능하다. 타당도는 특정 평가도구나 사정방법 자체의 본질적인 속성이 아니라 평가가 이루어지는 상황에 따라 결정된다. 즉, 특정 시험은 특정 시간에 특정한 목적으로 특정 응시자 집단에게 시행된다. 하나의 사정 맥락에서 얻은 점수의 해석은 타당한 것으로 간주할 수 있지만, 다른 시험 조건에서 또는 다른 집단에서 도출된 데이터에 기반하여 비슷한 의미나 결정에 대한 주장은 타당하지 않을 수 있다.[37,38]

우리는 "타당도"라는 용어를 시험이 측정하고자 하는 것을 측정하는 정도로 정의할 수 있지만, 지나치게 단순화된 개념은 교육 문헌에서 역사적으로 논의된 타당도의 많은 특성이 가려진다. 예를 들어, 우리는 사정에 사용된 시뮬레이터와 관련 있는 "구인 타당도"에 대해 말할 수 있다. 타당도가 확보된 내시경 술기에 대한 평가에서 실제 내시경 검사에 대하여 경험이 가장 많은 전문가는 시뮬레이션 과제를 가장 잘 수행해야 한다. 실제 내시경 검사 경험이 없는 초보자는 시뮬레이터에서 가장 낮은 수준의 수행을 보여줄 것이다. 그리고 실제 내시경 검사에 경험이 조금 있는 집단이라면, 앞서 설명한 두 집단의 수행 수준 사이 어딘가에 속할 것이다. 또는 시뮬레이터바탕 술기시험에서 우수한 수행을 보인 영상의학과 전공의가 나중에 실제 중재 방사선(interventional radiology, IR) 술기를 잘 수행하는 것으로 숙련된 전문 평가자에게 평가된 경우, 특정 가상현실 카테터 삽입 시뮬레이터의 "예측 타당도"을 유추할 수 있다. 전문가 패널의 합의된 의견은 "내용 타당도"의 근거가 될 수 있다. 숙련된 심장전문의들은 심장질환 환자시뮬레이터의 소견이 실제 심장질환 환자들의 소견을 잘 표현하는지 합의하거나 특정 술기에 대해 전문 지식을 갖춘 외과 의사들이 수술 시뮬레이터에서 평가된 술기가 실제 작업 수행의 핵심 단계를 잘 보여주는지 결정한다.

현대적 타당도 개념은 지난 40-50년 동안 크게 발전했는데 오늘날 교육측정 전문가들은 타당도의 다른 부분들을 구별하는 용어를 피하는 경향이 있으며, 모든 타당도 논의는 *구인타당도(construct validity)*와 관련이 있다고 주장한다.[37,38] 메시크(Messick)는[39] 타당도 근거로 다섯 가지 주요 출처-내용, 응답 과정, 내부 구조, 다른 변수와의 관계 및 결과-를[37-40] 설명하는 통합 체계를 처음 제안했고, 이 통합체계는 저명한 교육 및 심리

평가 기관들이 채택하여 현재는 표준체계로 사용하고 있다.[40] 사정 데이터의 제안된 해석을 지지(하거나 반대)하는 데 사용되는 타당도 근거의 다양한 출처 예시를 앞 단락에서 제시하였다. 내시경 검사 및 카테터삽입 시뮬레이터바탕 평가는 다른 변수와의 관계를 통해 근거를 제공할 수 있고(즉, 각각 내시경에 대한 의사의 경험 수준과 실제 중재 방사선 술기 수행 동안의 평가의 상관관계), 전문가 패널의 설명도 내용 근거에 기여할 수 있다. 후자의 두 가지 타당도 근거 출처와 (종종 신뢰도 계수나 문항분석에 의해 지지받는) 내부 구조 근거는 시뮬레이션바탕 사정의 검증 문서와 관련하여서는 현재까지 가장 흔히 보고되는 반면 응답 과정과 결과에 대한 근거 보고는 부족하다.[41]

케인(Kane)은[42-44] 이러한 다양한 출처의 자료들이 시험결과에 대한 해석이나 사용을 정당화하는 데 활용될 수 있도록, 그 근거가 전체적인 논증으로 구성될 수 있는 타당도 접근 방식을 제안했다(2 장 참조). Kane은 우리가 수행을 관찰하는 상황에서 그 관찰을 토대로 의사결정 단계로 도약할 때 다양한 가정에 의해 뒷받침되는 여러 가지 추론을 각각 도출한다고 주장한다. 그는 이 "추론의 사슬"에서 네 가지 주요 연결 고리를 설명한다. (1) 채점 - 사정에서 시행된 관찰과 수집된 데이터가 주어진 영역(예: 관심구인)에서 응시자의 수행/역량을 나타내는 점수로 정확하게 변환되었다고 가정한다. (2) 일반화 - 우리는 한 번의 시험, 한 번의 "스냅 샷"에서의 수행과 시험 점수가 동일한 역량을 평가하는 "보편적인" 평가 상황에서의 수행을 정확하게 예측한다고 가정한다. (3) 추론 - 우리는 그러한 평가 상황에서의 수행이 실제 진료 현장에서의 수행을 정확하게 예측한다고 가정한다. (4) 의사결정/해석 - 점수에 대한 최종 해석과 해당 점수에 기초한 의사결정에 적용되는 규칙(예: 응시자의 통과 또는 미통과)이 사정 과정의 여러 이해 관계자에게 정당하고 신뢰할 수 있는 것으로 가정한다.

다양한 특성을 가진 사정방법들은 타당도 근거의 어떤 구성요소가 일반적으로 가장 견고한 지, 추론 사슬에서 전형적으로 "가장 약한 연결고리"를 구성하는지에 영향을 미친다.[45] 예를 들어, 시뮬레이터바탕 평가의 경우 타당도 논의의 채점 요소 근거는 비교적 쉽게 얻을 수 있다. 시뮬레이터가 점수를 결정하는 데 사용되는 학습자 수행 정보기록 내장 센서를 장착한 경우, 시뮬레이터의 성능을 보장하기 위해 장치를 정기적으로 점검하고 교정한 것을 문서화하고 자료를 기록하는 것이 논의를 강화할 수 있다. 이 요소에 대한 추가 근거는 특정 채점 기준을 개발한 방법과 해당 기준 적용을 위한 평가자 훈련방법에 대한 설명이 포함될 수 있다. 반면에 타당도 논의의 일반화 요소는 조금 더 복잡한 문제다. 필기 시험과 달리 대부분의 시뮬레이션바탕 평가는 상대적으로 적은 수의 문항(예: 시험 시나리오)으로 운영되므로 하나의 시험 시행의 결과를 다른 시험 시행의 결과로 일반화할 수 없다. 실제로, (표본오류로 이어질 수 있는) 이러한 "구성과소대표성"의 가능성과 내용 특이성 관련 문제는 대부분의 수행바탕 평가에서 타당도에 큰 위협 요소가 된다. 그러나 진료바탕 사정(관찰평가가 특정 날짜에 진료소나 병원을 방문하는 실제 환자, 상황 또는 술기로 제한되는)과 달리, 시뮬레이션은 사전 계획이 가능하므로 필요에 따라(사용 가능한 자원의 제약 내에서) 추가 시험 시나리오를 개발하여 진행할 수 있다. 이러한 방식으로 시험문항의 수를 늘리고 고려 중인 영역을 광범위하게 나타내는 출제계획표에 따라 사례 혼합을 결정하는 표집 절차를 활용하는 것은 시뮬레이션바탕 사정의 타당도 논의에서 취약한 일반화 문제를 강화하는 효과적인 방법이다. 논의의 추론 요소는 일반적으로 시뮬레이션이 보다 현실적일수록 시험 환경에서의 수행과 실제 상황에서의 수행 사이의 연관성이 더 강하다는 가정에 의존한다. 물론, 우리는 사정 결과의 최종 해석을 정당화하거나 이러한 판단을 활용하여 결정을 내리기 전에 이 가정이 타당하다는 근거를 제공해야 한다.

충실도

따라서 시뮬레이션 타당도에 대한 논의는 학습경험의 사실적인 측면을 설명하거나 시뮬레이션이 복제하도록 설계된 실제 환경과 유사성을 의미하는, 또 다른 중요한 용어인 *충실도(fidelity)* 사용을 수반한다. 결국 앞 절에서 언급한 바와 같이, 사정 목적으로 사용되는 시뮬레이션의 충실도는 주로 시뮬레이션바탕 시험 결과를 사용하여 특정 결정을 내리는 데 도움이 되는 타당도 논의의 추론(extrapolation) 요소와 관련되어 있으므로 중요하다(오래된 사정 문헌에서는 대부분의 교육측정 전문가들이 현재 기피하는 용어인 "안면 타당도"와 연관된 개념으로 언급한다).[38] 물론, 훨씬 더 생생한 시스템을 제공하는 기술 발전에도 불구하고 시뮬레이션의 충실도는 결코 "실제"와 완전히 같을 수는 없다. 공학적 한계, 심리적 요구사항, 윤리적 및 안전 고려 사항, 시간 및 비용 제약 등 몇 가지 명백한 이유가 존재하기 때문이다.[46]

다시 한번 강조하지만, 충실도는 시뮬레이션의 모양과 동작이 실제 시스템의 모양과 동작을 모방하는 정도를 의미하는데, 일부 연구자들은 물리적(또는 공학적) 충실도와 기능적(또는 심리적) 충실도의 중요한 차이점을 강조하면서 과거에 이 용어를 사용하는 데 있어 불일치와 부정확성을 언급하였다.[47] 일부는 "충실도"라는 용어 대신 "물리적 유사성"이나 "기능적 업무 정렬"과 같은 보다 직관적이고 유용한 표현을 사용하도록 제안하였다.[48] 후자(또는 심리적 충실도)는 시뮬레이션 업무가 실제 업무의 기술이나 행동을 복제하는 정도를 나타낸다. 반면에 공학적 또는 물리적 충실도는 시뮬레이션 장치 또는 훈련 환경이 실제 임상상황의 물리적 특성 또는 외관을 재현하는 정도를 나타낸다. 높은 수준의 공학적 충실도를 가진 시뮬레이터는 종종 최첨단 구성요소(예: 전신 전산화 마네킹 또는 가상현실 시뮬레이터)를 사용하므로 일부는 부적절하게 "고충실도"와 "첨단 기술" 시뮬레이션을 동일시한다. 그러나 시뮬레이션은 비교적 낮은 기술 방법(예: SP 시나리오)으로 높은 수준의 심리적 충실도를 달성할 수 있다. 반대로, 대인관계 의사소통 기술을 평가하기 위해 시뮬레이션 방식으로 첨단 컴퓨터 마네킹을 사용하는 것은 SP를 사용하는 것보다 사실성이 떨어지며, 이러한 낮은 충실도는 사정을 바탕으로 한 의사결정의 방어 논의에서(추론 구성요소의) 타당도에 대한 위협이 될 것이다. 따라서 교육적 목적으로 시뮬레이터를 선택할 때와 마찬가지로 평가자는 시뮬레이션의 충실도를 사정도구로서 사용하려는 의도와 일치시켜야 한다. "가능한 가장 높은 충실도는 특정 기술을 가르치는 데(또는 평가하는 데) 불필요하거나 원치 않는 복잡성을 초래할 수 있으며, 감당하기 어려운 고가 시뮬레이션을 만들게 되어 실현할 수 없는 학습도구(또는 사정도구)로 만들 수 있다."[4]

실행 가능성

따라서 사정을 위한 시뮬레이터의 사용을 논의할 때 또 다른 중요 고려 사항은 *실행 가능성(feasibility)*이며, 이는 일반적으로 특정 장치를 평가도구로 사용하는 데 고려해야 할 실용성과 비용 효과성과 관련 있다. 이 장의 뒷부분에서는 장비, 훈련, 인력, 유지 보수 등에 필요한 다양한 비용을 다룬다. 또한 사정을 위해 시뮬레이션의 실행 가능성 고려에는 필요한 자원 측면에서 시뮬레이터를 감당*할 수 있는지(can)* 여부뿐만 아니라 특정 평가를 위해 시뮬레이터를 확보하고 구현*해야 하는지(should)* 여부를 포함해야 한다. 즉, 전통적인 방법과 비교했을 때 시뮬레이터로 평가하여 입증 가능한 개선 사항이 재정, 시간 등의 지출보다 가치가 있는가?라는 질문을 던져보아야 한다.[4]

채점 및 채점도구

마지막으로, 시뮬레이션바탕 사정을 위한 채점 루브릭 개발과 관련된 중요한 고려사항이 있다. 교육생 평가 중에 성과 점수를 생성하기 위해 사용할 수 있는 몇 가지 기준이 있으며, 최적의 선택은 일반적으로 평가할 역량이 *과정(process*, 순차적이고 철저한 "코드 블루(code blue)" 소생술을 시행하는 것 같은)이나 *성과(outcome*, 심폐소생술 후 시뮬레이션 환자의 상태와 같은)에 관련 있는지에 따라 결정된다. 일부 사례에서는 응시자의 수행이 최소 허용수준 또는 진료 표준을 충족시키는지를 결정하기 위한 총괄평가와 같은 경우에, 과정 준거(process criteria)가 평가에 보다 적절한 기반이 되며, 명시적 단계의 체크리스트에 대한 측정이 가장 일반적으로 사용되는 기법이다. 다른 사례에서는 마지막 결과 또는"최종 결과"(예를 들어, 교육생이 올바른 진단을 했는가? 환자가 살아 있는가?)가 그 결과를 달성하기 위한 방법보다 중요하게 간주될 수 있으며, 이 경우 성과 준거(outcome criteria)가 더 관련 있다. 표 12.1, 12.2와 12.3은 시뮬레이터로 과정 및 성과를 사정할 수 있는 방법을 보여준다.[35,49]

이 절 앞부분에서 간략하게 언급하고 이전 장에서 자세히 설명했듯이(2 장 및 3 장 참조), 이러한 준거를 바탕으로 수행바탕 시험에서 시뮬레이터와 함께 사용되는 체크리스트 및 총괄평정척도는 자체 신뢰도와 타당도 특성이 있다. 이 특성들은 다른 요인들 중에서 평가자 훈련, 평가중인 특정 술기 및 특정 사정의 목적에 좌우된다. 예를 들어, 특히 초보자 학습자들과 함께 연습차원의 형성평가를 수행하는 경우 체크리스트로 사정된 과정 준거는 구체적이고 실행 가능한 피드백을 제공할 수 있다. 교육생은 시뮬레이션 환자와의 만남 중 병력청취를 할 때 놓쳤던 주요 질문이나 시뮬레이터에서 특정 술기를 수행할 때 놓쳤던 주요 단계를 정확하게 파악할 수 있고, 해당 영역에 대한 교정 노력에 집중할 수 있다. 반면, 총괄평정척도를 활용한 평가결과(예: 개인이 하나의 사정 영역에서 7점 리커트 척도 중 "4"점을 받은 경우, 특히 숫자 등급에 해당하는 특정 행동기준이 없는 상황)에서는 해당 학습자의 향후 개선에 대한 유용한 피드백을 제공하지 못한다. 한편, 상급 교육생을 대상으로 총괄평가를 사용할 경우, 잘 구성된 평정척도를 사용하면 전문평가자가 판단한 성과 기준은 보다 신뢰할 수 있는 점수를 생성하여 체크리스트보다 타당한 결정(예: 전문의 자격 수여 또는 다음 단계 훈련으로 진행 가능)을 내릴 수 있다.[50]

강점과 최선의 응용

우리는 앞서 시뮬레이션을 사정에 사용하는 주요 장점 중 하나로 시뮬레이션의 신뢰도를 강조했다. 계획된 교육설계로 인

표 12.1 채점 기준과 예시

기준 형태	예시
명시적 과정(측정)	피부 상처 시뮬레터에 봉합하는 동안 수행 단계를 기록하는 증례 특정 체크리스트 (표 12.2 참조)
암시적 과정(판단)	피부 상처 시뮬레이터에 시행하는 봉합을 평가자가 관찰하고 질을 판단하는(기준점이 잘 정의된) 총괄평정척도 (표 12.3 참조)
명시적 성과(측정)	전문심장구조술 상황 후 환자(시뮬레이터) 상태(생존, 심장 리듬, 혈압)에 대한 특정 지표의 관찰과 기록
암시적 성과(판단)	전문심장구조술 상황 후 전반적인 환자 상태에 대한 평가자의 관찰과 질적 판단을 가능하게 하는(기준점이 잘 정의된) 총괄평정척도
결합된 명시적 과정과 성과	병상 심장 진찰과 관찰에 대한 업무 특정 체크리스트/신체소견에 대한 정확한 식별과 해석에 대한 기록

해 시뮬레이터는 고도로 표준화될 수 있고, 실제 임상상황에 내재된 변동성을 최소화한다. 모든 응시자에게 동일한 방식으로 평가문제를 제시할 때의 재현성과 일관성은, 특히 고부담 결정이 이러한 사정에 좌우되는 경우에는 매우 중요하다. 또한 우리는 평가도구로서 시뮬레이터의 다른 강점 즉, 일부 장치가 광범위한 환자 또는 임상문제를 시뮬레이션하고 필요에 따라 이를 시행할 수 있는 능력을 언급했다. 시험 표본에서 관찰 횟수를 늘려 시험결과의 일반화가능도를 높이는 것 외에도, 시뮬레이터의 활용은 사정 계획을 기회주의적 과정(특정 교육목적에 맞는 환자를 찾아야 함)에서 평가자에게 많은 유연성을 제공하는 주도적인 체계로 바꿀 수 있다. 이러한 강점과 더불어 실제 임상상황에서 사정을 수행할 때 발생할 수 있는 질병에 대한 환자의 예민함, 주의 또는 안전성에 관한 문제를 피할 수 있어 시뮬레이션바탕 평가의 여러가지 장점이 명확해진다.

이제 사정 목적으로 시뮬레이션 기술(또는 방식)에 대한 최상의 적용을 고려할 때 평가 시스템의 다양한 차원을 검토하고 시험 방법에 대한 최적의 정렬을 찾아야 한다. 1 장에서 기술한 바와 같이, 사정틀의 핵심 차원에는 (1) 사정이 필요한 성과, (2) 가장 적합한 사정 수준, (3) 사정을 받는 사람들의 발달단계가 있다. 추가적으로 전체적인 맥락, 특히 사정의 목적을 신중하게 고려해야 한다(그림 12.1).[51]

사정할 성과에 대한 논의를 위해 미국졸업후교육인증위원회(ACGME)가 정한 틀을 사용할 수 있는데 이는 미국에서 모든 수련의와 전공의가 반드시 보여주어야 하는 다음의 여섯 가지 핵심 역량이[52] 포함된다. (1) 환자진료와 시술기술, (2) 의학지식, (3) 진료바탕학습과 개선, (4) 대인관계와 의사소통 기술, (5) 전문직업성, (6) 시스템바탕 진료. (다른 국제인증단체들도 의사의 핵심 역할과 진료 표준을 유사하게 발표했다.[53,54]) 평가자는 시뮬레이션을 사용하여 해당 영역 내에서 다양한 지식, 기술 및 태도를 사정할 수 있다. 예를 들어, 내과 전공의들의 병동 순환 근무동안 교수자는 전공의의 다음과 같은 다양한 측면을 평가할 수 있다. *환자진료(patient care)*(심장환자 시뮬레이터를 사용하여 호흡곤란으로 내원한 환자에게 집중적으로 심장 진찰을 수행하는 능력과 제 3 심음의 존재를 식별하는 능력을 보

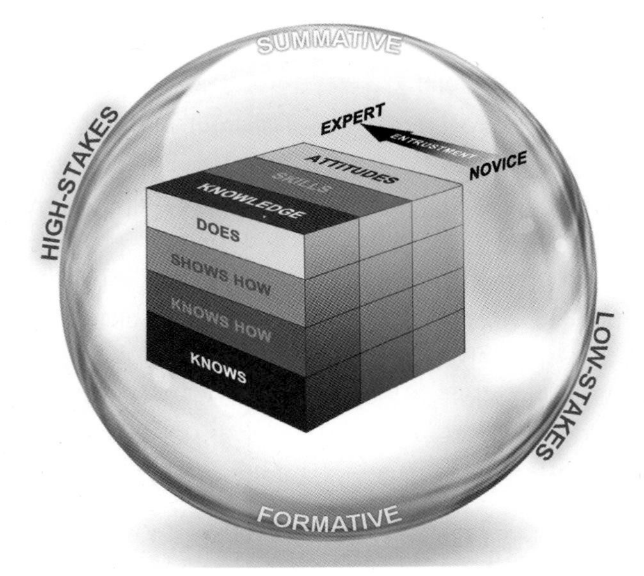

그림 12.1 다차원의 사정 틀
Formative: 형성적, Summative: 총괄적, Novice: 초보자, Expert: 전문가, Attitides: 태도, Skills: 기술, Knowledge: 지식, Dose: 시행한다, Show How: 방법을 보여준다, Know How: 방법을 알고 있다, Know: 알고 있다, ENTRUSTMENT: 위임, HIGH-STAKE: 고부담, LOW-STAKE: 저부담, SIM: 시뮬레이션

표 12.2 명시적 과정 기준: 봉합술

과정	미시행 또는 부적절히 시행	올바르게 시행
기구를 올바르게 잡기		X
3-5mm 간격으로 봉합하기	X	
스퀘어 매듭으로 묶기		X
적절한 길이로 봉합실 자르기		X
과도한 장력 없이 봉합으로 피부 나란히 놓기	X	

출처: Kalu PU, Atkins J, Baker D, et al: *Microsurgery* 2005;25(1):25-29의 내용을 수정함.

표 12.3 암시적 과정 기준: 봉합술

시간과 움직임				
1	2	3	4	5
다수의 불필요하거나 반복적인 움직임		효율적인 시간/움직임, 그러나 불필요하거나 반복적인 움직임	명확한 움직임과 최대 효율을 보여줌	
기구 다루기				
1	2	3	4	5
도구의 부적절한 사용에 의한 반복적 머뭇거림이나 어색한 움직임		일관된 도구 사용 그러나, 종종 경직되거나 어색하게 보임	물흐르는 듯 자연스러운 도구의 사용	

출처: Kalu PU, Atkins J, Baker D, et al: How do we assess microsurgical skill? *Microsurgery* 2005;25(1):25-29의 내용을 수정함.

여주기), *의학지식(medical knowledge)*(급성심장마비 상황에서 전신 시뮬레이터 사용하여 심실세동 치료를 위한 알고리즘의 올바른 단계를 구술하기), 또는 *대인관계 및 의사소통 기술(interpersonal and communication skills)*과 *전문직업성(professionalism)*(플라스틱 마네킹 팔과 SP를 함께 사용하는 시뮬레이션에서 혈액 배양을 시행하는 방법을 보여주면서, 환자에게는 시술 내용을 설명하기). 이 마지막 예는 실제 임상 상황에서 의사가 자신의 능력을 여러 영역에서 동시에 발휘해야 한다는 사실을 강조한다. 형성평가는 전통적으로 개별 임상술기에 중점을 두었다(예: OSCE의 한 스테이션에서 시뮬레이터에 술기를 수행하고, 다른 스테이션에서는 SP에게 병력을 청취하거나 나쁜 소식을 전달함). 보다 최근에는 매우 혁신적으로 시뮬레이션 방식을 통합하여 임상진료 상황을 보다 실제적으로 반영한 평가를 선보이고 있다. 예를 들어, 교육생의 기술적 그리고 비기술적인 술기(의사소통)를 함께 사정하기 위해 허리 아래를 가린 남성 SP와 상호작용하면서(병력 청취, 동의 획득, 절차 설명) *이와 동시에* 허리 아래에 배치된 시뮬레이터에 방광 카테터를 삽입하도록하는 것이다.[55]

ACGME가 여섯 개의 일반 역량(뿐만 아니라 각 영역 내 특정 "필수 술기")을 공표했을 때, 성과에 따른 역량을 평가할 때 "추천할 수 있는 최선의 평가방법"을 선별하는 데 도움되는 "사정방법 도구상자"도 제공했다.[56] 예를 들어, 시뮬레이션은 *환자진료* 영역의 도구상자에서 의학술기 수행 능력을 평가하는 "가장 적절한" 평가방법으로 제시하고 있고, 환자진료 계획을 세우고 수행하는 데 있어서는 그 다음 순위로 적절한 "차선책"으로 제시하고 있다. *의학지식* 역량의 경우, 평가자는 교육생의 탐색적/분석적 사고 또는 기초과학 지식/적용을 사정하기 위해 시뮬레이션을 활용할 수 있다. 시뮬레이션은 임상의들이 필요한 개선 사항들(*진료바탕학습 및 개선* 영역)이 있을 때 자신의 진료를 분석하는 방법으로 활용될 수 있는 "잠재적 적용 가능한 사정방법"이라 할 수 있다. *전문직업성* 영역의 경우, 시뮬레이션은 윤리적으로 건전한 진료를 사정하기 위해 열거된 방법 중 하나이다.[56] (ACGME는 도구상자를 업데이트하고 있으며,[57] 유사한 국제기구가 성과 틀에 필요한 유사한 지침을 발표했다.)[58]

다음으로 고려해야 할 평가 시스템의 차원은 요구되는 사정 수준과 관련 있다. 따라서 앞에서 설명한 역량 영역 내에서 Miller가 개념화한 피라미드 모델에[59] 따라 학습자를 네 개의 수준으로 사정할 수 있다.

1. *알고 있다* (지식) — 기본 사실, 원리 및 이론 상기
2. *방법을 알고 있다* (지식의 적용) — 문제 해결, 의사결정, 절차 설명 능력
3. *방법을 보여준다* (수행) — 제한된 환경에서의 술기 시범
4. *시행한다* (행동) — 실제 진료 수행

서로 다른 역량 수준을 평가하기에 다양한 사정방법이 보다(또는 덜) 적합할 수 있다. 예를 들어, 다지선다형 문항(Multiple choice questions, MCQ)로 구성된 시험처럼 지필 도구는 학생이 "알고 있는" 것을 사정하기 위한 효율적인 도구이다. 마찬가지로, 다른 유형의 지필 형식(예: 구인반응 문항)은 문제해결 능력을 평가할 때 효과적인 방법이다. 대안적으로, 구술 시험 스테이션에서 교육생에게 정맥(intravenous, IV) 카테터를 삽입하는 "방법을 알고 있는지"의 여부를 사정하기 위해 해당 술기 단계를 구두로 설명하도록 요구할 수 있다. 그러나 동일한 교육생이 IV 카테터를 삽입하는 "방법을 보여주는" 것은 전적으로 다른 행동이므로, 이 수준의 사정에는 시뮬레이션 환경(예: OSCE 스테이션) 또는 현장에서 평가할 수 있는 수행 바탕/관찰 사정방법이 필요하다. 피라미드의 최고 수준을 사정하는 것은 더욱 어려울 수 있다. 시뮬레이션은 일반적으로 보건의료인이 실제 진료현장에서 "수행하는" 것을 평가하기에는 차선책이다. 왜냐하면 그 의료인은 임상 면담이 시뮬레이션임을 인지 하자마자 행동에 변화를 줄 수 있기 때문이다. 그러나 비공개 또는 "신분을 숨긴 SP"를 활용한 흥미로운 연구에서는 실제 임상 상황에서 진료의사의 태도와 행동을 사정하는 데 적합한 시뮬레이션바탕 기술의 가능성을 보여주고 있다.[60-62]

지금까지 우리는 사정 시스템의 차원을 개별적으로 고려하였고, 사정 중인 역량이나 사정 수준에 맞는 다양한 사정방법의 최선책을 찾으려고 시도했다. 당연하게도 이 두 차원 사이의 상호작용 영역은 주어진 목적에 가장 적합한 소규모 평가도구 세트로 제한된다. 즉, 앞서 언급한 분석을 적용해보면 시뮬레이션바탕 방법의 가장 적절한 활용은 밀러(Miller)의 모델에서 "방법을 보여주는" 수준으로 기술적(즉, 임상적 또는 시술적) 술기와 비기술적(즉, 행동적 또는 정서적) 역량을 사정할 때임을 알 수 있다.[51]

ACGME 역량 틀로 돌아와서, 사정방법 도구상자가 그러한 수행바탕 성과의 평가를 위해 시뮬레이션을 가장 높게 평가하는 것은 우연이 아니다. 비유를 확장해보면 이 "도구상자"를 보다 생생하게 묘사해 볼 수 있다. 즉, 다양한 사정방법은 많은 "서랍" 안에 저장된 도구인데, 이 서랍은 성과에 해당하는 열과 사정 수준에 따른 행으로 구성될 수 있다. 이 때 모든 틀의 핵심 역량은 인지("지식"), 정신 운동("술기") 및 정서("태도") 영역을 포괄한 단 세 가지 범주로 분류할 수 있다. 따라서 그림 12.2는 시뮬레이션 도구를 보관(사용)할 수 있는 최적의 장소(사정 상황)를 보여준다.[51]

활용 가능한 기술에 대해 설명한 이 후 절에서는 얼마나 많은 시뮬레이션 옵션이 도구상자의 특정 영역에서 이용 가능한지 설명한다. 우리는 다양한 시뮬레이션바탕 방법 중에서 선택을 해야 할 때, 서로 다른 발달 단계에 있는 학습자를 사정하는 데 가장 적합한 도구를 고려해야 한다. 여기서 시뮬레이션 충실도 수준이 중요해진다. 예를 들어, 개인의 단일 역량을 평가하는 낮거나 중간 정도의 물리적 및 심리적 충실도(예: 단순 해부학 모형이나 부분 술기모형) 장비는 몰입형 시뮬레이션 환경의

그림 12.2 다차원 사정 틀 내에서의 시뮬레이션 활용
Formative: 형성적, Summative: 총괄적, Novice: 초보자, Expert: 전문가, Attitides: 태도, Skills: 기술, Knowledge: 지식, Dose: 시행한다, Show How: 방법을 보여준다, Know How: 방법을 알고 있다, Know: 알고 있다, ENTRUSTMENT: 위임, HIGH-STAKE: 고부담, LOW-STAKE: 저부담, SIM: 시뮬레이션

전면적인 팀바탕 시나리오에서는 압도당할 수 있는 초보자에게 보다 적합하다. 초보자는 높은 수준의 인지 및 심리적 부담을 견디기 어렵고 특히 사정이 형성적인 목적으로 시행되는 경우 학습성과에 부정적인 영향을 줄 수 있다. 반면, 전문가들은 실제 임상진료에서 발생하는 많은 스트레스 요인에 대처해야 하므로 많은 참가자와 컴퓨터 마네킹이나 가상현실 장비를 통합하는 매우 현실적인 시뮬레이션을 통해 실제 임상상황을 복제하고 다양한 역량을 동시에 평가하길 원한다. 그렇지 않으면, 시뮬레이션바탕 사정에서 사실성의 부족은 논의의 추론 요소를 약화시키고 전문가에 의한 수행평가에 근거한 의사결정의 타당도를 위협할 수 있다.

그러므로 사정을 받는 사람들의 발달단계는 우리가 모든 평가시스템에서 주의를 기울여야 하는 또 다른 부분이다. 이 단계들은 다양한 방법으로 설명할 수 있다. 이전 장에서 사용된 용어(초보자와 전문가)는 드레퓌스(Dreyfus) 형제가 제안한 모형인-중간(상급 초보자-능숙자-숙련자) 단계와 함께-기술 습득의 다섯 단계 수준에서 양끝을 의미한다.[63] ACGME 성과 틀에서는 다섯 단계 모형에서 설명된 것과 유사한 개념이 전문 분야별 "마일스톤" 개념으로 정교화되었다. 따라서, 여섯 개 핵심 ACGME 영역 내에서 평가가 필요한 기술이 있을 경우, 감독하지 않는 수준의 진료를 할 수 있는 지 전공의의 준비도에 대한 발달정도를 사정할 수 있다.[64] 그러나 일부 일반적인 역량(예: 진료바탕 학습과 개선 및 시스템바탕 진료)은 비교적 추상적이고 종종 매우 광범위하기 때문에 이해하고 사정하기 어려운 것으로 밝혀졌다(10 장 참조).[65] 이러한 도전에 대응하여, 교육자들은 최근에 위임가능전문활동(entrustable professional activities, EPA)에 주의를 기울였으며, EPA는 해당 분야에서 진료의의 중요한 일상 활동을 구성하는 기술과 행동이다.[66,67] EPA는 몇 개의 서로 다른 일반 역량 영역의 요소들을 포함하는데, 이것들은 비록 개별적으로 평가하기는 어렵지만 활동 중에 집계하여 직접 관찰할 수 있어 전공의가 임상 업무를 수행하는 데 신뢰로운 판단을 할 수 있다. 이 평가체계의 위임 수준은 (1) (감독에도 불구하고) 수행을 전혀 신뢰할 수 없는, (2) 오직 직접감독 하에서만 수행을 신뢰할 수 있는, (3) 간접 감독/즉각적인 지원이 있을 때 수행을 신뢰할 수 있는, (4) 독립적인 수행을 신뢰할 수 있는 (5) 목표하는 수준의 수행을 보일 것이라고 신뢰할 수 있는(즉, 주치의와 동등한 수준, 다른 사람의 진료를 감독하고 가르칠 수 있는 수준) 단계로 구성된다.[68] 이러한 위임결정은 평가체계의 동일한 영역에 대응하는 발달수준의 마일스톤/단계들과 병행하여 정렬될 수 있다(그림 12.2 참조). 처음에는 EPA가 추론할 수 있는 지식 성과 보다는 직접 관찰할 수 있는 기술과 행동으로 구성되었기 때문에 이러한 위임 결정을 내리는 데 도움이 되도록 적절한 시뮬레이션바탕 사정이 계획되어야 한다고 생각할 수 있다. 그러나 EPA(정의상)는 전문의가 일상 진료에서 *수행(does)*하는 필수 업무를 의미하므로 여기에서 사정 수준은 밀러(Miller) 피라미드의 최상위 단계에 있어야 한다. 그럼에도 불구하고 시뮬레이션은 여전히 EPA 평가에 중요한 역할을 할 수 있다. 위임 수준이 낮은 초보자의 경우 환자의 안전 및 윤리적 문제가 있으므로 시뮬레이터바탕 사정은 전공의가 특정 역량을 획득하는 것을 *보여줄 수 있도록(show)* 안전한 환경을 제공하고 보다 큰 임상적 책임을 수행할 준비가 되었는지 결정하는데 도움을 줄 수 있다.

이 주제를 계속 탐색해보면, EPA를 평가하기 위한 훈련 장소를 시뮬레이션 실습실 또는 전용 시험센터에서 전공의 또는 전문의가 근무하는 실제 임상 환경(소위 현장 시뮬레이션)으로 이동하면 시험 시나리오의 사실성을 향상시킬 수 있으므로,[69] 사정 환경에서의 성과가 실제 행동을 예측할 수 있다는 추론을 강화함으로써 위임 결정을 보다 정당화할 수 있다. 물리적 위치와 시험 환경은 모든 사정 체계에서 고려해야 할 중요한 두 가지 영역이다. 다른 고려사항은 지역 환경에 존재하는 자원의 가용성과 사회문화적 규범이다. 평가를 위한 시뮬레이션 시나리오를 설계할 때 이러한 요소에 대한 민감도는 과정 중에 있는 이해관계자로부터 승인을 얻어야 한다.

물론 사정을 둘러싼 가장 필수적인 맥락 요소는 사정의 목적이다. 종합적인 결정을 내리거나, 개인/팀에게 형성적 피드백을 제공하거나, 프로그램 평가를 위한 정보를 얻어야 하는가? 개별 응시자/의사, 교사/훈련 프로그램 또는 환자/사회에 고부담 영향을 미치는 사정을 바탕으로 의사결정을 하려고 하는가? 교육자들은 시험이 목적(즉, 총괄적이든 형성적이든)에 관계없이 응시자에게 교육적 영향을 미칠 것이라는 사실을 인식하고 있어야 하고-"사정은 학습을 촉진한다"-평가자들은 학습자의 교육 노력을 긍정적인 방향으로 이끌 수 있는 사정 프로그램 개발함으로써 이 현상을 가장 효율적으로 활용해야 한다.[70] 게다가 Messick과[37-40] Kane의[42-44] 평가 틀에서는 특정 목적을 위한 사정의 사용이 타당하다고 주장할 때, 고부담이든 저부담이든 시험결과에 대한 고려가 중요한 (그러나 때때로 간과되는[41]) 근거라고 본다.

따라서 시뮬레이션바탕 사정도구의 가장 좋은 활용은 평가체계의 여러 축을 따라 활용 가능한 시험방법을 정렬하는 것이다. 이러한 분석에는 성과의 구체적인 내용, 사정 수준 및 학습자 발달단계가 포함되어야 하고, 사정 체계의 핵심 영역에 영향을 미치는 사정의 전반적인 목적과 상황별 계층을 고려해야 한다(그림 12.2 참조).

약점과 도전

역량 평가의 맥락에서 시뮬레이션을 교육적 자산으로 만드는 기능 중 일부는 골칫거리가 될 수도 있다. 예를 들어, 일반적으로 상당히 높은 신뢰도와 재현성을 가진 시뮬레이터에서 센서 데이터(시뮬레이션바탕 방법의 장점)에 대해 이야기하면서 앞 절을 시작했다. 그러나 장비가 오작동하거나 SP가 시나리오 대본에서 벗어나면 어떻게 되는가? 이러한 상황은 시뮬레이션바탕 사정 결과의 사용을 옹호하기 위한 논의의 채점 단계에서 가정의 타당도에 위협이 된다.

또한 여러 분야와 전문 직종에서 역량을 평가하기 위한 시뮬레이션바탕 사정 방법의 또 다른 강점으로 다양성(즉, 필요에 따라 다양한 임상문제나 상황을 재현할 수 있는 시뮬레이터의 기능)을 강조했다. 그러나, 지속적으로 증가하는 여러가지 기술의 유용성(다음 절에서 자세히 설명함)에도 불구하고 현실적인 시뮬레이션이 거의 존재하지 않는 몇 가지 영역이 남아 있다. 특히 기본 임상술기 평가영역에서는 신체진찰과 관련된 역량을 평가하기 위해 인간 복부 모양, 느낌과 소리를 사실적으로 복제한 해부학적 모형이 거의 없다. 마찬가지로 일부 컴퓨터 증강 시뮬레이터에는 빛에 적절하게 반응하는 동공이 있지만 현재 마네킹은 신경학적 검사 중에 운동, 감각, 심부건반사(deep tendon reflex) 소견을 재현할 수 없다. SP가 복부 압통 또는 국소 근력저하를 가장할 수는 있을지라도 SP가 병리학적 소견을 갖지 않으면 단순히 모방할 수 없는 여러가지 신체검사 이상(예: 장기 비대, 특정 중추신경병증 등)이 있다.

시뮬레이터 기술의 또 다른 주요 간극은 수술 기술 사정과 관련이 있다. 비록 최소침습 기법의 도래가 "키홀 시술(keyhole procedures)[1)]" 술기 특유의 역량을 평가할 수 있는 수많은 가상현실 시스템의 발명에 박차를 가했지만 개복 수술 술기를 재현하는 양질의 시뮬레이션은 현실적으로 존재하지 않는다. 현재는 사체/신선 냉동 인간 조직 및 동물모형이 수술에 필요한 술기를 연습하고 사정하는 데 활용되지만, 사실성과 윤리적인(특히 많은 공공 조사를 받는 동물복지 문제) 측면에서 중요한 도전에 직면해 있다. 한편, 특정 영역과 분야에서 시뮬레이션을 사용할 수 없는 것과 관련된 이러한 장애는 극복할 수 없을 것 같다. 오늘날 교육자들은 향후 요구될 교육과 평가를 충족시킬 수 있는 새로운 시뮬레이션을 개발하기 위해 이미 의학 이외의 분야(예: 재료과학 및 공학, 심지어 방송과 영화산업에서 인공기관들 사용)의 기술과 전문지식을 창의적으로 활용하고 있다.[71-73]

반면에, 심리측정학과 실현 가능성에 대한 문제는 극복하기 더 어려울 수 있다. 앞서 언급했듯이 비용은 종종 학습이나 사정을 위한 시뮬레이션 프로그램을 적용하는 데 가장 큰 장애물 중 하나이다. 시뮬레이터, 특히 컴퓨터가 증강된 마네킹 또는 가상현실 시스템과 같은 정교한 기술을 사용하는 시뮬레이터는 비용이 많이들 수 있다. 초기 구매 가격뿐만 아니라 장치 운영비, 보관비, 관리유지 및 업데이트를 하는 데 지속적으로 지출해야 하는 비용도 고려해야 한다. 예를 들어, 고충실도 환자시뮬레이터의 가격 범위는 약 30,000 달러에서 250,000 달러 이상이며, 모든 기능을 갖춘 모형에 대한 서비스 계약은 연간 1 만 달러를 초과할 수 있다. 이렇게 명백한 직접적인 재정 지출 외에도 사정 계획자는 시뮬레이션바탕 방법을 사용하는 것을 포함하여 모든 평가 프로그램에 필요한 인적 자원(및 관련된 간접 비용)을 과소평가해서는 안된다. 상대적으로 낮은 단계의 술기(예: 의사소통 기술 사정을 위해 SP를 활용하는 방식)의 경우에도 역할 수행, 감독 및 평가를 위해 다양한 인력을 채용, 교육 및 활용하는 데 지출되는 비용이 있다(5 장 참조). 그러나 시뮬레이션바탕 훈련과 사정 프로그램이 항상 부정적인 투자 수익을 낳는 것은 아니다. 오히려, 특히 시뮬레이션 중재가 환자 진료에서 후속 진료 개선과 연계될 수 있다면 예상되는 긍정적인 이점은 해당 프로그램을 개발, 실행 및 유지하는 데 필요한 자금을 쉽게 정당화할 수 있다. 그러나 복잡한 임상 환경에서 궁극적인 환자 결과에 기여하는 여러가지 인자들을 고려해야하기 때문에 그러한 인과관계를 증명하는 데에는 어려움이 있을 수 있다. 그럼에도 불구하고 이러한 도전과제는 시뮬레이션바탕의 훈련과 사정 프로그램이 비용 효과적일 수 있음을 시사하는 연구결과가 제한적으로나마 발표되고 있다.[74,75]

교수자의 시간을 절약할 수 있는 것은 교육도구로서 시뮬레이션 기술이 갖고 있는 이점이다(즉, 교육생이 자기주도적 학습을 위해 장치를 사용할 수 있는 경우). 그러나 시뮬레이션 방법이 시험에 사용될 때에는 종종 다르게 적용된다. 일부 시뮬레이터에는 사정 데이터를 제공할 수 있는 측정/기록 기능이 내장되어 있지만, 대부분의 시험에서는 체크리스트나 평가척도와 같

1) 역자 주. 키홀 수술은 환자의 몸을 아주 조금만 절개한 뒤 내시경을 이용해 시행하는 수술을 말한다. 옥스퍼스영한사전. https://en.dict.naver.com/#/entry/enko/5a3b773a3d6342a99b12dab4161ff768

은 다른 평가도구와 함께 시뮬레이터를 사용하므로 점수를 주기 위해서는 채점이 필요하다고 앞서 언급한 바 있다. 따라서 이러한 경우, 교수자나 직원의 시간을 절약할 수는 없다. 실제로, 이러한 사정을 신뢰할 수 있으려면 평가자는 적절한 교육을 받아야 하며, 평가 대상 영역에 대한 전문지식을 갖춘 평가자 즉, 특정 시험 목적으로 고용된 비의료 인력보다 훈련이 덜 필요한 평가자도 특정 측정도구에 익숙해지고 점수를 표준화하는 데 시간이 필요하다. 문제는 평가자들이 쉽게 시간을 낼 수 없다는 사실이다. 시뮬레이터바탕 시험에 사용하기 위한 시나리오 개발은 시간과 자원 집약적일 수 있다. 이상적으로는 이러한 평가 체계에 대한 예비 시험이 이루어져야 하며, 평가의 최종 평가 실행 전에 발생하는 비용이다. 이러한 모든 요소는 대규모 시험(예: 국가시험) 프로그램과 고부담 시험(예: 전문직 면허)에서 보다 큰 문제가 된다.

사정을 위한 일부 시뮬레이터의 또 다른 단점은 휴대성이 부족하다는 점이다. 시뮬레이터들은 부피가 클 수 있으며 컴퓨터나 기타 하드웨어 구성요소가 섬세하여 전용 센터와 통제된 환경에서만 운영이 가능하다. 실제 현장에서 구급대원이나 군인의 기술을 사정하려는 경우 심각한 단점을 초래할 수 있다. 여러 유사한 시뮬레이터들을 보면 많은 경우 특정 조건이나 술기만 시뮬레이션 한다. 비록 이러한 모형은 제한된 영역 내에서 충실도가 매우 높을 수 있지만 광범위한 임상 상황이나 술기 시험을 설계하는 데 유연성이 부족하기 때문에 일부 시뮬레이터들은 평가도구로서 사용되는 데 제한점이 있다.

이러한 고려 사항은 실행 가능성에 있어서 앞서 제기된 질문으로 다시 이어진다. 특정 장비를 사용하여 원하는 성과에 대해 타당하고 신뢰로운 시험을 설계할 수 있는가? 주어진 사정에 대한 시뮬레이터 비용을 정당화할 수 있는가? 최첨단 장치를 논할 때 사람들은 "가장 큰 최신" 장비를 갖고 싶어한다. 그러나 프로그램 기획자는 모든 방법의 비용 효과 계산과 더불어 궁극적으로 이러한 평가에 근거한 결정이 안전한 환자진료에 능숙한 보건의료인을 보다 잘 식별할 수 있는지 고려해야 한다. 의과대학, 전공의 수련프로그램, 자격인증기관 또는 인증위원회의 수준에 관계없이 사정 프로그램을 위한 합리적인 자원 배분을 하려면 투자가 귀중한 결과를 낳을 것이라는 근거를 보여줄 수 있어야 한다.

이와 관련하여, 의학 시뮬레이션과 관련된 연구에 대한 체계적인 문헌고찰[29,30,76,77] 결과 다음과 같은 중대한 결점이 발견되었다. (1) 시뮬레이션과 관련된 출판물들(특히 초기 문헌들)은 본질적으로 실험적 설계보다 서술적인 내용의 글이다. (2) 많은 연구들이 주로 전통적인 훈련이나 비시뮬레이션(nonsimulation) 방법에 비해(직접 시뮬레이션 대 시뮬레이션의 비교 연구보다는) 시뮬레이션의 효과를 측정하였다.[78] (3) 대부분의 연구는 의미 있는 분석을 위한 과학적 엄격성이 결여되어 특정 전문분야에 국한되었으며, 단일 기관으로 제한되고 통계적으로 검정력이 낮았다.[79] 또한, SP를 활용한 평가에 대한 양질의 선행연구를 포함하여[80,81] 시뮬레이션바탕 사정 자체에 대한 많은 연구들은 심리측정학 속성과 채점에 중점을 두었다. 시험의 타당도와 같은 문제는 매우 중요하지만, 이런 연구의 대부분은(구식 용어를 사용하여) 안면, 구인 또는 내용타당도에 대한 근거를 제공하는 반면, 보다 중요한 문제인 예측 타당도에 대한 내용은 다루지 않았다(즉, 주어진 사정에서의 수행이 실제 진료에서의 수행을 예측하는가?). 시험을 위한 최신 시뮬레이션 장치(예: 최소침습술기를 위한 가상현실 시스템)에 대한 최근의 보고서만이 이런 중요한 고려 사항에 대해 언급했다.[82] (이 장의 다음 절에서 특정 시뮬레이션 기술을 논의할 때 해당 주제를 계속 탐색할 것이다.) 그러나 이와 같은 변형된 검증연구는 자체적으로 딜레마를 제기한다. 타당도 논의의 추론 단계에서 추론을 뒷받침하는 근거를 수집하려고 할 때, 시뮬레이션 연습에서 식별된 수준 이하의 의료진이 실제 환자에게 특히 침습적 시술 같은 업무를 수행하게 하는 것이 윤리적인가?

활용 가능한 기술

이미 여러 차례 언급했듯이 오늘날에는 상용화된 수많은 의학시뮬레이터가 있으며, 고충실도 장치를 만들 수 있는 놀라운 기술과 공학 발전에 발맞추어 그 수가 급격히 증가하고 있다. 그렇기 때문에 교육자나 평가자가 이용할 수 있는 모든 시뮬레이션 기술 목록을 이 장에서 제공할 수는 없다. 또한 그러한 목록은 빠른 시일내에 구식이 되어 버릴 것이다. 오히려, 우리는 현재 이용 가능한 시뮬레이터의 범위와 유형에 대한 개요와 특정 시스템에 대해 더욱 자세한 정보를 얻고자 하는 사람들을 위해 참고자료를 제공하고자 한다(부록 12.1과 이 장 끝의 설명 참조). 사용 가능한 여러가지 시뮬레이터에 대한 접근 방식을 조직화하기 위해 다양한 의료분야에 대한 현재 기술을 크게 다음과 같은 세 가지 범주로 나누어 논의할 것이다(여기서 각각 간략하게 소개한 후 다음 절에서 자세히 설명할 것이다): 부분 술기모형, 컴퓨터증강 마네킹(computer-enhanced mannequin, CEM) 시뮬레이터 그리고 가상현실(virtual reality, VR) 장비.[83]

부분 술기모형은 정맥 천자나 봉합을 위한 플라스틱 팔 또는 중심정맥삽관이나 기관내삽관을 위한 머리/목/몸통 마네킹에서 특정 술기를 가르치고 평가하기 위한 해부학 기능을 가진 신체 일부/부위가 표현된 것이다. 대부분의 경우 사용자와의 인터페이스는 수동적이다. 즉, (일반적으로 한 명의) 교육생은 반응이 없는 (또는 가장 기본적인) 시뮬레이터 모형에 일부 검사나 술기를 수행한다. 이 술기모형은 일반적으로 공학 충실도가 낮고 정교한 기술적 구성요소가 없기 때문에 비용이 적게 들지만 중간에서부터 높은 수준사이의 심리적 충실도로 사정 과제를 재현할 수 있다.

컴퓨터증강 마네킹은 컴퓨터에 연결되고 제어되는 실물 크기(종종 전신)의 시뮬레이터를 의미하며, 해부학적 뿐만 아니라 정상적인 병태생리학적 기능도 재현한다. 사용자와의 인터페이스는 능동적이거나 상호적일 수 있다. 전자의 경우, 시뮬레이터는 사용자의 행동에 미리 계획된 대로 반응한다(예: 제세동기를 사용자가 사용할 경우, 마네킹에 전기충격을 줄 때마다 정상 리듬으로 변경된다). 상호적인 프로그래밍을 사용하면 시뮬레이터 반응이 사용자 행동에 따라 달라진다(이전 예시의 경우, 제세동에 적절한 수준의 에너지를 사용하는 경우에만 심장 박동이 정상 리듬으로 돌아가게 할 수 있다. 또 다른 예로, 심박수 및 혈압이 정맥 내 투여되는 특정 약물의 특정 용량에 따라 적절하게 변경될 수 있다). 이 시뮬레이터들은 단순한 해부학 모형보다 비용이 많이 드는 첨단 (종종 컴퓨터화된) 구성요소를 특징으로 하기 때문에 "고충실도 시뮬레이터"라는 용어가 (때때로 부적절하게) 이 범주에서 동의어로 쓰인다. 그러나 CEM은 물리적 충실도 정도와 실제 환자와 실제 임상 업무와의 기능적 유사도 측면에서는 매우 가변적일 수 있다. CEM을 활용한 사정은 개인 술기 능력(예: 구급대원의 삽관 능력)이나 팀의 효과(예: 응급실 소생술 시나리오)에 중점을 둘 수 있다. 마취과 전문의들에 의해 처음 시작된 CEM은 의학교육에서 시뮬레이션 기술의 사용 확대를 가져왔다.

가상현실 시뮬레이션은 컴퓨터로 생성된 정보가 물리적 세계를 시뮬레이션하고, 사용자는 시뮬레이션(가상) 세계 내에서 컴퓨터(또는 일부 확장된)와 상호작용하는 새로운 혁신이다. 현재 사용되는 기술은 데스크톱 컴퓨터 환경(비디오 게임의 환경과 같은)에서 몰입형 VR 시스템에 이르기까지 매우 사실적인 시뮬레이션이 가능하다(예: 사용자가 입체 고글 및 휴대용 추적 장비와 같은 새로운 시각화 및 상호작용 기술을 사용하여 특별히 설계된 3차원 공간에 접속하는 CAVE 시뮬레이션).[84] 이러한 시뮬레이션의 소리와 시각적 피드백은 촉감 경험을 향상시키는 감각(접촉과 압력 피드백) 기술의 최근 진보와 함께 매우 생생한 경험을 제공한다. (일반적으로 높은) 비용을 내야만 이러한 정교한 수준의 VR 시스템을 경험할 수 있다. CEM을 사용한 사정처럼, VR 시뮬레이션을 사용하여 개별 술기와 팀 술기를 모두 사정할 수 있다. 특히 가상 환경에서 사정의 한 가지 잠재적 이점은 원격 위치에 있거나 제한된 자원을 가진 프로그램의 경우, 팀원이나 심지어 평가자와 함께 배치할 필요가 없다는 것이다. 인터넷을 통해 제공되는 온라인 교육프로그램처럼[85-89] (가상) 임상 상황에서 "원거리 시험"이 "원격 시뮬레이션"을 통해 가능해졌다.[90,91]

부분 술기모형

거의 모든 인체 부위나 임상 업무를 재현하는 시뮬레이터는 오늘날 다양한 보건의료전문직과 많은 의료전문가의 다양한 역량을 사정하는 데 사용되고 있다.[92] 가장 단순한 것은 정맥천자 또는 주사 기법을 학습하거나 사정을 위한 연조직과 피부를 시뮬레이션한 발포고무 패드가 있다. 약간 더 정교한 모델에는 카테터 삽입법의 실습과 사정을 위한 모의 혈액으로 채워진 혈관, 정맥도관 삽입술[93,94] 뿐만 아니라 말초에서 중심정맥관 삽입술까지 평가할 수 있는 다양한 인체부위의 시뮬레이션도 포함된다. 이러한 술기모형 중 일부의 시뮬레이션 조직/구조는 초음파와도 호환되어 초음파 유도하에 수행되는 술기에 대한 사정을 용이하게 하는 사실적인 초음파 이미지를 생성한다.

일반적인 진찰 술기들의 평가를 위해서는 다양한 시뮬레이터가 있다. 예를 들어, 안구검사 시뮬레이터는 안저검사 기술을 평가하기 위해 동공 크기가 조절되는 눈이 달린 마네킹 머리 시뮬레이터가 있어 교육생이 흔한 질병의 병리학적 망막 소견(교환 가능한 안저 슬라이드를 통해 표현됨)뿐만 아니라 일반적인 안구 상태 진단을 위해 실제 검안경을 사용할 수 있다.[95] 유사한 방식으로, 귀 검사 시뮬레이터는 실제 이경과 교체 가능한 사실적인 플라스틱 귀로 교육생을 사정할 수 있으며, 이물질 제거와 같은 술기가 가능할 뿐만 아니라 정상 및 병리학적 중이 소견을 식별할 수 있다.[96] 유방 모형은 병리학적 소견(낭종, 지방종, 섬유종, 암종)을 진단하는 능력과 진찰 기술을 사정하기 위해 사실적인 인체를 시뮬레이션 할 수 있다. 일부 모형은 낭종 흡인과 같은 시술 기술의 평가가 가능하다.[97]

수술 술기의 사정을 위해 봉합법을 위한 다층 패드가 있으며, 일부는 혈관 절개술을 위해 정맥이 채워져 있기도 하다. 국소 마취 주사, 표층 생검, 선형 및 타원형 절개/봉합, 낭종 및 지방종 제거, 표피하 봉합 및 내향성 발톱 제거를 포함하는 피부와 다른 작은 술기의 수행을 위한 다양한 모형이 존재한다. 또 다른 모형은 복벽 절개/봉합과 장이나 혈관의 문합과 같은 보다 높은 수준의 술기 평가가 가능하다. 진단 복막세척을 수행하기 위해 하복부와 회음부 구조를 제공하는 시뮬레이터도 있다.

마취과학, 응급의학, 중환자의학 또는 기타 전문분야의 경우, 기도관리 술기를 사정하기 위해 머리와 목(몸통/폐가 붙어 있거나 없는 모형)으로 구성된 여러가지 기도 모형이 있다.[98] 이러한 술기모형 중 다수는 혀, 치아와 기타 상부기도 해부학의 변화를 시뮬레이션 할 수 있으며 응시자가 백 밸브 마스크 환기, 구강 인두나 후두 마스크 기도기의 삽입, 비강이나 구강을 통한 기관내 삽관과 바늘 윤상갑상막 절개술을 수행할 수 있는 조건을 다양하게 할 수 있다.

관련 술기를 위해 래어달메디컬(Laerdal Medical)은 심폐소생술(cardiopulmonary resuscitation, CPR)을 가르치고 실습하기 위해 가장 초기 의료시뮬레이터 중 하나인 리써시 앤(Resusci Anne)을[99,100] 만들었으며, 이는 주요 소생술기 사정에 아직도 널리 사용되고 있다. 비록 이 모형은 신체 일부나 부위가 아닌 전체 크기의 성인을 모방했지만(적어도 초기 모델에서는) 상호작용 기능이나 (병태)생리적인 기능이 없는 기본 환기와 가슴압박 수행을 위한 해부학 기능을 갖춘 술기모형이다. 어린이, 유아 및 조기 신생아 크기의 마네킹도 유사한 소아술기 사정을 위해 사용되고 있다.

일반 진찰 기술을 평가하고 보다 전문적인 정형외과, 스포츠 의학 또는 류마티스 질환 검사 및 술기를 위해 거의 모든 관절 부위(예: 어깨, 팔꿈치, 손목 및 손, 무릎)에 대한 정확한 해부학 및 주요 부위를 모방하는 부분 술기모형으로 관절과 연조직 주사뿐만 아니라 진찰 기술의 사정이 가능하다. 이러한 술기를 위해 특별히 배선된 주사를 활용하며, 올바른 주사 위치 표시가 되어 있다. 내과, 소아과, 신경과 및 마취과 술기 사정에서 요추천자와 다양한 경막외/척추 주사 술기를 평가하기 위해 성인과 영아의 크기로 만들어진 부분 술기모형이 있다.[101,102]

산과 술기 평가영역에는 질 분만 술기 사정을 위한 여러 가지 분만 시뮬레이터가 있다. 일부는 매우 간단한 훈련모형이기도 한데, 시나리오를 진행하는 동안 SP가 산모의 역할을 수행하면서 분만이 진행되는 방식을 수동으로 제어하는 방식이다.[103] 이러한 모형은 저렴하고 효과적으로 사용하기 위해서도 상대적으로 적은 훈련이 필요하여 자원이 부족한 국가에서 조산사와 분만 보조자의 술기교육과 평가에 이상적이며, 정상적이거나 복잡한 분만 시나리오도 만들 수 있는 강력한 시뮬레이터이다. 예를 들어, 장비의 저장통을 인공 혈액으로 채워 모체 산후 출혈을 시뮬레이션하는 데 사용될 수 있다. 관련 술기모형으로 외음부 절개 봉합술이나 배꼽정맥 도관술/제대 채혈 기술 사정이 가능하다.[104] 다른 분만 시뮬레이터는 부분적으로 해부학적인 산모(골반, 회음부, 대퇴) 모형과 제대와 태반이 있는 신생아 모형으로 구성되어 외형이 보다 사실적이므로 다양한 산모 자세에서의 정상 분만, 어깨 난산, 둔위, 겸자 및 진공 보조분만 등 다양한 시나리오를 재현할 수 있다.[105]

비뇨기과 및 부인과 술기의 평가를 위해, 남녀 환자의 골반/회음부를 시뮬레이션 하는 모형이 존재한다. 이 모형들은 직장 용종이나 직장암 및 다양한 전립선 또는 음낭/고환 병리와 같은 비정상적 소견을 식별하는 능력뿐만 아니라 직장수지검사 및 직장 내시경 삽입술을 사정할 수 있다.[106] 일부 모형은 방광 카테터 삽입술과 같은 술기를 위해 인체를 모방한 것이 있고, 여성 골반 검사 술기의 사정에 중점을 두어 양손 진찰 및 질경 검사가 모두 가능하고 정상 및 비정상 자궁/난소 소견을 식별이 가능한 모형들도 있다.[107]

시진과 촉진으로 진찰을 시행하는 것 외에도 이러한 모형 중 일부는 실제 초음파 기계를 사용하여 이미지를 볼 때 장기, 혈관 및 기타 구조물의 초음파상 모양을 사실적으로 모방한 "팬텀(phantom)"이 내장되어 있다.[108,109] 최근에는 초음파 촬영술에 대한 교육과 사정이 증가했으며-의과대학에서 시작하여 여러 보건의료 전문분야의 졸업후교육으로 이어지고 있다[110-115]-초음파 호환성과 같은 추가 기능을 갖는 시뮬레이션의 개발과 확산을 촉진시켰다. 이로인해 초음파를 활용한 다양한 진단적 그리고 치료적 술기를 수행할 수 있는 의료인의 역량 평가가 가능해졌다.[116-119]

부분 술기모형을 사용하는 시뮬레이션의 다른 장점은 전반적으로 사실감을 강화시킬 수 있다는 점이다. 필자들은 앞서 각 유형의 시뮬레이션의 가장 우수한 특징을 활용하여 사정 시나리오의 사실성을 크게 향상시킨 해부학적 모형과 SP를 결합한 소위 하이브리드 시뮬레이션에 대해 간략하게 언급했다.[55] 덮개 아래에 여성 골반 모형을 배치하여 응시자가 민감하거나 심지어 (환자에게 신체적 상해나 난처한 상황 또는 문화적 관습 위반의 위험없이) 침습적인 술기도 수행할 수 있고 (모의환자가 흉내낼 수 없는)병리학적 소견을 확인할 수 있다. 가려진 여성 SP에 술기모형을 부착하면 플라스틱 마네킹만 사용했을 때에는 평가할 수 없는 (또는 적어도 상당히 비현실적인) 대인관계/의사소통 기술과 전문적인 행동의 평가가 가능하다.

우리는 보다 정교하고 기술적 특징을 지닌 단순 해부학적 모형을 강화시킨 추가 예시도 찾을 수 있다. 예를 들어, 임상교육자는 검사를 완료한 시간, 주요 위치의 촉진 수, 사용한 최대 압력, 검사 동안 닿은 부위의 횟수를 포함하여 여성 골반검사 중에 수행 지표를 기록할 수 있는 촉각 센서들을 부인과 시뮬레이터에 추가할 수 있다.[120-122] 수행 품질 지표로 도출되는 데이터를 포착하기 위해 컴퓨터 요소를 통합한 술기모형은 사정에 도움이 된다. 다른 예시로, 일부 기도모형은 신속 마취유도 동안 사용되는 윤상연골누르기의 압력 양을 측정하며[123] 후속 Resusci Anne 모형과 이와 유사한 Laerdal 모형은 CPR을 진행하는 동안 환기의 양과 횟수, 흉부 압박의 깊이/횟수 및 손의 위치에 대한 피드백을 제공하고 사정하는 시스템을 옵션으로 장착할 수 있다.[124] 컴퓨터화된 구성요소에도 불구하고 장비와 사용자의 연결방식이 본질적으로 수동적인 상태이므로 이 시뮬레이터는 부분 술기모형으로 분류된다. 이러한 기술 향상이 응시자 수행에 대한 보다 자세한 분석을 제공할 가능성이 있을지라도, 시뮬레이터가 제공하는 과다한 사정 데이터 중 어떤 성과 측정값이 가장 의미 있는지 결정하는 것은 여전히 어려운 과제이며 앞으로 진행되어야 할 핵심 연구주제이다.[30,121,125,126]

심폐환자 시뮬레이터인 하비(Harvey)는[127] 아마도 컴퓨터화된 술기모형 중 가장 정교한 예일 것이다. 가장 초기의 CEM 시뮬레이터 중[128] 그리고 추가 개발과 개선으로 만들어진 후속 생산 모형 중에서도 Harvey는 의학교육에서 가장 장기적이고 연속적인 고충실도 시뮬레이션 프로젝트이다. 그러나 다음 절에서 설명해 놓은 다른 실물 크기의 컴퓨터 향상 마네킹과 달리 Harvey는 상호작용하지 않으며 제세동, 삽관, CPR 등과 같은 중재를 수행할 수 없다. 오히려 병상 신체 검사 기술을 가르치고 평가하도록 설계되었다. 따라서 Harvey는 혈압, 동맥 및 정맥 맥박, 전흉부 움직임과 50가지의 심장 상태를 모방하여 모두 사실적으로 동기화 한 것이 특징이다. 마네킹은 휴대가 가능하며 마네킹 운영 기사는 무선 마이크를 통해 Harvey를 대신해 대화할 수 있다. 컴퓨터가 장치 내에 자체 포함되어 있고 특정 질병 코드가 제어 키패드에 입력되어 있으면 모든 소견이 디지털 방식으로 조정되므로 외부 인력이나 프로그래밍이 필요하지 않다. 심장과 폐의 병상 진찰은 학문 분야와 상관없이 기본 술기 세트이므로 교육자들은 많은 의료전문 분야와[129,130] 보건의료 전문직,[131,132] 순환 실습이 끝난 의대생들로부터[133] 매 연차를 시작하거나 마치는 전공의[134] 및 고부담 자격시험에 응시하는 임상강사들까지[27] 다양한 교육 수준에서 Harvey가 사용되었다. 그리고 많은 연구들이 사정도구로서 Harvey의 유용성을 입증하였다.[3,135,136]

컴퓨터 증강 마네킹 시뮬레이터

앞에서 설명한 정적 모형은 특정 인체부위 또는 특정 임상 업무를 재현하므로 일부 학문분야에서만 밀접한 관련이 있는 반면, 다른 모형들은 프로그래밍과 함께 컴퓨터 기술을 사용하여 광범위한 (병태)생리학을 제공하고 사용자 행동에 동적으로 반응할 수 있다. 이러한 CEM은 다양한 시뮬레이션 시나리오에 적응할 수 있으므로 여러 임상영역에 보다 일반적으로 적용할 수 있다. 앞에서 언급했듯이 고부담 수행 환경(특히 마취과)에서 근무하는 전문가들이 이러한 기술을 교육 및 평가 프로그램에 통합하여 의학시뮬레이션의 확장을 주도했다.

상업 항공사에서 활용한 비행 시뮬레이터의 예를 따라 의학교육에서는 응급 또는 위기대응기술-개인과 팀 모두-에 초점을 두었고, 이 절에서 설명한 대부분의 시뮬레이터는 이러한 역량들을 사정할 수 있다. 필요에 따라 수많은 다양한 상황을 시뮬레이션 할 수 있는 CEM의 유연성 덕분에 다른 보건의료전문 분야와 많은 간호 및 관련 의료전문직 교육프로그램도 훈련과 평가를 위해 시뮬레이터를 활용한 방법을 채택했다. 다양한 유형의 시뮬레이터 중에서 CEM은 가장 확실한 타당도 근거를 지닌 사정도구일 것이다.[100,137-139]

1967년에 소개된 심원(Sim One)은 가장 초기의 CEM이었다(Harvey를 개발하기 바로 1년 전). Sim One은 마취 기계와 상호작용하고 혈역학, 심장 및 기도 문제를 시뮬레이션하고 컴퓨터 제어 기능을 갖춘 실물 크기의 마네킹이었다.[2] 이 원형(prototypical)의 시뮬레이터는 더 이상 존재하지 않지만-컴퓨터와 기타 기술 발전으로 이후 시스템의 상당한 개선이 있었음에도 불구하고-Sim One의 일반적인 개념과 디자인은 여전히 인체 환자 시뮬레이터(Human Patient Simulator, HPS)의 견본으로 사용된다.

오늘날 고충실도 마취 시뮬레이터의 "후손"은 CEM 중에서 가장 정교한 것으로, Medical Education Technologies, Inc.(METI)가 처음 개발하여 판매하고 지금은 CAE Healthcare에서 판매하는 HPS이다.[140] 이 성인 크기의 마네킹은 혈압, 여러 말초 동맥 맥박, 호흡 및 심장 소리뿐만 아니라 신경 자극에 따른 근육 연축, 동공 반사, 타액 분비, 눈물 흘림 및 소변 배출도 시뮬레이션 한다. 시뮬레이터(또는 일반적인 외부 모니터)에 포함된 시스템은 활력 징후, 심전도, 산소 포화도 및 기타 생리학적 변수를 실시간으로 제시할 수 있다. 이러한 기록은 HPS가 사정에 사용될 때 특히 유용하다. HPS의 다른 특징은 다음과 같다. 사용자가 휘발성 마취제와 의료가스를 투여하고 실제 호기말 이산화탄소 분압 측정술 및 맥박 산소 측정법을 수행할 수 있는 진정한 가스 교환; 50가지가 넘는 정맥 및 흡입 약물의 투여가 가능한 약물 인식 시스템과 약물에 대해 자동화된/적절한 환자 반응이 결합한 약리학적으로 정교한 모델링; 복잡한 수술, 마취 및 중환자 치료 시나리오를 시뮬레이션하는 사실적인 폐 역학. 또한 시뮬레이터는 삽관 및 환기, 흉부 압박, 제세동/심장율동전환/조율, 바늘 또는 흉관 흉강삽관술, 동맥 및 정맥 도관삽입술을 포함한 다양한 술기에 적절하게 반응한다. HPS에는 사전 프로그래밍된 여러 환자 프로파일이 포함되어 있으며 환자와 관련된 수많은 시나리오를 시뮬레이션 할 수 있다. 교육자와 평가자는 특정 환경에 사용하기 위해 더 많은 맞춤형 프로그램을 개발했으며 이러한 프로그램은 종종 온라인 또는 시뮬레이션 사용자 그룹에서 무료로 사용할 수 있다.[141-142] 아동 버전의 시뮬레이터인 PediaSIM HPS는[140] 6세(17kg) 소아의 크기와 생리로 만들어졌는데 성인 크기의 대응물과 유사한 고충실도 시뮬레이션 기능을 갖고 있다.

HPS를 통한 포괄적이고 현실적인 시뮬레이션은 시스템을 상대적으로 비싸게 만든다. 또한, 함께 제공되는 하드웨어는 통제된 환경 밖에서(예: 현장에서 군사 또는 응급 의료서비스 시뮬레이션) 마네킹의 사용 또는 이동을 제한한다. 이러한 이유로 CAE는 무선이면서 휴대성이 뛰어난 시뮬레이터를 [143,144] 만들었고, 평가자가 노트북이나 태블릿 PC에서 원격으로 작동시킬 수 있게 하였다. 또한 보다 견고한 구성요소(금속 "뼈" 포함)는 이러한 장비를 군대 또는 병원전(prehospital) 의료종사자들의 사정에 필요한 시뮬레이션이나 실제 현장에서 사용하기에 보다 적합하다. 예를 들어, 이러한 CEM 중 하나는[144] 여러 부위의 출혈과 파편 상처 및 무릎 아래 절단과 같은 다양한 부상을 모방하는 착탈/변경 가능한 팔다리로 외상 환자를 시뮬레이션 하도록 특별히 설계되었다. 지혈대 센서는 출혈 제어를 지원하고 외상 상황을 관리할 때 전공의/진료의사의 술기의 품질을 사정하는 데 도움을 줄 수 있다. 관련 시뮬레이터 "가족"으로[145] 소아 생리학을 정확하게 모델링한 소아[146] 및 영아[147] 마네킹을 포함하여 덜 복잡한 하드웨어 및 소프트웨어를 갖춘 관련 시뮬레이터가 있는데, 이러한 시뮬레이터는 사전 프로그래밍된 환자 시나리오가 적고 더 작은 범위의 중재에만 자동으로 반응한다. 이러한 시스템은 모든 기능을 갖춘 HPS보다 비용이 저렴하며 실제로 마취과학 이외의 학문분야에서 의료종사자를 사정하는 데에 더 유용하다.

이전의 술기모형을 바탕으로 Laerdal Medical은 주로 기도관리, 소생술 및 기타 인명 구조술을 가르치고 사정하기 위해 다양한 수준의 충실도를 가진 CEM 시뮬레이터를 여러 개 개발했다.[148] 심맨(SimMan)시리즈는[149-153] 환기, 성문외 기도기 삽입 및 기관삽관 기술을 사정하기 위해 여러 상황을 재현할 수 있는 다양한 해부학적 구조의 사실적인 기도를 특징으로 하는 전신 크기의 성인 마네킹이다. SimMan 시뮬레이터는 산소 포화도, 심전도 및 기타 모니터링 기능과 함께 신체 진찰 소견(예: 심장, 폐 및 장 음; 청색증, 출혈, 눈물 흘림 및 발한; 혈압 및 말초 동맥 맥박)을 완전히 보완하여 특히, 전문 심장 및 외상 구조술과 관련된 다양한 환자평가 및 치료 술기를 사정할 수 있다. SimMan은 기관삽관, 가슴 압박 및 제세동 외에도 말초정맥천자와(경골/흉골) 골내 혈관확보에서 바늘 또는 흉관 흉강삽관술과 윤상갑상막절개술에 이르는 다양한 침습적 술기 사정이 가능하다. 마네킹의 특수 센서는 사용자 중재의 정확한 시간(예: 산소 투여나 CPR 시작)을 기록하며, 이러한 데이터는 형성평가 피드백을 제공하거나 총괄평가 결정의 근거로 매우 유용할 수 있다.

더 이상 생산되지 않는 SimMan의[149] 초기 ("클래식") 버전은 (시뮬레이터를 제어하는 프로그래밍을 실행하기 위해) 컴퓨터와 외부 공기 압축기(난이도가 높은 환기/삽관 시나리오를 위해 호흡 운동을 유도하고 다양한 상부 기도의 팽창을 유발하는)의 물리적 연결이 필요했다. 후기 세대 ("3G") 모델은 [150,151] 동일한 기능이 있지만 물리적 연결이 필요하지 않다. 소형 압축기가 마네킹 자체에 내장되어 있어 시뮬레이터가 충전식 배터리로 몇 시간 동안 작동한다. 이 무선 장비는 자체 로컬 Wi-Fi 네트워크를 통해 마네킹과 통신할 수 있는 컴퓨터, 태블릿 또는 휴대용 제어 패드로 원격으로 작동할 수 있다. 응시자의 수행을 관찰 및 평가하고 디브리핑을 수행하기 위해 웹캠 및 기타 안전한 시청각 전송 시스템(원격 임상의료에 이미 존재하는)을 사용하여 평가자는 시뮬레이터를 장거리 제어하고 원격 시뮬레이션을 통한 사정을 더욱 용이하게 하기 위해 일부 CEM의 무선 연결을 활용한다.[154,155]

적어도 생리적/약리학적 모델링과 흡입 마취제 및 의료가스를 다루는 역량에 대해 CAE의 HPS 시스템만큼 종합적이지는 않을지라도 - 오히려 HPS는 마취과 영역에 기능적으로 집중되어 있다 - SimMan은 보다 저렴하고 다양한 경로로 투여되는 여러 약물을 인식하고 활력 징후와 기타 환자 상태 지표에 반영되는 것처럼 시뮬레이터에서 자동적이고 사실적인 반응을 유발하는 시스템을 갖추고 있다. 아마도 보다 간단한 Laerdal 마네킹(Resusci Anne와 같은)에 익숙하고 다목적 기능과 경제성 사이에 균형이 잘 맞기 때문에 SimMan은 종종 새로운 시뮬레이션이나 임상술기 센터에서 갖추는 초기 고충실도 CEM 시스템을 활용되기도 하며 결과적으로 전세계 많은 기관에서 널리 사용되고 있다.

심맘(SimMom)은[156] 무선 작동과 호흡 및 혈역학적 감시와 같은 SimMan의 컴퓨터 강화 기능뿐만 아니라 시뮬레이터의 적절한 생리적 반응에 다수의 위기 중재술, 인명구조술기를 수행할 수 있는 능력과 함께 앞 절에서 설명한 분만술기모형의 기능(여러 해부학적 변형과 정상 또는 다양한 태위 및 모체 합병증이 있는 복잡한 분만 시나리오)을 결합했다. 동반 신생아 모형은 모체 시뮬레이터에 삽입된 옵션 모듈을 통해 수동 또는 완전 자동화 방식으로 분만할 수 있다. 이 아기는 사실적으로 보이지만 컴퓨터화된 요소가 없는 정적인 술기모형이다. 그러나 이 "심 가족(Sim family)"를 완성하는 것은 컴퓨터 제어, 동력 등을 위해 유선 연결이 필요하지만 소아응급술기를 사정하기 위해 성인 크기의 시뮬레이터와 유사한 일반적인 기능을 가지고 있는 - 팽창된 대천문 및 제대 맥박/혈관 접근과 같은 질환이 있을 수 있는 연령대 환자에 특정한 소견과 업무를 시뮬레이션 하는 기능도 있는 - (6 세) 어린이,[157] 유아,[158] 신생아,[159] 심지어는 "미숙" 신생아[160] 크기로 만들어진 다른 CEM들이다.

가우마드(Gaumard)는[161] 소아용 CEM 제품군을 생산하는 또 다른 회사이지만 신생아 및 미숙아 외에도 다양한 어린이 크기의 마네킹(1세와 5세)을 보유하고 있으며, 특히 완전한 무선장치이기 때문에 연결장치가 없다.[162-164] 이 기능은 분만 대기실과 분만실에서 신생아 집중 치료실로 신생아를 옮기는 동안 필요한 소생술 시나리오, 특히 실제 임상 또는 현장에서 수행되는 현장 시뮬레이션에 유리하다. 실제로 할(HAL)[165] 시뮬레이터 제품군(SimMan시리즈의 다양한 마네킹과 기능이 유사함)의 도입과 함께 Gaumard는 무선 태블릿/모니터 시스템으로 최대 300미터 떨어진 시뮬레이터 장거리 제어 기술을 통해 완전한 무선기술을 개척했다. 이 시뮬레이터는 실제 맥박 산소측정 탐색자, 유도 및 제세동 패드의 부착이 가능하다. 그러나 Gaumard는 노엘(NOELLE)[166] 시뮬레이터 제품군으로 가장 잘 알려져 있다. NOELLE 시뮬레이터들은 실물 크기의 성인 여성과 신생아 마네킹으로 구성되는데, 이전에 설명한 산과 치료 시뮬레이터와 달리, 산모와 아이 모형에서 컴퓨터 강화 구성요소를 특징으로 하므로 임신과 출산 시 응급치료 및 합병증 관리와 관련된 광범위한 시나리오의 시뮬레이션이 가능하다. 사용자는 두 개의 개별 모니터를 통해 모체와 태아/신생아의 활력 징후 및 산소화 상태, 자궁 활동 등을 알 수 있고, 산모와 아이에게 삽관, CPR 또는 제세동/심율동전환과 같은 응급 술기를 시행할 수 있으며, (말초 또는 제대) 정맥내 또는 골내 혈관경로 통해 약물을 투여하는 등 매우 다양한 분만 술기를 수행할 수 있다. 최첨단 모델에는 다음과 같은 추가 기능이 포함되어 있다. 태위를 결정하는 동안 사실적이고 자연스러운 느낌의 골반 주요부위와 양막; 시나리오 전반에 걸쳐 실시간으로 정점에 도달했다가 진정되는 촉진 가능한 수축; 두정위 대 둔위에 해당하는 분만을 시뮬레이션 할 때 현실감을 높이기 위한 두 개의 서로 다른 태아 사용; 모체 마네킹에 삽입되는 별개의 술기모형(예: 경막외 술기와 외음절개술 봉합을 위한 모형); 태아의 진행을 분만 단계에 따라 재현할 수 있는 매우 사실적이고 정확한 제어가 가능한 자동분만 시스템. 후자의 기능은 분만술기 중에 태아가 겪는 압력과 같은 지표를 기록하고 사용자 동작을 추적하는 내장된 센서가 있어서 형성 피드백의 제공과 총괄평가를 위한 수행 데이터 수집을 용이하게 한다.

CEM을 다른 형태의 시뮬레이션과 결합하는 다양한 하이브리드 시뮬레이션이 있다. 우리는 방금 전에 특정 NOELLE 모델을 통해 산모 마네킹에 술기모형을 삽입하여 산과 치료와 관련된 특정 역량을 사정할 수 있다고 언급했다(예: 경막외 마취제 주입 또는 회음부 열상의 수술적 봉합). 또는 일부 시뮬레이션은 SP와 환자 마네킹(부분 술기모형과 같은 앞에서 인용한 예시처럼)을 통합하여 비기술적 및 기술적인 술기 모두를 평가한다. 많은 인체 환자 시뮬레이터에는 마네킹을 대신해 조작자가 원격으로 말할 수 있는 마이크가 내장되어있어 - 주호소에 대한 중요한 세부 정보를 제공하거나 진료의사에게 도와달라고 요청하거나 자주 기침 또는 구역질 하거나 또는 단순히 고통으로 신음하거나 - 교육생의 병력청취/의사소통 술기나 공감 태도를 평가 할 수 있다. 이러한 접근 방식의 변형은 기술적 능력을 사정하기 위해 시뮬레이터에 신체 진찰이나 침습적 술기를 수행하도록 하면서, 비기술적 술기 사정에서 보다 사실적인 "인간적 요소"를 평가하기 위해 응시자와 같은 방에(보통 마네킹 옆에 앉거나 누워 있는) SP를 배치하는 것이다. 또 다른 하이브리드는 가상현실 시뮬레이션을 CEM과 통합하는 것이다. 예를 들어, 일부 환자 시뮬레이터는 주어진 시험 시나리오와 일치하는 소견을 밝혀낼 수 있도록 (가상의) 초음파 검사 수행을 위해 마네킹 피부 아래에 첨단기술을 갖추고 있다.[167] 모의환자가 제대로 모방할 수 없는 내부 병리를 시뮬레이션 하기 위해 동일한 기술을 SP에게 결합할 수 있다.[168] (후반부 VR 시뮬레이터의 구체적인 내용 참조.)

앞의 논의에서는 주로 기술적(즉, 정신운동 기술) 및 비기술적 기술(즉, 태도 또는 행동) 영역의 *개별(individual)* 역량 사정에 중점을 두었고, 후자에는 주로 윤리적/전문가적 행동, 공감적 진료 및 환자와의 대인관계 의사소통에 대해 언급했다. 보건의료전문직 교육과 비기술적 특성의 역량 사정에서 주목해야할 또 다른 핵심 영역은 *팀(team)* 술기이다. 컴퓨터 증강 마네킹과 관련된 시뮬레이션은 의사소통, 리더십, 상황 감시 및 팀 내 상호지지와 같은 역량을 사정할 수 있다.[169,170] CEM이 광범위한 환자 상태를 시뮬레이션하고 침습적 술기, 소생술 및 기타 중요한 행동을 포함한 수많은 중재적 수행을 가능하게 하기 때문에 이러한 시뮬레이터는 훈련과[171] 진료를[172,173] 하고 있는 의료종사자들의 학제간 및 전문직간 팀워크 기술을 평가하기 위해 설계되어 (훈련이나 현장에서 진행되는) 시나리오를 가장 많이 제공하고 있다.

가상현실 시뮬레이터

응시자는 단순 술기모형이나 좀더 복잡한 환자 시뮬레이터 마네킹에서 술기를 보여주기보다 이제는 "가상현실(Virtual Reality, VR)" 환자에게 필요한 술기를 수행할 수 있게 되었다. VR 시스템은 얼마 동안 이용되었는데, 가장 초반에는 단순한 키보드나 가장 기본적인 "조이스틱(joystick)" 컨트롤만 있는 컴퓨터바탕 시뮬레이션이었다. 이후 점점 더 복잡한 인터페이스를 사용하여 다양한 술기를 - 비교적 단순한 비수술적 술기(예: 정맥관 삽입술[174])부터 보다 복잡한 수술(예: 복강경 담낭절제술[175]) 이나 경피적 카테터바탕 삽입술(예: 경동맥 스텐팅[176])에서 내시경 방법(예: 굴곡 구불결장경 검사[177])까지 - 시뮬레이션 하는 다양한 시스템이 개발 중에 있다. 또한, 시술을 위한 이러한 적용 외에도 VR 시뮬레이션은 개인과 팀 모두에게 환자치료와 의사소통 기술의 사정을 용이하게 한다. 외상 소생술 시나리오를 위한 "가상 응급실"[87] 또는 신생아 검진을 위한 "가상 분만실"과[88] 같이 컴퓨터로 생성된 환경 내에서 가상 환자를 치료하는 데 협력하는 여러 참가자를 원격으로 동시에 사정할 수 있다.

그럼에도 불구하고, 평가 목적으로 VR 시뮬레이터를 가장 흔히 사용하는 경우는 의학적 검사, 비수술적 침습 술기 및 수술과 같은 술기를 수행하는 역량 평가이다. 후자의 두 가지 범주 중 경피적 카테터바탕 및 내시경 중재와 최소침습적 또는 제한된 접근의 수술은 학습이 어려울 뿐만 아니라 VR 시뮬레이션에 적응할 수 있도록 하는 일반적인 특성을 공유한다.[178] 이러한 기술은 전통적인 개방형 외과 접근법과는 상당히 다른 정신운동과 지각 기술을 요한다. 왜냐하면 의사는 (1) 삼차원 작업을 나타내는 이차원 이미지의 간접적이고 제한된 보기를 바탕으로 복잡한 침습적 술기를 수행해야 하고, (2) 감소된 깊이 인지와 때때로 영상의 품질 저하, 특히 일부 술기에서 사용되는 흑백으로 출력되는 투시 디스플레이를 극복해야 하며, (3) 촉각 피드백 및 이동의 제한이 있어, 수술 장소로부터 조금 떨어진 곳에서 기구를 조작해야 하고, (4) 고유감각과 시각적 피드백이 종종 상충되는 도구 사용에 의한 "지렛대 효과를"[2)] 감안해야 하기 때문이다.[179] 그러나 이런 실제적인 술기를 수행해야 하는 학습자에게 어려움으로 다가오는 사항들 때문에 시뮬레이션 작업의 모델링이 단순화되기도 한다. 예를 들어, 내시경 검사를 수행할 때 시야와 이동 정도가 제한되기 때문에 해당 가상 술기에서는 보다 단순한 시각 및 촉각 시뮬레이션이 필요하다.

믿을 수 없을 정도로 실제와 유사한 시뮬레이션의 재현이 현재 VR 기술로 가능하지 않다는 것은 아니다. 실제로 비디오 게임 산업에 의해 야기된 컴퓨터 처리 속도, 삼차원 렌더링과 여러 가지 최근 기술의 발전으로 이러한 시뮬레이션의 사실성이 크게 향상되었다. 점점 더 실감나는 시청각 내용 외에도 시술 기술을 사정하기 위한 가장 정교한 VR 시스템에는 촉각(접촉 및 고유감각 피드백) 기술이 적용되어 평가 중인 술기, 도구 또는 해

2) 역자주. 지렛대 효과(fulcrum effect)는 복강경 수술과 같이 긴 도구를 활용하는 수술의 경우, 도구의 끝지점이 중심점에 의해 의사의 손끝과 반대 방향으로 지렛대처럼 움직이는 효과를 말한다.

부학적 구조물의 "느낌"을 전달한다. 이러한 기술의 예로, 3D Systems Phantom 및 기타 촉각 장치에서는[180] 최대 여섯 개의 자유도의 피드백을 제공하는 기계식 관절로 만들어진 팔로 사용자가 가상 물체를 촉진하고 조작할 수 있다. 예를 들어, 기구의 끝에 부착된 골무, 스타일러스 또는 실제 수술 도구들은 내부 장기를 촉진하거나 절개와 봉합하는 데 관련된 촉각(압력, 저항, 윤곽 등)을 시뮬레이션 할 수 있다. 촉각 메커니즘은 경험의 시각적 구성요소를 생성하는 컴퓨터와 접속한다. 가장 사실적인 효과를 위해 종종 3D 안경이 필요한 경우가 있지만, 최근 시스템은 촉각 장치의 물리적 움직임과 모니터에 표시되는 가시적인 반응 사이에 필수적으로 지연이 발생하지 않는 민감하고 정확한 움직임 감지 기능이 있다. 이와 같이 VR 촉각 시뮬레이터는 이미 다수의 보건의료 학문분야[181-186] 뿐만 아니라 치과학[187-189] 및 수의학과[190-193] 같은 다른 의료전문직에도[181-186] 적용되고 있다.

촉각 기술 외에도 VR 시뮬레이션 개발자는 참가자의 머리나 손의 위치를 감지하고 움직임을 따르는 센서가 갖춰진 머리에 착용하거나 다른 착용형 추적 장치를 만들었다.[194,195] 이러한 혁신은 가상 세계와 사용자와의 상호작용의 현실성을 향상시킬 뿐만 아니라 (일부 시뮬레이터의 내장된 기록 기능으로서) 수술의 기술적 사정에 중요한 효율적인 도구 조작과 움직임과 같은 특정 지표의 측정도 가능하다.[196,197]

결과적으로, 20년 전에 처음으로 예측된 것처럼,[198] 외과의 거의 모든 분과가 이제는 다양한 형태의 VR 기술을 활용하여 다양한 역량을 가르치고 배우고 사정한다. 예를 들어, 신경외과에서는 뇌실 션트 삽입술(ventricular shunt placement)을 시뮬레이션 하기 위한 VR 방법을 응용하여 간단한 웹 바탕 시각 모형[199] 뿐만 아니라 촉각 피드백이 적용된 보다 복잡한 장치도 활용하고 있다.[195,200-202] 신경외과의 다른 핵심 기술(예: 종양 절제술)을 평가하기 위한 VR 시뮬레이션은 이미 개발되어 있다.[203-207] 이 분야의 급속한 발전은 이미 예상되어 왔으며,[208] 관련 분야에서 더 많은 시스템을 개발하려는 추세는 계속될 것으로 보이다. 한 예로 가상 측두골 절개 시뮬레이션의 경우, 신경외과 의사뿐만 아니라 이비인후과 의사도 교육생의 기술을 사정하는 데 사용할 수 있다.[183,209-213] 가상 촉각 장비는 머리와 목의 악성 종양 촉진과 같은 비침습적 검진부터[182] 부비동 수술을 위한 내시경 접근 방법과[215-218] 고막절개술 술기에 이르는[219, 220] 다양한 귀, 코 및 인후 술기를 시뮬레이션하는데 유용하다.[214] 후자의 시뮬레이터 중 하나는 사용자가 직접 조종할 수도 있고, 실제 외과용 칼을 활용할 수도 있는 광학 추적 시스템이 갖춰 있다.[221]

성형 및 재건 외과의사는 가상환자를 한동안 사용해 왔지만,[222-224] 환자에게 처음으로 술기를 수행하기 전에 초보자의 기술을 사정하기보다는 외과적 접근 방식을 계획하고 의도한 미용 결과를 만드는 데 주로 사용되었다. 그러나 이 영역에도 평가를 위한 일부 VR 응용은 존재한다. 하나의 촉각 시뮬레이션 시스템은 갈림입술 복원술 동안 사용자가 보여주는 기술에 대한 점수를 생성할 수 있다.[225] 다른 VR 도구는 성형외과 뿐만 아니라 구강 악안면외과 및 정형외과를 포함한 여러 분야에서 사용되는 다양한 뼈자름술과 융합술의 수행을 사정하는 데 유용하다.[226-228]

정형외과 수술 중 최소침습적 유사시술은 관절경이다. 따라서, 진단적 및 치료적 관절경 기술을 시뮬레이션 하는 VR 플랫폼이 존재한다.[229] 무릎,[185,233,234] 어깨,[235-237] 및 더 적은 고관절의[238] 관절경 시술이 가능한 몇몇 시뮬레이터가 이미 시판되고 있다.[230-232] 이 시스템은 술기 완료 시간, 도구 움직임의 효율성, 조직과의 충돌 횟수 및 관절 구조에 가해지는 힘을 포함하여 수행 사정을 위한 데이터를 추적할 수 있다.[239,240] 다른 VR 시스템은 관절 성형술, 골절 정복술과 절단술을 포함하여 다양한 개방형 정형외과(특히 고관절) 술기의 시뮬레이션이 가능하다.[241-243]

20년 전 안과 의사들은 백내장 적출술 술기를 시뮬레이션하기 위해 촉각 피드백 기구와 안구 수술의 핵심 요소인 입체적인 수술이 가능한 VR 장비를 개발했다. 시스템 설계는 수술 녹화의 재생 기능과 여러 관점(눈 안쪽도 포함하여)을 통한 수술 기법 분석 기능이 포함되어 있다.[244] VR 기술을 이용한 추가 작업을 통해 간단한 안구 검진부터[245] 수정체 유화술,[246-248] 수정체낭 절개술,[249-251] 망막 광응고술[252] 및 유리체망막 수술과[253,254] 같이 조금 더 복잡한 술기까지 다양한 사정이 가능한 안과 시뮬레이터를 만들었다. 현재 상업적으로 이용 가능한 몇몇 안과 시뮬레이터 중에 거의 모든 타당도 연구는 아이씨(Eyesi) 수술 시뮬레이터를 사용하여 진행되었다. 이 시뮬레이터는 인공 눈을 장착한 마네킹 머리, 장비 제어를 가능하게 하는 사실적인 발 페달, 위치 추적 장치 등이 배선되어 있으면서, 수동으로 조작하지만 움직임이 자유로운 다양한 소형 기구들과 수술 시야를 확보할 수 있도록 적절한 입체 영상이 컴퓨터로 전송되는 수술 현미경으로 구성된다. 여러 가지 다른 시술 모형을 통해서는 다양한 안구내 수술 기술을 평가할 수 있다. 예를 들어, 플랫폼은 안구 전방 시술(특히 백내장 수술의 중요한 단계)을 시뮬레이션 할 수 있으며, 유리체 망막과 눈의 인터페이스 및 도구 세트(유리체 절제술 장비 및 눈속 레이저 포함)를 사용하여 안구 후방 수술을 재현할 수도 있다. 이 시스템은 피드백과 객관적인 술기 사정에 활용할 수 있는 다양한 지표(예: 현미경과 도구 조작, 수술 효율성과 조직 치료)를 기록한다.

일반외과 수술의 경우, VR 시스템은 단순한 봉합에서[257] 진단적 복막 세척술까지[258] 그리고 기타 외상 평가/치료에서[259-261] 담낭 절제술을 포함한 많은 복강경 수술에[262] 이르기까지 다양한 난이도의 시술 수행을 시뮬레이션 할 수 있다. 초기에 그리고 가장 폭넓게 연구된 시스템은 미스트(Procedicus Minimally Invasive Simulation Trainer, MIST)이다. 이전에 멘티스(Mentice)

에서[263] 판매되었던(현재는 폐기됨 - 부록 12.1 참조) 이 시뮬레이터는 두 개의 기계식 팔이 표준 복강경 기구와 연결되어 있어 실시간으로 기구의 움직임을 모니터에 표시하는 컴퓨터가 장착되어 있는 구조로 구성되어 있었다. 그래픽은 삼차원이지만 일부 기본 교육 모듈은 관련 부위 또는 조직을 사실적으로 표현하기보다는 단순한 기하학적 모양을 사용한다. 그럼에도 불구하고, 사용자는 도구의 삽입과 회수(withdrawal), 연조직의 신장(stretching)과 묶음, 투과열요법의 사용, 체내 매듭 묶기, 바늘 조작 및 연속 또는 단속(interrupted) 봉합을 포함하여 복강경 수술에 사용되는 복잡한 핵심 술기를 수행할 수 있다. 시스템은 작업을 완료하는 데 걸리는 시간, 오류 횟수, 기구 움직임의 효율성 및 투과열요법 사용에 따른 경제성을 고려한 점수로 구성되어 수행평가가 가능한 데이터로 기록된다.

또한, 컴퓨터는 양손잡이 기술을 사정하기 위해 오른손잡이와 왼손잡이 수행을 별도로 분석할 수 있다. MIST의 과제 완료 점수는 살아있는 동물에서 시행되는 복강경 담낭절제술 동안 전문가의 채점과 관련 있다.[197] 이 시스템을 이용하여 잘 설계된 연구들은(소위 'VR에서 OR'이라 불리우는) 시뮬레이션 시술의 술기가 환자에게 시행되는 실제 수술로 이행되는 것을 처음으로 서술하여 이러한 가상현실 시뮬레이터 예측 타당도의 중요한 근거를 제공하고 있다.[262,] 현재 복강경 술기사정을 위한 몇 가지 다른 VR 플랫폼이 상용화되어 있다.[265-267] 이 모형은 MIST와 유사한 설계 및 (촉각 장비가 있든 없든) 기능성을 갖추고 있으나, 충수 절제술, 구불결장 절제술,[268] 서혜부/절개 탈장 복구, 위 우회술과 같은 비만 시술을 포함하여 광범위한 범위의 수술을 시뮬레이션하고 사정할 수 있다.[269] 시뮬레이션 결장 절제술과 담낭 절제술의 수행 동안 이러한 VR 시스템으로 얻은 지표를 바탕으로 하는 사정이 실제 동물의 실험 환경에서 뿐만 아니라[270] 수술실에서 실제 환자 대상 수술의 수행에서도 가능하다는 것을 여러 타당도 연구에서 입증하였다.[271]

외과의사는 복강내 수술보다 최소침습적 시술을 수행하기 위해 이와 동일한 기술을 많이 사용한다. 따라서 (선택적) 추가 소프트웨어 모듈과 상호교환 가능한 도구 핸들을 사용하는 동일한 (그리고 유사한) 시뮬레이터는 비디오 흉강경 수술(video-assisted thoracoscopic surgery, VATS)을 통한 엽절제술, 신장 절제술, 및 난관 폐쇄,[272] 자궁외 임신,[273,274] 난관-난소 절제술 및 자궁 절제술과 같이 다양한 부인과 시술을 포함 여러가지 기술을 수행하는 능력을 사정할 수 있는 응용 프로그램을 활용한다. 또 다른 VR 장치는 자궁경 검사와 같은 부인과에서 다른 시술 기술의 평가가 가능한 사실적인 시뮬레이션을 만든다.[275] 후자로 언급한 시뮬레이션을 상업적으로 이용 가능한 플랫폼은[276,277] 자궁경부를 통한 조종, 자궁 시각화 및 수액치료와 같은[278] 일반적인 기술뿐만 아니라 난관 불임 삽입물의 삽입,[279,280] 용종절제술 및 근종적출술을[281] 포함한 특정 시술의 수행을 사정하기 위한 모듈을 제공한다. 이러한 시뮬레이터는 정신운동 업무를 완료하는 데 걸리는 시간과 정밀도를 추적하고 수행 평가에 도움이 되는 지표를 생성한다.

다른 VR 장비는[282-284] 전립선 검사에서[181] 방광경 검사 및 요관경 검사,[285-287] 경요도 전립선 절제술(transurethral resection of the prostate, TURP)에[288] 이르기까지 비뇨 생식기 시술을 정확하게 표현할 수 있다. 심바이오닉스(Simbionix)에[289] (지금은 3D Systems의 일부) 의해 개발된 "멘토(Mentor)" VR 시뮬레이터 군의 하나인 URO Mentor는 시뮬레이션 환경에서의 술기 사정이 실제 비뇨기 시술 중의 수행평가와 관련이 있음을 보여주는 대규모 'VR에서 OR' 연구를[291] 포함하여 이 영역의 평가 도구로써 가장 타당한 근거를 가지고 있다.[290] 이 모든 시스템은 방광경하 방광 생검 및 종양 절제술, 양성 전립선 비대증에 대한 TURP 및 레이저 요법, 풍선 확장이나 도관 또는 스텐트 삽입을 통한 협착/폐색의 요관경적 치료, 결석 적출 또는 체내 쇄석술을[292] 포함하여 재현할 수 있는 다양한 진단적 및 치료적인 비뇨기 계통의 내시경 기술에서 상당히 다재다능하다. 이 시뮬레이터는 원래 도구를 삽입하기 위한 작업 채널과 함께 실제 굴곡 및 경직 내시경의 사용이 가능하다. 컴퓨터가 비뇨생식기 부위의 사실적인 그래픽과 상호작용하는 장치의 조작 끝 부위를 가상으로 표시하는 동안 사용자는 실제 손잡이로 이러한 기구들(예: 카테터, 가이드 와이어, 바구니, 겸자, 쇄석기, 전극, 스텐트, 풍선)을 제어할 수 있다. 촉각 기술은 내시경 삽입 및 기구 조작 중에 생생한 느낌을 제공한다. 응시자는 병리학적 병변을 직접 시각화하고 치료하여 내시경 기술을 시연하거나 정확한 C-arm 위치와 조영제 주입을 통해 실시간 투시검사를 수행하는 능력을 보여줄 수 있다. 내장된 시스템은 시술의 주요 단계를 완료하는 시간, x-선 노출 시간 및 오류 횟수(예: 천공 또는 레이저 오발)를 포함하여 수행 사정에 도움이 되는 여러 지표를 추적한다.

PERC Mentor[293]-이전에는 독립형 시스템으로 사용 가능했지만 현재는 (하나의 장비가 두 개의 장치로 구성된) URO Mentor와 독점적으로 결합되어 있음-는 경피적 신장 접근술을 수행하기 위한 관련 술기를 시뮬레이션 한다.[294,295] 이 플랫폼은 환자의 등과 양측 옆구리를 나타내는 부분 마네킹으로 구성되어 있다. 가이드 와이어를 통과시키고 적절한 신배에 접근하기 위해 가상 C-arm을 다루고 동시에 투시검사 영상을 보는 동안, 피부, 피하 조직과 갈비뼈의 느낌을 시뮬레이션 하는 여러 층의 카트리지는-일반 또는 비만 환자용 실습을 위해 교체 가능한-사용자가 다양한 실제 바늘을 사용하여 실제 경피 천자를 수행할 수 있도록 한다. 또한 시뮬레이터에는 시술에서 중요한 단계를 수행하는 시간, 총 x-선 노출 시간 및 사용된 조영제 양, 집합계에 천공 시도 횟수 및 합병증의 수(예: 혈관 외 유출, 누두 열상 및 혈관 손상)와 같은 평가 훈련에 사용할 데이터를 기록하는 기능이 내장되어 있다. 타당도 연구에서 역량 평가를 위해 이런 메트릭스 사용을 권하는 몇 가지 근거가 있지만 전문가들은 이 VR 시뮬레이션의 충실도 및 "전체적인 사실성"과 관련된 몇 가지 항목들을 살아있는 동물 모형보다 낮게 평가했다. 동시에, 시뮬레이터에서 반복적으로 시술을 수행 할 수 있는 실행 가능성과 능력 측면에서 가상 시스템의 장점을 인정했으며, PERC Mentor의 "전반적인 유용성"은 경피적 신장 접근술 훈련을 위한 돼지 모형과 동등한 것으로 나타났다.[294,296] 경피간경담관 조영술과 같은 연관 시술을 시뮬레이션 하기 위해 추가 소프트웨어 모듈을 개발하여 동일한 장비 플랫폼이 적용될 수 있지만,[297,298] 다른 진단/치료 방법론이 고유한 평가 맥락을 제공하기 때문에 사정도구로서 이 기술 사용의 타당도를 판단하기 위해서는 각 환경에서 추가 연구가 필요하다.

이러한 이미지 유도 경피 시술을 수행하는 데 필요한 기술의 평가는 비뇨기과 의사뿐만 아니라 혈관 외과 의사와 중재적 방사선학, 신장학, 신경학/신경외과학 및 심장학 시술을 수행하는 기타 전문가들과도 분명히 밀접한 관련이 있다. 이런 종류들과 함께 혈관 조영술 및 혈관내 시술을 수행하는데 있어 역량 사정을 용이하게 하는 VR 시뮬레이터가 있다.[299-301] 예를 들어 엔지오(ANGIO) Mentor는[299] 또 다른 Simbionix 장비로 이 영역에서 VR 시스템의 거의 능력을 갖춘 것이 특징이다. 영화 및 디지털 감산 혈관 조영술, 혈관 성형술 및 스텐트 삽입술 및 동맥류 수복술을 포함하여 광범위한 경동맥/뇌내, 관상/심장, 대동맥, 신장 및 하지 말단 동맥의 진단 및 치료 중재를 시뮬레이션 할 수 있다.[184,302,303] 고급 촉각 기제가 가이드 와이어, 도관, 풍선, 스텐트, 이식편 및 기타 장치들의 사용을 사실적으로 모방한다. 진보된 기능으로 실제 시술을 수행하기 전에 시스템으로 스캔된 실제 이미지를 바탕으로 환자의 특정 인체 부위를 3D 모형으로 만들어서 리허설이 가능하다. 시뮬레이션에는 약물 투여 및 시술 기술에 따라 적절히 변하는 환자상태의 동적 지표(예: 활력 징후, 심전도, 산소 포화도, 동맥내 압력차 및 가상 신경학적 검사 소견)가 포함되어 교육생의 의료적 의사결정과 합병증을 관리하는 능력을 사정할 수 있다. 시뮬레이터는 평가를 돕기 위해 일련의 지표를 추적하고 개인 또는 집단 수행에 대한 통계 보고서를 생성한다.

VIST (Vascular Intervention Simulation Trainer)는[301] 혈관내 시술 기술을 사정하기 위한 또 다른 시스템이다. 앞에서 언급한 VR 플랫폼과 마찬가지로 VIST는 대동맥, 신장 및 말초 동맥 기술의 영역뿐만 아니라 관상동맥 혈관 조영술, 혈관 성형술 및 스텐트 삽입술을 이용한 심장 도관술, 심장박동기 삽입술, 전기 생리학 검사와 심장 리듬 치료, 경중격 천자와 중격 결손/좌심방 부속기 폐쇄, 및 경도관 대동맥 판막 이식술/치환술 (TAVI / TAVR)을 포함한 광범위한 중재적 심장학 시술을 시뮬레이션 한다.[304] 이러한 모든 시뮬레이션 시술에서 사용자는 시뮬레이터에서 안내도관을 통과한 실제 도구와 장치를 조작한다. 감각 기제가 촉각 피드백을 재현하고, 시뮬레이션 투시 이미지는 실시간으로 중재되는 해부학적 부위와 결과를 보여준다. 기존의 연구들은 다양한 혈관내 기술을 수행하는 능력을 평가하는 시험으로 이 시스템의 신뢰도와[179] 타당도를[305-309] 보여주었다. 또한 미국식품의약청(Food and Drug Administration, FDA)이 고위험 시술의 담당이 되려고 하는 진료의사에게 VR 시뮬레이션과 관련된 훈련/평가과정 참여를 통해 적절한 숙련도를 서류로 입증하도록 요구하는 경동맥 스텐드 삽입술 시스템을 승인하는 과정에서 기존의 연구결과들이 결정적인 역할을 하였다.[176] 이후 혈관내 시술을 시행하는 의사들을 대표하는 전문가 협회는 이 영역에서 임상적 역량의 훈련 및 사정을 위해 VR 시뮬레이션 사용을 지지하는 합의 성명서를 발표했다.[310]

VR 시뮬레이션이 가능한 다른 비수술적 (그럼에도 불구하고 침습적) 시술에는 다양한 내시경 기술이 포함된다. 외과의사와 호흡기 전문의 및 소화기내과 전문의와 같은 중재 의학 세부 전문의가 주로 사용하는 이 시술에는 기관지경 검사, 식도 위장관 내시경 검사, 구불 결장경 검사 및 대장 내시경 검사가 포함된다.[311-314] 촉각 VR 장비는 상용화되어 모든 종류의 내시경 시술을 시뮬레이션 한다. 일부는 일체형 시스템으로[315] 구성된 반면, 다른 부분은 독립형 장비들로 되어 있거나 단일 플랫폼 결합 옵션으로 되어 있어 별도의 기관지 내시경과[316] 위장관 내시경으로[317] 구성되기도 한다. 이러한 모든 시뮬레이션에서 사용자는 다양한 도구들이 통과하는 포트가 있는 사실적인 (개조된) 내시경을 사용할 수 있고, 촉각 기술은 내시경 삽입 및 조작의 촉각 경험을 모사한다. 실물 같은 3D 그래픽 디스플레이는 중재에 따른 환자 인체와 조직 반응(예: 출혈)의 변화를 재현한다. 기관지경 검사 모듈을 사용하면 검사물 수집을 위한 다양한 기술(기관지내 시료 채취, 경기관지 바늘 흡인 및 기관지 폐포 세척)뿐만 아니라 기본적인 내시경 및 시진 술기를 사정할 수 있다.[318] 또 다른 프로그램에서는 소아기도를 통한 보다 어려운 기술을 시뮬레이션 하기도 한다. 이와 유사하게, 상부 및 하부 GI 모듈은 생검 및 용종 절제술에서 내시경 역행 담관조영술(endoscopic retrograde cholangiopancreatography, ERCP)에 이르기까지 더 복잡한 기술의 수행뿐만 아니라[321,322] 기본적인 내시경 기술(도구의 조작, 탐색 및 병변의 점막 관찰)의[319,320] 평가가 가능하다. 최근에 이러한 VR 시뮬레이션 시스템은 기관지 및 위장 내시경 검사 시술 중 진단적 및 치료적 중재를 위해 초음파 유도의 사용과 관련된 기술을 가르치고 사정하는 프로그램을 추가했다.[311,323-325]

경식도 심장 초음파 검사(transesophageal echocardiography, TEE)를 수행하는 기술은 다른 내시경 초음파 접근법과 매우 유사하므로 개발자는 이 시술을 수행하는 능력을 가르치고 평가하는 데 사용할 수 있는 VR 시뮬레이션을[326-328] 만들었다.[329] 경흉부 접근법에서 심초음파를 수행하는 데 필요한 기술을 사정하기 위해서는 동일한 시스템이 사용된다.[330] 일부 초음파 시뮬레이터는 심혈관 영상 기술에만 초점을 맞추고,[326] 다른 초음파 시뮬레이터는 광범위한 경흉부, 경복부 및 질식 초음파 검사-남녀 각각 구별되는 마네킹과 추가 모의 초음파 탐촉자로-를 재현할 수 있어 산부인과학뿐만[332-334] 아니라 외상학 및 응급의학과[112,331] 관련된 다양한 시술 기술을 사정할 수 있다.

우리는 병상 초음파의 최근 임상 사용의 증가와 이에 따른 관련 기술을 가르치고 사정하기 위한 초음파 시뮬레이터의 개발과 적용에 대해 이미 논의했다. 그러나 언급한 장치들과 달리-내장된 조직 유사물과 유체가 채워진 혈관이 있는 부분 술기모형으로서 실제 초음파 기계를 사용하여 스캔 할 수 있는-여기에서 VR 시스템은 환자의 머리, 목 및 몸통에 해당하는 컴퓨터화된(일반적으로 실물 크기의) 마네킹과 모방된 (손에 들고 쓰거나 내시경) 초음파 탐색자의 위치 및 방향을 추적하는 센서 그리고, 실물 같은 초음파 영상(종종 다양한 병리를 가진 실제 환자로부터 얻은)을 표시해주는 컴퓨터 프로그래밍으로 구성된다. 물리적 구성요소(마네킹과 초음파 탐색자)와 컴퓨터로 만들어진 가상 요소(초음파 영상)를 결합하는 이러한 시뮬레이션은 종종 "증강현실" 시스템으로 분류된다.[335] 완전한 가상현실(즉, 전적으로 컴퓨터 화면을 기반으로 한) 시뮬레이션이 아니기 때문에, 설명한 대부분의 촉각 장치는 기술적으로 증강현실 범주에 속한다. 그러나 이러한 시뮬레이터와의 물리적 인터페이스는 실제 환자나 신체 일부분과 거의 유사하지 않은 유형의 구성요소를 통해 이루어지기 때문에(예: 내시경/도구 삽입을 위한 구멍이 있는 "블랙 박스"), 대체로 보다 일반적인 용어인 "가상현실"을 사용하고 물리적으로 실제처럼 표현된 인체와 상호작용하거나 또는 중첩되는 가상 요소를 포함하는 시뮬레이션을 "증강현실"이라고 한다.

소노심 울트라사운드 트레이닝 솔루션(SonoSim Ultrasound Training Solution)은[336] 초음파 술기의 교육뿐만 아니라 독특한 기능을 갖춘 증강현실 시뮬레이터 중 하나로 사정에 도움이 많이 된다. 다른 플랫폼에는 모방된 초음파 탐색자의 위치와 방향을 추적하는 내장 센서가 있는 독점 마네킹이 필요한 반면, 소노심 라이브스캔(SonoSim LiveScan)은[168] 사람 또는 마네킹(부분 술기모형과 CEM 포함)에 부착할 수 있는 전파식별(radiofrequency identification, RFID) 태그와 특정 탐색자를 사용하므로 건강한 SP도 질병을 가진 환자사례로 즉시 변환하여 다양한 병리학적 소견(실제 환자로부터 얻은 광범위한 초음파 영상자료에서 도출한)을 정확하게 식별하는 교육생의 능력을 평가할 수 있다. 사람을 위한 RFID 태그는 저알레르기성이며 일회용으로 설계되었지만 마네킹 태그는 재사용이 가능하며 심지어 일부 CEM 시뮬레이터에서는 미리 피부 아래에 설치될 수도 있다.[167] 이 시스템은 (내시경이 아닌) 외부초음파 검사만 허용하지만, 마네킹이나 사람과 SonoSim 기술의 통합은 다른 형태의 하이브리드 시뮬레이션으로서 증강현실이 적용되어 상당한 고충실도 평가 시나리오의 개발이 가능하다. 예를 들어, SP는 기름진 식사 후 갑작스런 경련성 우상복부의 통증을 호소하며 양성의 머피(Murphy) 징후를 모방하고, 가상 초음파 영상은 급성 담낭염의 해당 초음파 소견을 보여줄 수 있다. 옵션 시스템을 사용하면 수행 지표를 즉시 또는 종적으로 추적할 수 있어 총괄평가 또는 형성평가 프로그램을 용이하게 할 수 있다.

가상현실 장비를 사용하여 시뮬레이션 할 수 있는 또 하나의 영역은 로봇 수술이며, 최근 몇 년 동안 여러 수술 전문 분야에서 그 사용이 크게 증가했다. 로봇 시술에는 개방형 수술 기술과 복강경 접근법과는 다른 정신운동 기술이 필요하기 때문에 초보 외과의사가 습득하기에는 상당히 어렵다. 그러나 키홀(keyhole) 시술과 마찬가지로 배우기 어려운 로봇 수술의 많은 특성은 VR 기술을 사용하여 복제하기가 비교적 쉽다. 다빈치(DaVinci) 시스템은[337] 현재 상업적으로 이용 가능한 유일한 로봇 수술 플랫폼이다. 같은 회사가 로봇 외과의사 훈련을 위한 독점 시뮬레이터를 개발하였고,[338] 검증 연구를 통해 시뮬레이션 환경에서의 기술이 실제 환자에 대한 시술(자궁 절제술)의 수행으로 이전된 것을 입증한 유일한 시스템이다.[339] 관련 기술을 사정하는 데 사용할 수 있는 몇몇 다른 VR 시뮬레이터가 있으며,[340-343] 점점 더 많은 연구가 로봇 수술 영역에서의 역량 평가를 위해 이러한 장치의 사용을 지원하는 타당도 근거를 제공한다.[344]

이 절의 시작 부분에서 언급했듯이 필자는 현재 사용 가능하거나 개발 중인 수많은 시뮬레이션 장치의 표본만 제공했다. 이 기술의 진보는 지속적으로 발전하고 있으며, 그 한계는 상상속에서만 존재하는 듯 하다.

현실에서의 활용을 위한 실용적인 제안 및 향후 방향

시뮬레이션바탕 사정방법을 실행하는 작업은 평가과정 기획자에게 어려운 것이 될 수 있다. 충실도, 기능 및 비용 측면에서 광범위하게 다양한 시뮬레이터 중에서 선택해야 하는 경우, 주어진 사정을 위해 술기모형이나 VR 시뮬레이터에 비해 CEM의 사용 여부를 어떻게 결정할 것인가하는 문제가 있다. 궁극적으로 평가를 위한 시뮬레이션의 사용 결정은 현지 상황, 특정 시험의 필요성 및 목적, 평가하려는 역량에 따라 결정된다. 가능한 한, 우리는 특정 보건의료 학문분야나 훈련 수준과 관계없이 광범위하게 적용할 수 있는 용어로 앞서 말한 논의를 서술하려고 노력했다. 그러나 분명히 기존의 많은 시뮬레이터는 특정 전문분야 그리고 졸업후교육이나 평생교육 차원의 교육이나 평가와 관련이 있다. 이 장의 마지막 부분에서는 현재 교육과정 내에서 시뮬레이션 방법을 실행하고자 하는 프로그램 책임자가 고려해야 할 몇 가지 중요한 사항을 제기하고자 한다. 또한 시뮬레이션바탕 사정의 미래는 어떠할 지에 대한 의견을 제안하고 이 분야에서 진행중인 연구분야를 제시하고자 한다.

다른 무엇보다도 교육과정 정렬의 원칙에 따라 사정을 위해 다른 방법이 아닌 시뮬레이터의 사용은 정의된 학습성과를 바탕으로 해야 한다. 좋은 교육과정의 '출제계획표'는 역량 또는 학습 목표의 열거로 *시작*되며, *그런 다음* 해당 목적과 목표 달성을 위한 최적의 교육 전략과 성과 달성을 입증하기 위한 최상의 사정도구를 결정하는 것이다. 그러나, 때때로 사전에 주의 깊은 사용 계획 없이 프로그램에서 시뮬레이터를 사용하려고 하고-앞서 언급한 바와 같이 첨단 기술은 유혹적일 수 있다-이후 책임지도전문의는 이 것을 교육 및 평가 체계에 끼워 맞추려고 방법을 찾기도 한다. 특정 역량을 사정하는 데 사용할 수 있는 시뮬레이터가 있다고 해서 *반드시* 사용해야 한다는 것은 아니다. 특히, 그 결과가 특정 과정의 범위를 벗어나거나 교육생의 수준에 적합하지 않은 경우에는 더욱 그러하다.

유사한 개념으로서, 평가자는 시뮬레이터의 기능과 충실도를 시험 중인 역량과 일치시켜야 한다. 예를 들어, 방광 도뇨관 삽입은 인체환자 시뮬레이터(Human Patient Simulator, HPS)에서 사정할 수 있는 기술 중 하나다. 그러나 평가하려는 역량이 *유일하게* 방광 도관삽입인 경우, 훨씬 적은 비용의 해부학(골반) 모형으로 동일한 평가목적을 이룰 수 있다면 매우 비싼 HPS를 구입하는 것이 의미가 없을 것이다. 반면에 HPS와 같은 모든 기능을 갖춘 장비를 구입하는 것은 기관 삽관, 정맥내 약물의 약리학 및 투여와 마취 유도 등을 사정하기 위해-모두 사정할 성과라면-여러 개의 단일 술기모형을 구입하는 것보다 경제적일 수 있다. 균형을 유지하기 위한 추가 요소는 다음과 같다: 장비 유지 비용(HPS는 대체로 연간 서비스 계약이 필요한 반면 플라스틱 모형은 유지비가 거의 들지 않는다); 여러 기능의 시뮬레이터를 이용한 다양한 임상상황이나 시나리오의 제시/사정과 고충실도 (현실성) 측면에서 부가가치; 마네킹에 내장된 기록 기능이 있어 객관적인 사정 데이터를 포착하는 경우 절약되는 평가자 시간.

앞에서 논의한 것처럼 기타 실현가능성 문제에 대한 비슷한 고려사항에는 교육훈련과 시뮬레이션 시나리오 개발과 관련된 시간과 비용이 포함된다. 이러한 과제 중 일부를 극복하는 한 가지 방법은 "쓸데없는 시간 낭비"를 피하는 것이다. 시뮬레이션 학회와 다른 사용자 집단은 지침을 개발하고, 온라인 토론회를 주최하며, 아이디어 경험을 통해 얻은 "교훈", 실제 자료들을 공유하기 위해 회의를 개최한다. 이를 통해 상당한 노력과 비용을 절약할 수 있다. 예를 들어, 미국의료시뮬레이션학회(Society for Simulation in Healthcare, SSH)[141] 회원은 다른 시뮬레이션 교육자와의 교류를 용이하게 하는 등록자 목록에 접근할 수 있고, 특정 시뮬레이터를 사용(및 문제해결)한 경험을 공유할 수 있으며, 시뮬레이션바탕 사정이나 시나리오 대본 등에 사용되는 평가도구(예: 체크리스트 및 평정척도)가 포함된 자료를 검색할 수 있다.[345] SSH 회원은 실시간 학습센터(Live Learning Center)의 온라인 웹 세미나에 참석하고, 국제 시뮬레이션 학술대회에서 녹화된 교육과정과 발표를 볼 수도 있다. SSH 학술지인 *Simulation in Healthcare*는[347] 의료전문직 교육분야에 대한 동료심사 연구와 논평뿐만 아니라 시뮬레이션 방식을 사용하는 새로운 프로그램 책임자에게 매우 유용한 모범사례 권장 사항을 발표한다. 국제 학회에는 시뮬레이션센터 구축 및 운영에 관심 있는 사람들을 위한 특별 과정이 마련되어 있는데 건설 및 공간 계획부터 인력 모집 및 자원 조달에 이르기까지 다양한 문제를 다룬다.

전 세계의 수많은 기관들이 전용 임상술기센터나 시뮬레이션센터를 구축하고 있으므로 이러한 "특별 관심" 세션이 생겼지만, 교육훈련이나 사정을 위해 성공적인 시뮬레이션 프로그램을 갖춘 시설이 필요하다는 개념은 때때로 제한된 자원을 가진 사람들에게는 위협적인 것이다. 그러나 우리는 인공적인 또는 실험실 환경에서 평가를 수행하는 것에 *맞서*는 설득력 있는 반론을 제기할 수 있다. 보다 사실적인 사정 즉, 임상 역량에 대한 보다 타당한 사정은 의사가 실제로 일하는 환경(생체내: 수술실, 응급실 또는 외래 검사실 환경)에서의 평가가 가장 적절한 것이라 할 수 있다. 이미 논의한 바와 같이, 이러한 환경에서 통합 시뮬레이션(예: 피부 봉합 패드와 같은 부분 술기모형을 표준화환자의 팔에 부착한 상황)을 활용하는 사정이 아마도 실제 환자 면담 상황과 가장 유사할 것이다.[69] 하이브리드 시뮬레이션을 통해 실제 맥락에서 기술적 술기와 비기술적 역량의 동시 평가가 가능하기 때문에 이 방법은 향후 우선 선택하는 임상 사정방법이 될 수 있다.[348] 또한, (교육생과 의사가 일하는 병원 및 진료소에) "시험 센터"가 이미 존재하고 관련된 일부 술기모형은 비교적 저렴하기 때문에 제한된 자원을 가진 프로그램도 여전히 시뮬레이션바탕 평가의 영역에 포함될 수 있다. 앞서 언급한 바와 같이, 그러한 현장 관찰은 평가 인증기관이 요구하는 마일스톤의 성취와 EPA의 숙달을 사정하고 입증하는 지속적인 프로그램으로서의 중요한 구성요소가 될 것이다.

시뮬레이션 방법들을 통합하는 다른 혁신적인 방법은 머지않아 본격화될 것이다. 앞서 언급했듯이 술기모형과 사람을 결합시키는 것 외에도 VR 시스템을 SP나 마네킹과 결합하는 방법에 대해 이미 설명하였다. 그러한 증강현실 기술의 다른 응용은 특정 시나리오에 따라 성별을 바꾸거나, 나이가 들게 하거나, 청색증을 나타내는 등 시뮬레이션 설계자가 수요자의 요구에 따라 시뮬레이션 환자의 외양을 만들고 변경하는 것이다. 물리적인 마네킹을 조작하거나 실제 사람을 검사하지만 사용자의 시각적 경험은 특수 입체(3D) 영상 헤드셋을 통해 조정된다. 또한 실제 환자 데이터(방사선 영상, 생리학적 지표 등)를 시뮬레이션으로 프로그래밍함으로써 VR 기술은 실제 환자에게 시행하기 전에 복잡하거나 드문 시술의 예행연습(및 평가)을 가능하게 한다.[349-351]

평가 기술의 적용에 대한 향후 추세는 고부담 시험(예: 면허시험 특히, 전문의 자격 및 자격 유지)에 더 많이 사용될 것으로 보인다.[352] 일부 시뮬레이션바탕 평가는 이미 잘 받아들여지고 있다. 예를 들어 국가시험에서 SP를 사용한 오랜 경험과[353,354] 이러한 시뮬레이션바탕 방법의 심리측정학 속성을 지원하는 탄탄한 연구는 시뮬레이션바탕 사정에 SP 활용에 대한 타당도를 확립했다.[355,356] 마찬가지로 컴퓨터 바탕(즉, 스크린 바탕) 환자 증례 시뮬레이션은 국가수준 시험의 일부가 되었다.[357-359] 미국에서는 시뮬레이션바탕 평가에서 만족스러운 수행을 보여주어야만 전공의 수련 선발이나 의사면허 취득을 할 수 있으므로 고부담 환경으로 구분된다. 그러나 마네킹기반이나 가상현실 시뮬레이션의 사용은 특히 전문의의 초기 자격처럼 국가 차원에서 시행되는 평가에서는 아직도 상당히 제한적이다. 미국 이외의 국가에서는 몇 가지 예외가 있다. 캐나다의학회는 10년 넘게 CEM 심장환자 시뮬레이터 (SP와 컴퓨터기반 시청각 시뮬레이션과 더불어)를[127] 내과전문의 자격시험의 구두시험 구성요소(OSCE 형식)로 사용하고 있다.[27] 이스라엘에서는 국가 의학시뮬레이션 센터와[360] 국가시험/평가원의 전문가들이 SP뿐만 아니라 여러 가지 다양한 CEM 시뮬레이터를 전문의 자격시험에 포함하기 위해 이스라엘 마취과협회와 협력하고 있다.[361,362] 마지막으로, 브라질 신장학협회는 해당 전문분야에서 자격증을 취득하려는 후보자들에게 평가를 받도록 하는데, 2011년부터 시술 기술을 사정하기 위해 마네킹 시뮬레이터를 사용하여 실용적인 구성요소를 포함하고 있다.[363,364]

아직 미국 전문의시험에 활용되지는 않았지만, 현재 몇몇 시뮬레이션바탕 사정은 예를 들어 미국외과전문의인증협회(American Board of Surgery, ABS)[365] 등에서 전문의 자격을 위한 *전제* 조건이 되고 있다. 예를 들어, 전문심장구조술(Advanced Cardiac Life Support, ACLS)과 전문외상구조술(Advanced Trauma Life Support, ATLS) 프로그램의 응시자는 CEM 시뮬레이터를 활용한 술기평가를 성공적으로 이수해야 한다. 또한 정신운동 기술 요소가 포함된 복강경수술 기초(Fundamentals of Laparoscopic Surgery, FLS)[366] 시험에서는 시뮬레이터를 활용하여 효율성과 정밀성을 측정하며 응시자의 손재주를 평가한다. 지정된 시험센터와 공인시험관만이 이 시뮬레이션 시험을 집행할 수 있지만 흥미롭게도 기술 사정에 활용되는 시뮬레이션은 정교한 컴퓨터, 가상현실 또는 촉각 기술 요소가 없는 비교적 간단한 술기모형이다.[367] 이러한 시스템의 장점은 상대적으로 사용이 용이하고 생산 및 보급 비용이 저렴할뿐만 아니라 이동성도 높다. 사정하는 동안, 응시자는 주어진 시간 내에 FLS 훈련상자의 개구부를 통해 다양한 기구를 삽입하고, 텔레비전 카메라를 통해서는 "수술 현장"을 보면서 다섯 가지 기본적인 정신운동기술을-모형 내부에 작은(가상인 아닌 물리적) 핀들로 고정된 물체를 정확하게 절단하고, 고리모양 묶기 기술과 두 가지 봉합술을-보여주어야 한다. 이 모형은 의도적으로 시술별 특정 기법이 아닌 광범위한 복강경 수술에 적용할 수 있는 기본 술기를 사정하도록 설계되었으며, 평가는 주로 작업완료 속도와 정확성을 기반으로 한다.[366,368] ABS의 자격에 이 전제 조건이 공식적으로 채택되기 전에 엄격한 검증과정이 선행되었다.[369] 마찬가지로, 2017-2018학년도 또는 그 이후에 외과 전공의 수련을 완료하고 ABS의 자격을 원하는 응시자에게는 내시경수술기초(Fundamentals of Endoscopic Surgery, FES) 프로그램의[370] 이수도 필요하다. 복강경 수술 프로그램과 매우 유사하게, FES 인증도 응시자는 시뮬레이터바탕의 손기술을 포함한 평가를 받아야 하지만 FES 인증 과정에서는 시뮬레이션 방식에 가상현실과 촉각 기술이 사용된다.[371] 술기 시험은 특정 시술에 국한되지 않고 다양한 내시경적 수술 기법에 필요한 정신운동 기술이 요구되고 시간 안에 맞춰야하는 다섯 가지의 과제로 구성된다.[368,370] 여기에서도, 검증 연구는 이 영역에서 시뮬레이션바탕 사정을 토대로 응시자의 역량에 대한 판단을 뒷받침할 수 있는 충분한 근거를 제공했다.[371] 임상교육자들은 최근에 카테터바탕 기술에 상응하는 술기를 평가하기 위해 혈관내수술 기초(Fundamentals of Endovascular Surgery, FEVS) 모형을 만들었다.[368] 그리고 엄격한 개발 과정에 따라 여덟 가지 작업을 통해 기본적인 혈관내 기술을 다양하게 평가하고, 분기 "혈관"의 비해부학적 표현으로 설계된 실리콘 술기모형을 제작했다. 예비 타당도 연구는 이 시뮬레이션을 사용한 평가가 다른 수준의 경험을 가진 중재 전문가를 구별할 수 있음을 보여주었다. 산업계와 협력하여 이 연구 집단은 이후 시중에서 판매되는 VR-촉각 플랫폼에 동일한 (그러나 가상) 버전의 시뮬레이션을 복제했다.[299] 그리고 미래의 고부담 평가 환경에서 이 가상 모형의 적용에 대한 타당도를 확립하기 위해 추가 연구를 수행할 계획이다.[368]

물론, 시뮬레이션바탕 평가 중에 얻은 데이터의 사용을 위해 타당도 논의를 구성하는 것은 시뮬레이터 자체뿐만 아니라 사정 과정에서 사용되는 추가 도구에 대한 근거 수집을 수반한다. 앞에서 언급했듯이 비록 일부 시뮬레이터에는 객관적인 수행 데이터를 측정하고 기록하는 기능이 내장되어 있을지라도 거의 모든 임상 평가에서는 채점자(주로 관심 분야의 전문가)의 평가를 포함하고, 채점 도구의 사용와 채점자는 검증을 받아야 한다. 예를 들어, FLS와 FES 사정 프로그램에서 시뮬레이터 자체의 사용을 검증하기 위한 연구가 수행되기 전에, 시뮬레이션 환경 외부의(대체로 살아있는 동물이나 환자에게 시행된 실제 시술의 맥락에서) 선행연구에서 훈련된 관찰자가 추후 시뮬레이션바탕 평가에 사용할 수 있는 다양한 채점도구(예: 각각 복강경 술기의 전반적인 수술 사정 [Global Operative Assessment of Laparoscopic Skills, GOALS]과[372] 위장관 내시경 술기의 전반적인 사정 도구 [Global Assessment of Gastrointestinal Endoscopic Skills, GAGES][373,374]) 신뢰도와 타당도를 제시할 필요가 있다. 현재 혈관내 기술에 대한 총괄평가 도구(Global Rating Assessment Device for Endovascular Skill, GRADES)라고 하는 유사한 도구가 FEVS 모형과 함께 사용하는 것에 대해 연구되고 있다.[368]

앞서 설명한 도구를 사용하여 훈련된 관찰자를 통해 획득한 점수의 신뢰도에 대한 합리적인 근거에도 불구하고, 이러한 평가의 내재하는 주관성은 사정을 통해 중대한 결정을 해야 할 때, 평가자가 항상 수행에 대한 보다 객관적인 측정을 검색하도록 유도한다. 다양한 최신 첨단시뮬레이터는 교육생이 여러가지 기술을 수행하는 동안 많은 양의 데이터를 포착할 수 있게 해준다. 문제는 어떤 지표가 시술 "기술"과 의미있게 관련되는지 결정하는 것이다. 이용 가능한 첨단기술을 설명한 절에서 언급한 바와 같이, 촉각 요소를 특징으로 하는 VR 시뮬레이터는 숙련도 수준을 나타내는 지표(예: 시술의 다양한 단계를 완료하는 시간과 도구 조작의 효율성)를 측정할 수 있다. 특히, 움직임 분석(즉, 시뮬레이터 내 센서를 통해 추적되는 도구/내시경/카테터/가이드 와이어의 움직임)에 의해 알 수 있는 "손재주"는 많은 관심을 받았으며, 여기서 논의 중인 대부분의 최소침습적 시술 사례의 경우에서 시술자의 경험 수준과 관련이 있는 것으로 나타났다.[375,376] 뜻밖에도, 기술 수준을 결정하는 데 유용할 것으로 간주되는 다른 지표들은 평가 중인 특정 시술에 따라 다양한 심리측정학을 나타낸다. 예를 들어, 작업 완료 시간은 혈관내 기술 수행에 대한 전문지식 수준의 증가와 관련 있는 것이 *아니라* (예상한 것처럼 반대로) 복강경 술기와 관련 *있다*.[368] 이것은 초기에 강조된 바와 같이 타당도가 맥락에 크게 의존한다는 점을 강조한다. "연구자들은 또한 사정의 목적과 시행 조건에 따라 다양한 채점 도구의 사용을 지지하는 근거가 측정된 코호트에 특이적일 수 있다는 것을 알아야 한다. 따라서 이전의 타당도 연구에만 근거하여 특정 채점 도구의 사용을 정당화하는 것은 그다지 적절하지 않다."[377] 이러한 연구가 특정 시뮬레이터바탕 지표의 사용을 지원하더라도 해당 영역의 점수 해석은 사정이 차별화를 목표로 하는 교육생의 수준에 따라 다를 수 있다(예: "능숙자" 대 "숙달자" 대 "전문가" 수준). 마지막으로, 모든 시뮬레이터바탕 평가에서 특정 기술이나 하드웨어에 대한 친숙성과 같은 일부 혼란스러운 변수와 대조적으로, 관심구인(예: 일부 임상기술)이 실제로 측정되고 있는지 확인해야 한다. 예를 들어, VR 시스템을 사용한 연구는 경험이 거의 없거나 전혀없는 사람들보다 경험이 많은 복강경 수술 의사들이 "최소 숙련도"에 도달하는 데 필요한 작업 반복 횟수(컴퓨터에 의해 자동으로 기록된 점수를 통해 결정됨)가 상당히 높았다는 것을 보여주었다.[378] 이러한 결과는 분명히 임상 역량에 대한 판단을 내리기 위해 그런 점수를 사용하는 타당도에 대한 근본적인 위협을 보여주며, 시뮬레이션바탕 사정에서 의미 있는 성과 측정을 결정하는 것이 지속적인 도전임을 강조한다. 이에, 여러 합의 회의에서 이러한 상황을 인정하고 향후 시뮬레이션바탕 사정 연구를 위해 권장되는 우선 순위 중 성과측정 영역에 대한 추가 연구의 필요성이 언급되었다.[125,126]

의미 있는 성과지표가 보다 명확하게 정의되면 책임지도전문의는 마일스톤 달성을 평가하고 위임 결정을 위한 숙련도를 입증하기 위해 시뮬레이션 방법에 더 의존 할 수 있다. 그렇게 하기 위해서는 전반적인 전공의 수련과정에서 진행되는 필수적이고 주기적인 사정 시스템을 만들기 위해 시뮬레이션 사용을 도구상자의 다른 사정도구들과 통합해야 한다 실제로, 전문직 훈련 초기에 즉, 학생들이 전공의 과정에 지원할 때 시뮬레이션바탕 평가를 시행할 것이라는 일부 의견도 있다. 신체운동학 이론에 따르면, 특정 정신운동 기술에 대한 개별 학습곡선은 로그 궤적을 따르므로 주어진 기술을(예: VR 수술 시뮬레이터에) 시행하는 몇 번의 시도가 "특정 업무기술을 개발할 수 있는 사람의 타고난 능력을 정량화"하기 위해 추론될 수 있다.[379] 책임지도전문의 잠재적으로 이 방법을 사용하여 특정 술기를 수행하는 소질로 후보자를 선별할 수 있고,[380-382] 특히 경쟁이 치열한 전문분야에서는 추가 교육 여부를 결정하는 데 활용될 수 있다.[380-382]시뮬레이션바탕 기술 평가를 통해 환자를 면접하는 미래를 상상해보라! 이런 생각이 - 사실은 실천이- 전례가 없는 것은 아니다. 이스라엘 의학시뮬레이터센터(Israel Center for Medical Simulation)는 전통적 환자면담 대신에 수년 동안 시뮬레이션(SP 바탕) 시나리오를 시행하여 이스라엘 의과대학에 입학하려는 후보자들의 개인적 특성과 대인관계 기술을 사정하고 있다.[383]

시뮬레이션바탕 방법의 수많은 장점에 비추어, 많은 전문가들은 규제 기관이 요구하는 사정 과정에 시뮬레이션 방식의 사용 확대를 정당화 할 수 있는 충분한 근거가 이미 있다고 판단한다.[352] 즉, 시뮬레이션의 프로그래밍 가능성과 그에 따른 재현성으로 인해 고부담 결정을 내리고 높은 신뢰도가 필수적인 시험 상황에 적합하다고 보는 것이다. 점점 더 많은 연구가 이러한 평가방법의 타당도(특히 환자 결과와 같은 실제 관심 변수와의 상관관계)를 입증함에 따라 자격위원회와 인증기관에서 더 널리 받아 들일 수 있을 것이다. 훈련을 위한 시뮬레이션바탕 방법을 초기에 채택한 것처럼 마취과전문의는 시뮬레이션 시나리오를 포함한 수행바탕(OSCE) 구성요소를 *초기* 인증시험에 통합한 미국 최초의 전문위원회가 될 것으로 보인다.[384] 미국마취과전문의 인증기구(American Board of Anesthesiology, ABA)는 2018년 3월부터 노스캐롤라이나 롤리(Raleigh, NC)에 있는 ABA 사정센터(ABA Assessment Center) 해당 시험을 실시할 예정이며, OSCE가 아직 개발 중이지만 출판된 내용 개요는 다양한 시뮬레이션(SP, CEM 및 아마도 초음파 시뮬레이터를 포함하여)이 기술적 술기뿐만 아니라 의사소통 및 전문직업성을 사정하는 데 사용되는 시나리오 설계에서 중요한 역할을 할 것이라고 제시했다.[385]

주로 환자 안전에 대한 관심으로 시술 바탕의 학문분야(외과, 내과 및 방사선과의 중재적 하위 전문분야 등)가 그 뒤를 따를 것이다. 초기 전문의 자격인증 절차의 일부로 시행되지 않으면 새로운 의료 기기 사용자와 고위험 시술의사를 위한 숙련도를 인증하기 위해 시뮬레이션바탕 사정-이전에 언급한 경동맥 스텐트의 경우와 같은[176]—이 필요할 수 있다. 비슷한 환자 안전 문제로 인해 중환자 치료 및 시술 전문분야 단체가 시뮬레이션 양식이 두드러지게 나타나는 전문직업성 평생교육(continuing professional development, CPD) 및 자격 유지(maintenance-of-certification, MOC) 활동을 개발하도록 동기를 부여했다. ABA는 이번에 마취자격유지(Maintenance of Certification in Anesthesia, MOCA) 프로그램의 진료개선(Improvements in Medical Practice, IMP) 부분의 요구 사항을 충족하는 시뮬레이션 활동(전국의 공식 승인된 사정 센터에서 실시하는)을 통해 점수를 획득할 수 있는 여러 기회를 전문의에게 제공함으로써 다시 한 번 이 운동에 앞장 섰다.[386] 훈련을 위한 시뮬레이션 방법의 또 다른 초기 채택자인 미국응급의학전문의 인증기구(American Board of Emergency Medicine, ABEM)는 MOC 과정을 개발하였는데[387] IMP 활동 참여를 입증할 수 있는 요구사항을 갖춘 시뮬레이션바탕 과정으로 개발되었다. 지금까지 MOC 학점이[388] 수여되는 시뮬레이션 과정 중 ABEM이 승인한 곳은 하나에 불과하지만, 앞으로 CPD 교육 기회를 제공하는 공식 지역시뮬레이션센터에서 시행할 표준화된 교육과정을 개발할 예정이다. 미국내과전문의 인증기구(ABIM)는 실제 심장도관삽입 실험실을 복제한 가상현실의 SimSuites가 있는 여섯 개의 교육센터 네트워크를 활용하였고, 이 곳에서 중재 심장전문의는 임상진료에서 직면하는 흔한 문제들을 평가할 수 있는 다섯 개의 증례 시나리오를 완료하면 MOC 점수를 획득할 수 있다.[389]

마지막으로, 시뮬레이션바탕 사정방법은 역량이 저하된 의사를 식별하는 프로그램에서 사용되어 동료 심사된 표준에 대한 수행평가를 제공하고 시뮬레이션을 통해 재교육 및 재평가의 기회를 제공한다. 이러한 프로그램은 점점 더 많은 지원을 받고 있으며 일부 지역에서는 법률로 제정되어 있기도 하다.[390,391]

결론

시뮬레이션은 사정을 위한 여러 도구 중 하나로 점차 자리를 잡아가고 있다. 기술의 발전은 다양한 보건의료교육 영역에서 평가가 가능하도록 다양한 시뮬레이터를 만들었다. 일반적으로 시뮬레이터는 임상 기술이나 술기의 수행, 대인관계, 의사소통 및 팀 기술 시연, 그리고 전문직업성 태도의 표현에 대한 역량 사정에 매우 적합하다. 시뮬레이터는 임상 시험에서 혼자 변인에 대한 표준화를 제공하고, 이런 영역에서 보다 신뢰할 수 있는 수행평가에 기여한다. 시뮬레이터는 OSCE와 같은 다른 시험 방법을 보완하며 임상 훈련에서 발생하는 광범위한 과정과 성과를 측정하고 판단할 수 있도록 해준다.

여러 차원으로 사정 시스템을 고려하는 것은 일반적인 평가 전략의 선택(예: 수행바탕 대 지필시험 사용 여부)과 주어진 범주 내에서 특정 방법의 채택(예: 시뮬레이션바탕 시험 대 임상술기에 대한 직접적 관찰)뿐만 아니라 이용 가능한 많은 양식 중에서 특정 유형의 시뮬레이션 기술의 선택에도 영향을 미친다. 분명, 이러한 차원들은 서로 관련되어 있으며 서로 교차하는 영역에 대한 생각은 선호하는 최상의 활용법과 상쇄하려는 잠재적인 문제를 식별하는 데 도움이 될 것이다. 사정할 역량의 열거는 현재 성과바탕교육 모델의 첫 번째 단계이다. 그런 다음 필요한 수준의 사정, 응시자의 발달 단계 및 전반적인 사정 목적의 맥락을 고려해야 한다. 이러한 다양한 요인들을 조정하면 평가를 받는 개인, 교수자 및 학교, 인증기관, 그리고 궁극적으로 진료를 위탁할 환자를 포함한 여러 이해관계자의 관점에서 보다 많은 질적 기준이 평가과정 중에 충족될 가능성이 높아진다.

감사의 글

필자는 제 2판의 이 장을 업데이트하는 동안 도움을 준 마이애미대학의 고든 의학교육연구센터(University of Miami Gordon Center for Research in Medical Education) 소속 동료들에게 감사의 말을 전한다. 특히, 제 1판에서 이 장을 공동으로 작성하고 이번 개정에 진심어린 지도를 제공해준 S. Barry Issenberg, MD 에게 감사드리며, 그림으로 나의 개념을 표현할 수 있도록 그래픽 디자인 전문지식을 주신 Diego A. Waisman에게 감사드린다.

이해의 상충 공개

필자(RJS)는 이 장에서 언급된 그 어떤 상용 제조업체 또는 제품과 재정적 관계가 없다. 특히 필자는 심폐환자 시뮬레이터인 Harvey를 제조하는 마이애미 대학의 밀러 의과대학(University of Miami Miller School of Medicine)에 교직원으로 임명됐지만 Harvey의 배급과 관련된 어떠한 보상도 받지 않았다. 이 장에서 특정 시뮬레이션 시스템을 언급한다고 해서 이를 저자, 편집자 또는 출판사가 보증하는 것은 아니다. 특정 회사나 시뮬레이터는 저자의 의견에 따라 역사적 의미가 있거나 오늘날 보건의료전문직에 사용되는 일반적 또는 모범적인 모형을 대표할 때 인용하였다. 여기에 언급된 일부 회사/시뮬레이터 이름은 인용된 글의 출간 이후 수년 동안 제품/기업이 발전함에 따라 변경되었을 수 있다. 이 장의 원고를 제출할 시점까지 인용된 명칭들의 업데이트 상황을 확인하였다.

참고문헌

1. Barrows HS, Abrahamson S. The programmed patient: a technique for appraising student performance in clinical neurology. *J Med Educ*. 1964;39:802-805.
2. Abrahamson S, Denson JS, Wolf RM. Effectiveness of a simulator in training anesthesiology residents. *J Med Educ*. 1969;44(6):515-519.
3. Issenberg SB, McGaghie WC, Hart IR, et al. Simulation technology for health care professional skills training and assessment. *JAMA*. 1999;282(9):861-866.
4. Fincher RME, Lewis LA. Simulations used to teach clinical skills. In: Norman GR, van der Vleuten C, Newble DI, eds. *International Handbook of Research in Medical Education*. New York: Springer; 2002:499-535.
5. Collins JP, Harden RM. AMEE Medical Education Guide No. 13: Real patients, simulated patients and simulators in clinical examinations. *Med Teach*. 1998;20(6):508-521.
6. Haluck RS, Marshall RL, Drummel TM, Melkonian MG. Are surgery training programs ready for virtual reality? A survey of program directors in general surgery. *J Am Coll Surg*. 2001;193(6):660-665.
7. Institute of Medicine Committee on Quality of Health Care in America; Kohn LT. In: Corrigan JM, Donaldson MS, eds. *To Err Is Human: Building a Safer Health System*. Washington, DC: National Academies Press; 2000.
8. Department of Health. *An Organisation With a Memory: Report of an Expert Group on Learning From Adverse Events in the NHS Chaired by the Chief Medical Officer*. London: The Stationery Office; 2000.
9. Institute of Medicine. *Crossing the Quality Chasm: A New Health System for the 21st Century*. Washington, DC: National Academies Press; 2001.
10. Department of Health. *Building a Safer NHS for Patients: Implementing an Organisation With a Memory*. London: The Stationery Office; 2001.
11. Baker GR, Norton PG. Adverse events and patient safety in Canadian health care. *CMAJ*. 2004;170(3):353-354.
12. Goodman W. The world of civil simulators. *Flight Int Mag*. 1978;18:435.
13. Wachtel J, Walton DG. The future of nuclear power plant simulation in the United States. In: Walton DG, ed. *Simulation for Nuclear Reactor Technology*. Cambridge: Cambridge University Press; 1985.
14. Ressler EK, Armstrong JE, Forsythe GB. Military mission rehearsal: from sandtable to virtual reality. In: Tekian A, McGuire CH, McGaghie WC, eds. *Innovative Simulations for Assessing Professional Competence*. Chicago: Department of Medical Education, University of Illinois at Chicago; 1999:157-174.
15. Kanki B, Helmreich R, Anca J. *Crew Resource Management*. 2nd ed. San Diego: Elsevier; 2010.
16. Gaba DM. Improving anesthesiologists' performance by simulating reality. *Anesthesiology*. 1992;76:491-494.
17. Gaba DM, Howard SK, Fish KJ, et al. Simulation-based training in anesthesia crisis resource management (ACRM): a decade of experience. *Simul Gaming*. 2001;32(2):175-193.
18. Kochevar DT. The critical role of outcomes assessment in veterinary medical accreditation. *J Vet Med Educ*. 2004;31(2):116-119.
19. Scalese RJ, Issenberg SB. Effective use of simulations for the teaching and acquisition of veterinary professional and clinical skills. *J Vet Med Educ*. 2005;32(4):461-467.
20. Langsley DG. Medical competence and performance assessment: a new era. *JAMA*. 1991;266(7):977-980.
21. Norcini J. Computer-based testing will soon be a reality. *Perspectives*. 1999;3:57.
22. Kassebaum DG, Eaglen RH. Shortcomings in the evaluation of students' clinical skills and behaviors in medical school. *Acad Med*. 1999;74(7):842-849.
23. Edelstein RA, Reid HM, Usatine R, Wilkes MS. A comparative study of measures to evaluate medical students' performance. *Acad Med*. 2000;75(8):825-833.
24. Swing SR. Assessing the ACGME general competencies: General considerations and assessment methods. *Acad Emerg Med*. 2002;9(11):1278-1288.
25. Medical Council of Canada. *Medical Council of Canada Qualifying Examination Part II, Information Pamphlet*. Ottawa: Medical Council of Canada; 2002.
26. Ben-David MF, Klass DJ, Boulet J, et al. The performance of foreign medical graduates on the National Board of Medical Examiners (NBME) standardized patient examination prototype: a collaborative study of the NBME and the Education Commission for Foreign Medical Graduates (ECFMG). *Med Educ*. 1999;33(6):439-446.
27. Hatala R, Kassen BO, Nishikawa J, et al. Incorporating simulation technology in a Canadian internal medicine specialty examination: a descriptive report. *Acad Med*. 2005;80(6):554-556.
28. Stevenson A, Lindberg CA, eds. *New Oxford American Dictionary*. New York: Oxford University Press; 2010.
29. Issenberg SB, McGaghie WC, Petrusa ER, et al. Features and uses of high-fidelity medical simulations that lead to effective learning: a BEME systematic review. *Med Teach*. 2005;27(1):10-28.
30. McGaghie WC, Issenberg SB, Petrusa ER, Scalese RJ. A critical review of simulation-based medical education research: 2003-2009. *Med Educ*. 2010;44(1):50-63.
31. Motola I, Devine LA, Chung HS, et al. Simulation in healthcare education: a best evidence practical guide. AMEE Guide No. 82. *Med Teach*. 2013;35(10):e1511-e1530.
32. Van der Vleuten CP. The assessment of professional competence: developments, research and practical implications. *Adv Health Sci Educ Theory Pract*. 1996;1(1):41-67.
33. Van Der Vleuten CP. Schuwirth LW: Assessing professional competence: from methods to programmes. *Med Educ*. 2005;39(3):309-317.
34. Norcini J, Anderson B, Bollela V, et al. Criteria for good assessment: consensus statement and recommendations from the Ottawa 2010 Conference. *Med Teach*. 2011;33(3):206-214.
35. Boulet JR, Swanson DB. Psychometric challenges of using simulations for high-stakes testing. In: Dunn WF, ed. *Simulators in Critical Care and Beyond*. Des Plaines, IL: Society of Critical Care Medicine; 2004:119-130.
36. Streiner DL, Norman GR, Cairney J. Reliability. In: Streiner DL, Norman GR, Cairney J, eds. *Health Measurement Scales: A Practical Guide to Their Development and Use*. 5th ed. Oxford: Oxford University Press; 2015:159-199.
37. Downing SM. Validity: on the meaningful interpretation of assessment data. *Med Educ*. 2003;37(9):830-837.
38. Downing SM, Haladyna TM. Validity and its threats. In: Downing SM, Yudkowsky R, eds. *Assessment in Health Professions Education*. New York: Routledge; 2009:21-56.
39. Messick S, Validity. In: Linn RL, ed. *Educational Measurement*. New York: American Council on Education/Macmillan; 1989:13-103.
40. American Educational Research Association. *American Psychological Association, National Council on Measurement in Education:*

Standards for Educational and Psychological Testing. Washington, DC: American Educational Research Association; 2014.
41. Cook DA, Zendejas B, Hamstra SJ, et al. What counts as validity evidence? Examples and prevalence in a systematic review of simulation-based assessment. *Adv Health Sci Educ Theory Pract*. 2014;19(2):233-250.
42. Kane MT. An argument-based approach to validity. *Psych Bull*. 1992;112(3):527-535.
43. Kane MT. Validation. In: Brennan RL, ed. *Educational Measurement*. Westport, CT: Praeger; 2006:17-64.
44. Kane MT. Validating the interpretations and uses of test scores. *J Educ Meas*. 2013;50(1):1-73.
45. Kane MT. The assessment of professional competence. *Eval Health Prof*. 1992;15(2):163-182.
46. McGaghie WC. Simulation in professional competence assessment: basic considerations. In: Tekian A, McGuire CH, McGaghie WC, eds. *Innovative Simulations for Assessing Professional Competence*. Chicago: Department of Medical Education, University of Illinois at Chicago; 1999:7-22.
47. Maran NJ, Glavin RJ. Low- to high-fidelity simulation - a continuum of medical education? *Med Educ*. 2003;37(suppl 1): 22-28.
48. Hamstra SJ, Brydges R, Hatala R, et al. Reconsidering fidelity in simulation-based training. *Acad Med*. 2014;89(3):387-392.
49. Kalu PU, Atkins J, Baker D, et al. How do we assess microsurgical skill? *Microsurgery*. 2005;25(1):25-29.
50. Regehr G, MacRae H, Reznick RK, Szalay D. Comparing the psychometric properties of checklists and global rating scales for assessing performance on an OSCE-format examination. *Acad Med*. 1998;73(9):993-997.
51. Scalese RJ, Hatala R. Competency assessment. In: Levine AI, DeMaria S, Schwartz AD, Sim A, eds. *The Comprehensive Textbook of Healthcare Simulation*. New York: Springer; 2013:135-160.
52. Accreditation Council for Graduate Medical Education (ACGME): *ACGME Common Program Requirements*. 2016. Available at http://www.acgme.org/Portals/0/PFAssets/ProgramRequirements/CPRs_07012016.pdf.
53. Frank JR, Snell L, Sherbino J, eds. *CanMEDS 2015 Physician Competency Framework*. Ottawa: Royal College of Physicians and Surgeons of Canada; 2015.
54. General Medical Council. *Good Medical Practice*. London, United Kingdom: General Medical Council; 2014.
55. Kneebone R, Kidd J, Nestel D, et al. An innovative model for teaching and learning clinical procedures. *Med Educ*. 2002;36(7):628-634.
56. Accreditation Council for Graduate Medical Education/ American Board of Medical Specialties: *Toolbox of Assessment Methods* [Table]. September 2000. Available at: http://www.partners.org/Assets/Documents/Graduate-Medical-Education/ToolTable.pdf.
57. Holmboe ES. Personal communication. *Accreditation Council for Graduate Medical Education*. 2016.
58. Bandiera G, Sherbino J, Frank JR, eds. *The CanMEDS Assessment Tools Handbook. An Introductory Guide to Assessment Methods for the CanMEDS Competencies*. Ottawa: The Royal College of Physicians and Surgeons of Canada; 2006.
59. Miller GE. The assessment of clinical skills/competence/performance. *Acad Med*. 1990;65(suppl 9):S63-S67.
60. Gorter S, Rethans JJ, van der Heijde D, et al. Reproducibility of clinical performance assessment in practice using incognito standardized patients. *Med Educ*. 2002;36(9):827-832.
61. Maiburg BH, Rethans JJ, van Erk IM, et al. Fielding incognito standardised patients as "known" patients in a controlled trial in general practice. *Med Educ*. 2004;38(12):1229-1235.
62. Borrell-Carrió F, Poveda BF, Seco EM, et al. Family physicians' ability to detect a physical sign (hepatomegaly) from an unannounced standardized patient (incognito SP). *Eur J Gen Pract*. 2011;17(2):95-102.
63. Dreyfus SE. The five-stage model of adult skill acquisition. *Bull Sci Technol Soc*. 2004;24(3):177-181.
64. Holmboe ES, Edgar L, Hamstra S. *The Milestones Guidebook*. Chicago: Accreditation Council for Graduate Medical Education; 2016.
65. Duffy FD, Holmboe ES. Competence in improving systems of care through practice-based learning and improvement. In: Holmboe ES, Hawkins RE, eds. *Practical Guide to the Evaluation of Clinical Competence*. Philadelphia: Elsevier; 2008: 149-178.
66. ten Cate O. Trust, competence, and the supervisor's role in postgraduate training. *BMJ*. 2006;333(7571):748-751.
67. ten Cate O, Scheele F. Competency-based postgraduate training: can we bridge the gap between theory and clinical practice? *Acad Med*. 2007;82(6):542-547.
68. Warm EJ, Mathis BR, Held JD, et al. Entrustment and mapping of observable practice activities for resident assessment. *J Gen Intern Med*. 2014;29(8):1177-1182.
69. Kneebone RL, Kidd J, Nestel D, et al. Blurring the boundaries: scenario-based simulation in a clinical setting. *Med Educ*. 2005;39(6):580-587.
70. Schuwirth LW, van der Vleuten CP. Changing education, changing assessment, changing research? *Med Educ*. 2004;38(8):805-812.
71. Mahaboob S, Lim LK, Ng CL, et al. Developing the "NUS Tummy Dummy", a low-cost simulator to teach medical students to perform the abdominal examination. *Ann Acad Med Singapore*. 2010;39(2):150-151.
72. Advanced Curricular Design and Educational Technology (ACDET): Abdominal Medical Skills Simulator (AbSim). 2016. Available at: http://absim.businesscatalyst.com.
73. Kneebone R. Simulation, safety and surgery. *Qual Saf Health Care*. 2010;19(suppl 3):i47-i52.
74. Cohen ER, Feinglass J, Barsuk JH, et al. Cost savings from reduced catheter-related bloodstream infection after simulation-based education for residents in a medical intensive care unit. *Simul Healthc*. 2010;5(2):98-102.
75. Barsuk JH, Cohen ER, Feinglass J, et al. Cost savings of performing paracentesis procedures at the bedside after simulation-based education. *Simul Healthc*. 2014;9(5):312-318.
76. Cook DA, Hatala R, Brydges R, et al. Technology-enhanced simulation for health professions education: a systematic review and meta-analysis. *JAMA*. 2011;306(9):978-988.
77. Cook DA, Brydges R, Zendejas B, et al. Technology-enhanced simulation to assess health professionals: a systematic review of validity evidence, research methods, and reporting quality. *Acad Med*. 2013;88(6):872-883.
78. Cook DA. One drop at a time: research to advance the science of simulation. *Simul Healthc*. 2010;5(1):1-4.
79. McGaghie WC, Issenberg SB, Petrusa ER, Scalese RJ. Effect of practice on standardised learning outcomes in simulation-based medical education. *Med Educ*. 2006;40(8):792-797.
80. Swanson DB. A measurement framework for performance-based tests. In: Hart I, Harden R, eds. *Further Developments in*

Assessing Clinical Competence. Montreal: Can-Heal Publications; 1987:13-45.

81. Whelan GP, Boulet JR, McKinley DW, et al. Scoring standardized patient examinations: lessons learned from the development and administration of the ECFMG Clinical Skills Assessment (CSA). *Med Teach*. 2005;27(3):200-206.
82. McGaghie WC, Draycott TJ, Dunn WF, et al. Evaluating the impact of simulation on translational patient outcomes. *Simul Healthc*. 2011;(suppl 6):S42-S47.
83. Reznek MA. Current status of simulation in education and research. In: Lloyd GE, Lake CL, Greenberg RB, eds. *Practical Health Care Simulations*. Philadelphia: Mosby; 2004: 27-47.
84. Demiralp C, Jackson CD, Karelitz DB, et al. CAVE and fishtank virtual-reality displays: a qualitative and quantitative comparison. *IEEE Trans Vis Comput Graph*. 2006;12(3): 323-330.
85. Okrainec A, Henao O, Azzie G. Telesimulation: an effective method for teaching the fundamentals of laparoscopic surgery in resource-restricted countries. *Surg Endosc*. 2010;24(2):417-422.
86. Henao O, Escallón J, Green J, et al. [Fundamentals of laparoscopic surgery in Colombia using telesimulation: an effective educational tool for distance learning]. *Biomedica*. 2013;33(1):107-114.
87. Halvorsrud R, Hagen S, Fagernes S, et al. Trauma team training in a distributed virtual emergency room. *Stud Health Technol Inform*. 2003;94:100-102.
88. Korocsec D, Holobar A, Divjak M, Zazula D. Building interactive virtual environments for simulated training in medicine using VRML and Java/JavaScript. *Comput Methods Programs Biomed*. 2005;80(suppl 1):S61-S70.
89. Mikrogianakis A, Kam A, Silver S, et al. Telesimulation: an innovative and effective tool for teaching novel intraosseous insertion techniques in developing countries. *Acad Emerg Med*. 2011;18(4):420-427.
90. Choy I, Fecso A, Kwong J, et al. Remote evaluation of laparoscopic performance using the global operative assessment of laparoscopic skills. *Surg Endosc*. 2013;27(2):378-383.
91. Okrainec A, Vassiliou M, Kapoor A, et al. Feasibility of remote administration of the Fundamentals of Laparoscopic Surgery (FLS) skills test. *Surg Endosc*. 2013;27(11):4033-4037.
92. Limbs & Things: Our products [website], 2016. Available at: https://www.limbsandthings.com/us/our-products/.
93. Limbs & Things: Our products—venipuncture, arm [website search], 2016. Available at: https://www.limbsandthings.com/us/our-products/category/venipuncture.
94. Kyoto Kagaku Co, Ltd: CVC Insertion Simulator II [website]. Available at: http://kyotokagaku.com/products/detail01/m93u.html.
95. Kyoto Kagaku Co, Ltd: EYE Examination Simulator [website]. Available at: http://kyotokagaku.com/products/detail01/m82.html.
96. Kyoto Kagaku Co, Ltd: EAR Examination Simulator II [website]. Available at: http://kyotokagaku.com/products/detail01/mw12.html.
97. Limbs & Things: Our products—breast examination trainers [website search]. Available at: https://www.limbsandthings.com/us/our-products/category/female-examination-breast.
98. Limbs & Things: Procedural skills—AirSim Advance [website]. Available at: https://www.limbsandthings.com/us/our-products/details/trucorp-airsim-advance.
99. Laerdal Medical: Products—Resusci Anne® Simulator [website]. Available at: http://www.laerdal.com/us/doc/2670/Resusci-Anne-Simulator.
100. Cooper JB, Taqueti VR. A brief history of the development of mannequin simulators for clinical education and training. *Qual Saf Health Care*. 2004;13(suppl 1):i11-i18.
101. Limbs & Things: Procedural skills—ultrasound compatible lumbar puncture/epidural simulator [website]. Available at: https://www.limbsandthings.com/us/our-products/details/ultrasound-compatible-lumbar-puncture-epidural-simulator.
102. Limbs & Things: Specialist skills—pediatric lumbar puncture simulator II [website]. Available at: https://www.limbsandthings.com/us/our-products/details/pediatric-lumbar-puncture-simulator2.
103. Laerdal Medical: Products—MamaNatalie® Birthing Simulator [website]. Available at: http://www.laerdal.com/us/mamaNatalie.
104. Limbs & Things: Our Products—obstetrics/midwifery trainers [website search]. Available at: https://www.limbsandthings.com/us/our-products/category/specialty-obstetrics-midwifery/P9.
105. Limbs & Things: Specialist skills—PROMPT Flex - standard [website]. Available at: https://www.limbsandthings.com/us/our-products/details/prompt-flex-standard.
106. Limbs & Things: Physical examination skills—rectal examination trainer Mk 2 [website]. Available at: https://www.limbsandthings.com/us/our-products/details/rectal-examination-trainer-mk-2.
107. Limbs & Things: Physical examination skills—clinical female pelvic trainer Mk 3 (CFPT) - advanced [website]. Available at: https://www.limbsandthings.com/us/our-products/details/clinical-female-pelvic-trainer-mk-3-advanced.
108. CAE Healthcare: CAE Blue Phantom™ [website]. Available at: http://caebluephantom.com.
109. Simulab Corporation: Simulab ultrasound phantoms [website search]. Available at: https://www.simulab.com/products?f%5B0%5D=field_specialty%3A209.
110. Angtuaco TL, Hopkins RH, DuBose TJ, et al. Sonographic physical diagnosis 101: teaching senior medical students basic ultrasound scanning skills using a compact ultrasound system. *Ultrasound Q*. 2007;23(2):157-160.
111. Webb EM, Cotton JB, Kane K, et al. Teaching point of care ultrasound skills in medical school: keeping radiology in the driver's seat. *Acad Radiol*. 2014;21(7):893-901.
112. Knudson MM, Sisley AC. Training residents using simulation technology: experience with ultrasound for trauma. *J Trauma*. 2000;48(4):659-665.
113. Terkamp C, Kirchner G, Wedemeyer J, et al. Simulation of abdomen sonography. Evaluation of a new ultrasound simulator. *Ultraschall Med*. 2003;24(4). 239-234.
114. Counselman FL, Sanders A, Slovis CM, et al. The status of bedside ultrasonography training in emergency medicine residency programs. *Acad Emerg Med*. 2003;10(1):37-42.
115. Maul H, Scharf A, Baier P, et al. Ultrasound simulators: experience with the SonoTrainer and comparative review of other training systems. *Ultrasound Obstet Gynecol*. 2004;24(5):581-585.
116. Wayne DB, Barsuk JH, O'Leary KJ, et al. Mastery learning of thoracentesis skills by internal medicine residents using simulation technology and deliberate practice. *J Hosp Med*. 2008;3(1):48-54.
117. Barsuk JH, McGaghie WC, Cohen ER, et al. Use of simulation-based mastery learning to improve the quality of central venous

catheter placement in a medical intensive care unit. *J Hosp Med.* 2009;4(7):397-403.
118. Barsuk JH, Cohen ER, Vozenilek JA, et al. Simulation-based education with mastery learning improves paracentesis skills. *J Grad Med Educ.* 2012;4(1):23-27.
119. McQuillan RF, Clark E, Zahirieh A, et al. Performance of temporary hemodialysis catheter insertion by nephrology fellows and attending nephrologists. *Clin J Am Soc Nephrol.* 2015;10(10):1767-1772.
120. Pugh CM, Heinrichs WL, Dev P, et al. Use of a mechanical simulator to assess pelvic examination skills. *JAMA.* 2001;286(9):1021-1023.
121. Pugh CM, Youngblood P. Development and validation of assessment measures for a newly developed physical examination simulator. *J Am Med Inform Assoc.* 2002;9(5):448-460.
122. Medical Education Technologies (METI): METI Pelvic ExamSIM [brochure], 2004. Available at: http://baes.com.ar/catalogos/PelvicExamSim.pdf.
123. Ashurst N, Rout CC, Rocke DA, Gouws E. Use of a mechanical simulator for training in applying cricoid pressure. *Br J Anaesth.* 1996;77(4):468-472.
124. Laerdal Medical: Products—Resusci Anne® QCPR [website]. Available at: http://www.laerdal.com/us/ResusciAnne.
125. Issenberg SB, Ringsted C, Ostergaard D, Dieckmann P. Setting a research agenda for simulation-based healthcare education: a synthesis of the outcome from an Utstein style meeting. *Simul Healthc.* 2011;6(3):155-167.
126. Dieckmann P, Phero JC, Issenberg SB, et al. The first Research Consensus Summit of the Society for Simulation in Healthcare: conduction and a synthesis of the results. *Simul Healthc.* 2011;6(suppl):S1-S9.
127. Michael S. Gordon Center for Research in Medical Education (GCRME): Features-"Harvey®" the cardiopulmonary patient simulator [website]. University of Miami. Available at: http://gcrme.med.miami.edu/harvey_features.php.
128. Gordon MS. Cardiology patient simulator. Development of an animated manikin to teach cardiovascular disease. *Am J Cardiol.* 1974;34(3):350-355.
129. Gordon MS, Ewy GA, Felner JM, et al. A cardiology patient simulator for continuing education of family physicians. *J Fam Pract.* 1981;13(3):353-356.
130. Jones JS, Hunt SJ, Carlson SA, Seamon JP. Assessing bedside cardiologic examination skills using "Harvey," a cardiology patient simulator. *Acad Emerg Med.* 1997;4(10):980-985.
131. Jeffries PR, Beach M, Decker SI, et al. Multi-center development and testing of a simulation-based cardiovascular assessment curriculum for advanced practice nurses. *Nurs Educ Perspect.* 2011;32(5):316-322.
132. Multak N, Newell K, Spear S, et al. A multi-institutional study using simulation to teach cardiopulmonary physical examination and diagnosis skills to physician assistant students. *J Physician Assist Educ.* 2015;26(2):70-76.
133. Ewy GA, Felner JM, Juul D, et al. Test of a cardiology patient simulator with students in fourth-year electives. *J Med Educ.* 1987;62(9):738-743.
134. St Clair EW, Oddone EZ, Waugh RA, et al. Assessing housestaff diagnostic skills using a cardiology patient simulator. *Ann Intern Med.* 1992;117(9):751-756.
135. Hatala R, Issenberg SB, Kassen B, et al. Assessing cardiac physical examination skills using simulation technology and real patients: a comparison study. *Med Educ.* 2008;42(6):628-636.
136. Hatala R, Scalese RJ, Cole G, et al. Development and validation of a cardiac findings checklist for use with simulator-based assessments of cardiac physical examination competence. *Simul Healthc.* 2009;4(1):17-21.
137. Devitt JH, Kurrek MM, Cohen MM, et al. Testing the raters: inter-rater reliability of standardized anaesthesia simulator performance. *Can J Anaesth.* 1997;44(9):924-928.
138. Devitt JH, Kurrek MM, Cohen MM, et al. Testing internal consistency and construct validity during evaluation of performance in a patient simulator. *Anesth Analg.* 1998;86(6):1160-1164.
139. Devitt JH, Kurrek MM, Cohen MM, Cleave-Hogg D. The validity of performance assessments using simulation. *Anesthesiology.* 2001;95(1):36-42.
140. CAE Healthcare: CAE HPS [website]. Available at: http://caehealthcare.com/patient-simulation/hps.
141. Society for Simulation in Healthcare (SSH) [website]. Available at: http://www.ssih.org.
142. CAE Healthcare: Human Patient Simulation Network (HPSN) [website]. Available at: http://www.hpsn.com.
143. CAE Healthcare: CAE iStan [website]. Available at: http://caehealthcare.com/patient-simulation/istan.
144. CAE Healthcare: CAE Caesar [website]. Available at: http://caehealthcare.com/patient-simulation/caesar.
145. CAE Healthcare: Patient Simulation [website]. Available at: http://caehealthcare.com/patient-simulation.
146. CAE Healthcare: CAE PediaSIM [website]. Available at: http://caehealthcare.com/patient-simulation/pediasim.
147. CAE Healthcare: CAE BabySIM [website]. Available at: http://caehealthcare.com/patient-simulation/babysim.
148. Laerdal Medical: Products-patient simulators, manikins & more [website]. Available at: http://www.laerdal.com/us/nav/36/Patient-Simulators-Manikins-More#Patient_Simulators.
149. Laerdal Medical: Products—SimMan® [website]. Available at: http://www.laerdal.com/us/doc/86/SimMan.
150. Laerdal Medical: Products—SimMan® 3G [website]. Available at: http://www.laerdal.com/us/SimMan3G.
151. Laerdal Medical: Products—SimMan® 3G Trauma [website]. Available at: http://www.laerdal.com/us/SimMan3GTrauma.
152. Laerdal Medical: Products—SimMan® ALS [website]. Available at: http://www.laerdal.com/us/SimManALS.
153. Laerdal Medical: Products—SimMan® Essential [website]. Available at: http://www.laerdal.com/us/essential.
154. Torgeirsen K, Lutnaes DE, Heimvik L, et al. Telemedicine: A new but useful multi-tool in simulation. In: *Proceedings of the 21st Annual Meeting of the Society in Europe for Simulation Applied to Medicine (SESAM) 2015.* Belfast: SESAM; 2015.
155. Torgeirsen K, Lutnaes DE, Heimvik L, et al. Telemedicine and CRM/human factors challenges. In: *Proceedings of the 21st Annual Meeting of the Society in Europe for Simulation Applied to Medicine (SESAM) 2015.* Belfast: SESAM; 2015.
156. Laerdal Medical: Products—SimMom® [website]. Available at: http://www.laerdal.com/us/SimMom.
157. Laerdal Medical: Products—SimJunior® [website]. Available at: http://www.laerdal.com/us/SimJunior.
158. Laerdal Medical: Products—SimBaby™ [website]. Available at: http://www.laerdal.com/us/SimBaby.
159. Laerdal Medical: Products—SimNewB® [website]. Available at: http://www.laerdal.com/us/doc/88/SimNewB.

160. Laerdal Medical: Products—Premature Anne™ [website]. Available at: http://www.laerdal.com/us/PrematureAnne.
161. Gaumard Scientific [website]. Available at: http://www.gaumard.com.
162. Gaumard Scientific: Pediatric simulators [website]. Available at: http://www.gaumard.com/products/pediatric-neonatal/pediatric.
163. Gaumard Scientific: Newborn simulators [website]. Available at: http://www.gaumard.com/products/pediatric-neonatal/newborn.
164. Gaumard Scientific: Premie simulators [website]. Available at: http://www.gaumard.com/products/pediatric-neonatal/premie.
165. Gaumard Scientific: HAL® S3201 Advanced Multipurpose Patient Simulator [website]. Available at: http://www.gaumard.com/s3201.
166. Gaumard Scientific: NOELLE® S575.100 Advanced Maternal and Neonatal Birthing Simulator [website]. Available at: http://www.gaumard.com/s575-100.
167. Laerdal Medical: Products—Laerdal-SonoSim Ultrasound Solution [website]. Available at: http://www.laerdal.com/us/UltrasoundSolution.
168. SonoSim: SonoSim LiveScan® [website]. Available at: http://sonosim.com/livescan/.
169. Agency for Healthcare Research and Quality: *TeamSTEPPS® 2.0 Pocket Guide: Team Strategies & Tools to Enhance Performance and Patient Safety*. July 1, 2016; Available at: http://www.ahrq.gov/sites/default/files/wysiwyg/professionals/education/curriculum-tools/teamstepps/instructor/essentials/pocketguide.pdf.
170. Agency for Healthcare Research and Quality. Training Guide: Using Simulation in TeamSTEPPS® Training—Facilitator's Notes [website]. Available at: http://www.ahrq.gov/professionals/education/curriculum-tools/teamstepps/simulation/traininggd.html.
171. Baker VO, Cuzzola R, Knox C, et al. Teamwork education improves trauma team performance in undergraduate health professional students. *J Educ Eval Health Prof.* 2015;12:36.
172. Capella J, Smith S, Philp A, et al. Teamwork training improves the clinical care of trauma patients. *J Surg Educ.* 2010;67(6):439-443.
173. Steinemann S, Berg B, Skinner A, et al. In situ, multidisciplinary, simulation-based teamwork training improves early trauma care. *J Surg Educ.* 2011;68(6):472-477.
174. Ursino M, Tasto JL, Nguyen BH, et al. CathSim: an intravascular catheterization simulator on a PC. *Stud Health Technol Inform.* 1999;62:360-366.
175. Tseng CS, Lee YY, Chan YP, et al. A PC-based surgical simulator for laparoscopic surgery. *Stud Health Technol Inform.* 1998;50:155-160.
176. Gallagher AG, Cates CU. Approval of virtual reality training for carotid stenting: what this means for procedural-based medicine. *JAMA.* 2004;292(24):3024-3026.
177. Tuggy ML. Virtual reality flexible sigmoidoscopy simulator training: impact on resident performance. *J Am Board Fam Pract.* 1998;11(6):426-433.
178. Gallagher AG, Cates CU. Virtual reality training for the operating room and cardiac catheterisation laboratory. *Lancet.* 2004;364(9444):1538-1540.
179. Patel AD, Gallagher AG, Nicholson WJ, Cates CU. Learning curves and reliability measures for virtual reality simulation in the performance assessment of carotid angiography. *J Am Coll Cardiol.* 2006;47(9):1796-1802.
180. Geomagic: Geomagic® Haptic Devices [website]. Available at: http://www.geomagic.com/en/products-landing-pages/haptic.
181. Burdea G, Patounakis G, Popescu V, Weiss RE. Virtual reality-based training for the diagnosis of prostate cancer. *IEEE Trans Biomed Eng.* 1999;46(10):1253-1260.
182. Stalfors J, Kling-Petersen T, Rydmark M, Westin T. Haptic palpation of head and neck cancer patients-implication for education and telemedicine. *Stud Health Technol Inform.* 2001;81:471-474.
183. Linke R, Leichtle A, Sheikh F, et al. Assessment of skills using a virtual reality temporal bone surgery simulator. *Acta Otorhinolaryngol Ital.* 2013;33(4):273-281.
184. Weisz G, Smilowitz NR, Parise H, et al. Objective simulator-based evaluation of carotid artery stenting proficiency (from Assessment of Operator Performance by the Carotid Stenting Simulator Study [ASSESS]). *Am J Cardiol.* 2013;112(2):299-306.
185. Jacobsen ME, Andersen MJ, Hansen CO, Konge L. Testing basic competency in knee arthroscopy using a virtual reality simulator: exploring validity and reliability. *J Bone Joint Surg Am.* 2015;97(9):775-781.
186. Mueller CL, Kaneva P, Fried GM, et al. Validity evidence for a new portable, lower-cost platform for the fundamentals of endoscopic surgery skills test. *Surg Endosc.* 2016;30(3):1107-1112.
187. Luciano C, Banerjee P, DeFanti T. Haptics-based virtual reality periodontal training simulator. *Virtual Reality.* 2009;13(2):69-85.
188. Pohlenz P, Gröbe A, Petersik A, et al. Virtual dental surgery as a new educational tool in dental school. *J Craniomaxillofac Surg.* 2010;38(8):560-564.
189. Yoshida Y, Yamaguchi S, Wakabayashi K, et al. Virtual reality simulation training for dental surgery. *Stud Health Technol Inform.* 2009;142:435-437.
190. Crossan A, Brewster S, Reid S, Mellor D. Comparison of simulated ovary training over different skill levels. *Proc EuroHaptics.* 2001:17-21.
191. Baillie S, Crossan A, Brewster S, et al. Validation of a bovine rectal palpation simulator for training veterinary students. *Stud Health Technol Inform.* 2005;111:33-36.
192. Parkes R, Forrest N, Baillie S. A mixed reality simulator for feline abdominal palpation training in veterinary medicine. *Stud Health Technol Inform.* 2009;142:244-246.
193. Baillie S, Crossan A, Brewster SA, et al. Evaluating an automated haptic simulator designed for veterinary students to learn bovine rectal palpation. *Simul Healthc.* 2010;5(5):261-266.
194. CyberGlove Systems [website]. Available at: http://www.cyberglovesystems.com.
195. Banerjee PP, Luciano CJ, Lemole Jr GM, et al. Accuracy of ventriculostomy catheter placement using a head- and hand-tracked high-resolution virtual reality simulator with haptic feedback. *J Neurosurg.* 2007;107(3):515-521.
196. Gallagher AG, Richie K, McClure N, McGuigan J. Objective psychomotor skills assessment of experienced, junior, and novice laparoscopists with virtual reality. *World J Surg.* 2001;25(11):1478-1483.
197. Grantcharov TP, Rosenberg J, Pahle E, Funch-Jensen P. Virtual reality computer simulation: an objective method for the evaluation of laparoscopic surgical skills. *Surg Endosc.* 2001;15(3):242-244.
198. Satava RM. Virtual reality surgical simulator. The first steps. *Surg Endosc.* 1993;7(3):203-205.

199. Phillips NI, John NW. Web-based surgical simulation for ventricular catheterization. *Neurosurgery*. 2000;46(4):933-936. discussion 936-937.
200. Larsen OV, Haase J, Østergaard LR, et al. The Virtual Brain Project-development of a neurosurgical simulator. *Stud Health Technol Inform*. 2001;81:256-262.
201. Goncharenko I, Emotob H, Matsumoto S, et al. Realistic virtual endoscopy of the ventricle system and haptic-based surgical simulator of hydrocephalus treatment. *Stud Health Technol Inform*. 2003;94:93-95.
202. Lemole M, Banerjee PP, Luciano C, et al. Virtual ventriculostomy with "shifted ventricle": neurosurgery resident surgical skill assessment using a high-fidelity haptic/graphic virtual reality simulator. *Neurol Res*. 2009;31(4):430-431.
203. CAE Healthcare: CAE NeuroVR [website]. Available at: http://caehealthcare.com/surgical-simulation/neurovr.
204. Larsen O, Haase J, Hansen KV, et al. Training brain retraction in a virtual reality environment. *Stud Health Technol Inform*. 2003;94:174-180.
205. Alotaibi FE, AlZhrani GA, Mullah MA, et al. Assessing bimanual performance in brain tumor resection with NeuroTouch, a virtual reality simulator. *Neurosurgery*. 2015;11(suppl 2):89-98. discussion 98.
206. Alotaibi FE, AlZhrani GA, Sabbagh AJ, et al. Neurosurgical assessment of metrics including judgment and dexterity using the virtual reality simulator NeuroTouch (NAJD Metrics). *Surg Innov*. 2015;22(6):636-642.
207. AlZhrani G, Alotaibi F, Azarnoush H, et al. Proficiency performance benchmarks for removal of simulated brain tumors using a virtual reality simulator NeuroTouch. *J Surg Educ*. 2015;72(4):685-696.
208. Spicer MA, Apuzzo ML. Virtual reality surgery: neurosurgery and the contemporary landscape. *Neurosurgery*. 2003;52(3):489-497. discussion 496-497.
209. Arora A, Khemani S, Tolley N, et al. Face and content validation of a virtual reality temporal bone simulator. *Otolaryngol Head Neck Surg*. 2012;146(3):497-503.
210. Khemani S, Arora A, Singh A, et al. Objective skills assessment and construct validation of a virtual reality temporal bone simulator. *Otol Neurotol*. 2012;33(7):1225-1231.
211. Nash R, Sykes R, Majithia A, et al. Objective assessment of learning curves for the Voxel-Man TempoSurg temporal bone surgery computer simulator. *J Laryngol Otol*. 2012;126(7):663-669.
212. Zhao YC, Kennedy G, Hall R, O'Leary S. Differentiating levels of surgical experience on a virtual reality temporal bone simulator. *Otolaryngol Head Neck Surg*. 2010;143(5 Suppl 3):S30-S35.
213. Wiet GJ, Stredney D, Kerwin T, et al. Virtual temporal bone dissection system: OSU virtual temporal bone system: development and testing. *Laryngoscope*. 2012;122(suppl 1):S1-12.
214. Arora A, Lau LY, Awad Z, et al. Virtual reality simulation training in otolaryngology. *Int J Surg*. 2014;12(2):87-94.
215. Satava RM, Fried MP. A methodology for objective assessment of errors: an example using an endoscopic sinus surgery simulator. *Otolaryngol Clin North Am*. 2002;35(6):1289-1301.
216. Arora H, Uribe J, Ralph W, et al. Assessment of construct validity of the endoscopic sinus surgery simulator. *Arch Otolaryngol Head Neck Surg*. 2005;131(3):217-221.
217. Fried MP, Sadoughi B, Gibber MJ, et al. From virtual reality to the operating room: the endoscopic sinus surgery simulator experiment. *Otolaryngol Head Neck Surg*. 2010;142(2):202-207.
218. Fried MP, Kaye RJ, Gibber MJ, et al. Criterion-based (proficiency) training to improve surgical performance. *Arch Otolaryngol Head Neck Surg*. 2012;138(11):1024-1029.
219. Sowerby LJ, Rehal G, Husein M, et al. Development and face validity testing of a three-dimensional myringotomy simulator with haptic feedback. *J Otolaryngol Head Neck Surg*. 2010;39(2):122-129.
220. Ho AK, Alsaffar H, Doyle PC, et al. Virtual reality myringotomy simulation with real-time deformation: development and validity testing. *Laryngoscope*. 2012;122(8):1844-1851.
221. Wheeler B, Doyle PC, Chandarana S, et al. Interactive computer-based simulator for training in blade navigation and targeting in myringotomy. *Comput Methods Programs Biomed*. 2010;98(2):130-139.
222. Grunwald T, Krummel T, Sherman R. Advanced technologies in plastic surgery: how new innovations can improve our training and practice. *Plast Reconstr Surg*. 2004;114(6):1556-1567.
223. Smith DM, Aston SJ, Cutting CB, Oliker A. Applications of virtual reality in aesthetic surgery. *Plast Reconstr Surg*. 2005;116(3):898-904. discussion 905-906.
224. Pfaff MJ, Steinbacher DM. Plastic surgery resident understanding and education using virtual surgical planning. *Plast Reconstr Surg*. 2016;137(1):258e-259e.
225. Montgomery K, Sorokin A, Lionetti G, Schendel S. A surgical simulator for cleft lip planning and repair. *Stud Health Technol Inform*. 2003;94:204-209.
226. Hsieh MS, Tsai MD, Chang WC. Virtual reality simulator for osteotomy and fusion involving the musculoskeletal system. *Comput Med Imaging Graph*. 2002;26(2):91-101.
227. Sohmura T, Hojo H, Nakajima M, et al. Prototype of simulation of orthognathic surgery using a virtual reality haptic device. *Int J Oral Maxillofac Surg*. 2004;33(8):740-750.
228. Kusumoto N, Sohmura T, Yamada S, et al. Application of virtual reality force feedback haptic device for oral implant surgery. *Clin Oral Implants Res*. 2006;17(6):708-713.
229. Tay C, Khajuria A, Gupte C. Simulation training: a systematic review of simulation in arthroscopy and proposal of a new competency-based training framework. *Int J Surg*. 2014;12(6):626-633.
230. 3D Systems (formerly Simbionix): Simulators—ARTHRO Mentor™ [website]. Available at: http://simbionix.com/simulators/arthro-mentor/.
231. VirtaMed AG: Medical training simulators—VirtaMed ArthroS™ [website]. Available at: http://www.virtamed.com/en/medical-training-simulators/arthros/.
232. Pacific Research Laboratories: Sawbones® arthroscopy skills training [website search]. Available at: http://www.sawbones.com/Catalog/Skills%20Training/Arthroscopy.
233. Howells NR, Gill HS, Carr AJ, et al. Transferring simulated arthroscopic skills to the operating theatre: a randomised blinded study. *J Bone Joint Surg Br*. 2008;90(4):494-499.
234. Alvand A, Logishetty K, Middleton R, et al. Validating a global rating scale to monitor individual resident learning curves during arthroscopic knee meniscal repair. *Arthroscopy*. 2013;29(5):906-912.
235. Henn 3rd RF, Shah N, Warner JJ, Gomoll AH. Shoulder arthroscopy simulator training improves shoulder arthroscopy performance in a cadaveric model. *Arthroscopy*. 2013;29(6):982-985.

236. Rahm S, Germann M, Hingsammer A, et al. Validation of a virtual reality-based simulator for shoulder arthroscopy. *Knee Surg Sports Traumatol Arthrosc*. 2016;24(5):1730-1737.
237. Waterman BR, Martin KD, Cameron KL, et al. Simulation training improves surgical proficiency and safety during diagnostic shoulder arthroscopy performed by residents. *Orthopedics*. 2016;39(3):e479-e485.
238. Pollard TC, Khan T, Price AJ, et al. Simulated hip arthroscopy skills: learning curves with the lateral and supine patient positions: a randomized trial. *J Bone Joint Surg Am*. 2012;94(10):e68.
239. Smith S, Wan A, Taffinder N, et al. Early experience and validation work with Procedicus VA-the Prosolvia virtual reality shoulder arthroscopy trainer. *Stud Health Technol Inform*. 1999;62:337-343.
240. Tashiro Y, Miura H, Nakanishi Y, et al. Evaluation of skills in arthroscopic training based on trajectory and force data. *Clin Orthop Relat Res*. 2009;467(2):546-552.
241. Tsai MD, Hsieh MS, Jou SB. Virtual reality orthopedic surgery simulator. *Comput Biol Med*. 2001;31(5):333-351.
242. Pedersen P, Palm H, Ringsted C, Konge L. Virtual-reality simulation to assess performance in hip fracture surgery. *Acta Orthop*. 2014;85(4):403-407.
243. Akhtar K, Sugand K, Sperrin M, et al. Training safer orthopedic surgeons. Construct validation of a virtual-reality simulator for hip fracture surgery. *Acta Orthop*. 2015;86(5):616-621.
244. Sinclair MJ, Peifer JW, Haleblian R, et al. Computer-simulated eye surgery. A novel teaching method for residents and practitioners. *Ophthalmology*. 1995;102(3):517-521.
245. Kaufman DM, Bell W. Teaching and assessing clinical skills using virtual reality. *Stud Health Technol Inform*. 1997;39:467-472.
246. Belyea DA, Brown SE, Rajjoub LZ. Influence of surgery simulator training on ophthalmology resident phacoemulsification performance. *J Cataract Refract Surg*. 2011;37(10):1756-1761.
247. Lam CK, Sundaraj K, Sulaiman MN. A systematic review of phacoemulsification cataract surgery in virtual reality simulators. *Medicina (Kaunas)*. 2013;49(1):1-8.
248. Lam CK, Sundaraj K, Sulaiman MN, Qamarruddin FA. Virtual phacoemulsification surgical simulation using visual guidance and performance parameters as a feasible proficiency assessment tool. *BMC Ophthalmol*. 2016;16:88.
249. Privett B, Greenlee E, Rogers G, Oetting TA. Construct validity of a surgical simulator as a valid model for capsulorhexis training. *J Cataract Refract Surg*. 2010;36(11):1835-1838.
250. Daly MK, Gonzalez E, Siracuse-Lee D, Legutko PA. Efficacy of surgical simulator training versus traditional wet-lab training on operating room performance of ophthalmology residents during the capsulorhexis in cataract surgery. *J Cataract Refract Surg*. 2013;39(11):1734-1741.
251. McCannel CA, Reed DC, Goldman DR. Ophthalmic surgery simulator training improves resident performance of capsulorhexis in the operating room. *Ophthalmology*. 2013;120(12):2456-2461.
252. Dubois P, Rouland JF, Meseure P, et al. Simulator for laser photocoagulation in ophthalmology. *IEEE Trans Biomed Eng*. 1995;42(7):688-693.
253. Rossi JV, Verma D, Fujii GY, et al. Virtual vitreoretinal surgical simulator as a training tool. *Retina*. 2004;24(2):231-236.
254. Kozak I, Banerjee P, Luo J, Luciano C. Virtual reality simulator for vitreoretinal surgery using integrated OCT data. *Clin Ophthalmol*. 2014;8:669-672.
255. VRmagic: Eyesi by VRmagic [website]. Available at: https://www.vrmagic.com/simulators/eyesi-surgical-simulator/.
256. Melerit Medical: Melerit PhacoVision® [brochure]. Available at: http://www.melerit.se/html/pdf/new/MeleritPhacoVision.pdf.
257. Webster RW, Zimmerman DI, Mohler BJ, et al. A prototype haptic suturing simulator. *Stud Health Technol Inform*. 2001;81:567-569.
258. Liu A, Kaufmann C, Ritchie T. A computer-based simulator for diagnostic peritoneal lavage. *Stud Health Technol Inform*. 2001;81:279-285.
259. Kaufmann C, Liu A. Trauma training: virtual reality applications. *Stud Health Technol Inform*. 2001;81:236-241.
260. Tillander B, Ledin T, Nordqvist P, et al. A virtual reality trauma simulator. *Med Teach*. 2004;26(2):189-191.
261. Vergara VM, Panaiotis Kingsley D, et al. The use of virtual reality simulation of head trauma in a surgical boot camp. *Stud Health Technol Inform*. 2009;142:395-397.
262. Grantcharov TP, Kristiansen VB, Bendix J, et al. Randomized clinical trial of virtual reality simulation for laparoscopic skills training. *Br J Surg*. 2004;91(2):146-150.
263. Mentice AB: Mentice History [website]. Available at: http://www.mentice.com/about-us.
264. Seymour NE, Gallagher AG, Roman SA, et al. Virtual reality training improves operating room performance: results of a randomized, double-blinded study. *Ann Surg*. 2002;236(4):458-463. discussion 463-464.
265. Surgical Science: LapSim®: the proven training system [website]. Available at: http://www.surgical-science.com/lapsim-the-proven-training-system/.
266. CAE Healthcare: CAE LapVR [website]. Available at: http://caehealthcare.com/surgical-simulation/lapvr.
267. 3D Systems (formerly Simbionix): Simulators—LAP Mentor™ [website]. Available at: http://simbionix.com/simulators/lap-mentor/.
268. Shanmugan S, Leblanc F, Senagore AJ, et al. Virtual reality simulator training for laparoscopic colectomy: what metrics have construct validity? *Dis Colon Rectum*. 2014;57(2):210-214.
269. Giannotti D, Patrizi G, Casella G, et al. Can virtual reality simulators be a certification tool for bariatric surgeons? *Surg Endosc*. 2014;28(1):242-248.
270. Araujo SE, Delaney CP, Seid VE, et al. Short-duration virtual reality simulation training positively impacts performance during laparoscopic colectomy in animal model: results of a single-blinded randomized trial: VR warm-up for laparoscopic colectomy. *Surg Endosc*. 2014;28(9):2547-2554.
271. Ahlberg G, Enochsson L, Gallagher AG, et al. Proficiency-based virtual reality training significantly reduces the error rate for residents during their first 10 laparoscopic cholecystectomies. *Am J Surg*. 2007;193(6):797-804.
272. Akdemir A, Sendag F, Oztekin MK. Laparoscopic virtual reality simulator and box trainer in gynecology. *Int J Gynaecol Obstet*. 2014;125(2):181-185.
273. Larsen CR, Grantcharov T, Aggarwal R, et al. Objective assessment of gynecologic laparoscopic skills using the LapSimGyn virtual reality simulator. *Surg Endosc*. 2006;20(9):1460-1466.
274. Bharathan R, Vali S, Setchell T, et al. Psychomotor skills and cognitive load training on a virtual reality laparoscopic simulator for tubal surgery is effective. *Eur J Obstet Gynecol Reprod Biol*. 2013;169(2):347-352.

275. Harders M, Bajka M, Spaelter U, et al. Highly-realistic, immersive training environment for hysteroscopy. *Stud Health Technol Inform*. 2005;119:176-181.
276. 3D Systems (formerly Simbionix): Simulators—HYST Mentor [website]. Available at: http://simbionix.com/simulators/hyst-mentor/.
277. VirtaMed AG: Medical training simulators—VirtaMed HystSim™ [website]. Available at: http://www.virtamed.com/en/medical-training-simulators/hystsim/.
278. Bajka M, Tuchschmid S, Fink D, et al. Establishing construct validity of a virtual-reality training simulator for hysteroscopy via a multimetric scoring system. *Surg Endosc*. 2010;24(1):79-88.
279. Panel P, Bajka M, Le Tohic A, et al. Hysteroscopic placement of tubal sterilization implants: virtual reality simulator training. *Surg Endosc*. 2012;26(7):1986-1996.
280. Janse JA, Goedegebuure RS, Veersema S, et al. Hysteroscopic sterilization using a virtual reality simulator: assessment of learning curve. *J Minim Invasive Gynecol*. 2013;20(6):775-782.
281. Neis F, Brucker S, Henes M, et al. Evaluation of the HystSim-virtual reality trainer: an essential additional tool to train hysteroscopic skills outside the operation theater. *Surg Endosc*. 2016;30(11):4954-4961.
282. 3D Systems (formerly Simbionix): Simulators—URO Mentor™ [website]. Available at: http://simbionix.com/simulators/uro-mentor/.
283. VirtaMed AG: Medical training simulators—VirtaMed UroSim™ [website]. Available at: http://www.virtamed.com/en/medical-training-simulators/urosim/.
284. 3D Systems (formerly Simbionix): Simulators—TURP Mentor: The most advanced training simulator for TURP, TURB and laser BPH treatment [website]. Available at: http://simbionix.com/simulators/turp-mentor/.
285. Schout BM, Muijtjens AM, Hendrikx AJ, et al. Acquisition of flexible cystoscopy skills on a virtual reality simulator by experts and novices. *BJU Int*. 2010;105(2):234-239.
286. Zhang Y, Liu JS, Wang G, et al. Effectiveness of the UroMentor virtual reality simulator in the skill acquisition of flexible cystoscopy. *Chin Med J (Engl)*. 2013;126(11):2079-2082.
287. Matsumoto ED, Pace KT, D'A Honey RJ. Virtual reality ureteroscopy simulator as a valid tool for assessing endourological skills. *Int J Urol*. 2006;13(7):896-901.
288. Bright E, Vine SJ, Dutton T, et al. Visual control strategies of surgeons: a novel method of establishing the construct validity of a transurethral resection of the prostate surgical simulator. *J Surg Educ*. 2014;71(3):434-439.
289. 3D Systems (formerly Simbionix) [website]. Available at: http://simbionix.com.
290. Brunckhorst O, Aydin A, Abboudi H, et al. Simulation-based ureteroscopy training: a systematic review. *J Surg Educ*. 2015;72(1):135-143.
291. Schout BM, Ananias HJ, Bemelmans BL, et al. Transfer of cysto-urethroscopy skills from a virtual-reality simulator to the operating room: a randomized controlled trial. *BJU Int*. 2010;106(2):226-231. discussion 231.
292. Michel MS, Knoll T, Köhrmann KU, Alken P. The URO Mentor: development and evaluation of a new computer-based interactive training system for virtual life-like simulation of diagnostic and therapeutic endourological procedures. *BJU Int*. 2002;89(3):174-177.
293. 3D Systems (formerly Simbionix): Simulators—PERC Mentor™ [website]. Available at: http://simbionix.com/simulators/perc-mentor/.
294. Mishra S, Kurien A, Patel R, et al. Validation of virtual reality simulation for percutaneous renal access training. *J Endourol*. 2010;24(4):635-640.
295. Noureldin YA, Elkoushy MA, Andonian S. Assessment of percutaneous renal access skills during Urology Objective Structured Clinical Examinations (OSCE). *Can Urol Assoc J*. 2015;9(3-4):E104-E108.
296. Mishra S, Kurien A, Ganpule A, et al. Percutaneous renal access training: content validation comparison between a live porcine and a virtual reality (VR) simulation model. *BJU Int*. 2010;106(11):1753-1756.
297. Villard PF, Vidal FP, Hunt C, et al. A prototype percutaneous transhepatic cholangiography training simulator with real-time breathing motion. *Int J Comput Assist Radiol Surg*. 2009;4(6):571-578.
298. Fortmeier D, Mastmeyer A, Schröder J, Handels H. A virtual reality system for PTCD simulation using direct visuo-haptic rendering of partially segmented image data. *IEEE J Biomed Health Inform*. 2016;20(1):355-366.
299. 3D Systems (formerly Simbionix): Simulators—ANGIO Mentor™ [website]. Available at: http://simbionix.com/simulators/angio-mentor/.
300. CAE Healthcare CAE CathLabVR [website]. Available at: http://caehealthcare.com/surgical-simulation/cathlabvr.
301. Mentice AB: Simulators [website]. Available at: http://www.mentice.com/simulators-and-procedures#simulators.
302. Nguyen N, Eagleson R, Boulton M, de Ribaupierre S. Realism, criterion validity, and training capability of simulated diagnostic cerebral angiography. *Stud Health Technol Inform*. 2014;196:297-303.
303. Kim AH, Kendrick DE, Moorehead PA, et al. Endovascular aneurysm repair simulation can lead to decreased fluoroscopy time and accurately delineate the proximal seal zone. *J Vasc Surg*. 2016;64(1):251-258.
304. Cates CU, Gallagher AG. The future of simulation technologies for complex cardiovascular procedures. *Eur Heart J*. 2012;33(17):2127-2134.
305. Hsu JH, Younan D, Pandalai S, et al. Use of computer simulation for determining endovascular skill levels in a carotid stenting model. *J Vasc Surg*. 2004;40(6):1118-1125.
306. Winder J, Zheng H, Hughes S, et al. Increasing face validity of a vascular interventional training system. *Stud Health Technol Inform*. 2004;98:410-415.
307. Jensen UJ, Jensen J, Olivecrona GK, et al. Technical skills assessment in a coronary angiography simulator for construct validation. *Simul Healthc*. 2013;8(5):324-328.
308. Rudarakanchana N, Van Herzeele I, Bicknell CD, et al. Endovascular repair of ruptured abdominal aortic aneurysm: technical and team training in an immersive virtual reality environment. *Cardiovasc Intervent Radiol*. 2014;37(4):920-927.
309. Jensen UJ, Jensen J, Ahlberg G, Tornvall P. Virtual reality training in coronary angiography and its transfer effect to real-life catheterisation lab. *EuroIntervention*. 2016;11(13):1503-1510.
310. Rosenfield K, Babb JD, Cates CU, et al. Clinical competence statement on carotid stenting: training and credentialing for carotid stenting-multispecialty consensus recommendations: a report of the SCAI/SVMB/SVS Writing Committee to develop a clinical competence statement on carotid interventions. *J Am Coll Cardiol*. 2005;45(1):165-174.
311. Stather DR, Lamb CR, Tremblay A. Simulation in flexible bronchoscopy and endobronchial ultrasound: a review. *J Bronchology Interv Pulmonol*. 2011;18(3):247-256.

312. Kennedy CC, Maldonado F, Cook DA. Simulation-based bronchoscopy training: systematic review and meta-analysis. *Chest.* 2013;144(1):183-192.
313. Triantafyllou K, Lazaridis LD, Dimitriadis GD. Virtual reality simulators for gastrointestinal endoscopy training. *World J Gastrointest Endosc.* 2014;6(1):6-12.
314. Singh S, Sedlack RE, Cook DA. Effects of simulation-based training in gastrointestinal endoscopy: a systematic review and meta-analysis. *Clin Gastroenterol Hepatol.* 2014;12(10):1611-1623. e4.
315. CAE Healthcare: CAE EndoVR [website]. Available at: http://caehealthcare.com/surgical-simulation/endovr.
316. 3D Systems (formerly Simbionix): Simulators—BRONCH Mentor™ [website]. Available at: http://simbionix.com/simulators/bronch-mentor/.
317. 3D Systems (formerly Simbionix): Simulators—GI Mentor™ [website]. Available at: http://simbionix.com/simulators/gi-mentor/.
318. Colella S, Søndergaard Svendsen MB, Konge L, et al. Assessment of competence in simulated flexible bronchoscopy using motion analysis. *Respiration.* 2015;89(2):155-161.
319. Grantcharov TP, Carstensen L, Schulze S. Objective assessment of gastrointestinal endoscopy skills using a virtual reality simulator. *JSLS.* 2005;9(2):130-133.
320. Gomez PP, Willis RE, Van Sickle K. Evaluation of two flexible colonoscopy simulators and transfer of skills into clinical practice. *J Surg Educ.* 2015;72(2):220-227.
321. Ansell J, Mason J, Warren N, et al. Systematic review of validity testing in colonoscopy simulation. *Surg Endosc.* 2012;26(11):3040-3052.
322. Bittner 4th JG, Mellinger JD, Imam T, et al. Face and construct validity of a computer-based virtual reality simulator for ERCP. *Gastrointest Endosc.* 2010;71(2):357-364.
323. Stather DR, Maceachern P, Rimmer K, et al. Validation of an endobronchial ultrasound simulator: differentiating operator skill level. *Respiration.* 2011;81(4):325-332.
324. Kefalides PT, Gress F. Simulator training for endoscopic ultrasound. *Gastrointest Endosc Clin N Am.* 2006;16(3):543-552. viii.
325. Barthet M. Endoscopic ultrasound teaching and learning. *Minerva Med.* 2007;98(4):247-251.
326. IML Inventive Medical: Practical application—HeartWorks simulators [website]. Available at: http://www.inventivemedical.com/practical-application/.
327. 3D Systems (formerly Simbionix): Simulators-U/S Mentor™ [website]. Available at: http://simbionix.com/simulators/us-mentor/.
328. CAE Healthcare: CAE Vimedix [website]. Available at: http://caehealthcare.com/ultrasound-simulation/vimedix.
329. Jelacic S, Bowdle A, Togashi K, VonHomeyer P. The use of TEE simulation in teaching basic echocardiography skills to senior anesthesiology residents. *J Cardiothorac Vasc Anesth.* 2013;27(4):670-675.
330. Nanda NC, Kapur KK, Kapoor PM. Simulation for transthoracic echocardiography of aortic valve. *Ann Card Anaesth.* 2016;19(3):498-504.
331. Paddock MT, Bailitz J, Horowitz R, et al. Disaster response team FAST skills training with a portable ultrasound simulator compared to traditional training: pilot study. *West J Emerg Med.* 2015;16(2):325-330.
332. Staboulidou I, Wüstemann M, Vaske B, et al. Quality assured ultrasound simulator training for the detection of fetal malformations. *Acta Obstet Gynecol Scand.* 2010;89(3):350-354.
333. Madsen ME, Konge L, Nørgaard LN, et al. Assessment of performance measures and learning curves for use of a virtual-reality ultrasound simulator in transvaginal ultrasound examination. *Ultrasound Obstet Gynecol.* 2014;44(6):693-699.
334. Chao C, Chalouhi GE, Bouhanna P, et al. Randomized clinical trial of virtual reality simulation training for transvaginal gynecologic ultrasound skills. *J Ultrasound Med.* 2015;34(9):1663-1667.
335. Magee D, Zhu Y, Ratnalingam R, et al. An augmented reality simulator for ultrasound guided needle placement training. *Med Biol Eng Comput.* 2007;45(10):957-967.
336. SonoSim [website]. Available at: http://sonosim.com.
337. Intuitive Surgical: The da Vinci® Surgical System [website]. Available at: http://www.intuitivesurgical.com/products/davinci_surgical_system/.
338. Intuitive Surgical: da Vinci Skills Simulator [website]. Available at: http://intuitivesurgical.com/products/skills_simulator/.
339. Culligan P, Gurshumov E, Lewis C, et al. Predictive validity of a training protocol using a robotic surgery simulator. *Female Pelvic Med Reconstr Surg.* 2014;20(1):48-51.
340. Simulated Surgical Systems: RoSS™ II Robotic Surgery Simulator [website]. Available at: http://www.simulatedsurgicals.com/ross2.html.
341. Mimic Technologies: dV-Trainer® [website]. Available at: http://www.mimicsimulation.com/products/dv-trainer/.
342. SimSurgery AS: SEP Robot [website]. Available at: http://www.simsurgery.com/robot.html.
343. 3D Systems (formerly Simbionix): Simulators—RobotiX Mentor™ [website]. Available at: http://simbionix.com/simulators/robotix-mentor/.
344. Bric JD, Lumbard DC, Frelich MJ, Gould JC. Current state of virtual reality simulation in robotic surgery training: a review. *Surg Endosc.* 2016;30(6):2169-2178.
345. Society for Simulation in Healthcare: SimConnect [website]. Available at: http://www.ssih.org/simconnect.
346. Society for Simulation in Healthcare: Live Learning Center [website]. Available at: http://www.ssih.org/Membership/Live-Learning-Center.
347. Wolters Kluwer: Simulation in Healthcare: Journal of the Society for Simulation in Healthcare [website]. Available at: http://journals.lww.com/simulationinhealthcare/pages/default.aspx.
348. Amiel I, Simon D, Merin O, Ziv A. Mobile in situ simulation as a tool for evaluation and improvement of trauma treatment in the emergency department. *J Surg Educ.* 2016;73(1):121-128.
349. Cates CU, Patel AD, Nicholson WJ. Use of virtual reality simulation for mission rehearsal for carotid stenting. *JAMA.* 2007;297(3):265-266.
350. Clarke DB, D'Arcy RC, Delorme S, et al. Virtual reality simulator: demonstrated use in neurosurgical oncology. *Surg Innov.* 2013;20(2):190-197.
351. Arora A, Swords C, Khemani S, et al. Virtual reality case-specific rehearsal in temporal bone surgery: a preliminary evaluation. *Int J Surg.* 2014;12(2):141-145.
352. Holmboe E, Rizzolo MA, Sachdeva AK, et al. Simulation-based assessment and the regulation of healthcare professionals. *Simul Healthc.* 2011;(6 suppl):S58-S62.
353. Medical Council of Canada: Medical Council of Canada Qualifying Examination Part II [website]. Available at: http://mcc.ca/examinations/mccqe-part-ii/.

354. United States Medical Licensing Examination: USMLE® Step 2 CS [website]. Available at: http://www.usmle.org/step-2-cs/.
355. Ziv A, Ben-David MF, Sutnick AI, Gary NE. Lessons learned from six years of international administrations of the ECFMG's SP-based clinical skills assessment. *Acad Med.* 1998;73(1):84-91.
356. Papadakis MA. The Step 2 clinical-skills examination. *N Engl J Med.* 2004;350(17):1703-1705.
357. United States Medical Licensing Examination: USMLE® Step 3 [website]. Available at: http://www.usmle.org/step-3/.
358. Dillon GF, Clyman SG, Clauser BE, Margolis MJ. The introduction of computer-based case simulations into the United States medical licensing examination. *Acad Med.* 2002;77(suppl 10):S94-S96.
359. Clauser BE, Margolis MJ, Swanson DB. An examination of the contribution of computer-based case simulations to the USMLE step 3 examination. *Acad Med.* 2002;77(suppl 10):S80-S82.
360. Ziv A, Erez D, Munz Y, et al. The Israel Center for Medical Simulation: a paradigm for cultural change in medical education. *Acad Med.* 2006;81(12):1091-1097.
361. Berkenstadt H, Ziv A, Gafni N, Sidi A. Incorporating simulation-based objective structured clinical examination into the Israeli National Board Examination in Anesthesiology. *Anesth Analg.* 2006;102(3):853-858.
362. Ziv A, Berkenstadt H, Eisenberg O. Simulation for licensure and certification. In: Levine AI, DeMaria S, Schwartz AD, et al., eds. *The Comprehensive Textbook of Healthcare Simulation.* New York: Springer; 2013:161-170.
363. Brazilian Society of Nephrology: [Nephrologists take exam to obtain specialist title.] SBN Informa 18:8-9, 2011.
364. Pecoits Filho RFS: Personal communication. Brazilian Society of Nephrology, 2016.
365. American Board of Surgery: Training and Certification [website]. Available at: http://www.absurgery.org/default.jsp?certgsqe_training.
366. Society of American Gastrointestinal and Endoscopic Surgeons: Fundamentals of Laparoscopic Surgery (FLS) Program [website]. Available at: http://www.flsprogram.org/index/fls-program-description/.
367. Limbs & Things: Specialist Skills—FLS - Fundamentals of Laparoscopic Surgery Trainer System [website]. Available at: https://www.limbsandthings.com/us/our-products/details/f-l-s-funidmentals-of-laparascopic-surgery-trainer-system.
368. Duran C, Estrada S, O'Malley M, et al. The model for Fundamentals of Endovascular Surgery (FEVS) successfully defines the competent endovascular surgeon. *J Vasc Surg.* 2015;62(6):1660-1666. e3.
369. Peters JH, Fried GM, Swanstrom LL, et al. Development and validation of a comprehensive program of education and assessment of the basic fundamentals of laparoscopic surgery. *Surgery.* 2004;135(1):21-27.
370. Fundamentals of Endoscopic Surgery (FES): Program description [website]. Available at: http://www.fesprogram.org/about/program-description-2/.
371. Vassiliou MC, Dunkin BJ, Fried GM, et al. Fundamentals of endoscopic surgery: creation and validation of the hands-on test. *Surg Endosc.* 2014;28(3):704-711.
372. Vassiliou MC, Feldman LS, Andrew CG, et al. A global assessment tool for evaluation of intraoperative laparoscopic skills. *Am J Surg.* 2005;190(1):107-113.
373. Vassiliou MC, Kaneva PA, Poulose BK, et al. Global Assessment of Gastrointestinal Endoscopic Skills (GAGES): a valid measurement tool for technical skills in flexible endoscopy. *Surg Endosc.* 2010;24(8):1834-1841.
374. Fried GM, Marks JM, Mellinger JD, et al. ASGE's assessment of competency in endoscopy evaluation tools for colonoscopy and EGD. *Gastrointest Endosc.* 2014;80(2):366-367.
375. Rosen J, Brown JD, Barreca M, et al. The Blue DRAGON-a system for monitoring the kinematics and the dynamics of endoscopic tools in minimally invasive surgery for objective laparoscopic skill assessment. *Stud Health Technol Inform.* 2002;85:412-418.
376. Hofstad EF, Våpenstad C, Chmarra MK, et al. A study of psychomotor skills in minimally invasive surgery: what differentiates expert and nonexpert performance. *Surg Endosc.* 2013;27(3):854-863.
377. Boulet JR, Jeffries PR, Hatala RA, et al. Research regarding methods of assessing learning outcomes. *Simul Healthc.* 2011;(6 suppl):S48-S51.
378. Moore AK, Grow DR, Bush RW, Seymour NE. Novices outperform experienced laparoscopists on virtual reality laparoscopy simulator. *JSLS.* 2008;12(4):358-362.
379. Rosenthal R, Gantert WA, Scheidegger D, Oertli D. Can skills assessment on a virtual reality trainer predict a surgical trainee's talent in laparoscopic surgery? *Surg Endosc.* 2006;20(8):1286-1290.
380. Roitberg B, Banerjee P, Luciano C, et al. Sensory and motor skill testing in neurosurgery applicants: a pilot study using a virtual reality haptic neurosurgical simulator. *Neurosurgery.* 2013;73(suppl 1):116-121.
381. Roitberg BZ, Kania P, Luciano C, et al. Evaluation of sensory and motor skills in neurosurgery applicants using a virtual reality neurosurgical simulator: the sensory-motor quotient. *J Surg Educ.* 2015;72(6):1165-1171.
382. Winkler-Schwartz A, Bajunaid K, Mullah MA, et al. Bimanual psychomotor performance in neurosurgical resident applicants assessed using Neuro Touch, a virtual reality simulator. *J Surg Educ.* 2016;73(6):942-953.
383. Ziv A, Rubin O, Moshinsky A, et al. MOR: a simulation-based assessment centre for evaluating the personal and interpersonal qualities of medical school candidates. *Med Educ.* 2008;42(10):991-998.
384. American Board of Anesthesiology: APPLIED (Staged Exams) [website]. Available at: http://www.theaba.org/Exams/APPLIED-(Staged-Exam)/about-applied-(staged-exam).
385. American Board of Anesthesiology: *APPLIED Examination: Objective Structured Clinical Examination—Content Outline.* Available at: http://www.theaba.org/PDFs/APPLIED-Exam/APPLIED-OSCE-ContentOutline.
386. American Board of Anesthesiology: [MOCA 2.0] Part 4 Requirements [website]. Available at: http://www.theaba.org/PDFs/MOCA/MOCA-2-0-Part-4-Requirements.
387. American Board of Emergency Medicine: ABEM MOC [website]. Available at: https://www.abem.org/public/abem-maintenance-of-certification-(moc)/moc-overview.
388. American College of Emergency Physicians: ACEP SIM Training Course [website]. Available at: https://www.acep.org/sim-Content.aspx?id=89642.
389. American Board of Internal Medicine: ABIM to use medical simulation technology to evaluate physician competence. January 29, 2008. Available at: http://www.abim.org/news/medical-simulation-technology-evaluate-physician-competence.aspx.
390. Cregan P, Watterson L. High stakes assessment using simulation - an Australian experience. *Stud Health Technol Inform.* 2005;111:99-104.

391. Levine AI, Schwartz AD, Bryson EO, Demaria Jr S. Role of simulation in U.S. physician licensure and certification. *Mt Sinai J Med*. 2012;79(1):140-153.
392. Tekian A, McGuire CH, McGaghie WC. *Innovative Simulations for Assessing Professional Competence*. Chicago: Dept. of Medical Education, University of Illinois at Chicago; 1999.
393. Gaba DM. The future vision of simulation in health care. *Qual Saf Health Care*. 2004;13(suppl 11):i2-i10.
394. Lloyd GE, Lake CL, Greenberg RB. *Practical Health Care Simulations*. Philadelphia: Mosby; 2004.
395. Amin Z, Boulet JR, Cook DA, et al. Technology-enabled assessment of health professions education: consensus statement and recommendations from the Ottawa 2010 conference. *Med Teach*. 2011;33(5):364-369.
396. Levine AI, DeMaria Jr S, Schwartz AD, Sim AJ. *The Comprehensive Textbook of Healthcare Simulation*. New York: Springer; 2013.

부록 12.1

시뮬레이터 목록과 특징

	시뮬레이터	특징	전문분야	비용*	비고
부분 술기모형	정맥천자 팔 (Venipuncture Arms) www.limbsandthings.com	정맥접근 기술을 위해 모의혈액으로 채워진 상지정맥의 해부학 기능을 제공하는 성인 크기의 팔	외과학 응급의학 중환자의학 내과학/가정의학	$	수백 가지의 사정 기회를 제공하는 저렴한 술기모형.
	CVC 삽입 시뮬레이터 II (CVC Insertion Simulator II) www.kyotokagaku.com	내경정맥과 쇄골하정맥 도관삽입술을 위한 구조와 함께 목과 상부 흉부의 해부학 기능(및 초음파 호환)을 제공하는 성인 크기의 부분 술기모형	외과학 내과학 중환자의학	$$	초음파 유도 유무에 관계없이 중앙정맥도관 삽입술(및 합병증- 기흉, 동맥 천자)을 사정할 수 있는 최신 술기모형.
	안검사 시뮬레이터 (Eye Examination Simulator) www.kyotokagaku.com	정상 및 비정상 망막 소견과 함께 외부 및 내부 눈의 해부학 기능을 제공하는 성인 크기의 부분 술기모형	내과학/가정의학 안과학	$$	안저검사법과 정상 및 일반적인 비정상 망막 소견의 식별을 사정할 수 있는 저렴한 술기모형
	귀검사 시뮬레이터 (Ear Examination Simulator) www.kyotokagaku.com	정상 및 비정상 소견과 함께 외이 및 중이의 해부학 기능을 제공하는 성인 크기의 부분 술기모형	내과학/가정의학 이비인후과학	$$	이경 검사법과 정상 및 비정상 중이 소견의 식별을 사정할 수 있는 저렴한 술기모형
	유방검사 모형 (Breast Examination Trainers) www.limbsandthings.com	정상 및 비정상 소견과 함께 여성의 흉부 상부와 유방의 해부학 기능을 제공하는 성인 크기의 부분 술기모형	산부인과학 내과학/가정의학	$$	유방 검사법과 병리학적 소견의 식별을 사정할 수 있는 단순 부착형 술기모형
	에어심 고급형 (AirSim Advance) www.limbsandthings.com	다양한 상부기도의 해부학적 변형과 상황을 시뮬레이션하는 성인 크기의 머리와 목 모형	마취과학 중환자의학 응급의학 내과학	$$	여러 연구는 다양한 기도관리 기술을 사정하기 위한 도구로 기도 마네킹 사용에 대한 타당도를 제공하고 있다. 복잡한 기도 시나리오를 사정할 때 가장 유용하다.

*추정치(2016년 8월 기준): *$*, 〈 $1000; *$$*, $1000–$5000; *$$$*, $5000–$35,000; *$$$$*, $35,000–$75,000; *$$$$$*, $75,000–$150,000; *$$$$$$*, 〉 $150.000.

계속

	시뮬레이터	특징	전문분야	비용*	비고
부분 술기모형	리서씨 앤 (Resusci Anne) www.laerdal.com	위중한 생명구조술에 대한 해부학 기능을 제공하는 성인 크기의 중등도 충실도의 휴대용 술기모형; 흉부압박 및 환기의 적절성을 사정하는 내장형 사정시스템 옵션	중환자의학 응급의학 내과학/가정의학	$$	위중한 생명구조술을 사정하기 위한 저렴한 마네킹. 수많은 연구에서 사정도구로 시뮬레이터 사용의 신뢰도, 타당도 및 실현가능성에 대한 근거를 제공하고 있다.
	요추천자/경막외 시뮬레이터 (Lumbar Puncture/Epidural Simulator) www.limbsandthings.com	요추천자 및 다양한 척추주사를 위한 해부학 기능과 구조를 제공하는 성인 크기의 초음파 호환 부분술기모형	신경과학 내과학 마취과학	$$	초음파 유도 유무에 관계없이 요추천자 및 경막 외 주사기술을 사정할 수 있는 비교적 저렴한 술기모형. 물을 주입하여 뇌척수액(cerebrospinal fluid, CSF)을 시뮬레이션하고 CSF 압력을 측정하며, 올바른 바늘 삽입에 대한 피드백을 제공할 수 있다.
	소아 요추천자 시뮬레이터 II (Pediatric Lumbar Puncture Simulator II) www.limbsandthings.com	요추천자 기술에 대한 해부학 기능과 구조를 제공하는 유아 크기의 술기모형	소아과학 신경과학	$$	해부학적 구조의 식별 및 요추천자 기술을 사정할 수 있는 저렴한 술기모형. 물을 주입하여 뇌척수액(CSF)을 시뮬레이션하고 CSF 압력을 측정하며 올바른 바늘 삽입에 대한 피드백을 제공할 수 있다.
	회음부 봉합모형 (Keele & Staffs Perineal Repair Trainer) www.limbsandthings.com	다양한 열상과 함께 질과 회음부의 해부학 기능을 제공하는 성인 크기의 부분 술기모형	산부인과학	$$	외음부 절개술 및 회음부 봉합술(표면, 피하, 심근층 포함)을 사정할 수 있는 비교적 저렴한 술기모형.
	직장 검사 모형 Mk 2 (Rectal Examination Trainer Mk 2) www.limbsandthings.com	남성 엉덩이, 항문, 직장 및 전립선의 해부학 기능을 제공하는 성인 크기의 부분 술기모형	외과학 비뇨기과학 내과학/가정의학	$$	검사법과 직장 및 전립선의 정상과 병리학적 소견의 식별을 사정할 수 있는 비교적 저렴한 술기모형.
	임상 여성골반 모형 Mk 3 – 고급형 (Clinical Female Pelvic Trainer Mk 3 – Advanced) www.limbsandthings.com	여성 하복부, 회음, 질 및 직장의 해부학 기능을 제공하는 성인 크기의 부분 술기모형	산부인과학 내과학/가정의학	$$	적절한 구조의 인식, 질 검사 및 두 손 진찰, 자궁경부 도말검사 및 직장 수지검사의 사정을 위한 부분 술기모형. 자궁 및 난소 병리를 식별하는 능력 사정.

	시뮬레이터	특징	전문분야	비용*	비고
전산화된 술기모형	메티 골반검사 시뮬레이터 (METI Pelvic ExamSIM) www.caehealthcare.com	다양한 부인과 소견을 기능적으로 시뮬레이션하고 사용자의 검사기술을 자동으로 객관적으로 추적하는 성인 크기의 고충실도 여성골반 부분 술기모형	부인과학 내과학/가정의학	$$$	몇몇 연구에서 사정도구로서 사용을 지지하는 타당도 근거가 제공되었다.
	하비 심폐환자 시뮬레이터 (Harvey, the Cardiopulmonary Patient Simulator) www.gcrme.miami.edu	포괄적인 심장과 폐의 이학적 소견을 제공하는 성인 크기의 고충실도 마네킹	내과학/가정의학 소아과학 중환자의학 응급의학 외과학	$$$-$$$$	사정도구로서의 사용에 대한 타당도 근거를 제공하는 수많은 연구결과 있는 가장 오래된 고충실도 시뮬레이터; 고부담 국가 전문의 자격시험에 사용되고 있다.
컴퓨터 강화 마네킹 (CEM) 시뮬레이터	인체환자 시뮬레이터 (Human Patient Simulator, HPS) www.caehealthcare.com	모든 장기 시스템을 기능적으로 시뮬레이션하고 시술과 약물 투여에 생리적으로 반응하는 성인 크기의 고충실도 마네킹	마취과학 중환자의학 응급의학 내과학/가정의학	$$$$$$	수많은 연구에서 사정도구로서 시뮬레이터의 사용을 지지하는 타당도 근거를 제공하고 있다. "수술실" 환경에서 가끔 사용되며 팀 기술을 포함한 여러 역량을 사정하는 데 적합하다.
	시저 (Caesar) www.caehealthcare.com	HPS보다 휴대가 용이하고 보다 긴급한 (특히 외상) 시나리오를 위해 프로그래밍 되는 성인 크기의 고충실도 마네킹; 중재에 생리적 반응은 덜 정교하다.	중환자의학 응급의학 외상외과학	$$$$	HPS와 동일한 기술을 많이 사용하지만 매우 견고하고 휴대 가능하여 다양한 환경에서 사용할 수 있는 최신 시뮬레이터.
	소아 신체환자 시뮬레이터 (PediaSIM HPS PediaSIM) www.caehealthcare.com	6세(17kg) 어린이의 해부학과 생리학 기능을 시뮬레이션하고 중재에 적절하게 반응하는 소아 크기의 작은 고충실도 마네킹	소아과학 응급의학	$$$$$	HPS와 동일한 기술을 많이 사용하지만 "성인"과 다르게 작동하고 반응하도록 설계된 최신 시뮬레이터. HPS가 아닌 버전은 중재에 대한 생리적 반응이 덜 정교하다.

*추정치(2016년 8월 기준): $, 〈 $1000; $$, $1000-$5000; $$$, $5000-$35,000; $$$$, $35,000-$75,000; $$$$$, $75,000-$150,000; $$$$$$, 〉 $150.000.

계속

	시뮬레이터	특징	전문분야	비용*	비고
컴퓨터 강화 마네킹 (CEM) 시뮬레이터	아기 시뮬레이터 (BabySIM) www.caehealthcare.com	3-6개월(7.3 kg) 유아의 해부학과 생리학을 기능적으로 시뮬레이션하고 중재에 적절하게 반응하는 유아 크기의 고충실도 마네킹	소아과학 응급의학 내과학	$$$	HPS와 동일한 기술을 많이 사용하지만 유아에게 적합한 생리적 반응으로 작동하도록 설계된 최신 시뮬레이터.
	심맨 3G (SimMan 3G) www.laerdal.com	무선 및 휴대가 가능하고, 여러 생명구조 기술과 기타 임상시술을 수행하는 데 사실적인 해부학 기능을 제공하는 실물 크기의 고충실도 마네킹	마취과학 중환자의학 응급의학 내과학/가정의학 외과학	$$$$-$$$$$	여러 연구결과에서 사정도구로서 시뮬레이터 사용에 대한 타당도와 실현가능성의 근거를 제공하고 있다. 광범위한 임상기술 및 시나리오를 통해 개인과 팀 사정하기 위해 가장 널리 사용되는 고충실도 시뮬레이터 중 하나.
	심맘 (SimMom) www.laerdal.com	다양한 정상 및 복잡한 분만 시나리오를 시뮬레이션하는 실물 크기의 성인 여성 고충실도 마네킹; 신생아 모델은 컴퓨터화된 요소가 없이 단순하지만 사실적으로 보이는 술기모형	산부인과학 소아과학	$$$$	임신과 출산과 관련된 여러가지 중요한 중재 및 생명구조 시술을 수행하는 능력의 사정를 용이하게하는 최신 시뮬레이터.
	신생아 시뮬레이터 (SimNewB) www.laerdal.com	신생아를 돌보는 데 요구되는 여러가지 중요한 중재에 대한 생리학적 반응 및 해부학 기능을 제공하는 신생아 크기의 컴퓨터화된 마네킹	소아과학 마취과학 중환자의학	$$$	일반적인 생명구조 기술(예: 기도 관리) 및 신생아 치료에 특화된 기술(제대 정맥/동맥을 통한 혈관 접근법 같은)을 수행하는 능력을 사정할 수 있는 최신 시뮬레이터.
	HAL 고급형 다목적 환자시뮬레이터 (HAL Advanced Multipurpose Patient Simulator) www.gaumard.com	무선이기에 휴대성이 뛰어나고 응급 시나리오가 프로그래밍된 실물 크기의 고충실도 마네킹; 무선 태블릿 컴퓨터 형태로 제공되는 작동 및 모니터링 구성요소가 있다	응급의학 중환자의학 내과학	$$$$	병원전 환경에서 응급실, 중환자 실에 이르기까지 광범위한 응급 시나리오에 적합하며 휴대성과 내구성이 매우 뛰어난 고충실도 시뮬레이터.
	NOELLE 고급형 산모 및 신생아 출산 시뮬레이터 (NOELLE Advanced Maternal and Neonatal Birthing Simulator) www.gaumard.com	완전한 분만 및 산후 관리를 포함하여 무수한 시나리오에 대한 해부학 기능 및 생리학적 반응을 제공하는 성인 및 신생아 크기의 고충실도 시뮬레이터	산부인과학 소아과학	$$$$	보다 복잡한 임신 및 분만 시나리오에서 자동기능으로 상호작용을 제공하는 최신 시뮬레이터; 내장 센서는 분만술기 중 사용자의 행위를 추적할 수 있다.

	시뮬레이터	특징	전문분야	비용*	비고
가상현실 (VR) 시뮬레이터	ARTHRO 멘토 (ARTHRO Mentor) www.simbionix.com	많은 관절경 시술을 시뮬레이션 하는 다양한 관절(어깨, 무릎, 고관절)의 해부학적 모형과 결합되고 촉각 구성요소가 있는 가상현실(VR) 시뮬레이터	정형외과학	$$$$$	사용자는 눈과 손의 협응 어려움과 지남력 및 도구조작 문제를 극복하도록 훈련할 수 있다. 이 시스템은 구조물을 찾는 시간, 관절경 이동 효율성 및 오류를 포함하여 수행 사정를 위한 데이터를 추적한다.
	아이씨 수술 시뮬레이터 (Eyesi Surgical) www.vrmagic.com	인공 눈이 있는 마네킹 머리, 장비 제어를 위한 사실적인 발 페달, 위치추적 도구와 수술의 가상 입체영상을 수신하는 수술용 현미경	안과학	$$$$$$	객관적인 사정를 위한 옵션과 다양한 안구내 수술 기술의 사정이 가능한 여러 가지 시술 모듈이 있다.
	최소침습 시뮬레이션모형 (Minimally Invasive Simulation Trainer, MIST) www.mentice.com	컴퓨터 모니터에 연결된 표준 복강경 기구를 고정하는 두 개의 기계식 팔을 지지하는 구조 뼈대로 구성된 VR 바탕 시뮬레이터; 기본적인 복강경 기술의 교육과 사정을 제공한다	일반외과학 외상외과학 부인과학 비뇨기과학	N/A†	가장 광범위하게 연구된 VR 시뮬레이터 중 하나. 시스템은 수행평가를 위해 여러 지표를 기록한다. 다양한 연구를 통해 시뮬레이터에서 실제 환자로의 기술 이전이 입증되었다.
	HYST 멘토 (HYST Mentor) www.simbionix.com	사용자가 자궁경부 및 자궁을 탐색할 때 적절한 저항을 시뮬레이션하기 위해 힘 촉각기술 피드백을 사용하는 VR 바탕 모형; 화면으로는 실제 시술, 합병증 및 도구/조직 상호작용의 디지털 시뮬레이션을 보여준다.	산부인과학	$$$$$	이 시스템은 정신운동 업무를 완료하는데 소요되는 시간과 정밀도를 추적하고 수행평가에 도움이 되는 지표를 생성한다.
	URO 멘토 (URO Mentor) www.simbionix.com	기구 삽입을 위한 작업 채널이 있는 굴곡과 경직 내시경을 사용할 수 있는 결합 VR 술기모형; 사용자는 시뮬레이션 영상에서 시술의 가상 이미지를 보면서 사실적으로 작동하는 핸들로 기기를 제어할 수 있다.	비뇨기과학	$$$$$ PERC Mentor와 함께 결합 가능	다양한 진단 및 치료 내시경 비뇨기과 시술이 가능한 다목적 시뮬레이터. 이 시스템은 작업완료 시간, x-선 노출 시간 및 오류 수를 포함하여 수행평가에 도움이 되는 여러 지표를 추적한다. 더 이상 독립형 시스템으로 판매되지 않고 PERC Mentor와 함께 동일한 플랫폼에서 투인원(2-in-1) 시뮬레이터로 판매된다.

*추정치(2016년 8월 기준): *$*, 〈 $1000; *$$*, $1000–$5000; *$$$*, $5000–$35,000; *$$$$*, $35,000–$75,000; *$$$$$*, $75,000–$150,000; *$$$$$$*, 〉 $150.000.

† † MIST는 Mentice에서 중단되어 더 이상 생산되지 않으나 제한적인 부분모형과 지원은 가능하다.

계속

	시뮬레이터	특징	전문분야	비용*	비고
가상현실 (VR) 시뮬레이터	PERC 멘토 (PERC Mentor) www.simbionix.com	환자의 등과 옆구리를 시뮬레이션 하는 부분 마네킹과 가상의 투시영상으로 구성된 결합 VR 술기모형으로 경피적 신장접근 시술 수행을 연습할 수 있다.	중재 방사선학 비뇨기과학 신장학	$$$$$ URO Mentor와 함께 결합 가능	시뮬레이터에는 작업 수행 시간, 사용된 조영제 용량, 천공 시도 및 합병증 횟수 등 사정 훈련에 사용되는 데이터를 기록할 수 있는 기능이 내장되어 있다. 더 이상 독립형 시스템으로 판매되지 않지만 URO Mentor와 함께 동일한 플랫폼에서 투인원(2-in-1)시뮬레이터로 판매된다.
	ANGIO 멘토 (ANGIO Mentor) www.simbionix.com	혈관내 시술동안 가이드 와이어, 풍선, 스텐트 및 기타 장치의 사용을 모방하기 위해 촉각 구성요소를 사용한 VR 모형. 약물 투여와 시술 술기에 따라 변화하는 환자 상태의 동적 지표 포함	심장학 중재 방사선학 혈관외과학 신경과학 신경외과학 신장학	$$$$-$$$$$$	내장된 추적 시스템을 통해 사용자의 의학적 의사결정 및 치료 기술의 사정이 가능하다. 시뮬레이터는 일련의 지표를 추적하고 개인 또는 집단 수행에 대한 통계 보고서를 생성한다.
	혈관중재 시뮬레이션모형 (Vascular Intervention Simulation Trainer, VIST) www.mentice.com	다양한 혈관내 시술을 수행하는 동안 유도자를 통해 전달된 실제 도구와 장치를 조작할 수 있게 하는 VR 시뮬레터. 모니터에 표시되는 시뮬레이션 투시 이미지와 함께 촉각 기전이 촉각 피드백을 재현한다.	심장학 중재 방사선학 혈관외과학 신경과학 신경외과학 신장학	$$$$-$$$$$	이 시스템은 신장 및 장골동맥, 대동맥 및 경동맥 혈관내 기술뿐만 아니라 혈관조영술, 혈관 성형술/스텐트 삽입술, 박동조율기 삽입술, 전기생리학적 검사 및 경도관 대동맥 판막 이식술과 같은 다양한 중재적 심장 시술을 시뮬레이션한다. 미국식품의약청이 승인한 경동맥 스텐트를 사용하기 전에 임상의사를 훈련하고 평가하는 최초의 시뮬레이터가 되었다. 작업완료 시간, 움직임의 효율성 및 오류를 측정하는 정교한 추적 시스템이 포함되어 있다.
	BRONCH 멘토 (BRONCH Mentor) www.simbionix.com	사실적인 촉각 경험과 가상의 그래픽 영상과 함께, 다양한 기관지경의 진단 및 치료 시술을 시뮬레이션하기 위해 실제 장비가 통과하는 포트가 있으며, 변형된 내시경을 조작할 수 있는 VR 촉각 시스템	호흡기학 이비인후과학 중환자의학	$$$$ – $$$$$ (GI Mentor와 함께 결합 가능: 동일 가격대의 최고급)	이 시스템은 검체 수집을 위한 수많은 기술들뿐만 아니라 기도 탐색 및 시진과 같은 기본 술기의 사정이 가능하다. 내장 시스템은 실제 환자진료 전에 자기 사정 또는 역량 평가를 위한 수행지표를 제공한다. 독립형 시스템으로 또는 GI Mentor와 동일한 플랫폼에서 결합하여 사용할 수 있다.

	시뮬레이터	특징	전문분야	비용*	비고
	GI 멘토 (GI Mentor) www.simbionix.com	사실적인 촉각 경험과 가상의 그래픽 영상과 함께, 진단 및 치료를 목적으로 하는 다양한 상하부 위장관 내시경 시술을 시뮬레이션하기 위해 실제 장비가 통과하는 포트가 있으며, 변형된 내시경을 조작할 수 있는 VR 촉각 시스템	위장병학 외과학 이비인후과학	$$$$ - $$$$$ (BRONCH Mentor와 함께 결합 가능: 동일 가격대의 최고급)	생검 및 용종 절제술을 포함한 수많은 시술뿐만 아니라 탐색, 시진과 도구 조작과 같은 기본 술기의 사정이 가능하다. 내장된 시스템은 실제 환자진료 전에 자기사정 또는 역량 평가를 위한 수행지표를 제공한다. 독립형 시스템으로 사용하거나 BRONCH Mentor와 동일한 플랫폼에서 결합할 수 있다.
증강현실 트레이너	라이브스캔을 활용한 소노심초음파 교육도구 (SonoSim Ultrasound Training Solution with LiveScan) www.sonosim.com	사실적인 하이브리드 시뮬레이션을 만들기 위해 실제 사람이나 마네킹에 부착한 독점 센서 태그와 시뮬레이션 특정 초음파 탐색자를 사용하는 증강VR 시스템. 반면 연결된 컴퓨터 화면은 정상 및 병리학적 인체 내부의 사실적인 가상 초음파 이미지를 표현해 준다.	초음파를 사용하여 검사나 시술을 수행하는 거의 모든 전문 분야. 특히 방사선과학 응급의학 외상외과학 중환자의학 산부인과 내과학/가정의학 심장학	$$$-$$$$	시뮬레이션 시스템은 표준화환자와 결합될 때 기술적(초음파 검사 또는 유도 시술) 및 비 기술적(통신기술) 평가를 위한 무수한 임상시나리오를 재현할 수 있다. 옵션 시스템은 수행 지표를 추적할 수 있다.

*추정치(2016년 8월 기준): $, 〈 $1000; $$, $1000–$5000; $$$, $5000–$35,000; $$$$, $35,000–$75,000; $$$$$, $75,000–$150,000; $$$$$$, 〉 $150.000.

13
임상교육에서 피드백과 코칭

JOAN M. SARGEANT, PHD, AND ERIC S. HOLMBOE, MD, MACP, FRCP

개요

무대 설정

임상역량 평가에 관한 책에서 피드백과 코칭에 관한 장을 수록한 이유는 무엇인가? 자신의 수행에 대한 정기적인 평가 자료와 건설적인 피드백을 받는 것은 학습에 필수적이다. 피드백에 대한 우리의 이해는 진화하고 있으며, 우리는 이제 피드백을 학습자들의 개선을 목적으로 그들의 수행평가 자료에 대한 학습자들과의 자기성찰적인 대화로 본다. 우리는 또한 코칭을 그 자료와 그에 대한 논의를 바탕으로 향후 발전을 위한 실행 계획을 함께 만들기 위한 전략으로 본다.

교육 내에서 코칭은 "자각과 개인의 책임감을 높여 학습의 향상과 발전에 중점을 둔 일대일 대화"로 정의되며, 코칭은 지지적이고 격려하는 분위기에서 학습자가 질문, 적극적 경청, 적절한 도전을 통해 자기주도적 학습을 하도록 촉진한다."[1] 교육에서 코칭은 코치가 자기성찰과 자기지시, 변화를 위한 계획에 학습자를 적극적으로 참여시킨다는 점에서 보다 전통적인 코칭의 지시 방식(즉, 학습자에게 무엇을 해야 하는지 지시하는 것)과 대조된다. 그러나 학습자가 자신이 성취할 수 있는 수준에서 최고가 될 수 있도록 하는 목적은 같다. 학습자와 평가자료에 대한 피드백 대화와 코칭은 의과대학생, 전공의, 임상강사와 전문의(이후 모두 학습자라고 지칭하겠다)가 임상수행을 통해 학습하고, 역량을 발전시키고, 뛰어난 능력을 발휘할 수 있도록 하는데 매우 귀중한 활동이다(글상자 13.1).

피드백에 대한 장을 포함시킨 근거로 두 가지 추가적인 이유가 있다. 첫 번째는 역사적, 회고적인 관찰과 학습자들은 불충분하고 간헐적으로 수행자료와 피드백을 받는다고 보고하였다. 피드백을 받을 때 학습자는 이를 심각하게 받아들이지 않거나, 다양한 이유로 유용하다고 여기지 않는다. 시기적절하고 구체적인 자료와 피드백의 부족, 개선 방법을 알 수 있는 피드백의 부족, 교수진 참여와 관찰의 부족, 수행 기준과 마일스톤의 확실성의 결여 등이 그 이유이다. 감독자인 지도교수들도 피드백과 관련한 우려를 보고하고 있다. 학습자에게 도움이 되는 방식으로 피드백 내용을 토론할 수 있는 능력 여부와 학습자와의 관계에 대한 피드백의 부정적인 영향에 대해 우려한다. 또한 학습 자원 접근에 대한 지원, 교정 계획 개발과 모니터링, 학습자에 대한 전문적인 도움을 구하는 것 등 개선이 필요할 때 학습자와 감독자에 대한 학습 시스템 지원의 부족이 건설적인 피드백을 제

• 글상자 13.1 피드백의 정의

피드백은 학습자의 수행에 대한 평가자료에 대한 학습자와의 자기성찰적인 대화로, 코칭은 학습자를 지도하고, 해당 자료를 바탕으로 미래의 발전을 위하여 공동으로 계획을 마련하는 전략이다.

공하는 데 방해가 된다는 것이다.[2,3]

피드백에 관한 장을 수록한 두 번째 이유는 미래를 계획하고 평가, 학습 및 역량 개발에 대해 우리의 사고방식을 변화시키고 있는 새로운 접근 방식과 이러한 활동에서 피드백이 작용하는 중추적 역할을 고려하기 때문이다. 피드백은 협력적인 대화이며, 그 대화를 통해 학습자가 자신의 수행평가 결과의 개선을 위한 자기성찰을 하는 것이다.[4,5] 의학교육에서 역량바탕의 학교육(competency-based medical education, CBME)과 계획적 평가(programmatic assessment)에 내재된 철학과 가치는 이러한 임상평가와 피드백을 바라보는 새로운 시각이다. 미국졸업후교육인증위원회(Accreditation Council for Graduate Medical Education, ACGME),[6] 캐나다왕립의학회(Accreditation Council for Graduate Medical Education, ACGME),[7] 그리고 캐나다가정의학회(College of Family Physicians of Canada)는[8] CBME의 많은 원칙 을 채택하고 있다(1장 참조). CBME의 기본 원칙은 효과적인 관찰, 평가 및 피드백 대화의 중요성을 강조한다. 예를 들어, 미국졸업후의학교육 프로그램에서 학습자는 한 마일스톤에서 다음 마일스톤으로 효율적으로 이동하려면 다양한 진료영역에서 역량을 개발해야 하며, 정기적이고 빈번한 수행평가와 피드백이 필요하다.

CBME에는 계획적 평가라고 알려진 평가에 대한 보다 포괄적인 접근 방식이 포함된다.[9] 계획적 평가의 가장 중요한 목적은 학습을 "위한" 평가(예: 학습과 발달에 대한 엄격한 평가)를 제공하는 것 외에 학습과 발전에 "대한" 평가를 제공하는 것이다. 학습을 "위한" 피드백을 생각할 때, CBME와 계획적 평가 모두 코칭을 피드백의 연장선으로 본다. 스포츠 분야에서의 코칭과 유사하게 임상교육에서 코칭은 수행을 바탕으로 하며 수행 향상을 목적으로 한다. CBME, 계획적 평가 및 코칭은 장 뒷부분에서 더 자세히 논의될 것이다.

이러한 배경에서 이 장은 실용적인 내용으로 구성되었다. 피드백 사용을 안내하는 개념과 근거 소개를 시작으로 피드백과 코칭에서 실제적으로 사용할 수 있고 기술을 구축할수 있는 구체적인 접근법, 교육 보고 도구와 증례를 제공한다. 이는 바쁜 임상 환경에서 비공식적인 즉석 피드백과 프로그램 내내 정기적이고 보다 공식적인 요약 평가 회의에 모두 적용된다. 이 장의 목적은 다음과 같다.

1. 교육, 학습, 평가의 중심 활동 중에 적절한 피드백 시기를 결정할 수 있는 틀을 제공한다.

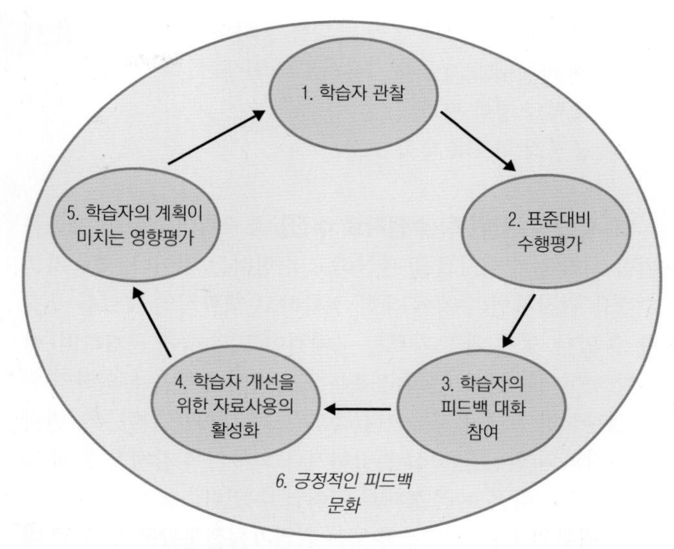

그림 13.1 피드백을 위한 틀(framework)

2. 현재 효과적인 수행평가 결과를 공유하고 피드백 대화에 참여하는 데 방해가 되는 요인을 간략하게 검토한다.
3. 임상교수학습에서 평가와 피드백의 역할에 영향을 미치는 진화 중인 관점과 전략들을 탐구한다.
4. 피드백 대화와 코칭에 효과적으로 참여하기 위한 실용적인 전략을 제시한다.

교육, 학습, 평가의 중심 활동 내에서 피드백 시기를 결정하는 틀 제공

임상평가에서 피드백의 목적은 개선을 위하여 학습자의 수행에 대한 건설적인 정보를 공유하는 것이다. 수행자료, 피드백 대화, 개선에 대한 지침없이 효율적으로 배우고 발전하기 어렵다. 그러나, 의학교육에서는 학습자들의 효율적인 발달을 위해 피드백을 공유하는 것을 주저하는 경우가 많다. 이것의 일부는 문화적인 이유 때문이다. 피드백은 일반적으로 건설적이고 발전적이지 않고 부정적이고 비판적인 것으로 인식되어 왔다.

그렇다면 문제는 어떻게 하면 피드백의 힘에 대하여 보다 긍정적인 견해를 가질 수 있을까하는 점이다. 어떻게 하면 피드백을 학습자가 유능해지고 자신의 최고역량을 보여줄 수 있도록 하는 코칭으로 보기 시작할 수 있는가?[4,5]

최근의 새로운 연구를 바탕으로 필자는 피드백 과정을 가이드하는 틀을 제안하고자 한다. 이 틀은 여섯 개의 상호작용 요소로 구성되어 있다(그림 13.1).

1. 학습자 관찰, 즉 수행결과 자료 수집
2. 공유된 표준 또는 마일스톤과 비교한 수행평가
3. 자기성찰적 피드백 대화와 자신의 수행평가에 학습자 참여

4. 학습자가 코칭과 협업 계획을 통하여 학습과 개선을 위해 피드백과 자료를 사용하도록 활성화
5. 계획의 영향 평가
6. 긍정적 피드백 문화 조성

1. 학습자 관찰(즉, 수행자료 수집). 효과적인 피드백 제공을 위한 시작은 수행자료를 관찰하고 수집하는 것이다. 학습자의 수행을 관찰하면 수행에 대한 정확하고 객관적인 자료를 수집할 수 있다. 좋은 관찰 자료는 구체적이고, 수행에 근거하며, 합당한 것이어야 한다. 관찰 자료는 학습자의 수행을 논의하기 위한 객관적인 토대를 제공한다(즉, 피드백 대화를 위한 것). 관찰은 환자와의 만남을 직접 관찰하거나 의무기록 감사를 통해 관찰하는 것과 같은 여러 형태로 일어날 수 있다.

2. 공유된 표준, 마일스톤 또는 위임가능전문활동(EPA)과 비교한 수행평가. 수행결과 자료를 확보한 다음 해당 학습자에 대해 승인된 수행 표준(예: 적절한 마일스톤)과 비교함으로써 수행을 평가할 수 있다. 예를 들어, 미국에서의 수련프로그램은 미국졸업후교육인증위원회(ACGME)/미국전문의협회(ABMS)가 제시한 여섯 개의 일반 역량으로 구성된 마일스톤 수행자료 검토를 요구한다(1장 참조). 학습자가 달성하고자 하는 표준이나 마일스톤은 명확하고 투명해야 함이 매우 중요한 사안이다. 학습자들은 그들이 무엇을 위해 노력하고 있는지, 평가 기준이 무엇인지, 그리고 어떻게 판단 내려질 지를 알아야 한다. CBME와 마일스톤은 평가와 피드백을 공유하는 데 특히 도움이 되는 표준이다. 마일스톤은 학습자가 점진적으로 목표하는 수행수준을 식별하고 관찰된 수행을 판단하기 위한 투명하고 공유된 기준을 제공한다.[10]

수행관찰 자료와 투명한 표준은 학습자의 성과에 대한 추측과 주관성을 제거한다. 학습자에게 관찰된 내용과 기준 또는 기대하는 것에 대한 명확한 내용을 제시할 수 있다. 이 둘을 합치면 수행 격차의 유무와 그 격차의 성격을 파악할 수 있다.

또한 합의된 표준은 학습자에게 기대되는 사항, 성취도에 대한 "좋은" 수행, 그리고 그들의 수행 목적이 무엇인지 알려준다. 학습자들은 그 목적을 달성하기 위해 스스로 준비할 수 있고, 또한 그들이 목적을 달성하지 못하더라도 당황하지 않을 것이다.[11]

3. 자기성찰적 피드백 대화 및 수행자료에 학습자의 참여. 피드백 대화의 목적은 학습자가 대화에 능동적으로 참여하여 자신의 수행자료를 다루는 것이다. 피드백 대화를 하는 것은 몇 가지 면에서 단순히 피드백을 "제공" 하는 것과는 다르다. 단순한 피드백 제공은 감독자가 학습자에게 그들이 어떻게 하고 있고 학습자가 개선하기 위해 무엇을 할 필요가 있는지 말해주는 일방적 독백의 이미지가 떠오른다. 학습자는 피드백을 받고 이에 따라 행동하기를 바란다. 이와는 대조적으로, 피드백 대화에서 감독자는 학습자의 수행과 특정 수행자료와 이 정보에 대한 관점에 대해 성찰적 토론을 진행한다.

"학습의 맥락에서 자기성찰은 개개인이 새로운 이해와 감상을 유도하기 위해 자신의 경험을 탐구하는 데 참여하는 지적 및 감정적 활동을 총칭한다."[12] 사려 깊고 집중적인 자기성찰을 촉진하는 것은 학습자가 안전하고 지지적인 상호작용을 하면서 자기 자신과 그들의 수행을 비판적으로 바라보고 통찰력을 얻을 수 있게 한다. 자기성찰의 목적은 자기 인식을 높이고 경험으로부터 배우는 것이다. 자기성찰적이고, 개방형 질문을 하는 것은 학습자가 그들의 행동을 어떻게 생각하는지, 자신의 수행 수준에 영향을 미치는 요인과 수행자료에 의해 제시된 기회를 탐구하도록 학습자를 안내한다. 또한 정보를 갖지 않은 스스로의 자체 평가에는 결함이 있는 경우가 많으며, 자신이 어떻게 하고 있는지에 대한 자신의 견해를 이끌어 주기 위해 외부 수행자료와 피드백이 필요하다는 인식을 심어주는 것이다.[13]

대화에서 감독자는 제시된 자료에 대한 학습자의 관점, 또는 자신의 수행에 대한 자기평가, 그리고 자기평가의 이유를 모색함으로써 자신의 수행자료(예: 방금 수행한 기술의 관찰 또는 다면피드백 보고서와 같은 서면평가 보고서) 검토 과정에 학습자를 참여시킨다. 학습자의 견해가 감독자와 다르거나 자료에 의해 제시된 경우, 감독자는 왜 그들의 평가가 다를 수 있는지에 대한 논의에 학습자를 참여시킨다. 이같은 대화는 두 가지 목적을 달성한다. 즉, 학습자의 자기평가 기술을 감독자의 평가와 비교함으로써 학습자의 자기평가 능력을 강화시키고, 표준 또는 마일스톤을 충족하기 위해 요구되는 사항에 대한 학습자의 이해를 증진시킨다.

4. 학습자가 코칭과 협업 계획을 통하여 학습과 개선을 위해 피드백과 자료를 사용하도록 활성화. 학습자가 피드백 대화와 자신의 자료검토에 참여하는 것은 자료 사용을 활성화하기 위한 준비 과정이다. 학습자가 이 자료를 사용하여 특정 영역에서 개선을 어떻게 이끌 수 있을까? 학습자가 잘 하고 있다고 하더라도, 수행자료를 논의하고 수행에 대해 자기성찰을 하면 새로운 도전이 부각될 수 있다. 감독자는 학습자가 다음 수준이나 마일스톤을 달성하거나 관련 분야에서 뛰어난 실력을 발휘하도록 이끄는 코치가 된다. 감독자와 학습자는 변화를 위한 계획을 만들기 위해 협력한다. 코칭을 통해 감독자는 수행자료를 학습자 스스로의 성장과 발전을 위한 기회로 만들고 계획을 발전시키는 데 적극적으로 참여시킬 수 있다. 피드백 대화는 긍정적이고 협력적인 기회가 된다.[14]

그러나 개선을 위해 수행자료를 사용하는 최선의 방법을 계획하는 것이 항상 간단하고 쉬운 것은 아니다. 계획 템플릿-개선 목적을 알고, 그것을 달성하는 데 필요한 자원, 그것을 달성하는 것을 방해할 수 있는 장애물, 타임라인, 성공의 지표 - 이 도움이 될 수 있다. 피드백 과정을 촉진시키기 위하여 MedEdPortal에 학습/변화 계획 템플릿을 참조하라.[15]

5. 협력적인 학습자계획의 영향 평가. 품질 또는 수행개선활

동과 마찬가지로 목적을 달성했는지 확인하기 위하여 학습자와 함께 계획으로 돌아가는 사이클이 필요하다. 발달을 평가하기 위해 어떤 수행자료를 수집했는가? 그들은 어떤 예기치 못한 장애물에 부딪혔는가? 협력적인 대화는 성과를 확인하고 성공에 영향을 미친 요인을 알아내는 데 도움이 되며, 다음 목적을 아는 데 안내자 역할을 한다. 이러한 방식으로 감독자는 지속적인 개선 과정에서 학습자에게 수행자료를 사용하여 개선을 위한 계획을 세우고 계획의 성과를 평가하도록 지도한다.

학습자의 수행자료와 개선을 위하여 자신의 자료를 활용하면 학습자와의 피드백 대화가 장기적으로 긍정적인 효과를 가질 수 있다. 학습자들은 자신의 경력 전체에 걸쳐 자신에게 도움이 될 정보에 의한 자기평가와[16] 자기 모니터링 기술을 개발한다.[17] 이 기술은 자신의 수행에 대한 자료를 의도적으로 수집하고 그 자료를 자기성찰적으로 사용하여 자신의 수행을 평가하고 모니터링하며 발달을 위한 계획을 세우는 지속적인 과정을 포함한다. 외부 수행자료는 학습자가 자체평가를 실시하고 조정하는 데 필수적이다. 수행자료를 수집하고 비판적으로 해석하며 적절하게 반응하는 기술은 평생 자기 모니터링과 학습을 위하여 필수적인 기술이다.

6. 긍정적인 피드백 문화 조성. 관찰, 평가, 피드백은 진공상태에서 발생하는 것이 아니라 기존 문화속에서 진행된다. 문화는 어디에나 있으나 그것은 우리가 하는 모든 것에 영향을 준다. 그래서 우리는 문화를 인식하지 않는 경향이 있고 종종 문화의 영향을 알지 못한다. 임상교육, 평가, 피드백에 대해 생각할 때, 진료현장, 의학과 의학교육, 사회의 문화에서 모두 일반적으로 가치 있고 중요하다고 여겨지는 것, 의사결정의 방법, 우리가 학습자와 소통하는 방법과 내용에 영향을 준다.

전문직의 일원이 된다는 것은 그 직업에서 더 많은 것과 가치를 포용하고 그 문화에 몰입하는 것을 의미하며, 때로는 문화 자체가 보이지 않게 될지도 모른다. 의료계는 전문적 사회화 과정을 통해 구성원들에게 "선행을 하는 것"과 유능하게 보이는 것에 대한 감각을 심어준다. 이것들은 매우 긍정적인 가치들이다.

유능다는 것은 매우 가치가 있다.[18] 그러나, 유능함이 높은 가치로 평가되면서, 학습자 개선을 위해 피드백을 필요로 하는 것은 유능하다는 개념에 반할 수 있는 개념으로 이해되기도 한다. 피드백을 요구하는 사람은 실제로 유능하지 않다고 볼 수 있다. 일반적으로 모르는 것을 인정하는 것은 조심스럽다. 마찬가지로 학습자를 포함한 다른 사람들에게 잘못되었다고 알리는 것은 꺼려지는 일이다. 와트링(Watling)과 동료들은[19] 최근에 세 가지 전문직(의학, 음악, 교육) 교육에서 피드백의 제공에 대해 연구하였고, 의학에 존재하는 피드백의 개념은 다른 두 분야에서 반영되지 않는다는 것을 발견하였다. 비록 피드백이 교육과 음악에서 문화의 일부분이고 노골적으로 자주 제공되고 있지만, 의학교육에서 학습자는 피드백을 덜 받는다고 보고하고 교수진은 교정할 만한 피드백을 제공하는 것을 꺼리는 것 같다.[2,16,19-21] 보다 최근에는 그러한 가치들이 비판적인 피드백을 주는 것을 꺼려하는 사회적 신념으로 보여지고 있으며, 평가 자료가 부정적이라고 해도 마치 모든 사람은 긍정적인 결과를 성취해야 한다고 믿는 것 같다.

또한 의학교육은 교육, 학습, 평가를 포함하는 고유의 특별한 문화를 가지고 있다. 그 문화의 특정 산물은 임상 환경에서 교육과 평가를 제공하고 관리하도록 진화한 시스템이다. 비록 의학교육은 진료의사가 멘토와 교사의 역할을 하는 종적인 관계를 기초로 하는 일대일 도제 모형으로 시작되었지만 계획, 배치, 순환, 감독자, 형식, 자료원, 평가 프로토콜, 인증 요건, 잠재적인 법적 개입 등의 복잡한 체계로 발전하였다. 이러한 주도권은 의학교육을 개선하기 위해 시간에 걸쳐 개별적으로 수행되었지만 전체적으로 보아 많은 사람들이 실제로 학습과 개발을 "위한" 평가를 촉진하는 학습, 평가 및 피드백을 위한 환경을 제공하는 데 방해가 된다는 것을 알 수 있다. 예를 들어, 현재 우리는 학습자와 감독자의 짧은 만남, 제한된 학습자 임상 시간, 그리고 경쟁적인 요구에 의해 추진되는 학습자와 교수진의 상충되는 일정이 실제로 학습자와의 관계를 발전시키고, 그들의 능력을 인식하고, 관찰하고 의미 있는 피드백 대화와 코칭에 참여하기 위한 충분한 시간 확보를 방해할 수 있는 요인이다. 건전한 교육을 지원하기 위한 우리의 교육시스템은 의도하지 않게 효과적인 학습, 평가 및 피드백에 뚜렷한 장애물을 만들었다.

효과적인 수행자료 공유와 대화 참여 방해 요인

학습자에 의한 좋은 피드백 연습과 피드백 수용 및 활용을 방해하는 요인들을 이해하면 피드백 대화에 더 효과적일 수 있다. 문화 외에도 연구는 나중에 논의되고[2,22] 표 13.1에 요약되어 있는 여러 가지 기타 요인들을 확인하였다.

1. 감독자가 피드백을 제공할 수행을 직접 관찰한 정도
2. 수행자료와 피드백의 특성
3. 감독자-학습자 관계
4. 감독자의 피드백 상호작용 기술
5. 피드백의 속성이나 표시 - 확정적 또는 교정적으로 보이는가?
6. 피드백에 대한 학습자의 정서적 반응
7. 학습자 자신의 수행에 대한 자기평가 또는 자기 인식
8. 시스템과 문화

1. 감독자의 관찰 정도. 학습자들은 피드백을 받고 있는 특정 활동을 수행하는 것을 직접 관찰하지 않은 감독자의 피드백을 받아들이기를 주저한다. 학습자는 관찰되지 않은 수행에 대한 피드백을 현실성이 부족하고 근거에 기반하지 않는 것으로 보고 종종 그러한 피드백은 실제로 무시한다. 따라서 환자 치료에서 학습자가 특정 기술을 수행하는 것을 관찰하고 특정 수행 자

표 13.1 **학습자의 피드백 수용 및 활용에 영향을 미치는 요인**

요인	주목할 내용
1. 감독자가 학습자의 수행을 관찰하는 정도	피드백과 수행자료는 수행의 관찰을 통해서만 다음에 열거된 2번의 특성을 충족시킬 수 있다.
2. 피드백의 특성	수용 및 사용을 촉진하는 피드백 특성: 구체성 객관성 정확성 신뢰성 관련성 적시성
3. 학습자와 감독자와의 관계	감독자와 학습자는 학습자의 발달과 발전을 증명하고 피드백, 수용 및 활용에 참여를 촉진하는 서로 존중하고 신뢰하는 관계이다.
4. 피드백과 코칭을 공유하는 감독자의 기술	피드백을 공유하고, 학습자를 피드백 대화에 참여시키며, 코칭은 발전과 연습을 필요로 하는 기술이다.
5. 피드백의 속성	자신이 어떻게 하고 있는지에 대한 학습자 자신의 인식에 부합하지 않는 것으로 인식되는 피드백은 감독자가 효과적으로 공유하고 학습자가 받아들이기 더 어려울 수 있다.
6. 학습자 자신의 수행에 대한 자체평가	학습자에게 제공된 수행결과 자료와 피드백의 내용이 학습자가 어떻게 수행했는지에 대한 자기평가 내용과 부합하지 않는 경우; 자체평가 결과가 학습자에게 놀라움과 실망이 될 수 있다.
7. 수행자료에 대한 학습자의 감정적 반응	놀라움과 실망은 그 피드백을 받아들이고 사용하는 데 방해가 될 수 있는 부정적인 감정적 반응(분노, 슬픔, 좌절)을 불러일으킬 수 있다. 감독자 역시 부합되지 않는 피드백을 공유하는 것에 대해 감정적인 반응(불안, 불확실성)을 보일 수 있다.
8. 교육과 진료현장 시스템과 문화	학습과 발전을 명시적으로 중시하고 피드백의 공유, 수용 및 활용을 촉진하는 문화와 시스템이 필요하다.

료를 수집하는 데 시간을 투자하는 것은 중요하다(관찰에 대한 심도 있는 논의는 4장 참조).[23]

2. 수행자료와 피드백의 특성. 자료와 피드백의 특성은 피드백 제공자(즉, 수행을 관찰하는 감독자)에 의해 결정되며, 자료와 피드백에 대한 학습자의 수용과 활용에 영향을 미친다. 이러한 특성에는 특수성, 정확성, 적시성, 객관성, 신뢰성 및 관련성이 포함된다.[16] 이에 대한 학습자의 인식은 자료와 피드백의 수용 그리고 활용 여부에 영향을 미친다. 예를 들어, 피드백이 정확하지 않다고 판단하거나(예: 감독자가 실제로 자신의 기술 수행을 관찰하지 않았기 때문에) 감독자에 의한 잘못된 추론에 근거한 경우(예: 사실 학습자는 평가대상 술기를 수행하는 데 불편해하고 있었지만 이를 제대로 파악하지 못하고 학습자가 공감하지 못한다고 표현하는 감독자), 학습자는 피드백 과정에 집중하지 않을 것이다.

3. 학습자-감독자 관계. 감독자-학습자 관계는 일반적으로 학습과 학습자의 수행과 피드백에 대해 의미 있는 대화의 핵심이라 할 수 있다.[24,25] 학습자의 관계에 대한 인식, 특히 학습자와 함께 참여하는 감독자의 진실성, 관심 및 성실성이 학습자가 기꺼이 자신의 수행에 대한 의미 있는 대화를 나누고 피드백을 수용하고 사용할 수 있게 하는 데 영향을 미친다. 피드백의 수용성과 영향은 피드백을 받는 사람이 설정한 개인적인 목적과 연관이 깊을 경우 높아질 수 있다.[26,27]

환자의 건강에 대한 결과에 영향을 미치는 의사-환자 관계와 마찬가지로 감독자-학습자 관계는 학습자 만족에 영향을 미치고 교육성과에 영향을 미칠 수 있다. 학습자의 최고 이익을 명백하게 추구하는 감독자와 학습자 간 교육적 동맹의 긍정적인 영향은 현재 인정되고 있다.[25] 또한 의사-환자 관계와 유사하게, 더 긴 시간에 걸친 긍정적인 관계가 가장 유익하지만 항상 가능하지는 않으며, 가장 중요한 것은 관계의 질적인 면이다. 예를 들어, 짧은 시간 동안 한 명의 학습자만 상대하는 감독자는 매우 효율적이고 성실하고 적극적인 방식으로 의사소통 및 피드백 기법을 사용하여 효과적인 학습 관계를 구축할 수 있다. 예를들면:

- 학습자가 임상과제를 시작할 때 간단한 대화를 통해 감독자의 관심과 학습을 설명하고, 학습자의 학습 수준에 따라 감독자가 제공할 수 있는 것을 간략하게 설명하고, 특히 학습해야 할 사항과 관찰하고자 하는 사항을 학습자에게 질문한다.
- 필요한 경우 그리고 가능한 경우, 학습목적을 충족할 수 있도록 준비시킨다(예: 특정 환자 배정 또는 기술을 관찰하거나 수행할 기회).
- 정기적으로 짧은 시간 동안 학습자를 관찰하고 이러한 관찰 및 학습자의 학습목적에 대한 피드백 및 코칭 논의를 진행한다.
- 긍정적인 학습 관계 조성에 대한 보다 실제적인 제안은 표 13.2를 참조하기 바란다.

표 13.2 교수자와 학습자를 위한 "효과적인 피드백 문화 조성"에 대한 팁

교수자	학습자
효과적인 피드백 문화 조성 학습자가 교수자와 함께 일하기 시작할 때: • 학습자의 학습목표와 도움이 필요한 지점(특정 관심 영역)에 대해 질문한다. • 피드백의 목적과 구체적으로 어떻게 도울 수 있는지 공유한다. • 학습자에게 언제 어떻게 피드백 대화를 할 지 설명한다. • 학습자에게 피드백을 주어도 되는지 물어본다. • 동료들과 효과적으로 피드백을 주고받는 역할 모델이 된다.	**효과적인 피드백 문화 조성** 새로운 순환 근무를 시작할 때: • 감독자와 만나 자신의 학습목표와 도움이 필요한 지점(특정 관심 분야)을 파악한다. • 자신의 계획에 어떻게 맞출 수 있는지 질문한다. • 언제 어떻게 피드백을 기대할 수 있는지 질문한다. • 필요할 때 피드백을 요구한다.
피드백을 주기 전 관찰 • 관찰할 것들을 학습자와 함께 계획한다(예: 전체 절차를 관찰할 필요는 없음). • 목표를 물어보고 집중하게 한다(즉, 당신과 그들이 원하는 것을 파악한다). • 피드백 시간을 잡고, 일정을 잘 기록해둔다. • 관찰, 개입 및 피드백 제공방법을 공유한다.	**관찰받기** • 자신의 학습목표와 전체 절차 또는 단지 한 부분이 관찰되어야 하는지에 대해 담당 감독자와 함께 계획을 세운다. • 시간, 위치 및 환자 상태에 대해 명확히 한다. • 담당 감독자에게 관련 정보를 제공한다. • 관찰, 개입 및 피드백을 어떻게 제공하고자 하는지 질문한다.
피드백에 참여하고 공유하기 • 피드백을 위한 정기적인 시간을 정한다. • 사적인 공간을 찾는다. • 먼저 자기평가를 요구한다. • 피드백이 부합하지 않는 경우 감정적 반응에 대비하고, 해당 반응을 탐색한다. • 피드백은 시기적절하고 구체적이며 객관적이며 관찰된 수행에 대해서만 한다. • 학습자를 참여시키고 받아들이고 이해하게 한다. • 학습 및 개선을 위한 코칭 및 공동 계획을 한다.	**피드백에 참여하고 받기** • 사적인 공간을 찾는다. • 객관적으로 자기평가를 한다(즉, 자신의 수행에 대해 성찰한다). • 자기평가를 하고 근거를 제시한다. • 부합하지 않는다는 피드백이 감정적일 수 있다는 것을 인지한다; 이는 정상이다. • 감정에 대해 논의하고 성찰한 후 피드백의 내용을 다루고 성찰한다. • 명확한 설명을 요청한다. • 실행 계획을 세우는 데 필요한 도움 및 협업을 요청한다.
피드백 구하기를 지지 • 학습자에게 경험에 대한 목적을 물어본다. • 특별히 중점을 두어야 할 영역이 무엇인지 물어본다. • 경험에 대한 학습자의 예상과 그 내용을 연결한다. • 계획, 관찰 및 피드백 토론에 대한 일정을 예약한다. • 학습자를 코칭하고 피드백을 사용할 계획을 세우는 데 적극적으로 참여한다.	**피드백 구하기** • 피드백 경험에 대한 목적이 무엇인지 알아야 한다. • 특별히 중점을 두어야 할 영역을 알아야 한다. • 감독자와 위의 내용을 공유한다. • 모든 조언/피드백에 대해 대비한다. • 세부사항을 명확히 한다. • 피드백을 사용하기 위한 계획을 세우는 데 적극적으로 참여한다.

출처: Driessen E, Scheele F: What is wrong with assessment in postgraduate training? Lessons from clinical practice and education research. *Med Teach* 2013;35(7):569-574.

4. 피드백 상호작용에 참여하는 교수기술. 앞서 기술한 내용과 마찬가지로 여기서 중요한 것은 학습자의 수행을 관찰하고 평가하는 것과 학습자가 자신의 수행 향상에 관한 자기성찰 대화에 참여하기 위해 수행자료를 활용하는 것은 매우 특별한 기술임을 인식하는 것이다.[28] 일상적으로 매우 바쁠 수 밖에 없는 많은 임상 감독자들은 이러한 기술을 연습할 수 있는 교육을 받지 못했거나 기회가 없었을 것이다. 이는 피드백을 공유하는 데 불편함을 주게 된다. 다른 곳에서 언급했듯이, 교수개발은 일반적으로 임상교육에서 중요한 과제로 남아있다. 이것은 "비의료 전문가 기술" 또는 캐나다 전문의양성 역량모델(CanMEDS) 하에 "내재적 기술"이라고 간주되는 다음 내용들에 대해서 더욱 그렇다. 의사-환자 의사소통, 의료팀의 다른 구성원들과의 의사소통 및 협업, 직업전문성. 이 요소들은 각각 독자적인 지식, 기술 및 역량을 가지고 있다. 현재 대부분의 임상의사들은 이러한 내용에 대한 교육을 거의 받지 못했다. 따라서 좋은 진료를 제공하는 것과 앞서 기술한 각각의 요소들이 일정한 수준의 표준에 도달하기에는 역부족일 수 있으며, 이는 해당 영역에 대한 구체적인 피드백을 가르치고 평가하고 공유할 수 있는 능력을 제한하

게 된다.

5. 피드백의 속성. 자료와 피드백이 긍정적/확정적 또는 부정적/부합하지 않는 것으로 보여지든 간에 학습자의 수행은 학습자가 인식하고 수용하는 방법에 영향을 미친다. 물론, 많은 경우에 그것은 또한 감독자들이 그 피드백을 공유하는 지 그리고 어떻게 공유하는 지에도 영향을 미친다.[20]

6. 학습자 자신의 수행에 대한 자기평가 또는 자기인식. 자료와 피드백이 자신의 수행에 대한 자기인식을 확신하는 지 또는 부정하는 지는 일반적으로 피드백 수용자의 첫 번째 반응이다. 자신의 믿음을 부정하는 수행자료와 피드백이 놀라울 수 있고 실망이나 분노와 같은 감정적인 반응을 일으킬 수 있다. 우리 모두는 아마도 우리의 행동을 어떻게 생각하는 지에 대한 인식을 부정하는 수행자료와 피드백을 받으면 실망하고, 분노하고 또는 오해할 것이다. 그리고 또한 학습자들의 자기인식과 자기평가가 뒷받침되지 않기 때문에 감정적으로 반응한 학습자들에게 부정적인 자료와 피드백을 주었을 것이다. 감정적으로 반응하는 이유는 자신의 전문적 수행이 내가 어떤 사람인지를 나타내기 때문이며, 그 수행의 평가에 매우 민감하기 때문이다.[29] 따라서 피드백을 부정하는 감정적 반응을 이해할 수 있으며 경우에 따라서는 예상할 수도 있다.

7. 피드백에 대한 감정적인 반응. 피드백에 대한 이러한 감정적 반응이 학습자가 피드백을 받아들이고 사용하는 것을 방해할 수 있다는 사실이 중요하다. 감독자 역시 교정적인 자료와 피드백을 공유하는 것에 대해 어느 정도 감정적인 반응을 보일 수 있다. 그러한 감정적 반응을 일으키고 적절하게 반응할 수 없는 것에 대한 두려움이 종종 부정적인 피드백을 제공하지 못하는 이유로 언급된다.[20] 따라서 상황은 학습자가 부정적인 피드백을 받는 것을 염려하거나 두려워하는 시나리오를 예상할 수 있으며, 감독자 또한 그러한 피드백을 제공하는 것에 대해 염려하고 두려워하여 건설적이고 발전적인 대화를 하기 위한 이상적이지 않은 환경이 조성될 수 있다. 이러한 측면에서 피드백은 '나쁜 소식 전하기' 의사소통과 비슷하다. 감독자의 과제는 피드백을 주고 받는 것에 대한 감정적 반응을 적절히 인식하고 통합하면서, 건설적인 방법으로 개입하고 피드백 대화를 하는 것이다. 이와 관련하여, 이 장의 후반에 더 많이 언급될 것이고 표 13.3, 특히 2단계 "자료/보고에 대한 반응과 인식을 탐구하라"를 참조하라.

8. 시스템과 문화. 앞서 우리는 학습자가 수행자료와 피드백을 기꺼이 수용하고 사용하는 것에 대한 진료 및 의학교육 문화의 영향에 대해 논의했다. 유능하게 보이는 것은 일반적으로 높게 평가되며, 기본적으로 피드백을 받는 것은 유능하지 못함을 나타내는 지표로 볼 수 있다. 이 경우에 피드백은 더욱 발전하고 개선하고 뛰어날 수 있는 기회라기보다 비판이나 실패로 인식된다. 이와 같은 상반된 인식은 학습자가 개선에 도움이 되는 피드백을 원하더라도 피드백을 구하고 수용하고 활용하는 데 있어 주저하게 되는 내적갈등을 유발한다.[3,16,18,30,31] 피드백이 명시적으로 평가되고, 공유되고, 사용되는 안전한 학습문화를 조성하는 것은 피드백의 긍정적인 가치를 극대화하는 방법이다. 문화 외에도, 의학교육 및 진료에서 조성된 시스템은 학습자의 관찰과 평가에 영향을 줄 뿐만 아니라, 받아들이고 사용하는 데 긍정적인 영향을 미칠 수 있는 방식으로 해당 평가자료와 피드백을 학습자에게 제공하기도 한다. 감독자가 시간을 두고 학습자의 수행을 관찰하고 피드백을 제공할 기회를 제한하는 짧은 임상 순환 근무와 같은 시스템의 문제, 피드백의 진정성을 감소시키는 필수 요건을 부과하는 인증 및 평가시스템은 피드백 논의 시간의 빈도와 질에 부정적인 영향을 미친다.

서구사회 내에서는 많은 학습자와 의료종사자들이 학습이나 평가, 피드백에 대하여 다소 다른 방식으로 인식하기 시작했다. 따라서 이들은 평가나 피드백의 역할에 대해 이전과 다른 시각으로 이해하게 되었다. 이러한 차이점들은 피드백을 공유하는 데 영향을 미치는 다양한 요인에 세대적 혼합을 더하면서 양측에 이해의 차이를 만들어 낸다. 모든 세대를 아우르는 훈련을 제공하는 것은 이러한 차이를 이해하는 데 도움이 될 수 있다(글상자 13.2).

임상교육에서 평가, 피드백, 학습의 역할을 고려하는 방법에 영향을 미치는 관점의 진화 및 중요한 전략

서론에서 지적한 바와 같이, 교육과 평가에 관한 두 가지 중요한 관점이 교육, 평가, 피드백을 향상시킬 목적으로 의학교육에 통합되고 있다. 두 가지 관심은 바로 CBME와 계획적 평가다. 둘 다 효과적인 교육과 학습이라는 이론적 원칙과 근거에 기반을 두고 있다. 비록 CBME가 최근 전공의 교육에서 더 많이 논의되고 채택되었지만, 계획적 평가는 실제로 CBME의 기초가 된다. 코칭과 감독자 그리고 학습자가 학습과 개발 계획을 같이 조성한다는 것은 그 분야에 미치는 세 번째 중요한 혁신이다.

계획적 평가

계획적 평가(16장 참조)는 두 가지 중요한 목적에 초점을 맞춘 체계적인 평가방식이다. 이는 학습을 위한 평가를 극대화하고 학습자의 발달에 대한 고부담 결정의 확고함을 극대화한다.[9] 학습자의 평가는 전통적으로 학습자의 학습에 "대한" 평가에 초점을 맞추고 있으며 학습자의 학습을 "위한" 평가에는 초점을 맞추지 않았다. 역량바탕의학교육의 도입은 평가의 초점을 학습에 대한 평가뿐만 아니라 학습을 위한 평가(즉, 학습자가 특정 역량이나 마일스톤을 달성하고 발전할 수 있도록 풍부한 정보와 피드백을 제공하는 평가 시스템)로 이행할 수 있는 기회를 제공한다. CBME는 계획적 평가의 한 예다.

표 13.3 **R2C2 단계, 목적 및 예시 문장**

단계	목표	예시 문장
1 단계 – 라포 및 관계 형성	전공의를 참여시키고, 관계를 형성하고, 존중과 신뢰의 관계를 형성하고, 맥락을 이해시키기	• 순환 근무는 어떠했나? 자신이 무엇을 즐겼는지 무엇 때문에 어려움을 겪었는지 말해 보시오. • 자신의 평가 및 피드백 경험에 대해 말해보시오. 무엇이 도움이 되었고 무엇이 그렇지 않았는가? • 현재 수행이 어떻다고 생각하는가? 강점과 개선할 기회는 무엇인가? • 이 과정에서 무엇을 얻기를 원하는가?
단계 2 – 자료/보고서에 대한 반응과 인식 탐색	전공의가 이해하고 자신의 견해가 받아들여지고 존중되고 있다고 느끼게 하기	• 초기 반응은 어떠했나? 특별히 눈에 띄는 건 없는가? • 보고서에 예상치 못한 결과가 있었나? 그것에 대해 더 얘기하고 싶은 내용이 있는가? • 이 평가자료와 자신이 하고 있던 수행과 비교하면 어떤가? 놀랄만한 것이 있는가? • 스스로를 보는 방식과 반대의 피드백을 듣는 것은 어렵다.
3 단계 – 내용에 대한 이해	전공의가 자신의 실무에 대한 평가 자료의 의미와 변화와 발전을 위해 알게 된 기회를 명확히 하기	• 보고서에서 이해가 되지 않는 내용이 있었나? • 분명하지 않은 점이 있는가? • 내용을 구분하여 살펴본다. • 중점을 두어야 할 사안으로 떠오른 것이 있는가?
4 단계– 수행의 변화에 대한 코칭	전공의가 달성 가능한 학습 및 변화를 계획하는 데 참여하도록 하기	• 이 평가자료를 근거로 자신이 가장 우선적으로 해야 할 것 1, 2순위는 무엇인가? • 자신의 새로운 목표는 무엇인가? • 어떤 조치를 취해야 하는가? • 어떤 자원이 필요한가? • 방해요소는 무엇인가? • 달성할 수 있다고 생각하는가?

R2C2 : **R**apport building, Explore **R**eactions, Explore **C**ontent, Coach for **C**hange

• 글상자 13.2 효과적인 피드백 제공에 방해가 되는 시스템 요인

- 전공의의 단기 임상 순환 근무
- 임상 환경에서 교수진의 단기 순환 근무
- 제한적인 관찰 기회
- 제한적인 장기관찰 기회
- 교수진의 임상 생산성과 성과 증가에 대한 요구
- 전공의 근무시간 단축 입법
- 진정성 있고 사려 깊은 피드백 대신 암기를 촉진하기 위한 평가, 관찰 양식, 프로토콜
- 적시에 피드백 대화를 방해하는 융통성 없는 구조의 평가 데이터베이스
- 전공의의 발달과 발전을 감독자와 공유할 수 없는 법적 및 기타 방해요소

새로운 개념은 아니지만, "학습을 위한 평가"라는 개념은 현재 명백하게 의학교육으로 통합되고 있다. 문화적 변화로서, 평가와 피드백의 역할을 다르게 보고, 학습을 위한 평가자료로 피드백을 활용할 수 있는 방법에 대해 생각해 볼 필요가 있다. 즉, 어떻게 평가자료와 피드백 대화를 활용하여 학습, 발달 및 수행 개선을 안내하고 강화할 수 있는가?

학습을 유도하기 "위한 평가"는 학습 및 평가 활동과 관련하여 피드백의 역할을 재고할 것을 것을 요구한다. 피드백은 평가와 학습을 연결하는 활동이다. 각각의 평가와 함께, 가능한 한 풍부하고 구체적인 정보를 제공하여 학습과 발달을 안내하는 것이 감독자의 역할이다. 피드백 대화는 학습자의 학습과 발달을 돕는 데 초점을 맞추어 여러 가지 역할을 수행하는 것이다(예: 당면한 자료를 기반으로 수행에 대한 자기평가를 권장하고, 수행과 수행 목적에 대한 자기성찰을 촉진시키고, 자기주도학습, 코칭을 촉진시킨다). 따라서 피드백 논의는 단순히 정보를 전달하는 것보다 훨씬 광범위한 역할을 한다. 물론 이러한 모든 활동이 바쁜 임상 환경에서 비공식적인 "순간" 피드백 상호작용으로 이루어질 수 있는 것은 아니다. 그러나, 피드백의 역할은 학습을 촉진시키는 것이라는 믿음과, 보다 온전한 피드백 시간을 가질 수 있도록 바쁜 근무시간을 조정하는 노력으로 보다 폭넓은 대화의 기회를 가져올 수 있으며 궁극적으로 학습을 개선할 수 있는 길이다.

역량바탕 의학교육

CBME는 졸업생들의 능력으로 그들이 보여주는 수행 성과에 초점을 맞춘 교육접근법으로 정의된다(CBME에 대한 상세한 논의는 1장을 참조하라).[7,28,32,33] 학습자가 할 수 있을 것으로 예상되는 것(즉, 구체적인 능력과 성취)에 주목한다. CBME 내에서 교육프로그램은 학습자가 자신의 훈련에서 미리 정해진 수행 성과를 얻을 수 있도록 설계된다. 미국의 모든 전공의 수련프로그램은 최근 특정 수행 성과를 정의하기 위해 교육과정을 재설계하였다.[6] 캐나다에서는 캐나다가정의학회(College of Family Physicians of Cananda, CFPC)에서 약 10년 전부터 CBME 전공의 수련프로그램을 실행해왔고 다른 전문 분야에서도 CBME로의 이행이 진행 중이다.[7] CBME의 핵심은 "역량"과 "마일스톤"이라는 용어를 이해하는 것이다. 역량은 초보자부터 숙련된 임상의사까지 전문성의 단계를 통해 발전하는 의료전문가의 관찰 가능한 능력으로 정의된다.[7] 마일스톤은 특정 발전 단계에서 기대되는 능력 또는 발전의 중요한 초점으로 정의된다.[6] 마일스톤은 교육의 시작부터 그들의 전문 분야에서 감독 받지 않고 진료를 하기까지 전공의와 임상강사에게 점진적으로 증명될 수 있는 역량바탕 개발성과(예: 지식, 기술, 태도 및 수행)이다(1장 참조).[33]

CBME 내에서 학습자에 대한 지속적인 평가와 피드백은 특정 역량의 초보자에서 마스터 또는 전문가가 되기 위한 지속적인 개선에 있어 매우 중요하다. 피드백은 학습자가 효과적인 방법으로 한 단계 또는 마일스톤에서 다음 단계로 나아갈 수 있는 핵심이다. 그 피드백을 코칭으로 생각할 수 있는데, 이는 학습자들이 다음 단계로 나아가고 다음 단계를 달성하도록 돕기 위한 것이다.

캐나다가정의학회(CFPC) 전공의 수련프로그램은 CBME를 초기에 도입한 단체 중 하나이며 계획적 평가 원칙에 따라 잘 설계된 평가시스템을 개발하였다.[8] 이 계획에는 빈번한 관찰 및 피드백 대화가 필요함이 강조되었다. CFPC는 매일 특정 수행 관찰과 피드백을 하기 위해 감독자가 특정 진료영역에서 학습자의 수행을 관찰한 것을 기록하고 해당 관찰에 대해 매일 학습자와 논의하는 일일 현장 노트를 국가적으로 실행하였다. 현장 노트는 정기적으로 논의된 요약 평가로 축적되고 필요에 따라 발달과 학습계획 작성에 대한 중간 요약 토론을 할 수 있다.

미국에서는 마일스톤 틀과 임상역량위원회의 도입으로 교육과정에서 개별화된 학습계획이 실행되었다. 전공의와 임상강사 수련프로그램은 다섯 가지 마일스톤 수준에서 학습자가 발전하고 있는 위치를 판단하여 최소 일 년에 두 번 이상 전공의와 임상강사의 수행을 검토해야 한다. 또한 일부 프로그램은 전공의와 임상강사에게 전문적인 마일스톤 개선에 대한 자기평가를 완료하도록 요청하는데, 감독자와 학습자는 피드백 대화에서 이를 논의하고 학습계획에 통합한다.

코칭과 계획 수립의 공동 작업

CBME와 계획적 평가 모두 학습, 평가 및 피드백에 대한 우리의 생각을 바꾸는 문화적 변화이다. 또 다른 문화적 변화는 "코칭"을 피드백과 개발 활동으로 통합하는 개념이다. 코칭은 주로 스포츠계에서 차용되었는데, 교육에서는 역량과 전문성을 달성하고 의도적 연습을 촉진하는 것이 핵심이다.[33] 학습자 또는 동료의 수행을 관찰하고, 개선 계획을 수립하는 것을 목적으로 개인과 자기성찰적인 피드백 대화를 하는 것이 일반적이다.[34,35] 유사하게, "실행" 코칭은 조직에서 시행되어, 수행 관찰과 평가를 바탕으로 지도자와 관리자의 구체적인 기술을 촉진한다. 더 최근에는, 자신의 수행을 향상시키기 위해 실무에서 관찰되고 지도되는 것이 진료에서 권장된다.[34]

코칭은 본질적으로 역량바탕이다. 코칭은 수행평가에서 얻은 데이터를 사용하여 발전 및 개선에 영향을 준다. 따라서 평가 데이터를 제공하고 해당 데이터를 개선 지침에 사용할 수 있는 방법에 대해 대화를 나눌 때 고려할 유용한 접근방식이다. 사실, 우리는 "피드백"이라는 용어를 "코칭"으로 바꾸는 것을 고려할 수도 있다. 예를 들어, "피드백"이라는 단어는 자신의 위치와 측정방법을 알려주는 이미지를 떠올리게 하여 위협을 느끼고 부정적인 감정을 불러 일으킬 수 있다. 반면에 "코칭"은 개선 방법과 지속적인 개선을 살펴보는 데 도움이 된다. 이는 학습자 중심적이며, 결과 지향적이고, 성공을 지원하고, 한 역량 수준에서 다음 역량 수준으로의 진행을 안내한다. 따라서 코칭은 학습자가 최선을 다할 수 있도록 하는 사고방식이다.

코칭은 또한 임상교수자의 전통적인 지시적 역할로부터의 변화를 의미한다. 의학교육에서 코칭은 학습자가 무엇을 해야 하는지에 대해 직접적으로 말하는 것을 줄이고, 학습자들이 자신의 임상술기를 강화하고 발전시킬 때 그들을 더 참여하게 하고, 적극적이게 하고, 지지하는 것을 의미한다. 그것은 또한 수행자료를 협력적으로 사용하여 수행을 개선하고 미세 조정하는 계획을 함께 수립하는 것을 의미한다.[36] 스포츠 코치의 활동과 마찬가지로 필수적인 활동은 수행을 관찰하고, 학습자를 해당 수행자료에 대한 피드백 대화에 참여시키고, 자기성찰을 하게 하며, 더 나은 개선 계획을 개발하고, 계획을 시행하게 하는 것이다. 그것은 관찰, 피드백, 자기성찰과 실무의 계속되는 순환이다. 코칭은 역량과 전문성을 발전시키는 방법으로 점진적인 역량과 전문지식,[37] 그리고 의도적 연습이라는 개념과 일치한다.[38] 의도적 연습은 관찰되고, 그 수행에 대한 자료와 피드백을 받고 피드백에 대해 자기성찰을 하고, 해당 피드백을 통합하는 재연습, 그리고 다시 관찰되는 것을 포함하는 순환적 활동이다.

표 13.4 크리스(Chris)의 사례: R2C2 모형의 단계별 피드백 질문 및 문장의 예

R2C2 모형의 단계	문장의 예 (교수자가 생각하기에 필요한 문장을 추가하고 동료들에게 이러한 유형의 학습자와 만날 때 도움이 되는 내용을 물어보고 추가하도록 한다.)
1. 관계	• 몇 분밖에 남지 않았는데, 순환 근무가 어떻게 진행되고 있는지 나는 정말 알고 싶다. • 우리는 월요일에 만났는데, 거의 얘기할 시간이 없었다. 네 자신에 대해 좀 말해달라. • 이곳은 매우 바쁜 부서이고 나도 때때로 모든 일에 압도될 때가 있다.
2. 반응	• 나는 네가 아침에 두어 번 지각했다는 것을 안다. 무슨 일이 있어서 늦었는지 말해 주었으면 좋겠다. • 이 만남 카드의 내용을 봤을 때 어떻게 생각하였나? 그 내용을 알고 놀랐나? • 우리는 큰 팀이라는 것은 나도 동의하는데, 당신이 늦는 것이 동료/학생/환자에게 미치는 영향을 생각해 보았나? • 밤늦게까지 깨어서 아기 때문에 잠을 잘 수 없다는 것이 힘들다는 것은 나도 상상할 수 있다.
3. 내용	• 현재 확실한 문제는 당신이 제 시간에 출근하고 때로는 일찍 퇴근하는 것인 것 같다. 그것이 맞는가, 아니라면 당신은 다르게 생각하는가? • 궁금한 점은, 늦게 출근하거나 일찍 퇴근하는 것이 서면 자료에 영향을 미칠 수 있는가 하는 점이다. • 우리의 대화나 회진에서, 당신의 지식 수준은 현재 양호한 것 같다. 자신이 더 잘하고 있다는 것에 동의하는가?
4. 코칭	• 이제 우리가 논의했으므로, 제시간에 출근하고 일찍 퇴근하지 않기 위해 무엇을 할 수 있는가? • 이러한 목적을 어떻게 달성할 수 있는가(예: 너무 늦게까지 깨어 있지 않고, 아기가 더 잘 자는 상황)? • 문제가 될 수 있는 사항(예: 배우자가 과도하게 스트레스를 받고 아기를 더 많이 돌보아야 함)은 무엇인가? • 구체적으로 무엇을 할 것인가? 그리고 언제 이것을 실행에 옮길 수 있는가? • 내가 도와줄 수 있는 부분이 있는가?

R2C2 : Rapport building, Explore Reactions, Explore Content, Coach for Change

피드백 대화와 코칭에 참여하는 실제 전략

R2C2 근거바탕 피드백 모형

(참고: R2C2 모형을 자세히 설명하고 교육 보조도구로 제공 하는 자료 패키지는 MedEd Portal15에서 찾을 수 있다. 또한 R2C2 4단계와 각각의 제안된 단계의 개요는 표 13.2와 표 13.4를 참조하고, 모형을 실제 사용하기 위한 임상 시나리오에 대한 연습 2를 참조하라.)

학습을 "위한" 평가와 코칭 지원을 강화할 필요성에 부응하기 위해, 우리 연구팀은 다기관 질적 연구를 수행하였는데, 피드백 수용과 진료개선을 위해 피드백 대화 촉진의 근거 및 이론에 입각한 성찰모형을 개발하였다.[14] 이 모형에는 (1) 관계형성(**R**elationship building), (2) 피드백에 대한 반응 탐구(exploring **R**eactions to the feedback), (3) 피드백 내용에 대한 이해 탐구(exploring understanding of feedback **C**ontent), (4) 수행 변화를 위한 코칭(**C**oaching for performance change) 등의 4단계가 포함된다. 이를 우리는 R2C2 피드백 모형(그림 13.2)이라고 한다.

R2C2 모형은 의사와 학습자를 대상으로 실험되었으며 다양한 면에서 도움이 되는 것으로 밝혀졌다. 그것은 학습자를 피드백 대화 및 그들의 수행평가 과정에 참여하도록 하는 촉진자와 감독자를 위한 구조를 제공하며, 학습자들의 이해와 수용 및 피드백 사용을 강화한다. 학습자와 감독자는 한 단계에서 다른 단계로 발전하고 싶을 때 CBME 환경에 있는 것이 가치 있고, 코칭이 이러한 발달을 가능하게 하는 데 특히 도움이 되는 전략이라고 보고한다.

R2C2 피드백 모형은 평가자료의 수용과 활용을 촉진하기 위한 다음의 세 가지 이론적 및 근거바탕 접근방식에 의해 영향을 받는다. (1) 휴머니즘과 사람 중심, (2) 정보 또는 안내된 자기평가, (3) 행동 변화 및 변화에 영향을 미치는 요인.[14]

R2C2 4단계는 각각 앞에 진술한 이론적 관점에 명시된 특정 목적을 가지고 있다.

1. 관계형성(**R**elationship building): 학습자의 참여, 관계 형성, 존경과 신뢰 형성, 학습자의 상황 이해
2. 피드백에 대한 반응 탐구(exploring **R**eactions to the feedback): 학습자가 자신의 견해를 듣고 존중되고 있다는 것을 이해시키기 위해
3. 피드백 내용에 대한 이해 탐구(exploring understanding of feedback **C**ontent): 학습자가 자신의 진료에 대한 평가자료가 무엇을 의미하는지, 변화와 발전을 위해 인식된 기회(opportunities)를 명확히 하기 위해
4. 수행 변화를 위한 코칭(**C**oaching for performance change): 학습자가 달성 가능한 학습 및 변경 계획 개발에 참여하기 위해

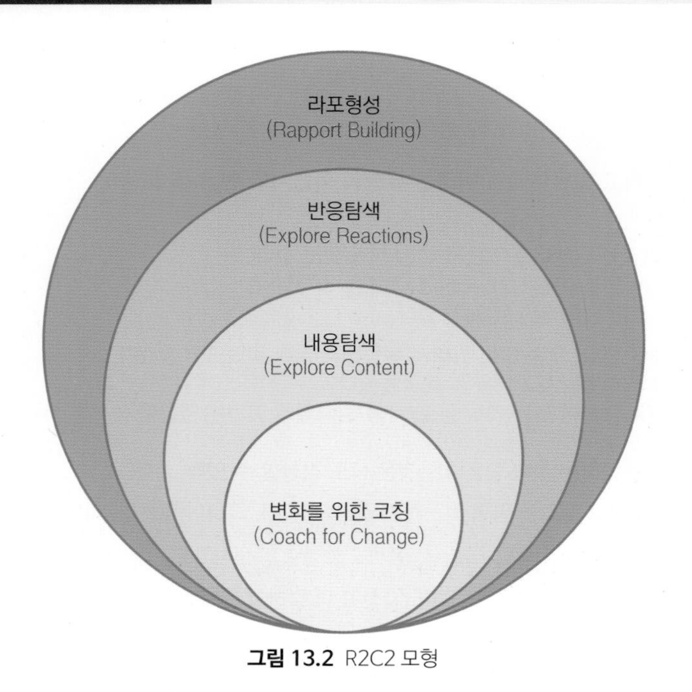

그림 13.2 R2C2 모형

특정한 문구가 R2C2의 각 단계에 가장 도움이 되는 것으로 밝혀져 표 13.3에 유용한 문구와 질문의 예를 수록하였으며, 추가 예시는 MedEd Portal 자료를 참고하기 바란다.[14,15] 추가 적으로, R2C2 단계들은 선형적으로 진행되기는 하지만 모형은 반복적이며 대화가 전개되는 방식에 근거하여 필요에 따라 이전 단계로 다시 돌아갈 수 있다.

모형의 전반적인 목적은 각 단계에서 *자기성찰(reflection)*을 촉진하는 것이다. 성찰의 촉진은 모형의 성공에 핵심이다. R2C2 단계는 학습자의 수행자료, 그들이 받고 있는 피드백, 피드백에 대한 반응, 임상 학습 및 피드백 사용 목적에 대한 성찰을 촉진하기 위한 개방형 질문이라는 점에 유의해야 한다.

외부 자료와 피드백이 자체평가와 부합하지 않을 때, 그것을 받아들이고 취하기가 더 어려울 수 있다. 2단계 - 반응 탐색에서 외부 자료가 스스로의 자체평가와 다를 수 있는 이유와 부합하지 않는 피드백을 받는 개인적 영향에 대한 학습자의 자기성찰을 촉진시키면 해당 피드백의 수용이 가능해지고 방어적 반응을 피할 수 있다. 3단계 - 내용 탐색에서 수행자료가 제공할 수 있는 변화와 발전 기회에 대한 구체적인 자기성찰을 장려하면 학습자가 개선을 위한 자료의 긍정적 가치와 유용성을 알 수 있다. 마지막으로, 4단계 - 코칭에서 성찰은 학습자가 그 격차를 채우기 위한 달성 가능한 수행 목적을 식별하고, 그 목적을 달성하기 위한 구체적인 계획을 식별하도록 학습자를 안내한다. 보다 폭넓게, 촉진된 성찰의 목적은 평생 자기주도학습 전략으로 비판적인 자기검토와 정보에 입각한 자체평가를 위한 학습자의 기술을 구축하는 것이다.

4단계 - 변화를 위한 코칭은 많은 감독자들이 새로운 것으로 보고하는 기술이기 때문에 어떻게 시작해야 할지 분명하지 않다. 앞에서 언급한 바와 같이 학습자와 함께 학습/변경 계획을 함께 만들기 위한 템플릿이나 양식을 사용하는 것이 유용할 수 있다. 계획에서 각 단계에 대해 이야기하고 반응을 기록하는 것은 계획을 구체적이고 명시적으로 만든다. 이러한 계획 템플릿의 예는 MedEd Portal 사이트에서 찾아볼 수 있다.[15] 이 단계에는 발달을 측정하는 목적, 타임라인, 실현 가능한 것과 방해요소 및 전략들이 포함된다. 계획 개발에는 목표에 도달할 수 있는 요소와 장애물이 될 수 있는 요소를 포함하여 각각의 구체적인 단계를 식별하는 내용에 포함된다. 계획 개발에 있어서도 중요한 것은 그 계획으로 돌아가서 학습자와 함께 그 계획을 완료하는 데 성공했는지, 다음 단계가 무엇인지 결정하는 것이다. 이런 방식은 질적 개선 사이클과 유사하다. 목적은 지속적인 개선이다. 최고의 선수가 될 수 있도록 하는 것이 목적인 스포츠 코칭과도 견줄 만하다.

R2C2 모형의 가장 중요한 목적은 심리학에서 도출한 용어로 수행자료에 대한 제어의 위치를 "외부"에서 "내부"로 전환하는 것이다. 이는 학습자가 자신을 통제력이 부족하고 외부 자료와 피드백이 자신에게 부과되는 것으로 보는 대신, 자신의 수행자료에 대한 소유의식을 가지고 이를 찾아내어 그 자료를 발전과 성과 개선을 위해 활용하는 것을 의미한다.

피드백 구하기 장려

학습자에게 피드백을 구하도록 장려하는 것은 학습에 대한 더 많은 책임을 지고 보다 구체적인 지도와 코칭을 받을 수 있도록 하기 위한 전략으로 주목받고 있다. 그것은 단계적 전문가 지향 모형에서 학습자가 능동적이고 동기를 부여하며 자기주도적인 학습자가 되는 것을 기대하는 모형으로 탈바꿈하는 우리의 학습과 교육문화의 또 다른 변화를 의미한다. 효과적인 피드백 교환을 위해서는 학습자가 능동적인 수신자가 되어 피드백을 구해야 한다.[31] 피드백 구하기는 학습자가 학습을 대한 평가 피드백을 구하는 계획적 평가의 원칙과 일치하며, 학습자가 다음 단계로 진보할 수 있게 하는 평가자료와 피드백을 받는 데 관심이 있는 CBME의 원칙에 부합한다.[26,30,31]

피드백 구하기에 대한 연구는 학습자가 피드백을 구할 것인지 아닌지에 영향을 미치는 여러 가지 많은 요소를 알아냈다. 이 중 가장 중요한 것은 학습자가 피드백 요청을 위험한 활동으로 인식한다는 것이다. 학습자들은 피드백의 비용(예: 무능해 보이는 것)과 이득(예: 필요한 지침을 받는 것)의 균형을 유지함으로써 이러한 위험을 중재한다.[3,31,39] 피드백 구하기는 다양한 요인에 따라 달라지는 것으로 볼 수 있다. (1) 학습/진료현장 문화, (2) 관계, (3) 피드백의 목적/품질, (4) 피드백에 대한 감정적 반응. 학습자와 교수자 모두 피드백 구하기에 대한 자원과 장애물을 제안한다. 자원으로는 종적 경험을 통한 진료현장 학습 문화 강화, 학습자가 피드백을 구하도록 피드백 양식 및 명시적인 기대감 이용, 관찰 및 피드백 토론을 위한 안정감과 적절한 시간을 제공하는 것이 포함된다. 장애물로는 부족한 것으로 판명될 것에 대한 두려움을 감당해야 하는 피드백 요청, 교수자와 학습자 인식 간의 차이, 교정적인 피드백과 관련된 정서적 부담, 그리고 임상 업무를 완료하는 것이 학습보다 더 중요하다는 인식 등이 포함된다.[3,31,40]

피드백 문화를 변화시키기 위한 긍정적인 조치

앞의 절에서 논의된 것과 같이 문화적 영향을 인식하고 이해하는 것은 그 영향을 다루기 위한 첫 번째 단계다. 이는 문화가 우리를 둘러싸고 만연해 있는 반면, 우리는 또한 우리가 바꾸고자 하는 문화의 측면을 다루는 기술을 향상시켜 학습과 발전을 위한 피드백의 효과적인 제공과 활용을 가능하게 할 수 있다는 것을 의미한다. 이러한 관점에서 볼 때, 문화는 의학교육 분야에서 배우가 되고 감독자들은 잠재적으로 부정적인 영향들 중 일부에 대항하고 보다 긍정적인 문화를 형성하기 위한 긍정적인 조치를 취할 수 있다. 예를 들어, 건설적인 피드백을 제공하는 것이 가치 있는 것으로 보이지 않을 경우, 감독자는 효과적인 방법으로 그것을 제공하는 역할 모델을 할 수 있으며, 동료와 학습자에게 학습과 개선을 가능하게 하는 피드백을 제공할 것을 요청할 수 있다(표 13.2 참조).

실습: 모든 것을 실천에 옮기기

이 절에는 본 장에서 공유한 것 중 진료상황에서 일부를 적용하기 위한 세 가지 연습이 포함되어 있다.

연습 1: R2C2 피드백 모형을 시연하는 책임지도전문의의 비디오 관찰

학습/변화 계획 사용을 포함한 전공의와의 마일스톤 피드백과 코칭 대화를 안내하기 원한다면 R2C2 피드백을 사용하는 책임지도전문의의 시연 비디오 13.1을 참조하라.

비디오를 볼 때 다음과 같은 질문이나 유사한 질문에 대해 성찰하고 싶을 것이다.

1. 이 피드백의 접근 방식과 당신의 피드백 접근 방식은 어떻게 다른가?
2. 비디오 사례에서 R2C2 단계가 보이는가?
3. 감독자가 각 단계에서 어떤 질문과 문장을 사용했는가?
4. 이러한 질문을 사용하는 것이 학습자에게 어떤 영향을 주었는가?
5. 감독자는 어떻게 코칭을 했는가? 감독자는 학습/변화 계획을 어떻게 사용했는가?
6. 학습자는 어떻게 반응했나?

• 글상자 13.3 2년 차 전공의인 크리스(Chris)의 사례: 관찰을 바탕으로 한 비공식 피드백

관심 주제: 전문직업성 – 시간 엄수 및 책임

감독자 시나리오: 당신은 이번 주 동안 당신의 임상 부서의 담당 교수진이다. 오늘은 목요일이고 내일은 10일 근무 중 마지막 날이다. 이곳은 어려운 임상 분야로 모든 학생과 전공의, 학습자의 다양한 교육 수준이나 모든 환자를 추적하는 것은 어렵다. 하지만, 당신은 시간 엄수에 엄격하기 때문에, 2년차 전공의 중 한 명인 크리스(Chris)가 이번 주 지금까지 네 번 중 두 번 아침 회진에 늦었다는 것을 알게 되었다. 또한 오랫동안 함께 일하고 있는 몇 명의 간호사들이 Chris가 일찍 퇴근했고 결국 일을 완수하지 못한 것에 대한 변명을 하는 것 같다고 당신에게 말했다.
당신은 Chris에게 이에 대한 피드백 여부를 고려하고 있다. 당신은 동료들 중 누구보다 제시간에 도착해서 일이 끝날 때까지 머무르는 것에 대해 매우 까다롭다는 것을 알고 있고, 때때로 그러한 성격 때문에 자신이 구식처럼 느껴지기도 한다. 그리고 Chris와 함께 일한 첫 주이기 때문에, 당신은 과하게 반응하여 부정적인 관계를 맺기 원하지 않는다. 다른 사람들도 알게 되어 당신이 알게 될 때까지 그냥 놔 둘수도 있었다. 반면에, 당신은 지각과 일찍 퇴근하는 것이 다른 사람을 짜증나게하는 비전문가적인 특성으로 발전할 수 있다는 것을 알고 있다. 그래서 전문가로서 교육적인 차원에서 Chris에게 피드백을 주기로 결정하고 이미 일정이 꽉 찬 하루의 일정 중 5분의 피드백 시간을 잡았다.
당신은 Chris에게 뭐라고 말할 것인가?

전공의 시나리오: 당신은 전공의 2년 차이다. 과거에 더 많은 자료를 습득하고 환자의 임상적인 상태에 대해 더 많이 알아야 한다는 피드백을 받아왔기 때문에 지난 3개월 동안 당신은 정말 열심히 일했고, 종종 공부하느라 늦게까지 깨어있었다. 당신은 당신과 같이 일하는 직원들이 당신이 얼마나 열심히 일하고 있고 개선이 되었는지 알아차리기를 바라고 있다. 하지만 몇 주 동안 계속해서 늦게까지 자지 않는 것은 큰 타격을 주었고, 당신은 몇 번 병원에 지각한 적이 있다. 하지만 당신은 그것이 큰 문제가 아니라고 생각한다. 왜냐하면 진료현장에는 전공의와 학생들, 환자를 돌볼 수 있는 많은 사람들이 팀으로 일하기 때문이다.
당신은 피드백을 수용하는 것이 어렵다. 당신은 긴 하루 중에 몇 분 늦게 시작하는 것이 큰 문제라고 보지 않는다.

당신은 시간 엄수에 대한 피드백에 어떻게 반응하겠는가?

연습 2: 특정 시나리오에서 피드백을 제공하는 개별 또는 역할극 연습

전공의 2년 차인 Chris의 사례를 생각해보자(감독자와 학습자의 관점을 모두 설명한 글상자 13.3 참조). 이 사례는 두 가지 시나리오에서 수행자료와 문맥을 제공한다. 하나는 비공식적인 일상의 피드백 대화이고, 두 번째는 공식적인 중간점검 피드백과 개선에 대한 토론이다(글상자 13.4). 각 시나리오에서 감독자로서 그리고 학습자로서 당신이 무슨 말을 할지 생각해 보라. 당신은 R2C2 피드백 모형 4단계를 사용하여 도움이 될 수 있는 문장을 고려할 수 있다. 표 13.4에는 몇 가지 예시 문장이 수록되어 있다. 이 사례는 역할극에도 사용될 수 있다.

• 글상자 13.4 2년 차 전공의인 크리스(Chris)의 사례: 건설적인 피드백을 위한 대화 내용

관심 주제: 전문직업성 – 시간 엄수 및 책임

감독자 시나리오: 당신은 전공의의 임상 근무에 대한 중간 및 종료 평가 요약/진행 보고서를 담당하는 교수진이다. 순환 근무 중간 시점에서 전공의의 일일점검 카드를 검토하다가, 당신은 전공의가 늦게 도착해서 준비하지 않은 것에 대한 몇 가지 기록이 있다는 것을 알게 된다. 또한, 몇몇 간호사들이 당신에게 전공의가 종종 일찍 퇴근하거나 일과 끝에 일을 완수하지 못한 것에 대한 변명을 한다고 언급했다. 그는 환자에게 시행한 것들을 일관되게 정리하지 못했고 간호사와 다른 전공의들은 종종 그에게 무슨 다른 일들이 있는지 궁금해하였다. 전공의가 기술한 문서들은 불완전하였다. 당신은 이와 같은 상황을 중간 수행보고서로 요약하고 그에게 피드백을 줄 필요가 있다. 당신은 뭐라고 말할 것인가?

전공의 시나리오: 당신은 전공의 2년 차이다. 과거에 더 많은 자료를 읽고 읽고 환자의 임상적인 상태에 대해 더 많이 알아야 한다는 피드백을 받아왔기 때문에 지난 4개월 동안 정말 열심히 일했고, 종종 공부하느라 늦게까지 깨어있었다. 당신은 당신과 같이 일하는 직원들이 당신이 얼마나 열심히 일하고 있고 개선되었는지를 알아차리기를 바라고 있다. 하지만 몇 주 동안 계속해서 늦게까지 자지 않는 것은 큰 타격을 주었고, 당신은 몇 번 병원에 지각한 적이 있다. 회진을 준비할 수 있도록 일찍 출근하지 않은 것에 대해 당신의 일일점검 카드에 몇가지 기록이 남았다는 것을 알고 있다. 하지만 당신은 그것이 대수로운 문제가 아니라고 생각한다. 왜냐하면 이곳은 많은 전공의, 학생, 환자를 돌볼 많은 사람들로 이루어진 큰 팀이기 때문이다. 당신은 늦게까지 깨어 있고 아기가 태어났기 때문에 아침 출근이 힘들었다.

그래서 당신은 이러한 부정적인 피드백을 받아들이기 어렵다. 당신은 긴 하루 중에 몇 분 늦게 시작하는 것을 대수롭지 않다고 여기고 있으며, 아무도 당신이 더 많은 것을 배우기 위해 힘들게 일하고 있는 사실을 알아차리지 못했다는 것에 화가 나 있다.

당신은 요약 피드백 시간에 어떻게 대응하겠는가?

연습 3: 긍정적인 피드백 문화 만들기: 코칭

ACGME와 RCPSC는 모두 전문직업성 영역과 관련된 역량을 제시하고 있다. RCPSC의 경우 이러한 역량은 새로운 CanMEDS 2015 역량 틀(uploads/en/framework/CanMEDS%20 2015%20Framework_EN_Reduced.pdf)에 설명되어 있다. ACGME의 경우 What-We-Do/ Accreditation/Milestones/Overview에서 전문가에 의해 설정된 모든 마일스톤에 접근할 수 있다. RCPSC 틀의 핵심 역량, 권한 부여 역량과 ACGME 틀의 하위 역량/마일스톤에 대해 살펴보기 바란다. 이 연습의 목적은 학습을 위한 긍정적인 피드백 문화를 구축하는 렌즈를 통해 전공의와 임상강사의 역량 발전을 고려하도록 하는 것이다.

성찰과 토론을 위한 질문:

1. 의료전문가(CanMEDS)나 환자치료 및 의학지식(ACGME) 이외의 역량을 어떻게 관찰하고, 수행자료를 수집하고 평가하겠는가?
2. 각각에 대한 피드백 대화를 어떻게 시작하겠는가?
3. 역량을 달성하기 위해 학습자를 코칭하려면 어떻게 행동/말 해야 하는가?
4. 학습자가 각 역량에서 목표를 설정하고 피드백을 구하도록 어떻게 권장할 수 있는가?
5. 각 역량에서 평가, 피드백 제공 및 개선을 위한 코칭에 편안함을 느낄 수 있도록 하기 위해 필요한 학습욕구가 있다면 무엇인가?

감사의 글

우리는 R2C2 모형 개발에 기여한 두 연구팀의 구성원, 모형과 관련된 다양한 아이디어, 그리고 모형의 활용과 교육 및 다양한 전략 공유에 감사한다.

1. *Performance Feedback to Inform Self-Assessment and Guide Practice Improvement: Developing and Testing a Feedback Facilitation Model.* Sargeant J, Lockyer J, Mann K, Holmboe E, Silver I, Armson H, Driessen E, MacLeod T, Yen W, Ross K, Power M. Funded by the Society for Academic CME, Philip Manning Award, 2011-2013.
2. Testing an Evidence-Based Model for Facilitating Performance Feedback and Improvement in Residency Education: What Works and Why? Sargeant J, Mann K, Warren A, Shearer C, Silver I, Soklaridis S, Armson H, Lockyer J, Zetkulic MG, Driessen E, Konings K, Ross K, Lynn L, Holmboe E. NBME Stemmler Award, 2014-2016.

참고문헌

1. Van Niewerburgh C. *Coaching in Education: Getting Better Results for Students, Educators and Parents.* London: Karnac Books; 2012:19.
2. Driessen E, Scheele F. What is wrong with assessment in postgraduate training? Lessons from clinical practice and education research. *Med Teach.* 2013;35:569-574.
3. Delva D, Sargeant J, Miller S, et al. Encouraging residents to seek feedback. *Med Teach.* 2013;35:e12625-e12631.
4. Boud D, Malloy E. What is the problem with feedback?In: Boud D, Molloy E, eds. *Feedback in Higher and Professional Education: Understanding It and Doing It Well.* New York: Routledge; 2013:1-10.
5. Malloy E, Boud D. Changing conceptions of feedback. In: Boud D, Molloy E, eds. *Feedback in Higher and Professional Education: Understanding It and Doing It Well.* New York: Routledge; 2013:11-33.
6. The Accreditation Council for Graduate Medical Education in the United States - website. https://www.acgme.org/acgmeweb/.
7. Royal College of Physicians and Surgeons of Canada - website. http://www.royalcollege.ca/portal/page/portal/rc/canmeds/canmeds2015/.

8. College of Family Physicians of Canada - website. http://cfpc.ca/Triple_C/.
9. Van der Vleuten CP, Schuwirth LW, Driessen EW, et al. A model for programmatic assessment. *Med Teach.* 2012;34:205-214.
10. Epstein RM, Hundert EM. Defining and assessing professional competence assessing competence. *JAMA.* 2002;287:226-235.
11. Boud D. Reframing assessment as if learning were important. In: Boud D, Falchikov N, eds. *Rethinking Assessment in Higher Education: Learning for the Longer Term.* London: Routledge; 2007:14-26.
12. Boud D, Keogh R, Walker D. Promoting reflection in learning: a model. In: Boud D, Keogh RD, Walker D, eds. *Reflection: Turning Experience into Learning.* London: Routledge Falmer; 1985:19-40.
13. Sargeant J, Mann K, van der Vleuten C, et al. Reflection: a link between receiving and using assessment feedback. *Adv Health Sci Educ Theory Pract.* 2009;3:399-410.
14. Sargeant J, Lockyer J, Mann K, et al. Facilitated reflective performance feedback: developing an evidence- and theory-based model that builds relationship, explores reactions and content, and coaches for performance change (R2C2). *Acad Med.* 2015;90:1698-1706.
15. Sargeant J, Armson H, Driessen E, et al. Evidence-informed facilitated feedback: the R2C2 feedback model. *MedEdPORTAL Publications.* 2016;12:10387. Accessible at http://dx.doi.org/10.15766/mep_2374-8265.10387.
16. Sargeant J, Armson H, Chesluk B, et al. Processes and dimensions of informed self-assessment: a conceptual model. *Acad Med.* 2010;85:1212-1220.
17. Bridges R, Butler D. A reflective analysis of medical education research on self-regulation in learning and practice. *Med Educ.* 2012;46:71-79.
18. Friedson E. *Professionalism Reborn: Theory, Prophecy and Policy.* Cambridge: Cambridge Policy Press; 1994.
19. Watling C, Driessen EW, Van der Vleuten CPM, et al. Beyond individualism: professional culture and its influence on feedback. *Med Educ.* 2013;47:585-594.
20. Dudek NL, Marks MB, Regehr G. Failure to fail: the perspectives of clinical supervisors. *Acad Med.* 2005;80(suppl 10):S84-S87.
21. Wilson M, Gerber LE. How generational theory can improve teaching: strategies for working with the "Millennials". *Curr Teach Learn.* 2008;1(1):29-44.
22. Miller A, Archer J. Impact of workplace based assessment on doctors' education and performance: a systematic review. *BMJ.* 2010;341:c5064.
23. Holmboe ES, Sherbino J, Long DM, et al. The role of assessment in competency-based medical education. *Med Teach.* 2010;32:676-682.
24. Sargeant J, Eva KW, Armson H, et al. Features of assessment learners use to make informed self-assessments of clinical performance. *Med Educ.* 2011;45:636-647.
25. Telio S, Ajjawi R, Regehr G. The "educational alliance" as a framework for reconceptualizing feedback in medical education. *Acad Med.* 2015;90:609-614.
26. Goldman S. The Educational Kkanban: promoting effective self-directed adult learning in medical education. *Acad Med.* 2009;84:927-934.
27. Archer JC. State of the science in health professional education: effective feedback. *Med Educ.* 2010;44:101-108.
28. Holmboe ES, Ward DS, Reznick RK, et al. Faculty development in assessment: the missing link in competency-based medical education. *Acad Med.* 2011;86:460-467.
29. DeNisi AS, Kluger AN. Feedback effectiveness: can 360-degree appraisals be improved? *Acad Manage Perspect.* 2000;14:129-139.
30. Mann K, van der Vleuten C, Eva K, et al. Tensions in informed self-assessment: how the desire for feedback and reticence to collect/use it create conflict. *Acad Med.* 2011;86(9):1120-1127.
31. Teunissen PW, Stapel DA, van der Vleuten C, et al. Who wants feedback? An investigation of the variables influencing residents' feedback-seeking behavior in relation to night shifts. *Acad Med.* 2009;84:910-917.
32. Frank JR, Snell LS, ten Cate O, et al. Competency-based medical education: theory to practice. *Med Teach.* 2010;32:638-645.
33. Accreditation Council for Graduate Medical Education. Milestones. Available from https://www.acgme.org/acgmeweb/tabid/430/ProgramandInstitutionalAccreditation/NextAccreditationSystem/Milestones.aspx.
34. Gawande A. Personal best: top athletes and singers have coaches - should you? The New Yorker. October 2, 2011. Available at http://www.newyorker.com/reporting/2011/10/03/111003fa_fact_gawande.
35. Heen S, Stone D. Managing yourself - finding the coaching in criticism: the right way to receive feedback. *Harvard Bus Rev.* 2014; Jan-Feb:108-111.
36. Holmboe ES, Batalden P. Achieving the desired transformation: thoughts on next steps for outcomes-based medical education. *Acad Med.* 2015;90:1215-1223.
37. Dreyfus S. The five-stage model of adult skill acquisition. *Bull Sci Tech Soc.* 2004;24:177-181.
38. Ericsson Anders K. Deliberate practice and acquisition of expert performance: a general overview. *Acad Emer Med.* 2008;15:988-994.
39. VandeWalle D, Ganesan S, Challagalla GN, et al. An integrated model of feedback-seeking behavior: disposition, context, and cognition. *J Appl Psychol.* 2000;85:996-1003.
40. Crommelinck M, Anseel F. Understanding and encouraging feedback-seeking behaviour: a literature review. *Med Educ.* 2013;47:232-241.

14 포트폴리오

PATRICIA S. O'SULLIVAN, EDD, CAROL CARRACCIO, MD, AND
ERIC S. HOLMBOE, MD, MACP, FRCP

개요

배경

임상역량과 자기주도학습에 대한 성과중심의 시대에 수행과 전문성 개발을 평가하는 확실한 방법의 하나로 포트폴리오가 지속적인 주목을 받고 있다. 포트폴리오가 많은 지지를 받는 이유는 포트폴리오 평가(assessment)의[1)] 기본이 되는 많은 원칙들이 역량바탕교육과 지속적인 전문성 개발의 토대를 형성하기 때문이다(그림 14.1). 포트폴리오를 자세히 다루기 전에 포트폴리오의 사용은 많은 도전이 필요했음을 인정하지 않을 수 없다.[1] 우리는 포트폴리오 작성은 빠르거나 쉽지 않으며, 개발하고 평가하는 데 노력이 필요하다는 것을 알고 있다. 이 장에서는 포트폴리오가 중요한 평가방법이 될 수 있는 조건을 설명하고 성공적인 실행을 방해하는 방해요소들에 대한 통찰을 제공하고자 한다.

포트폴리오는 교육의 모든 단계에서 수년 동안 사용되어 왔다.[2-11] 포트폴리오는 자발적인 것에서 의무적인 것까지, 개발과 학습목적으로부터 선택적인 목적에 이르기까지 다양하다.[6] 의료전문직 포트폴리오에는 임상실습 사전교육에서 수련과정 전체에 이르기까지 다양한 일련의 평가 활동들이 포함될 수 있다.[11-14] 포트폴리오에 대한 정의는 매우 다양하여, 포트폴리오가 무엇이고, 어떻게 사용되는지, 그 목적이 무엇인지 등에 대한 혼란이 있을 수 있다. 글상자 14.1은 의과대학생에서 진료의사 수준까지 의학교육에 사용되는 네 가지 포트폴리오의 정의를 제공한다.

이상의 정의를 다른 정의들과 종합해보면 포트폴리오는 일반적으로 학습성과에 대한 학습자의 성찰로, 시간 경과에 따라 수집된 학습자의 작업, 평가, 결과물 등의 모음이다.[2,3,14,17-21] 이러한 성찰은 포트폴리오와 일지(또는 단순히 "파일")간의 중요한 차이점이다. 포트폴리오에서는 목적이 포트폴리오의 내용과 제작을 결정하고, 평가를 위한 포트폴리오의 해석과 판단을 위한 "근거" 또한 포트폴리오의 목적에 따라 결정된다.[1] 그러나 궁극적인 목적과 관계없이, 학습자는 포트폴리오 작성과 관리에 있어 적극적인 역할과 책임을 가져야 한다. 포트폴리오를 "동사"(활동) 대 "명사"(사물 또는 대상)로 생각하면 포트폴리오를 이해하는 데 도움이 된다. 상황에 따라, 포트폴리오의 내용은 대부분 또는 전체적으로 학습자에 의해 결정될 수 있다. 그러나 학습자의 역량과 수행도에 대한 올바른 결정을 내려야 하는 학습목표가 설정되었다면, 교수자와 학습자 간 협력적인 노력이 필요하다. 이는 의학교육에서 흔히 볼 수 있는 전형적인 상황이다.

포트폴리오의 목적에 대한 명확성이 과소평가되어서는 안

1) 역자 주. Assessment는 '사정'으로 번역될 수 있지만 이 장에서는 독자의 이해를 위해 '평가'로 번역하였다.

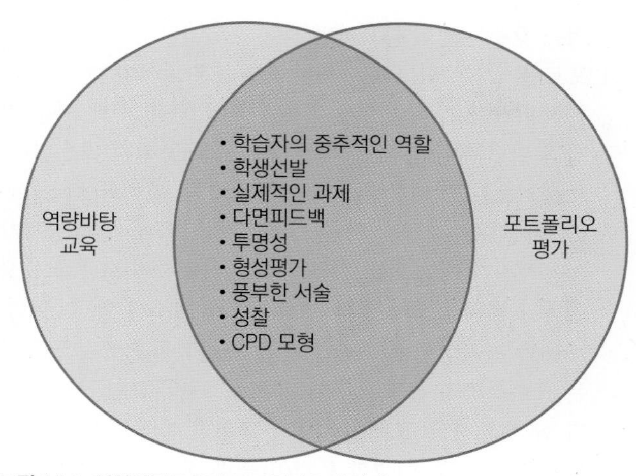

그림 14.1 역량바탕교육과 포트폴리오의 관계.
CPD, continuous professional development(지속적인 전문성 개발)

• 글상자 14.1 포트폴리오 정의의 요약

Reckase(1995)[15]
특정 영역에서 학생의 노력, 발달 또는 성취를 학습자(및/또는 다른 사람들)에게 보여주는 학습자의 의도적인 활동자료 모음이다. 이 모음은 포트폴리오 내용물의 선택에 학습자의 참여, 선택 기준, 장점을 판단하는 기준, 학습자 성찰의 근거가 포함되어야 한다.

Gisselle(2000)[16]
포트폴리오는 학습자의 노력, 발달, 하나 이상의 분야에서의 성취를 보여주는 학습자 활동자료의 모음이다. 이 모음은 학습자 측의 개인적인 투자, 즉 내용물의 선택에 대한 학습자의 참여, 선택 기준, 수집의 장점을 판단하는 기준과 학습자의 자기성찰을 위한 개인적인 투자를 의미한다.

Davis 등.(2001)[14]
포트폴리오는 자료의 모음이나 다른 형태의 근거자료 수집을 의미하는데, 이 자료는 학습성과에서 무엇을 학습했는지 학습자의 성찰 기록을 의미한다.

Wilkinson(2002)[17]
포트폴리오는 의사의 교육과 업무 성취를 증명해주는 일정 시간에 걸쳐 수집된 근거 서류의 일체이다.

된다. 예를 들어, 성찰 포트폴리오의 핵심 목적은 성찰을 통해 학습을 자극하는 것이다. 이 개념이 대중화된 이유는 성찰과 학습 사이의 합리적인 연계성 때문이다. 한편, 드리센(Dreissen)은[1] 성찰만을 유일한 목적으로 삼은 포트폴리오의 경우, 학습자의 학습에서 그 가치를 찾는 데에 어려움이 있다는 사실을 여러가지 자료에서 확인하였기 때문에 성찰 전용(reflection-only) 포트폴리오의 가치에 의문을 제기했다. 일부 연구에서 성찰 포트폴리오의 가치를 발견했지만 [19,20,22-24] 학생들은 종종 그 과정에서의 가치에 대해 의문을 제기하고 있다.[22,23,25] Driessen은[1] 직접적인

• 글상자 14.2 포트폴리오의 10 가지 장점 요약

1. 자기평가, 성찰, 자기주도학습, 비판적 사고, 문제해결 및 전문직업성과 같은 비판적 학습 기술을 평가할 수 있다.
2. 발달 근거 자료를 종적으로 수집할 수 있다.
3. 교수자들은 원하는 학습성과와 목표를 달성하기 위한 학습자의 발달을 평가할 수 있다.
4. 포트폴리오는 총괄평가를 위해 다양한 형성평가 점수를 제공할 수 있다.
5. 포트폴리오는 학습자가 지속적인 피드백을 받을 수 있게 해준다. 그리고 지속적인 전문성 개발을 위한 피드백에 대한 반응과 후속 계획을 문서화하는 방법을 제공한다.
6. 학습자는 전체 평가 과정에서 자신이 선택한 근거를 제시할 수 있는 중요한 기회를 갖는다.
7. 포트폴리오는 교수자와 학습자 간의 의사소통을 향상시킬 수 있다.
8. 포트폴리오는 학습자에게 학습과 평가가 학습자와 교수자 사이의 상호교환적인 과정임을 상기시키고 지지하는 데 도움이된다.
9. 포트폴리오는 자기성찰 능력을 촉진시키므로써 모든 의사에게 중요한 평생학습 능력과 평가 기술을 습득할 수 있게 해준다.
10. 포트폴리오는 개인 평가와 실제 환자진료에 대한 보다 통합적인 접근 방식을 촉진한다.

출처: Friedman Ben David M, Davis MH, Harden RM, et al: AAME Educational Guide No. 24: Portfolios as a method of student assessment. *Med Teach* 2001;23(6):535-551

학습 이득이 없다면 포트폴리오의 성공 가능성은 줄어든다고 경고하였다.

의학교육에서는 엄격한 역량평가를 위한 종합적인 포트폴리오를 보다 일반적으로 활용한다. 종합적인 포트폴리오는 성취와 진보적인 전문성 개발을 연속선상에서 보여주는 것을 주요목적(목표)으로 한다. 이 경우 학습자에게 학습의 가치가 성찰중심 포트폴리오보다 명확하게 이해될 수 있다. 그리고 종합적인 포트폴리오에 대한 성공사례도 발표되기 시작했다.[1,11,18-20] 따라서 이 장에서는 종합적인 포트폴리오의 성공적인 실행과 활용에 필요한 특성들을 다루고자 한다. 모든 평가의 접근방식과 마찬가지로 포트폴리오의 성공 또한 효과적인 실행에 달려있다. 평가를 위한 종합적인 포트폴리오 실행에 대해 논의하기 전에 포트폴리오 평가의 중요한 강점의 일부 내용부터 살펴보도록 하자.

포트폴리오 절차의 강점

포트폴리오는 강력한 평가시스템의 하나이며, 여러 가지 이점이 있다. 이 중 다수는 프리드먼 벤-데이비드(Friedman Ben-David)의 체계적 문헌고찰에 잘 설명되어 있으며 글상자 14.2에 요약해 두었다. 이 중 몇 가지 점들은 강조되어야 한다. 첫째, 포트폴리오의 정의에 따르면 포트폴리오는 교육생이 자

신의 교육에 적극적으로 참여하도록 요구한다. 포트폴리오에서 이러한 참여는 포트폴리오의 근거자료를 만드는 데에 기여하는데, 학습계획을 성찰하고 개발하며 멘토와 상호작용함으로써 참여를 증명할 수 있다. 포트폴리오에 대한 이러한 책임 분담은 교수자가 자기주도적인 학습자를 위한 안내자 및 촉진자 역할을 하는 역량바탕 교육성과와 잘 연계되어 있다. 수행에 대한 성찰은 필수적인 평생학습 기술이다. 의사들은 대부분의 업무를 체계적인 교육환경이 아닌 "독립적"(감독 없는)인 실무 환경에서 경험하게 된다. 이러한 의사의 수행이 시간이 지남에 따라 저하될 수 있다는 상황을 감안할 때, 수련 과정에서 포트폴리오의 활용은 평생교육 차원의 전문성개발과 역량 유지에 도움을 준다.[26] 포트폴리오는 이러한 활동을 위한 체계적인 틀을 제공해 주며, 일부 평생학습 프로그램에는 해당 개념을 접목하여 운영되고 있다.[27-29]

둘째, 포트폴리오는 다른 평가방식으로는 평가하기 어려운 상황에도 활용될 수 있다. 일반적으로 포트폴리오는 비판적 사고와 문제해결과 같은 능력을 평가하기 위해 선택되는데, 이는 다른 평가방법보다 적절하다고 판단되기 때문이다. 포트폴리오에서 평가할 수 있는 목록에는 일반적으로 측정하기 어려운 기술인 자기주도 능력과 성찰 능력이 포함될 수 있다. 셋째, 포트폴리오는 "실제에 가까운" 것으로 간주되는데, 이는 포트폴리오의 내용이 교육생이 앞으로 할 수 있는 것이 아니라 실제로 하고 있는 것에 대한 종합적인 근거자료의 모음을 반영한다는 것을 의미한다. 또한 교육생이 포트폴리오를 만들게 되면, 자신이 만든 근거를 해석하는 데 시간과 노력을 투자하게 되고, 이 과정을 통해 자료의 진정성(authenticity)이 강화되며, 평가과정이 보다 의미있을 수 있다. 이 진정성은 포트폴리오의 추론, 즉 현재 교육생의 수행과 추후 의료 현장에서 수행할 수 있는 기술들과의 연결을 향상시킨다. 아치볼드(Archibald)와 뉴먼(Newmann)은 진정성을 "측정된 성과가 적절하고 의미있고 중요하며 가치있는 인간 성취의 형태를 나타내는 정도"로 정의했다.[30] 넷째, 다른 평가 방법과 달리 포트폴리오는 시간이 지남에 따라 종적인 근거로 수집될 수 있으며 전문성의 개발과 점진적인 발달을 증명할 수 있다.

또한 Friedman Ben-David와 동료들은 의미 있는 평가가 될 수 있도록, 포트폴리오의 주요 평가기능을 설명하는 멋진 틀을 다음과 같이 제시하였다.[2]

1. 형성적 요소와 총괄적 요소가 모두 포함되어 있다.
2. 포트폴리오는 정성적 및 정량적(심리측정학적) 판단이 결합되어 있다. 정성적 요소는 포트폴리오의 고유한 측면 중 하나이며, 정량적 구성 요소와 통합되면 보다 종합적인 평가가 가능하다.
3. 포트폴리오는 개별화되어 있다. 개별화된 포트폴리오 요소는 심리측정학적 방법을 사용하여 평가하기가 어렵기 때문에, 개별화된 평가보다 표준화된 평가와의 적절한 균형을 갖추는 것이 중요하다.
4. 포트폴리오는 평가에 사용될 때 구조화되어야 한다. 포트폴리오 평가의 개발자가 내용물 구성, 근거 선택 기준 및 장점 판단 기준과 같은 특정 요소를 제공하지 않으면 포트폴리오는 실패한다.[15] 포트폴리오를 구조화(structuring)하면 표준화 작업이 되기 때문에 자료에 대한 방어가 가능해진다. 구조화된 접근 방식을 사용하면 모든 교육생에게 포트폴리오의 일부 구성요소를 표준화 할 수 있다. 내용과 평가방법에 대한 기준을 표준화함으로써 평가자는 교수진과 교육생 모두에 대한 포트폴리오의 근거를 보다 잘 정의하고, 포트폴리오가 고부담 목적을 위해 사용될 때에는 미리 설정한 통과/미통과 정책을 보다 수월하게 실행시킬 수 있다.

포트폴리오의 목적

의학교육에서 포트폴리오 접근법은 형성평가(formative assessment) 및/또는 총괄평가(summative assessment)에 사용될 수 있다. 각 교육과정에서는 포트폴리오의 활용 목적을 명확히 해야 한다. 교육자들은 학습자들이 "최선의" 서술적 성찰 자료를 수집하도록 함으로써 전통적이고 형성적인 접근 방식으로 포트폴리오를 사용할 수 있다. 학습자들은 포트폴리오에 입력된 자료의 유형에 대한 지침만 제공하면 대부분의 포트폴리오 자료를 스스로 수집할 수 있다. 예를 들면, 진단이 어려웠던 환자에 대하여 "올바른" 진단을 내렸던 기록, 비디오로 녹화된 표준화 환자와의 면담 자료, 연구 발표 자료, 연구동아리에서 작업했던 논문자료 등등이 포트폴리오 자료의 예시가 될 수 있다. 학습자는 자신이 포트폴로오로 선택한 자료들에 대한 근거를 기술하고, 각 자료에서 배운점을 기술하여 특정 학습성과로 선정된 술기나 역량과 어떻게 연계되는지 보여주어야 한다. 학습자 주도 포트폴리오의 한 가지 가치있는 속성은 교수자가 포트폴리오 작업에서 교육생이 얼마나 잘 하였는지에 대한 통찰력을 얻을 수 있고(따라서 통찰력 습득 기회를 제공함) 자신이 학습자의 자료를 성찰한 능력의 측정값을 얻는 것이다. 따라서 포트폴리오는 측정하기 어려운 기술들을 평가하기 위해 활용될 수 있다.

또한 포트폴리오 활용의 주요 목적이 자기평가와 성찰기술의 개발인 경우 학습포트폴리오(learning portfolio)가 될 수 있다. 학습포트폴리오 활용의 어려운 점은 포트폴리오가 총괄평가 점수에 "반영"되지 않으면 학습자들은 포트폴리오 제작에 제대로 참여하지 않을 것이라는 점이다. 학습자들은 포트폴리오 자료에 대한 피드백을 받거나 멘토의 지원이 있거나 포트폴리오 작업에 대한 명확한 가치가 전달되지 않으면 자료모음 작업을 꺼릴 수 있다. 반면에, 학습포트폴리오가 종합적인 판단(예: 전문성의 발달과정 또는 성취정도)에 대한 근거를 제공하는 경우, 학습자는 포트폴리오가 학습측면에서 믿을만한 장점

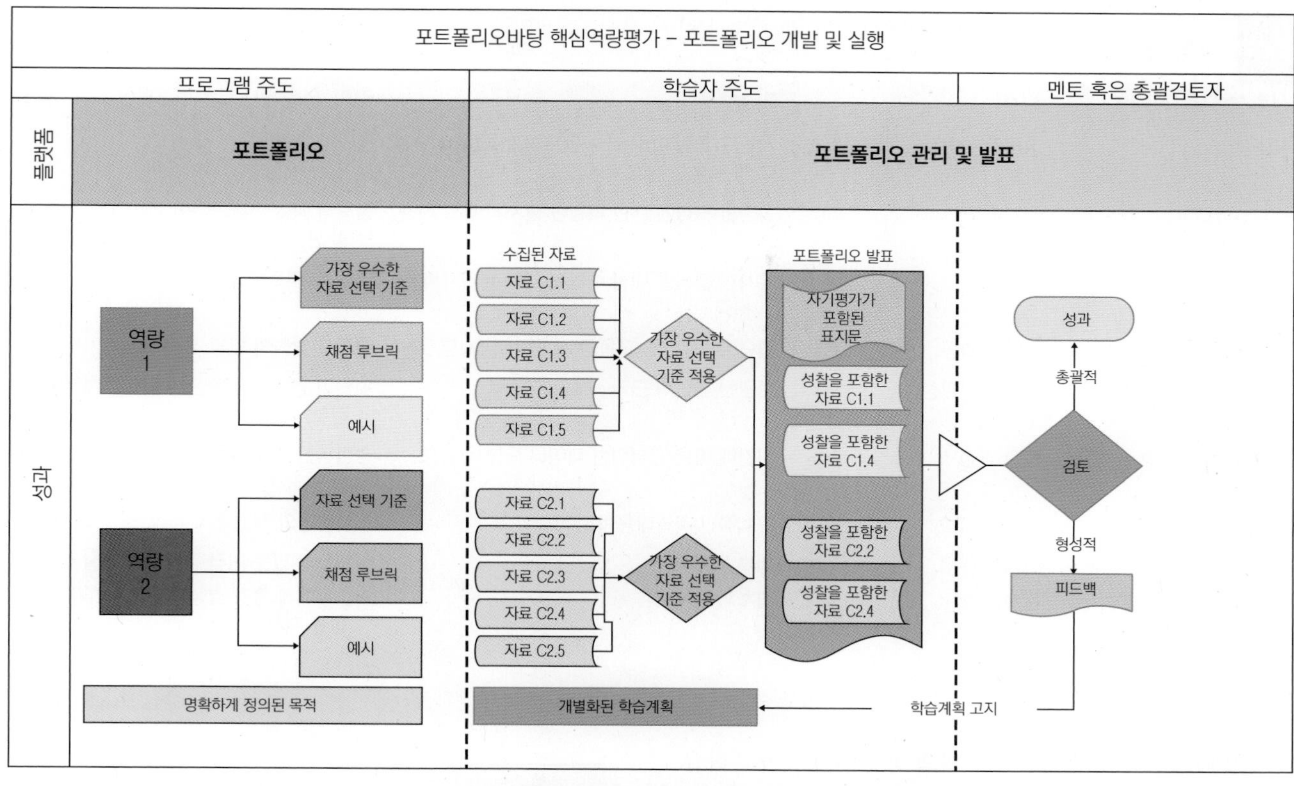

그림 14.2 핵심 역량에 대한 포트폴리오바탕 평가(assessment).
Patricia O'Sullivan, EdD의 포트폴리오 절차 내용을 바탕으로 구성함.

이 있음을 알 수 있다.

형성평가와 총괄평가의 장단점에 대한 이 논의는 "형성적(formative)" 및 "총괄적(summative)"이라는 용어의 의미를 이해하는 것이 중요함을 강조하고자 함이다. 류(Lau)는[31] 형성평가와 총괄평가 용어에 대한 역사를 제공하면서, 의학교육에서는 일반적으로 형성평가를 미래 학습을 촉진하고 총괄평가를 위한 능력을 축적하는 과정의 자료(학습을 위한 평가)로 본다고 설명하고 있다. 실제로, 형성평가와 총괄평가는 이분법이 아니다. 오히려 평가의 부담 또는 결과는 스펙트럼에 따라 좌우된다. 1장과 2장에서 언급했듯이, 단일 평가만으로도 고부담 의사결정을 내리는 것은 바람직하지 않다. 그러나 여러 평가 활동을 통해 수집된 다양한 자료의 점수는 시간이 지남에 따라 전체적인 역량을 파악할 수 있도록 해준다. 따라서 포트폴리오는 형성평가와 총괄평가의 전체 스펙트럼 상에서 중요한 역할을 할 수 있다.

교수진은 포트폴리오가 역량(예: 총괄평가 + 형성평가)을 평가하는 경우 보다 신중한 판단을 해야 한다. 가장 중요한 고려사항은 학습자의 포트폴리오에 대한 통과/미통과 기준을 결정하는 것이다. 전통적으로 교육자들은 심리측정학적 기준에 따라 평가방법 또는 평가도구의 품질을 확인했다. 그러나 포트폴리오와 같은 종합적이고 총체적인 자료를 평가하기 위해 전통적인 심리측정학적 원리를 적용하면 몇 가지 독특한 문제점이 발생한다. 일부 연구에서는 질적방법론을 엄격하게 적용하면 양적평가에 못지 않은 수준 높은 결과와 판단을 할 수 있다고 제안하고 있다. 이 장의 후반부에서 양적(심리측정학적) 및 질적 원칙들을 현대적인 평가 틀에 적용하여 포트폴리오를 판단하는 방법을 살펴보도록 하겠다.

포트폴리오의 구성

일반적으로 포트폴리오라고 하면 상세한 설명이 들어간 자료들이 많이 포함된다. 그렇기 때문에 포트폴리오 작성에 대한 지침이 있어야 하고, 학습자가 학습목표에 맞는 자료들을 수집할 수 있도록 도와주어야 하다. 그림 14.2는 총괄적 의사결정이 내려질 수 있도록 형성적인 평가가 모아지는 과정을 간단하게 보여주는 포트폴리오 도식이다. 평가과정의 각 단계부터 검토해보자. 먼저, 명확한 목적 설정을 통해 포트폴리오의 구조를 정하고, 포트폴리오의 내용과 교육과정 평가의 연계성을 구축한다. 포트폴리오 내용의 구성은 구체화되어야 하는데, 포트폴리오의 내용을 선택하는 방법과 내용을 평가하는 방법에 대한 기준(루브릭)을 함께 고려해야 한다. 기준의 예시를 제공하면 학습자에게 많은 도움이 된다. 포트폴리오의 초점은 기존 교육과정 지표로는 쉽게 측정할 수 없는 역량에 대한 근거 수집에 초점을 두어야한다. 예를 들어, 의학지식은 시험 점수로 측정할 수 있지만 의학지식을 습득하는 과정을 보여주는 방법은 매우 다

표 14.1 질적 방법론과 평가 전략

신뢰성 구축 전략	범주	기술	평가 전략(안)
신뢰성	장시간 참여	시간 경과에 따라 교수 멘토 또는 다른 사람들과 충분한 상호작용	평가자 훈련
	삼각측량[2]	동일한 구성에 대한 다양한 출처의 정보 사용	정보의 확실성에 근거한 전문가의 맞춤형 판단
	동료평가	유사한 결정을 내릴 수있는 다른 평가자의 능력	검토 및 피드백을 통한 기준이 되는 평가자
	참가자 확인	집단 구성원(예: 교육생)과 함께 자료 평가	학습자 관점의 반영
	구조적 일관성	일관된 판단의 근거	위원회 평가결과 불일치에 대한 철저한 검토
투명성	시간 표집	시간에 따른 광범위한 데이터 표본 가용성	광범위한 자료 점수 표본을 기반으로 한 판단
	심층적 기술	구체적인 서술내용의 깊이	의사결정의 정당화
의존성	단계별 복제	외부 평가	신뢰할 수있는 여러 평가자들의 활용
확신성	감사(audit)	절차의 문서화	학습자에게 평가 결정에 이의제기가 가능함을 제시

양할 수 있다. 이러한 방법에는 환자와의 임상 면담 동안의 학습자가 던진 질문의 근거중심의학 기록(9장 참조), 연구논문, 학습개요, 인지 개념 지도, 학습가이드 등이 포함될 수 있다. 그런 다음 학습자는 이 추가 근거자료들이 어느 학습영역에 어떻게 부합하는지 고려하고, 자신의 의학지식에 대한 통찰력 근거 평가자료로 활용할 수 있다. 앞서 언급했듯이 포트폴리오의 책임과 관리는 개인과 교육과정책임자 모두에게 있다. 교육과정의 대표는 일반적으로 자문가 또는 멘토이다. 간단히 말해서, 교육과정은 포트폴리오의 이론 틀을 지정하고, 학습자는 학습 계획이 필요한 피드백을 제공하는 자문가 및/또는 멘토에게 제공할 포트폴리오의 내용을 구성하고 성찰하는 데 적극적으로 참여해야 한다. 총괄검토를 위해 포트폴리오가 제출될 때까지 (교육과정의 일부인 경우에는) 이러한 주기가 반복된다.

포트폴리오 평가에 대한 도전들

전통적으로 우리는 평가도구의 품질을 판단할 때 신뢰도와 타당도의 심리측정학적 원칙들을 적용해왔다. 역사적으로, 정량적 자료는 모든 심리측정학적 분석의 기초를 형성했다. 결과

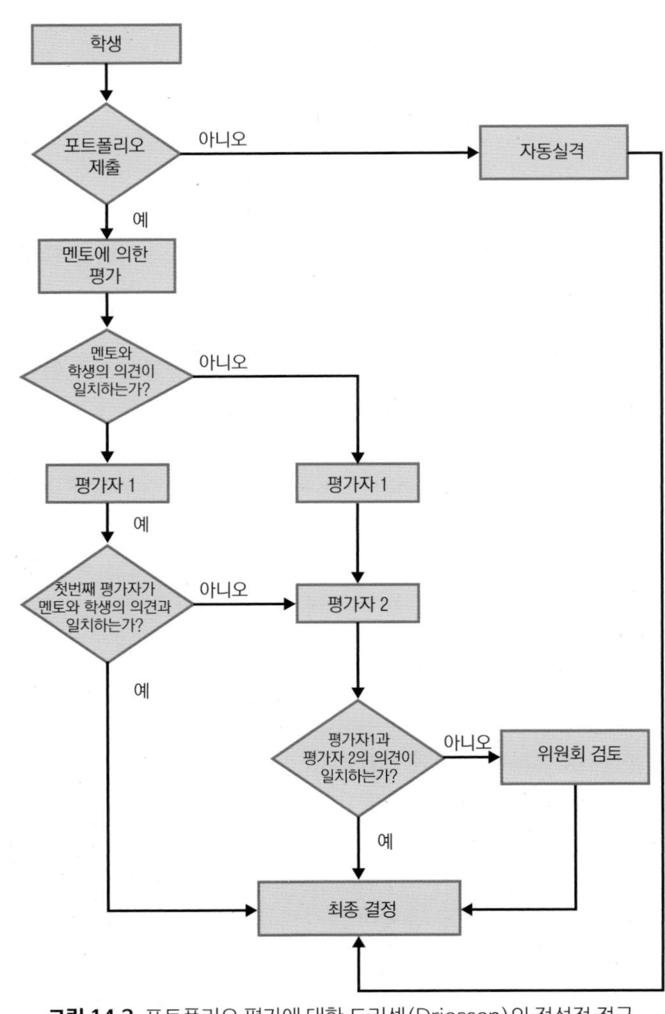

그림 14.3 포트폴리오 평가에 대한 드리센(Driessen)의 정성적 접근

2) 역자 주. 삼각측량(triangulation)의 사전적 의미는 삼각형의 한 변의 길이와 두 개의 끼인각을 알면 그 삼각형의 나머지 두 변의 길이를 알 수 있다는 원리를 이용하여 지형을 측량하는 방법인데, 교육훈련 장면에서의 삼각측량은 크게 두 가지 측면으로 평가를 한다. 한 쪽은 사전-사후 평가나 전문가 평가, 또는 설문을 통해 훈련과정 이후의 평가결과를 보고 학습자의 "수행수준"이 얼마나 발전했는지 살펴본다. 또 다른측면에서의 평가는 훈련과정 자체에 대한 효과를 평가하는 것으로, 다양한 시각에서 평가자료를 수집하고, 학습성과의 달성정도가 어떠했는지에 대한 평가를 장기적인 안목을 가지고 살펴보는 평가방법이다.

적으로 포트폴리오 평가에 심리측정학적 방법을 적용하는 것은 제한적일 수 있다. 포트폴리오 절차의 주요 장점 중 하나는 *서술적인(descriptive)* 평가자료의 수집, 글로 *기술(written)*된 학습자의 자기평가와 성찰 그리고 포트폴리오의 *전인적(holistic), 복합적(composite)인* 특성이다. 한편, 정성적(qualitative) 자료에 대한 타당도 근거를 명확하게 하는 몇 가지 접근방식이 있다. 우리는 질적연구 지침에 기초한 접근방식과 현대적인 평가 이론 틀의 시험에 의한 접근방법을 공유하고자 한다.[33] 두 예시 모두 엄격한 평가 접근 방식을 사용하기 때문에 질적 자료를 활용하더라도 근거가 필요한 의사결정에도 충분히 활용할 수 있다.

마스트리히트대학(Maastricht University)의 드리센(Driessen)과 동료들은 질적연구 영역인[32] 신뢰성(예: 내적 타당도)과 의존성(예: 신뢰도)을 사용하여 1 학년 의과대학생 포트폴리오를 판단하는 평가 절차를 개발했다. 표 14.1에는 포트폴리오를 판단할 때 신뢰성과 의존성을 확보하기 위한 설명과 관련 평가 전략 그리고 정성적이고 방법론적 논증이 기술되어 있다.

Driessen의 프로토콜은 그림 14.3에 제시되어 있다. Driessen은 이 절차를 사용하여 포트폴리오를 전체 위원회에서 검토하지 않고도 96%를 채점할 수 있었다. 이 초기 연구는 포트폴리오 평가를 위해 보완적, 정성적 접근이 가능하다는 점을 보여주었다. 물론, 추후 다른 연구자들이 보다 상급 수준의 교육생들에게 Driessen의 연구결과를 재현해볼 필요도 있다.

이 접근법은 교육자들이 안정적인 판단을 얻을 수 있을 때까지 계속 표본을 추출함으로써 바이어스(bias)와 평가자간 변이를 "최소화" 할 수 있게 한다. 표본 추출의 중요성은 아무리 강조해도 지나치지 않다. 대부분의 평가는 평가가 이루어지는 맥락에 따라 달라진다. 표본 추출이 많을수록 프로그램은 여러 영역 *그리고* 맥락에서 더 많은 교육생의 역량을 보다 잘 파악할 수 있다. 이것은 포트폴리오 평가의 중요한 장점 중 하나이다.

또한 현대적인 평가 이론틀에 중점을 둔 포트폴리오바탕 평가에 다양하게 접근할 수 있는 방법으로 쿡(Cook)과 동료들이 옹호한 접근 방식을 강조하고자 한다.[33] 저자들은 질적 근거의 타당도 평가 모형을 제공하기 위해 메식(Messick)의 다섯 가지 타당도 근거자료와[34] 케인(Kane)의 네 가지 타당도 논거를[35] 참고하였다. Messick의 주장을 따르자면, 우리는 내용, 반응 과정, 내부 구조, 다른 변수와의 관계 및 결과의 다섯 가지 범주로 타당도 근거를 개발해야 한다. 반면에 Kane은 추론을 강조한다. Kane은 채점, 일반화, 추정 및 함의(implication)와 관련하여 이루어질 수 있는 추론을 바탕으로 타당도 논쟁에 중점을 둔다.

포트폴리오의 타당도 근거는 제시된 근거의 품질과 평가자가 사용하는 (Driessen 전략에서 강조된) 절차에 따라 다르다. 평가자는 포트폴리오의 전반적인 내용을 통해 교육생이 교육적 성과를 달성했음을 입증하는지 확인할 수 있어야 한다. 우리는 두 가지 평가 이론 틀을 사용하여 포트폴리오 평가에 대한 타당도 근거를 보여주기 위해 Messick과 Kane이 사용한 심리측정학적 문제를 제시했다. Cook과 동료들은[33] 이 두 가지 이론 틀을 사용하여 포트폴리오를 검토했다. 다음으로는 예상되는 근거의 종류에 대해 자세히 설명하고자 한다.

• 글상자 14.3 포트폴리오 표준화 지침

1. 일부 평가(assessment)나 포트폴리오 단위는 모든 교육생에게 할당된다.
2. 포트폴리오에는 알려진 신뢰도 및 타당도 특성을 가진 표준화된 평가방법과 활동이 포함될 수 있다(예: 객관구조화진료시험 또는 미니임상평가연습).
3. 평가 기준과 과정은 교육생에게 명확하게 정의되고 투명하게 제시한다.
4. 모든 포트폴리오에는 교육생과 교수진에 대한 명확한 지침과 설명문이 있어야 한다.
5. 포트폴리오, 특히 정성적 구성요소들의 평가는 평가자들이 표준지침과 합의된 지침을 따라야 한다. 이를 위해서는 수행 차원 및 참조개념틀 훈련과 같은 기법의 사용을 포함하여 평가자의 훈련이 필수적이다(4장 직접관찰 내용 참조).
6. 포트폴리오에 대한 구두 방어(교육과정에서 사용하는 경우)도 방어 전에 준비된 표준 프로토콜을 따라야 한다.
7. 총괄적 의사결정은 평가자 간의 의견 불일치 처리 방법에 대한 정책을 포함하여 미리 결정되고 합의된 정책과 프로토콜을 따라야 한다.

출처: Friedman Ben David M, Davis MH, Harden RM, et al: AMEE Educational Guide No. 24: Portfolios as a method of student assessment. *Med Teach* 2001;23(6):535-551의 내용 수정.

포트폴리오의 내용

교육생이 선택한 근거, 성찰 및 서술된 글과 같은 포트폴리오의 서술적인 내용에 대한 내용타당도의 근거는 기본 기준과 구조를 구체적으로 갖추어야 한다. 이 내용 근거에는 포트폴리오 내용을 어떻게 평가할 지, 포트폴리오의 내용을 판단하기 위한 근거 선택을 어떻게 할 지에 관한 질문이 포함될 수 있다. 예를 들어, 포트폴리오 교육내용에 교육생들이 특정 경험에 대한 일련의 질문들에 답변하도록 할 수 있으며[36] 이러한 질문들은 기술하는 것은 필요한 내용을 담는 데 중요하다. 대부분의 포트폴리오에는 학습자가 선택한 자료가 있으므로 해당 근거를 선택하기 위한 기준이 내용타당도에 매우 중요하다. 표준 예제들도 내용타당도를 향상시킨다. 포트폴리오 내용의 표준화는 포트폴리오 평가 절차를 개선하는 데 도움이 될 수 있다. 표준화는 포트폴리오의 정의와 목적을 구체화하는 과정에서 프로그램이 지정하는 내용과 함께 제공된다. 이 표준화는 질적 또는 양적 자료로 제시될 수 있다. 글상자 14.3은 Ben Friedman과 동료들의 표준화에 대한 지침을 제시하고 있다.

응답 절차

많은 사람들에게 새로운 용어인 응답 절차(response process)는 포트폴리오에 포함된 문서 작성 및 평가자의 해석에 사용되는 절차를 뜻한다. 포트폴리오에서의 응답절차는 평가자가 제공된 지침을 따랐으며 평가형식 기입이 완료된 근거 자료가 포함된다. 전자 포트폴리오 도구(예: 다양한 유형의 입력 란이 있는)가 교육생이 제출한 모든 서술적 근거를 포함하기에 충분하지 않은 경우에 발생할 문제를 상상해보라. 평가자의 수와 자격도 고려해야 한다. 포트폴리오는 학습자가 평가자(자기 자신에게는 당연히 평가자의 역할을 해야겠지만 동료들에게도 평가자가 될 수 있다)가 될 수도 있다는 점에서 매우 독특하다. 따라서 학습자는 응답 절차에 대한 타당도 근거의 일부로 평가자로서의 역할을 위해 준비되어야 한다. 뿐만 아니라 평가자가 포트폴리오 평가에 책임을 지는 바이어스(bias)와 관점을 아는 것이 중요하다. 평가와 관련하여 흔히 발생하는 오류는 채점과 판단을 해야하는 교수진을 적절하게 훈련시키지 못하는 것이다. 포트폴리오 평가에 대한 교수진 훈련은 필수적이다. Cook과 동료들은[33] 포트폴리오의 경우 문서작성을 위한 안전한 장소가 응답절차 타당도와 관련이 있다는 점에 주목하였다. 대부분의 응답 절차에서 발견되는 신뢰도 문제들은 전통적인 정성적 접근 방식을 사용할 때 발생하는 문제와 동일하다.

내부구조

평가도구(예: 의무기록에 대한 자기감사[self-audit], 객관구조화진료시험[OSCE], 수련 중 시험)는 포트폴리오에 대한 정량적 자기평가 내용의 일부일 수 있다.[36] 이러한 도구는 각각의 타당도 근거를 가져야 한다. 하나의 일반적인 측정 항목은 신뢰도이다. 정성적 자료의 경우, 평가자는 내부구조에 대한 타당도의 근거로서의 정량적 및 정성적 근거와 서술적 분석 그리고 성찰 사이의 삼각측량을 고려할 수 있다. 이것은 평가자가 작성한 설명으로 뒷받침되어야 한다. 필자는 구두발표를 포함하는 포트폴리오를 평가하기 위한 전략에 대해 추후 논의할 것이지만, 내부구조 타당도 근거를 최적화하기 위해서는 보통 엄격한 훈련이 필요하다. 이는 삼각측량과 심층적 기술(thick description)과 유사하다.

다른 변수와의 관계

포트폴리오 평가와 다른 변수들과의 관계는 모든 타당도 개념틀에서 중요하다. 포트폴리오 평가의 결론이 포트폴리오에 대한 다른 외적 근거 또는 포트폴리오 내의 양적 요소들과 어떻게 연관되는지 검토해야 한다. 타당도 근거를 만드는 과정은 진행형 활동이므로 다른 변수와의 관계를 연구하는 데에는 시간이 걸릴 수 있다. 의미 있는 평가점수를 매기려면 포트폴리오를 엄격하게 구성해야 하는 것과 마찬가지로 연관된 다른 시험들도 엄격하게 진행되어야 한다. 이러한 분석은 질적 데이터의 다른 출처들 간의 삼각측량을 구성할 수도 있다.

결과

Messick의 틀에서 수집할 근거의 마지막 범주는 결과와 관련이 있다. 여기에는 평가 결과와 관련자들뿐만 아니라 포트폴리오를 개발하고 평가하는데 노력한 모든 이해 당사자들의 만족도도 포함된다. 평가의 한 형태로 포트폴리오를 연구하려면 의도된 결과와 의도하지 않은 결과를 모두 조사해야 한다. Cook과 동료들은[33] 유리한 결과와 불리한 결과를 평가한 여러 연구에 주목해야 한다고 강조하였다.

케인(Kane)의 틀

앞서 우리는 정성적 자료로 근거를 수집하는 방법에 중점을 두어 Messick의 틀을 활용한 타당도 접근 방법을 설명했다. 여기에서는 Kane의 틀의 요점을 강조하고자 한다. Kane의 틀은 목적, 의도된 용도와 결정 그리고 이러한 결정을 뒷받침하는 데 필요한 근거를 확실히 하기 위해 평가 설계에 노력을 기울여야 한다. 필자가 언급했듯이 포트폴리오에서는 명확하게 해야 하는 부분이다. 포트폴리오를 개발하려면 포트폴리오를 구성하기 전에 이러한 모든 요소를 학습자에게 미리 제공해야 한다. 먼저 이 개념틀에서는 평가자들이 자신들의 채점결과에 대한 어떤 근거자료들을 제시하는지 살펴보아야 한다. 예를 들어, 정성적 자료의 채점결과에 대해 평가자는 서술적인 평가내용을 덧붙였을 수 있다. 둘째, 역량이나 전체 포트폴리오의 모든 요소들에 대한 근거(평가 결정을 위한 양식인 경우)는 평가자가 교육생의 전반적인 역량을 해석한 내용이 있어야 한다. 또한 둘 이상의 평가자가 활용되는 경우 포트폴리오 자료의 해석은 일관되어야 한다. 셋째, Kane은 이러한 근거자료에서 새로운 맥락을 추정할 수 있어야 한다고 주장한다. 포트폴리오의 경우, 포트폴리오의 자료와 활동 내용이 실제 업무 현장에서의 활동이나 향후 실무 역량을 반영하는가? 우리는 학습자들이 포트폴리오를 위한 유일한 목적으로 근거를 수집하는 것이 아니라, 현실과 연계된 학습을 하기 바란다. 포트폴리오 평가에서 파생된 내용이 다른 맥락에도 적용되는가? 포트폴리오 평가와 다른 정량적/정성적 자료와의 관계는 어느정도인가? Cook과 동료들에[33] 의해 지적된 바와 같이, 포트폴리오에 대한 질적 판단과 다른 평가도구의 판단 간 관련성 연구는 거의 없다. Kane의 타당도 주장의 마지막은 함의(implication)이며, 이 내용은 앞에 기술한 결과와 비슷하다. 포트폴리오를 사용하여 수행을 평가할 때의 함의에 대해 어떤 근거가 있는가? Cook과 동료들이[33] 지적한 바와 같이 포트폴리오는 연구 습관, 성장 모니터링 그리고 장기 목표설정에 긍정

• 글상자 14.4 포트폴리오 실행을 위한 권고사항

교육적인 표준

포트폴리오의 비전과 정의 모두 명확하게 설명되어 있다.
포트폴리오의 목표와 내용 및 구조가 일치한다.
포트폴리오 중심의 평가 프로그램을 지원하기 위해 전통적인 교수자 주도 교육보다는 유연한 교육 구성이 마련되어 있다.
교육혁신/구성에 대한 교수진의 지원에서 포트폴리오가 적절한 평가도구로 지원받을 수 있도록 하여, "표면적"인 혁신 방법이 되는 것을 방지한다.
학습환경은 학습자가 실제 복잡한 과제 상황에서 학습을 습득하고 포트폴리오 평가를 학습 기회와 연계하여 자기주도 학습자가 되게 하는 데 적합하다.
학습자는 포트폴리오 개발의 이유를 명확하게 이해한다.
학습자들은 포트폴리오에 대한 지적 소유권을 유지하고 근거를 기반으로 자체 학습을 관리하고 대학의 기대치를 충족시키기 위해 평가 정보를 제공한다.
학습자들은 전문성 개발을 보여주는 포트폴리오에 대한 기관의 기대를 존중하면서 창의적인 포트폴리오를 개발할 수 있다.
학습자들은 포트폴리오의 가치를 실현하기 위해 자신의 포트폴리오에 대한 피드백을 받아야 한다.
일반적으로 평가자가 아닌 조언자는 학습을 촉진하고 발달 진행을 가장 잘 나타내는 자료에 대한 조언을 제공하는 옹호자 및 가이드 역할을 한다.
기관 차원에서는 포트폴리오가 학습 접근방식의 하나이기 때문에 학습과 평가절차의 일부로 포트폴리오가 필요하다.
기관 차원에서는 의학교육의 전 과정에서 포트폴리오 사용을 지원한다.
기관 차원에서는 교육과정 시간을 헌신하고 교수자, 학습자 및 직원 개발뿐만 아니라 교육적으로 적절한 기술 및 재정 자원을 제공함으로써 포트폴리오에 대한 헌신을 보여준다.
대학 또는 지원기관은 교수자와 학습자를 포함한 포트폴리오 감독위원회를 운영한다.
기능향상과 타당성 입증을 위해 포트폴리오에 대한 연구와 장학금을 지원한다.

기술적인 측면

학습자들에게 포트폴리오 제작에 필요한 하드웨어, 소프트웨어가 지원되며, 학습자 훈련과 지속적인 지원을 통해 포트폴리오가 실행되고 유지될 수 있도록 돕는다.
교수자와 학습자 모두가 접근할 수있는 소프트웨어를 지원하여, 소유자(학습자)의 자료 공유를 허용하거나 거부할 수 있는 기능을 통해 자료 수집, 저장 및 구성이 가능하다.
전자 포트폴리오 시스템은 필요할 때 언제 어디서나 사용할 수 있으며 최신 웹 브라우저 및 기술을 지원하는 플랫폼을 제공한다.
시스템 유지 및 중단시간은 적은 사용자 시간과 일치한다.
전자 포트폴리오 시스템은 학습자의 학습활동을 지원하는 의과대학 기술 플랫폼과 전공의 관리 시스템과 같은 의학교육을 관리하는 데 사용되는 다른 주요 응용프로그램과 이상적으로 통합되어 사용자가 시스템을 탐색하는 데 완벽한 경험을 제공한다.
전자 포트폴리오는 다른 포트폴리오, 기관 또는 응용 프로그램(예: 학부 교육과정)에서 기존 학습자 정보를 가져오고 졸업시 학습자 포트폴리오를 다른 포트폴리오 시스템(예: 전공의 교육과정, 임상강사 교육과정 그리고 평생학습 교육과정)으로 내보낼 수 있다.
전자 포트폴리오는 강력하고 확장할 수 있으며 수많은 학습자를 지원할 수 있다.
학습자들은 전자 포트폴리오를 사용하여 미디어가 풍부한 근거과 성장과정을 제시할 수 있다.
전자 포트폴리오에는 최소한의 교육으로도 쉽게 활용할 수있는 사용자 친화적인 시스템이 있다. 한편, 쉽게 접근할 수 있는만큼 이 메타 데이터들을 근거자료로 활용하기 위해서는 자료를 분류하고 조직화해야 한다.

출처: Electronic Portfolio Implementation Committee, University of California, San Francisco; and Willmarth-Stec M, Beery T: Operationalizing the student electronic portfolio for doctoral nursing education. *Nurse Educ* 2015;40(5):263-265; Van Tartwijk J, Driessen E, van der Vleuten C, et al: Factors influencing the successful introduction of portfolios. *Qual Higher Educ* 2007;13:69-79.

적인 영향을 미친다. 포트폴리오의 부정적인 영향은 부담감과 관련이 있다. 오브라이언(O'Brien)과 동료들은[11] 포트폴리오 평가가 다른 출처에서는 얻을 수 없는 통찰력을 제공한다는 중요한 함의를 지적했다.

포트폴리오와 함께 이 두 가지 평가 틀의 사용을 성찰해보면, 정량적 및 정성적 방법을 통합하여 타당도의 근거를 제공할 수 있음이 분명하다. 틀을 활용하면, 근거에 필요한 자료를 제대로 인식할 수 있도록 꼼꼼한 절차를 밟을 수 있다. Maastricht의 틀 또한 세부사항에 있어서는 정확한 평가 절차를 지키기 위해 비슷한 주의를 기울여야 하며, 그렇게 해야만 타당도에 근거를 제공할 수 있다.

실행

Cook과 동료들의[33] 보고서는 포트폴리오에 대한 우려도 강조하였다. 이러한 우려는 포트폴리오를 올바르게 실행해야 한다는 것을 다시 한번 상기시켜준다. 많은 논문들이 포트폴리오는 실행하는 데 있어 약점이 너무 많다는 불만족을 토로하고 있다.[22,37] 글상자 14.4에는 성공적인 포트폴리오 실행을 촉진하기 위한 권고사항들이 요약되어 있다. 이러한 권고사항은 샌프란시스코에 있는 캘리포니아대학교(University of California San Francisco)의 문헌고찰, 포트폴리오를 능숙하게 사용하는 네덜란드 사용자들,[38] 그리고 e포트폴리오 실행을 통해 얻은 결과의[37,39] 검토를 기반으로 작성되었다. 글상자 14.4에 제시된 권고사항들은 누가 보아도 평가를 위한 타당도 근거 수집에 큰 도움이 된다는 사실을 쉽게 알 수 있을 것이다.

의사결정과 평가자의 일관성

포트폴리오는 교수진의 판단이 필요하다. 그러다보니 교수 평가자는 학습자 성과의 "일반화"를 위협하는 오류의 원인이 되기도 한다. 교수 평가자들의 구체적인 채점 관련 문제로는 시간 경과에 따른 판단의 신뢰성 여부, 다른 교수 평가자들과의 판단 일치성 그리고 통과/미통과 결정의 재현성 여부가 있다.[2] 의학교육에서 총괄평가 목적으로 포트폴리오를 사용하는 것에 대한 가장 큰 문제점 중 하나는 여러 연구에서 지적했듯이 평가자 간 신뢰도와 평가자 내 신뢰도가 부족하다는 것이다.[40-43]

다른 평가방법과 마찬가지로 신뢰도의 문제는 평가자 수를 늘리면 수치가 개선될 수 있다. 그러나 이러한 방법은 인적 자원과 시간 활용의 한계에 부딪힐 수 있다. 따라서, 신뢰도 문제를 개선하기 위한 첫 번째 단계는 바로 평가기준을 표준화하는 작업이다. 코레츠(Koretz)는 높은 수준의 신뢰도는 명확한 기준을 설정하고, 해당 기준을 학습자에게 적절하게 전달하며, 확실한 학습자 오리엔테이션 자료를 제공하고, 평가목적에 대한 교수자의 이해와 적절한 평가자 교육훈련에 달려 있다고 주장했다.

의학교육 포트폴리오에 대한 신뢰도가 낮은 초기 연구 중 일부 교수개발에 대한 내용이 거의 없다는 점에 주목할 만하다.[40-42] 포트폴리오 타당도에 대해 높은 신뢰도와 근거를 보여주는 소수의 연구결과 논문 중 하나를 살펴보면, 포트폴리오를 시행하기 전 포트폴리오 평가자들을 위한 종일 교육을 실시했고, 실제 포트폴리오 검토 전에는 포트폴리오 채점에 대한 재교육을 실시하였다.[44, 45] 오설리반(O'Sullivan)과 동료들은 정신과 전공의 수련교육에서 포트폴리오를 활용하였는데 이 교수개발 접근법을 활용하였더니, 단 두 명의 평가자로도 충분한 신뢰도 점수가 나타났고, 한 명의 평가자를 추가로 투입하자 일반화 계수는 0.7로 나타났다.[44] 다변량 일반화 이론을 사용한 개드버리-아미요(Gadbury-Amyot)와 동료들은[46] 포트폴리오에는 최소 두 명의 평가자가 필요하다는 것을 발견했다. 또한, 포트폴리오 구성요소 내에 세 가지 근거가 있다면 충분한 신뢰도 점수를 얻을 수 있음도 발견했다.

던디 대학교(University of Dundee) 의과대학생 포트폴리오에는 다수의 환자진료 발표, 시술 기록, 특별 연구 모듈, 임상실습 평가, 학습 계약서들과 구조화된 자기성찰 보고서를 포함한 광범위한 학습자 성취 기록들이 포함되어 있다. University of Dundee의 평가 시스템은 학생들에게 명확한 학습목표와 평가기준이 포함된 구체적인 포트폴리오 절차를 제공한다.[14] University of Dundee는 O'Sullivan의 연구결과와 유사한 결과를 경험했다. 즉, 통과/미통과의 판단에 대한 98%의 일치도를 보였는데, 2인 1조 평가자를 활용한 결과였다. O'Sullivan 프로그램에서와 마찬가지로 Dundee 프로그램에서도 실질적인 평가자 교육이 포함되어 있다.[14] 오브라이언(O'Brien)과 동료들의[11] 최근 연구에서도 두 명의 평가자를 활용하여 성공적인 연구결과를 보여주었다.

포트폴리오 평가와 다른 측정과의 관계

포트폴리오 절차에 대한 타당도 근거자료들이 증가하고 있다.[33] 여기에서는 포트폴리오 평가와 다른 변수들을 다루는 몇 가지 연구들을 다루어보도록 하겠다. Gadbury-Amyot와 동료들은 치위생학 분야에서 15년간의 포트폴리오 평가를 검토 한 결과, 수행과 GPA와 면허시험 사이의 연관성을 발견했다.[47] O'Sullivan과 동료들은 정신과 포트폴리오의 타당도 분석을 수행하면서, 수련 연수가 증가함에 따라 수련 중 시험점수와 포트폴리오 평가점수 사이의 중등도의 관련성이 있다는 점을 발견했다.[44] 포트폴리오 절차의 주요 목적 중 하나이며 가장 큰 강점 중 하나는 자기주도학습과 성찰을 촉진하는 것이다. O'Sullivan은 전공의들의 경험을 인터뷰했는데, 모든 전공의는 아니었지만 많은 전공의들에게 포트폴리오 제작 과정이 개인적으로 유용했다는 것을 발견했다. 다른 전공의들은 포트폴리오를 단순한 연구 프로젝트로 여겼다. 포트폴리오가 자기주도적이며 평생학습을 위한 확실한 촉매제가 될 수 있는지를 결정하기 위한 연구가 시급하다.[44]

포트폴리오의 구두발표

포트폴리오 평가에서 학습자들의 구두발표가 포함되는 경우에는 여러 잠재적 요인들을 어떻게 해결할지 신중하게 고려해야 한다. 이러한 잠재적 요인에는 (훈련으로 해결되는) 평가자의 주관성, 구두 방어(oral defense)를 수행하기 위한 표준화된 평가기준 부족, 포트폴리오 내용과 질문에 대한 학습자의 응답 해석에 있어서 평가자 간의 차이, 평가자 간의 다른 기대치 등이 포함된다.[48] 포트폴리오 구두평가에 대한 보다 바람직한 방향은 학습자가 자신의 포트폴리오를 방어하기보다는 "발표"하도록 한다. 포트폴리오 구두발표에 대한 기대치, 예를 들어 모든 근거자료에 대한 최신 지견, 모든 평가의 검토내용 등은 학습자에게 투명하게 공개되어야 한다. 포트폴리오의 발표는 평가자에게 학습자의 전체 작업(포트폴리오)에 대한 평가자의 선입견을 확신시켜주거나 논박할 수 있도록 도움이 되어야 한다.

포트폴리오 근거에 대한 학습자의 성찰

필자는 이 장 전반에 걸쳐 포트폴리오가 교육생이 학습목표로 요구되거나 선택한 내용에 대해 성찰한 근거가 없다면 포트폴리오가 될 수 없다고 주장했다. 이 핵심 내용은 두 가지 중요한 질문을 떠오르게 한다. (1) 교육생의 성찰 기술은 얼마나 훌륭한가? 그리고 (2) 포트폴리오 구조가 교육생의 성찰을 효과적으로 촉진하기에 충분한 근거를 요구하는가? 학습자들은 자신의 수행을 스스로 모니터링하는 데 도움이 된다고 인식하지만[24,49] 자기평가 능력을 뒷받침하는 연구결과들을 보면 학습자의 자기평가는 종종 정확하지 않으며 수행도가 가장 좋지 않은 학습자가 자기평가를 가장 높게하는 경향이 있다고 보고되고 있다.[50-53] 포트폴리오는 《정보에 근거한 자기평가(informed self-assessment)》에 초점을 맞추는 이상적인 평가형식인데, 학습자는 여러 자료에 대하여 성찰해야 한다.[54,55] 자기평가에 대한 이러한 관점은 포트폴리오에서 중요한 성찰 과정을 의미 있게 해준다.

진정한 자기평가에는 안내된 자기감사(self-audit)도 포함해야 한다. 자기감사는 교육생이 자신의 역량 수준을 평가하기 위해 개인적으로 수행할 수 있는 활동을 말한다. 자기감사는 시험이나 임상문제 해결에 대해 자기채점을 수행하는 잠재적으로 수동적인 과정(행동에 대한 성찰)과는 대조적으로 자신의 작업 결과물이나 임상 판단을 (의무기록 검토나 다지선다형 문항에 답변하기와 같이) 체계적으로 돌아보는 능동적인 과정이다. 따라서 포트폴리오는 행동 중 성찰과 행동에 대한 성찰을 결합하여 보다 효과적인 자기평가를 촉진하는 이상적인 방법이라 할 수 있다.[56] 포트폴리오는 공동작업 절차가 될 수 있으므로 *안내된(guided)* 자기평가와 성찰을 위한 강력한 도구가 될 수 있다. 그러나 포트폴리오가 강력한 성찰 도구가 되기 위해서는 이러한 기술을 개발하는 데 도움을 줄 수 있는 멘토와의 상호작용이 필요하다.

지식 또는 임상수행의 차이를 발견하면 자기주도적 전문직은 그 차이를 메우기 위한 조치를 취한다. 자기평가 또는 자기감사를 통해 그 간극이 발견되면 다른 사람에 의해 이를 발견하는 것보다는 학습자에게 중요하게 여겨지고 전문적인 보상이 되는 듯하다. 필자들은 전공의와 의사가 의무기록에 대한 자기감사를 시행하는 두 가지 개별 연구를 진행했다. 이 연구에서는 전공의와 전문의가 표준화된 의료의 질에 대한 개인적 수행을 측 정하였는데 연구 결과 안내된 자기감사가 큰 도움이 된다는 사실이 밝혀졌다(10장 참조).[29,57] 의사들은 자기감사에 대한 결과를 구조화된 피드백으로 받으면 종종 놀라워하거나 "아하" 순간("aha" moment)을 경험한다. 이 경험은 신뢰할 수 있는 동료와의 수행 자료 검토를 통해 향상될 수 있다.[55]

교육생과 전문의가 자신의 실제 수행에 대해 신뢰할 수 있는 피드백을 받으면 소위 "지식-수행"의 불일치를 경험할 수 있다. 이러한 현상은 올바른 일에 대한 지식이 높고 교육생들은 스스로 잘하고 하고 있다고 생각하는 상황에서 발생한다. 자신의 수행에 대한 실제적인 피드백을 받으면 보다 현실적이고 정확한 평가를 받는 것이다. 또한, 이러한 불일치로 인해 감정적으로 불편함을 경험하게 되는데, 만약 이 피드백 과정이 지지적으로 잘 다루어진다면 실제 수행이 원하는 수행의 수준이 되도록 변화를 유발하는 데 필요한 에너지를 제공하기도 한다. 따라서 이 안내된 자기감사와 평가 원칙을 통합하여 설계된 포트폴리오 절차는 학습변화를 위한 강력한 도구가 될 수 있다.

왜 학습자는 자신의 부족을 인식하고 받아들이는 데 능숙하지 않을까? 한 가지 이유는 자신감(confidence)과 역량(competence)을 혼동하기 때문이다.[58] 특정 수행에 대한 자신감의 자기평가는 상당한 관심영역이다. 자신감이란 자기효능감의 질이라 할 수 있는데, 장애물을 극복하고 보다 높은 수준의 성취를 이루는 지속성을 경험하는 것과 관련이 있다.[59] 자신감 측정은 초보학습자에게 피드백의 구조를 안내하는 기준이 될 수 있다. 그러나 초보자의 과신("하룻 강아지 범 무서운 줄 모른다")과 능력을 달성한 사람들의 자신감 부족("자라 보고 놀란 가슴 솥뚜껑 보고 놀란다") 사이의 불일치 때문에 의학교육에서 자신감 측정결과를 적절한 안내 없이 활용하는 것은 매우 위험하다. 의학교육에서 "보고, 해보고, 가르쳐보라"는 교육문화는 학습자의 확신을 지나치게 강조하여 진정한 역량을 획득하지 못할 뿐만 아니라 자신감이 위협받지 않는 한 실제 수행 자료는 필요하지 않다는 잘못된 결론을 유도할 수 있다.[60]

한편, 자기평가에 대해 얘기할 때 수용 가능한 수행에 대해 개인적으로 판단한 기준을 적용하는 것은 위험하고 바람직하지 않다. 특히, 신뢰할 수 있는 외부 표준 평가 틀로 의사를 평가해보면, 가장 무능한 의사가 자신의 능력을 과장하는 경향이 있다는 사실에 비추어 볼 때 더욱 그러하다. 우리는 우리가 모르는 것을 알거나 우리가 얼마나 잘하는지 평가하는 데 능숙하지 않다. 우리의 경험과 데이비스(Davis), 에바(Eva) 등의 관찰에 따르면 신뢰할 수 있는 자료를 기반으로 한 표준화된 측정 없이는 역량을 정확하게 판단할 수 없다.[50,53] 신뢰할 수 있는 자료가 없는 자기평가는 가치가 떨어진다. 자기평가는 의학교육 수련의 초기 단계에서 필수 전문기술로 배워야 한다. 따라서 자기평가에 관한 연구는 일정 수준의 표준화 작업의 필요, 혼자 평가하는 것이 아닌 멘토와 함께하는 성찰, 그리고 포트폴리오에 대한 명확한 평가 기준의 중요성을 강조하고 있다. 표 14.2와 14.3에는 기본의학교육과 졸업후교육 교육생들의 성찰 능력을 평가할 수 있는 도구들이 요약되어 있다. 교수진과 멘토는 교육생과 함께 학습주기나 포트폴리오 과정의 시작과 중간에 이러한 평가도구의 사용을 고려해 볼 수 있다.

"종합 포트폴리오"

지금까지 살펴본 바와 같이, 의학교육자들이 현재 사용하고 있는 대부분의 포트폴리오는 전통적인 학습포트폴리오에 비해 더 구조적이다. 이렇게 많은 구조를 활용하는 데에는 몇 가지 중요한 이유가 있다. 먼저, 앞에서 설명한 바와 같이 총괄평가의 한 부분으로 포트폴리오가 사용되는 경우 수용 가능한 수준의 타당도를 보장하기 위해서는 적절한 수준의 표준화가 필요하

표 14.2 의과대학생의 성찰 능력

평가도구	PDRA* 성찰능력의 전문성 개발	시나리오 일치 시험†	RP‡ 성찰적 포트폴리오	RCV§ 성찰을 유발하는 증례 비네트	구조화된 워크시트∥	LEaP¥ 전문가로서의 학습경험
기관	University of Dundee	Laval University Medical School, Quebec	University of Nottingham	Free University, Amsterdam	University of London	University of California, San Francisco
교육과정	전문성 및 개인 개발	외과 임상실습	의사소통 기술	임상 윤리	임상 경험	다양한 기회
학년	4, 5학년	의과대학생	2학년	4학년	치과대학생	1-3학년
평가유형	총괄평가	형성평가	총괄평가	총괄평가	형성평가	형성평가
내용	12가지 성과 요약 자료	4가지 수술 주제에서 38 개의 임상비네트: 유방 덩이; 위장관 출혈; 급성 복통; 갑상선 덩이	800 개 단어의 성찰적 해설 6가지 이상의 실질적 근거 6가지 개인 성찰 양식 3가지 동료 관찰 양식 3가지 교수자 관찰 양식	4개의 비네트가 있는 반구조화된 설문지. 어떠한 감정이 드는가? 관련 증례에서 적절한 전문가적인 행동은 무엇인가?	무슨 일이 있어났는가? 자신의 감정을 설명해보라 왜 이것을 성찰할 가치가 있다고 생각하는가? 이것은 임상 실습에서 어떤 강점을 보여주었는가? 이러한 발견을 통해 무엇을 배우게 되었는가? 우선 순위로 다루어야 하는 하나의 학습목표가 있다면 무엇인가? 달성하고자하는 것을 정확하게 결정하라 "목표한 시험"을 완료하라	전문직업성 관련 경험 및 임상 활동에 대한 비판적 성찰 기록 SOAP 형식을 따름
구조화 여부	반구조화	구조화	유연	반구조화	구조화	반구조화
평가 준거	표준화된 루브릭: 개인의 발달을 식별, 평가 및 모니터링 할 수있는 기능을 바탕으로 함		표준화된 루브릭	표준화된 루브릭 전반적 성찰: 10 점 척도 관점 시리즈: 0-2점 척도	질적 평가 존스(Johns)의 질문 해턴(Hatton)과 스미스(Smith)의 기준	표준화된 루브릭 0-6점 척도 (연구에 사용될 경우); 형성평가에 사용될 경우 서술적 피드백
심리측정학적 평가	구성타당도 지지	수용 가능한 예측 타당도와 중등도의 신뢰도	구성타당도 지지 및 0.8 평가자간 신뢰도	구성타당도 및 평가자간 신뢰도 지지	특히 Hatton과 Smith의 기준에 대한 평가자간 일치도가 좋음	평가자간 신뢰도 > 80; 구성과 관련 없는 분산에 대해 평가 성찰 질 향상
학습자 태도	긍정적		중립적	언급 없음	긍정적	취향에 따라 중립적이며 일부는 형식에 따라 제한적인 느낌이 듦

이 표는 Scotland Dundee 지역에 소재한 University of Dundee의 Gominda Ponnamperuma 박사가 2007년에 제작하였고 2016년에 업데이트 되었다.

*Ker JS, Friedman Ben-David M, Pippard MJ et al: Determining the construct validity of a tool to assess the reflective ability of final year medical students using portfolio evidence. *Members' Abstracts, Association for the Study of Medical Education (ASME)*, Annual Scientific Meeting, 2003, pp 20-21.

†Brailovsky C, Charlin B, Beausoleil S, et al: Measurement of clinical reflective capacity early in training as a predictor of clinical reasoning performance at the end of residency: an experimental study on the script concordance test. *Med Educ* 2001;35:430-436.

‡Rees C, Sheard C: Undergraduate medical students' views about a reflective portfolio assessment of their communications skills learning. *Med Educ* 2004;38:125-128.

§Boenink AD, Oderwald AK, De Jonge P, et al: Assessing students' reflection in medical practice. The development of an observer-rated instrument: reliability, validity and initial experiences. *Med Educ* 2004;38:368-377.

∥Pee B, Woodman T, Fry H, et al: Appraising and assessing reflection in students' writing on a structured worksheet. *Med Educ* 2002;36:575-585.

¥Aronson L, Niehaus B, Hill-Sakuai L, et al: A comparison of two teaching methods to promote reflective ability in third year medical students. *Med Educ* 2012;46:807-814.

표 14.3 졸업후교육에서 성찰 능력 평가

평가도구	성찰적인 개인 개발 계획 (PDP)*	소아과 SpR 포트폴리오 평가†	행동에 대한 성찰‡
기관	영국의 지역별 졸업후의학교육 훈련기관 (Postgraduate deaneries in the United Kingdom)	Royal College of Paediatrics and Child Health (RCPCH)	University of California, San Francisco
과정	일반 진료	소아과	산부인과
연차	전문직업성 평생교육	1-5년 차 졸업후교육(전공의 수련)	1-4년 차 졸업후교육(전공의 수련)
평가유형	초기 형성평가, 후기 총괄평가	총괄평가	2회/년 검토를 위한 총괄평가
내용	환자중심의 중대사건, 감사(audit), 독서 비평, 환자 및 동료 피드백	임상 서신 및 보고서, 발표 유인물, 윤리관련 서류 및 학부모 정보 전단지, 피드백 시간, 감사 편지, 강좌 참석 증명서, MSc/MMedSci 과제 보고서, 집단 성취 자료	의사소통 능력과 대인관계 기술, 전문직업성, 진료바탕학습 및 개선, 시스템바탕 실습과 관련된 특정 경험에 대한 성찰
구조화 여부	반구조화	비구조화	비구조화
평가 준거	학습 요구 확인, 학습 계획, 평가 계획, 이해, 수행도	부족-보통-만족(우수)-매우 만족(매우 우수) 등급 척도에서 총괄 및 영역별 등급. 영역: 임상, 의사소통, 윤리적 태도, 자기학습 교육, 평가, 근거의 생성, 관리	행동 척도에 대한 성찰 등급
심리측정학적 평가	허용 가능한 내용 및 구성타당도. 7명의 평가자에서 0.8, 3-4 명의 평가자에서 0.7의 신뢰도	4명의 평가자에서 0.8 신뢰도	2명의 평가자에서 0.8의 신뢰도; 다른 변수와의 관계성의 근거

이 표는 Scotland Dundee 지역에 소재한 University of Dundee의 Gominda Ponnamperuma 박사가 2007년에 제작하였고 2016년에 업데이트 되었다.
*Roberts C, Cromarty I, Crossley J, et al: The reliability and validity of a matrix to assess the completed reflective personal development plans of general practitioners. *Med Educ* 2006;40:363-370.
†Melville C, Rees M, Brookfield D, et al: Portfolio for assessment of paediatric specialist registrars. *Med Educ* 2004;38:1117-1125.
‡Learman LA, Autry AM, O'Sullivan P: Reliability and validity of reflection exercises for obstetrics and gynecology residents. *Am J Obstet Gynecol* 2008;198(4):461-468; discussion 461.e8.

다. 둘째, 의학교육자들은 교육생이 특정 지식, 기술 및 태도에서 진정으로 역량을 획득했는지를 기록해야 한다. 포트폴리오 자료에서 종종 무시되는 한 가지 측면은 공공 책무성에 대한 총괄평가이다, 따라서 총괄평가에 사용되는 포트폴리오는 엄격한 평가 및 연구 표준을 충족해야 할 뿐만 아니라 대중에게 공개되었을 때에도 신뢰할 수 있고 정당하다고 인정될 수 있어야 한다. 따라서 필자는 "종합 포트폴리오(comprehensive portfolio)"라는 용어를 제안한다. 이는 성과바탕 평가를 극대화하기 위해 교육과정과 교육생이 결정한 내용을 포함시키기 위함이다. 이러한 측면에서 포트폴리오에는 기존의 측정방법으로 평가하기 어려운 영역에 대한 학습자주도 평가가 포함되어야 한다. 또한 포트폴리오에는 교육과정의 요구 사항에 의해 만들어진 기존 자료를 성찰할 수 있는 소위 "성적표(gradebook)"라 할 수 있는 부분도 포함될 수 있다. 이렇게 평가된 포트폴리오는 학습자의 근거와 성찰이 종합된 자료로 볼 수 있다.

표 14.4에는 전공의나 임상강사 훈련교육과정에서 ACGME 공통역량에 근거하여 프로그램이나 전공의에게 적용되는 종합적인 포트폴리오에 포함시킬 수 있는 평가도구 예시들을 나열하였다. 필자는 독자들이 이 책의 다른 장에 소개한 특정 평가방법과 도구를 검토하기 바란다. 포트폴리오에서 이러한 평가도구들은 학습자가 학습계획을 세우는 데 도움될 수 있는 정보를 제공한다. 그러나 포트폴리오의 핵심 요소는 학습자가 포트폴리오에 제시한 선택된 근거자료들이다. 따라서 채점된/기존 자료를 포트폴리오의 근거자료로 수집될 수 있지만 이것이 유일한 자료원인 경우 학습자가 평가에 적극적으로 참여하지 않는 수동적인 접근 방식이 된다. 따라서 필자는 포트폴리오의 장점은 학습자가 학습자료를 선택하고 포함시키는 과정임을 강조하고 싶다. 포트폴리오에 교육과정에서 제공한 자료만 포함된 경우 포트폴리오는 크게 의미가 없다. Driessen이 지적했듯이,[1] 이러한 유형의 포트폴리오는 큰 성공을 거두지 못했다.

종합 포트폴리오의 특징

대시보드(dashboard)가[3)] 보편화되면서 포트폴리오와 대시보드 간에 혼동이 있을 수 있다. 일부 프로그램의 경우, 학습자가 이러한 외부 자료를 모니터링하여 수행을 종적으로 개발하고 향상시키는 데 도움이 되는 대시보드를 사용하기도 한다. 본질적으로, 대시보드는 평가 척도에 따라 수행도를 조직적으로

3) 역자 주. Dashboard는 일반적으로 학습자 수행의 핵심적인 성과나 경과를 그래프, 차트, 수치 등을 사용하여 한 눈에 볼 수 있도록 정리한 시각 자료를 의미한다.

표 14.4 **전공의 수련을 위한 ACGME 영역별 평가도구의 예**

역량 영역	평가도구(Assessment Tool)
환자 진료	• 순환근무별 평가 양식(체크리스트, 총괄평정척도) • 직접 관찰된 병력청취, 진찰 및 의사소통 • 중대사건[4] • 환자 및 시술 일지 • 교육생이 선정한 "최고의" 정밀검사 및 환자 상호작용에 대한 사례 기록
의학적 지식	• 의과대학의 선반 시험(shelf examinations) 또는 전공의 수련 중 시험 • 비판적으로 평가된 학습주제 • 근거중심의학 저널 모음 • 임상 질문 모음(교육생 제작) • 의무기록 자극회상
대인관계 및 의사소통 기술	• 직접 관찰된 병력청취 및 환자와의 의사소통 • 다면피드백 및 설문조사 • 동료 및 환자 피드백에 대한 교육생의 성찰 • 동료 또는 간호사와의 인터뷰 기록
전문직업성	• 다면피드백 및 설문조사 • 중대사건과 칭찬 카드
진료바탕학습과 개선	• 개별적인 학습 계획 • 진료 자기감사를 포함한 질 향상 프로젝트 • 임상 질문 모음 • 자기평가 및 성찰 • 조언자(멘토)와의 웹 로그 대화 및 피드백
시스템바탕 진료	• 환자의 관점에서 의료시스템을 탐색하는 프로젝트 • 중대사건 분석을 포함한 시스템 오류에 대한 프로젝트 • 마이크로 시스템 재설계 프로젝트 • 팀워크 기술에 대한 사정

ACGME, Accreditation Council for Graduate Medical Education(미국졸업후교육인증위원회).

요약한 단순한 자료이다. 대시보드는 사용자가 직접 조치를 취하거나 입력할 필요가 없는 기계적이고 수동적인 자료이다. 많은 프로그램이 대시보드를 포함하는 전자 학습관리시스템을 사용한다. 이 대시보드에는 개인 자료나 개인, 지역 또는 국가차원에서 동료집단과 비교되어 반영될 수 있다. 그러나 이 장에서 강조한 바와 같이, 포트폴리오는 학습자(사용자)측의 입력, 행동 및 참여를 요구한다. 대시보드는 포트폴리오의 구성요소일 수 있지만 그 자체로는 포트폴리오가 아니다. 학습자가 모니터링에 참여하고 자료에 가치를 부여하기 위해서는 강력한 피드백 시스템이 필요하며, 이 책 전반에 언급한 바와 같이 엄격하게 개발된 평가가 필요하다.

따라서 학습자와 교육과정에서 선택한 근거가 모두 포함된 종합적인 포트폴리오를 만들 때에는 근거와 관련하여 몇 가지 권고 사항이 있다. 이러한 종류의 포트폴리오의 특징은 다음과 같다.

1. 종합 포트폴리오의 평가에 있어 다각적인 접근 방식을 사용해야 한다. 여러 연구결과에서 교수자의 총괄적인 평가만을 사용하는 평가시스템은 전공의의 역량을 과대 평가하는 것으로 반복해서 나타났다.[60-62] 교육생의 역량 수준을 제대로 규명하려면 다양한 평가접근이 필요하다.[60,63,64] 일반적으로 각 영역의 역량은 한 가지 이상의 방법으로 평가해야 한다. 이러한 평가에는 교육생이 제작한 정성적 및/또는 루브릭으로 판단할 수 있는 근거가 포함될 수 있다.
2. 평가자는 "삼각 배치"의 원칙을 사용해야 한다. 우리는 두 가지 측면에서 삼각측량을 논하려고 한다. 첫째, 평가가 효과적이고 적절하게 사용되는 경우 하나 이상의 역량 영역을 평가할 수 있다. 예를 들어, 미니임상평가실습은 환자진료와 대인관계 의사소통기술을 포착할 수 있다.[65] 둘째, Davis, Driessen 등의 작업을 토대로 본다면, 포트폴리오 자체에서도 한 명 이상의 평가자 관점을 포함해야한다.[11,14,32]
3. 종합 포트폴리오는 범위가 종적이고 종합적이어야하며 학습자의 역량과 수행의 복합성을 나타내야하며 학습자

4) 역자 주, 중대사건 또는 적신호사건(critical incident or sentinel incident)은 사망 혹은 심각한 신체적 또는 정신적 손상을 동반하거나 그러한 위험을 동반한 기대하지 않은 사건으로 정의된다(대한약사회. 환자안전사고 보고 메뉴얼. 2020, p.4. 재인용. https://www.safepharm.or.kr/resources/img/side_effect_patient_202009.pdf)

당신이 이 〈과정명〉 과정에 참여한 후에 임상진료에서 지속적으로 개선하고자 하는 다섯 개의 측정 가능한 변화를 기술하시오.
여기에는 개인적인 진료습관이나 〈실습 장소명〉의 의료시스템 문제에 영향을 주는 시도들이 포함될 수 있다.

변화내용	변화를 위한 동기유발 수준					변화를 위해 예상되는 어려움				
	의욕이 전혀 없음				매우 의욕적	전혀 어렵지 않음				매우 어려움
1.	1	2	3	4	5	1	2	3	4	5
2.	1	2	3	4	5	1	2	3	4	5
3.	1	2	3	4	5	1	2	3	4	5
4.	1	2	3	4	5	1	2	3	4	5
5.	1	2	3	4	5	1	2	3	4	5

그림 14.4 변화를 위한 서약 양식.

가 역량을 입증할 근거를 선택할 수 있어야 한다. 학습자와 멘토는 일정 기간 동안 정기적으로 상호작용해야 한다. 이 접근 방식은 절차의 타당도를 향상시킬 수 있다. 이는 마일스톤, 위임가능전문활동(entrustable professional activities, EPA) (1 장 참조), 다면피드백(11장 참조)과 같은 요약, 통합 평가에서 특히 중요하다. 이러한 평가는 특히 개선을 목적으로 학습자가 의미 있는 포트폴리오 자료로 만들기 위해 감독자와 피드백을 주고 받는 등 다양한 평가의 종합을 의미한다(피드백에 대해서는 13장을 참조하기 바란다).

4. 종합 포트폴리오에는 교육생의 자기평가와 성찰의 근거자료가 포함되어야 한다. 자기평가와 성찰없이 포트폴리오는 존재할 수 없으며, 그러할 경우 포트폴리오는 성적표에 지나지 않는다. 포트폴리오의 일부 측면에는 교육생이 결정한 자기평가도구와 내용이 포함되어야 한다. 피츠(Pitts)와 동료들은 자기주도 학습을 유도하는 포트폴리오의 강점에 대한 위협으로 지나친 표준화에 대해 지적하였다.[41,42] 교육생이 자기평가에 사용된 일부 내용 그리고 사정도구를 결정할 수 있도록 허용하면 포트폴리오가 "미화된" 성적표가 되는 것을 방지할 수 있다. 질적방법은 앞서 논의한 바와 같이 포트폴리오의 "서술적" 측면의 평가를 보장한다.[32,33]
5. 학습자는 전문적인 성장과 수행의 근거를 보여주는 의미 있는 작업 결과물을 포트폴리오에 제공해야하는데, 이는 다른 사람들이 완료한 평가와 자기평가 그 이상의 내용을 담아야 한다.[6,66,67] 예를 들어, 학습자는 연구 프로젝트, 자원 봉사활동 등을 사용해 포트폴리오에 중요한 기여를 할 수 있다. 스네이든(Snadden)과 토마스(Thomas)는 환자와 관련된 중대사건, 성찰기록이나 일기, 일반적인 임상경험에 대한 서면 기록, 환자진료 상호작용과 경험에 대한 비디오 기록, 임상진료 감사, 근거중심의학 원칙들을 사용한 비평 논문, 학습자의 숙련도를 보여주는 학습자 선택자료, 그리고 미래 학습을 위한 자원으로 갖고자 하는 모든 자료 등 학습자가 제공할 수 있는 다양한 항목을 나열하였다.
6. 포트폴리오 절차는 교육생에게 투명해야하며 포트폴리오의 내용에 최대한 많이 접근할 수 있어야 한다. 실제로, 학습자는 평가에 필요한 포트폴리오의 일부자료에 접근할 수 있는 능력과 관련하여 학습자와 교육과정 책임 간의 동의를 통해 포트폴리오를 "소유"해야 한다. 이것은 교육자로서 우리의 의무이며, 정직과 투명성을 지키는 의학전문직업성의 일부라 할 수 있다.[68] 또한 교육자는 학습자가 포트폴리오를 준비하고 제출하는 노력을 인정해주어야 한다.

미국에는 ACGME 역량과 AAMC(Association of American Medical Colleges) 전공의 교육과정 시작 시 접하게 되는 핵심 위

이름: ____________________

당신은 (/ / 에서 / /) 기간 동안 〈과정명〉임상실습 과정을 수행하고 마치면서, 아래와 같이 변화를 위한 서약을 했다. 각각의 항목에 대해 당신이 임상진료에서 변화를 실행했다면 그 실행 정도를 표기하도록 한다. 변화를 실행하지 못한 경우 주요 장애물들을 선택하도록 한다.

1. 변화 내용: ____________________

당신이 취한 행동은?	**완벽한 변화 실행**	**부분적 변화 실행**	**변화를 실행하지 못함**

만약 부분적으로 실행하거나 전혀 실행하지 못했다면 주요 장애물은 무엇이었나? (택 1)	□ "나는 이러한 변화를 실행하기에 시간이 충분하지 않았다" □ "이러한 변화를 실행하기 전에 나의 지식과 술기를 개선할 필요가 있다" □ "실무에서 시스템이나 물리적 장애물들이 나를 방해한다" □ "이러한 변화는 나의 임상진료에 그다지 중요하지 않다" □ 기타:____________________

2. 변화 내용: ____________________

당신이 취한 행동은?	**완벽한 변화 실행**	**부분적 변화 실행**	**변화를 실행하지 못함**

만약 부분적으로 실행하거나 전혀 실행하지 못했다면 주요 장애물은 무엇이었나? (택 1)	□ "나는 이러한 변화를 실행하기에 시간이 충분하지 않았다" □ "이러한 변화를 실행하기 전에 나의 지식과 술기를 개선할 필요가 있다" □ "실무에서 시스템이나 물리적 장애물들이 나를 방해한다" □ "이러한 변화는 나의 임상 진료에 그다지 중요하지 않다" □ 기타:____________________

그림 14.5 변화를 위한 서약 후속 조치 양식.

임가능전문활동(Core Entrustable Professional Activities for Entering Residency)과 같은 포트폴리오에 활용할 수 있는 틀이 있다.[69] 캐나다와 영국과 같은 다른 나라의 교육시스템의 경우 전문의를 위한 CanMEDS와 Good Medical Practice 역량이 각각 포트폴리오 구성의 지침이 될 수 있다.[70,71]

학습자의 기여

학습자는 어떠한가? 다른 사람들이 지적한 것처럼, 학습자는 포트폴리오에 의미 있는 기여를 해야 한다. 학습자의 기여는 여러가지 방법으로 가능하다. 먼저 학습자는 자신의 역량을 뒷받침하는 근거자료를 추가해야 한다. 이 근거자료란 학습자들의 모든 수행 자료를 말하는 것이 아니라 자신이 개발한 역량을 강조하기 위해 선택된 자료이다. 예를 들면, 학습한 내용을 성찰하여 환자진료에 활용된 임상 질문에 대한 답변 결과, 의무기록 감사 또는 환자 설문조사를 통한 진료에 대한 자기평가 결과, 연구 및 질 향상 프로젝트 등이 있을 수 있다. 또 다른 예는 멘토의 피드백에 대한 반응(성찰)을 작성하고 이에 대해 행동변화에 대한 서약서(commitment-to-change note)를 작성하는 것이다(다음 단락 참조). 연구 초록, 포스터 또는 학회 발표와 같은 결과물도 포트폴리오에 포함되어야 한다.[66] 그러나 포트폴리오를 가장 유용하게 활용하기 위해서는 학습자의 수행 향상에 직접적으로 영향을 미치는 자료와 가치 있는 자료들을 포트폴리오 안에 넣을 수 있도록 신중하게 선택해야 한다. 그렇기 때문에, 포트폴리오에서는 학습자의 참여가 필수적으로 요구되며, 이를 통해 자신이 어떻게 학습하고 있고 성장하고 있는지 자세히 파악할 수 있다.

성찰과 행동을 포착하기 위한 실현 가능하고 가치 있는 접근법 중 하나는 "변화에 대한 서약(Commitment to Change, CTC)"이다.[72,73] CTC 접근법에서 학습자들은 자신의 수행도나 교육경험을 검토한 후 계획을 작성하거나 "서약"한다. 이 간단한 작업은 개인이 실제로 행동을 바꿀 가능성을 높이는 것으로 나타났다. 한 예로, 피디아링크(PediaLink)라고 하는 진료의사를 위한 미국소아과학회(American Academy of Pediatrics)의 온라인 자료들을 보면, 임상진료에서 발생하는 질문을 문서화하고 답변을 위한 자료들을 검색하며 새로운 학습을 기반으로 실제 진료 변화를 가져올 수 있는 CTC 서약서를 제공하고 있다.[74]

이 접근 방식은 내과전공의 수련프로그램 질 향상에도 성공적으로 사용되었다.[36] "서약" 문서는 또한 서약 후 교육생이 성공적으로 변화했는지 확인하도록 유도한다. 그림 14.4 및 14.5는 질 향상 연구에 사용된 CTC 기준과 후속 조치 양식의 예이다. 따라서 CTC 서약은 포트폴리오의 일부가 될 수 있다. 두 번째 방법은 개방형 서면 요약을 사용하는 것이다. 동일한 질 향상 연구에서 전공의는 4주 블록 교육과정이 끝날 때 다음 질문들을 성찰하여 한 페이지 분량의 성찰 기록을 작성하도록 요청받았다.

1. 이 경험의 결과로 나 자신에 대해 무엇을 배웠는가?
2. 환자를 보고 진료하는 의료시스템에 대해 나는 무엇을 배웠는가?
3. 순환근무와 외래 진료를 개선시키기 위한 사항들로는 무엇이 있는가?

CTC에 대한 또 다른 접근법은 교육생이 개발한 개별화 학습계획(individualized learning plans, ILP)이다. 미국에서 마일스톤을 실행하면서 학습자의 전문성 개발을 위해 최소한 6개월마다 ILP를 작성하고 수정하도록 하였다. 13장에 ILP에 대한 몇 가지 지침과 ILP 예제에 대한 링크를 제시하였다.

둘째, 학습자는 행동 계획이나 "다음 단계" 계획과 함께 평가결과에 대한 반응을 문서로 제공해야 한다. 궁극적으로, 학습자는 평가결과를 자신의 것으로 만들어야 한다. 학습자의 반응은 평가양식의 하단에 문서로 작성하거나 또는 웹 기반 평가항목 마지막에 수행할 수 있다. 이 접근법은 교수진이 평가를 완료하고 학습자가 이를 검토하고 반응해야 한다는 이점이 있다.

프로그램에 의해 생성된 자료와 교육생이 포트폴리오에 입력된 자료로 의사결정을 할 때, 특히 측정하기 어려운 역량에 대해서는 최소한 수련이 끝나는 시점에는 학습자가 해당 영역의 역량을 달성했는지 여부를 결정할 수 있어야 한다. 마찬가지로, 학습자들 역시 그들의 수행 과정에서 수행과 지속적인 전문성 개발에 대한 책임과 책무를 포트폴리오에 성찰 기록으로 입증해야 한다.

포트폴리오는 의학교육에서 꾸준하게 활용되지는 못했는데, 그 이유는 실행 과정에서의 실패로 인해 경우가 많았다. 한편, 의과대학 수준에서는 성공적인 사례들이 있다.[2,3,11,14,49] 다네퍼(Dannefer)와 헨슨(Henson)은 임상연구자 양성을 목표로 운영되는 독특한 의과대학생 프로그램을 평가하기 위한 포트폴리오를 개발했는데, 교수자의 안내를 바탕으로 학습자들이 주도적으로 제작하는 포트폴리오이며 형성 및 총괄평가 시스템에 성공적으로 기여했다.[75] 전공의 단계에서의 포트폴리오 사용도 증가하고 있다.[4,21,24,44,45,67-69,76-80] 포트폴리오의 다양한 구성요소가 경험적 교육과 평가 과학에 기초를 두고 있지만 전공의 교육과정 단계에서 포트폴리오바탕 평가시스템을 실행하고 운영하기 위한 최적의 접근법을 결정하기 위해서는 추가적인 연구가 필요하다.

한 가지 중요한 문제는 다양한 평가도구와 전공의가 자신의 포트폴리오와 상호작용하여 수집한 자료를 최대한 유용하게 활용하는 것이다. 웹바탕 기술이 이 과정을 가능하게 한다.[18, 81-89] 교수자는 디지털 문맹 퇴치 기술을 익히고 특히 미국의 Health Insurance Portability and Accountability Act (HIPAA) 규정과 같은 해당 국가의 개인정보 보호규정에 유의해야 한다. 뿐만 아니라, 기술의 사용은 표절에 익숙해지게 할 수 있으므로 학교는 포트폴리오 작업의 독창성을 보장하기 위한 프로그램으로 전환해왔다.[47]

현재 공급자 기반 평가도구를 사용하면 프로그램에서 사용된 평가, 생성된 보고서 유형 및 정보를 사용자 간에 공유하는 방법을 사용자가 정의할 수 있다. 이러한 기존 시스템들은 전공의와의 더 많은 상호작용이 가능하도록 개선하고 전자기반 평가시스템에 입력될 수 있을 것이다. 이유를 막론하고, 포트폴리오 접근방식은 전 세계 기본의학교육과 졸업후교육의 평가를 개선할 수 있도록 보장해줄 것이다.

헌정사

이 장은 일레인 다네퍼(Dr. Elaine Dannefer) 박사를 추모하며 작성한 글이다. Elaine은 의학교육 포트폴리오의 활용을 크게 확장시킨 교육 선각자였다. 우리는 그녀가 그리울 것이다.

참고문헌

1. Driessen E. Do portfolios have a future?. *Adv Health Sci Educ Theory Pract*. 2016. [Epub ahead of print].
2. Friedman Ben David M, Davis MH, Harden RM, et al. AAME Educational Guide No. 24: Portfolios as a method of student assessment. *Med Teach*. 2001;23:535-551.
3. Challis M. AMEE medical education guide no. 11 (revised): portfolio-based learning and assessment in medical education. *Med Teach*. 1999;4:370-386.
4. Carraccio C, Englander R. Evaluating competence using a portfolio: a literature review and web-based application to the ACGME competencies. *Teach Learn Med*. 2004;16:381-387.
5. McMullan M, Endacott R, Gray MA, et al. Portfolios and assessment of competence: a review of the literature. *J Adv Nurs*. 2003;41(3):283-294.
6. Smith K, Tillema H. Clarifying different types of portfolio use. *Assess Eval Higher Educ*. 2003;28(6):625-648.
7. Koretz D. Large-scale portfolio assessment in the US: evidence pertaining to the quality of measurement. *Assess Educ*. 1998;5(3):309-334.

8. Borgstrom E, Cohn S, Barclay S. Medical professionalism: conflicting values for tomorrow. *J Gen Intern Med.* 2010;25(12):1330-1336.
9. Gordon JA, Campbell CM. The role of ePortfolios in supporting continuing professional development in practice. *Med Teach.* 2013;35(4):287-294.
10. Chertoff J, Wright A, Novak M, et al. Status of portfolios in undergraduate medical education in the LCME accredited US medical school. *Med Teach.* 2015;10:1-11.
11. O'Brien CL, Sanguino SM, Thomas JX, et al. Feasibility and outcomes of implementing a portfolio assessment system alongside a traditional grading system. *Acad Med.* 2016;91(11):1554-1560.
12. Duque G, Finkelstein A, Roberts A, et al. Learning while evaluating: the use of an electronic evaluation portfolio in a geriatric medicine clerkship. *BMC Med Educ.* 2006;6:4.
13. Duque G. Web-based evaluation of medical clerkships: new approach to immediacy and efficacy of feedback and assessment. *Med Teach.* 2003;25:510-514.
14. Davis MH, Friedman Ben-David M, Harden RM, et al. Portfolio assessment in medical students' final examinations. *Med Teach.* 2001;23:357-366.
15. Reckase MD. Portfolio assessment: a theoretical estimate of score reliability. *Educ Measure.* 1995;14:12-31.
16. Martin-Kneip GO. *Becoming a Better Teacher: Eight Innovations That Work.* Alexandria, VA: ASCD; 2000.
17. Wilkinson TJ, Challis M, Hobma SO, et al. The use of portfolios for assessment of the competence and performance of doctors in practice. *Med Educ.* 2002;36(10):918-924.
18. Van Tartwijk J, Driessen EW. Portfolios for assessment and learning: AMEE Guide No. 45. *Med Teach.* 2009;31(9):790-801.
19. Tochel C, Haig A, Hesketh A, et al. The effectiveness of portfolios for post-graduate assessment and education: BEME Guide No 12. *Med Teach.* 2009;31(4):299-318.
20. Buckley S, Coleman J, Khan K. Best evidence on the educational effects of undergraduate portfolios. *The Clinical Teacher.* 2010;7(3):187-191.
21. McEwen LA, Griffiths J, Schultz K. Developing and successfully implementing a competency-based portfolio assessment system in a postgraduate family medicine residency program. *Acad Med.* 2015;90(11):1515-1526.
22. Driessen E, van Tartwijk J, van der Vleuten C, et al. Portfolios in medical education: why do they meet with mixed success? A systematic review. *Med Educ.* 2007;41(12):1224-1233.
23. Perlman RL, Ross PT, Christner J, et al. Faculty reflections on the implementation of socio-cultural eportfolio assessment tool. *Reflective Pract.* 2011;12(3):375-388.
24. Webb TP, Merkley TR, Wade TJ, et al. Assessing competency in practice-based learning: a foundation for milestones in learning portfolio entries. *J Surg Educ.* 2014;71(4):472-479.
25. Arntfield S, Parlett B, Meston CN, et al. A model of engagement in reflective writing-based portfolios: interactions between points of vulnerability and acts of adaptability. *Med Teach.* 2016;38(2):196-205.
26. Choudry N, Fletcher R, Soumerai S. Systematic review: the relationship between clinical experience and quality of health care. *Ann Intern Med.* 2005;142:260-273.
27. Campbell C, Parboosingh J, Gondocz T, et al. Study of the factors influencing the stimulus to learning recorded by physicians keeping a learning portfolio. *J Contin Educ Health Prof.* 1999;19(1):16-24.
28. Campbell CM, Parboosingh JT, Gondocz ST, et al. Study of physicians' use of a software program to create a portfolio of their self-directed learning. *Acad Med.* 1996;71:S49-S51.
29. Holmboe ES, Meehan TP, Lynn L, et al. The ABIM diabetes practice improvement module: a new method for self assessment. *J Cont Educ Health Prof.* 2006;26:109-119.
30. Archibald DA, Newmann FM. *Beyond Standardized Testing: Assessing Authentic Academic Achievement in the Secondary School.* Reston, VA: National Association of Secondary School Principals; 1988.
31. Lau AMS. "Formative good, summative bad?" - A review of the dichotomy in assessment literature. *J Further Higher Educ.* 2016;49(4):509-525.
32. Driessen E, van der Vleuten CPM, Schuwirth L, et al. The use of qualitative research criteria for portfolio assessment as an alternative to reliability evaluation: a case study. *Med Educ.* 2005;39:214-220.
33. Cook DA, Kuper A, Hatala R, et al. When assessment data are words: validity evidence for qualitative educational assessments. *Acad Med.* 2016;91(10):1359-1369.
34. Messick S, Validity. In: Linn RL, ed. *Educational Measurement.* 3rd ed. New York: American Council on Education and Macmillan; 1989:13-103.
35. Kane MT. Validation. In: Brennan RL, ed. *Educational Measurement.* 4th ed. Westport, CT: Praeger; 2006:17-64.
36. Holmboe ES, Prince L, Green ML. Teaching and improving quality of care in a residency clinic. *Acad Med.* 2005;80:571-577.
37. Sowter J, Cortis J, Clarke DJ. The development of evidence based guidelines for clinical practice portfolios. *Nurse Educ Today.* 2011;31(8):872-876.
38. Van Tartwijk J, Driessen E, van der Vleuten C, et al. Factors influencing the successful introduction of portfolios. *Qual Higher Educ.* 2007;13:69-79.
39. Willmarth-Stec M, Beery T. Operationalizing the student electronic portfolio for doctoral nursing education. *Nurse Educ.* 2015;40(5):263-265.
40. Pitts J, Coles C, Thomas P. Educational portfolios in the assessment of general practice trainers: reliability of assessors. *Med Educ.* 1999;33:515-520.
41. Pitts J, Coles C, Thomas P. Enhancing reliability in portfolio assessment: "shaping" the portfolio. *Med Teach.* 2001;23(4):351-356.
42. Pitts J, Coles C, Thomas P, et al. Enhancing reliability in portfolio assessment: discussion between assessors. *Med Teach.* 2002;24(2):197-201.
43. McMullan M, Endacott R, Gray MA, et al. Portfolios and assessment of competence: a review of the literature. *J Adv Nurs.* 2003;41:283-294.
44. O'Sullivan PS, Reckase MD, McClain T, et al. Demonstration of portfolios to assess competency of residents. *Adv Health Sci Educ.* 2004;9:309-323.
45. O'Sullivan PS, Cogbill K, McClain T, et al. Portfolios as a novel approach for residency evaluations. *Acad Psych.* 2002;26:173-179.
46. Gadbury-Amyot C, McCracken MS, Woldt JL, et al. Validity and reliability of portfolio assessment of student competence in two dental school populations: a four-year study. *J Dent Educ.* 2014;78(5):657-667.
47. Gadbury-Amyot CC, Bray KK, Austin KJ. Fifteen years of portfolio assessment of dental hygiene student competency: lessons learned. *J Dent Hyg.* 2014;88(5):267-274.

48. Munger BS. Oral examinations. In: Mancall EL, Bashook PG, eds. *Recertification: New Evaluation Methods and Strategies*. Evanston, IL: American Board of Medical Specialties; 1995: 39-42.
49. Dannefer EF, Prayson RA. Supporting students in self-regulation: use of formative feedback and portfolios in a problem-based learning setting. *Med Teach*. 2013;35(8):655-660.
50. Davis DA, Mazmanian PE, Fordis M, et al. Accuracy of physician self-assessment compared to observed measures of competence: a systematic review. *JAMA*. 2006;296(9):1094-1102.
51. Kruger J, Dunning D. Unskilled and unaware of it: how difficulties in recognizing one's own incompetence leads to inflated self-assessments. *J Pers Soc Psychol*. 1999;77:1121-1134.
52. Kruger J, Dunning D. Unskilled and unaware - but why? A reply to Krueger and Mueller. *J Pers Soc Psychol*. 2002;82:182-192.
53. Eva KW, Regehr G. Self-assessments in the health professions: a reformulation and research agenda. *Acad Med*. 2005;80: S46-S54.
54. Sargeant J, Armson H, Chesluk B, et al. The processes and dimensions of informed self-assessment: a conceptual model. *Acad Med*. 2010;85(7):1212-1220.
55. Sargeant J, Eva KW, Armson H, et al. Features of assessment learners use to make informed self-assessments of clinical performance. *Med Educ*. 2011;45(6):636-647.
56. Schon DA. *The Reflective Practitioner: How Professionals Think in Action*. New York: Basic Books; 1983.
57. Holmboe ES, Prince L, Green ML. Teaching and improving quality of care in a residency clinic. *Acad Med*. 2005;80:571-577.
58. Barnsley L, Lyon LM, Ralston SJ, et al. Clinical skill in junior medical officers: a comparison of self-reported confidence and observed competence. *Med Educ*. 2004;38:358-367.
59. Turnbull J, Gray J, MacFayden J. Improving in-training evaluation programs. *J Gen Intern Med*. 1998;13:317-323.
60. Debowski S, Wood RE, Bandura A. Impact of guided exploration and enactive exploration on self-regulatory mechanisms and information acquisition through electronic search. *J Appl Psychol*. 2001;86:1129-1141.
61. Silber CG, Nasca TJ, Paskin DL, et al. Do global rating forms enable program directors to assess the ACGME competencies? *Acad Med*. 2004;79:549-556.
62. Schwind CJ, Williams RG, Boehler ML, et al. Do individual attendings' post-rotation performance ratings detect residents' clinical performance deficiencies? *Acad Med*. 2004;79:453-457.
63. Holmboe ES, Hawkins RE. Evaluating the clinical competence of residents: a review. *Ann Intern Med*. 1998;129:42-48.
64. Gray JD. Global rating scales in residency education. *Acad Med*. 1996;71:S55.
65. Norcini JJ, Blank LL, Duffy FD, et al. The mini-CEX: A method for assessing clinical skills. *Ann Intern Med*. 2003;138:476-481.
66. Snadden D, Thomas M. The use of portfolio learning in medical education. *Med Teach*. 1998;20(3):192-199.
67. Webb C, Endacott R, Gray M, et al. Models of portfolios. *Med Educ*. 2002;36:897-898.
68. Foundation ABIM. American College of Physicians and European Federation of Internal Medicine: Medical professionalism in the millennium: a physician charter. *Ann Intern Med*. 2002;136:243-246.
69. Englander R, Flynn T, Call S, et al. Toward defining the foundation of the MD degree: core entrustable professional activities for entering residency. *Acad Med*. 2016;91(10):1352-1358.
70. Frank JR, Jabbour M, Tugwell P, et al. Skills for the new millennium: report of the societal needs working group, CanMEDS 2000 Project. *Ann Royal Coll Phys Surg Can*. 1996;29:206-216.
71. General Medical Council. *Good Medical Practice*. London: General Medical Council; 2001.
72. Mazmanian PE, Mazmanian PM. Commitment to change: theoretical foundations, methods, and outcomes. *J Cont Educ Health Prof*. 1999;19:200-207.
73. Jones DL. Viability of the commitment-for-change evaluation strategy in continuing medical education. *Acad Med*. 1990;65:S37-S38.
74. PediaLink Learning Center. Available at https://www.pedialink.org/index.cfm.
75. Dannefer EF, Henson LC. The portfolio approach to competency-based assessment at the Cleveland Clinic Learner College of Medicine. *Acad Med*. 2007;82:493-502.
76. Melville C, Rees M, Brookfield D, et al. Portfolios for assessment of paediatric specialist registrars. *Med Educ*. 2004;38:1117-1125.
77. Fung MFK, Walker M, Fung KFK, et al. An internet-based learning portfolio in resident education: the KOALA multicentre programme. *Med Educ*. 2000;34:474-479.
78. O'Sullivan P, Greene C. Portfolios: possibilities for addressing emergency medicine resident competencies. *Acad Emerg Med*. 2002;9(11):1305-1309.
79. Shaughnessy AF, Duggan AP. Family medicine residents' reactions to introducing a reflective exercise into training. *Educ Health*. 2013;26(3):141-146.
80. Moonen-van Loon JM, Overeem K, Donkers HH, et al. Composite reliability of a workplace-based assessment toolbox for postgraduate medical education. *Adv Health Sci Educ*. 2013;18(5):1087-1102.
81. Pereles L, Gondocz T, Lockyer JM, et al. Effectiveness of commitment contracts in facilitating change in continuing medical education intervention. *J Contin Educ Health Prof*. 1997;17:27-31.
82. Supiano MA, Fantone JC, Grum C. A web-based geriatrics portfolio to document medical student's learning outcomes. *Acad Med*. 2002;77(9). 937-398.
83. Sandars J. Commentary: electronic portfolios for general practitioners: the beginning of an exciting future. *Educ Primary Care*. 2005;16:535-539.
84. Dornan T, Lee C, Stopford A. SkillsBase: a web-based electronic learning portfolio for clinical skills. *Acad Med*. 2001;76:542-543.
85. Dornan T, Carroll C, Parboosingh J. An electronic learning portfolio for reflective continuing professional development. *Med Educ*. 2002;36:767-769.
86. Dornan T, Meredia N, Hosie L, et al. A web-based presentation of an undergraduate clinical skills curriculum. *Med Educ*. 2003;37:500-508.
87. Dornan T, Lee C, Stopford A, et al. Rapid application design of an electronic clinical skills portfolio for undergraduate medical students. *Comput Methods Programs Biomed*. 2005;78:25-33.
88. Schmitz C, Whitson BA, Van Heest A, et al. Establishing a usable electronic portfolio for surgical residents: trying to keep it simple. *J Surg Educ*. 2010;67(1):14-18.
89. Moores A, Parks M. Twelve tips for introducing E-Portfolios with undergraduate students. *Med Teach*. 2010;32(1):46-49.
90. Nagler A, Andolsek K, Padmore JS. The unintended consequences of portfolios in graduate medical education. *Acad Med*. 2009;84(11):1522-1526.

15

문제가 있는 학습자 또는 문제 학습자? 역량 부족 학습자와 일하기

WILLIAM IOBST, MD, AND ERIC S. HOLMBOE, MD, MACP, FRCP

개요

"당신이 어디로 가고 있는지 모른다면 엉뚱한 길로 갈 수 있을 것이다."[1]

– 루이스 캐롤(LEWIS CARROLL)

배경: 단계 설정과 정의

이 장의 제목인 "문제 학습자 또는 문제가 있는 학습자"란 단순한 언어유희가 아니다. 학습자가 예상되는 발전 단계로부터 벗어나게 되면 정확한 평가(assessment)와 교육프로그램 차원의 중재가 강조 된다. 이러한 수행 부족 학습자의 기록과 적절한 중재는 학습자에 대한 정확한 평가가 필요하며, 이를 통해 문제를 파악하고 분류하여 최종 판단을 내릴 수 있는 체계적인 시스템이 필요하다. 수행 부족은 어떠한 역량 영역에서도 있을 수 있다. 졸업후의학교육과 지속적인 전문성 개발과 관련하여 여섯 가지의 미국졸업후교육인증위원회(Accreditation Council for Graduate Medical Education, ACGME)/미국전문의협회(American Board of Medical Specialties, ABMS)의 일반 역량은 미국에서 가장 보편적으로 사용되는 틀이다(1장 참조).[2]

"문제 학습자"에 대한 다양한 정의는 다음과 같다.

"정서적, 인지적, 구조적 또는 대인관계 어려움으로 인하여 학업성취도가 성취 잠재력보다 현저히 낮은 학습자"[3]

"지식, 술기 또는 태도에 심각한 문제가 있어 프로그램의 기대에 미치지는 못하는 학습자"[4]

"권위 있는 사람의 개입이 필요할 정도로 심각한 문제를 갖고 있는 전공의"[5]

그렇지만, "문제 학습자"라는 호칭은 크게 도움되지 않으며 오해를 유도할 수 있다. 루시앙 리프(Lucien Leape)는 어떠한 역량의 부족이 있는 경우 "역량 부족(dyscompetency)"으로 정의하였다. 역량 부족은 문제가 있는 학습자에 대한 지칭으로 더 적절한 표현이기에 "문제 학습자(problem learner)"를 다룰 때 유용한 개념이다.[6] 역량 부족은 특정한 또는 제한된 역량의 부족이거나 다양하게 엮여있는 역량에도 관련되었다고 본다. "역량 부족"이라는 용어는 전체적으로 역량이 떨어지는 경우도 있지만, 모든 역량이 같은 수준으로 획득되지 않은 경우도 포함된다. 일부 역량은 매우 빠른 속도로 달성되지만, 다른 역량은 매우 더디게 획득 된다. 그렇지만, 역량을 천천히 갖춘다 하더라도 프로그램 내에서 기대되는 승급 수준을 성공적으로 획득하지 못한 것을 의미하지는 않는다.

수련 중 의사(즉, 학습자)를 포함하여 업무에 차질을 일으키는 의사들은 "환자 진료를 방해 하는 폭력적인 행동을 보이거나 양질의 진료를 저해할 것으로 예상되는 의사"로 정의할 수 있으며, 흔히 전문직업성에 있어 제한된 역량 부족으로 생각되는 의사를 일컫는다.[6] 여러가지로 부족한 의사는 "전반적으로 역량이 낮은" 또는 "전반적인 역량 부족"이라고 할 수 있다. 이번 장의 목적을 고려했을 때, 의학교육자들이 교육에서 마주하게 되는 대부분의 문제 상황들을 아우를 수 있으므로 문제가 있는 학습자를 역량 부족 학습자로 간주하고자 한다.

역량 부족 학습자에 대한 도전을 다루기 위해서는 분명한 학습자 수행기준의 개발, 명확히 규정된 평가체계 그리고 전문가로서 발전하는 데 필요한 부분으로써 평가를 수용하고 환영하는 학습문화의 진화가 요구된다. ACGME/ABMS의 마일스톤과[7] 같은 틀과 위임가능전문활동(entrustable professional activity, EPA, 1장 참조)을 사용하는 평가 전략 등이 교육의 목표를 명확히 해줄 것이다. 규정된 수행 기대치와 평가 전략에 더해 교육책임자는 지속적인 피드백과 학습자의 발전을 확립하는 평가를 증진시키는 문화를 장려하여야만 한다. 학습자 평가에 관여하는 교육과정에서 주요한 이해당사자들은 평가과정의 목적과 성과를 반드시 이해해야 한다. 의과대학생, 임상강사,전공의, 병실주치의와 같이 교육체계에 의존하는 모든 의사들은 기본의학교육이나 졸업후교육이 점진적으로 발전하는 역량을 갖추는 발달과정이라는 사실을 이해하여야 한다.

이러한 교육의 연속성에 있는 학습자는 피드백을 통하여 교정되거나 강화될 것이라는 사실을 받아드리고 예견하여야 한다. 우리는 실제로 학습자가 궁극적으로는 감독 없이 스스로 환자진료를 볼 수 있는 수준에 다다를 수 있도록 도와주는 피드백과정이 필요하다. 평가에 임하는 교수자들은 솔직해야 하고, 형성적인 준거-참조 피드백이 평가의 기대성과이어야 한다는 사실을 이해하여야 한다. 교수자들은 자신들이 수행하는 각각의 평가에서 전반적이거나 전체적인 역량을 최종적으로 평가하는 것이 아니지만, 교육에서 학습자의 전반적인 평가에 필요한 중요한 자료를 제공한다는 사실을 인지하여야 한다. 교수들은 학습자가 특정한 맥락이나 특정 시점에서 역량을 갖추었는지 갖추지 못하였는지를 결정하는 데 도움을 주어야 한다.

일반적인 역량의 결정은 전반적인 교육과정에 필요한 업무인데, 미국, 싱가포르, 카타르, 아랍에미리트와 같은 국가의 경우 임상역량위원회를 통하여 집단 의사결정으로 판단 한다.[8] 학습자가 안전하게 다음 단계로 발전하거나 스스로 수행할 수 있는 단계에 이른다는 것을 증명하는 부분은 모든 의학교육 프로그램과 전문적 자기규제 측면에서도 필수적인 기능이라고 할 수 있다. 대중은 역량이 부족한 학습자에게 필요한 교육뿐만 아니라 역량이 부족한 의사들이 있을 경우 스스로 이를 확인하고 재교육 받기를 기대한다. 대부분의 교육체계에서 가장 중요한 평가 틀은 1장에 기술된 역량에 기반을 두고 있다.

역량이 부족한 학습자를 다룰 수 있도록 잘 구성된 평가 수련프로그램의 핵심 요소는 다음과 같다.

1. 역량 개발을 규정한 명백한 개념틀 (예: 지역 교육 맥락과 요구에 따른 역량, 마일스톤 그리고 EPA)
2. 학습자의 발달단계와 궤도를 규정하는 효과적이면서 정확한 자료를 만들 수 있고 학습자의 역량을 확인할 수 있는 평가체계
3. 평가자료에 대한 해석과 통합이 가능하며, 탄탄한 구조와 절차로 구성된 수련프로그램(예: 역량위원회)
4. 학습자가 다양한 속도로 발전되고 있고, 원하는 역량을 이루는 것이 발달과정이라는 사실을 인지하는 안전한 학습환경
5. 확실한 피드백과 재교육을 지지하면서 자율권을 주는 교육기관 및 교육문화
6. 학습자의 발달과정이 중재가 필요할 정도로 벗어났다고 결정할 수 있는 명확한 기준
7. 교육과 평가과정에서 모든 주요 이해당사자들의 역할과 책임에 대한 명확한 기대 - 이해당사자는 교육자, 학습자 그리고 환자를 포함한다.
8. 흔하지는 않지만, 어느 시점에서 교육 중인 역량 부족 교육생을 해고시키거나 적절한 결정을 내릴 수 있는 용기

이러한 핵심적인 속성 중에 어느 하나가 부적절하게 규정되었거나 놓칠 경우, 역량 부족 학습자를 효율적으로 지도하는 교육의 능력은 떨어지게 된다. 이러한 핵심 속성과 더불어 교육에서는 원하는 성과의 성취를 보장하는 데 필요로 하는 구조와 과정을 발전시키고 유지하여야 한다(표 15.1). 이러한 교육평가를 설계하고 구조와 성과를 사용하는 체계적인 접근은 역량 부족 학습자를 인지하여 재교육하는 적절하고 효율적인 시스템으로 발전할 수 있다.

역량 부족 학습자에 대한 체계적인 접근에 대하여 기술하기 전에, 추가적인 정의가 도움이 될 수 있다. 재교육은 "문제를 해결하는 활동이나 과정"이라고 한다(머레인-웹스터 사전, Merrain-Webster Dictonary). 재교육은 경멸적인 과정이 절대 아니다: 많은 학습자들에게 자신의 경력에서 어느 시점에서 일부 역량에 대하여 재교육이 필요할 수 있다. 재교육과 성과에 대한 기본적인 이슈는 부족한 부분의 내용과 그 심각성과 연관되어 있다. 보호관찰 기간은 "'나쁜' 것을 수행하거나 심각한 실수를 하였던 사람을 관찰하고 심각한 징계를 주지 않기 위한 상황 또는 일정 기간"이라고 표현한다. 대부분의 시스템에서 보호관찰은 잠재적으로 심각한 결과를 초래할 수 있는 재재라고 할 수 있다.

마지막으로, 필자는 독자들이 역량, 마일스톤, EPA에 대한 정의를 기술한 1장을 복습하기를 권장한다.

표 15.1 역량 부족 학습자를 지도하는 효과적인 시스템의 구성 요소

구조	절차	성과
교육행정 교육과정 책임지도전문의 직원 의료서비스 역량 위원회 법적 자문 정보기술 시스템	분명하게 규정되고 준거에 바탕을 둔 절차: • 규정된 학습성과 • 문제 인지 • 문제 검증 • 학습자 평가 • 중재 • 중재의 평가 • 데이터 통합	성공적인 재교육 성공적이지 못한 재교육 보호관찰기간 해고 지속적인 질 개선

문제 영역: 역량 부족 학습자

의학교육에서 역량 부족 학습자는 새로운 것도 아니고 드문 경우도 아니다. 역량의 영역을 규정한 전 세계적인 발의 이전에도 역량 부족 학습자를 분류하는 것은 일차적으로 문제가 되는 환자진료나 의학적 지식에서 일반적으로 알려져 있었다.[9-14] 2000년에 야오(Yao)와 라이트(Wright)는 내과 전공의 수련교육의 약 94%의 전공의 중 최소 한 명은 어려움을 겪고 있었는데 이러한 상황이 잘 보고되지 않고 있었다. 이 연구에서 부족한 의학적 지식(48%), 부적절한 임상적 판단(44%), 비효율성(44%), 부적절한 환자의사관계(39%), 부족한 술기(36%) 등이 문제로 인식되었다. 하우어(Hauer)와 동료들은[16] 단일 기관 교육에서 문제 학습자를 재교육한 13개의 연구를 분석한 결과 대부분이 의학지식과 임상술기 역량이 포괄적으로 부족하였다고 보고하였다. 의학교육에 관여하는 핵심 이해 당사자들은 수련교육에서 학습자에게서 예견되는 것과 어떻게 이러한 기대를 평가할지에 대한 일반적인 이해(일명 공유된 정신모형)를 가지고 있어야 한다.

1장에서 강조하였듯이, 발달 마일스톤을 규정하는 최근 연구와 EPA에 따른 업무바탕 평가의 중요성의 수용이 이러한 도전을 극복하는 데 도움이 되고 있다. 하지만, 현재 ACGME 전문 임상과별 마일스톤 발표와 의학교육의 전통적인 분야에 대한 EPA를 정의하였다고 해서 학습자들이 기대하는 수준으로 역량을 갖출 수 있을지는 알 수 없다. 졸업후교육 수준의 학습자들이 감독 없이 성공적인 진료를 할 수 있는지를 평가한 살펴보면 기대수준에서 심각한 역량 격차를 확인할 수 있다. 이런 관점에 비추어 보면, ACGME 성과 프로젝트가 시작된 이후 10년이 지나면서 크로손(Crosson)과 동료들은[17] 캘리포니아 카이저 퍼머넌트 보건의료시스템(California Kaiser Permanente Health Care System) 안에서 감독 없이 진료에 임하는 의사들 간에 현저한 격차를 확인하였다(글상자 15.1). 마타(Mattar)와 동료들도[18] 임상강사 교육에 들어가는 일반외과 전공의의 수행도에서 상당한 격차를 확인하였다(표 15.2).

이러한 연구들은 정확하고 의미 있는 평가라는 도전과제를 극복하는 것을 강조하고 있으며, 모든 단계의 의학교육 과정에서 분명하게 규정된 성과를 제공해야 함을 강조하고 있다. 사회의 의료 요구에 맞추기 위해, 이런 성과는 모든 발전 단계에서 학습자들에게 예상되는 발전 궤도를 규정해야 하고 또한 현재의 의료 전달체계에서 졸업하는 전공의들이 안전하고 효율적으로 기능할 수 있도록 해야 한다. 이러한 문제의 영역에 대한 이해를 바탕으로 많은 학습자들이 일부 영역의 역량이 부족할 수 있으므로 재교육과 보호관찰을 위한 보다 엄격한 활동이 체계적으로 이루어져야만 한다.

• 글상자 15.1 감독 없이 진료현장에 투입되는 의사의 역량 격차

진료현장바탕 직무역량
- 전문직간 팀 기술
- 임상정보의 의미 있는 활용 능력
- 인구집단 관리 기술
- 성찰 능력과 지속적인 질 향상 능력

협력 진료
진료의 연속성
리더십과 관리기술
시스템 사고
시술 기술

표 15.2 임상강사 수련교육에 들어가는 일반외과의사의 역량 격차

역량 격차	역량 부족 임상강사 비율 (%)
수술장에 대한 준비 부족	21%
환자에 대한 책임감 부족	38%
30분간 교수자의 지도 없이는 주요 시술을 시행할 수 없음	66%
능숙하게 봉합할 수 없음	56%
합병증의 초기 징후를 인지하지 못함	24%
복강경을 이용한 담낭절제술을 독립적으로 수행하지 못함	30%

• 글상자 15.2 역량 부족 학습자를 위한 알고리즘

다면피드백
문제에 대한 진단과 교정활동 계획의 수립
의도된 연습 또는 기대되는 행동 수립/모니터링이 포함된 중재의 실행
피드백과 성찰
성과가 달성되었다는 중점적인 재평가와 증명

Hauer와 동료들은[16] 이러한 학습자를 지도하는 데 목적을 둔 중재에 대한 단계별 접근을 제시하였다. 비록 이 고찰에서도 이러한 학습자를 지도하는 최선의 방법을 안내할 만한 근거가 부족하다는 것이 강조되었지만, 글상자 5.2에 요약한 접근법을 유용하게 사용될 수 있도록 제시되었다. 이러한 알고리즘이 문제가 있는 학습자에 대한 표준화된 접근을 제시하지만, 과정에 포함된 단계를 간단하게 정의하는 것이 충분하지 않으며 다음의 네 가지 결정적인 활동들과 통합되어야만 한다. 문제인식, 문제에 대한 조사와 분류, 적절한 중재에 대한 결정, 마지막으로 그러한 중재의 성공 여부에 대한 평가이다.

문제 인식

가능성이 있는 문제를 인식하려고 할 때, 다음과 같은 과정을 거쳐야 한다.

1. 실제적인 문제가 있는지 확인한다. 전통적으로 수련 초기에 역량 부족 학습자를 인지하고 확인하기는 어렵다. 이러한 어려움은 부분적으로 특정 단계의 학습자에게 대한 기대가 제대로 정의되지 않은 것에서 기인한다. 전통적으로 역량 부족 학습자는 다양한 방법으로 프로그램에서 주목받게 된다. Yao와 Wright는[15] 역량 부족 학습자들은 대부분 임상상황에서 직접관찰하면 가장 잘 파악할 수 있다고 하였지만, 역량 부족 학습자는 중대한 사건이나 불만을 통해서도 확인되며, 아침 보고와 같은 토론 상황에서 부족한 수행을 통하여 또는 수련 중 시험 또는 근무 태만에 따른 환자진료 결과에서도 파악할 수 있다고 보고 되고 있다. 이러한 우려를 교육의 관심사로 가져오는 사람들은 전공의 대표, 책임지도전문의와 일반 전공의들이다. 역량 부족 학습자를 확인할 수 있는 교수자의 서면 보고는 흔하지 않다. 대신에, 이러한 관심들은 구두나 비공식적인 방법으로 보고된다. 평가과정에 참여하였던 많은 책임지도전문의의 경험에 비추어 보면 책임지도전문의의 정규 보고가 부족하기 때문에 학습자의 수행 결과 예측이 불분명해지고 역량 부족 학습자가 파악되어도 결국 교육책임자에게 보고하는 것을 주저하게 되는 것이다. 의과대학생의 전문직업성의 부족을 연구한 지링(Ziring)과 동료들은 학생과 교수들이 결과보고를 꺼려하고, 문제점을 확인하고 재교육하는 교수 훈련의 부족과 불명확한 학업전략과 비효율적인 재교육전략 등이 방해요소라고 하였다.[19] 보고를 하더라도 학습자의 수행에 대한 초기 피드백이 잘 규정되어 있지 않고, 설명할 수 있거나 옹호될 수 있는 가능성이 높다. 이러한 피드백의 예로써 "이것이 한 번의 사건이었지만, 뭔가 잘못되었을 수도 있다고 생각한다" 가 있다.

   이러한 초기 우려사항을 보다 명확하게 하기 위해서 프로그램에서는 역량 부족 학습자와 잠재적 역량 부족 학습자를 식별하고 알아내기 위한 일반적인 원칙과 분류체계를 확인하여야 한다. 이러한 분류체계는 각 국가의 적절한 일반적인 역량들(ACGME의 일반 역량: Can-MEDS의 전문가 역할)을 포함하여야 하지만, 학습환경, 학습자의 개인적인 특성, 법, 전문단체 표준 등을 포함하여야 하며, 부분적으로는 역량 부족에 대한 중재의 기본 속성에 기반할 수도 있다. 예를 들어, 스미스(Smith)와 동료들이 기술한 체계에서는[20] 문제를 일반적인 역량, 법과 전문단체 표준 그리고 수행/장애를 포함하는 세 가지 영역으로 크게 분류하였다.

   잘 활용되지는 않지만, 초기 조사방법 중 하나는 학습자의 교육프로그램 지원서를 검토할 수 있다. 일개 전공의 교육프로그램에서 문제 전공의들에 대한 20년 후향적 검토 연구에서 브레너(Brenner)와 동료들은[21] 미국에서 나타나는 여러 문제 행동은 학장의 추천서나 의과대학 수행평가(Medical School Performance Evaluation, MSPE)의 부정적인 평가로 이미 예상할 수 있었다고 지적하였다. 특히, "예민하고, 소심하며, 호기심이 거의 없거나 지식을 임상에 적용하는 데 어려움이 있다"와 같은 내용은 이후에 역량 부족 전공의로 확인된 전공의들을 설명하는 문구였다. 비록 초기 문제 인식에 어려움이 있었던 일개 기관의 연구이지만, 이러한 정보를 검토함으로써 역량 부족을 진단하거나 재교육 계획을 세우는 데 도움을 주게 되므로 초기 조사에서 고려해야 할 사항이다(후반부 참조).

   의학교육과 진료 단계에 적합한 역량 틀을 이용하여 학습자가 정상적인 전문성 개발 과정에서 중재가 필요할 만큼 수행이 부족한지 확인할 필요가 있다. 이러한 의사결정을 체계화한다는 것은 어렵다. 2002년에 카라치오(Carraccio)와 동료들이 기술한 것처럼,[22] 성공적인 역량바탕교육은 풍부한 형성평가 자료의 지속적인 흐름과 발전적인 학습과정을 지도해 주는 피드백을 필요로 한다. 이러한 피드백은 수행의 강점과 약점을 학습자가 인식할 수 있게 해야 하고, 항상 수행의 일부 영역이 개선될 수 있게 설계된 상호간에 동의된 활동계획을 포함하여야 한

다. 역량 부족 학습자를 조기에 찾아내는 기회는 정상적인 발전의 일환으로 합의된 행동 계획을 수행하지 못하거나 성공적으로 완료하지 못한 것일 수 있다. 미국에서는 이러한 과정이 진료바탕학습과 일반 역량 개선의 일부 과정으로 구성된다. Carracio는 또한, 학습자는 역량바탕 교육과정에서 능동적인 참여자 이어야만 한다고 강조하였다. 학습자들은 자기주도 평가를 경험하고 계속해서 역량을 달성하는 방향으로 자신이 발전하고 있음을 성찰하는 과정에 능동적으로 참여하여야 한다. 능동적으로 참여하는 학습자는 학습을 촉진시킬 수 있으며, 예상되는 성과가 실제로 나타났는지에 대한 모호함을 떨쳐 버릴 수 있다. 그렇지만, 데이비스(Davis)와 동료들이 기술한 것처럼,[24] 외부 참고자료 안내가 없는 자기평가는 최선이라고 할 수 없다. 학습자 주도의 자기성찰과 자기평가에 대한 공식적인 요구사항은 자신의 잠재적 강점과 약점에 대한 학습자의 자각을 보여주고 "역량 부족 (문제) 범주"속으로 함몰되는 것을 피할 수 있다.

2. 문제가 발생하는 데 있어 학습자, 교수자와 프로그램 자체가 어떤 역할을 했는지 결정해야 한다. 모든 문제가 학습자에게 국한된 수행 격차를 반영한다고 가정하면 이러한 일부 문제들은 실제적으로 교수역량이나 프로그램 설계와 관련될 수 있는 가능성을 간과할 수 있다. 이러한 광범위한 시각으로 문제를 해결하면 프로그램의 문제들을 확인하는 데 도움을 주고 적어도 문제의 일부가 교육과정이나 학습환경의 문제인 경우 학습자의 역량이 부족하다고 잘못 구분하는 것을 피할 수 있다. 이러한 검토결과는 필요한 교수개발이나 전문성 함양에 초점을 맞추고 확인하는 데 도움이 될 수 있거나 프로그램 수준의 시스템 문제로 인하여 학습자에게 과도한 스트레스나 비현실적인 수행 기대가 일어날 때 교육수준을 개선할 수 있는 기회를 줄 수 있다. 또한 개별 이해관계자의 역할을 정의하게 되면 프로그램의 학습환경이 지속적으로 평가되고 개선될 수 있다. ACGME의 임상학습환경 심사(Clinical Learning Environment Review, CLER) 수련프로그램은[25] 구체적으로 학습환경의 품질과 함께 전문성 개발에 있어 환경의 효과를 조사한다. CLER 과정은 기관의 문화와 학습환경을 심사하는 유용한 틀이 될 수 있다.
3. 마지막으로 해당 사건에 실제로 중재가 필요한지 여부를 결정해야 한다. 프로그램에서 문제를 찾아내고 명확히 하는 과정에서 조기에 적신호 사건의 심각성을 최소화하는 경향을 역사적으로 보여 주고 있음에도 불구하고, 효과적인 조기 중재는 에반스(Evans)와 브라운(Brown) 등에[26] 의해 "교육적 감독(educational supervision)의 황금 표준"으로 확인되었다. 파파다키스(Papadakis)와 동료들은[27] 학습자의 피드백 거부나 미성숙한 행동 등과 같은 사소한 행동을 기록한 의과대학 교수들의 보고서나 전공의 수련교육의 기록들은 추후 진료현장에서의 비전문가적인 행동을 실제로 예측하며, 이는 주(state) 면허기관에서 불리한 조치를 촉발시킬 수도 있다. 또한, 리프너(Lipner)와 동료들은[28] 전공의 수련기간 동안 낮은 수행평가를 받거나 자격시험에서 떨어진(5%) 내과전공의는 진료현장 근무 시 문제가 발행하여 주(state) 면허기관과 부딪힐 확률이 높다고 하였다. 이상의 연구는 사소한 전문직업성이나 행동 문제로 보이는 것에 대하여 주의를 기울이는 것이 중요하다는 것을 강조한다. 하지만 이는 주의가 필요한 표현이다. 이러한 연구는 면허기관에 의한 불리한 조치가 이루어질 수 있는 가능성이 높다고 하더라도, 궁극적으로 자신의 행동을 완벽하게 교정할 학습자는 지극히 적을 것이라는 점이다. 따라서 이러한 신호들은 경력을 쌓는 동안 전문직업성 개발을 방해할 수 있는 결핍의 위험성이 더 높기에 보다 적절하게 관찰되어야 한다. 이러한 결과들이 "아무것도 아니거나 단지 실수"인 것으로 밝혀지더라도, 이 자료들은 학습자의 향후 평가와 행동계획을 수립하는 데 있어 여전히 가치가 있다.

미국에서는 현재 수련 교육과정에서이 역량 부족 학습자를 파악하는 데 도움을 주는 임상역량위원회(Clinical competency committees, CCC)를 이용하고 있다. CCC를 통한 효과적인 집단 평가가 더 나은 판단을 해 줄 수 있다. CCC 구조는 학습자의 경력에서 의미 있는 조기 중재가 이루어질 수 있도록 초기에 평가를 진행할 수 있다. 그 밖에도 CCC는 교육과정의 설계와 실행 또는 일반적인 학습환경에서 잠재적인 프로그램 차원의 결함을 확인할 수 있는 기회를 제공한다.

역량 부족 학습자를 다루는 어떤 시스템에서도 앞선 단계들이 필요하기는 하지만, 이것만으로는 충분하지 않다. 우리는 학습자의 수행 정보를 교수자와 적절히 공유할 수 있는 정책들을 개발해야 한다. 공유하는 이러한 정보는 모든 학습자의 전문성 개발을 극대화하고, 교수자와 학습자 모두에게 개발과정을 함께 이해하도록 하며, 각 학습자의 현재 수준과 바라는 수행 정도를 결정하는 데 필요하다. 이러한 성과를 얻기 위해서 전체 의학교육계는 형성평가와 총괄평가를 장려하고 학습자가 다른 속도로 발전하는 것을 인식하는 의학교육 문화를 발전시켜야 한다. 이에 따라 재교육의 형태를 가진 많은 중재들은 발전과정에 정상적인 부분으로 인식될 필요가 있다. 저자들은 이러한 사실을 강조하지 않을 수 없다. 재교육은 의학교육 프로그램에서 '정상적인' 과정으로서 인식되어야 한다. 역량바탕 틀로 전환되면서 역량 부족 학습자들은 지금 일반 역량 영역으로 분류되어야 하고, 평가 교육과정이 지속적으로 발전되면서 개선되어야 하며, 역량이 부족하고 다양한 분야에서 개선이 확인되는 학습자를 확인해야 한다. 역량 부족 학습자를 확인할 수 있는 일반역량 영역은 의학지식과 환자진료이다.[16] 그렇지만, ACGME/ABMS의 여섯 가지 일반 역량이 도입되면서 연구자들은 어느 한 영역이 아니라 보다 많은 역량 영역에 문제가 있는 역량 부족 학습자를 확인할 수 있으며 전반적인 역량 범위에 걸쳐진 문제점들을 인식할 수 있다.

문제의 조사와 분류

역량 부족 학습자에 대한 조사와 분류하는 접근 방법은 역량을 갖추는 데 있어 발전하는 속성을 존중하고 역량에 바탕을 두어야 한다. 역량이 발전된다는 접근법은 학습자가 특정 역량 영역에서 다른 속도로 진보되는 것을 인식해야 한다. 교육프로그램에서는 학습자의 발전이 언제 예상되는 규준 안에서 일어나고, 언제 공식적인 중재가 필요없는 지, 그리고 언제 중재가 필요할 지를 규정하여야 한다. 중재가 필요할 경우, 중재가 가능한 시기와 그렇지 않은 시기를 정의해야 한다. 또한 학습자가 임상 환경에서 지속적으로 일하는 것이 안전한지에 대한 여부를 결정하여야 한다. 환자의 안전이 위험할 경우, 학습자는 임상 상황에서 제외되어야 하며 역량 부족 원인이 재교육으로 해결될 수 있는지에 대한 여부를 결정하여야 한다. 환자 안전 문제로 학습자의 교육이 실제적으로 변경된다면, 지역과 국가적 맥락에서 해당 기관이 요청할 때 보고할 준비를 해야 한다. 불행하게도, 정해진 기간 이후에 재교육이 불가능하거나 성공적이지 못하다면 학습자는 프로그램에 지속적으로 참여할 수 없다.

그렇지만, 환자 안전에 문제가 없거나 재교육이 가능하다면, 역량 부족 학습자가 정상적인 학습범위나 예상궤도를 벗어나는 기준을 결정하여야 한다. 학습자가 정상적인 궤도와 학습범위 내에서 진행된다고 판단된다면, 재교육은 징벌적인 필요가 없으며, 각 개인의 개선 계획에 준하여 잘 구성될 수 있다. 예를 들어, 칼레트(Kalet)와 동료들은[48] 재교육이 성공적인 경우, 반드시 보고할 필요가 없다라는 조기 재교육의 필요성을 설명하기 위해 "학사 경고"라는 용어를 사용해 왔다. 그렇지만, 학사 경고와 관련된 재교육이 성공하지 못하면 더 큰 제재조치가 이루어질 수 있다. 이러한 발전적 접근법의 중요성은 교육프로그램을 통해 장기적인 징벌적인 결과 없이 평가와 중재를 제공하는 학습환경을 조성할 수 있다는 것이다.

교육프로그램은 ACGME/ABMS의 일반역량과 CanMED의 전문가 역할(1장 참조)과 같이 인정된 역량 틀을 이용하여 역량 부족을 정의해야 한다. 예를 들어, CanMED의 전문가 역할을 이용하여 즈비어라노프스키(Zbieranowski)와 동료들은[30] 10년 동안 역량 부족 전공의들이 평균적으로 2.6가지의 역할 수행을 어려워 한다는 사실을 확인하였다. 이 연구에서 관련된 역량 영역을 내림차순으로 볼 때 의료전문가, 전문가, 소통가, 관리자 그리고 협력자 영역이었다. ACGME/ABMS 일반 역량 구조를 이용한 역량 부족에 대한 연구에서도 비슷한 결과가 확인되었

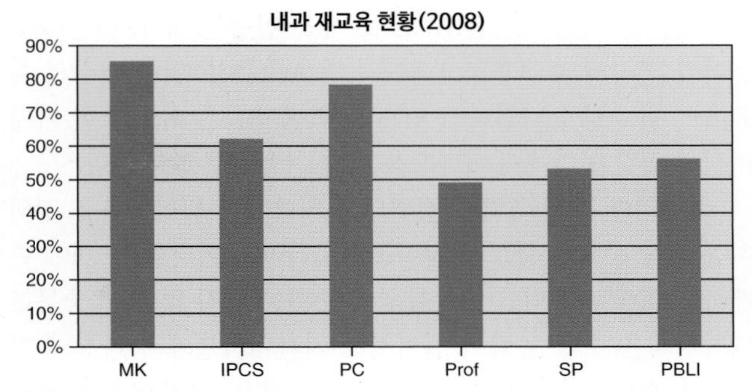

그림 15.1 2007-2008년도 532명의 전공의를 대상으로 한 내과 수련프로그램 책임지도전문의 보고사항 - 각 일반 역량 영역에서 재교육이 필요한 역량 부족의 빈도.
MK: medical knowledge, IPCS: interpersonal communication skill , PC: patient care, Prof: professionalism, SBP: system-based practice, PBLI: practice-based learning and improvement[1)]
1) 역자 주. 그림 내 약어에 대한 주석을 추가하였다.
출처: Dupras DM, Edson RS, Halvorsen AJ, et al: "Problem residents": prevalence, problems and remediation in the era of core competencies. Am J Med 2012;125(4):421-425의 내용 수정.

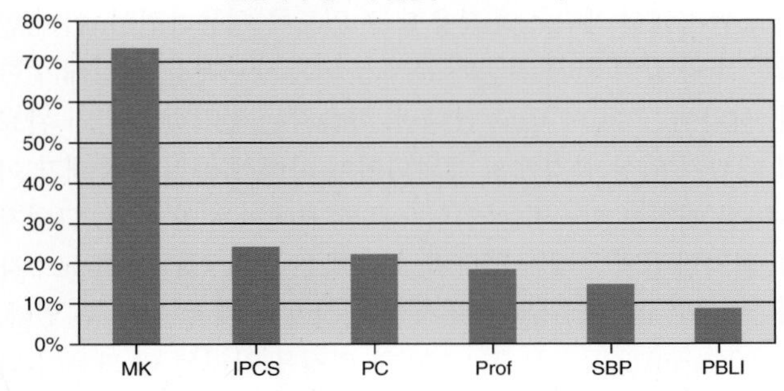

그림 15.2 11년(1999-2010년)간 348명의 전공의에 대한 일반외과 수련프로그램 책임지도전문의 보고사항 - 각 일반 역량 영역에서 재교육이 필요한 역량 부족의 빈도.
MK: medical knowledge, IPCS: interpersonal communication skill , PC: patient care, Prof: professionalism, SBP: system-based practice, PBLI: practice-based learning and improvement[2)]
2) 역자 주. 원문의 오타 PBL을 PBLI로 수정하였고, 그림 내 약어에 대한 주석을 추가하였다.
자료 출처: Yaghoubian A, Galante J, Kaji A, et al: General surgery resident remediation and attrition: a multi-institutional study. Arch Surg 2012:147(9):829-833, 2012.

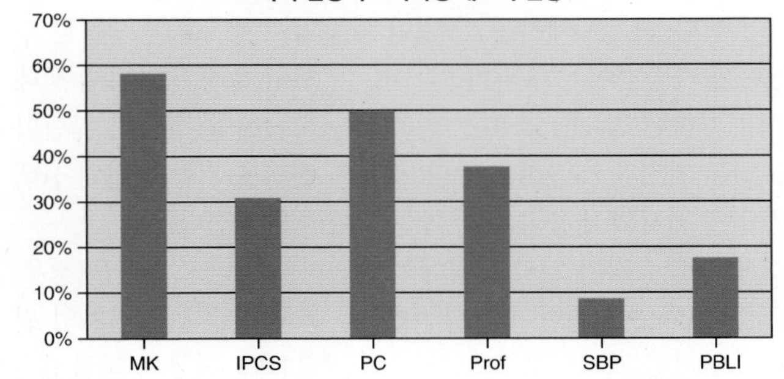

그림 15.3 545명의 전공의에 대한 소아과 수련프로그램 책임지도전문의 보고사항 - 각 일반 역량 영역에서 재교육이 필요한 역량 부족의 빈도..
MK: medical knowledge, IPCS: interpersonal communication skill , PC: patient care, Prof: professionalism, SBP: system-based practice, PBLI: practice-based learning and improvement
출처: Riebschleger MP, Haftel HM: Remediation in the context of the competencies: a survey of pediatrics residency program directors. J Grad Med Educ 2013;5(1):60-63의 내용 수정.

다. 그림 15.1, 15.2, 15.3은 ACGME에서 인증된 내과, 일반외과, 소아과 전공의 수련프로그램에서 각 ACGME 일반 역량의 재교육이 필요성을 나열하고 있으며, 학습자들은 최소한 한 가지 이상의 역량 영역에서 어려움을 겪을 수 있음을 보여준다.

그렇지만 특정 영역이 정의되고 역량바탕 의학교육을 정의하는 가장 중요한 틀로서 받아들여지더라도 이러한 틀 내에 존재하는 역량부족 학습자 분류의 표준화는 쉽지 않다. 불충분한 의학지식은 수행 능력이 떨어지는 의과대학생에서 가장 흔한 부족 요소로서 확인되지만 앞에서 기술한 많은 역량 틀은 모든 역량 영역에서 학습자를 효과적으로 평가할 필요가 있다는 사실을 분명하게 보여주고 있다.

문제의 정의와 확인

역량 부족 전공의를 확인하게 되면 다음 단계로 역량 부족에 대한 정확한 내용과 범위를 결정하여야 한다. 또한, 학습자가 임상 환경에서 계속 상호작용할 수 있도록 허용하면서, 이미 언급한 바와 같이 환자 안전에 문제가 되는지 여부를 결정해야 한다. 상황이 "그렇다"라고 한다면, 학습자는 철저한 평가가 완료될 때까지 임상 환경에서 제외되어야 하며 성공적인 중재가 이루어질 때까지 학습자는 임상으로 복귀해서는 안 된다. 그렇지만, 환자안전에 문제가 없다면, 학습자는 평가 기간 동안 교수자와 동료의 적절한 지원을 통하여 임상에서 계속 일할 수 있다. 코간(Kogan)과 동료들은[34] 이러한 결정을 알리는 데 도움이 되는 하나의 접근방법을 제시하였다. 이 접근방식은 학습자와 환자 사이의 모든 접촉을 항상 안전하게 하고 환자중심적이며 효과적인 진료를 이끌어 낸다. 이는 학습자 성과 수준과 교수자가 제공하는 감독 수준을 균형있게 유지함으로써 이루어진다. 이 같은 교수자의 감독이 불가능하다면, 학습자는 임상상황에 머물러 있으면 안 되고, 수련교육에서도 가능한 한 제한되어야 한다. 이런 결정을 내리기 위해서는 실제 학습자 성과에 관한 정확한 정보를 이용하여야 하며, 역량 부족의 심각성을 명확히 정의해야 한다. 표 15.3에서는 각 일반 역량의 수행자료를 생성할 수 있는 평가방법이 수록되어 있으며, 이 책의 특정 평가방법에 대하여 기술된 장(chapter)은 역량 부족 학습자를 정확히 진단할 수 있는 지침을 제공하고 있다. 정확한 진단을 위한 방법의 선택은 문제 제시의 내용과 문제 확인에 따라 달라진다.

만약 학습자가 임상 환경에서 안전하지 않다고 판단될 경우, "직무와 학습에 대한 적합성" 평가를 통하여 수행도 격차의 원인을 철저히 조사하고 정의할 것을 권고한다. 직무의 적합성은 주로 환자의 안전과 임상진료를 제공하는 학습자 능력에 초점을 맞춘다. 학습을 위한 적합성은 전문가가 되기 위해 필요한 지식, 술기와 태도를 지속적으로 습득하는 학습자의 능력에 초점을 맞춘다. 둘 다 재교육 프로그램을 설계하는 데 중요하다. 투명성과 공정성을 보장하기 위해서 직무 적합성 평가의 구성요소가 잘 개발되고 명확해야 한다. 이것은 모든 학습자가 완전한 평가를 받고 차별의 위험을 줄이면서 임상교육자가 학습자를 진단하는 위험을 최소화한다. 임상교육자로서, 수련프로그램 책임지도전문의는 학습자들과 함께 하는 것이 임상의사가 아니라 교육자로서라는 점을 존중해야 한다. 윤리적이면서 사적인 이유로, 교수자들은 학습자의 의학적 상태를 진단해서는 안 된다. 또한, 직무 적합성 프로그램을 확립하면 교수자가 학습자를 진단하고 중재할 때 발생할 수 있는 잠재적인 편견과 이해상충의 위험을 방지할 수 있다.

표 15.3 역량바탕 평가방법

일반역량	평가방법 예시
의학지식	표준화된 시험 의무기록-자극 회상 구조화된 임상 질문
환자진료	직접 관찰 의무기록-자극 회상 표준화환자 다면피드백 의무기록 감사 구조화된 포트폴리오 검토
대인관계 및 의사소통 기술	직접 관찰 표준화환자 다면피드백 구조화된 포트폴리오 검토
전문직업성	직접 관찰 다면피드백 구조화된 자기평가 포트폴리오
진료바탕 학습과 개선	의무기록 감사 짧은 임상비네트 구조화된 자기평가 근거중심의학 도구 포트폴리오
시스템바탕 실무	의무기록과 임상진료 감사 포트폴리오 점검 다면피드백 팀워크 평가

예를 들어, 미국에서는 수련교육에서 학습자에게 의무적으로 직무 적합성 평가를 받도록 권고할 수 있을 뿐 법적으로 의무화할 수는 없다. 그러한 평가결과는 학습자가 적합한지 그리고 장애나 손상이 없는지, 적절한 조절과 수용을 함께 할 수 있는지, 조절이나 수용이 불가능한지 확인할 수 있다. 조절과 개선이 제안되었을 때 학습자가 수용한다면, 이러한 장애와 제안된 중재로 해당 수정사항이 타당한지 여부를 결정해야 한다.

직무 적합성 평가를 개발할 때 법률 자문, 기관 직원 또는 학생 보건 서비스와 수련교육 책임자의 의견을 구해야 한다. 이러한 평가에는 완전한 병력청취와 신체검사, 정신질환에 대한 선별, 학습장애에 대한 신경인지검사, 역량 부족과 문제의 근본에 영향을 미치는 약물과 알코올 남용에 대한 선별 검사가 포함되어야 한다. 평가 결과에 대해서는 학습자 보호차원에서 기밀유지가 되어야 한다. 그런 다음 제안된 중재내용이 합리적인지 그렇지 않으면 프로그램 내용을 근본적으로 변경하거나 재정적 부담을 추가하거나 환자안전에 위협을 가하지 않고 실행할 수 있는지 결정해야 한다.

프로그램에서 수행 문제의 원인을 정의함에 따라, 장애와 손상이 있는 학습자가 표면화될 것이다. 세계보건기구(WHO)의 정의에 따르면, 손상(impairment)은 심리적, 생리적, 해부학적 구조나 기능의 손실이나 이상이다.[35] 장애(disability)란 인간이 정상적인 것으로 간주되는 범위 내에서 또는 방식으로 활동을 수행할 수 있는 어떠한 제한이나 능력 부족을 말한다.

미국에서는 1973년 재활법(Rehabilitation Act) 504조, 1990년 미국장애인법(Americans with Disabilities Act), 2008년 ADA 개정법(ADA Amendment Act)을 통해 장애인을 폭 넓게 보호하고 있다.[36-38] ADA 개정법은 장애를 가진 사람을 하나 이상의 주요 생명활동을 실질적으로 제한하는 신체적 또는 정신적 장애를 가지고 있거나, 그러한 손상 기록이 있거나, 그러한 손상을 가지고 있는 것으로 간주되는 개인으로 정의하고 있다. 주요 생명 활동은 호흡, 걷기, 말하기, 듣기, 보기, 먹기, 학습, 독서, 집중과 사고 등을 포함하는 것으로 정의하고 있다. 이러한 정의를 사용하여 모든 장애를 손상으로 간주할 수 있지만, 모든 손상이 장애를 초래하는 것은 아니라는 전제 아래 프로그램이 평가되어야 한다. 예를 들어, 시력 저하가 손상일 수 있지만 반드시 장애가 되는 것은 아니다.

미국의 졸업후교육도 거주하는 주(state)에 장애인을 보호하는 추가 입법이 있는지 여부를 결정해야 한다. 주의 요건이 ADA에 의해 제공된 요건보다 더 엄격하다면, 주 법률이 ADA 법률보다 우선한다. 그렇지만, 국가 보호가 덜 엄격하다면 ADA 표준을 따라야 한다. ADA 표준이 적용되지 않는 경우, 적절한 법률 준수를 보장하는 법률 자문을 얻어야 한다.

ADA는 고용주가 "장애인이 비장애인 직원이 누리는 것과 동등한 '고용상의 이익과 특권'을 누릴 수 있도록 하는 합리적인 시설을 제공하도록 요구한다. 장애가 있는 직원이 이러한 혜택과 특권에 참여할 수 있는 균등한 기회를 가지고 합리적인 시설을 필요로 한다면, 고용주는 가능한 해당 시설을 제공하여야 한다."[37] 예를 들어 제안된 지원사항은 학습자가 한 번에 한 명의 환자만을 돌볼 것을 요구하는데, 수련교육에서는 최소 여섯 명의 환자를 동시에 돌보도록 요구하는 경우, 해당 시설은 기타 다른 문제의 존재여부와 상관 없이 불합리하다고 볼 수 있다. 이런 상황에서는 지원사항이 결국 교육내용을 변화 시킬 것이다. 마찬가지로, 제안된 지원사항이 항상 학습자를 직접적으로 감독한다면, 이러한 시설은 높은 감독수준이 필요하지 않고 독립적으로 기능할 수 있는 고년차 전공의에게는 불합리하다.

법원이 ADA에 대한 해석을 지속적으로 발전시키고 있으므로, 수련교육을 계획할 때에는 장애시설의 필요성에 관한 결정에 법률 자문을 적극적으로 구해야 한다. ADA의 기본 사항을 지키기 위해 수련교육 운영 시 다음 사항에 유의하여야 한다.

- 1990년 ADA는 하나 이상의 활동이 제한되는 신체적, 정신적 손상을 가진 사람들을 보호하기 위해 제정되었다. 1990년 법에 따르면, 주요 생활 활동에는 자기 자신을 돌보는 것, 수동작업 수행, 걷기, 말하기, 호흡, 학습, 그리고 일하는 것이 포함되었다. 이 기준을 적용할 때 반드시 질문해야 할 사항은 학습자의 손상이 실제로 *주된 일상생활(major life activity)*을 제한하는지의 여부, 알려진 장애로 인하여 의과대학생이나 전공의와 같은 특정 개인이 아닌 *대부분의 사람들(most people)*의 활동을 실질적으로 제한하는지, 그리고 제안된 지원사항을 허용하는 것이 *수련교육을 불합리하게 변화시킬 것*인지를 결정하는 것이다.
- ADA는 2018년에 사고, 집중력, 그리고 독서를 포함한 주요 생활 활동을 추가하여 개정되었다. 이러한 포괄적인 정의는 특정 장애, 특히 학습장애가 일상생활을 실제적으로 제한하지 않는다는 이전 법원 판결에 대한 도전을 받아들였다. 이에 따라 ADA에 의해서 보호되지 않지만 이 법에 따라 잠재적 장애로 인정되는 대상자의 수는 늘어났다고 할 수 있다.

일부 학습자는 장애를 가진 것으로 분류되겠지만, 다른 학습자들은 실제 장애로 인정될 수 없는 손상을 갖고 있을 수 있다. 손상이 장애를 일으킬 수 있는 것과 상관없이 장애가 학습자의 복지와 의사로서의 의무를 수행하는 능력에 미치는 영향을 결정하여야 한다. 또한, 손상이나 장애가 표준 이하의 수행을 위한 구실이 될 수 없다는 것을 존중해야 한다. 장애나 손상을 해결하기 위해 설계된 프로그램에 대한 변경과 지원사항은 궁극적으로 해당 학습자가 모든 학습자에게 요구되는 동일한 학습결과를 보일 수 있어야 한다. 미국 이외의 수련교육의 경우 교육지도자들에게 장애 또는 손상을 가진 학습자에게 영향을 미치는 지역 및 국가 법률과 정책을 숙지하도록 강력하게 권고한다.

프로그램 내에서 역량 부족 학습자를 조사함에 따라, 역량 영역의 표준 이하의 수행결과는 이차적 원인 또는 기여 요인과 관련이 있다는 것을 자주 발견하게 된다. 해당 내용은 다음에 기술할 것이다.

이차적 원인과 기여 요인

탈진

불행하게도, 탈진(Burnout)은 의학교육에서 주요한 이슈이며 역량 부족 학습자와 함께 일할 때 고려되어야 한다. 탈진이

표 15.4 탈진: 의사와 일반인

	의사	일반인
탈진 증상	46%	28%
일과 삶의 균형에 대한 불만족	40%	23%
주당 60시간 근무	38%	10%

표 15.5 탈진의 원인과 해결책

원인	탈진을 피하기 위한 잠재적인 해결책
조절 부족	목적을 가지고 근무한다.
불분명한 직무기대	불필요한 일을 제거하거나 무시한다
비기능적인 진료현장 상황	
가치의 불일치	다른 사람에게 권한을 부여한다.
부적절한 직업 적합성	조절하면서 적극적으로 자신의 시간을 관리한다.
과도한 활동	
사회적 지지의 부족	보다 많은 운동을 한다.
일과 생활의 불균형	스트레스 관리를 어떻게 하는지 배운다.

란 부적절한 대처 능력과 적응력을 갖추지 못한 상태에서 환경 및 내부 스트레스 요인에 노출되어 일어나는 감정적, 신체적 소진 상태로 정의할 수 있다. 탈진은 정서적 탈진, 탈인간화, 전문적 비효율성 등 세 가지 고전적인 특징을 가지고 있으며, 정신과적 진단보다는 심리학적 진단으로 간주되고 있다. 여러 연구에서는 의료전문직의 지속적인 문제점으로 알려져 있다. 의과대학생들의 탈진율은 전체 의과대학생의 50%에 달하는 것으로 알려져 있다.[40] 로즌(Rosen)과 동료들의 2006년 연구에서[41] 수련의의 4.3%가 수련의를 시작하는 시기에 탈진의 징후가 보인다고 하였다. 수련의 시기를 마치는 시기에는 그 비율이 55.3%로 증가하였다. 모든 전문과 전공의 수련프로그램에서 탈진율은 27-75%까지 다양하였다. 이렇게 높은 의사들의 탈진율은 관리되지 않는 관행으로 지속되었다. 샤나펠트(Shanafelt)와 동료들은[42] 탈진이 일반인들보다 의사들에게 훨씬 더 흔하게 일어난다고 하였다. 이상의 결과는 표 15.4에 요약되어 있다.

전형적으로 탈진은 표 15.1에 열거된 상황들에 개인이 직면했을 때 발생하며 학습자에게 도움을 줄 수 있는 중재에 의해서 완화될 수 있다. 수련교육에서는 매슬라치 탈진지수(Maslach Burnout Index)를[43] 사용하여 탈진 여부를 검사할 수 있다. 이 조사는 의료와 기타 서비스 산업에서 사용하도록 설계되었으며 한 건당 1.25 달러가 들며, 약 10분에서 15분이면 검사를 마칠 수 있다. 앞서 언급한 바와 같이 탈진은 개인적인 이유와 교육적인 차원 모두에서 발생할 수 있다. 결과적으로 탈진이 확인되면 순환 또는 당직 일정과 같이 탈진에 기여하는 프로그램의 특성을 고려해야 한다.

• 글상자 15.3 일곱 가지 손상(seven Ds)

우울증(Depression)
질환(Disease)
박탈(Deprivation)
장애(Disability)
혼란(Distraction)
장애가 있는 성격(Disordered personality)
약물이나 물질 오남용(Drug/substance abuse)

손상

탈진에 대한 선별검사와 더불어, 수련교육은 문제가 있는 수행의 추가적인 또는 이차적인 원인들에 대하여 조사해야 한다. 일반적인 이차적 원인으로 일곱 가지 D를 서술하였다(글상자 15.3). 이러한 이차적인 모든 원인들은 의료전문가 집단에서 나타날 수 있지만, 아래에 기술되는 손상(impairment)은 구체적 논의를 할 가치가 있다. 주의결핍/과행동장애(ADHD)와 같은 학습장애(learning disability, LD)는 전체 의과대학생들 중 5%로 보고된다.[44] 졸업후교육에서는 이러한 잠재적인 손상의 비율이 정확하게 밝혀지지 않았지만, 의과대학생 시절에는 잘 활용하였던 적응전략이 광범위하고 복잡한 상황분석을 해야 하는 실제 환자진료 현장에서는 더이상 유효하지 않다는 사실을 깨닫게 된다.

의사들 중 10-15%는 자신의 경력 동안에 약물 오남용 경험이 있으며, 비록 의과대학시절, 전공의, 임상강사 과정에서의 발생율이 정확하지 않지만, 이러한 학습자들은 명확한 위험에 처해 있다. 2008년 연구에서 알코올 오남용이 50%로 가장 흔했으며, 마약이 36%, 신경자극제가 6%정도로 나타났다. 50%의 의사들은 다양한 약물 복용을, 14%는 정맥주사용 약물 사용의 병력이 있었다. 17%는 중독에 대한 치료 전적이 있었다.[45] 마취과, 응급의학과, 정신과 전문의에서 마약 남용의 빈도가 상대적으로 높으며 일반인들에 비하여 30에서 100배 정도 높다고 추정된다. 이러한 사실을 알더라도, 개인이 중독으로부터 고통받고 있다고 알 때까지 오남용에 대한 증거가 대부분 뚜렷하지 않기 때문에 약물 오남용을 확인하는 것은 쉽지 않다.

마지막으로, 수련교육 중 학습자에게 손상이나 장애가 확인되었을 때, 기준 미달의 수행도가 양해될 수 없다는 사실을 인지해야만 한다. 안전하고 효과적인 환자진료를 위해 학습자가 필요한 수준으로 역할을 할 수 있게 정확한 중재와 지원사항이 이루어지지 않는다면, 학습자는 교육에 계속 참여할 수 없게 된다.

적절한 중재의 결정

문제 학습자가 확인되고 문제의 원인이 확인되면, 다음 결정 사항은 교정 활동계획이 재교육이나 보호관찰인지 결정하는 것이다. 항상 그렇다고 할 수 없지만, 재교육은 역량의 특정 측면에 초점을 맞춘 발전적인 중재로 처리할 수 있는 문제를 다루는 것으로 생각할 수 있다. 보호관찰은 비전문가적 행동이나 부적절한 행동과 같은 발전적이지 못한 사항에 적용된다. 언뜻 보기에 이러한 결정은 쉬워 보일 수 있지만, 유사한 문제들이 지속적으로 발생할 수 있고, 비전문적/부적절한 행동과 전문직업성 발달 부족 사이의 경계가 명확하지 않을 경우 이러한 분류는 잘못된 이분법을 만들 위험성이 있다. 다음의 예는 이러한 결정이 얼마나 어려울 수 있는지 강조한다.

한 고년차 전공의가 최근 당신의 수련교육에 전입하게 되었다. 당신은 '적신호'(예를 들어, 이전 교육에서 발생한 우려사항)을 알지 못한다. 전공의는 보다 학문적인 수련교육을 원한다. 수련교육에 전입하게 된 직후, 다른 전공의들이 해당 전공의가 팀원으로써 활동하지 않는다는 것을 반영하는 행동을 보고한다. 해당 전공의는 교대 근무를 마치지 않은 상태에서 퇴근하고 수련의들은 해당 전공의로부터의 전반적인 지지가 부족하다고 불평한다. 도움을 청할 경우, 해당 전공의의 일상적인 답변은 "그런 건 이미 알고 있었야지; 직접 찾아봐"라고 한다. 전공의가 아픈 환자를 돌보는 수련의의 도움을 거절하고 병원신속대응팀에 의해서 안정되기 전에 환자가 심각하게 나빠진 중대한 사건이 벌어진다면 책임지도전문의는 개입할 수 밖에 없다.

이 전공의의 비전문가적 행동, 보호관찰과 수련교육으로부터 해고의 정당성이 입증되었더라도, 해당 전공의가 심각한 의학지식의 결핍이 있고 이러한 사실이 발견될 것을 두려워하며 경직되었다고 설명할 수 있다. 이런 학습자의 비전문적 또는 발전적이지 않은 행동은 보호관찰로 배치되는 것이 적절하지만, 전공의 일 년 차 과정 반복 여부와 상관없이, 환자진료와의학지식 역량 향상에 초점을 맞춘 재교육 기간을 제정하는 것도 합리적일 수 있다. 이러한 예는 역량이 부족하다는 것을 정확하게 진단하는 것의 중요성을 강조하고 있다.

수련교육에서는 중재의 유형을 결정하는데 적절한 배려를 적용해야 하며, 교정 조치 계획의 조건을 학습자와 정확하게 의사소통해야 하고, 중재의 모든 조건을 철저히 문서화해야 한다. 이러한 성과를 얻기 위해서 적절한 중재를 결정할 때 학습자를 적극적으로 참여시켜야 한다. 자기조절학습의 원칙을 적용하면 이러한 참여에 대한 전략을 알 수 있다.[46] 자기조절학습은 학습자가 중재에 참여함으로써 구체적인 목표를 설정하고, 전략계획을 수립하며, 자기점검과 자기평가를 해야 한다.

따라서, 자기조절학습은 학습자가 사전 생각, 실제 수행 그리고 자기성찰의 세 가지 필수요소에 참여하게 된다. 또한, 자기조절학습은 학습자가 중재의 영향에 어떻게 대응하고 실제로 영향을 미치는지에 대한 중재와 인식의 맥락에 대한 인지를 요구한다. 자기조절학습에도 상당한 내적 동기가 필요하다. 내적 동기가 역량 부족 학습자의 주요 원인이 아니라면, 재교육으로 성공할 가능성이 더 낮아진다. 역량 부족 의사들은 성공적인 경력개발 전략으로 외적 동기 부여(즉, 제재나 규율의 위협)에 별로 의존적이지 않다. 자기조절학습의 핵심 원리를 재교육 계획에 통합하는 것은 논리적이며 교육이론에 부합한다.[46]

앞서 정의한 재교육은 일반적으로 학습자가 개선을 목표로 하는 영역에서 점진적으로 지속적인 개선을 보일 것이라는 기대와 함께 시행되는 중재이다. 이러한 결과는 발전과정의 일부이지만, 정상적인 학습 과정에서 제공되는 일상적인 평가와 피드백을 통하여 해결할 수 없는 문제를 해결한다. 이러한 중재는 징벌적인 것으로 여겨져서는 안된다. 오히려, 학습자가 임상환경에서 궁극적으로 안전하고 효과적인 진료 수행을 예측하는 허용 가능한 발달 단계로 복귀하도록 하기 위해 필요한 중재로써 인식되어야 한다.

미국에서 정의한 바와 같이, 재교육이 미래 고용주, 면허 또는 인증 기관에 보고 가능한 수련교육 중재는 아니지만, 이런 보고가 필요할 때 수련교육에서 명확하게 정의하기 위한 단계를 거쳐야 한다. 일상적인 개선 계획은 의학교육과정의 일부가 되어야 한다. 또한, 학습자는 전문의면허 인증기관과와 같은 다양한 기관에 교정활동 계획을 보고해야 하는 시기를 이해하여야 한다. 나중에 언급하겠지만, 보호관찰은 미국에서 보고할 수 있는 중재가 될 것이다.

재교육은 확인된 부족함에 한정하고, 개선 기회로써 인식되어야 한다. 재교육은 정해진 시간대를 가지고 있어야 하고, 중재가 성공적이었는지를 정의하는 명확한 중간목표와 최종목표를 정의해야 한다. 이러한 목표에 이르기 위한 과정은 일반적으로 점진적이고 지속적이어야 한다. 학습자가 규정된 시간 내에 재교육 계획의 목표를 달성하지 못할 경우, 수정된 재교육 계획, 보호관찰 또는 해고로 교정 행동 전환을 고려해야 한다. 개방적인 재교육과정은 권하지 않는다. 특별히, 합리적인 기간 내에 합리적인 개선 목표가 결정된다면, 수련교육에서 재교육 프로그램을 무한정 지속하도록 하는 것은 의미가 없다.

수련교육에 참여하는 모든 이해관계자는 재교육이 역량바탕교육의 일부라는 것을 이해해야 하지만, 수련교육은 재교육의 실행이 적법한 과정 요건을 따르고 과정 중에 학습자의 기밀이 존중되는지 확인해야 한다. 경우에 따라, 다른 수련교육 이해관계자가 문제가 존재한다는 사실을 알고 수련교육에서 문제를 해결하지 못하고 있다는 두려움을 가질 때 불만이 있을 수 있다. 이러한 가능성을 최소화하기 위해 수련교육에서 모든 역량 부족 학습자를 조사하고 적절한 중재를 하여 추적 관찰하는 문화를 만들어 나아가야 한다.

교정활동 계획으로서 초기 보호관찰은 전형적인 발전 과정의 일부가 아니다. 이것은 대부분 학습자가 받아들일 수 없는 행

표 15.6 교정활동 계획의 비교

	발전적인 것	발전적이지 못한 것
과정	재교육	보호관찰
목표	개선	행동 중지
예상되는 진행	점진적이며 충분함	즉각적이고 지속적
교수자의 역할	교사/코치/멘토	시행/표준의 명확화/감시
성공적이지 못할 경우의 결과	추가적인 재교육/수련 연장 또는 해고	해고

동을 보여주었다는 것을 반영한다. 보호관찰은 초기 교정행동으로서 또는 실패한 재교육의 결과로 일어날 수 있다. 재교육과 달리 보호관찰기간 동안 문제가 있는 행동과 수행을 즉시 중지해야 한다. 이것은 점진적인 과정이 아니다. 예를 들어, 체계적이지 않고 불완전한 병력청취와 신체검사를 마치는 문제에 집중된 재교육과 관련되어 점진적으로 개선되는 것과는 달리, 부정직한 행동이 나타나는 경우 보호관찰을 통해 해당 행동을 즉각 중단시켜야 한다. 보호관찰 기간 동안에 거짓말의 빈도가 줄어드는 정도의 단순한 결과는 받아들일 수 없다.

재교육과 마찬가지로, 보호관찰 시작 시 요구되는 문제는 잠재적인 이차적 원인에 대하여 철저하게 조사되어야 한다. 예상되는 행동 기준을 검토하고 중재의 일환으로 상담을 고려해야 한다. 보호관찰의 모든 조건을 준수하는 책임은 학습자의 몫이다. 교수자들은 재교육 중에 조언이나 자문 역할을 해야 하지만, 보호관찰이 필요할 때 이들의 역할은 기준을 명확하게 하고 학습자가 명령을 잘 따르고 집행되는지를 확인하는 것이다. 표 15.6에서는 교정활동 계획의 두가지 유형을 비교하였다.

중재의 평가

교정행동 계획이 실행되면 학습자가 명확하게 규정된 기간 내에 중재 조건을 성공적으로 충족하였는지 여부를 결정해야 한다. 또한, 모든 교정행동 계획의 성과도 분명하게 정의되어야 한다. 학습자가 중재 조건을 충족하였다면, 수련교육의 일상적인 책임으로 돌아가야 한다. 재교육의 조건을 완전하게 마치는 것이 목표이지만, 일부 학습자들은 목표를 일부 달성하지 못할 수 있다. 목표를 부분적으로 달성할 경우, 궁극적으로 학습자를 수련교육에서 제외할 것을 예상하여 재교육 기간을 연장하거나, 필요한 수련 기간을 연장하거나 학습자를 보호관찰 시킬 수 있다. 다음 단계와 관계없이, 결정을 내릴 때 규정화되어 기존 정책과 실행(의무 과정)에 따라야 하며, 그 결정을 학습자에게 효과적으로 전달해야 하고, 과정의 모든 측면을 문서화해야 한다. 그림 15.4의 알고리즘이 이러한 과정에 대한 전체적인 전개를 보여주고 있다.

전문직업성

의과대학을 졸업할 때 많은 의과대학생들은 히포크라테스 선서를 한다. 이 선서의 중심은 개인이 도덕적으로 행동하며 환자의 이익을 자신보다 우선한다는 약속이다. 대부분의 교육자들이 "전문가적이지 않은 행동은 보면 안다"고 하지만, 전문직업성의 실수를 어떻게 정의하고, 조사하고 고치는지를 결정하는 것은 어려울 수 있다. 수련교육에서 보호관찰이나 해고를 필요로 하는 비전문적인 행동의 분명한 예가 있지만, 전문직업성은 어느 정도 발전적이고 잠재적으로 교정될 수 있다. 수련교육에서 전문직업성 문제에 대하여 고심하는 가운데, 학습자의 전문성 성장을 개념화하는 데 도움이 될 수 있는 두 체계는 전문가적인 정체성 형성 과정과 레스트(Rest)의 네 가지 도덕성 요소 모델이 있다. 또한, 미국내과전문의 인증기구(ABIM) 재단 헌장은 적절한 전문직업성 기준을 규정하는 높은 수준의 틀을 제공하고 있다.[47] 글상자 15.4에 그 원칙와 책무를 설명하였다.

칼레트(Kalet)와 초(Chou)에[48] 의해 정의된 바와 같이, 전문가적 정체성 형성은 특정한 목표에 이르는 흐름을 따른다. 처음에 개인은 특정한 목표를 달성하기 위해 노력하고 행동에 대한 허락을 얻는다. 전문가적 정체성이 발전됨에 따라, 팀워크, 사회적 기준, 업무 균형에 대한 개념이 초점이 되고, 궁극적으로 개인이 모호성과 복잡성에 맞는 원칙적인 사람이 되기 위해 노력한다. 발달 과정으로서, 이러한 과정은 모든 전문가들에 의해 달성되지는 않는 연속체를 설명한다 Rest의 네 가지 도덕성 요소 모델(Four-Component Model of Morality)은 도덕적 민감성, 판단력, 동기와 실행을 윤리적 또는 비윤리적, 전문가적 또는 비전문가적일 수 있는 행동의 구성요소로 식별한다.[49] 이번 장의 범위를 벗어난 이야기지만 이러한 각 구성 요소는 잠재적인 교정행동을 알려주는 개인의 전문직업성을 평가할 수 있는 표준화된 시험방법을 사용하여 측정할 수 있다. 이러한 체계와 평가에 대한 보다 완전한 논의를 위해 독자들은 *의학교육에서의 재교육: 중도 수정(Remediation in Medical Education: A Mid-Course Correction)*을 참고하면 된다.[48]

법적 원칙

문제 학습자가 확인되었을 때 중재의 필요성은 불가피하지만, 이러한 중재가 항상 긍정적인 결과를 가지고 오는 것은 아니다. 이러한 중재는 궁극적으로 수련교육에서 학습자의 교육을 종료시킬 수 있다는 점을 고려할 때, 학습자가 수련교육에 저항하는 방향의 법적 조치도 가능하다. 하지만 법적 두려움과 불안은 종종 과장된다. 미국에서는 법정은 의학과 같은 전문분야의 학습자의 역량을 우려하는 결정에 간섭하는 것을 내키지 않아 했기 때문에 해당 분야의 전문가들이 역량 표준을 정하고 그러한 표준에 맞는지 평가하도록 해왔다. 법원은 특히 그러한 판단이 학습자의 수행도에 대한 전체 기록을 철저하게 검토한 것이

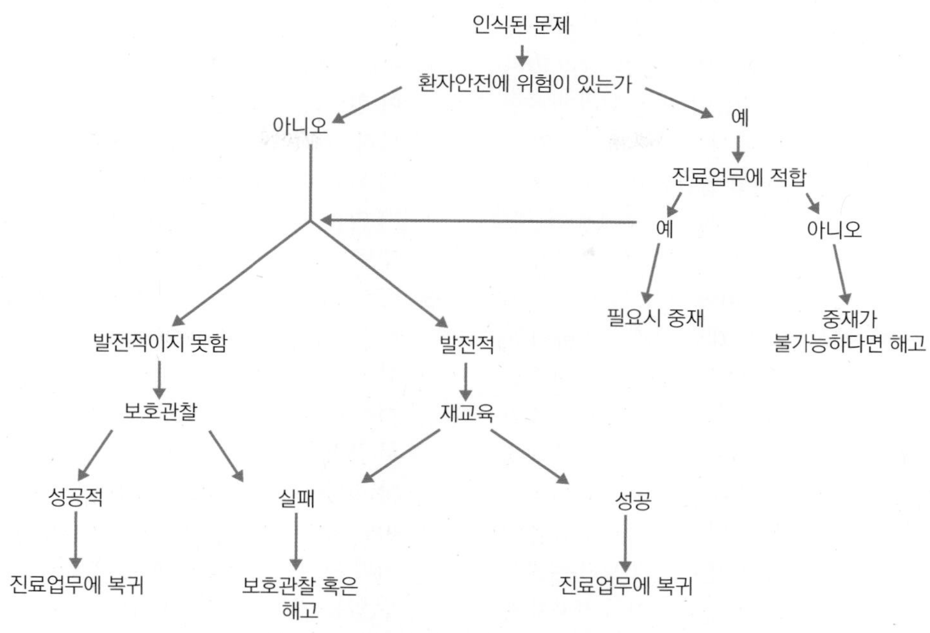

그림 15.4 역량 부족 학습자에 대한 평가 알고리즘.

• 글상자 15.4 의사헌장의 원칙과 의무

기본 원칙

환자복지 우선의 원칙
환자의 자율성의 원칙
사회정의의 원칙

전문가적 책임

전문적 역량을 유지할 책무
환자에게 정직해야 할 책무
환자의 비밀을 보호할 책무
환자와 적절한 관계를 유지할 책무
의료의 질을 증진할 책무
보건의료 자원에 대한 접근성을 증진할 책무
한정된 자원을 공정하게 배분할 책무
과학 지식과 기술에 대한 책무
이해상충을 적절히 관리할 책무
전문가 집단에 대한 책무

출처: American Board of Internal Medicine: The physician charter. 2005. http://abimfoundation.org/what-we-do/medical-professionalism-and-the-physician-charter/physician-charter.

라면 전문가적 판단에 근거한 결정을 되돌리지는 않을 것이다. 미국 대법원의 표현에 따르면 "법정은 학문적 수행을 평가하기에는 제대로 준비가 안되어 있다." 보다 구체적으로 말하면 법정은 만약 공정하고 공평하며 프로그램에 의해 정의된 직무 절차에 따라 학습자에게 내려진 결정이라면 합리적인 수련기관의 결정에 따를 것이다.

미니쿠치(Minicucci)와 루이스(Lewis)는[50] 1992년부터 2002년까지 10년에 걸친 걸친 329개의 법정 사례를 고찰했다. 그 사례 중 63%가 한 전공의에 의해 시작된 소송이었다. 그 사건의 40%에서 책임지도전문의는 공동피고인이었다. 소송의 80%에서 청구인은 거부, 좌천, 혹은 해고를 초래한 기관이나 프로그램의 행동에 문제제기를 했고 그 가운데 절반 이상이 차별을 주장했다. 13%는 기관이 검토, 승진, 훈육, 그리고 수련 중단에 관한 절차를 지키지 않았고 추가 13%는 고용 계약의 위반을 주장했다. 사례의 90% 이상은 기관의 결정이 인정되었다. 이 고찰은 다음과 같은 세 가지 원칙으로 특징지워지는 법적 체계의 일관된 메시지를 강조했다.

1. 학생의 수행에 관한 전체 의무기록을 검토한 전문적인 판단에 대한 사법의 존중
2. 합리적인 수련기관의 의사결정에 대한 사법적 지지
3. 사법의 불간섭

비록 이러한 법적 선례들은 걱정을 덜어 주지만 역량 부족 학습자들을 다룰 때 잘 규정된 표준을 개발하고 지켜야만 한다. 미국 외 타지역 교육자들은 그들 사회의 맥락에 맞는 재교육과 보호관찰 관련 사례 법에 대한 법적 자문을 얻어야만 한다.

무엇보다 중요한 것은 수련교육에서는 이의 절차를 정하고 따라야 한다. 이것은 성적 및 학업외적인 이의 절차에 대한 내용이 필요하며, 졸업후교육에서 전공의와 임상강사 모두 학습자이자 직원으로 정의될 수 있다. 성적 이의 절차는 교육적 절차를 반영하는 학습자 수행의 관점에 적용된다. 학업외적인 이의 절차는 직원으로서 학습자의 행동을 반영하는 행동의 관점을 다룬다.

법적인 관점에서 졸업후교육을 받는 전공의는 자신의 교육 환경과 그들이 배우고 있는 임상 환경에서 학생으로써 보호되

어야 한다. 성적 이의 절차를 통하여 해결할 수 있는 문제의 대표적인 예로는 의학지식, 핵심 역량, 전문분야 훈련, 그리고 자기평가에 필요한 자기성찰 과정의 부족 등이 있다. 이러한 유형의 문제가 발생할 때, 이의 절차에는 세 가지 필수요소가 있다. 문제의 통지, 문제를 해결할 기회, 그리고 일관되고 신중한 의사결정 과정이다. 성적 이의 절차의 경우, 문제 학습자에게 접근할 때 사용할 표준 접근법을 정의해야 한다. 문자 그대로, 성적 이의 절차는 일상적으로 사용되는 절차이어야 한다. 만약 해당 기관이 제안된 교정 행동이나 이런 행동에 대한 결과에 관하여 문제 제기를 검토할 수 있는 졸업후교육위원회와 같은 위원회를 일상적으로 활용하는 등의 적절한 조치가 필요하다. 소명 절차의 핵심은 발생하는 모든 이의 절차 사례에 대하여 적절한 과정을 밟는 것이다. 이는 "당신이 해야 하는 절차"이다!

학업 외적인 이의 절차 또한, 다음의 세 가지 요소로 구성되지만, 이러한 과정은 일반적으로 교육과 연관되기 보다는 직원 관련 의사결정이 포함될 수 있으므로, 학업 외적 이의 절차를 준수하는 것이 더 어려울 수 있다. 필요한 모든 표준과 규정이 설명되었는지 확인하는 이의 절차 사례를 다룰 때, 기관의 법률 자문을 하고 기존 정책을 고려해야 한다. 이러한 범주에 해당하는 문제의 예로는 부정직함, 의무기록 조작, 괴롭힘, 파괴적 행동, 절도, 폭력 등과 같은 위법성 문제들이 포함된다. 이 문제들은 모두 그림 15.4에서 강조된 "발전적이지 못한" 문제의 예들이다.

이러한 구분을 알더라도 역량 부족 학습자에게 적절한 접근 방법이 항상 명확하지는 않다. 이러한 도전은 졸업후교육에서 더 복잡하다. 전문가로서 발전되어가는 단계에서 학습자는 학생이면서 동시에 직원으로 간주할 수 있다. 이러한 논의를 위해서 졸업후교육 학습자들은 무엇보다 학생으로서 간주되어야 한다. 그렇지만 2011년 세법의 관점에서 미국 대법원은 전공의는 학생이 아니라 근로자이기 때문에 사회보장세와 의료보험료를 납부해야 한다고 판결하였다. 이러한 결과는 세법과 관련될 수도 있지만, 전공의와 임상강사들은 그들이 배우는 교육환경과 임상적 상황에 관하여 학생으로서 보호되어야 한다. 이러한 구분은 부정직함과 같은 전문직업성 기준에서는 애매 모호해 진다. 그러한 상황에서 졸업후교육 학습자는 정기적으로 해당 기관의 모든 직원이 준수하는 규정을 따라야 하며 이는 학업 외적인 적법절차로 간주한다. 이러한 구분은 피고용인으로서 학습자에게 부여된 정당한 절차가 전형적으로 고용법을 준수하도록 기관이 정의하고 있기 때문이며 학업이나 학생 문제에 대한 이의 절차보다 더 복잡할 수 있으므로 중요하다.

법적 문제: 일반적인 지침

1. 책임지도전문의는 학문과 고용법에 관한 전문지식을 갖춘 법률 자문을 이용할 수 있어야 하며, 법률 자문은 조기에 그리고 자주 이루어져야 한다. 문자 그대로, 최고의 법률적 조언은 예방적 자문이다.
2. 수련교육 책임자는 기존의 지침, 정책과 절차를 알고 준수해야 한다. 법원은 기관의 정책과 확립된 절차에 의해 알려진 합리적인 학문적 결정을 뒤집지 않을 것임을 일관되게 입증해 왔다. 그렇지만 이러한 정책과 이의 절차 규정과 일치하지 않는 방식으로 행동하는 것은 임의적이거나 변덕스러운 행동이며 방어할 수 없을 것이다.
3. 수련교육과정에는 제대로 확립된 이의 절차가 있어야 하고 학습자들은 이를 따라야 한다. 학문적 문제에 대해서는 이러한 과정이 복잡할 필요가 없다. 이의 절차는 문자 그대로 "당신이 따라야 하는 절차"이다. 주의해야 할 사항은 이의 절차를 규정하는 것이 무엇이든 이런 과정이 일관성 있게 행해져야 한다는 것이다. 이는 공정해야 하고 비용/의견에 관한 어떠한 형태의 통지를 포함하여야 하며, 학습자가 대응하고 자신의 관점을 제시할 기회를 제공해야 한다. 반드시 "시정할 수 있는 기회"가 있어야 하고, 사례에 대한 판단에 이성적이고 사려 깊은 표준적인 접근법이 있어야 한다.
4. 수련교육에서는 모든 우려, 문제, 기대, 중재 그리고 중재의 조건을 충족하거나 충족하지 않은 결과에 대하여 명확하고 간결한 상호간 소통을 제공해야 하고, 평가자의 솔직하고 구체적인 논평, 상담, 피드백, 교정 행동 계획, 목표와 결과의 반복되는 진화과정을 포함하여 세심하게 문서로 만들어져야 한다.

미래에 대한 도전

역량 부족 학습자에 대한 접근방식이 계속 진화함에 따라, 전문직업성 개발의 특정 수준에 대한 기준과 준거참조 성과를 개선하는 과제가 우선 순위로 남아 있다. 의학교육자와 전문가 대표들은 이러한 준거가 전문직 경력 전반에 걸쳐 전문성 발전을 어떻게 반영하는지를 규정해야 할 의무가 있다. Papadakis와 동료들의 연구에서[27] 의과대학생에게 전문직업성과 관련하여 가벼운 실수들로 보이는 것에 대한 예측적인 가치를 강조해왔다. 전문가로서 우리는 이런 종류의 자료에 대한 이해를 높여야 한다. 문제 행동들이 의사 경력에 걸쳐 어떻게 나타나는지에 대한 보다 나은 이해를 위해서는 왜 문제 행동을 교정하기 위한 조기 발견과 중재가 중요한지 수용하고 촉진시킬 필요가 있다.

역량 부족 학습자에 대한 미래 접근 방식은 발달의 격차나 지연을 우연히 발견하면서 나타나는 반응적 과정이 아니어야 한다. 그 과정은 명확하게 정의된 시스템바탕으로 접근해야 하는데, 학습자에게 기대되는 발달 기준은 명확하게 규명되어야 한다. 그리고 평가방법은 학습자의 역량을 확인할 수 있는 수행 가능한 방법이어야 한다. 이 책 전체에 걸쳐 우리는 기능적 교육 *시스템(system)*에 포함되어 있는 강력한 평가(assessment) *프로그램*의 중요성을 강조하였다. 잘 설계된 평가 프로그램을 가지고 있는 것은 역량 부족 학습자를 식별하고 그들이 근무하는 기관과 교육환경에 기여할 것이다. 역량바탕 의학교육의 잠재력을 최대한 발휘하려면, 수련교육 문화도 재교육에 대한 요구가 학습자와 교수자 모두에 의해서 이상적으로 발의될 수 있는 상태로 발전되어야 한다.

요약하면, 역량 부족 학습자들과 함께 일하는 것은 의과대학과 졸업후의학교육에서는 불가피한 부분이다. 이런 학습자 집단을 가장 효과적으로 다루기 위해서는 문제의 확인, 조사, 분류, 중재 및 판결을 위한 성공적인 체계가 필요하다. 이러한 체계는 다음과 같다.

- 특정 부족 부분에 대한 중재를 제공한다.
- 중재의 목적을 정의한다(재교육은 개선의 기회로 파악되어야지 징계나 징벌적인 조치가 아니다. 이와는 대조적으로 보호관찰은 일반적으로 문제가 있는 것으로 확인된 특정 행동을 즉각 중단하게 하는 징계적 중재이다).
- 교정행동 계획과 관련된 모든 책임과 단계를 약술한다.
- 특정 성과의 분명한 종료점을 규정하는 타임라인과 타임라인이 달성되지 않을 경우 발생하는 결과를 기술한다(필요한 경우, 중간 단계와 목표를 확인해야 한다).
- 재교육 과정을 통하여 학습자를 지도할 지지자 또는 멘토를 소개해 주거나 보호관찰과 같은 중재가 필요하다고 판단될 경우 준수 여부를 모니터링할 수 있는 사람을 소개해 주어야 한다.
- 교정행동 계획을 이끌어 갈 수 있는 자기조절학습 같은 교육이론의 교훈을 활용한다.

마지막으로, 이 같은 시스템에 의해서 만들어지는 모든 중재는 적절한 방법으로 모든 관련 당사자들과 효과적으로 소통되어야 하고, 철저히 문서화되어야 하며, 모든 관련 당사자의 기밀을 보호하면서 적법한 절차를 따라야 한다.

참고문헌

1. Carroll L: BrainyQuote.com. Retrieved June 29, 2016, from BrainyQuote.com Website: http://www.brainyquote.com/quotes/quotes/l/lewiscarro165865.html.
2. Accreditation Council for Graduate Medical Education [USA]. *ACGME Outcome Project*. Chicago: ACGME; 2009. Available from http://www.acgme.org/Outcome.
3. Vaughn LM, Baker RC, Thomas DG. The problem learner. *Teach Learn Med*. 1998;10:217-222.
4. Yvonne S. The "problem" junior: whose problem is it? *BMJ*. 2008;336(7636):150-153.
5. Yao DC, Wright SM. The challenge of problem residents. *J Gen Intern Med*. 2001;16:486-492.
6. Leape LL, Fromson JA. Problem doctors: is there a systems-level solution? *Ann Intern Med*. 2006;144:107-115.
7. Accreditation Council for Graduate Medical Education: Milestones. http://www.acgme.org/acgmeweb/tabid/430/Programand InstitutionalAccreditation/NextAccreditationSystem/Milestones.aspx. Pages 6, 13, 14, and 16.
8. Andolsek K, Padmore J, Hauer K, et al. Clinical Competency Committees: A guidebook for programs. Available from http://www.acgme.org/acgmeweb/Portals/0/ACGMEClinicalCompetencyCommitteeGuidebook.pdf; 2015 Retrieved August 11, 2015.
9. Accreditation Council for Graduate Medical Education [USA]. *ACGME Outcome Project*. Chicago: ACGME; 2009a. Available from http://www.acgme.org/Outcome.
10. Frank JR, Snell L, Sherbino J (Eds): The draft CanMEDS 2015 physician competency framework. 2015. Available from www.royalcollege.ca/portal/page/portal/rc/common/documents/canmeds/framework/canmeds2015_framework_series_IV_e.pdf. Retrieved December 5, 2015.
11. Scottish Deans' Medical Curriculum Group [Scotland]. *The Scottish Doctor: Learning Outcomes for the Medical Undergraduate in Scotland: A Foundation for Competent and Reflective Practitioners*. 3rd ed. Edinburgh: SDMCG; 2009. Available from. http://www.scottishdoctor.org.
12. General Medical Council [UK]. *Tomorrow's doctors: Outcomes and standards for undergraduate medical education*. London: GMC; 2009. Available from http://www.gmc-uk.org/education/undergraduate/tomorrows_doctors.asp.
13. Graham IS, Gleason AJ, Keogh GW, et al. stralian curriculum framework for junior doctors. *Med J Aust*. 2007;186(suppl 7): S14-S19.
14. Van Herwaarden CLA, Laan RFJM, Leunissen RRM, eds. *The 2009 Framework for Undergraduate Medical Education in the Netherlands*. Utrecht: Dutch Federation of University Medical Centres; 2009.
15. Yao DC, Wright SM. National survey of internal medicine residency program directors regarding problem residents. *JAMA*. 2000;284(9):1099-1104.
16. Hauer KE, Ciccone A, Henzel TR, et al. Remediation of the deficiencies of physicians across the continuum from medical school to practice: a thematic review of the literature. *Acad Med*. 2009;84(12):1822-1832.
17. Crosson FJ, Leu J, Roemer BM, et al. Gaps in residency training should be addressed to better prepare doctors for a twenty-first-century delivery system. *Health Aff (Millwood)*. 2011;30(11):2142-2148.
18. Mattar SG, Alseidi AA, Jones DB, et al. General surgery residency inadequately prepares trainees for fellowship: results of a survey of fellowship program directors. *Ann Surg*. 2013;258(3):440-449.
19. Ziring D, Danoff D, Grosseman S, et al. How do medical schools identify and remediate professionalism lapses in medical students? A study of U.S. and Canadian medical schools. *Acad Med*. 2015;90(7):913-920.
20. Smith CS, Stevens NG, Servis M. A general framework for approaching residents in difficulty. *Fam Med*. 2007;39(5): 331-336.
21. Brenner AM, Mathai S, Jain S, et al. Can we predict "problem residents"? *Acad Med*. 2010;85:1147-1151.
22. Carraccio C, Wolfsthal SD, Englander R, et al. Shifting paradigms: from Flexner to competencies. *Acad Med*. 2002;77(5):361-367.
23. Eva K, Regehr G. "I'll never play professional football" and other fallacies of self-assessment. *J Contin Educ Health Prof*. 2008;28(1):14-19.
24. Davis DA, Mazmanian PE, Fordis M, et al. Accuracy of physician self-assessment compared with observed measures of competence. *JAMA*. 2006;296(9):1094-1102.

25. ACGME: The clinical learning environment review. Available at http://www.acgme.org/What-We-Do/Initiatives/Clinical-Learning-Environment-Review-CLER.
26. Evans D, Brown J. Supporting students in difficulty. In: Cantillon P, Wood D, eds. *ABC of Learning and Teaching in Medicine*. Oxford: Wiley-Blackwell; 2010:78-82.
27. Papadakis MA, Hodgson CS, Teherani A, et al. Unprofessional behavior in medical school is associated with subsequent disciplinary action by a state medical board. *Acad Med.* 2004;79(3):244-249.
28. Lipner RS, Young A, Chaudhry HJ, et al. Specialty certification status, performance ratings, and disciplinary actions of internal medicine residents. *Acad Med.* 2016;91(3):376-381.
29. Hauer KE, Cate OT, Boscardin CK, et al. Ensuring resident competence: a narrative review of the literature on group decision making to inform the work of clinical competency committees. *J Grad Med Educ.* 2016;8(2):156-164.
30. Zbieranowski I, Takahashi SG, Verma S, et al. Remediation of residents in difficulty: a retrospective 10-year review of the experience of a postgraduate board of examiners. *Acad Med.* 2013;88(1):111-116.
31. Dupras DM, Edson RS, Halvorsen AJ, et al. "Problem residents": prevalence, problems and remediation in the era of core competencies. *Am J Med.* 2012;125(4):421-425.
32. Yaghoubian A, Galante J, Kaji A, et al. General surgery resident remediation and attrition: a multi-institutional study. *Arch Surg.* 2012;147(9):829-833.
33. Riebschleger MP, Haftel HM. Remediation in the context of the competencies: a survey of pediatrics residency program directors. *J Grad Med Educ.* 2013;5(1):60-63.
34. Kogan J, Conforti L, Iobst WF, et al. Reconceptualizing variable rater assessments as both an educational and clinical care problem. *Acad Med.* 2014;89(5):721-727.
35. World Health Organization. International Classification of Impairments, Disabilities, and Handicaps. http://whqlibdoc.who.int/publications/1980/9241541261_eng.pdf; 1980.
36. U.S Department of Education. Protecting students with disabilities: frequently asked questions about Section 504 and the education of children with disabilities. http://www2.ed.gov/about/offices/list/ocr/504faq.html; 2015.
37. U.S. Department of Labor: Americans with Disabilities Act. https://www.dol.gov/general/topic/disability/ada.
38. U.S. Equal Employment Opportunity Commission. ADA Amendments Act of 2008. https://www.eeoc.gov/laws/statutes/adaaa.cfm; 2008.
39. 42 U.S.C. 12102(2)(a): US Code - Section 12102: Definition of disability. Available at http://codes.lp.findlaw.com/uscode/42/126/IV/12102.
40. Dyrbye L, Shanafelt T. A narrative review on burnout experienced by medical students and residents. *Med Educ.* 2016;50(1):132-149.
41. Rosen IM, Gimotty PA, Shea JA, et al. Evolution of sleep quantity, sleep deprivation, mood disturbances, empathy, and burnout among interns. *Acad Med.* 2006;81(1):82-85.
42. Shanafelt TD, Boone S, Tan L, et al. Burnout and satisfaction with work-life balance among US physicians relative to the general US population. *Arch Intern Med.* 2012;172(18):1377-1385.
43. Maslach C, Jackson SE, Leiter M. The Maslach Burnout Inventory Manual. In: Zalaquett CP, Wood RJ, eds. *Evaluating Stress: A Book of Resources*. Lanhan, MD: Scarecrow Press; 1996:191-218. Available at https://www.researchgate.net/profile/Christina_Maslach/publication/277816643_The_Maslach_Burnout_Inventory_Manual/links/5574dbd708aeb.
44. Accardo P, Haake C, Whitman B. A learning disabled medical student. *J Dev Behav Pediatr.* 1989;10(5):253-258.
45. McLellan AT, Skipper GS, Campbell M, et al. Five year outcomes in a cohort study of physicians treated for substance use disorders in the United States. *BMJ.* 2008;337:a2038.
46. Durning SJ, Cleary TJ, Sandars J, et al. Viewing "strugglers" through a different lens: how a self-regulated learning perspective can help medical educators with assessment and remediation. *Acad Med.* 2011;86(4):488-495.
47. American Board of Internal Medicine: The physician charter. Available at http://abimfoundation.org/what-we-do/medical-professionalism-and-the-physician-charter/physician-charter.
48. Kalet A, Chou CL. *Remediation in Medical Education: A Mid-Course Correction*. New York: Springer; 2014.
49. Rest JR, Narvarez DF. *Moral Development in the Professions: Psychology and Applied Ethics*. Hillsdale, NJ: Lawrence Erlbam Associates; 1994.
50. Minicucci R, Lewis B. Trouble in academia: ten years of litigation in medical education. *Acad Med.* 2003;78(10):S13-S15.

16

프로그램 평가

RICHARD E. HAWKINS, MD, FACP, AND STEVEN J. DURNING, MD, PHD

개요

서론

이 책의 초기 관점은 각 개인 학습자의 사정(assessment)이었다. 그렇지만 개별 학습자 사정에 적용되는 것과 동일한 수준의 엄격함으로 교육프로그램의 품질을 평가하는 것도 교육 리더의 책임이다. 미국졸업후교육인증위원회(Accreditation Council for Graduate Medical Education, ACGME)는 프로그램 평가(evaluation)란 "프로그램의 질과 효율성을 향상하고 추적하기 위해서 프로그램의 설계, 실행과 결과와 관련된 정보의 체계적인 수집과 분석"이라고 설명하였다.[1] 대부분의 경우, 개인 사정에서 수집된 자료가 프로그램 사정에 유용할 것이다. 그렇지만 개별 학습자의 사정 자료 자체는 프로그램 성능에 대한 엄격한 판단을 위한 정보를 제공하기에는 충분하지 않다. 프로그램 평가에는 시스템과 시스템의 모든 상호작용 부분을 분석하고 필요한 변경 사항이 포함된다. 교육 시스템은 개인 학습자 그 이상의 부분들로 구성되어 있다. 따라서 프로그램의 품질과 관련된 판단을 내리고 프로그램의 변경과 개선 전략에 대한 정보를 제공하는 다른 많은 정보 출처가 중요할 수 있다.[2,3]

프로그램 평가는 모든 교육기관에서 필수적인 활동이며 핵심 프로그램 관리 활동의 일부가 되어야 한다. 체계적으로 접근하는 프로그램 평가는 인증 표준을 충족시키고 대중, 학습자와 다른 기타 이해 관계자들에 대해 책임을 다할 뿐만 아니라, 프로그램의 지속적인 개발과 개선을 유도할 수 있다. 실제로 "체계적" 그리고 "지속적"이라는 개념은 프로그램 평가의 성공에 매우 중요하다. 또한, 프로그램 평가는 "학습된 교훈"에 대한 학문적 장을 제공하며 엄격하고 재현 가능할 경우 유사한 도전에 직면한 *다른(other)* 프로그램들을 지원할 수 있다. 실제로, 글래식(Glassick)의 기준(글상자 16.1)을 이용해 프로그램 평가를 접근할 경우 동료평가 활동 보고서가 나올 수 있다.[4]

이번 장에서 필자는 프로그램 평가 *목적(purpose)*에 대한 논의를 시작으로 다양한 프로그램 평가 *모형과 방법(models and methods)*에 대한 논의를 하게 되며 프로그램 평가와 관련된 다양하고 일반적인 문제에 대한 실질적인 조언을 제공하고자 한다. 또한 독자들이 교육에 대한 광범위하고 폭 넓은 주제를 이해할 수 있도록 몇 가지 자료원을 참조하였다.

평가의 목적

교육프로그램을 평가하는 데에는 여러가지 이유가 있으며 이는 서로 배타적이라고 할 수 없다.[5,6] 프로그램이 명시한 목표를 달성하고 있다는 것을 입증한다는 책무가 평가를 위한 중요

• 글상자 16.1 프로그램 평가에 적용되는 Glassick의 기준[4]

- 분명한 목적
  - 목적이 명확하게 기술되었는가? 중요한 연구 질문 및/또는 목적은 무엇인가?
- 적절한 준비
  - 이전의 연구에 대한 이해는 무엇인가? 필요한 자원은?
- 적절한 방법
  - 목적에 적절한가? 효과적인가?
- 유의한 결과
  - 성취된 목적은 무엇인가? 유의한 성과는?
- 효율적인 의사소통
  - 잘 기술되었는가? 적절한 청중은? 전달력은?
- 성찰
  - 결과를 비판적으로 평가하는가? 향후 업무의 질을 향상시키기 위한 비판적 평가인가?

한 목적 중에 하나이다. 미국의학교육인증평가원(Liaison Committee on Medical Education, LCME), 미국졸업후교육인증위원회(Accreditation Council for Graduate Medical Education, ACGME), 캐나다전문의학회(Royal College of Physicians and Surgeons of Canada, RCPSC)와 같은 외부 기관은 인증을 유지하기 위해 기본의학교육과 졸업후의학교육의 평가를 요구한다. 내부 이해관계자들, 특히 교육 활동에 대한 재정적 지원을 제공하는 이해 관계자는 자원의 적절한 활용을 확인하기 위해 교육 리더들이 평가를 수행하기를 기대한다. 또한, 프로그램 과정뿐만 아니라 학습자 성취도와 다른 성과의 평가는 변화와 지속적인 개선 노력을 유도하는 프로그램에 대한 피드백을 제공하는 데 중요한 목적이 있다. 프로그램의 질, 성과 또는 영향에 대한 정보는 프로그램에 대한 잠재적인 지원자 또는 프로그램 결과물의 수용자(전공의 수련프로그램 책임지도전문의 또는 병원 행정가와 같은)와 같은 다양한 "소비자"가 이용할 수 있다.[5] 또한, 교육 활동이나 중재에 대한 평가에서 얻은 정보는 효과적인 실무와 혁신에 대한 새로운 지식을 만들기 위해 사용될 수 있고, 학습된 교훈은 유사한 활동이나 중재를 고려하거나 사용하고자 하는 다른 사람들과 공유될 수 있다.[4,6-8]

평가 모형의 개요

평가 계획을 작성함에 있어 프로그램 책임자가 선택할 수 있는 여러가지 모형과 방법들이 있다. 평가 모형은 결과적으로 정량적 및 정성적 방법을 사용하여 프로그램의 성과 대 과정, 그리고 프로그램 요소들 간의 관계에 초점을 맞춘다는 점에서 상당히 다양하다. 스펙트럼의 한 끝에는 프로그램 성과에 초점을 맞추고, 대부분의 의학교육자가 친숙한 정량적 접근 방식을 사용하는 목표와 측정 접근 방식과 같은 보다 실험적인 모형들이 있다. 의학교육자들은 자신들에게 일반화 가능한 과학적 발견의 개발에 대한 정보를 주는 무작위 비교 임상시험, 체계적 문헌고찰, 정량적 자료의 통계분석, 심지어 반정량적 설문조사 자료의 결과에 대하여 일반적으로 편안해 하고 확신을 갖는다.[9] 정량적인 방법의 과학적 엄격함에 대한 믿음이 있음에도 불구하고, 이러한 접근 방식은 독립된 요소의 변화가 측정된 성과에 비례하는 변화를 다소 직접적으로 이끈다는 기대감과 함께, 프로그램 요소와 성과 사이의 관계를 선형적으로 취급할 경우 다소 환원주의적일 수 있다. 또한, 프로그램 성과에 거의 전적으로 초점을 맞춘 정량적 측정을 사용하는 평가 모형에 대한 만족도는 감소해 왔는데 그 이유는 프로그램의 효과가 없거나 미미하다는 결과를 보일 수 있고 이런 경우에 현재 프로그램이 대체로 효과적이지 않거나 프로그램의 효과를 충분하게 찾아낼 수 없다는 우려를 유발할 수 있기 때문이다.[10,11]

평가 모형에 관한 사고의 발전은 교육프로그램이 어떻게 변화를 유도할 수 있는지에 대한 이론적 근거와 프로그램 과정과 활동이 교육 성과에 어떻게 영향을 미치는지 검증하는 데에 초점을 맞춘 패러다임의 발전을 가져왔다. 이론에 근거한 평가 모형들은 일반적으로 연구 설계, 수행과 해석에 이론을 통합하고, 프로그램과 중재로 나타나는 변화의 원인과 상황적 결정 요인에 대한 새로운 지식을 더 잘 이해하고 만들어가기 위해 성과를 검토하게 된다.[12] 비록 이러한 모형은 정량적인 방법을 다양하게 사용할 수 있지만, 프로그램의 가치를 정량화하는 유일한 성과 접근법을 벗어나기 위해 정성적인 방법(예, 포커스그룹, 심층 면담, 민족지학적 방법과 서사)에 더 많이 의존한다. 또한 다른 내용에서 프로그램의 실행을 알려주고 다른 프로그램 개발자를 포함한 다양한 이해 관계자들에게 알릴 수 있는 일반적인 지식을 개발하기 위해 프로그램의 내부 작업에 대한 정보를 제공한다.[9,10] 평가자는 정량적 방법을 내포한 정성적 측정의 과학적 진정성에 대한 높은 신뢰를 가지고 있지 않을 수 있지만, 질적 연구자들은 정성적 방법에 대한 엄격함을 높이는 여러 가지 전략(삼각화, 참가자 검토, 패턴 맞춤, 부정적 사례 표집, 외부 감사)을 개발해 왔다.[13] 일반적으로 정성적 접근 방법을 사용하는 평가 모형에는 실재론적 평가. CIPP모형. 전, 중, 후 모형. 그리고 MRC 복합중재모형 등이 있다. 이러한 모형은 프로그램의 변수 간의 복잡한 상호 관계에 기초하여 성과가 매우 문맥적으로 나타날 것이라는 기대와 함께 개별 프로그램이 다양한 내적, 외적 요인에 영향을 받는 복잡한 시스템으로 보게 된다.[12] 더 복잡한 절차, 상황 변수들과 불확실한 예상 결과 등, 복잡하고 다면적인 계획에 미칠 영향을 결정하기 위해 보다 참여적이고 정성적 혹은 이론적인 접근법이 필요하다.[6,11,12]

프로그램 평가 모형은 품질 보증 문헌에서 시작된 풍부한 역사를 지니고 있다. 다음 절에서는 의학교육 차원에서 학술 프로그램의 지도자들을 돕기 위해 쉽게 실행될 수 있다고 믿는 선택된 모형에 대하여 개략적으로 설명하겠다. 실제로, 의학교육의 전 과정에서 걸쳐 같은 모형을 사용하는 것은 프로그램 평가의 목적을 촉진하고 교수와 학습자 모두에게 공유된 인식모형과 학습자에 대한 목표와 기대에 대한 보다 명확한 궤도에 기여하는 데 도움이 될 것이다.

평가자는 모형이나 방법의 사용에 제한을 받지 않아야 하지만, 자신의 요구를 가장 잘 충족하는 다른 모형에서 다른 측면을 확인하고, 심지어 서로 다른 방법이 개별적인 한계를 보상함으로써 어떻게 보완할 수 있는지 확인해야 한다.[9,14] 실제로, 많은 평가 전문가들은 사회와 보건 서비스 프로그램에 대한 평가에 혼합된 방법을 적용하는 "실용적 접근"을 옹호한다.[9,13] "긴급" 접근법은 매우 유용할 수 있는데, 평가 계획은 특정 프로젝트나 프로그 램의 발전 또는 복잡성에 근거하여 수정될 수 있기 때문이다.[6] 평가 접근법을 결정할 때 다른 모형이나 방법의 한계를 인식하는 것이 중요하다.[5]

다음에 설명할 모형은 논의할 가치가 있는 몇가지 일반적인 특성이 있다. 프로그램 평가는 순환과정으로, 지속적으로 최적인 상태로 이루어 진다. 개인의 역량을 단일 척도로 평가할 수 없는 것처럼 평가자에게 알리기 위해 다양한 측정방법이 통합되어 있으며, 프로그램 평가는 다양한 측정방법이 필요하다. 실제로, 프로그램 평가와 관련된 문헌의 반복되는 주제는 예상하지 못한 발견에 대한 개념이다. 특정 모형 또는 혼합된 모형의 선택은 부분적으로 프로그램 요구(예: 인증기준을 충족하기 위해)에 의해서 결정되고 이러한 요구가 수련 단계에 따라 달라질 수 있다는 점을 고려할 때 프로그램 평가 모형이 다양한 것은 놀랄 일이 아니다. 이 장의 초반부에 언급한 것 같이 프로그램 평가는 학습자 수행에 대한 사정 그 이상의 의미가 있다. 프로그램 평가에 있어 프로그램 구조 및/또는 학습환경에 초점을 둔 다양한 측정방법을 권고한다. 마지막으로, "심리측정학적", 선형 그리고 성과-지향 모형에서 보다 질적, 상황적, 관계적 모형의 이동이 지지되고 있다.

프로그램 평가 모형

목적과 측정 모형

목적과 측정 모형은 다음에 기술되는 전, 중, 후 모형을 단순화한 것이다. 이 모형은 제한된 수의 목적(측정 후)을 정의하는 것으로 시작한다. 다음으로 평가자는 목적이 충족되는 여부를 결정하는 데에 사용할 수 있는 여러가지 측정 도구(정량적 및/또는 정성적 - 측정 중)를 나열한다. 성공 여부는 시간에 따른 전반적인 수행도 개선의 궤적뿐만 아니라 허용 가능한 수행 수준을 충족시키는 정도에 따라 결정된다.

예를 들어, 일련의 능숙한 술기 수행을 학습평가 목적으로 나열할 수 있다. 이러한 측정에는 술기 유형, 시행 일자, 성공 여부, 학습된 교훈과 교수자의 숙련도 승인(서명과 위임가능전문활동[entrustable professional activity, EPA]에 대한 마무리)을 나열한 술기 수행 일지를 포함할 수 있다. 성공 여부를 결정하는 것은 술기 수행 일지에 충분한 숫자와 질적 내용, 시간 경과에 따른 예상 성장, 숙련도의 최종 승인이 포함되어 있어야 한다. 프로그램 평가에 관한 의학교육 문헌에서는 이러한 접근법과 일관되게 특정 목적과 관련된 두 가지 또는 그 이상의 측정방법의 연관성에 대한 몇가지 예를 보여준다.

커크패트릭(Kirkpatrick) 모형과 무어(Moore)의 확장된 성과 틀

커크패트릭(Kirkpatrick) 모형은 프로그램 평가 성과를 네 가지 수준 중 하나로 설명한다.[15] 이 네 가지 성과는 반응, 학습, 행동, 그리고 결과물이다. 학습목적과 측정 모형과 마찬가지로 Kirkpatrick모형은 프로그램 평가 자체로 설계되지 않고 개별 학습자 또는 종합적으로 학습자의 수행도를 알기 위한 방법으로 설계되었다. 우리는 전공의 수련프로그램에서 동료 교육을 평가하는 예를 사용하여 모형을 설명할 것이다. 수준 1 또는 반응은 학습 경험에 대한 학습자의 의견이나 반응을 설명한다. 이 방법은 프로그램 평가를 목적으로 월말 평가 양식과 같은 표준화된 도구를 사용하여 동료 교사들에 대한 학습자의 평가의 형태를 취할 수 있다. 수준 2 또는 학습(지식, 술기 또는 태도의 변화로서 표현되는)은 예를 들어, 순위 계측을 이용하여 교육 역량의 사전/사후 자체 평가의 형태로 파악된다. 수준 3 또는 행동(학습 적용시 행동이나 수행의 변화)은 학습자에게 피드백을 제공하는 교육 부분 또는 동료 교사를 이용한 객관구조화교육활동(Objective Structured Teaching Exercise, OSTE)을 비디오로 촬영하여 확인할 수 있다. 수준 4 또는 결과(성과)는 동료 교육의 수혜자에 의해 개선된 수행의 형태로 파악할 수 있다.

높은 수준의 성과와 대조적으로 가장 낮은 Kirkpatrick 수준(반응 혹은 만족도)에 초점을 맞춘 논문에서 많은 것이 확인되고 있다. 분명히 학습자의 만족도 평가결과는 프로그램 평가의 중요한 부분이지만, 이러한 결과에 국한되어서는 안된다(필요하지만 충분하지 않음). Kirkpatrick 모형을 사용한 예로는 임상과학자 프로그램의 평가와[16] 의학교육에서 Kirkpatrick 수준에 대한 근거가 있다.[17] Kirkpatrick 수준은 아마도 평생의학교육(continuing medical education, CME) 프로그램의 평가에서 가장 자주 사용된다. Kirkpatrick 모형의 단점은 자원 사용, 측정의 우선 순위 설정 또는 평가를 위한 통합적인 틀을 명시적으로 포함하지 않고 결과에 초점을 맞추는 것이다. 장점은 수준의 간편성과 많은 교육 분야로의 이전성이라고 할 수 있다. 최근에 무어(Moore)와 동료들이 Kirkpatrick 모형을 확장하여 밀러(Miller)의 피라미드의[18] 하위 세 단계를 나타내는 개별적인 학습 수준을 지정하여 CME에서 의사의 수행도와 환자 결과에 미치는 영향을 더 잘 표현하였다(표 16.1).[19] 확장된 틀은 CME 프로그램

표 16.1 커크패트릭(Kirkpatrick) 모형과 무어(Moore)의 확장된 성과 틀 비교

Kirkpatrick 수준	Miller의 피라미드 수준	Moore 확장된 성과 틀	평가 방법
		수준 1: 참여	참가 기록
수준 1: 반응		수준 2: 만족도	참가자 조사
수준 2: 학습	아는 것	수준 3A: 학습 선언적 지식*	자기평가/자기보고 필기 시험
	어떻게 하는 지 아는 것	수준 3B: 학습 절차적 지식*	자기평가/자기보고 필기 시험(단답형, 에세이) 증례 바탕 토의
	어떻게 하는지 보여주는 것	수준 4: 역량	자기평가/자기보고 실제 또는 시뮬레이션 상황에서 직접 관찰
수준 3: 행동	시행하는 것	수준 5: 수행	자기평가/자기보고 임상실무에서 직접 관찰 다면피드백 진료의 질(과정) 측정
수준 4: 결과		수준 6: 환자 건강	진료의 질(성과) 측정 (실무/기관 수준)
		수준 7: 지역사회 건강	진료의 질(성과) 측정 (지역사회/인구집단 수준)

출처: Moore DE, Greene JS, Gallis HA: Achieving desired results and improved outcomes: integrating planning and assessment throughout learning activities. *J Contin Educ Health Prof* 2009;29(1):1–15의 내용 수정.

*역자 주. 인지학습이론에서 나오는 개념으로 선언적 지식(declarative knowledge)은 말이나 글로 표현할 수 있는 지식을 말하며, 절차적 지식(procedural knowledge)은 행동으로 표현할 수 있는 지식을 뜻한다.

의 계획과 평가를 위한 개념 모형에서 도입되었으며 CME 프로그램의 개선을 유도하여 높은 수준의 수행도와 진료 품질 성과를 도출할 목적으로 도입되었다. 이 모형은 이전 모형인 Kirkpatrick 모형과 마찬가지로 CME 프로그램 평가 노력에서 일반적으로 고려되고 있다.

로직 모형

로직 모형은 그 자체로 평가 모형이나 방법으로 엄격히 고려되지 않을 수 있다. 그러나 프로그램 계획, 실행, 관리 및 평가의 지침을 지원하기 위해 프로그램 자원, 과정, 산출 및 성과 사이의 상호 관계를 시각적으로 표현하기 위한 접근 방식으로는 보다 적절하다고 볼 수 있다.[20] 따라서 로직 모형은 평가뿐만 아니라 프로그램 계획과 설명에 유용할 수 있다.[2] 로직 모형이 발전하는 과정 중에 프로그램의 바탕이 되는 원칙과 이론적 가정에 근거하여, 결과를 유도하기 위한 일련의 과정과 활동, 단기 및 장기 결과를 연계하는 프로그램의 "길잡이"가 만들어진다. 로직 모형의 사용은 확인된 성과를 초래한 과정과 내용을 더 잘 이해하는데 도움이 되는 방법과 결과 분석을 결합함으로써 프로그램의 영향과 가장 영향력 있는 요소에 대하여 가장 많이 배울 수 있다고 가정하는 평가에 관한 하나의 이론적 접근 방식이라고 할 수 있다. 성과에 영향을 미치는 상황적 요인(방법 및 이유)을 이해하면 변화의 특정 대상을 식별할 수 있고 유사한 프로젝트나 프로그램을 실행하려는 다른 사람들에게 충분히 정보를 제공할 수 있다.[6]

로직 모형 접근 방식은 보건 의료시스템에서 학습 문화를 조성하는 것과 같이 일부 성과가 장기적이고 무형의 복잡한 실행에 대한 평가에 사용하도록 설계되었다.[6] 로직 모형에서 핵심 구조 요소 중 하나는 보다 즉각적이거나 중간 성과를 다루는 성과측정과 반대로 프로그램의 장기적인 영향을 검토하는 영향 분석을 포함한다.[5]

로직 모형의 구조와 과정은 평가의 목적과 촛점에 따라 달라질 수 있지만, 몇 가지 핵심 요소로 구성된다(그림 16.1). 각 요소 내의 세부 사항을 채우는 반복적인 과정은 프로그램 책임자와 평가자가 프로그램에 투입된 것과 프로그램의 성과, 활동, 과정 및 결과물 사이의 논리적이고 순차적 연결과 관련성 뿐만 아니라 이러한 요소들을 서로 연결시키는 배경 이론과 추정을 더 잘 이해하고 명확하게 하는데 유용한 학습활동이 될 수 있다.[6,21] 또한, 로직 모형을 개발하는 과정은 주요 이해관계자들이 프로그램에 대한 합의와 프로그램이 성취하려는 것에 대한 이해를 공유하는 데 도움이 될 수 있다.[6]

기본 로직 모형의 구조(그림 16.1 참조)는 프로그램에 *투입(input)*되는 것으로 시작하며 이러한 투입은 프로그램에 사용할 수 있는 인적, 재정, 조직 및 지역 사회 자원이 포함된다. 투입은 물적 혹은 지적일 수 있다. 예로는 교육 기술, 자금 출처, 교수자 기술과 시간을 포함된다.[2] 이러한 자원은 프로그램 *활동(ac-*

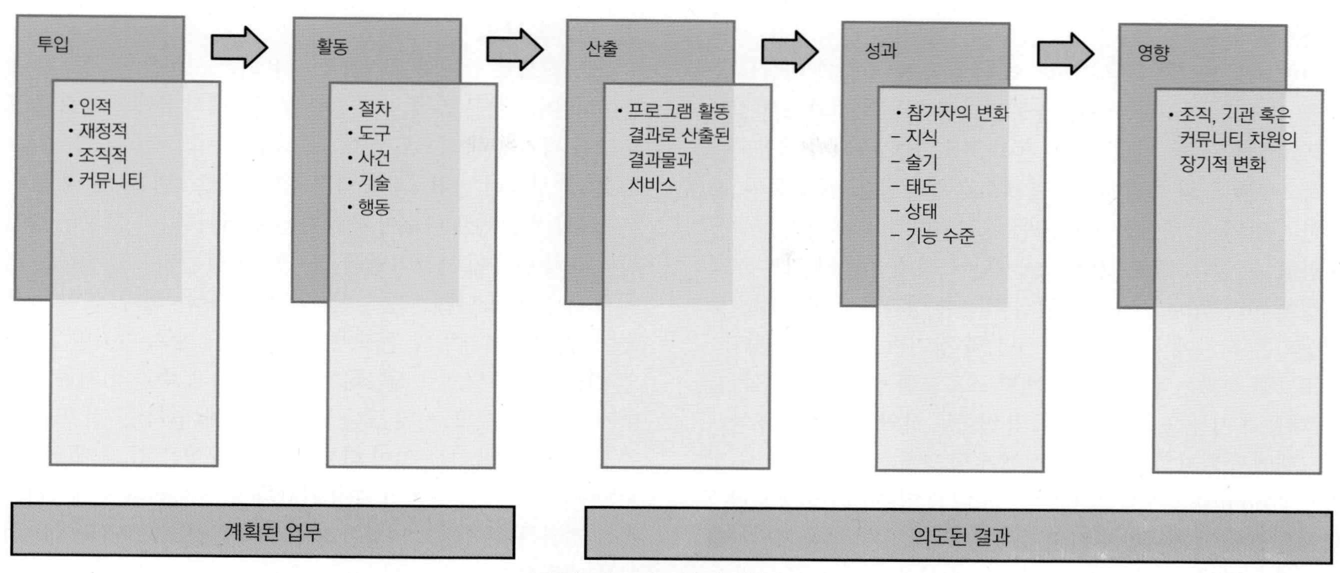

그림 16.1 로직 모형의 기본 구조.
출처: W. K. Kellogg Foundation: *W. K. Kellogg Foundation Logic Model Development Guide.* 업데이트 일자: January 2004. https://www.wkkf.org/resource-directory/resource/2006/02/wk-kellogg-foundation-logic-model-development-guide.

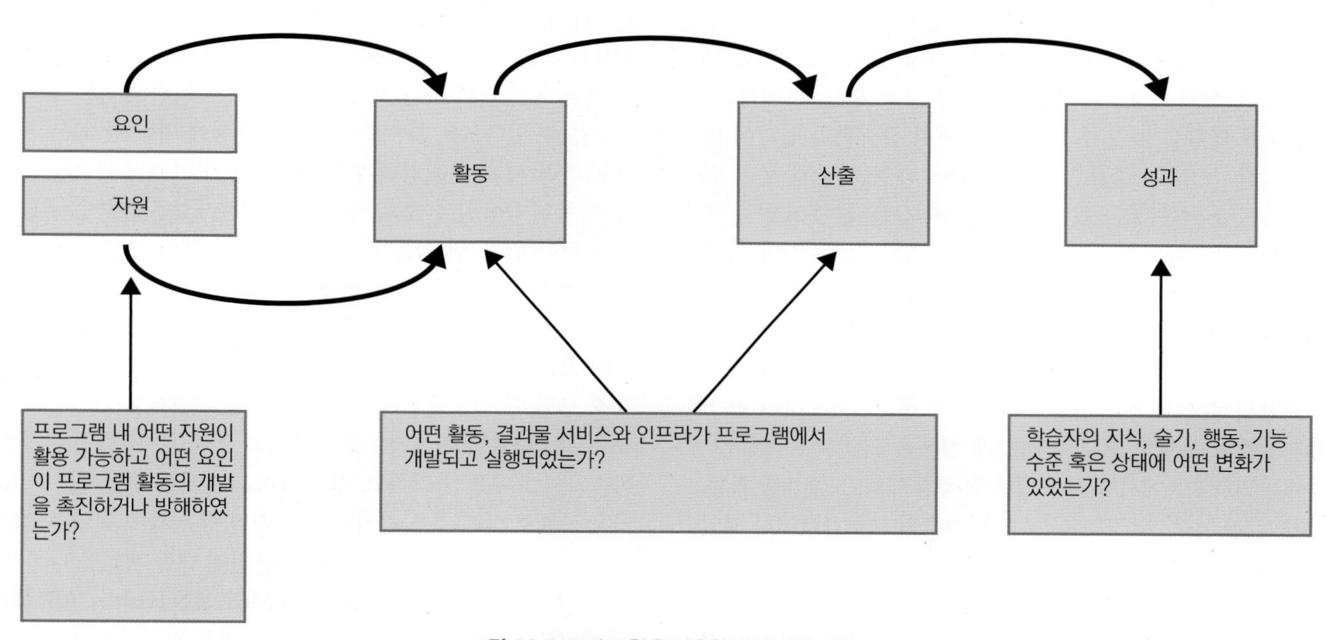

그림 16.2 로직 모형을 이용한 평가 계획 개발.
출처: W. K. Kellogg Foundation: *W. K. Kellogg Foundation Logic Model Development Guide.* 업데이트 일자: January 2004. https://www.wkkf.org/resource-directory/resource/2006/02/wk-kellogg-foundation-logic-model-development-guide.

tivities), 과정, 도구, 이벤트, 기술과 의도된 프로그램 성과를 생성하도록 설계된 다른 활동이 포함된다. 어떤 의미에서 활동은 프로그램 내의 중재 혹은 혁신이다.[2] 활동에는 의도된 변화나 목적 달성을 지원하기 위해 개발된 제품(교육 자료), 서비스(상담), 인프라가 포함될 수 있다. 투입과 활동이 함께 프로그램의 *계획된 작업(planned work)*을 구성한다(그림 16.1 참조). 변화를 촉진하거나 방해하는 요소는 로직 모형의 계획된 작업 요소에도 포함될 수 있다(그림 16.2 참조). *보호 요소(protective factors)*에는 자금, 장비, 시설과 협력자와 같은 자원이 포함된다. 제한적인 정책과 규제, 자원이나 지원의 부족과 같은 변화나 목표 달성을 가로막는 장애가 되는 것은 *위험 요소(risk factors)*로 고려하게 된다.[20]

*산출(outputs)*은 프로그램 활동의 직접적인 결과이며, 프로그램이 제공하고자 하는 서비스의 다른 유형, 수준과 대상을 포함할 수 있다. 이러한 산출물은 프로그램 활동의 결과로서 실제로 일어났던 일을 나타내며,[2] 흔히 프로그램 내에서 제공되는 제품과 서비스의 측면에서 정량적으로 설명된다. 예를 들어, 출석한 수업의 수, 면담한 환자 또는 훈련된 교수자와 같은 항목을 포함할 수 있다. 켈로그(Kellogg)재단에 의해 기술된 기본 로직 모형에서 *성과(outcomes)*는 달성 가능한 성과가 달성될 것으로 예상되는 시기에 따라 단기(1-3년)와 장기(4-6년)로 나뉜다.[20] 프로그램 성과는 일반적으로 개별 프로그램 참가자의 지식, 술기, 행동과 기능 또는 상태 수준의 변화로 정의한다. 의학교육프로그램에서 환자의 성과는 측정해야 할 중요한 결과가 될 수 있다.[2] *영향(impact)*은 일반적으로 프로그램 실행이나 변경 이후 7년에서 10년이 지나야 나타날 수 있는 조직, 시스템과 지역사회 수준에서 발생하는 광범위한 프로그램 성과로 간주될 수 있다. 산출물, 성과와 영향이 함께 프로그램의 의도된 결과를 구성한다.[20]

평가에 로직 모형을 적용하면 성과에 영향을 미칠 수 있는 상황과 실행과 관련된 요소에 더 초점을 잘 맞추도록 기본 구조를 수정할 수 있다(그림 16.2 참조). 예를 들어, 교수자의 사기와 같은 상황적 요인은 다양한 프로그램 활동 참여에 대한 관심에 영향을 미칠 수 있으며, 이어서 산출물과 성과에 영향을 미칠 수 있다. 중요한 학습 자원에 대한 예상치 못한 접근 부족이나 적은(또는 많은) 환자 수와 같은 실행 요인은 핵심역량의 학습자 수행도와 인증 문제를 일으킬 수 있다.[20] 로직 모형의 구조는 선형적으로 그려지지만, 사각 상자들 사이의 관계는 상당히 복잡하고 시간이 지남에 따라 반복적일 수 있다. 실제로, 로직 모형을 프로그램 계획에 적용할 때, 성과와 영향의 순서로 시작하는 "역로직 모형"을 사용하여 프로그램 활동과 자원의 요구의 개발과 실행을 확인할 수 있다.[22] 의학과 의학교육에서 로직 모형은 교육적 개입, 교수개발 활동, 공중보건과 연구 프로그램을 포함한 다수의 프로그램이나 개입의 평가에 적절히 적용할 수 있다.[21-23] 로직 모형은 프로그램 내에서 변화가 어떻게 작용하는지에 대한 이해를 가지게 된 경우, 특히 프로그램 책임자들이 프로그램 내에서 개정이나 기술 혁신 평가에 가장 잘 적용될 수 있다. 보다 정량적인 방법과 달리, 로직 모형은 프로그램 활동과 성과 사이의 인과 관계의 근거를 반드시 제공하지는 않는다. 하지만, 로직 모형은 고품질 정보의 생성을 돕고 프로그램 계획과 평가에 모두 유용한 중요한 프로그램 요소들이 상호 관련되는 방식에 대한 공통의 이해를 촉진하며, 프로그램 과정을 추적 관찰하면서 잠재적인 수정 사항을 알리는 기준점이 된다.[2,22]

전, 중, 후 모형

일반적으로 학문적 목적으로 사용되는 모형은 전, 중, 후 접근이다. 이 모형은 질적 평가 관련 문헌들에서 유래한 것으로 프로그램 평가를 목적으로 하며, 프로그램 시작 전(예: 기초자료 측정), 프로그램 진행 중(예: 과정측정), 프로그램 후(예: 제품 또는 성과) 세단계로 나누어 측정하는 방법이다. 이 모형은 평가자에게 각 단계에 시간의 틀을 정의할 수 있는 자유를 준다는 점에서 유연하며, 단계는 동일한 기간일 필요는 없다. 또한 예를 들어, 첫 번째 1개월의 전공의 기간을 전단계로, 마지막 2개월의 전공의를 후단계로 사용하는 등 프로그램 주기의 처음 또는 마지막 날, 몇 주 또는 몇 달 동안의 주기(예: 연차)를 전 또는 후 측정방법에 사용하는 것이 허용된다. 이 모형은 각 단계(전, 중, 후)에서 정량적, 정성적인 측정 자료를 모두 수집하여 예상하지 못한 결과를 찾아내고 어떠한 연관성이 관찰되는 지에 대한 정보를 제공한다. 이것은 이전에 논의된 로직 모형과 특징들을 공유한다. 로직 모형과 달리, 전, 중, 후 모형은 프로그램 평가의 목적을 위해 설계된다.

이 모형은 교육을 시작할 때 학습자의 차이에 대하여 보정하는 기준점 측정을 포함함으로써 앞에서 설명한 목적과 측정 모형보다 더 의미 있는 결과를 제공한다. 또한, 전, 중, 후를 사용하여 매년 또는 서로 다른 지리적 위치에서도 일관성 있는 결과를 가져올 수 있다. 이 성과 측정 방법(일관성에 대한 평가)은 프로그램 변경 시 해당 변경의 부정적인 결과가 있는지 여부를 결정할 때 특히 유용할 수 있다. 일관성을 성공으로 사용하면서 관심 있는 변수(위치, 년도)를 관심 있는 성과에 대한 분석 단위로 선택한다.[24]

전, 중, 후 평가 방법의 장점은 교육프로그램의 궁극적인 산물이 프로그램에 들어가는 교육생의 자격과 프로그램 자체의 품질 모두에 의해 좌우된다는 개념이 강조된다는 것이다. 또한 교육생의 중요한 기본정보를 제공함과 동시에, 전 측정은 개별 학습자의 요구를 파악하고, 향후 교육과정에서 주안점을 둘 영역을 목표로 삼는 것을 지원하고, 특정 임상 상황에 책임을 맡을 전공의의 준비 상태와 관련된 환자 안전에 대한 쟁점을 다룬다. 미국전문의협회(American Board of Medical Specialties, ABMS)/ACGME 역량과 마일스톤에 따라 구조화된 강력한 다면피드백의 예는 문헌에 기술되어 있다.[25-26]

전, 중, 후 모형은 질적평가 문헌의 투입, 과정, 제품 모형(또는 도나베디안(Donabedian)의 구조, 과정, 성과 모형)과 관련 있다. 주요한 차이점은 투입, 과정, 제품 모형에서 필요한 자원은 "투입"으로 포함하지만, 기준점 또는 사전 측정은 명시적으로 포함하지 않는다는 것이다. 이 모형의 내용에서, 과정측정은 학습자를 통하여 무엇을 하는지 또는 프로그램 중에 어떤 일이 발생하는지(측정 과정 중에)를 의미하며 산출물은 결과 또는 이후의 측정 결과이다. 그렇지만, 이 모형에 정의된 "과정" 또는 "중" 측정에는 우리가 전형적으로 학습 또는 환자결과 측정(예: 2년

표 16.2 **복합적 중재 평가를 위한 무작위대조시험(RCT)의 실험적 대안**

방법	사용하는 이유	기본적인 접근
군집무작위시험	중재에 의해 대조군이 오염되면 효과크기의 바이어스 추정치로 계산될 수도 있다.	집단(연단위 그룹, 학급, 학교, 전공의 프로그램)을 실험 또는 대조군으로 무작위 할당한다.
스텝웨지(stepped wedge) 설계	중재를 유보할 현실적이거나 윤리적 반대 의견이 존재하거나(예: 효과의 근거) 중재를 동시에 전체 모집단에 적용할 수 없다.	중재가 다른 개인들에게 무작위로 그리고 단계적으로 전개된다.
선호도 시험과 무작위 동의 설계	중재를 받는 피험자가 중재에 대한 강한 선호도를 가지고 있다.	피험자가 선호에 따라 혹은 동의를 얻기 전에 무작위로 할당된다.
단일 피험자-N번 중재(N-of-1) 설계	중재에 대한 피험자 반응이 다양할 것으로 예상되거나, 중재가 피험자 간에 다른 방법으로 작용할 수 있다.	피험자가 무작위로 배치된 순서에 따라 중재를 받고 피험자 내 및 피험자 간의 반응을 조사한다.

자료 출처: Craig P, Dieppe P, Macintyre S, et al.; Medical Research Council: Developing and evaluating complex interventions: new guidance. 1-39, 2008. http://www.mrc.ac.uk/documents/pdf/complex-interventions-guidance/.

차에서 전공의 수련 중 시험이나 전공의 수련과정 중 매 6개월마다 측정하는 전공의 패널 내에 환자의 평균 HbA1c 수준과 같은)으로 분류하는 조치가 포함될 수 있다. 이는 평가자가 필요한 자원을 나열하도록 권장하고 전, 중, 후의 정보를 제공하는 데 도움이 되는 예상하지 못한 결과를 고려하도록 한다. 이 모형을 사용하고자 하는 교육자를 돕기 위한 학습활동은 부록 16.1에 기술하였다.

복잡한 중재에 대한 영국의학연구위원회(Medical Research Council, MRC) 모형

복잡한 중재(intervention) 개발과 평가에 대한 영국의학연구위원회(MRC)의 지침은 평가를 넘어 건강 향상을 위한 복잡한 중재의 개발, 시험, 실행, 평가와 보고의 포괄적 적용 범위를 제공한다.[11] 연구자가 복잡한 중재에 가장 적합한 평가방법을 선택하도록 안내하고 이해관계자가 다양한 연구 접근법의 방법론적이면서 실제적 한계를 이해하도록 도우며, 그러한 한계를 고려하여 평가 결과에 근거한 그들의 해석과 결정을 고려하도록 하기 위함이다. 의료제공, 공중보건, 사회정책개발과 교육에서 흔히 접하는 복잡한 중재는 다음과 같은 특징이 있다.[11,27]

- 중재에는 몇가지 상호작용하는 요소가 있다.
- 중재의 설계와 전달을 표준화하는 것은 어렵다.
- 중재를 다른 내용으로 조정함에 있어 유연성이 허용된다.
- 지역적 상황이 중재 실행에 영향을 미친다.
- 중재를 실행하는 사람들의 행동은 다양하다.
- 중재의 잠재적인 성과는 무수히 많으며 다양하다.
- 서로 다른 집단이나 교육기관의 수준이 중재의 표적이 된다.

이러한 특성(많은 의학교육 프로그램의 특징과 일치)은 복잡한 중재의 평가에 상당한 방법론적이면서 논리적 도전을 제시하는데, 특히 무작위대조시험과 같은 표준 실험방법을 사용할 때 그러하다.

일반적으로 평가자는 바이어스(bias)를 최소화하고 일반화를 최적화하기 위해서 수행하는 평가 과제에 대하여 사용 가능한 최선의 방법을 사용하도록 권장하고 있다.[28] 이러한 관점에서 무작위대조연구는 중재에 참여하는 개인에게 영향을 미치는 선택 바이어스나 다른 체계적 바이어스를 통제하기 위한 최선의 방법이다.[11,27] 그러나, 실제로 평가 접근법에 관한 선택을 제한하는 요소들은 얼마든지 존재한다. MRC 모형 무작위대조시험이 주어진 평가 계획에 적용되지 않을 때 실험적 그리고 유사실험적 접근 방식을 사용하는 방법에 대한 유용한 관점을 제공한다. 표 16.2는 실험적 접근법의 내용과 적합성에 따라 고려될 수 있는 몇가지 실험적 설계를 개략적으로 설명하고 있다.[11]

MRC 지침은 실험적 방법이나 유사 실험적 방법을 위한 무작위화 요건이 윤리적 또는 정치적 이유로 옹호될 수 없을 때 배가 될 수 있다고 규정하고 있다.[11] 이러한 내용에서는 "최선의 사용 가능한" 방법이 이론적 또는 통계적 강점 관점에서 최선의 선택이 아닐 수도 있다.[27] 최선의 방법을 결정할 때 고려해야 할 요소는 기대하는 성과의 시기와 크기가 포함된다. 매우 크고 중재 직후 발생하는 성과는 선택 바이어스(selection bias)에 민감하지 않을 수 있다(예: 한 의료기관에서 모든 직원들을 대상으로 교육적 중재를 실시하고 의무기록에 교육 내용을 기억할 수 있는 시스템을 구축하였더니, 3개월 내에 환자의 대장 내시경 검사 의뢰가 75% 증가하는 결과가 나타났다). 따라서, 무작위가 필요하지 않을 수 있으며 교란 변수를 통제하는 관찰 접근법이 적합할 수 있다. 또한, 선택 바이어스의 가능성이 낮은 경우라면 무작위화에 대한 대안적 접근이 적합할 수 있다. 실험적 방법을 사용하지 않는 윤리적 또는 실질적인 이유가 있는 경우(효과적이라고 알려져 있거나 이미 널리 사용되고 있는 중재와 같은 것), 표준화된 실험적 방법의 비용이 고가인 경우, 또는 선택된 성과가 드물고 표준 실험 접근법을 사용하여 식별되지 않는

경우이다.[11,27]

다른 모형과 마찬가지로, MRC가 개괄적으로 설명한 접근 방식은 복잡한 중재가 잘 작동하는지 여부를 결정하는 데 단지 부분적인 답변만 제공하다는 사실을 인식하게 된다. 중재가 다른 환경에서 작용하는지 여부와 그 영향에 기초가 되는 방법을 이해하는 것, 그리고 다른 개인과 집단이 중재를 경험하고 다른 성과를 얻을 수 있는 방법을 이해하는 것은 동일하게 중요하다.[11] MRC 모형은 "과정평가"가 중재 실행에서 다양성을 찾고, 상황적 요소를 알며, 피험자 성과의 다양성을 설명할 수 있게 도와주는 여러가지 원인을 설명하는 데 있어 성과평가에 가치 있는 보완책이라고 제안한다.[11,27] 과정평가 결과 해석은 중재 성과와 연계되고, 평가자가 중재가 확인된 성과로 이어지는 이유와 다른 상황에서 다른 사람이 이를 어떻게 시행할 수 있는지를 이해하는 데 도움이 된다.[11,29]

MRC가 지지하는 유용한 접근 방식은 프로그램 발달에 대한 단계별 접근 방식과 실현 가능성을 이용한 평가, 그리고 복잡한 중재에 관한 핵심요소, 질문 또는 우려에 초점을 맞춘 선행 연구를 포함한다.[11] 선행 연구로 주요 질문이나 불확실성이 해결됨에 따라 평가자는 더 큰 규모의 탐색적 연구로 진행할 수 있으며 그 다음 더 많은 정보를 바탕으로 보다 포괄적인 평가 계획을 세울 수 있다.[27] 하나 이상의 소규모 선행 연구는 중재의 요소에 대한 개발, 이행, 수용에 대한 불확실성이 있을 때 또는 표본 크기, 반응율 또는 효과크기의 계산에 대한 정보를 얻을 때 특히 유용할 수 있다. 질적 및 양적 방법(중재에 얼마나 참여 했는지를 이해하는 피험자 인터뷰, 참여자의 중재 활동 참여를 측정하기 위한 참석 목록)을 사용하여 후속적인 대규모 평가 연구에 대한 실행과 수치적 추정치에 대한 장애물을 확인하는 데 도움이 된다.[11]

CIPP

CIPP 모형은 교육개혁을 위한 연방 프로그램에 대응하여 평가와 책무 요건을 발전시키기 위해 개발되었다. 표준화된 성취도 시험의 사용을 포함한 실험적인 설계와 목표 바탕 방법들을 사용한 평가에 대한 전통적인 접근 방식은 대학의 요구를 충족시키는 능력에 한계가 있었다. CIPP 모형은 복잡하고, 역동적인 현실 내 존재하는 교육프로그램의 종합적인 평가를 가능하게 했다. CIPP는 상황(context), 투입(input), 과정(process), 산출(product)의 약자로서, 이 모형에 사용되는 다른 평가의 *유형(type)*이다. 각각은 평가자의 요구와 목적에 따라 독립적으로 또는 다양한 방법으로 결합될 수 있다.[7]

CIPP 모형이 최초 적용된 이후 다양한 분야, 서비스 영역, 프로그램과 조직 평가에 성공적으로 적용되고 있다. CIPP 모형에서 상황평가는 프로그램의 필요성 또는 프로그램의 변경 또는 개선에 초점을 맞추고 있다. 상황평가는 프로그램 목적과 우선 순위를 정의하여 특정 요구나 관심 있는 문제를 해결하도록 하거나 목표와 우선 순위가 프로그램 또는 문제를 다루기 위한 필요성에 적절하고 대응하는지 여부를 소급하여 결정하기 위해 사용될 수 있다. 상황평가는 잠재적인 문제와 장벽을 확인하기 위해 프로그램에 존재하는 환경뿐만 아니라 이러한 요구를 충족시키는 자산과 기회(인력, 전문성, 자금)를 평가하는 폭넓은 요구의 평가라고 볼 수 있다. 평가자는 프로그램이 목표로 하는 모집단과 프로그램이 운영되는 환경에 대한 정보를 찾게 된다. 설문조사, 인터뷰, 포커스그룹, 역학 연구, 자료 분석과 문서 검토 등의 다양한 방법들이 정보 수집에 유용할 수 있다.[7]

투입평가는 프로그램의 기본전략이나 계획 뿐만 아니라 프로그램 전략이나 계획을 실행하는 데 사용할 수 있는 자원에 초점을 맞춘다. 평가는 프로그램이 활용하는 계획이나 전략에 대한 대안(예: 단위과정 책임자가 새로운 교육 콘텐츠의 전달을 위해 웹 바탕 접근법을 사용하기로 선택하였다면, 평가자는 교훈적 강의, 할당된 독서 또는 소규모 그룹 활동과 같은 대안 전략의 가치를 고려할 수 있다) 뿐만 아니라 특정 계획과 함께 자원(직원, 재정 등)의 적절한 사용에 초점을 두고 있다. 평가자는 투입평가를 사용하여 자원의 최적 사용을 결정하거나 계획의 품질과 비용 효과성을 소급하여 판단할 수 있다.[7]

과정평가는 관련 비용을 포함하여 프로그램 계획의 실행이나 프로그램에 대한 중재를 목표로 한다. 평가자는 프로그램 계획이 예상한 대로 실행되었는지 또는 필요한 대로 실행되었는지 여부를 추적하고 평가한다("실행 충실도"). 잘 수행된 과정평가는 계획의 부실 또는 취약한 전략 대비 계획의 이행 문제 때문에 부정적인 결과가 어느 정도까지 귀결될 수 있는지를 결정하는 데 도움이 된다.[7]

산출평가는 프로그램의 실제 결과 또는 프로그램의 긍정적 혹은 부정적인 변화에 초점을 맞추고 있으나 여기에는 의도한 결과뿐만 아니라 의도하지 않은 결과도 포함된다. 산출평가는 다양한 단기와 장기적 성과를 목표로 하여 프로그램 목적이 충족되는 정도를 다룬다.[7]

비록 CIPP모형은 프로그램의 개선, 계획 제공, 실행에 중점을 두지만, 다양한 이해관계자의 요구를 충족시키기 위해 후향적 총괄평가 모형으로 적용할 수도 있다.[7] 형성평가 관점에서 CIPP 모형은 계획(상황), 계획이 올바른지(투입), 그리고 이것이 적절하게 실행되고 있는지(과정)의 관점에서 무엇이 이루어져야 하는지에 대한 답변을 얻을 수 있다. 총괄적인 과정에 의해 답변 되는 질문들은 목적이 확인된 요구에 맞추어 졌는지(상황), 계획이나 전략이 적절하게 설계되었는지(투입), 계획이나 전략이 효과적으로 실행되었는지(과정), 목표를 달성하였는지(산출)에 초점을 맞춘다.[7] 본질적으로 CIPP 평가 유형의 형성적 역할은 목표, 계획과 실행 활동을 개발 또는 수정하는 지침을 제공하는 반면, 총괄적 역할로써 프로그램의 목표, 계획, 실행 과정과 목표 달성의 성공에 대한 판단을 포함한다.[7]

CIPP 모형은 간호교육에 적용하기 위한 모형으로서 제안되어 왔다. 간호교육 평가를 위한 CIPP 모형의 인식된 장점은 프로그램 필요성과 예산에 따라 언제든지 하나 이상의 유형 평가를 사용할 수 있는 능력과 대학 기반 간호교육의 복잡성을 완전히 파악하기 위한 다중 자료 출처와 수집 방법을 사용하는 것이다.[30] 간호 분야에서 응용된 다른 예는 CIPP 모형을 사용하여 수련병원 간호부서에 품질 개발 프로그램을 실행하는 과정을 평가하는 것이다.[31] 의학교육에서 CIPP 모형은 전문직업성을 교육하고 평가하는 교수자 개발 프로그램의 평가에 선정되었다.[32] 전공의 프로그램 평가에서, CIPP의 사용은 평가를 수련프로그램으로 통합하는 것을 용이하게 함으로써 프로그램 지도자들이 프로그램의 고유한 구성요소, 자원과 정치적 환경에 근거하여 더 나은 정보에 입각한 결정을 내릴 수 있게 한다.[33] CIPP 모형은 병원 관련 감염을 줄이기 위해 국가의 포괄적인 프로그램의 종적, 형성적 평가에 최적으로 적용할 수 있는 구조적이면서 유연한 접근 방식을 제공하는 것으로 알려져 있다. CIPP 사용자는 시간이 지남에 따라 여러 프로그램 구성요소를 추적하고 프로그램 구성요소 간의 발전하는 관계를 추적하면서 여러 자원에서 지속적으로 자료를 수집할 수 있다.[34] 그렇지만 저자들은 CIPP 모형을 사용하는 사람의 경우 다양한 요소들과 각 요소 간 상호작용하는 방법을 파악하는 데에는 다양한 자원이 필요하다는 것을 알아야 한다고 충고한다.

실재론적 평가

실재론적 평가(realistic evaluation)는 복잡한 프로그램이 어떻게 작동하지는에 대한 보다 심도있는 설명을 알기 위해 단순히 프로그램 성과보다는 프로그램 성과에 영향을 주는 상황과 과정을 강조하는 이론 바탕 평가의 한 종류이다. 실재론적 접근 방식을 사용하는 평가자는 단순히 프로그램이 작동하는지 여부를 결정하는 데에는 관심이 덜 하지만, "어떤 상황에서 어떤 면에서 무엇이 누구에게 효과가 있는지, 그리고 어떻게 작동하는 지"를 설명하는 데 명확한 초점을 맞추고 있다.[35] 이 접근 방식이 의미하는 것은 서로 다른 장소나 상황에서 실행되는 중재나 프로그램이 모든 장소, 모든 참여자에게 동일한 영향을 미치지 않고 시간이 지남에 따라 일관되게 영향을 주지 않는다는 가정이다. 프로그램 또는 중재는 사회 체제-그들이 변경하고자 하는-안에서 개발되고 실행되었고, 프로그램과 참여자에 미치는 영향은 그들이 존재하는 사회 시스템에 의해 영향을 받는다. 지역 문화와 관계뿐만 아니라 기존의 인프라, 정책과 자원 등이 프로그램 과정과 성과에 영향을 미칠 것이다. 더군다나, 프로그램 참여자의 태도와 능력뿐만 아니라 프로그램 활동을 주도하고 실행하는 사람들이 이런 결과물과 성과에 영향을 미칠 것이다.[35]

실재론적 관점에서 프로그램은 진화하는 사회적 환경 내에서 복잡한 중재로 간주된다. 앞에서 언급한 MRC 모형과 유사하게 포슨(Pawson)은 VITORE 라는 약자로 복잡한 중재의 특성을 설명하였다.[36]

- 의지(**V**olitions): 프로그램의 참가자들은 다르게 반응할 수 있다.
- 실행(**I**mplementation): 프로그램이 일관성이 없고 의도하지 않은 결과를 초래하기 쉽다.
- 내용(**C**ontexts): 프로그램이 실행되는 상황은 다양할 것이다.
- 시간(**T**ime): 프로그램 중재는 시간에 따라 발생한다.
- 결과(**O**utcomes): 교육의 결과 또는 성과는 측적방법과 해석에 따라 다를 수 있다.
- 경쟁(**R**ivalry): 새로운 중재는 다른 프로그램이나 정책과 경쟁하거나 충돌할 수 있다.
- 출현(**E**mergence): 중재에 대한 적응을 포함하여 중재의 영향과 예상하지 못한 결과가 나타날 것이다.

이런 관점과 연관되어, 프로그램이 어떻게 작동하는지 이해하고 설명하는 데 도움이 되는 네 가지 개념은 방법, 내용, 결과 패턴 그리고 맥락 - 체제 - 성과 패턴의 구성이다.[35]

체제(mechanism)는 중재 또는 프로그램 구성요소가 어떻게 변화 혹은 특정 성과를 가져오는지 알려주고, 이에 따라 프로그램이 목표를 달성하는 데 성공하거나 실패한 이유를 설명하는 데 도움을 준다. 체제가 프로그램 구성요소와 동일하지 않지만, 프로그램 자원과 활동이 특정 프로그램 성과로 이어지기 위해서 참가자에 의해 어떻게 받아들여지고 해석하면서 작용하는 지와 직접적인 관련이 있는 과정, 관련성 혹은 다른 무형의 요소로 이해할 수 있다.[12] 이것은 직접 보이지는 않더라도 그 영향이 관찰 가능한 자료로부터 추론할 수 있다. 또한, 특정 체제에 대한 영향은 고정되거나 일정하지 않지만 맥락(context)에 따라 상당히 좌우된다.[8,12,37] 일반적으로 말해서, 특정 중재는 여러 가지 가능한 방법을 통하여 작용할 수 있다. 예를 들어, 인구집단 건강관리를 개선하기 위해 설계된 웹바탕 중재는 학습자가 기술바탕 학습형식(체제 1)에 관심이 있으므로 학습자의 관심과 변화에 영향을 줄 수 있는 반면, 다른 참여자들은 공중보건에 대한 관심으로 인하여(체제 2), 곧 실시되는 보건의료서비스 연구(체제 3) 또는 자신들의 등급에 영향을 미칠 평가를 포함하고 있으므로(체제 4) 학습의 동기가 생길 수 있다.

맥락에는 체제에 영향을 미치는 프로그램의 실행과 수행 중 조건들이 포함된다.[35] 개별 체제와 마찬가지로, 맥락은 프로그램 활동과 성과에 긍정적이거나 부정적인 영향을 미칠 수 있다. 맥락적 요인에는 프로그램의 장소와 문화, 이해관계자와 참여자의 인구 통계, 그리고 이들 사이의 관계, 경제적 조건, 기술적인 부분과 인프라 구조가 포함된다. 의학교육과정에서 맥락적 요인은 각각의 역할에서 교수자와 학습자 모두의 동기와 능력에 중요한 영향을 미칠 수 있다. 맥락이 특정 중재에 미치는 영향을 이해하는 것은 일반화할 수 있는 인과관계적인 경로를 이해하고 미래와 다른 환경에서 중재를 성공적으로 복제하는 데 중요하다.[8]

활용해야 하는 체제와 맥락은 프로그램 성과가 선형적이거나 단변량이 아닌 방식으로 개별 프로그램에서 교육과 시간에 따라 다양하다.[35] 성과 패턴은 프로그램내에서 활성화된 다른 방법과 서로 다른 참여자 집단에 대한 역동적인 맥락 패턴의 영향으로 정의하기 때문에 프로그램이나 중재의 최종 결과물이다. 성과 패턴은 개인적, 지리적, 인구통계학적, 시간적, 실행과 관련된 요소에 근거한 참여자들의 궁극적인 차이를 반영한다. 따라서, 프로그램의 다양한 산출과 성과를 측정하기 위하여 복수의 평가 방법을 적용해야 한다. 이러한 방법에는 의도한 결과와 의도하지 않은 결과를 모두 다루기 위한 다양한 정성적 그리고 정량적 접근 방식이 포함될 가능성이 있다.[35]

실재론적 평가에 참여하려면 평가자는 프로그램이 왜 그리고 어떻게 작동하고 특정한 성과 패턴을 이루는지에 대한 이론을 개발하고, 검증하고 다듬어야 한다. 실재론적 평가자는 프로그램 과정과 성과에 대한 관찰과 조사, 프로그램 작동 방식에 대한 이론이나 설명을 구성하여야 하며, 그러한 설명이 수정과 강화된 새로운 자료와 설명이 지속적으로 비교되는 반복적인 과정에 참여하여야 한다.[10] 그렇지만, 실재론적 평가를 실시하기 위한 표준화된 접근법이나 사전에 정의된 단계는 없으며, 실재론적 방법을 전개하는 사람들은 서로 다른 방법을 사용한다.[12] 실재론적 평가에 흔히 사용되는 접근방식은 역할을 하는 잠재적인 방법, 중재가 실행되거나 프로그램이 실행되는 상황, 그리고 서로 다른 참가자 집단이 다른 성과를 초래하는 데 어떤 영향을 미칠 수 있는지 설명하는 프로그램 모형을 개발하여야 한다(예: 성과 패턴). 이러한 모형은 맥락과 체제의 차이에서 다양성을 포함하면서 이것들이 성과 범위를 설명하기 위해 정렬할 수 있는 방법을 포함하는 다양한 맥락 - 체제 - 성과(Context-Mechanism-Outcome, CMO) 배열로 구성된다.[35] CMO 배열의 생성이 어떤 체제, 맥락 그리고 성과를 면밀하게 검사할 수 있는지, 그리고 후속 이론이 평가 되고 다른 분석이 시작되는지에 대한 실재론적 평가의 필요한 결과를 제공한다.[38,39] 이론적 제안이 만들어지면서 CMO 배열내의 세 가지 요소 사이의 관계에 대한 설명은 실재론적 평가에서 중요하고 공통적인 목표이다.[12,40] 평가 접근법은 CMO 배열 내에서 잠재적 체제, 맥락과 성과 간의 관계와 연결에 대한 이론이나 제안을 뒷받침하는 자료 수집을 포함한다. CMO 배열에 기초한 평가 결과는 프로그램이 특정 성과 패턴을 달성하는 방법에 대한 초기와 발전하는 이론과 제안에 대한 수정과 개선을 제공하게 된다.[8] 그림 16.3은 의학교육프로그램 평가에서 별도의 적용에 의거하여 실재론적 평가를 수행하기 위한 잠재적인 단계적 과정을 보여 준다.[40,41]

실재론적 평가과정에는 검증할 수 있는 학습이론에 대하여 생각하고 다양한 방법과 내용 변수가 어떻게 특정 프로그램 결과를 만들내는지에 대한 다양한 이론 기반 명제 혹은 가설을 검증하는 것이 포함된다.[12] 이미 언급한 바와 같이, 실재론적 평가의 목표는 참가자가 어떤 방법을 활용하고 어떤 내용 요인이 참가자에서 관찰되는 변화를 어떻게 이끌어내는지에 대한 지식과 이해를 개선하는 것이다.[8] 프로그램 참여자 간에 어떤 잠재적인 방법이나 내용 변수 또는 이런 변수에 대한 변화가 성과 패턴의 변화를 일으키거나 초래할 수 있는가? 이러한 이론은 프로그램에 대한 계획된 변화가 참여자들 사이의 성과에 어떻게 영향을 미칠 수 있는지 이해하기 위해서 전향적으로 개발될 수 있고, 따라서 성과 패턴을 식별하는 데 필요한 조치를 예측할 수 있다. 또는 왜 중재나 프로그램 변화가 선택된 위치나 프로그램 또는 다른 인구집단 내에서 서로 다른 성과를 초래하는지 이해하기 위한 노력을 증진시키고 추진하기 위해서 후향적으로 이론이 고려될 수 있다. 성과 패턴에 영향을 미치는 변수의 범위를 완전하게 이해하기 위해서 CMO 배열 모형 내에서 프로그램 성과에 대한 이론에 따른 가설을 설정할 수 있다. 어떤 잠재적인 과정(방법) 변화와 상황 변수를 수정하여 원하는 성과의 변화를 유도할 필요가 있는가? 또는 어떤 가능한 교육방법 또는 내용적 요인이 해당 결과 패턴의 차이를 초래하였는가?

실재론적 평가는 복잡한 중재가 전개되는 많은 분야에서 사용되어 왔고, 보건의료와 의학교육과정 개발에서 그 활용에 대한 경험이 증가하고 있다. 보건의료와 의학교육에 실재론적 방법의 적용을 나타내는 예는 응급실 기반 정신건강 간호 실무의 새로운 평가,[8] 임상에서 지식 적용 증진을 위한 중재,[12] 전공의가 기관의 질적 개선 과정에 참여하는 요인,[38] 대인관계 기술 평가를 지원하는 방법,[39] 학습자 만족도와 성과에 영향을 미치는 인터넷 기반 의학교육의 특징,[14] 교수개발 활동의 효과,[42] 일차 진료에서 품질 개선 프로그램의 효과 등이 있다.[40]

전, 중, 후 접근과 마찬가지로 실재론적 평가의 강점은 프로그램 성과에 영향을 미치는 중요한 과정, 구조, 내용 변수와 기타 (흔히 예상하지 못하거나 의도하지 않은) 요인에 대한 조사, 이해와 설명을 증진시킨다는 것이다. 그렇지만, 실재론적 평가는 이론, 가설, 프로그램에 대한 지식을 개발하고 다듬기 위해 여러 가지 방법과 반복적인 접근 방식을 필요로 하기 때문에, 시간이 많이 걸리고 자원 집약적일 수 있다. 또한, 실재론적 평가는 그 행위를 알리기 위한 지침이나 사전 정의된 규칙이 존재하지 않는다는 점에서 지적으로 도전 받을 수 있으며, 방법과 내용 변수를 결정하고 구별하여 초기 CMO 배열을 공식화하는 것도 어려울 수 있다.[12]

평가 프로그램의 구성

교육프로그램에 대한 평가 계획을 실행할 때는 신중하게 계획하는 것이 중요하다. 평가해야 할 사항, 측정 방법, 그리고 프

1 단계: 초기 자료를 수집한다.

프로그램 목표, 자원, 활동과 결과, 참여자 집단(학습자, 교수, 이해관계자)의 특성, 그리고 프로그램 실행을 위한 맥락과 설정을 이해하기 위하여 프로그램 책임자와 면담한다.

관련 문서와 증빙 자료를 검토하여 프로그램 작동 방식과 예상되는 결과에 대한 정보를 수집한다.

↓

2단계: 맥락 – 체제 – 성과(CMO) 배열을 개발한다.

프로그램이 실행될 수 있는 서로 다른 내용, 프로그램 성과를 설명할 수 있는 예상되는 방법, 프로그램의 예상 또는 실제 성과 사이의 잠재적인 관계를 설명하기 위한 초기 CMO 배열을 개발한다(실재론적 평가 또는 후향적 [현재] 평가 수행 여부에 따라 다를 수 있음).

↓

3 단계: 프로그램 맥락과 체제가 프로그램 성과 패턴을 어떻게 이끌어내는지에 대한 임시 설명(이론, 단순 이론, 가설, 제안)을 제공한다.

초기 설명은 프로그램 맥락과 체제가 의도하거나 관찰된 성과 패턴을 어떻게 생성하는 지 가설을 세워야 한다(M + C = O).

이 단계에서의 1차 목표는 프로그램이 어떻게 작동하는지 가설을 세우는 테스트 가능한 설명을 생성하는 것이다(여기서 기술된 설명들은 모순되고 때로는 교육에서 실재론적 평가에 대한 새로운 문헌에서 충돌하는 패턴을 보이는 개념 이론, 단순 이론, 중폭 이론, 가설과 제안을 포괄하는 운영 개념이다).

↓

4 단계: C + M = O 구성 설명을 검증하기 위한 자료를 수집한다.

성과 패턴에 영향을 미치는 방법과 내용의 패턴을 더 잘 이해하기 위한 정성적 접근법(예: 면담, 포커스 그룹, 관찰 방법, 문서 검토 등)과 성과 측정에 정량적인 접근(예: 프로그램에 만족도에 따른 이전 참여자 면담, 이들의 학습성과와 프로그램의 의도하지 않은 성과)을 보완한다.

일차적으로 프로그램 결과에 초점을 맞춘 정량적 접근: 학습자 또는 참여자 결과(자기평가 설문, 면허 또는 자격 증명 활동, 이사회 점수, 프로그램 또는 고용주의 등급), 환자결과 등

↓

5 단계: CMO 배열과 설명을 수정하고 변경한다.

정량적 그리고 정성적 방법에서 도출된 자료는 초기 CMO 배열의 정확성(맥락, 체제와 성과 패턴 간의 관계에 대한 가설)과 프로그램 성과와 프로그램 결과와 어떻게 관련되었는지에 대한 설명을 제공한다.

프로그램 평가 목표를 달성하는데 필요한 2단계부터 5단계까지 반복한다.

그림 16.3 실재론적 평가주의 단계 예시.
자료출처: Salter KL, Kothari A: Using realist evaluation to open the black box of knowledge translation: a state-of-the-art review. *Implement Sci* 2014;9:115; Blamey A, Mackenzie M: Theories of change and realistic evaluation: peas in a pod or apples and oranges? *Evaluation* 2007;13(4):439-455.

로그램을 개선하는 데 결과가 어떻게 사용되는지에 대하여 심도 있는 고려가 있어야 한다. 완벽한 프로그램 평가 계획을 설계하는 것은 어렵지만 이해 관계자의 요구, 방법론적 요건과 자원 제약의 잠재적, 경쟁적 이해관계의 균형을 맞추기 위하여 전방에 쏟는 노력은 앞으로 나아가는 데 있어 당황스러운 상황의 연출과 장애물의 수를 감소시킬 가능성이 있다. 평가자는 프로그램 평가 진행방법에 대한 의사결정을 할 때 다양한 이슈들을 고려해야 한다. 과정, 구조 및/또는 성과 측정의 분포, 정성적 및/또는 정량적 방법의 사용, 내부 및/또는 외부 방법과 평가자의 고용, 단기(현재/중간) 및/또는 장기적 성과의 측정, 자원의 할당. 엄격한 평가 프로그램을 구성하려면 팀이 필요하다.[43]

재무, 공간, 공급(예: 컴퓨터 소프트웨어), 평가 수행에 필요한 시간 등에 대한 사려 깊은 고려 이외에도 평가를 기획하고 실행할 수 있는 적절한 팀을 구성하는 데에도 세심한 주의를 기울여야 한다. 평가자는 집단의 능력을 향상시킬 뿐만 아니라 집단룹의 의사결정 문서에 기술된 "집단 사고"를 방지하기 위하여 다양한 관점과 전문 지식을 가진 개인을 참여시켜야 한다. 또한 성공(성과)이 어떤 것인지에 대한 명확한 비전을 가질 필요가 있다. 이런 것은 이전에 설명한 하나 이상의 모형을 결합하거나 심지어 새로운 모형을 만드는 것을 생각해 볼 수 있다 프로그램

표 16.3 프로그램 과정과 성과 평가에 유용한 정보 출처

기관	정보 출처
AAMC	미국의과대학입학 서비스(American Medical School Application Service, AMCAS) 자료
	입학생 설문조사
	졸업생 설문조사
	교수 명단
	의과대학 입학 성적
AAMC/AMA	전국 졸업후의학교육 인구조사
ABMS	전문의 자격인증 현황
AMA	의사 마스터 파일
CMS	의료보험 청구 자료
FSMB	주(state) 의학위원회 활동 데이터베이스
	연방 의료 자격 증명 서비스
NBME	USMLE 통과/미통과 결과와 점수
	과목시험 점수

AAMC, Association of American Medical Colleges; *ABMS*, American Board of Medical Specialties; *AMA*, American Medical Association; *CMS*, Centers for Medicare and Medicaid Services; *FSMB*, Federation of State Medical Boards; *NBME*, National Board of Medical Examiners. 또한 보험회사, 보건의료 시스템과 기획위원회, 주 보건부와 국가 인증 기관은 다른 의사와 환자결과에 대한 자료를 수집할 수 있다.

출처: Cook DA, Andriole DA, Durning SJ, et al: Longitudinal research databases in medical education: facilitating the study of educational outcomes over time and across institutions. *Acad Med* 2010;85(8):1340–1346의 내용 수정.

평가 노력이 프로그램의 목적에 잘 맞는다는 것은 매우 중요하다.

평가자는 프로그램 평가 활동의 시기와 빈도를 고려해야 한다. 학습자가 매년 입학하고 졸업하기 때문에 프로그램 평가의 일부 측면은 최소한 연간 기준(책임지도전문의, 고용주 또는 대학졸업자 조사 같은)으로 완료된다. 그렇지만, 우리는 반복 과정, 임상실습 또는 전공의 순환근무(이것이 분석의 평가 단위일 경우)는 더 자주 평가를 고려하며 새로운 프로그램을 시작한 경우는 훨씬 더 자주 평가를 고려할 것을 권고한다. 새로운 프로그램을 시작하는 동안, 이러한 평가가 프로그램의 첫 번째 주기이기 때문에 예상하지 못한 주요 조사결과가 나올 가능성이 높다. 이런 과정을 지원하기 위한 한 가지 방법은 프로그램 평가 작업에서 수집된 각각의 측정 방식에 대하여 "깃발(flags)" 또는 "조기 경고 신호"라고 정의하는 것이다. 하나 이상의 이러한 "깃발" 표시가 감지되면 프로그램 평가를 평소보다 더 일찍 반복하게 된다. 프로그램에 포함될 잠재적인 "깃발" 표시의 목록을 위하여 인증기관은 공통 프로그램 인용문 목록을 참고할 수 있다. 평가 계획에서 이러한 인용 이유를 명시적으로 다루는 것은 프로그램 평가에 도움이 될 수 있다.

평가 프로그램에서 사용되는 측정법과 방법, 그리고 수집된 정보의 유형에 대하여 다음의 설명들은 다양한 형태의 자료가 평가 지원에 어떻게 사용될 지에 관한 사려 깊은 고려와 신중한 계획의 중요성을 강조하고 있다. 자료를 체계적으로 수집하는 방법, 언제 어디서 수집할 것인지, 자료의 출처, 자료의 저장과 분석 및 보호 방법. 그리고 마지막으로 프로그램에 대한 개선이나 판단에 어떻게 사용될 것인지에 대해 초점을 두고 있다.[44] 이상적으로 학습지도자는 프로그램의 종합적인 평가를 가능하게 하기 위하여 기관, 교육과정, 교육 및 평가 방법, 교수자와 학습자에 대한 자세한 정보를 포함하는 데이터베이스를 개발해야 한다. 의학교육 연구 전문가들은 평가자가 프로그램 요소의 종합적인 관련 데이터베이스에 의해서 촉진되는 역학적인 접근 방식을 프로그램 평가에 채택할 것을 제안한다.[45,46] 이러한 데이터베이스는 체계적이고 유익한 평가를 지원하고 지침과 평가 방법의 유효성에 근거를 둔 개발에 필요한 고품질 관찰(단면, 코호트, 증례-대조군, 종적 연구)과 실험(RCT와 기타 무작위 설계) 연구 수행을 지원한다. 평가자가 프로그램 졸업자에 대한 중요한 성과 정보를 얻기 위하여 접근할 수 있는 많은 데이터베이스가 있다 (표 16.3). 더 많은 표본 확보를 위해 프로그램과 기관 간의 협업, 교육과 실무의 연속적인 자료를 포함하고 보다 광범위한 상황적 요인을 포착하는 것이 더 확실한 연구 프로젝트와 결과를 가져오고, 근거중심 의학교육에 더 많은 기여를 할 것이다.

평가목적의 정의

평가 계획 개발에 있어 중요한 첫 단계는 평가의 목표와 목적을 확인하는 것이다. 평가에서 답하고자 하는 중요한 질문은 무엇인가? 다음 질문은 평가의 계획을 시작하는 기준 역할을 할 수 있다(*W.K. Kellogg Foundation Evaluation Handbook 인용*).[6]

1. 프로그램, 프로젝트 또는 중재가 무엇을 달성하기를 원하는가?
2. 목표를 달성했는지 어떻게 알 수 있는가?
3. 목표를 달성하기 위하여 어떤 활동과 과정을 시행할 것인가?
4. 어떤 요인들이 목표를 달성하기 위한 당신의 능력을 돕거나 방해하는가?
5. 이러한 요인들이 목표를 성취하는 당신의 능력에 미치는 영향을 어떻게 밝힐 것인가?
6. 당신의 프로그램, 프로젝트 또는 중재에 관심이 있는 다른 사람들(예: 자금 제공자, 채택자와 다른 이해 관계자)에게 무엇을 말하고 싶은가?

이해관계자 참여

다수의 관계자들은 의과대학교육과 졸업후교육에 대하여 이해 관계가 있으므로 프로그램의 품질을 측정하는 과정을 구체화하고 참여할 기회를 가져야 한다.[47] 직속 평가 팀 외에도 프로그램에 기여하고, 프로그램에 영향을 주거나 영향을 받거나 프로그램 수행에 책임이 있는 누구든지 평가 기획과 관리에 기여할 수 있는 기회가 제공되어야 한다.[3,22] 프로그램 졸업생들의 수혜자들은 프로그램 기획과 변화에 기여하는 중요한 관점을 가지고 있다. 이상적으로 프로그램 평가는 내부와 외부 당사자를 모두 포함해야 한다. 다른 기관의 교육 리더와 같은 외부 평가자는 보다 객관성을 가지고 있으며 평가과정에 대하여 독특하고 추가적인 통찰력이나 관점을 제공할 수 있다. 다양한 관점을 확실하게 알 수 있도록 보완적인 관점과 경쟁적인 관점을 모두 제시하는 것이 좋다.[22]

또한, 평가과정에 학습자가 참여하는 것도 중요하다. 학생들과 전공의들은 교육경험의 질에 관한 기대를 가지고 있으며 특정 프로그램 성과 요소에 대한 피드백을 제공할 수 있는 적절한 자격을 가지고 있다. 교육프로그램에 시간과 노력을 쏟는 교수들은 프로그램 수행평가에 참여하고 혜택을 받을 자격이 있다. 확실히, 모든 이해관계자는 프로그램 평가, 특히 정보 제공에 참여한 자와 평가 자료의 대상이 되는 사람들로부터 피드백을 제공 받는 것을 확인하는 것이 중요하다.[48] 프로그램 수행에 대한 평가자료와 의견을 제공하는 사람들은 이들의 노력이 인정되고 프로그램 개선 활동에 통합된다는 사실을 알 필요가 있다.[49]

프로그램 평가에 다양한 이해관계자를 참여시킴으로써 얻을 수 있는 여러 가지 이점이 있다.[22] 프로그램 기획과 평가에 참여함으로써 프로그램의 주인의식과 헌신을 갖게 되고, 프로그램과 평가 결과에 근간을 둔 모든 조치를 이행하도록 권장할 수 있다. 평가과정에 교육적 중재를 받은 사람을 참여시킴으로써 공정성에 대한 인식을 증진시키고, 중재에 대한 이들의 지지와 참여를 독려할 수 있다.[11] 나아가 폭 넓은 관점과 전문성을 접하는 것이 프로그램 기획, 실행 그리고 평가 심의 과정을 강화할 수 있다.

설계와 방법

다양한 방법의 활용

저자들은 앞에서 보건의료 전문가 교육프로그램을 평가하기 위하여 가장 일반적으로 사용되는 모형을 설명하였다. 일반적으로 건전하고 포괄적인 평가 계획은 프로그램의 품질에 대한 판단 과정과 결과를 전반적으로 다루기 위해서 두 가지 이상의 모형에서 필요한 요소를 적용함으로써 이익을 얻을 수 있다. 평가를 계획할 때, 다양한 모형은 개념 틀(concept framework)과 유사하게 빛과 렌즈의 역할을 한다. 구조, 측정치(후에 더 자세하게 기술하겠지만)와 예상되는 연관성이 빛의 역할을 할 수 있다. 또한, 각 모형에는 사용의 기초가 되는 가정(암묵적이거나 명시적)이 있으므로, 다른 모형을 배제하고 단일 모형을 선택하는 것은 프로그램 개선을 위한 핵심 정보를 "누락"시킬 수 있는 돋보기와 같을 수 있다.

앞에서 설명한 몇 가지 모형에는 프로그램이 작동하는 방법에 대한 이론을 철저하게 검증하고 다양한 프로그램 요소를 측정하는 정성적(quantitative), 정량적(qualitative) 방법들이 포함된다. 서로 다른 평가 모형 방법을 혼합하게 되면 각각의 상대적인 격차나 약점을 보상할 수 있고 서로 보완하거나 정보를 알려주는 결과를 도출하는 데 도움이 될 수 있다.[8,11,27] 일반적으로 이러한 모형에 대한 초기 평가 접근 방식, 예를 들어, 프로그램 지도자와 참여자와의 면담, 관찰 방법, 문서 분석 및 문헌 검토를 사용하여 프로그램이 성과를 달성하기 위해 어떻게 기능하는지에 관한 초기 이론을 작성하는 등 본질적으로 보다 정성적일 수 있다.[12] 많은 경우 평가과정은 부분적, 가변적, 심지어 예상하지 못한 결과를 보여주면서 결론을 내리지 못하거나 혼합된 결과로 이어질 것이다. 평가자의 가장 중요한 목표는 프로그램이 작동하는지 여부를 증명하는 것이 아니라, 프로그램 작동 방식과 다른 성과를 설명하는 상황적 요인들과 그들이 어떻게 관련되어 있는지에 관한 이론을 개발하는 관점에서 평가 결과를 이해하는 것이다.[35,37] 재고, 성찰과 반복적인 논의, 관련 가설의 조정, 연구 설계의 변경 그리고/또는 가설과 자료 수집 접근에 관한 수정 또는 추가를 포함하여 반복적인 평가 주기가 필요할 수 있다.[14] 평가과정의 최종 결과는 프로그램에 관한 합격/실패 결정이 아니라 프로그램이 어떻게 그리고 왜 작동하는지에 대한 이해와 프로그램을 개선하고 더 효과적으로 만들기 위한 최선의 방법에 대한 안내를 해주는 것이 잠정적인 결론일 것이다.[35]

정량적 및 정성적 방법의 사용

평가 모형과 관련하여 이미 언급하였듯이, 프로그램 평가 요구를 충족시키기 위하여 정량적, 정성적 방법들을 상호 보완적으로 사용하는 것은 의미가 있다. 다양한 필기 시험, 객관화구조화진료시험(Objective Stmctured Clinical Examination, OSCE), 또는 의무기록 감사와 같은 정량적 방법은 교육지도자에게 고품질 피드백을 제공하는 데 있어 일반적으로 우수하다고 할 수 있다. 그렇지만, 포커스그룹과 개별 토론과 인터뷰, 교수진와 교육생의 관찰과 같은 정성적인 기법은 프로그램 평가의 선택된 측면에서 유용한 역할을 한다.[43] 정량적 방법은 일반적으로 자료 수집과 분석에서 노동 집약성이 낮고 일부 이해관계자가 인정하는 외부 객관성 수준을 제공한다. 예를 들어, 정량적 성과 자료는 인증기관에서 요구할 수 있으며 프로그램 성공을 위해 의미 있는 "기준점"을 제공할 수 있다. 정량적 방법은 자료의 무작위 샘플이나 대용량 자료 세트를 쉽게 분석할 수 있을 때 또는 특정 교란 변수를 쉽게 조절하여 인과관계를 더 잘 결정할 수 있을 때 첫 번째로 선택할 수 있다. 그렇지만, 정량적 방법을 사용한 성과 측정에 집중하다 보면 성과에 영향을 미치는 상황적 요인을 놓칠 수 있고 교육프로그램을 기획하고 변화시키는 데 필요한 긴장감과 가치를 적절하게 포착할 수 없는 "중립성"이라는 인상을 줄 수 있다.[6,12] 상황 변수와 과정 변수를 배제하거나 "통제"하려고 하는 연구 방법은 프로그램이 어떻게 특정 성과를 얻게 되는지 그리고 왜 다른 참여자 집단 간에, 시간에 따라 또는 동일한 중재를 도입한 프로그램 내에서 성과에 차이가 생기는지를 이해하는 능력을 제한할 수 있다.[37] 또한, 이용 가능한 성과 측정이 이해관계자의 요구에 부합하지 않거나, 방법이나 성과를 지역 프로그램과 이해관계자 집단의 요구나 상황에 맞게 조정하거나 적용할 수 없는 경우에는 정량적 접근법을 적용하는 것은 바람직하지 않다.[37]

정성적인 방법은 흔히 복잡하거나 진화하는 현상을 분석하거나 프로그램 특징(또는 제한된 수의 요인)을 심층적으로 조사하는 데 더 좋은 선택이다. 상황, 자원, 참여자와 실행 요소들 사이의 가변성이 성과에 어떻게 영향을 미치는지를 설명하기 위하여 정성적 방법이 종종 필요하다. 정량적 방법과 변수가 지역 프로그램과 이해관계자 요구를 충족하지 못할 때, 그리고 개인 경험이 중요한 성과일 때 정성적 자료는 가치가 있다. 정성적 기법의 사용은 어떤 정량적 측정방법을 선택할 것인지 확실하지 않을 때, 그리고 새로운 통찰력이 프로그램 개발에서 지속적인 발전을 형성할 것으로 예상되는 경우에 특별히 유용하다.[43] 프로그램이 비선형적으로 상호작용하는 다수의 이해관계자, 미세조직, 자원 등을 가진 "살아있는" 실체이기 때문에 우리의 표준화된 정량적 측정과 분석이 프로그램에서 일어나고 있는 완전한 그림을 제공하지 못할 수도 있으므로 정성적 자료도 중요하다. 정성적 접근 방식은 심각한 손상이 발생하기 전에 과정을 수정할 수 있도록 예상치 못한 문제나 결과를 식별하기 위해서 자료를 보다 적시에 수집하고 교육지도자에게 학습자, 교수자, 기타 이해관계자와의 지속적인 의사소통을 위한 방법을 제공함으로써 프로그램 변경내용을 발전시킬 때 이해관계자 승인과 투입을 촉진할 수 있다. 정성적 접근방법은 정량적 방법보다 시간과 노동집약적일 수 있고, 특정 가설에 관한 명확한 답을 제시하지 못할 수 있으며, 중요한 이해관계자들에게 신뢰성이 낮은 것으로 인식되는 결과를 이끌어 낼 수 있다. 마지막으로 지역 프로그램의 상황 및/또는 활동이 다른 프로그램에 일반화되지 않을 경우 정성적 방법은 이해관계자의 광범위한 요구를 충족시키기에 부족할 수 있다.[13]

정량적, 정성적 방법의 혼합은 평가자에게 프로그램 평가의 필요를 충족시키는 데 더 많은 유연성을 제공하고 서술적 정보나 참여자의 관점이 정량적 성과를 보완하고 보다 정석적인 이론에 근거한 설명일 경우 정량적 자료가 더 세부적인 사항이나 정밀도를 추가하면서 더 확실한 결론을 도출하는 데 도움이 되므로 바람직하다.[13] 혼합 평가방법 접근법은 주어진 프로그램의 효과를 결정하고 개선될 수 있는 영역을 감별할 수 있는 광범위한 해결책을 제공할 수 있다. 전체적인 평가 계획을 고려할 때 정성적 방법과 정량적 방법을 모두 포함시키는 것은 물론, 개별적인 방법의 장단점을 다루는 것은 프로젝트나 프로그램의 복잡성과 풍부함을 알아내는 평가자의 능력을 최적화하는 데 도움이 될 것이다. 실제로 혼합된 방법을 효과적으로 사용하면 여러 방법에서 결과를 삼각측량할 수 있으므로 프로그램 과정과 성과에 보다 정교한 해석에 대한 확인, 보완 또는 지원에도 도움이 된다.[9] 혼합 평가방법 접근법은 또한 평가자들이 대부분의 교육프로그램의 다차원적 특성을 알 수 있도록 한다.[8] 정성적 방법(면담, 포커스그룹 면담, 관찰 등)은 프로젝트나 프로그램의 상황을 이해하고 특정 성과의 달성을 설명하는 데 특히 도움이 된다.[6] 예를 들어, 최근에 의료서비스 부족 인구집단의 의료서비스를 개선하기 위해 의사 인력 강화 프로그램을 평가하고자 혼합된 방법이 사용되었다. 의과대학생 인구통계 관련 정량적 자료는 프로그램에 영향을 받은 주요 이해관계자 집단의 관점을 수집한 관련 학습자 경험과 조사에 대한 정성적인 정보(포커스그룹)에 의해서 강화되었다.[50] 반면에, 여러 가지 방법을 이용하는 것은 많은 평가자의 자원과 능력에 부담을 줄 수 있고, 실질적으로 더 노동집약적이며, 비용이 많이 들고, 시간이 많이 소요될 수 있다.

측정 방법

구조와 과정측정

현재 프로그램 평가에서 강조되는 것은 교육프로그램 또는 중재의 중요하거나 기대한 성과를 측정하는 것이다.[44] 비록 교육경험의 질적 평가와 프로그램 개선을 알리는 데 있어 교육적, 임상적 성과 측정을 강조하는 것이 적절할 지라도, 교육과정 요소, 교육과 평가 방법의 포괄성과 신뢰도, 교수의 수와 참여, 만나는 환자의 수와 유형 등을 포함한 프로그램 구조와 과정을 평가함으로써 프로그램의 품질을 결정할 수 있다는 것을 이해하는 것이 중요하다.[3,48] 구조와 과정 평가는 프로그램 내에서 사용된 개별 활동과 자료들의 효과, 프로그램 내에서 실제 일어나는 일, 프로그램의 목표를 반영하는 정도에 초점을 맞춘다.[5] 과정과 구조 정보를 얻는 가치는 교수자의 다양성, 교육 자료의 품질, 임상 실습 중 환자와 접하는 횟수와 내용, 과정과 임상실습 순환 정도와 강도, 공동 학습자의 수와 능력, 지원 인프라 그리고 비공식적 또는 잠재적 교육과정의 영향에 의해 강조된다.[51]

일부 성과측정은 프로그램 품질 측정으로 타당성이 불확실한 반면, 과정측정은 특정 성과를 예측하는 데 적절하다.[3] 예를 들어, 만난 환자의 수는 전문의 자격시험에서 성적과 같은 후속적인 학습 성과를 나타내는 지표이다.[52] 프로그램의 구조와 과정에 대한 이해가 존재하지 않는 한, 프로그램 개선을 위하여 성과 자료를 설명하거나 답변하는 것은 어려울 수 있다. 과정 측정은 특정 성과를 얻는 방법이나 이유를 설명하는 데 필수적이고,[3] 그러므로 특정 성과에 대한 개선이 필요할 때 어디에 목표를 두고 노력 해야 하는지를 확인하는 데 중요한 역할을 한다.[53] 여기에서 정성적 측정은 정량적 방법보다 다양한 성과에 대한 원인을 제공할 가능성이 더 높다. 예를 들어, 부정적인 성과 결과는 특정 교육혁신 설계의 결함 때문일 수 있고, 또는 실행 방식의 문제 때문일 수도 있다(예를 들어, 도입 전에 교수자나 교육생이 제대로 방향을 잡지 못할 경우), 관련 과정에 대한 통찰 없이는 성과를 해석하고 적절하게 행동할 수 없다.[43]

학습자에게 피드백을 제공하고 학습자의 진행 상황에 대한 판단을 제공하기 위하여 교육프로그램 내의 평가방법과 그 사용의 순서를 구조와 과정 측정에서 구성한다. 평가는 평가 프로그램 자체의 검토를 포함해야 한다. 평가가 교육프로그램의 목표와 교육과정이 일치하고 교육생의 전체 학습 경험과 관련된 방식으로 적절하게 사용되도록 하기 위해서 평가 접근 방식에 대한 정기적인 검토와 비판적인 분석이 필요하다. 최소한 교육프로그램 지도자는 정기적으로 개별 도구와 전체 프로그램에 대한 일련의 질문을 스스로에게 물어야 한다(2장에서 설명한 타당도 논쟁과 관련된 질문 포함). 우선 평가 내용이 적절한지를 따져야 한다. OSCE 사례에 중요한 임상 내용과 임무를 선정하였는가? 관찰을 위해 선택된 실제 환자의 분포가 계획된 프로그램 목표에 적절한가? 핵심 지도교수의 위치와 선호도 또는 전문성과 관련된 관찰 성과가 균일하지 않게 분포되는 것을 피해야 한다. 교육생 평가에 참여하는 교수 관찰자의 수가 적절한가? 선행 연구에서는 적은 수의 환자와의 면담을 관찰하는 많은 수의 평가자는 많은 수의 면담을 관찰하는 적은 수의 평가자보다 더 방어적인 결과를 보인다고 설명하고 있다.[55]

평가자는 프로그램 내에서 또는 프로그램 간에 개별 평가 결과를 비교하여 결과가 타당함을 확인해야 한다. 총괄평가, OSCE 결과, 수련 중 시험(In-training examination, ITE) 점수는 역량의 다른 측면을 측정하고 있으므로 상관관계가 없을 수 있다고 기대하는 것이 타당하다. 그렇지만, 지역 내 다지선다 시험 결과가 미국의사국가시험원(National Board of Medical Examiners, NBME) 과목 시험 또는 ITE 결과와 매우 다를 경우 현지 시험의 목적, 가정과 품질에 의문을 제기해야 한다. 또는 프로그램 교육과정이 과목 시험이나 ITE 내용에 반영되는 국가 우선순위에 맞지 않을 수 있다.

평가되는 구인과 관련된 특정 시험의 전반적인 수행도를 고려하는 것이 유용하다. 즉, 측정된 역량에 대한 믿음과 평가되는 교육생에 대한 지식이 일치하는 결과를 만들어 내고 있는가? 주어진 수준에서 교육생들 사이에 상당한 변동성이 존재할 수 있다는 사실을 인식하면서, 보다 상급 수준의 경험이 있는 교육생들이 전반적으로 대부분의 평가에서 더 나은 결과/더 높은 점수를 얻을 것이라고 예상하는 것이 타당하다. 여기에서 논의된 내부 평가 이외에도, 공식적인 내부 검토와 외부 인증 과정의 일환으로 협의 또는 외부 당사자의 정기적인 검토를 통해 지역의 평가 프로그램의 품질에 대한 추가 정보를 얻을 수 있어야 한다. 마지막으로 추후에 논의하겠지만, 현재 평가 접근 방법의 타당도를 연구하는 또 다른 수단으로서 졸업생의 향후 수행도를 고려하는 것이 중요하다.[54]

교수자의 구성과 교수개발 노력은 교육프로그램의 핵심적인 구조 측정이며 교수자의의 참여와 교수자의 질은 중요한 과정측정이다. 교수자의 수행평가의 중요성은 성적/등급, 전공 선택과 시험 점수를 포함한 학습자 성과와 임상교육의 질과 연관된다는 연구에 의해 강조되었다.[51,56] 다양한 학습자 또는 동료 조사를 통하거나 동료 혹은 과정의 책임지도전문의가 교수자의 수행을 직접 관찰하여 교수자를 평가할 수 있다.[51,57]

교육프로그램의 교수자 지원에 대한 기관의 인식은 교육과정에서 동료와 전문직 종사자의 교육과 평가에 참여할 책임과 관련된 전문적 가치를 함양하는 프로그램 성공의 척도를 제공하고 프로그램 과정평가 지표로 고려되어야 한다. 기초의학이나 임상의학에서 연구비 지원과 연구 생산성을 인정하면 승진이나 다른 형태로 교수자에게 보상을 주듯이, 의학교육의 학문적 활동도 보상을 받아야 한다. 교육기관은 교육을 가치 있는 교수(전문적인) 활동으로 받아들이고 있는가? 미래의 교수와 평가 방법론에 대한 연구부터 기존 지식의 해석과 적용, 교육프로그램과 강의 접근법의 개발에 이르기까지 의학교육에 있어 연구의 다양한 속성을 인정해야 한다.[58]

성과측정

구조와 과정에 관한 평가는 중요한 정보를 제공하지만, 의학교육 과정의 궁극적인 결과물은 환자진료 상황에서 학습자가 필요한 임상역량과 수행을 보여주는 것이며 결국 가장 가치 있고 유익한 피드백은 교육성과 측정에 기초한다고 할 수 있다.[59] 교육프로그램 효과를 측정하는 데 있어, 성과는 학습자의 관점과/또는 자신이 진료하는 환자 또는 지역사회의 관점에서 정의될 수 있다.[60] 학습자의 성과는 지식, 술기 또는 태도 영역에 대한 점진적인 달성도로 반영되는 역량과 수행을 측정하는 것이 포함된다. 임상 또는 환자의 성과에는 개별 환자 또는 환자 인구집단에 제공되는 진료 품질측정이 포함된다.[2,60] 교육적 또는 임상적 성과를 측정하는 것은 프로그램 구조와 과정의 평가보다 더 큰 방법론적(운용상의) 문제가 있을 수 있다. 어떤 성과가 측정하기에 합리적인지를 알아내는 것이 중요하다. 장기적인 성과를 평가하는 것이 바람직하지만, 그렇게 하는 것은 현실적으로 가능하지 않을 수 있고, 성과와 프로그램 특성과 활동 사이의 인과 관계를 발견하는 데에는 즉각적이거나 형성평가 결과에 집중하는 것이 더 도움이 될 수 있다.[22] 그렇지만, 일반적으로 평가자의 노력은 얻기는 쉬우나 덜 중요한 성과보다, 측정하기 어렵지만 의미 있는 성과에 초점을 맞추는 것이 가장 적합하다.[6]

의학교육 전반에 걸쳐 역량바탕의학교육(competency-based medical education, CBME) 틀의 채택이 증가함에 따라 교육 성과와 다면평가 프로그램의 요구 사항에 초점을 맞춘 프로그램 평가 작업이 더욱 강화되고 있다.[61] 학습자 평가에 다양한 고품질의 평가방법(ITE와 NBME 과목 시험, mini-CEX [clinical evaluation examination]와 같은 직접 관찰, 표준화환자와 기타 시뮬레이션바탕 방법, 의무기록 감사와 다면피드백)을 적용하는 것이 프로그램 평가에 사용할 수 있는 확실하고 종합적인 자료모음에 기여한다(표 16.4). 엄격한 업무바탕 평가에 대한 관심이 증가함에 따라 환자 결과를 포함한 임상적으로 더 의미 있는 교육성과가 도출될 것이다. 전공의 수련에 들어가기 위한 핵심 EPA의 개발을 촉진하는 미국의과대학협회(Association of American Medical Colleges, AAMC)와 전공의 기간동안 주요 마일스톤 시연을 요구하는 미국 졸업후교육인증위원회(ACGME)와 같은 국가 기관이 이 분야를 발전시키는 주요한 기관이다.[62,63] EPA 또는 마일스톤 바탕 평가에서 취합된 자료는 교육프로그램 동안 혹은 완료한 후 프로그램 평가에 사용될 수 있다. 두 가지 전공영역 바탕 마일스톤이 포함된 최근의 타당도 연구는 전공의 수련 기간에 걸쳐 예상되는 만큼 평점 결과가 증가하였다. 이에 프로그램 내 중재가 전공의 발전에 미치는 영향을 감지할 수 있는 민감한 수단을 잠재적으로 제공할 수 있음을 보여주었다.[64,65]

학습자 성과. 프로그램 평가에는 학습과정 동안 측정된 교육성과와 졸업생의 미래 수행도를 반영하는 성과가 포함되어야 한다. 또한, 임상실습 과정과 같은 일부 교육경험에서 설명된 차이점의 대부분이 학습자의 특성만으로 일어나기 때문에 교육경험의 영향을 완전하게 이해하기 위해서 학습자 역량에 대한 기준 자료를 얻는 것이 중요하다.[3,24,66] 평가자는 집계된 교육생의 평가자료(예: 수련 중 시험 평균 점수), 교육생 및 교수와 미래 책임지도전문의와 고용주에 대한 설문(또는 면담), 마일스톤 및/또는 EPA (1장 참조), 현재 교육생과 졸업생의 진료행위와 성과에 초점을 맞춘 연구에 대한 분석을 포함한 다양한 접근방식을 포함할 수 있다. 실질적인 프로그램 평가과정은 프로그램 수행도에 대한 지속적인 추적을 지원하기 위하여 저렴하고 광범위하게 적용되는 측정방법으로 구성되거나(고용주 설문조사, 전문의시험합격률 또는 면허에 어긋나는 행동 감시), 특정 프로그램 실행에 대한 성과 평가를 위한 자원 집약적 평가 방법(가정 폭력에 대한 선별 검사를 개선하기 위한 중재를 측정하기 위한 비공개 표준화환자)의 배치를 포함할 수 있다.

교육성과를 평가하는 방법을 결정할 경우, 필기 시험과 단위과정 등급 또는 총괄평점을 포함시키는 것이 중요하다. 실제로, OSCE와 같이 잘 설계된 수행바탕 평가는 중요한 술기와 행동목표를 평가하기 위한 이상적인 도구로서, 앞으로의 수행을 더 잘 예측할 수 있다.[67] 다른 직접관찰바탕 평가방법 의무기록 감사 또는 집담회 발표/참가 등의 수집된 자료는 또한, 선택된 역량 영역에서 프로그램 수행에 대한 지표 역할을 할 수 있다. 또한, 의과대학에서 초기에 시작되는 직업적인 태도와 행동의 측정을 포함하는 것이 매우 중요한데 왜냐하면 이 영역의 수행도는 전공의 과정과 실무에서 앞으로의 문제를 파악하는 예측적 가치를 가질 수 있기 때문이다. 불행히도 팀워크, 평생 학습, 환자 옹호, 전문직업성의 일부 측면과 같은 선택된 역량을 측정하기 위한 적절한 도구를 완전하게 이해하고 개발하기 위해 해야 할 일이 많다.

교육지도자들은 교육성과를 평가할 때 내부와 외부 측정 방법 사이의 균형을 이루기 위하여 노력해야 한다. 앞에서 설명한 종합평가 자료와 같은 내부적인 방법이나 교수와 전공의와 같은 내부 평가자는 프로그램에 대한 개인적 참여에 의해서 다소 편향될 가능성이 있다. 그렇지만, 이러한 방법은 프로그램 구조, 역사, 목표와 목적과 교육 관리자가 운영하는 제약 조건에 대한 이해에 의해서 강화되는 중요한 정보와 피드백을 제공하게 된다. 외부 평가자와 (ITE와 같은) 방법들은 프로그램 과정과 성과에 대한 보다 객관적인 평가를 제공하며, 일부 여러 프로그램이나 기관에서 또는 유사한 교육생과 프로그램의 국가 코호트에 기반한 표준참조 비교자료를 제공할 수 있다는 이점이 있다.[43]

교육생의 개별 평가와 마찬가지로, 과정 또는 프로그램 목표에 적절한 평가도구를 일치시킬 경우 외부 측정방법을 사용한 비교가 더 타당하다. 이와 유사하게, 다양한 수준에서 역량과 수행도의 비교는 동일하거나 유사한 평가도구를 사용하여 더 적절하게 수행된다. 교육프로그램의 품질 평가에 적용될 수 있는 성과측정에는 국가 또는 지역에서 사용하는 평가방법이 모두 포함된다. NBME 과목 시험, 미국의사면허시험(USMLE), 전공의 수련 중 시험, 전문의시험과 같은 표준화된 시험은 국가 코호트와 비교할 수 있다. 지역 컨소시엄을 통한 임상술기시험 관리는 학생과 전공의를 지역 또는 지역 동료 집단과 비교함으로서 중요한 정보를 알 수 있다. 측정하고자 하는 것과 다양한 평가방법이 실제로 측정하는 것에 대한 신중한 고려를 통하여 적절한 비교 방법을 선택하도록 한다. LCME 또는 ACGME/RRC (Residency Review Committee) 검토와 같은 외부 평가과정은 흔히 특정 교육을 받는 개인이 수행하며, 기관 변화에 영향을 주어 더 많은 신뢰를 가지는 경향이 있다. 물론, 검토 과정의 품질에도 불구하고, 가치가 있지만 중요한 프로그램 평가 정보를 위한 이러한 고부담 접근 방식에 대부분의 교육지도자는 의존하기를 원하지 않는다.

졸업생의 수행평가는 교육적 또는 전문적 성과를 목표로 하거나 임상 실무와 졸업생들이 수행하는 진료로 인한 환자 건강 결과(다음 절에서 다룬)에 초점을 맞출 수 있다. 졸업생의 역량과 수행도에 초점을 맞춘 성과 평가는 운용상 그리고 기술적 어려움이 따른다. 첫째, 여러 기관과 지리적 위치에 분산될 수 있는 졸업생에 대한 정보 수집에 어려움이 있다.[71] 두번째, 이전의 교육경험과 성취도 그리고 졸업생들의 미래 능력과 수행 사이의 연결 강도에 대한 불확실성이 남아 있다. 의과대학과 전공의

표 16.4 교육과 실무의 연속선상에서 ACGME/ABMS 일반 역량을 평가하기 위한 선택된 방법

역량	기본의학교육	졸업후의학교육	전문직업성 평생교육/임상진료
의학 지식	개별 학교에서 개발된 시험 NBME 주관 시험 USMLE Step 1과 Step 2 CK	개별 수련기관에서 개발된 시험 USMLE Step 3 수련 중 시험	전문의 자격 시험 인증 유지 시험 임상 질문 로그 자기평가 시험
대인관계 및 의사소통 기술	직접 관찰 SP/OSCE 총괄평점 다면피드백 포트폴리오 USMLE step 2 CS	직접 관찰 SP/OSCE 총괄평점 포트폴리오 다면피드백 고지되지 않은 SP 고용주 설문조사*	직접 관찰 SP/OSCE 포트폴리오 다면피드백 고지되지 않은 SP 환자 설문조사 총괄평점 고용주 설문조사*
환자 진료	직접 관찰 SP/OSCE 다면피드백 포트폴리오	직접 관찰 SP/OSCE 다면피드백 포트폴리오 설문조사 고용주 설문조사*	직접 관찰 다면피드백 면허/자격 행동 고지되지 않은 SP 포트폴리오 고용주 설문조사*
전문직업성	직접 관찰 SP/OSCE 총괄평가 의무기록 감사 의무기록 자극 회상 포트폴리오	직접 관찰 SP/OSCE 총괄평가 의무기록 감사 의무기록 자극 회상 포트폴리오 고용주 설문조사*	직접 관찰 고지되지 않은 SP 총괄평가 의무기록 감사 의무기록 자극 회상 다면피드백 면허/자격 활동 인증 유지 시험 포트폴리오 고용주 설문조사*
실무바탕학습과 개선	의무기록 감사 의무기록 자극 회상 EBM 연습 포트폴리오 SP/OSCE	의무기록 감사 의무기록 자극 회상 EBM 연습 SP/OSCE QA/PI 프로젝트 다면피드백 포트폴리오 고용주 설문조사*	의무기록 감사 의무기록 자극 회상 EBM 연습 포트폴리오 SP/OSCE QA/PI 프로젝트 다면피드백 포트폴리오 고지되지 않은 SP 실무 개선 모듈 고용주 설문조사*
시스템 바탕 진료	SP/OSCE 의무기록 감사 의무기록 자극 회상 포트폴리오	의무기록 감사 의무기록 자극 회상 EBM 연습 포트폴리오 SP/OSCE 다면피드백 포트폴리오 고용주 설문조사*	의무기록 감사 의무기록 자극 회상 EBM 연습 포트폴리오 SP/OSCE 다면피드백 포트폴리오 고지되지 않은 SP 실무 개선 모듈 고용주 설문조사*

ABMS(American Board of Medical Specialities, 미국전문의협회); ACGME(Accreditation Council for Graduate Medical Education, 미국졸업후교육인증위원회); CK(clinical knowledge, 임상지식); CS(clinical skills, 임상술기); EBM(evidence-based medicine, 근거바탕의학); NBME(National Board of Medical Examiners, 미국의사국가시험원); OSCE(objective structured clinical examination, 객관구조화임상시험); PI(performance improvement, 수행 개선); QA(quality assurance, 품질 보증); SP(standardized patient, 표준화환자); USMLE(United States Medical Licensing Examination, 미국의사면허시험).

*Employer survey = 수련을 마친 이후 개인의 고용주에게 설문조사를 보낸다. (예: 의과대학 졸업 후 인턴십 프로그램 책임자 또는 졸업후교육 이후의 임상강사 과정 책임자 또는 실무 감독자).

수련과정에서 학업 성적과 전공의와 전문의의 후속 성과 사이에 일관된 관계를 입증하기 어렵다는 연구 결과가 있다. 이러한 일관성 없는 관계에 대한 몇 가지 이유가 있는데 졸업생의 성과를 측정하는 데 있어 잠재적인 함정을 이해하는 것이 건전한 프로그램 평가과정을 개발하는 데 매우 중요하다. 비록 교육성과에 대한 대부분의 연구가 의과대학에서의 학습과 그 이후의 행동과 전공의 과정과 실무에서의 수행 사이의 관계에 초점을 맞추었지만, 대다수의 요소는 미래 임상 현장에서 전공의 프로그램 결과의 측정과 관련이 있다. 이러한 한계는 의학교육과 평가 전문가에 의해 설명되었으며, 다음과 같은 내용이 알려져 있다.[72-75]

1. 각자 다른 수준의 수행 간의 차이. 의과대학, 전공의 수련과정, 실무 현장 등에서 역량과 수행에 대한 기대치가 달라 수준별 수행 비교는 어렵다. 진료의사의 수행도는 전공의에게 기대하는 것의 연장이고, 전공의의 수행은 의대생들에게 기대하는 바의 연장이라고 가정해서는 안된다. 교육-실무 연속선상에서 이동하기에, 실무 환경의 복잡성과 관련 상황 효과(임상 전문분야를 포함하여)와 제약 조건은 의사들이 실무 활동과 수행도에 영향을 미친다. 의과대학에서의 성취도는 더욱 제한적이고 비교적 단순한 영역을 반영하는 반면에, 실무현장에서의 수행은 지식과 술기, 개인과 전문직업적 특성, 그리고 광범위한 환자 및 시스템 관련 요소들 사이의 복잡한 관계를 반영한다. 기본의학교육에서 평가는 교육과정과 성과와 대체로 크게 관련이 있다; 진료의사에 대한 평가는 전문직업적 성취도(전문의 자격과 자격 유지 성과)를 측정하는 데 초점을 맞추고 있으며, 이상적으로 환자의 결과와 진료의 근거중심 가정의 준수에 초점을 맞추게 된다. 졸업후교육(GME) 환경은 교육(성과)으로부터 임상성과 측정으로 전환하게 된다.
2. 평가 방법론의 한계. 모든 수준에서 수행은 본질적으로 완벽하지 않은 가변적인 방법으로 측정한다. 예측 변수와 준거 변수가 서로 다른 구조를 반영할 가능성이 있다는 사실 이외에도, 둘 다 다른 영역(또는 같은 영역 내의 다른 측면)을 측정하는 부정확한 계측 방법으로 측정되기에 해석의 타당도에 의문이 제기된다. 예를 들어, 4학년 학생들을 위한 OSCE의 점수를 철저하게 분석하면 교육생들의 의사소통 기술에 대한 타당한 인상을 줄 수 있지만, 병력청취 점수(개별 대학 사례와 체크리스트 개발 실무와 연관된)는 진정한 임상 자료를 수집하는 실무가 아닌 평가와 관련된 면담 능력을 반영한다(5장). 이런 예측 변수는 동일한 속성을 측정하지만, 실제로 인지 능력과 대인 관계 기술의 조합을 측정하는 것으로 추정되는 인턴의 mini-CEX 점수의 표본과는 비교될 수 있다. 이런 상황에서 OSCE와 mini-CEX 수행도의 차이는 향상된 적성을 반영한다고 가정할 수 없다. 두 도구가 서로 다른 속성을 측정하고 있다는 사실이 그 차이를 상당 부분 설명할 수 있음을 고려해야 한다.
3. 중재 시간. 예측 변수와 준거 변수 사이의 간격이 길어질수록 기존 연관성은 감소하거나 사라질 것이다. 이것은 원래 지식과 술기의 괴리와 그 사이에 잠재적으로 광범위한 교육적, 전문적, 개인적 사건과 활동의 도입과 같은 요소들이 복합적으로 작용하여 일어나게 된다. 그러한 한계점은 학부 교육과 이후의 실무 활동 사이의 불확실한 상관관계와 관련이 있으며 인턴 등급과 같은 졸업후 의학교육의 중간 성과에 대한 보다 집중적인 평가가 필요하다. 기본의학교육에서 목표와 목적이 GME의 감독하의 교육 환경에서 보다 제한적인 환자 진료 책임을 졸업자에게 제공하기 때문에 졸업후의학교육의 중간 성과에 집중하는 것이 적절하다.[43]
4. 다양한 측정상의 난제는 방법들은 교육과 실무의 연속성을 넘어 존재하는 관계를 감지하고 정확하게 정량화할 수 있는 우리의 능력에 영향을 미친다.
   a. 범위 제한: 상대적으로 평가 대상자(학생과 의사)는 일반 인구집단에 비하여 상대적으로 동질적인 집단을 구성하고 있다. 전통적인 상관관계와 회기분석을 사용하여 유의미한 차이를 발견하기는 어려울 수 있다.
   b. 평가에 사용된 총괄평점 형식의 전형적인 편향된 분포는 상관관계를 알아내는 우리의 능력을 어렵게 한다.
   c. 반응 비뚤림과 관련된 결과의 비대표성. 출판된 연구에 참여하는 자발적인 참여자는 이들의 해석에 영향을 미친다. 일부 학생의 참여 거부와 이어지는 감독관의 채점표 제출 실패는 학생의 낮은 성취도뿐 아니라 낮은 전공의 수행도와 관련이 있다.[77,78]
   d. 추가 측정방법의 제약조건에 대한 자세한 설명은 고넬라(Gonnella)와 동료(등급의 비선형 분포, 예측 변수와 준거 변수의 분산 효과, 준거 변수와 비교한 다른 예측 변수 간의 관계)의 보고를[74] 참고하라.

이러한 한계에도 불구하고, 비록 인턴십 수행도와 가장 강력한 관계가 있지만, 의과대학에서의 수행도와 전공의 및 실무의 후속 수행도 사이에 관련성이 존재한다는 연구 결과가 있다. 예를 들어, 학업 성취도가 매우 낮거나 매우 높은 학생들은 인턴 교육과정에도 유사한 집단으로 분류될 가능성이 높다.[79] 다양한 연구에서, 개별 종합 임상실습 등급, 면허시험 점수, 교수의 임상 평점, 학급내 우수성과 학문적 우수성이나 문제에 대한 기록과 같은 학부의 측정방법이 인턴 감독 채점 점수, 면허와 전문의 자격시험 점수, 그리고 이후의 학문의 소속 등과 상관관계가 존재한다.[74] 유의한 상관관계가 관찰되었을 때, 이러한 관계의 크기가 확실하게 강한 연결을 보증하기에는 충분하다고 할 수 없다. 예상한 바와 같이, 별도의 자격 시험 단계와 ITE 점수 사이의 상관관계, 임상실습 등급과 전공의 감독자의 평점 결과 간의 상관관계 등 개념적으로 유사한 측정에 대하여 더 강한 연관성이 존재한다.[79,80]

이러한 자료는 프로그램 성과측정으로써 졸업생들의 수행을 평가하는 것의 잠재적인 가치와 한계를 제시한다. 이러한 정보는 전체 프로그램 평가계획 단계에서 조심스럽게 통합될 필요가 있다. 프로그램 평가과정을 설계하는 중요한 목적은 측정할 속성과 이를 평가하기 위해 선택한 도구를 결정할 때 이전에 열거한 한계점의 영향을 줄이는 것이다. 다양한 수준에서 수행을 측정하는 데 사용되는 도구는 임상 역량이나 수행의 동일한 요소를 측정하고 있다는 합리적인 예상과 되도록이면 비슷해야 한다. 각 도구가 실제로 측정하고 있는 것뿐만 아니라 신뢰도도 이해하여 그 지식을 결과 해석에 적용해야 한다.

평가자들은 결과 변수를 선택할 때 학습의 궁극적인 효과와 잠재적인 마지막 시점을 고려해야 한다. 교육과정의 다양한 지점에서 얻은 지식과 술기가 미래 실무 내용에서 어떻게 드러날 것인가? 교육과 실무의 연속성에 걸쳐 동일하거나 유사한 속성을 측정할 가능성이 있는 평가방법은 무엇인가? 표 16.4에서 비교분석을 시행하는 시험들이 앞에서 설명한 잠재적인 한계를 인식하고 이러한 이해를 후속 결과 해석에 통합될 경우 관련될 수 있는 시험들의 몇 가지 가능한 조합들을 나열하였다. 비교를 위한 적절한 방법들은 의학 지식과 대인관계 및 의사소통기술의 보다 "단순한" 영역에서는 다소 뚜렷하지만, 보다 복잡한 역량에 대해서는 상상하기 더 어려울 수 있다. 예를 들어, 진료바탕학습과 개선(performance based learning and improvement, PBLI)과 시스템바탕 진료(system based practice, SBP)의 지식과 원칙을 실무에 적용하여 잘(또는 잘못) 수행하고 있는 졸업생을 어떻게 구별할 수 있을 것인가?

교육지도자들은 프로그램 품질에 관한 의견을 제공하는 응답자로서뿐만 아니라 후속 분석을 위한 자료 출처로서 프로그램 평가에 학생과 전공의를 참여하게 해야 한다. 이를 위해서 교육생들은 프로그램 품질과 개선에 대한 정보를 제공하는 현재와 미래의 평가와 실무 자료를 위해 적극적으로 참여해야 한다. 수련 초기에 종적 자료수집 참여에 대한 사전 동의서를 얻어야 하며 이에 따라 무응답 바이어스로 향후 결과 해석이 모호하게 되지 않도록 해야 한다. 또한 선택된 변수가 측정될 때, 졸업 후 시간을 최소화하는 것이 적절한데 이는 주로 추가적인 교육 중재와 실무 내용에서의 발전과 같은 교란 변수의 효과를 감소시키기 위해서다.

일부 전문가들은 앞에서 언급한 측정 제약의 영향을 덜 받는 통계적 방법을 사용할 것을 제안한다. 상위와 특히 하위 또는 경계선 수행자를 포함한 아웃라이어에 초점을 맞춘 비모수적(분포 없는) 통계를 사용하는 것이 중요한 교육 변수를 알아내는 데 더 효과적일 수 있다.[74] 이러한 접근 방법은 등급이나 평점 결과를 임의 범주로 분류하는 것을 포함하게 된다. 예를 들어, 비교 목적으로 9점 척도에서 1-3점은 "낮은" 범주로, 4-6점은 중간 범주로, 8-9점은 높은 범주로 구성한다. 그런 다음 중요한 프로그램 목표를 구성하는 영역에서 졸업생들이 특정 범주에 속하는 빈도를 비교한다. 다른 방법으로 예측 변수(현재)와 준거(미래) 평가 척도를 모두 사용하여 다양한 범주의 분포는 선택된 평가 방법의 가치에 관한 중요한 타당도 정보를 줄 것이다. 일반적으로 평가자들이 졸업자 간의 상관관계가 비교적 적은 요인보다 이후의 능력이 없거나 저조한 수행도(또는 반대로 높은 학문적 상태나 임상적 우수성)를 예측하는 요인을 더 중요하고 유용한 정보로 간주하는 것은 타당하다. 교육지도자들은 총괄평점척도와 같은 도구가 프로그램 책임자에 의해 시행되어도 부족한 점들에 대하여 의과대학 교육지도자들에게 정확한 피드백을 제공하는 데 민감하지 않을 수 있음을 명심해야 한다. 앞에서 제시하였듯이, 전공의 프로그램 책임지도전문의 또는 고용주가 졸업생에 대한 정보 요청에 대해 응답하지 못하는 경우는 우려할만한 원인을 표시하는 것일 수 있고, 중요한 정보가 전달되지 않을 수 있으므로 추적해야 한다.

교육프로그램 졸업으로부터 다른 교육활동과 경험과 영향 사이의 시간 개입이 있는 우리의 평가방법의 한계로 인한 문제(도전) 중에 하나는 (학습자 또는 임상적) 성과를 교육프로그램이나 그 교육프로그램의 특정 요소에 귀속시키는 것이다. 평가자들은 프로그램 활동 또는 기타 영향 요인이 측정된 성과에 어느 정도 기여했는지, 관찰된 결과와 프로그램 활동 간의 관계를 더 잘 정의하기 위하여 기여 분석을 고려하게 된다.[82] 기여 분석은 프로그램 이론의 명확한 표현으로부터 시작되고 프로그램이 어떻게 관심 있는 특정 성과로 이어질 수 있는지 설명한다(표 16.5).[82] 프로그램 과정과 즉각적인, 중간과 장기 성과 결과물에 대한 잠재적인 인과 관계를 생성하기 위해서 로직모형을 개발할 수 있다. 인과 관계의 증명은 명확하게 달성되지 않을 수 있지만, 기여 분석은 성과를 프로그램 활동과 연결시키고 프로그램과 결과 사이의 연결에 대한 불확실성을 줄이면서 "가능성 있는 연관성"을 입증하려고 한다.[84] 프로그램과 관찰된 결과 사이의 인과 관계를 뒷받침하는 근거의 종류는 다음과 같다.[83]

- 결과는 프로그램 활동과 관련된 예상 시간에 발생하였다.
- 결과의 시간적 변동은 프로그램 활동 수준의 시간적 변화와 관련이 있다.
- 결과는 서로 다른 장소의 실행 강도와 관련이 있다.
- 다른 영향 요인에 관한 대체적인 설명은 타당도가 낮다.
- 여러 가지의 증거가 프로그램 활동의 인과관계를 뒷받침한다.

기여 분석을 하면 프로그램 요소에 대한 더 나은 이해와 프로그램 목표에 잘 부합하는 프로그램 측정방법을 인지하고 프

표 16.5 기여 분석의 6 단계

1 단계: 해결할 원인-효과 문제 지정하기	고려 중인 특정 원인과 효과 질문을 정의한다. 기대한 결과에 대한 프로그램 기여의 성격과 결과에 대한 프로그램 기여의 타당성을 탐색한다. 결과에 영향을 미칠 수 있는 다른 잠재적인 요인을 정의한다.
2 단계: 변화에 대한 이론과 위험성 개발하기	프로그램이 원하는 결과를 어떻게 생성하는 지 설명할 수 있는 변화 이론과 근거를 구축한다. 프로그램의 결과와 성과에 대한 프로그램의 기여를 설명하는 로직 모형/결과 연결 고리를 구축한다. 변화 이론의 기초가 되는 가정을 나열한다. 다른 요인이 결과에 어떤 영향을 미칠 수 있는지 고려한다. 변화 이론이 얼마나 논쟁의 여지가 있는지 결정한다.
3 단계: 프로그램의 기여를 뒷받침하는 변화에 대한 이론과 이유에 대한 기존 근거 수집하기	관찰된 결과와 프로그램을 연결하는 논리의 장단점 및 결과에 대한 프로그램 기여의 타당성을 평가한다. 다음의 근거자료를 수집한다: 주요 결과(결과와 성과)의 발생 변경 이론의 기초가 되는 가정과 프로그램의 기여를 설명하는 근거에 대한 타당도 기타 잠재적인 영향을 주는 요인들
4 단계: 프로그램의 기여를 뒷받침하는 변화에 대한 이론과 근거 평가하기	관찰된 결과와 프로그램을 연결하는 근거의 강점과 약점을 결정한다. 관찰된 결과에 대한 프로그램의 기여에 대한 이론의 신뢰성을 판단한다. 이론의 신뢰성에 대한 이해관계자의 의견을 얻는다. 추가 자료 수집을 위해 주요 약점을 확인한다.
5 단계: 추가적인 근거 찾기	필요한 새로운 자료/근거가 무엇인지 확인한다. 변화 이론을 적절히 재검토 및/또는 조정한다. 신뢰도를 높이기 위하여 삼각 측량을 추구하는 여러 접근법을 사용하여 추가 근거를 수집한다.
6 단계: 변화의 기여 이론과 이유를 수정하고 강화하기	이론적 근거의 약점에 초점을 맞춘다; 프로그램 활동과 결과를 연결하는 보다 신뢰할 수 있는 이유를 구축하기 위하여 근거를 강화한다. 과정을 반복하고, 필요에 따라 4 단계로 돌아간다.

출처: Mayne, J. Contribution analysis: coming of age? *Evaluation* 18(3):270-280, 2012의 내용 수정.

로그램 영향과 관련하여 더 유용한 정보를 얻을 수 있다.[84]

전공의나 졸업생에 대한 조사는 일반적으로 교육생들을 임상진료에 대비시키기 위한 전공의 프로그램의 능력에 대한 피드백을 제공하는 데 사용하는 방법이다. 대부분의 경우, 조사에서는 프로그램이 특정 분야에 관련된 임상 조건을 제공하기 위하여 졸업생들을 준비시키는 데 상당히 효과가 있다고 제시한다. 그러나 때때로 이러한 조사는 졸업생들이 그들 실무의 일부 내용, 과제 또는 비임상적 요구 사항을 다룰 준비가 되어 있지 않은 영역을 탐지하는 데 도움이 될 수 있다. 예를 들어, 실무(진료)에 대한 준비와 관련한 설문에 대한 8개 전공 영역의 고참 전공의들의 응답은 전공의를 임상진료에 참여시키고 의미 있는 활동에 기여할 수 있도록 준비시키는지에 대해 다양한 프로그램과 전공영역 간에 상당한 차이를 지적했다.[85] 프로그램을 마치는 시점에 있는 전공의는 자신의 전공영역에서 볼 수 있는 흔한 상황의 환자를 진료할 때 편안함을 느꼈다. 그렇지만, 간혹 당황 스러운 점도 눈에 띤다. 전공의는 특정 상태의 환자를 진료하거나 특정 내용의 환자를 관리할 준비가 되어 있지 않다고 응답하였다. (예: 정신건강의학과 전공의 8%는 섭식장애를 진단하고 치료할 준비가 되어 있지 않았으며, 산부인과 전공의 29%는 요양원에서 환자를 진료할 준비가 되어 있지 않았다). 조사 대상이었던 8개의 전공영역에서 일부 전공의는 비용 효율적인 치료를 선택하고, 품질 보장에 참여하고, 환자 인구집단을 돌보고, 의사가 아닌 간병인과 협업하며, 관리형 치료 환경에서 진료할 준비가 되어 있지 않다고 느꼈다. 이러한 결과는 대부분의 프로그램 설문조사에 포함하기 위한 중요한 항목을 분명하게 시사하고 있다. 그렇지만, 공통 전공영역을 바탕으로 한 조건과 환자진료 맥락에서 나타난 드물고 예상하지 못한 결과는 조사가 광범위하게 이루어져야 하고 프로그램 품질에 관한 근거 없는 가정에 의해서 바이어스가 없어야 함을 의미한다.

인력적 성과. GME 자금 지원에 대한 국가적 소통으로 인하여 다양하고 역량 있는 보건의료 인력에 대한 의학교육 시스템의 역할과 기여에 관한 의문점이 증가하고 있다. 일반적으로 국가 인력 계획과 관련하여 상당한 이견이 있지만, 훈련된 전문의의 비율 측면, 서비스가 부족한 지역에 의사를 배치하는 것, 의사 인력이 미국 인구집단의 다양성을 나타내는 정도에 대해 현재 미국의 노동력이 국가적인 요구에 충족하지 못한다는 주장에는 이견이 거의 없다. 어떤 의미에서, 다양한 학습자 집단의 모집, 준비와 졸업은 우리 의과대학과 GME 프로그램에 점점 더 중요한 과정과 성과측정의 전형적인 예가 되고 있다. GME 프로그램의 제한된 연방 기금에 대한 책임 측정 개발을 고려할 때, 최근 연구는 메디케어(Medicare) 후원 기관의 약 90%에 대한 국가 데이터베이스를 통해 인력 성과측정를 이용할 수 있음을 보여주었다.[86] 최소한 기관 수준에서 프로그램 평가 노력은 졸업생들의 전문과 분포, 인력의 다양성에 대한 기여와 향후 의료 서비스가 소외된 지역에서 진료를 포함하기 시작해야 한다. 고려해야 할 추가 과정측정에는 입학생의 인구통계학적 구성, 소외된 인구집단에 대한 헌신과 전공영역 교육에 대한 목표가 포함된다. 구조측정은 리더십과 변화 관리 훈련, 문화적 역량, 보건 형평성, 보건의 사회적 행동 결정 요소, 인구집단 관리와 같은 학습자의 목표 달성을 지원하는 교육 및 교수개발 활동을 다루어야 한다.[50]

환자결과. 의학교육의 가장 중요한 목적은 환자에게 전달되는 진료의 질을 향상시키는 것이며, 의학교육과정에 대한 대규모 공공투자를 고려할 때, 졸업자가 관리하는 환자와 인구집단에 전달되는 진료의 질을 다루는 교육성과 측정을 포함하는 것이 중요하다. 그러나, 프로그램 평가를 지원하기 위한 임상 성과 자료의 수집은 학습자 성과를 평가하는 데 수반되는 것보다 훨씬 더 중요한 운용상 그리고 측정상 문제를 일으킨다. 학습자의 성과측정과 마찬가지로, 졸업생들에게 임상 수행자료를 수집하는데 수반되는 운용상의 문제는 특히 여러 전공의 프로그램이나 진료현장으로 흩어져 있을 가능성이 높다는 점에서 어려움이 있다. 운용상의 장애를 넘어 평가자들은 보건의료 과정과 성과에 초점을 맞춘 측정방법의 가용성과 질의 한계를 포함한 다음과 같은 중요한 측정 문제에 직면한다.[87,89,91] 환자 인구집단 내의 증례 혼합과 중증도의 차이, 적절한 표본 크기 달성의 어려움, 환자 선호도, 시스템 요소와 기타 임상 팀 구성원의 기여로 인한 귀속(attribution) 문제, 개입과 성과 측정 사이의 지연시간. 교육과정과 임상 성과 사이의 관계에 대한 회의론, 특히 둘을 구분하는 기간이 있을 경우, 프로그램 품질 개선에 대한 정보를 주는 임상 자료를 사용하는 데 또 다른 장애물이 있게 된다. 진료하는 의사는 기본의학교육이 자신의 추후 진료수행에 어떻게 기여하는지 거의 인지하지 못하지만, 졸업후교육이 자신의 미래 진료에 더 큰 영향을 미친다고 느낀다.[92]

그럼에도 불구하고, 보건의료 성과와 이전의 교육경험 사이에 관련성을 증명하는 연구들이 있고 그 영향은 측정할 수 있다.[87] 기존 연구에 따르면, 의사는 어떤 의과대학을 졸업했느냐에 따라 환자진료, 환자결과 그리고 비의사를 포함한 주변 동료들과 환자들에 의한 평가에서도 일부 역량평가 결과에 영향을 받았다.[93-95] 의사면허시험에서 높은 점수를 받은 의대 졸업생들이 특정 증상이 있는 환자에 대하여 보다 적절한 상담과 처방 및 예방적 관리에 도움을 줄 가능성이 높다. 미국과 캐나다의 후속연구에서 또한 의사면허시험에 대한 학생들의 성적과 이들이 제공하는 치료의 질 사이의 긍정적인 관계가 있다고 보고하였다. 마찬가지로, 전공의 프로그램 특성은 전문의 자격시험 점수와 상관관계가 있다는 것이 알려졌으며, 이는 차후에 전문가 역량에 대한 동료 평가와 관련이 있다고 하였다. 보다 최근의 연구는 산부인과 전공의 프로그램이 졸업생의 자연분만과 제왕절개 합병증 비율을 예견함을 보여주었다.[88,100] 비용에 민감한 진료가 특징인 보건의료 시스템에서 수련 받은 수련의는 자격시험 상황에서는 보수적이고 안전한 환자관리 옵션을 선택하겠지만, 실제 진료 상황에 적응이 되면 보다 적극적인 진료 옵션을 선택할 수 있는 능력을 갖추게 된다.[101] 일부 연구에서는 진료 비용, 예방적 보건의료 권고사항의 준수, 상담기술과 의뢰에 초점을 맞춘 외래 진료에서 전공의 수행에 관한 수련 중재 성과를 평가하였다.[102] 최근 대규모 종설 논문에서는 의료 오류 빈도, 사망률, 수술 시간과 수술 중 추정 출혈, 기도 관리, 당뇨 조절, 영상 해석을 포함한 수련 기간 동안 전공의의 환자 진료 성과를 광범위하게 설명하는 90개 이상의 논문들을 고찰하였다. 전공의 수준의 임상 성과 연구는 대부분 수련 중 역량 수준과 교육 중재의 영향 평가에 초점을 맞추었다.[90]

전공의 수련 환경은 전통적인 교육과정 개입 혹은 지역 품질 개선 활동에 참여하는 경험적 학습과 관련된 진료-질-성과 평가에 도움을 준다.[103,104] (진료 과정, 환자 경험 혹은 임상 성과에 초점을 맞춘)진료 품질 측정은 기관의 질적 개선 활동에 전공의(혹은 학생)의 참여를 평가하는 데 적합하다. 예를 들어, 오그링크(Ogrinc)와 동료들은 한 기관에서 실시된 통합 품질개선 교육과정에 전공의가 참여한 결과, 폐구균 예방접종, 정맥 혈전 예방률 뿐만 아니라 손위생 개선과 금연 비율이 증가하였다고설명하였다.[38] 환자진료 성과에 대한 제한된 책임을 감안할 때, PBLI와 SBP에서 학생 수준의 성취도를 평가하기 위하여 임상진료 측정을 사용하는 것이 더욱 어렵다. 그렇지만, 최근 집중되고 있는 의대생을 위한 부가적인 가치 역할 탐구(예: 환자 안내자)는 의대생들이 보건의료 시스템 성과와 환자결과에 미치는 영향 평가가 필요함을 보여주고 있다.[105]

비록 의학교육경험과 환자 임상결과를 연결하는 많은 연구가 있지만, 이러한 연구들은 의학교육프로그램 평가에 관한 출판물 중 상당히 적은 수에 불과하다.[89,106] 이전 단락에서 설명한 일부 연구에서 입증된 바와 같이, 임상 성과에 대한 연구는 상당한 자원, 비교적 복잡한 설계와 많은 참여자를 필요로 한다. 많은 의과대학과 졸업후교육프로그램 지도자는 이러한 대규모 프로젝트에 참여하기 위한 자원이나 전문 지식에 접근할 수 없을 것이다. 그렇지만, 앞에서 언급한 연구의 저자와 기타 전문가들은 대부분의 의학교육자에게 의미 있는 프로그램 평가를 지원하기 위하여 임상 자료를 사용할 수 있는 몇 가지 접근법을 제안하였다.

1. 교육과정 졸업생들의 수행도 평가자료를 수집할 수 있는 한 가지 잠재적인 방법은 아마도 연구 파트너십, 네트워크 또는 컨소시엄의 형태로 교육과 진료의 연속성을 따라 다양한 프로그램에 걸친 노력과 자원을 결합하는 것이다. 이를 통하여 환자진료 성과에 관심이 있는 보건의료 서비스 연구원, 경제학자, 사회학자 등과 같은 다양한 전문가에게 접근할 수 있다.[87,89]

2. 교육과 진료의 연속성(전자 건강기록 자료를 포함한)에 걸쳐 자료를 통합할 수 있는 의무기록부 또는 기타 데이터베이스를 사용함으로써 이해관계자들 간의 협력을 이끌어내고 교육과 임상측정을 연결하는 자료의 결합과 분석을 용이하게 한다.[107]
3. 적절한(또는 부적절한) 치료가 대규모 인구집단에 중요하며 측정 가능한 영향을 미치는 상황에 초점을 맞추는 것이 타당하다.[87] 또한, 실제로 보건 진료 시스템이나 다른 정보에서 이러한 자료를 얻을 수 있을 가능성이 더 높다.
4. 품질 측정 선택시 국가, 전공영역 바탕 또는 기관 우선 순위와의 조정은 측정 자료의 신뢰성을 높이고, 기존 수행 표준을 사용할 수 있으며, 교육성과 측정에 자료를 사용할 수 있는 가능성이 높다.[108]
5. 연구자는 의사의 행동과 직접 연관된 교육학적으로 민감한 성과측정을 알아내는 데 초점을 맞추어야 한다. 예를 들어, 환자 활성화는 환자-의사 면담의 직접적인 성과이고 환자의 복약순응도, 당뇨병 성과와 보건의료 서비스 사용 등에 대한 검증된 대체 측정 방법으로 제시하게 된다.[107]
6. 평가자들은 특정 건강 성과와 관련되며 결정 요인인 다른 과정과 학습자 성과측정을 확인하여야 한다. 학습자의 지식과 술기 성과 또는 환자 행동 혹은 태도를 반영하는 이러한 측정은 임상성과에 좋은 지표로서의 역할을 할 수 있고, 속성 제한 또는 불필요하게 긴 지연 시간과 같이 이전에 설명한 측정 문제에 의해서 억제되지 않을 수 있다.[89,91]
7. 무엇보다도, 평가자들은 자신들의 연구 계획을 추구하고 관련된 표적이 되는 성과를 식별하는 데 있어 목표와 목적에 대한 명확한 생각을 가져야 한다. 임상 성과 자료는 측정 요구와 목표를 충족시키는 데 일부 도움이 된다. 사실, 중요한 프로그램 목표의 적용 범위 측면에서 제한된 범위를 가진 환자결과에 균형이 맞지 않게 집중하게 되면 학습자에게 중요한 다른 교육과정과 성과를 강조하지 못할 수 있다.[91]

학습환경

교육프로그램이 교육 및 임상 환경에 미치는 영향을 고려하는 것은 중요하다. 반대로 프로그램 품질 및 학습자 성과에 대한 교육 환경의 영향도 존재한다. 프로그램이 개별 병원 환경에 미치는 영향의 관점에서, 평가는 교육생과 졸업생 역량의 인지적, 행동적 측면의 책무 범위를 넘어, 교육프로그램의 평가는 기관의 환경에 있어 기반 시설과 문화적 변화에까지 큰 영향을 미친다.[58] 프로그램이 교육자들과 교육생들의 교수학습 경험에 어느 정도 영향을 미치고 있으며, 긍정적인(혹은 부정적인) 효과가 개별 병원 환경으로 어느 정도까지 파급되는가? 교육프로그램의 효과측정은 기관내에서 현재 보건의료 성과에 미치는 영향을 측정하여 얻을 수 있다. 예를 들어, 당뇨 환자에게 제공되는 일상적인 진료 품질에 초점을 맞춘 전공의 PBLI 프로젝트 중에 만족도, 건강 상태의 평점결과 또는 HbA1c 수준과 같은 환자결과를 얻을 수 있다. 물론, 많은 경우에 교육프로그램 실행/혁신 또는 기관의 문화나 교육 기반시설의 향상 중 어느 것이 먼저 시작되었는지 결정하기가 어려울 수 있다. 교육프로그램의 품질과 환경 사이에 어떤 상호 관계가 존재할 가능성이 있다. 사실, 개별 기관 내에서 혁신과 학문적 추구를 지지하는 문화와 결부되어, 의학교육의 품질과 보건의료 사이의 관계는 내과 RRC가 후원하는 교육혁신 프로젝트의 중요한 기본 주제였다. 교육과 품질에 있어 우수성과 혁신에 대한 입증의 대가로 참여하는 전공의 프로그램은 연장된 인증 주기를 제공받았다.[109]

교육프로그램이 학습환경에 미치는 영향을 고려하는 것에 더하여, 교육프로그램에 위치하는 학습환경의 영향과 주요 프로그램 목표를 달성하는 학습자의 성공을 이해하고 측정하는 것도 중요하다.[110,111] 의학교육 학습환경을 평가하기 위하여 많은 도구가 개발되었다. 그렇지만, 측정되는 구성 측면에서 이러한 도구들 간의 일관성이 거의 없다. 그러나, 이러한 도구가 파생된 이론적 구조의 검토는 학습환경의 중요한 구성요소를 반영하는 세 가지 영역을 식별하였다. 목적 지향, 관계, 조직/규제.[110] 따라서 프로그램의 학습환경을 평가하기 위하여 선택된 측정 도구는 다음 요소 중 한 가지 이상을 다루어야 한다.

1. 목적 지향은 환경이 내용과 목표를 통하여 어떻게 학습자의 성장과 발전에 지원하고 있는지 초점을 맞추어야 한다. 구체적인 요소에는 학습 목표의 명확성, 학습 내용의 관련성, 건설적인 피드백의 사용이 포함된다.
2. 관계 차원에서는 환경의 개방과 지원에 초점을 맞춘다. 구체적인 요소에는 개방적인 의사소통, 학습자 응집력, 참여뿐만 아니라 학습자와 교수의 사회적, 정서적 지원이 포함된다.
3. 규제와 조직 영역은 교육프로그램 내에서 유지와 변화에 초점을 맞춘다. 구체적인 요소에는 프로그램 내의 조직과 순서, 통제력을 유지하고 기대를 표현하며, 변화에 대응하는 방법, 교수와 학습자의 역할이 포함된다.

쇤록-아데마(Schönrock-Adema)와 동료들은 의학교육 환경을 평가하는 데 흔히 사용되는 도구가 이러한 영역에 어떻게 도표화되는지 요약하였다.[110]

졸업후의학교육에서 ACGME의 임상학습환경 검토(Clinical Learning Environment Review, CLER) 프로그램은 인증 요건으로 학습환경의 구조적 평가를 도입하였다.[111] CLER 프로그램은 환자 안전, 품질 개선, 치료 전환(transitions in care), 감독, 의무 감독 및 피로 관리와 완화, 전문성 등 여섯 가지 중점 분야를 포함하고 있다. CLER은 프로그램 후원 기관의 학습환경의 기반시설와 기관의 품질과 안전성에 대한 전공의 참여를 지원하고 여섯 가지 중점 분야와 관련하여 전공의 학습과 개발을 지원하는 범위에 초점을 맞추고 있다.[112] 2016년 *Journal of Graduate Medical Education* 5월 호 부록에는 CLER 사이트를 첫 방문한 297건의 결과를 요약한 여러 논문이 수록되어 있으며, 여기에는 GME 학습환경 개선에 대한 교훈과 개선 기회에 대한 내용이 포함되어 있다.

보고와 피드백

평가과정의 보고서와 피드백은 가능한 한 구체적이어야 하고(특히, 평가에 근거한 모든 권고 사항), 프로그램 또는 특정 중재로 인한 긍정적 결과와 부정적 성과 모두에 대하여 자세하게 설명하여야 한다. 프로그램 평가 결과를 설명하는 데 있어 복수의 형식(발표, 상세 서면 보고서, 도표와 그래프)을 사용하는 것이 도움이 될 수 있다.[11] 평가 결과의 보고에는 이해관계자가 자신의 프로그램에 대한 결과의 관련성을 확인하거나 다른 환경에서 중재를 재현하는 데 필요한 만큼 중재와 그 실행에 영향을 미치는 상황적 요인에 대한 많은 정보가 포함되어야 한다.[11,29] 과정과 성과 분석 및 변경 사항을 완전하게 보고하는 단점, 실행 단계 또는 전략의 변화는 복잡한 중재를 평가하고 평가 결과에 기반한 해석이나 활동을 이해하고, 다른 교육적 맥락에서 이러한 중재를 적용하는 데 걸림돌이 되어 왔다.[27]

결론

교육프로그램의 평가는 프로그램 지도자의 핵심 책무이다. 확실한 평가를 통하여 교육프로그램은 재정 지원자와 인증단체를 포함한 다양한 이해관계자의 요구와 요건을 충족할 수 있고, 지속적인 개선 노력을 유도하며 의학교육 실무를 바탕으로 한 근거 개발을 지원하게 된다. 다양한 모형과 방법은 평가자를 지원하기 위하여 이용되며, 평가자는 다양한 모형 중 가장 적절한 요소를 보완적인 방법으로 사용하여 자신의 요구를 가장 잘 충족시킬 것을 권고한다.

양질의 평가 계획의 구축은 평가 목표를 명확히 정의하고 교육프로그램의 성공을 보장하는 데 관심이 있는 이해관계자의 참여로부터 시작한다. 평가자는 평가 목표를 달성하기 위하여 다양한 모형에서 차용하는 것 이외에도, 프로그램 목표를 달성하는 정도와 프로그램을 개선할 수 있는 방법을 포함하여 프로그램을 포괄적으로 보기 위한 광범위한 구조, 과정, 성과측정을 포함해야 한다. 마지막으로 평가자는 교육프로그램 지도자에게 정확하고 포괄적이며 실행 가능한 피드백을 제공함으로써 과정의 순환 고리를 완성하는 것이 중요하다.

참고문헌

1. Accreditation Council for Graduate Medical Education (ACGME): Glossary of terms. July 1, 2013. Available at http://www.acgme.org/Portals/0/PDFs/ab_ACGMEglossary.pdf?ver=2015-11-06-115749-460.
2. Frye AW, Hemmer PA. Program evaluation models and related theories: AMEE guide no. 67. *Med Teach.* 2012;34(5):e288-e299.
3. Durning SJ, Hemmer P, Pangaro LN. The structure of program evaluation: an approach for evaluating a course, clerkship, or components of a residency or fellowship training program. *Teach Learn Med.* 2007;19(3):308-318.
4. Glassick, C.E., M.T. Huber, and G.I. Maeroff, Scholarship assessed evaluation of the professoriate. 1st ed. 1997, San Francisco, CA: Jossey-Bass.
5. Goldie J. AMEE Education guide no. 29: evaluating educational programmes. *Med Teach.* 2006;28(3):210-224.
6. W. K. Kellogg Foundation: *W. K. Kellogg Foundation Evaluation Handbook.* Available at https://www.wkkf.org/resource-directory/resource/2010/w-k-kellogg-foundation-evaluation-handbook.
7. Stufflebeam DL, Coryn CLS. Daniel Stufflebeam's CIPP model for evaluation: an improvement- and accountability-oriented approach. In: *Evaluation Theory, Models and Applications.* 2nd ed. San Francisco: Jossey-Bass; 2014:309-339.
8. Wand T, White K, Patching J. Applying a realist(ic) framework to the evaluation of a new model of emergency department based mental health nursing practice. *Nurs Inq.* 2010;17(3):231-239.
9. McEvoy P, Richards D. A critical realist rationale for using a combination of quantitative and qualitative methods. *J Res Nurs.* 2006;11:66-78.
10. Haji F, Morin MP, Parker K. Rethinking programme evaluation in health professions education: beyond "did it work?". *Med Educ.* 2013;47(4):342-351.
11. Craig P, Dieppe P, Macintyre S, et al; Medical Research Council: Developing and evaluating complex interventions: new guidance. 1-39, 2008. Available at http://www.mrc.ac.uk/documents/pdf/complex-interventions-guidance/.
12. Salter KL, Kothari A. Using realist evaluation to open the black box of knowledge translation: a state-of-the-art review. *Implement Sci.* 2014;9:115.
13. Johnson RB, Onwuegbuzie AJ. Mixed methods research: a research paradigm whose time has come. *Educ Res.* 2004;33(7):14-26.
14. Wong G, Greenhalgh T, Pawson R. Internet-based medical education: a realist review of what works, for whom and in what circumstances. *BMC Med Educ.* 2010;10:12.
15. Kirkpatrick D. Evaluation of training. In: Craig RL, Bittel LR, eds. *Training and Development Handbook.* New York: McGraw-Hill; 1967:87-112.
16. Parker K, Burrows G, Nash H, Rosenblum ND. Going beyond Kirkpatrick in evaluating a clinician scientist programme: it's not "if it works" but "how it works.". *Acad Med.* 2011;86(11):1389-1396.
17. Yardley S, Dornan T. Kirkpatrick's levels and education "evidence.". *Med Educ.* 2011;46(1):97-106.
18. Miller GE. The assessment of clinical skills/competence/performance. *Acad Med.* 1990;65(suppl 9):S63-S67.
19. Moore Jr DE, Greene JS, Gallis HA. Achieving desired results and improved outcomes: integrating planning and assessment throughout learning activities. *J Contin Educ Health Prof.* 2009;29(1):1-15.

20. W. K. Kellogg Foundation: *W. K. Kellogg Foundation Logic Model Development Guide.* Updated January 2004. Available at https://www.wkkf.org/resource-directory/resource/2006/02/wk-kellogg-foundation-logic-model-development-guide.
21. Morzinski JA, Montagnini ML. Logic modeling: a tool for improving educational programs. *J Palliat Med.* 2002;5(4):566-570.
22. Sundra DL, Scherer J, Anderson LA. Prevention Research Centers Program Office: A guide on logic model development for the CDC's prevention research centers. Available at https://www.bja.gov/evaluation/guide/documents/cdc-logic-model-development.pdf.
23. Armstrong EG, Barsion SJ. Using an outcomes-logic-model approach to evaluate a faculty development program for medical educators. *Acad Med.* 2006;81(5):483-488.
24. Durning SJ, Pangaro L, Denton GD, et al. Intersite consistency as a measurement of programmatic evaluation in a medicine clerkship with multiple, geographically separated sites. *Acad Med.* 2003;78(suppl 10):S36-S38.
25. Hauff SR, Hopson LR, Losman E, et al. Programmatic assessment of level 1 milestones in incoming interns. *Acad Emerg Med.* 2014;21(6):694-698.
26. Lypson ML, Frohna JG, Gruppen LD, Wooliscroft JO. Assessing residents' competencies at baseline: identifying the gaps. *Acad Med.* 2004;79(6):564-570.
27. Craig P, Dieppe P, Macintyre S, et al. Developing and evaluating complex interventions: the new Medical Research Council guidance. *BMJ.* 2008;337. a1655.
28. Eccles M, Grimshaw J, Campbell M, Ramsay C. Research designs for studies evaluating the effectiveness of change and improvement strategies. *Qual Saf Health Care.* 2003;12(1):47-52.
29. Campbell NC, Murray E, Darbyshire J, et al. Designing and evaluating complex interventions to improve health care. *BMJ.* 2007;334(7591):455-459.
30. Singh MD. Evaluation framework for nursing education programs: application of the CIPP model. *Int J Nurs Educ Scholarsh 1:(Article 13).* 2004.
31. Petro-Nustas W. Evaluation of the process of introducing a quality development program in a nursing department at a teaching hospital: the role of a change agent. *Int J Nurs Stud.* 1996;33(6):605-618.
32. Steinert Y, Cruess S, Cruess R, Snell L. Faculty development for teaching and evaluating professionalism: from programme design to curriculum change. *Med Educ.* 2005;39(2):127-136.
33. Hogan MJ. Evaluating an intern/residency program. *J Am Osteopath Assoc.* 1992;92(7):912-915.
34. Kahn KL, Mendel P, Weinberg DA, et al. Approach for conducting the longitudinal program evaluation of the US Department of Health and Human Services National Action Plan to prevent healthcare-associated infections: roadmap to elimination. *Med Care.* 2014;52(2 Suppl 1):S9-S16.
35. Pawson R, Tilley N. Realist evaluation. Available at http://www.communitymatters.com.au/RE_chapter.pdf. Accessed July 26, 2016 2004.
36. Pawson R. *The Science of Evaluation: A Realist Manifesto.* London: Sage Publications; 2013.
37. Wong G, Greenhalgh T, Westhorp G, Pawson R. Realist methods in medical education research: what are they and what can they contribute? *Med Educ.* 2012;46(1):89-96.
38. Ogrinc G, Ercolano E, Cohen ES, et al. Educational system factors that engage resident physicians in an integrated quality improvement curriculum at a VA hospital: a realist evaluation. *Acad Med.* 2014;89(10):1380-1385.
39. Meier K, Parker P, Freeth D. Mechanisms that support the assessment of interpersonal skills: a realistic evaluation of the interpersonal skills profile in pre-registration nursing students. *J Pract Teach Learn.* 2014;12:6-24.
40. Schierhout G, Hains J, Si D, et al. Evaluating the effectiveness of a multifaceted, multilevel continuous quality improvement program in primary health care: developing a realist theory of change. *Implement Sci.* 2013;8:119.
41. Blamey A, Mackenzie M. Theories of change and realistic evaluation: peas in a pod or apples and oranges? *Evaluation.* 2007;13(4):439-455.
42. Sorinola OO, Thistlethwaite J, Davies D, Peile E. Faculty development for educators: a realist evaluation. *Adv Health Sci Educ Theory Pract.* 2015;20(2):385-401.
43. Woodward CA. Program evaluation. In: Norman GR, van der Vleuten CPM, Newble DI, eds. *International Handbook of Research in Medical Education.* Dordrecht: Kluwer Academic Publishers; 2002:127-155.
44. Musick DW. A conceptual model for program evaluation in graduate medical education. *Acad Med.* 2006;81(8):759-765.
45. Carney PA, Nierenberg DW, Pipas CF, et al. Educational epidemiology: applying population-based design and analytic approaches to study medical education. *JAMA.* 2004;292(9):1044-1050.
46. Cook DA, Andriole DA, Durning SJ, et al. Longitudinal research databases in medical education: facilitating the study of educational outcomes over time and across institutions. *Acad Med.* 2010;85(8):1340-1346.
47. Vroeijenstijn AI. Quality assurance in medical education. *Acad Med.* 1995;70(suppl 7):S59-S67.
48. Suwanwela C. A vision of quality in medical education. *Acad Med.* 1995;70(suppl 7):S32-S37.
49. Gerrity MS, Mahaffy J. Evaluating change in medical school curricula: how did we know where we were going? *Acad Med.* 1998;73(suppl 9):S55-S59.
50. Sokal-Gutierrez K, Ivey SL, Garcia R, Azzam A. Evaluation of the Program in Medical Education for the Urban Underserved (PRIME-US) at the UC Berkeley-UCSF Joint Medical Program (JMP): the first 4 years. *Teach Learn Med.* 2015;27(2):189-196.
51. Kogan JR, Shea JA. Course evaluation in medical education. *Teach Teacher Educ.* 2007;23:251-264.
52. Norcini JJ, Grosso LJ, Shea JA, Webster GD. The relationship between features of residency training and ABIM certifying examination performance. *J Gen Intern Med.* 1987;2(5):330-336.
53. Christensen L, Karle H, Nystrup J. Process-outcome interrelationship and standard setting in medical education: the need for a comprehensive approach. *Med Teach.* 2007;29(7):672-677.
54. Fowell SL, Southgate LJ, Bligh JG. Evaluating assessment: the missing link? *Med Educ.* 1999;33(4):276-281.
55. Margolis MJ, Clauser BE, Cuddy MM, et al. Use of the mini-clinical evaluation exercise to rate examinee performance on a multiple-station clinical skills examination: a validity study. *Acad Med.* 2006;81(suppl 10):S56-S60.
56. Griffith 3rd CH, Wilson JF, Haist SA, et al. Internal medicine clerkship characteristics associated with enhanced student examination performance. *Acad Med.* 2009;84(7):895-901.
57. Holmboe ES, Hawkins RE, Huot SJ. Effects of training in direct observation of medical residents' clinical competence: a randomized trial. *Ann Intern Med.* 2004;140(11):874-881.

58. Blumberg P. Multidimensional outcome considerations in assessing the efficacy of medical educational programs. *Teach Learn Med.* 2003;15(3):210-214.
59. Stone SL, Qualters DM. Course-based assessment: implementing outcome assessment in medical education. *Acad Med.* 1998;73(4):397-401.
60. Bordage G, Burack JH, Irby DM, Stritter FT. Education in ambulatory settings: developing valid measures of educational outcomes, and other research priorities. *Acad Med.* 1998;73(7):743-750.
61. Holmboe ES, Sherbino J, Long DM, et al. The role of assessment in competency-based medical education. *Med Teach.* 2010;32(8):676-682.
62. Association of American Medical Colleges. *Core Entrustable Professional Activities for Entering Residency: Faculty and Learners' Guide.* Washington, DC: AAMC; 2014. Available at http://members.aamc.org/eweb/upload/Core%20EPA%20Faculty%20and%20Learner%20Guide.pdf.
63. Holmboe ES, Edgar L, Hamstra S. *The Milestones Guidebook. Version 2016.* Chicago: Accreditation Council for Graduate Medical Education; 2016. Available at http://www.acgme.org/Portals/0/MilestonesGuidebook.pdf.
64. Hauer KE, Clauser J, Lipner RS, et al. The internal medicine reporting milestones: cross-sectional description of initial implementation in U.S. residency programs. *Ann Intern Med.* 2016;165(5):356-362.
65. Beeson MS, Holmboe ES, Korte RC, et al. Initial validity analysis of the emergency medicine milestones. *Acad Emerg Med.* 2015;22(7):838-844.
66. Roop SA, Pangaro L. Effect of clinical teaching on student performance during a medicine clerkship. *Am J Med.* 2001;110(3):205-209.
67. Smith SR. Correlations between graduates' performances as first-year residents and their performances as medical students. *Acad Med.* 1993;68(8):633-634.
68. Brown E, Rosinski EF, Altman DF. Comparing medical school graduates who perform poorly in residency with graduates who perform well. *Acad Med.* 1993;68(10):806-808.
69. Papadakis MA, Teherani A, Banach MA, et al. Disciplinary action by medical boards and prior behavior in medical school. *N Engl J Med.* 2005;353(25):2673-2682.
70. Teherani A, Hodgson CS, Banach M, Papadakis MA. Domains of unprofessional behavior during medical school associated with future disciplinary action by a state medical board. *Acad Med.* 2005;80(suppl 10):S17-S20.
71. Kassebaum DG. The measurement of outcomes in the assessment of educational program effectiveness. *Acad Med.* 1990;65(5):293-296.
72. Arnold L, Willoughby TL. The empirical association between student and resident physician performances. In: Gonnella JS, Hojat M, Erdmann JB, Veloski JJ, eds. *Assessment Measures in Medical School, Residency, and Practice: The Connections.* New York: Springer; 1993:71-82.
73. McGuire C. Perspectives in assessment. In: Gonnella JS, Hojat M, Erdmann JB, Veloski JJ, eds. *Assessment Measures in Medical School, Residency, and Practice: The Connections.* New York: Springer; 1993:3-16.
74. Gonnella JS, Hojat M, Erdmann JB, Veloski JJ. A case of mistaken identity: signal and noise in connecting performance assessments before and after graduation from medical school. In: Gonnella JS, Hojat M, Erdmann JB, Veloski JJ, eds. *Assessment Measures in Medical School, Residency, and Practice: The Connections.* New York: Springer; 1993:17-34.
75. Hojat M, Gonnella JS, Veloski JJ, Erdmann JB. Is the glass half full or half empty? A reexamination of the associations between assessment measures during medical school and clinical competence after graduation. In: Gonnella JS, Hojat M, Erdmann JB, Veloski JJ, eds. *Assessment Measures in Medical School, Residency, and Practice: The Connections.* New York: Springer; 1993:137-152.
76. Hawkins RE, Margolis MJ, Durning SJ, Norcini JJ. Constructing a validity argument for the mini-Clinical Evaluation Exercise: a review of the research. *Acad Med.* 2010;85(9):1453-1461.
77. Verhulst SJ, Distlehorst LH. Examination of nonresponse bias in a major residency follow-up study. In: Gonnella JS, Hojat M, Erdmann JB, Veloski JJ, eds. *Assessment Measures in Medical School, Residency, and Practice: The Connections.* New York: Springer; 1993:121-127.
78. Vu NV, Distlehorst LH, Verhulst SJ, Colliver JA. Clinical performance-based test sensitivity and specificity in predicting first-year residency performance. In: Gonnella JS, Hojat M, Erdmann JB, Veloski JJ, eds. *Assessment Measures in Medical School, Residency, and Practice: The Connections.* New York: Springer; 1993:83-92.
79. Markert RJ. The relationship of academic measures in medical scholl to performance after graduation. In: Gonnella JS, Hojat M, Erdmann JB, Veloski JJ, eds. *Assessment Measures in Medical School, Residency and Practice: The Connections.* New York: Springer; 1993:63-70.
80. Kenny S, McInnes M, Singh V. Associations between residency selection strategies and doctor performance: a meta-analysis. *Med Educ.* 2013;47(8):790-800.
81. Lavin B, Pangaro L. Internship ratings as a validity outcome measure for an evaluation system to identify inadequate clerkship performance. *Acad Med.* 1998;73(9):998-1002.
82. Mayne J. Contribution analysis: an approach to exploring cause and effect. *ILAC Brief.* May 2008;16.
83. Mayne J. Addressing attribution through contribution analysis: using performance measures sensibly. *Discussion Paper, Office of the Auditor General of Canada.* June 1999.
84. Kotvojs F: Contribution analysis: a new approach to evaluation in international development. Paper presented at the Australian Evaluation Society 2006 International Conference, Darwin. Available at http://www.aes.asn.au/images/stories/files/conferences/2006/papers/022%20Fiona%20Kotvojs.pdf.
85. Blumenthal D, Gokhale M, Campbell EG, Weissman JS. Preparedness for clinical practice: reports of graduating residents at academic health centers. *JAMA.* 2001;286(9):1027-1034.
86. Chen C, Petterson S, Phillips RL, et al. Toward graduate medical education (GME) accountability: measuring the outcomes of GME institutions. *Acad Med.* 2013;88(9):1267-1280.
87. Tamblyn R. Outcomes in medical education: what is the standard and outcome of care delivered by our graduates? *Adv Health Sci Educ Theory Pract.* 1999;4(1):9-25.
88. Asch DA, Nicholson S, Srinivas SK, et al. How do you deliver a good obstetrician? Outcome-based evaluation of medical education. *Acad Med.* 2014;89(1):24-26.
89. Chen FM, Bauchner H, Burstin H. A call for outcomes research in medical education. *Acad Med.* 2004;79(10):955-960.
90. Van der Leeuw RM, Lombarts KM, Arah OA, Heineman MJ. A systematic review of the effects of residency training on patient outcomes. *BMC Med.* 2012;10:65.

91. Cook DA, West CP. Perspective: reconsidering the focus on "outcomes research" in medical education: a cautionary note. *Acad Med.* 2013;88(2):162-167.
92. Renschler HE, Fuchs U. Lifelong learning of physicians: contributions of different phases to practice performance. *Acad Med.* 1993;68(suppl 2):S57-S59.
93. Goldberg M, Tamblyn R, et al: Risk of adverse gastrointestinal events in seniors after prescription of nonsteroidal anti-inflammatory drugs: does training at specific medical schools affect patient outcome? The Canadian Pharmacoepidemiology Forum, 1995.
94. Lockyer JM, Violato C, Wright BJ, Fidler HM. An analysis of long-term outcomes of the impact of curriculum: a comparison of the three- and four-year medical school curricula. *Acad Med.* 2009;84(10):1342-1347.
95. Monette J, Tamblyn RM, McLeod PJ, Gayton DC. Characteristics of physicians who frequently prescribe long-acting benzodiazepines for the elderly. *Eval Health Prof.* 1997;20(2):115-130.
96. Tamblyn R, Abrahamowicz M, Brailovsky C, et al. Association between licensing examination scores and resource use and quality of care in primary care practice. *JAMA.* 1998;280(11):989-996.
97. Norcini JJ, Boulet JR, Opalek A, Dauphinee WD. The relationship between licensing examination performance and the outcomes of care by international medical school graduates. *Acad Med.* 2014;89(8):1157-1162.
98. Wenghofer E, Klass D, Abrahamowicz M, et al. Doctor scores on national qualifying examinations predict quality of care in future practice. *Med Educ.* 2009;43(12):1166-1173.
99. Ramsey PG, Carline JD, Inui TS, et al. Predictive validity of certification by the American Board of Internal Medicine. *Ann Intern Med.* 1989;110(9):719-726.
100. Asch DA, Nicholson S, Srinivas S, et al. Evaluating obstetrical residency programs using patient outcomes. *JAMA.* 2009;302(12):1277-1283.
101. Sirovich BE, Lipner RS, Johnston M, Holmboe ES. The association between residency training and internists' ability to practice conservatively. *JAMA Intern Med.* 2014;174(10):1640-1648.
102. Bowen JL, Irby DM. Assessing quality and costs of education in the ambulatory setting: a review of the literature. *Acad Med.* 2002;77(7):621-680.
103. Dolan BM, Yialamas MA, McMahon GT. A randomized educational intervention trial to determine the effect of online education on the quality of resident-delivered care. *J Grad Med Educ.* 2015;7(3):376-381.
104. Hussain SA, Woehrlen TH, Arsene C, et al. Successful resident engagement in quality improvement: the Detroit Medical Center story. *J Grad Med Educ.* 2016;8(2):214-218.
105. Gonzalo JD, Graaf D, Johannes B, et al. Adding value to the health care system: identifying value-added systems roles for medical students. *Am J Med Qual.* 2016. [Epub ahead of print].
106. Prystowsky JB, Bordage G. An outcomes research perspective on medical education: the predominance of trainee assessment and satisfaction. *Med Educ.* 2001;35(4):331-336.
107. Kalet AL, Gillespie CC, Schwartz MD, et al. New measures to establish the evidence base for medical education: identifying educationally sensitive patient outcomes. *Acad Med.* 2010;85(5):844-851.
108. Haan CK, Edwards FH, Poole B, et al. A model to begin using clinical outcomes in medical education. *Acad Med.* 2008;83(6):574-580.
109. Accreditation Council for Graduate Medical Education: EIP program requirements. http://www.acgme.org. 2006.
110. Schönrock-Adema J, Bouwkamp-Timmer T, van Hell EA, Cohen-Schotanus J. Key elements in assessing the educational environment: where is the theory?. *Adv Health Sci Educ.* 2012;17(5). 827-742.
111. Thibault GE. The importance of an environment conducive to education. *J Grad Med Educ.* 2016;8(2):134-135.
112. Weiss KB, Wagner R, Nasca TJ. Development, testing, and implementation of the ACGME Clinical Learning Environment Review (CLER) program. *J Grad Med Educ.* 2012;4(3):396-398.
113. Wagner R, Weiss KB. Lessons learned and future directions: CLER National Report of Findings 2016. *J Grad Med Educ.* 2016;8(2 Suppl 1):55-56.
114. Clinical Learning Environment Review (CLER) National Report of Findings 2016. *J Grad Med Educ.* 8(2 Suppl 1):5-a39.
115. Findings from the Long-Term Career Outcome Study (LTCOS) and related work. *Mil Med.* 2015;180(Suppl 4):1-172.

부록 16.1

프로그램 평가 연습

기존의 교육프로그램이나 혁신 프로그램/새로운 프로그램에서 직면하고 있는 한 가지 문제를 생각해 본다. 예를 들어, 어떤 일이 당신이 원하는 만큼 잘 진행되지 않았거나, 상황이 어떻게 돌아가는지 제대로 알지 못하는 경우.

1 단계) 해당 문제와 관련된 목적진술. 이 문장을 완성해 본다. "만약 내가 …을 안다면, 프로그램이 좋다고 느낄 것이다" 또는 "나는 …인지를 알아야 한다", 혹은 "내가 …을 발견하게 되면 나는 당황할 것이다."

2 단계) 당신의 질문에 대한 답변으로 "성공"이라고 결정하는 데 어떤 "성과" 또는 "이후" 측정이 도움이 될 것인가? 도움이 될 것으로 생각되는 것을 가능한 많이 열거한다. 단기 그리고 장기적인 것을 모두 열거한다.(*=필수적인 것이라고 생각하는 것)

단기 성과 측정 **장기 성과 측정**

3 단계) 프로그램이 진행하는 동안 어떤 측정(사정)을 수행했는가? 이러한 측정은 목표하는 성과와 일치해야 한다.

- 이러한 측정에서 고려해야할 사항: 사정방법의 실현 가능성(할 수 있는가), 신뢰도, 타당도.
- 측정유형이 과정측정인지, 결과측정인지, 정성적인지 정량적인지, 필수적인지 혹은 바람직한 지 생각해보시오.
- 측정에 필요한 자원이 무엇인지 다시 살펴본다.

프로그램 과정 중 측정	과정 혹은 결과	정량적 혹은 정성적	필수적 혹은 바람직	자원 (시간, 자금, 인적 자원)

4단계) 어떠한 기준점 또는 **"이전"** 측정이 필요한가? [중재와 대조군을 비교하고 수행도의 차이를 보정하고 프로그램의 결과가 무엇인지 이해하는 데 도움이 된다.]

- 측정 유형이 정량적인지 정성적인지, 필수적인지 또는 바람직한 것인지 생각해본다.
- 측정에 필요한 자원이 무엇인지 다시 살펴본다.

프로그램 과정 이전 측정	정량적 혹은 정성적	필수적 혹은 바람직	자원 (시간, 자금, 인적 자원)

5 단계) 이 평가에서 "황색과 적색 경고"를 확인한다 – 만약 이것이 발생한다면(즉, 특정 인증 문제) 무엇이 당신을 잠 못 들게 할 것인가? 정량화(숫자화), 정성화(단어), 과정(내용), 결과측정 등을 나열하시오.

황색 경고 (발견할 시, 자료의 "표본추출"을 더 자주 고려한다)	**적색 경고** (발견할 시, 즉각적으로 무엇이든 행해야 한다)

6 단계) 3-5단계로 다시 돌아간다. 적색과 황색 경고를 바탕으로 수집할 필요가 있는 추가적인 정보("평가할 내용"– "전", "중" 및/또는 "후" 측정)가 있는가?

7 단계) 3-6 단계로 돌아간다. 오른쪽 여백에 각 단계에 대하여 "필요한 자원"(시간, 인적 자원, 자금)과 각 단계의 장애물이 될 수 있는 것을 기록한다.

8 단계) 이러한 중재로 인하여 발생할 수 있는 예상하지 못한 성과는 무엇이고 이러한 성과를 어떻게 감지할 수 있는가?

Index

ㄱ

ㄴ

ㄷ

ㄹ

ㅁ

ㅂ

ㅅ

ㅇ

ㅈ

ㅊ

ㅋ

ㅌ

ㅍ

ㅎ